Oxford University Press, Amen House, London E.C.4

GLASGOW NEW YORK TORONTO MELBOURNE WELLINGTON
BOMBAY CALCUTTA MADRAS KARACHI LAHORE DACCA
CAPE TOWN SALISBURY NAIROBI IBADAN ACCRA
KUALA LUMPUR HONG KONG

TITI LIVI
AB VRBE CONDITA

RECOGNOVERVNT
ET ADNOTATIONE CRITICA INSTRVXERVNT

ROBERTVS SEYMOUR CONWAY

ET

STEPHANVS KEYMER JOHNSON

TOMVS IV. LIBRI XXVI–XXX

OXONII
E TYPOGRAPHEO CLARENDONIANO

OXONII

Excudebat Vivianus Ridler

Architypographus academicus

FIRST EDITION 1935
REPRINTED 1953 (WITH CORRECTIONS), 1957, 1960, 1964

PRINTED IN GREAT BRITAIN

PRAEFATIO AD LECTOREM

§ 82.[1] TRISTIS mihi sors obtingit ut solus hunc librum emittam, collega inlustrissimo orbatus; nam ut ille ipse in tertio Tomo Waltersium, sic nos Conwaium in hoc quarto summa erga eum pietate deploramus. Quantum uero in his etiam Liui Libris edendis et Waltersio et Conwaio debeatur, tu, lector, facile intellexeris. Ille enim iam inde ab anno 1919 usque ad annum 1925 et in Libris XXVI–XXX codices *PAH* magnam partem perlegerat et quid ipse de nonnullis locis sentiret indicauerat in tabellis:[2] hic interea Florentiae inter annos 1920 et 1927 in codicibus *M* et *N* scrutandis multum elaborauerat.[3] Anno autem 1927 Conwaius post Waltersii mortem cum me sibi adiutorem adsciuisset, mihi quidem munus adsignauit commentarii in hos Libros componendi, ita tamen ut et suo nomine adnotationes suas de *M* et *N* includerem[4] et priusquam adnotationem de obscuriore quolibet loco scriberem (et ubi scrupulus uel minimus adesset) nos una simul rem disputando perpenderemus; conuenitque inter nos ut siue ille me adsentiente siue adsentiente illo ipse quid excogitauissem, uoces 'scripsimus' uel 'nos' adnotationibus subiceremus; sicubi tamen inter nos dissensissemus, ut illius iudicio, sicut par erat, cederem, et ut 'ego' uel 'ipse' Conwaii sententiam, 'Johnson' meam denotaret. Hoc opus et disputandi et commentarii scribendi (necnon codices denuo inspiciendi) iam tandem anno 1932

[1] De paragrapharum numeris uide *Sigla* ad fin.

[2] In huius Tomi commentario Waltersii mentionem inuenies ubicumque quid ille de lectione qualibet sensisset certum nobis erat.

[3] Neque ante annum 1930 insignem hunc laborem (u. § 92 et in Tom. III §§ 60–65) confecit.

[4] Harum postea nonnullas coacti sumus e commentario excidere.

PRAEFATIO

confeceramus; at mense iam Septembri anni 1933 tertia fere pars huius Tomi in primis prelatorum schedis excusa erat cum Conwaium fata interceperunt. Equidem rationem adnotationum nobis descriptam retinui; et si qua sententiam meam mutaui, id egi ut per uoces 'malim ipse' (sc. ipse Conwaius) et similia quid Conwaius (saltem inter annos 1927 et 1932) sensisset lectori semper expromerem.[1]

§ 83. *De Stirpibus P et Σ*. In quinque prioribus Libris huius Decadis summam auctoritatem habet codex Puteanus (*P*): in Libris XXVI–XXX partitam eam habet cum Spirensiana[2] quam uocamus stirpe (Σ). Hanc autem traditionem, non per quemquam unum codicum nunc exstantium seruatam, sed partim per locos ex codice Spirensi (cuius unum manet folium) a Rhenano prolatos, partim per fragmenta Taurinensia, partim per supplementa correctorum in codices *AN* inserta, partim denique per codices Puteani traditione contaminatos, hodie editoribus quomodocumque indagandam esse constat.[3]

In pagina huic aduersa depingitur stemma codicum, quo clariora sint quae sequuntur.[4]

§ 84. *De ultima parte Codicis Puteani*. Librorum XXVI–XXX in Puteano hodie exstant cum omnia [5] usque ad 30. 30. 14 (*creatus cum*; fol. 469 u. ad fin.) tum unum folium, quod praebet ab 30. 37. 3 (*neque domare[n]t*) usque ad 30. 38. 2

---

[1] Contra in hac Praefatione (cuius solus rationem reddo) 'ego' = Johnson.

[2] Adiectiuum uix accurate usurpatur ad totam illam traditionem designandam, sed satis, opinor, ad rem conuenit.

[3] Postquam fides Spirensiana ab Heerwagenio, Halmio, Mommsenio certe confirmata ac stabilita est, nemo tantum in hanc rem contulit quantum Augustus Luchs (*T. Liui Ab Vrbe Condita Libri XXVI–XXX*, Berolini 1879); uide praecipue § 91 infra.

[4] Simplicius quidem hoc stemma depictum est quam quod rem totam indicaret; sed satis, spero, et duas stirpes indicat et quomodo oriundi sint codices contaminati (*V* Θ etc.).

[5] Praeter lacunas scilicet quas infra memoro.

PRAEFATIO

(*Carthagi-[niensibus]*). Coniecit autem E. K. Rand[1] (ob studia illa quibus de codice Romano (*R*) felicissime se dedit) iam tum ad initium saeculi noni, cum codex ille ex Puteano describeretur, nihil fere amplius Libri XXX quam hodie in *P* exstitisse. Cum tamen idem Rand rem esse incertam

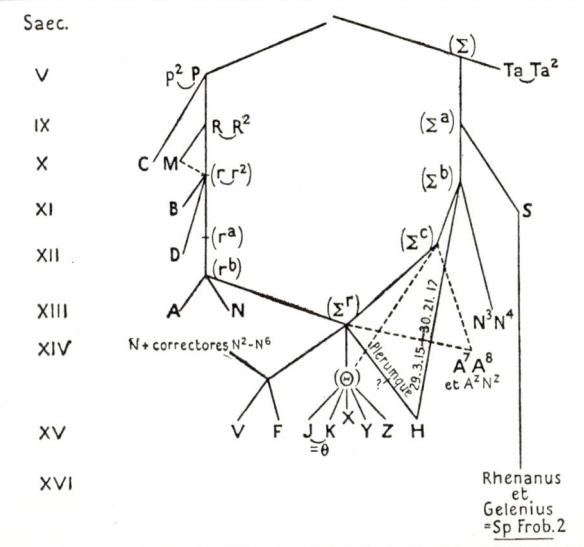

confessus sit,[2] equidem testimonio nostro de codice *C* et de archetypo codicum *BDAN* satis fretus[3] illud adfirmauerim —ne decimo quidem saeculo ad finem Libri XXX Puteanum iam esse mutilatum.

§ 85. *De Puteani lacunis et perturbatione.* In medias paginas codicis *P* incidunt duae satis magnae lacunae, una

[1] *The Vatican Livy and the Script of Tours* (*Mem. of the American Acad.*, vol. i, 1917), Table II (note).

[2] Nam ex partibus illis in quas inter librarios opus codicis *R* describendi diuisum erat non negat ultimam fortasse longiorem fuisse.

[3] Vide § 87 A, B, C.

PRAEFATIO

ab 26. 41. 18 (post *luctu quam*) usque ad finem capitis 43, altera (et multo minor) ab 27. 2. 11 (post *proelia*) usque ad c.3. 7 (*Atellam*). Harum lacunarum utriusque supplementum praebet traditio Σ, breuius quidem in Libro XXVI quam quod Liuius scripsit,[1] in XXVII tamen integrum. At ex hoc integro demonstrari potest circiter mccxx litteras in *P* deficere; unde ueri simile uidetur unam paginam exemplaris ab ipso Puteano esse praetermissam. Nam ex iis quae infra (§ 97) docentur satis pro certo concludi potest uersibus circiter xv–xxi litteras continentibus exemplar Puteani exaratum esse. Licet igitur conicere et singulis eius foliis quaternas columnas fuisse[2] et singulis columnis non, sicut in *P* ipso, uicenos senos uersus sed uix minus tricenos singulos, uix amplius tricenos quaternos. Quod uero ad alteram illam lacunam (in Libro XXVI) attinet, si eadem computandi ratione utaris, reperias circiter ccxxx uersus Puteano defuisse (i.e. amplius septem columnas); uerum quoniam ne Spirensiana quidem traditio totam hanc lacunam supplet (uide § 89 infra), duo tota folia in exemplari periisse uel a Puteani scriba praetermissa esse iure licet suspicari.

Talia menda unde orta sint fortasse etiam manifestius erit si ponere uelis folia exemplaris tum cum Puteanus inde describeretur iam ab quaternionibus suis (ut fit) soluta esse. Et hoc quidem euenisse admonet perturbatio (uel transpositio) quaedam qua *P* adflictus est in Libris XXVIII et XXIX. Ante enim scripturam ad locum 28. 22. 14 (*primorum*)—28. 37. 9 (*inde*) pertinentem praebetur locus 28. 37. 9 (*conscribtis*)—29. 1. 24 (*imperio*). Nec tamen negauerim id incertum esse quot folia in exemplari suo soluta perperam transponi passus sit librarius.[3]

---

[1] Vide § 89 infra.

[2] Et litteris uncialibus exscriptum esse hoc exemplar demonstrant nonnulla errorum Puteaneorum genera.

[3] Inter 28. 22. 14 et 28. 37. 9 praebet *P* mdccxxxvi uersus, inter 28.

PRAEFATIO

§ 86. *De stirpe Puteani.* Codices illos de quibus in prioris Tomi Praefatione iam egit Conwaius—Colbertinum $(C)^1$, Romanum (R), Mediceum (M), Bambergensem (B), Cantabrigiensem (D), Agennensem (A), Laurentianum (N)—non erat cur iterum describerem. Cum uero hi omnes eadem qua Puteanus in Libris XXVIII–XXIX perturbatione, eisdem lacunis et maioribus et breuioribus laborent, nec dubitari possit quin a P omnes deriuati sint, oportet me illud paucis explicare cur etiam praesentibus et P ipso et indiciis nonnullis traditionis Σ operae tamen pretium nobis uisum sit horum ab Puteano uelut apographorum lectiones perscrutari atque in adnotationibus proferre.

(i) In primis ita usui sunt *CMBDAN* ut ubicumque P hodie deficit quid in illo scriptum sit eorum ab testimonio conicere possimus. Hoc tamen ipsum opus si diligenter ac religiose adgredimur, non satis est ad initium aut ad finem Decadis eorum qui ibi exstant testimoniis uti, sed id etiam agendum est ut quanta fide, quibus interpretibus usus unusquisque eorum (necnon etiam Romanus) Puteani auctoritatem secutus sit per totam Decadem inquiramus.

(ii) Quod et ad codicem *C* et ad codices *MBD* attinet, quamuis ab stirpe Puteani omnes ortos esse manifestum sit,[2] scribae tamen horum codicum uel ipsi uel correctores 'nescio quomodo, ... nescio cuius collegae adnotatione ex hoc uel illo fonte deriuata' (ut id iterem quod in § 65 praecipue de M^1 et M^3 scripsit Conwaius) nonnunquam ubi P errauerat ueras lectiones in codices suos intulerunt, quarum aliquas

---

37. 9 et 29. 1. 24 mdcxcii tantum ; sed ueri simillimum est exemplari tot folia fuisse in hac parte quot in illa, quippe ubi ad finem Libri XXVIII spatium aliquod uacuum certe relicturus erat scriba. Quodsi columnas xxxi uersuum fuisse statuas (quod ex § 89 haud improbabile esse uidebitur), conicias xiv folia (i.e. lvi columnas) in locum xiv aliorum transposita esse ; nam quamquam haud minus xvii uersus inter 28. 22. 14 et 28. 37. 9 Puteanus ultro uidetur omisisse, fieri tamen potest ut paulo diffusius quam exemplar suum noster descriptus sit.

[1] Quamquam antiquior est R quam C, hunc ordinem in adnotationibus retinemus quo clarior sit inter R et *MBDAN* cognatio.

[2] Nisi quod ad fin. Libri XXX scriba codicis B ex alio fonte hauriebat (uide § 87 c, et cf. Luchs, *Prolegomena*, ed. 1879, pp. lviii–lix).

PRAEFATIO

saltem librariis saec. x, xi, xii suo tantum ingenio fretis tribuere difficile est. Quaerere igitur non frustra erit num qua hic alterue de Spirensiano aliquo fonte aliquid libauerit. Sane confitendum est nos hoc pro certo statuere nequiisse; sed ad rem statuendam forsitan aliis usui sit si qualem propinquitatem hi codices inter se habeant nos per adnotationes nostras demonstrare conati erimus. (Nec uero sine testimonio codicis R poterit stirps horum codicum enucleari.)

(iii) Codicum AN testimonium his duobus de causis usui est adhibere. (a) Horum communis archetypi scriba nonnullas lectiones suo Marte, ut uidetur, in contextum induxit, quae cum nullius sint auctoritatis eo tamen memorandae sunt quod earum subsidiis illud saepe de codicibus contaminatis (e.g. θ) iudicare licet utrum haec uel illa lectio ex illo quem r^b in stemmate nomino an ex Σ potius (uel Σ^a uel Σ^b, etc.) extracta sit. Quod, credo, uix satis perceperunt uiri docti. (b) Summi momenti sunt ea quae ex fontibus Spirensianis in hos duos codices saeculis xiii et xiv inlata sunt.[1] Quid autem correctores illi legere uoluerint perspici non potest, nisi lectiones non solum correctorum sed et ipsorum codicum lectoribus positae erunt ante oculos. Hanc rem ne Luchsio quidem satis perspicuam fuisse iam demonstrauit Conwaius.[2]

§ 87 A. *De Codice Colbertino.* Colbertinum non ex codice R descriptum esse sed aut ex Puteano ipso (iam a P^2 et P^3 correcto) aut ex Puteani apographo hodie non exstante sed codicum RM satis dissimili licet pro certo adfirmare per haec pauca exempla[3] quae profero ex multitudine:

26. 24. 7 *auctoritate sua* PC : *auctoritatem sua* (*suam* M^1A) $RM(BD)$
26. 27. 4 *aedis* PC : *aedes* $RM(BA)$
26. 32. 6 *relicum* P^1C : *relictum* PRM (*reliquum* BDA)
26. 50. 4 *tua capta* PC : *tua cata* R : *uacata* R^2M (*uoc-* M^2BDAN)
27. 6. 8 *in eam rem* PC : *eam rem* $RM(BDAN)$
27. 12. 2 *ut* PC : om. $RM(BDAN)$
27. 51. 5 *inde traducti* PC : *intraducti* RM (*introd-* $BDAN$)
28. 9. 4 *cōs* PC : *quos* $RM(BDAN)$
29. 1. 13 *paruum* PC : *eum* R : *reum* $R^2M(BD)$

---

[1] Vide § 92.

[2] *The Laurentian Manuscript of Livy's Third Decade* (*Classical Quarterly*, vol. xxvii, p. 183.)

[3] Ex eisdem exemplis satis liquet M (cum $BDAN$) ab R et R^2 in his saltem Libris deriuatum esse, quod infra doceo.

PRAEFATIO

29. 31. 4 *coalescens* PC: *coalescent* $RM(BDAN)$
30. 13. 10 *cepisset* PC: *recepisset* $M(BDAN$, et olim $R\,?)$

At ne quis forte credat aliunde quam ex Puteano has ueras lectiones in Colbertinum inrepsisse, eos locos respiciat ubi idem praua praebet, quae et ab lectionibus scribarum R^2M discrepant et a P uel P^2 manifeste sunt orta: e.g.

26. 6. 11 (pro *immissis*) *inuissis* PCR: *inuisis* R^2M
26. 36. 6 (pro *salinum*) *alinum* P: *alignum* P^2CR: *lignum* R^2M
27. 1. 15 (pro *semermes*) *semerses* P: *semersis* $P^1?C$: *semersi* P^2R: *emersi* $R^x(R^2?)M$
27. 2. 6 (pro *et funditores*) *effunditor* PR: *et funditor* C: *effunditur* R^2M
27. 6. 19 (pro *ad Cereris*) *ad ceteris* PR: *a ceteris* C: *ad ceteros* R^2M
28. 14. 5 (pro *iam*) *am* P: *nam* C: *tām* R^2M
28. 27. 5 (pro *Vmbrum*) *umbrium* PC: *ubrium* RM
28. 35. 13 (pro *continentem*) *contionemtem* PCR: *contionantem* R^2M
28. 38. 3 (pro *terris*) *terroris* PC: *terroribus* RM
29. 22. 8 (pro *fauorem*) *fatiorem* P: *faciliiorem* P^2C: *facillionis* RM

His et aliis locis diligentissime inspectis haud scio an non solum per R sed ne per alium quidem codicem interpositum a Puteano Colbertinum oriundum esse iure credamus; et eo fortasse confirmabimur quod Puteani sigla (praecipue ∞ pro *mille*) quae a scribis Romani plerumque perperam intellegebantur, nusquam, quantum adhuc scio, in C (magis scilicet quam in P ipso) corrupta apparent; quod si ab exemplari alio a P deriuato descriptus esset C, haec aliqua saltem ex parte corrupta esse inuenturi eramus.

Quanto autem et feliciores et eruditiores fuerint huius codicis scribae quam illi qui ad initium saeculi noni ex Puteano descripserant codicem R, et passim per totam Decadem testari possis et praecipue in his Libris. Saepissime ubi P errauerat, nec quicquam subsidii a P^2 inlatum erat, genuinam uel saltem optimam lectionem proferebat C, modo

PRAEFATIO

solus (uel solus exceptis illis quos ex Σ haurire constat), modo cum correctoribus M^2 uel M^3 uel M^4 uel M^7, saepe etiam in Libris XXVIII-XXX cum P^4 uel P^5 communem felicitatem praebens. De hac re melius tu, lector, iudicare possis si in his locis (et permulta alia exempla sunt) adnotationes nostras scruteris:

26. 3. 8 (*more*); 26. 12. 16 (*Numidas*); 26. 13. 8 (*et*); 26. 31. 4 (*sum*); 26. 31. 11 (*dimissi Siculi*); 26. 33. 5 (*adfuerant*); 26. 35. 5 (*imperando*); 26. 36. 4 (*habere atque*); 26. 39. 21 (*qui* pro *aui*); 26. 40. 11 (*comite Epicyde*); 26. 40. 18 (*nouandis*); 26. 41. 6 (*paremus: parem P*: *patrem RMBD*); 26. 41. 12 (*defectionem*); 26. 44. 4 (*impares*); 26. 45. 1 (*copia*); 27. 10. 4 (*deesse*); 27. 12. 3 (*nec ubi*); 27. 14. 7 (*dissipatis*); 27. 16. 9 (*deditionem*); 27. 19. 9 (*Massiuam*); 27. 24. 5 (*bonaque*); 27. 28. 7 (*arbitro*); 27. 30. 5 (*graue*); 27. 33. 10 (*nimia*); 27. 37. 8 (*ad*); 27. 44. 10 (*hostium*); 27. 49. 2 (*inuenta et dux*); 28. 10. 16 (*cetera*); 28. 11. 6 (*flagro*); 28. 12. 3 (*ciuili*); 28. 15. 4 (*sole*); 28. 19. 1 (*quietae*); 28. 22. 12 (*egredi*); 28. 41. 10 (*uicto*); 28. 46. 1 (*uoluntariorum*); 29. 3. 9 (*nec quot* pro *ne quod P*); 29. 3. 10 (*stratisque tot*); 29. 3. 13 (*suam*); 29. 5. 5 (*armanda*); 29. 10. 6 (*decemuiris*); 29. 21. 1 (*Romae*); 29. 21. 10 (*sed aut*); 29. 27. 7 (*discussa*); 29. 31. 3 (*incendio*); 29. 32. 4 (*oppositis*); 29. 34. 10 (*composito*); 29. 36. 7 (*consuli*); 29. 37. 4 (*iniquo*); 30. 3. 7 (*ut*); 30. 4. 11 (*animos*); 30. 6. 3 (*nihil*); 30. 7. 9 (*ne*); 30. 8. 7 (*utraque cornua*); 30. 10. 20 (*adsiduas*); 30. 11. 9 (*suas uiam*); 30. 14. 6 (*nostrae*); 30. 18. 14 (*amissi*); 30. 18. 15 (*ducis*); 30. 19. 10 (*defecere*); 30. 23. 5 (*Italia*); 30. 26. 2 (*questi essent*); 30. 30. 12 (*fortuna*); 30. 30. 13 (*patrui*).

At si librario codicis *C* nonnihil eruditionis tribuas, uix fortasse causa erit cur talia ab eo ipso neges ultro esse excogitata. Cum tamen in 28. 43. 14, ubi *post et urbes* praebet *P*, recte et rhetorice (cum Σ) sensum expediat Colbertinus *post tot urbes* scribendo, cum in 29. 2. 3 pro Puteani lectione (*perlatos*) idem (cum et Σ et P^4) *per legatos* praebeat, haec suo Marte per coniecturam eum attigisse fortasse difficilius erit credere. Quae utcumque se habent, argumenta quaedam—ab re, opinor, non aliena—paucis memoranda sunt:

(i) Scriba Colbertini quasi qui grammaticae haud imperitus esset

PRAEFATIO

sed Liui orationem difficilem intellectu esse inueniret, nonnunquam prauas Puteani lectiones emendare ausus, infeliciores quasdam coniecturas in codicem suum intulit, nonnunquam (sed satis raro) quae recta in Puteano fuerant uelut consulto ipse deprauauit. Quodsi quotiens de sensu dubitarat ad aliud exemplar—a P distans et ad Σ propius accedens—semper confugere potuit, cur, quaeso, excudit lectiones quales e.g. 26. 12. 11 *omne quoque* (pro *se quoque et* Σ: *ne quoque P*), 26. 44. 2 *rem* (pro *res*) *intentam*, 29. 31. 11 *delatam* (*deuectam* Σ : *delectam P*)? His et aliis de causis, etiam si rectarum illarum Colbertini lectionum quasdam felici scribae eruditioni tribuere dubites, id tamen confiteri cogaris—exemplar illud, ad quod in locis quibusdam (non continuis, sed in hac uel illa Liui sententia, et praecipue in Libris XXVII–XXX) confugisse eum ponas, non ab Σ deriuatum esse sed ipsum quoque a Puteano primum fluxisse, deinde ex alio nescioquo esse correctum.

(ii) Correctores illi, quos P^4 et P^5 nominauimus, in Libris XXII–XXVI raro Puteanum emendauerunt, in Libris XXVII–XXX multo saepius. Cum uero syllabarum mutationes ab iis factae plerumque tam paruae sint ut ipsorum ingenio liceat saepius eas attribuere, sunt tamen lectiones quaedam de quibus uix dubium esse possit quin ex codice aliquo deperdito et fortasse stirpi Σ cognato haustae sint; quod ideo magis certum uidetur esse quia perturbatio illa Puteani (u. § 85) a P^4 notata est.

Consentiunt quidem satis crebro P^4 et P^5 cum Colbertino ipso (uide e.g. ex Libro XXIX adnn. ad cc. 2. 3; 3. 10 (bis); 3. 13; 4. 7; 5. 5; 7. 3; 8. 11; 21. 11; 22. 1; 27. 10; 27. 11; 31. 3; 32. 4; 34. 10; 35. 1; 35. 11 (bis); 37. 1; 37. 4; 37. 14). Saepe tamen ubi P^4 P^5 aliquid correxerunt, silet C (uide ex eodem Libro cc. 1. 8; 2. 13; 3. 11; 4. 5; 5. 6; 22. 6; 22. 12; 24. 4; 26. 8; 28. 11; 31. 11; 31. 12; 32. 2), et ex bonis lectionibus a C restitutis multas inuenies de quibus silent P^4 et P^5. Neque enim hi ab illo uidentur hausisse, et C certe, opinor, ante exscriptus erat quam P de P^4 et P^5 correctus est. Horum igitur communis felicitas, qualiscumque est, aut casu euenit aut inde orta est quod ex eodem illo ' nescioquo ' quem supra finximus et P^4 et P^5 aliquid hic illic libauerunt.

(iii) Quod ad correctores codicis M attinet (de quibus uide sis Tom. III Praef. § 63(*f, g*)) uix satis esse indicii iudicauerim cur eos quoque ab talibus fontibus ignotis hausisse credas; quamquam suspicabatur Conwaius (fortasse recte) genuinas quasdam lectiones scribae M^7 ab exemplari nescioquo Spirensiano esse deriuatas.

Haec aenigmata cum fortasse uix soluenda sint, illud pro

certo adfirmari potest: ne unam quidem Puteani lacunam
aut ab *C* aut ab *P*⁴ *P*⁵ aut ab Medicei correctoribus supple-
tam esse. Si qua hic uel ille scriba lectionem ab Σ deriuatam e nescioquo alio codice adsumpsit (quod de *C* saltem
et *M*ˣ prorsus incertum est), menda satis perspicua semper
corrigebat.

§ 87 B. *De Codicibus ab Romano deriuatis.* In hac saltem
parte Decadis codex Mediceus non a Puteano ipso sed ab
Romano (iam ab *R*² correcto) deriuatus est. Quamquam
enim in Libris XXI–XXV indicia quaedam inuenit Conwaius quibus codicem *M* ex *P* ipso descriptum esse mon-
straret, in his tamen Libris non est dubium quin ibi solum
ab *R* uel *R*² distet Mediceus ubi ultro nouum aliquid intulit,
quod ipsum semper Romani magis quam Puteani lectionem
redolet. (Respuit quidem aliquando Medicei scriba coniecturas ab *R*² profectas (ut e.g. in 26. 39. 5), sed plerumque
si quid hic temptauit inuenitur etiam in *M*.) Et iam satis
protuli exempla (87 A) unde Mediceum ab *R* oriundum esse
adgnoscas; et ex eisdem et sescentis aliis[1] id quoque
pro certo statui potest, *BDAN* omnes ab *RR*² esse deri-
uatos.[2]

Nouem tantum locos in his Libris adhuc inueni unde colligat fortasse
aliquis scribam codicis *M* (*M*¹) a Puteano ipso potius quam ab *R*
pendere: 26. 3. 1 (*aeq'* *P*: *aequę CR*: *aeq*: *M* (sic)); 26. 6. 15 (ubi
medelam scribae *R*² recte neglexit *M noe tu* scribendo, et casu cum
*R*² consentit *C*); 26. 28. 11 (*pr. PC*: *per RBD*: *p. M*, qui sensum
expedire conatus est); 27. 5. 18 (ubi *quemque* facilis lapsus erat);
27. 7. 7 (ubi *M*¹ ipse recte *que* mutauit); 27. 29. 7 (ubi casu scripserat

---

[1] Vide § 87 A (de Colbertino); cf. etiam e.g. ex Libro XXVI cc.
31. 10; 34. 7; 39. 8; 41. 6; ex Libro XXVII cc. 8. 17; 13. 6; 15.
14; ex Libro XXIX cc. 2. 2; 12. 8; 37. 12. Optime denique ex 30.
3. 2 haec res demonstrari potest.

[2] Hoc iam de codd. *B* et *N* (in paucis tantum locis e Luchsii editione
prolatis testimonia eorum expertus) optime coniecerat F. W. Shipley,
Studies in the MSS. of the Third Decade of Livy (*Classical Philology*,
vol. iv, no. 4, October, 1909).

PRAEFATIO

aestatem M); 27.47.6 (*poterat tantae M*¹ (cum *C*): *poterat ante R*: *poterat antae P*, quod casu, credo, praebebat primum *M*); 28. 5. 12 (res orthographica); 29. 36. 9 (∞ ∞ ∞ ∞ *P*: *xxxx R*: $\overline{xl}$ *M*, sed quamquam multo maiorem praebet numerum, ex *R* potius quam ex *P* extraxisse eum satis certum est). Tales propinquitates (de leuissimis sane rebus) uidentur casu solum accidisse.

Vnus tantum locus (26. 46. 9) inuenitur unde admodum credibile sit codices *BDAN* non per Romanum interpositum a *P* oriundos esse, sed non est cur miremur etiam ex uoce *plebs* ueram lectionem potuisse conici. Nec desunt loci qualis 26. 41. 12, ubi unius uel alterius horum recentiorum cum *P* consensus manifeste fortuitus est.

Codicum *BDAN* communis fuit archetypus, qui nec ipse Romanus erat nec Mediceus sed alius quidam, ab Romano scilicet oriundus.

Hoc satis ex his locis conici potest: 26. 33. 2 (*conferrent PCRM*: *deferrent BDAN*); 27. 45. 9 (*ouantibus PCRM*: om. *BDAN*); 27. 48. 10 (om. sex uoces *BDAN*); 29. 31. 8 (pro *suis ea* praebent *uisa PCRM*, *uisarum BDAN*); 30. 30. 20 (*ferrum utrimque C*: om. *BDAN*).

Hunc archetypum, quem in stemmate nominaui *r*, ab Romano ipso potius quam ab Mediceo descriptum esse conicere licet per exempla[1] quale est 27. 30. 4, ubi *Rhodiisque et Atheniensibus Rhodiisque* praebent *P*²*RBDAN*, *Atheniensibus Rhodiisque M*. Sunt tamen nonnulla indicia unde fortasse sumas hanc traditionem codicis *r* et ad Mediceum et ad correctorem *M*² aliquando respicere. Id, opinor, uix facilius explicari poterit quam si coniciamus codicem *r* a scriba aliquo (*r*²) ex *MM*² hauriente aliquam partem correctum fuisse. Quae uero corrector hic (ex *M* uel *M*² extrahens) in codicem *r* intulit, illa nonnunquam in codicibus *BDAN* exscripta sunt, sed interdum tamen ab hoc alteroue sunt neglecta; ita ut color ille Mediceanus quo *r* quasi fucatus erat

[1] Cf. etiam adnn. ad 26. 28. 11 (*praetori*); 26. 40. 9 (*Hanno non*); 26. 41. 4 (*meum*); 26. 46. 7 (*usque in*); 26. 48. 14 (*cuiusque*); 27. 9. 5 (*perueniant*); 27. 18. 20 (*porta . . . clausa erat*); 27. 32. 9 (*praesidiique*); 28. 23. 1 (*edebantur*); 28. 24. 1 (*audierat*); 28. 27. 11 (*uenti*); 28. 36. 3 (*eorum*); 30. 7. 7 (*censebat*).

PRAEFATIO

modo in *BD* retentus, in *AN* amissus sit, modo in *DAN* amissus, in *B* retentus, aliquando etiam (sed rarius) in *B* solo uel in *D* solo amissus.[1]

Codices *B* et *D* non multum inter se discrepant, sed hunc ex illo non exscriptum esse satis demonstrabunt adnotationes nostrae :

cf. e.g. 26. 17. 15 (*sequi*); 26. 21. 14 (*et ign.*); 26. 34. 5 (*dominis*); 26. 45. 8 (*aestu*); 27. 4. 7 (*sed et*); 27. 50. 11 (*aliis iam*); 29. 20. 11 (*Locros*). Quod uero B^2 propior codici *D* quam ipse Bambergensis uidetur esse (cf. e.g. 26. 47. 5 et 8), id inde ortum esse crediderim quod ex *r* denuo inspecto codicem suum correxit B^2. Videtur tamen ipse *r* codicum *B* et *D* fuisse parens ; neque enim per ullos codices interpositos aut hic aut ille deriuatus est, ut conicio; quod fortasse ex 28. 21. 1 (*Marcius*) concludi possit, necnon ex illis locis ubi color Mediceanus scribae r^2 magis in *D* quam in *B* retentus est (sed confiteor hoc incertum esse). Qua de causa, ubi (28. 9. 15) legitur in *BD* uel *preto* uel *pręto* (*spreto* P^2RMAN), crediderim litteram *s-* iam in *r* (siue a scriba ipso siue ab r^2) deletam esse, et quamuis *spreto* praebeant *AN*, id ingenio scribae r^a uel r^b (u. stemma) tribuendum esse.[2]

Restat ut de codice *D* quaeramus num alio etiam e fonte aliquando hauserit. Is enim in 28. 2. 16 eundem quam *Sp* errorem ultro praebet et in 30. 16. 12 idem omittit quod *HVθ*. Sed hi quidem faciles lapsus. Fortasse dignius est memoratu aliquando[3] eum cum *C* bonam lectionem praebere[4], aliquando etiam cum *Σ* (uide adnn. ad 28. 40. 10 et 13; 28. 45. 12 (bis); 29. 3. 12; 30. 30. 30; 30. 31. 9). Haec tamen fortasse ea sunt ut a scriba ipso excogitata esse uideantur.

Codices *A* et *N* ipsi gemelli sunt—quamquam a librariis

---

[1] De hac re consule sis adnn. (e.g.) ad 26. 22. 7 (*uideretur ei*) ; 26. 46. 2 (*eo ferendam*) ; 26. 47. 8 (*quadringenta*) ; 27. 33. 10 (*in necopinatam*); 28. 21. 1 (*Marcius inde in*) ; 29. 33. 1 (*praefectos*); tum eos locos ubi lectio scribae r^2 omnibus (*BDAN*) probata est : e.g. 26. 27. 5; 27. 18. 15 (bis); 27. 31. 2; 29. 33. 4.

[2] Simili modo explicari poterunt loci qualis 30. 9. 12.

[3] Cf. e.g. 26. 40. 18; 27. 49. 2; 28. 27. 11 ; 28. 42. 17.

[4] Nullus codex exstat (quantum scimus) qui ab *C* deriuatus sit. Nullum nostrorum inde oriundum esse docent et sescentae aliae res et mendum illud uerba ultro omittendi quo *C* (quamquam satis raro) laborat (cf. 29. 18. 19-20).

PRAEFATIO

inter se disparibus et ab aliis ex alio fonte haurientibus uterque correctus est (uide § 92). Neque enim alterum ex altero descriptum esse doceant haec exempla :

Codicem *A* non ab *N* ortum esse possis concludere ex 27. 10. 8 (*Cosani*) : 27. 30. 11 (*indutiarum*) ; 28. 3. 11 (om. *N*) ; 28. 31. 6 (om. *N*) ; 29. 2. 15 (om. *N*) ; 30. 34. 8 (*uolneribusque*). Codicem *N* non ab *A* oriundum conicere fortasse licet ex 26. 49. 11 (*indebilis*) ; 27. 1. 14 (*qui*) ; 27. 10. 2 (*cum esset*) ; 27. 19. 2 (*ex his*) ; 28. 7. 18 (*Oxeas*) ; 28. 15. 7 (*facile*) ; 29. 14. 14 (*Megal. appell.*).

Horum codicum alter alterius tam similis est ut nobis non operae pretium uisum sit lectiones codicis *N* in Libro XXVI proferre—ante scilicet eum locum ubi correctores Spirensiani sua addere incipiunt.[1] Qua de causa, ut eodem siglo idem per totum hunc Tomum significetur, nos (in adnotationibus) codicem *N* non includimus in numero eorum qui (quotiens cum *P* omnes consentiunt) siglo Π designantur. Codicis uero illius unde *A* et *N* descripti sunt proprietates quaedam facile distingui possunt :

(i) Saepe unam uel plures uoces omisit; cf. e.g. 27. 5. 16 ; 27. 16. 5 et 6 ; 27. 19. 3 et 10 ; 27. 46. 3 ; 29. 2. 11 ; 30. 24. 12.

(ii) Saepe glossemata ac mutationes consulto factas in contextum inseruit ; uide exempla quaedam ad 28. 12. 13 adn. collecta et adde e.g. 27. 20. 9 ; 28. 24. 10 ; 30. 27. 11 ; 30. 30. 23.

(iii) Saepissime uerborum ordinem mutauit ; cf. 29. 3. 10 adn., ubi huius rei exempla aliqua collecta sunt.[2]

At glossemata illa inlata et (seu uerborum ordinis seu maioris rei) mutationes plerumque consulto factas praebent non solum codices *AN* sed etiam satis crebro codices illi quos siglis *V* et *θ* designamus. Vide e.g. 27. 8. 2 et 27. 12. 10 (*praegressum eum*) et, quod ad uerborum ordinem attinet, 26. 5. 17 adn. Haec inter codices *AN* et *Vθ* communitas quare in Liuio edendo usui sit iam supra (§ 86 iii a) explicaui. Archetypum uero codicum *AN* non ex *r* ipso ortum esse

---

[1] Post quem locum prorsus necesse erat codicis ipsius lectiones proferre ; uide § 86 iii (b).

[2] Cum identidem per totam Decadem uerborum ordo in codicibus *A* et *N* mutatus sit, saepissime de hac re adnotationes ex commentario nostro nos eicere coacti sumus.

PRAEFATIO

crediderim—tantum enim ab *r* discrepant codices *AN*—sed ex alio potius interposito. (Vide sis stemma in p. vii supra depictum.)

§ 87 c. *De stirpe Puteanea ad finem Libri XXX.* Quoniam et post 30. 5. 7 codex Romanus periit, et desinit Mediceus post 30. 26. 10, magni interest ut de codicibus *CBDAN* id statuere conemur, qua auctoritate nixi uel totum Librum XXX uel plerumque eius Libri praebeant. Colbertinus quidem, qui usque ad finem pergit, neque ea parte Libri ubi *P* exstat neque ubi ille deficit mores suos uidetur mutauisse. In codice enim ipso nullum est indicium aut nouae in extrema parte Libri manus aut scribarum perturbationis. Nec uero desistit *C* tales lectiones praebere quales in Puteano fuisse licet conicere uel quales scriba ipse, dum codicem ex *P* describit, potuit excogitare (uide § 87 A). Codicum autem *BDAN* (quamquam unum folium ex *D* exsectum est) similem se sui unus quisque praebet usque ad c. 41. 3, ubi *D* desinit; neque *AN* ipsi multum addunt; in quibus quidquid post c. 41. 5 exstat id a scribis $A^z N^z$ (saec. xiv) de Spirensiano fonte, ut uidetur, haurientibus omne additum est. Pergit quidem *B* usque ad c. 42. 21 (*ante*), sed post hunc locum quae sequuntur a duabus nouis manibus scripta sunt[1]; et post eundem locum ab Colbertino multum discrepat, cum $A^z N^z \theta$ saepissime consentit. Adde quod qui ante c. 42. 21 crebro uerbis omissis spatia uacua praebet, ubi exemplaris scripturam scriba legere non poterat (et hoc praesertim factum est in capitibus 41 et 42 postquam deficiunt *DAN*), idem contra codex inde ab c. 42. 21 spatia uacua nunquam praebet. Aut igitur opus codicis Romani exscribendi post c. 42 non perductum erat ad finem, aut— quod multo magis probabile crediderim, Puteanum saeculo

[1] Duarum manuum (saec. xi ut uid.) una incipit ad c. 42. 21 et pergit usque ad c. 44. 3, altera ab c. 44. 4 (Carthagini) usque ad finem Libri tendit. Hoc, quod primus indicauerat Luchs, confirmauit Douglas L. Drew, qui et totum codicem perlegit et eum cum editionibus hodiernis in Libro XXX (post c. 29) accuratissime contulit.

PRAEFATIO

nono nondum defecisse ratus [1]—extrema illa capita (43–45) exciderant e Romano iam antequam inde codex *r* descriptus est ; cuius ipsius codicis extremum folium iam saeculo XI male habitum, saeculo XII peius mutilatum erat.[2] Certe quaerenti quid (praeter id quod in cc. 37–38 exstat) post c. 30 praebuerit Puteanus adest usque ad c. 42 testimonium non solum Colbertini sed etiam Romani, per *r* scilicet traditum : post c. 42 Puteani personam solus gerit Colbertinus.

§ 88. *De Codice Spirensi ab Rhenano adhibito* (*Sp*). Ex codice Spirensi nunc (praeter unum folium) deperdito ea quae Beatus Rhenanus excerpsit praefixa sunt Frobenianae alteri, anno 1535 a Sigismundo Gelenio editae ; atque indidem lectiones quasdam silente etiam Rhenano in eadem editione uidetur complexus esse Gelenius. Ad initium autem adnotationum suarum (ad Libros XXVI–XXX pertinentium) haec Rhenanus praefatur: '*Quod nos nacti fuimus e Spira Liuianum exemplar ex fragmentis uetustissimorum codicum saltuatim descriptum uidebatur praesertim in hoc libro sexto Decadis tertiae. Nam initium uoluminis fecerat librarius a particula quam nos uix tandem in medio libro reperimus abruptis uerbis. Cum ea cohaerebat aliquot paginis intermediis libri finis. Deinde cum septimum librum conferre coepissemus, iterum particulam inuenimus quae ad sextum librum pertinebat. Vide miram confusionem. Nos in his adnotationibus excusorum codicum* [3] *ordinem sequimur.*' Et tum quidem adnotationes scribit inde ab 26. 30. 9 usque ad 26. 31. 2 (*defendit*), post quae '*ingentem saltum*' inquit '*hoc loco fecit librarius quemadmodum paulo ante meminimus*' ; neque ante c. 41. 18 (*auspiciisque et*) opus suum de integro instaurat, et

---

[1] Vide § 84.

[2] Quod Mediceus iam in c. 26. 10 desinit, haud scio an id scribarum pigritiae tribuendum sit ; sed forsitan conicias recentius quam *r* exscriptum esse *M*, cum iam plura folia ex *R* excidissent.

[3] Cum editione altera Aldina (1521) Spirensem conferebat Rhenanus.

PRAEFATIO

pergit quidem usque ad c. 43. 6 (ad fin.); inde '*hic*' inquit '*deerat pagina aut amplius in exemplari manu scripto*', et sequuntur adnotationes ab c. 46. 2 (*intentis omnibus*) usque ad finem Libri. Et in Libro XXVII post adnotationem ad c. 7. 14 scriptam haec uerba Rhenani inuenies: '*hic unam paginam*[1] *transilire coacti fuimus ob defectum qui erat in exemplari manu scripto*'; neque lectiones denuo excerpit ante finem capitis 9 (§ 14, *idem socios*), unde pergit usque ad Libri XXX c. 16. 1; hic subito desinit, sed num plura in codice fuerint celat silendo. Quamquam igitur non accurate explicat Rhenanus quantum Spirensi infuerit, licet tamen ex adnotationibus eius haec tria concludere:

(i) Si quae Spirensis folia ad priorem partem huius Decadis uel ad initium Libri XXVI olim pertinuerant, ea iam ante saeculum XVI omnia erant deperdita.

(ii) Pars quaedam Libri XXVII—ad octauum saltem et nonum capita pertinens—defecerat in Spirensi, nec dubium potest esse quin in locum eius partis transposita fuerit 'particula' illa altera (circa 26. 41. 18–circa 26. 43. 6) quam Rhenanus in Libro XXVII se repperisse testatur.

(iii) 'Particularum' illarum Libri XXVI neutra in unum folium ipsius Spirensis quadrauit, sed codex et perturbationibus exemplaris et lacunis laborans continua scriptura exaratus est.

§ 89. *De Spirensi plura*. Lacunam Spirensianam in Librum XXVII incidentem aut uno archetypi folio aut duobus potuisse compleri iure credideris; cuius lacunae causa uiris doctis satis iamdudum patet. Ea enim pars Libri XXVI quam (ut supra in § 88 (ii) docui) in locum huius partis Libri XXVII omissae transpositam in Spirensi repperit Rhenanus, ipsa illa est quae Puteani lacunam supplet (uide § 85). Fortasse duo illa folia de compagibus soluta, quae scribam Puteaneum omnino fefellerunt, iam

---

[1] I.e. paginam (ut uid.) editionis illius Aldinae.

PRAEFATIO

transposita inuenerat uel transponi passus erat scriba codicis Σ; qui ob illam transpositionem se et alia haec ad Librum XXVII pertinentia praetermittere haudquaquam animaduertit. Quantum uero praetermisit? Hoc cum non satis accurate doceat Rhenanus, necesse est ut cognoscere conemur ex aliis codicis Σ testimoniis. Codices quidem Θ et *V* nullum in hac re usum habent, quippe qui ex aquis iam Puteano (uel *r*^{b} potius) contaminatis lacunam suppleuerint. Inde[1] tamen aliquid concludi potest quod in hoc loco (i.e. Libri XXVII c. 7 ad fin.–c. 9) silent aliquantum correctores Spirensiani codicum *A* et *N*. Sane scribae *A*[7] testimonium hic non magni esse confiteor (nam ex illo fonte quem Σ^r nomino potuit is lectiones suas extrahere; uide § 92 infra); sed ob scribae *N*[4] silentium lacunam in Σ haud longius quam ab c. 7. 17 usque ad c. 9. 9 extendisse (et fortasse etiam minorem fuisse eam) equidem cum Luchsio adfirmauerim.[2] Scriptura autem ea quae ad hoc spatium pertinet in cclx uersibus Puteani includitur; si igitur statuas archetypi columnis singulis uersus xxxi uel xxxii uel xxxiii fuisse,[3] conicias duo eius folia in Σ praetermissa.

Iam uero quae Puteanus in Libro XXVI omisit (uide § 85), ea in Librum XXVII, ut uidimus, transposita in Spirensi Rhenanus repperit;[4] nec dubitare nos debemus

---

[1] Hoc, quod ad '*L*' suum (= *N*[4]) pertinebat, iam perspexit Luchs (ed. 1879 *Prolegomena*, p. xxii sq.); sed nihil ille de mensura uersuum.

[2] Cum ex uerbis Rhenani nihil pro certo discas quousque Spirensis defecerit, non est cur plura in *S* quam in Σ omissa credas (quamquam et hoc fieri potuisse non negauerim). Vix accurate in adnotatione nostra ad 27. 7. 14 hanc rem tractauimus. Nam et correctori *A*[7] nimis confidebamus et scribebamus tamquam si ab ipso *S* hausissent *A*[7] et *N*[4], quod non crediderim.

[3] Vide supra § 85.

[4] Hanc partem Libri XXVI genuinam esse primus demonstrauit Heerwagen, *Commentatio Critica de T. Liui XXVI, 41. 18–44. 1* (Nürnberg, 1869).

PRAEFATIO

quin non solum usque ad c. 43. 6 (*nudabit*) sed etiam usque ad *imminet Africa* (§ 8) ea ibidem seruata fuerint. At deficit oratio illa Scipionis; nam quae in codicibus contaminatis post c. 43. 8 supplentur sine dubio spuria sunt.[1] Neque enim sensui neque stilo Liuiano sufficiunt; et ex Polybio 10. 11. 6 suspicandum erat alia Liuium orationi adiecturum fuisse. Quae spuria si in Spirensi repperisset Rhenanus, uix tam longe distanti adnotationi (*nudabit* § 6) illud '*hic deerat pagina*' suum adfixisset. Ex duobus igitur illis foliis (in *P* omissis, in Σ transpositis) alterum iam antiquitus uidetur esse mutilatum.

Quem finem habuit Spirensis? Nihil quidem post 30. 16. 1 Rhenanus; sed ad finem Libri XXX non desunt lectiones a Gelenio in Frob. 2 receptae quas codici iure attribuas.[2] Certe codicem Σ usque ad finem Decadis tertiae exaratum esse indicant testimonia codicum $Σ^a$ et $Σ^b$.

'*Sp*' et '*Sp ?*' et '*Sp ut uid.*'

Maximam partem lectionum a Rhenano commendatarum ex ipso Spirensi excerptam esse apud omnes hodie constat.[3] Quoniam tamen saepissime in adnotationibus suis, nulla codicis mentione facta, '*scripsimus* ille uel '*expunximus*' uel '*legendum est* et alia similia profert, nos, ne lectorem fallamus, quotiens nihil de exemplari suo scribit, siglo *Sp ?* utimur, *Sp* in eis tantum locis ubi disertis uerbis codicis auctoritatem sibi uindicat. Et cum in lemmate ex editione Aldina sumpto saepe plures uel pauciores addit uoces quam quas codici inesse certe testatur, nos, sicubi incerta haec res uisa est, siglum *Sp ut uid.* adhibemus.[4] Id autem prae-

---

[1] Vide Heerwagen (op. cit.)

[2] Quodsi opus excerpendi perfecisset, num potuit Rhenanus garrulitatem suam continere?

[3] Vide e.g. locos quosdam ubi '*Sp ?*' cum *S* (folio Monacensi) consentit.

[4] E.g., quod ad 28. 40. 2 scripsit Rhenanus *in exemplari scripto tantum est 'primoribus patrum'*, id agit ut lectionem Aldinam *primoribus*

PRAEFATIO

cipue tironi cauendum est ne lemma illud quod Drakenborchius in editione sua Rhenani adnotationibus praefixit, semper unum atque idem esse credat quod lemma ipsius Rhenani.

ald.[1] *Frob.* 1. 2.

Si qua et Rhenanus silet nec lectionem aut editionis Aldinae aut Frobenianae primae mutat in Frob. 2 Gelenius, hanc lectionem non omnino sine pondere esse credendum erit, quippe quae indicet aliquando saltem quid Spirensi infuerit; quamquam non negauerim et silentio Rhenani saepissime non confidendum esse et Gelenium Aldinae uel Frobenianae primae lectiones pro eis quae in codice repperisset re, ut uidetur, perpensa haud raro retinuisse.

§ 90. *De Folio Monacensi (Spirensis)*. Rhenani et Gelenii fidem insignite confirmauit folium Monachii saeculo XIX inuentum, saeculo XI exaratum, quod aut ipsius codicis Spirensis aut saltem gemelli[2] esse primus demonstrauit inuentor ille eius et editor, Carolus Halm.[3] Hoc folium (*S*), satis integra Libri XXVIII c. 39. 16 (*ita uidetur*)–c. 41. 12 (*periculi*) praebens ab Alexandro Hope Kyd[4] huius editionis causa transcriptum est. Vtrique paginae xxxvii uersus sunt, singulis uersibus raro minus lii raro plus lxv litterae. Inter lectiones quasdam ab Halmio et Luchsio praetermissas haec digna sunt quae memorem : c. 40. 2 *cum placeret* praebet *S* satis clare ; omisit mox idem uocem

---

patrum conscriptorum corrigat, sed quia uox insequens *cum* deest in Aldina, tu, si Rhenano credas, debeas concludere eam et in codice defuisse : qua de causa *om.* '*cum*' *Sp ut uid.* hic scripsi, quamquam ipsum folium Monacense (*S*) *cum* testatur. In hoc eodem loco lemma Drakenborchii uera detorquet.

[1] De siglis *Aldus* et *ald.* uide p. xxxix.

[2] Neque tamen est cur ipsi Spirensi hoc folium attribuere dubitemus.

[3] *Sitzungsberichte Münch. Akad.* 1869 II, p. 580 sq.

[4] Cf. Praef. Tomi i, p. xx.

PRAEFATIO

mussarent (cum *V*, cuius lectiones in hac parte nos in adnn. non includimus); c. 40. 3 omisit (cum *V* et *N*[4]) *de* (ante *Africa*). Nulla correctorum temptamina in folio apparent nisi quae ab ipso *S*[1] profecta sunt.[1]

Si cum Rhenani adnotationibus lectiones huius folii contuleris, concludes profecto nonnullos errores, ut minoris momenti, ab illo non esse memoratos. Quod ad meliora attinet, si quando Rhenanus silet, semper fere lectionem codicis in *Frob.* 2 introducit Gelenius. Vide sis adnotationes ad Libri XXVIII cc. 39. 16; 40. 11; 40. 12; 41. 12. Tamen in c. 41. 2 (*isse*), ueram lectionem (et in *P* et in *S* seruatam) ambo illi uiri docti uidentur neglexisse.

§ 91. Ex quo Heerwagen inlustria sua studia uolgauit,[2] id in primis huius partis Decadis editorum interesse constat ut per testimonia codicum uel interpolatorum uel mixta traditione contaminatorum quid ipsi codici Σ infuerit, quid stirpi inde deriuatae adscribi possit pro uirili parte exquirere conentur. Et hoc quidem opus cum laboriosum tum in Liui uerbis inlustrandis maxime fructuosum praeclare adgressus est Augustus Luchs;[3] qui non solum codices *HVΘF* et lectiones correctorum codicis *N* contulit, sed etiam de stirpe eorum tam acute disseruit ut (praeterquam quod et falsa quaedam de '*L*' suo tradidit et correctoribus *A*[7]*A*[8] neglectis traditioni *V*Θ parum diffidebat) illud quod descripsit huius stirpis stemma ne hodie quidem obsoleuerit.

§ 92. *De Correctoribus Spirensianis Codicum A et N.*

Post fragmenta ipsa Monacensia et Taurinensia[4] et ea quae excerpsit Rhenanus, praestantissimi testes traditionis Σ sunt correctores illi codicis *N*, qui saeculo XIII e fonte quodam Spirensiano hauriebant. Erant autem, ut demon-

---

[1] E.g. c. 41. 2, que te *S* : qui te *S*[1].

[2] *Commentatio Critica de T. Liui XXVI, 41. 18–44. 1* (Nürnberg, 1869).

[3] Op. cit.   [4] Vide § 95.

PRAEFATIO

strauit Conwaius,[1] et alii librarii qui siue antea (ut N^2) siue postea (ut N^5, N^6, N^7, N^8) nulla uel minima, ut uidetur, auctoritate freti lectiones suas codici insinuauere. Haec inter correctores discrepantia prorsus fefellerat Luchsium; qui si quid in codice correctum uel mutatum uidebat id, omni manuum discrimine neglecto, tamquam a fonte Spirensiano ortum uni tantum correctori (siglo 'L' usus) attribuere ausus est. Quoniam igitur summi momenti erat codicem iterum perscrutari, hoc opus Conwaius iam anno 1920 susceptum per sat magnas partes decem annorum exsecutus est diligentissime. Distinxit ille haud minus octo uel nouem correctorum manus, quorum tres[2] tantum (N^3, N^n, N^4, saeculo XIII omnes) de auctoritate Spirensiana, quantum scire possumus, pendebant. Horum N^3 rarius, N^n in uno tantum loco sed satis longo,[3] N^4 saepissime mendis uolneribusque medelas adhibuit. De proprietatibus autem et moribus horum consule, sis, ea quae Conwaius ipse exposuit.[1] Iam pauca hic addenda sunt de illo fonte unde hauserunt. Optime quidem demonstrauit Luchsius[4] neque ex ipso Spirensi neque ex ipso Spirensis exemplari (Σ^a) aut hos correctores Laurentiani aut codicem Harleianum (scilicet in Libris XXIX, XXX, uide § 94) haurire potuisse. Quot uero inter hos et Σ^a intermedii fuerint quis audebit adfirmare? Id tantum ex nouo illo testimonio per Conwaium prolato satis, ut opinor, patet: proximi sunt (quod ad bonas lectiones attinet) scribae N^3 et N^4 in Libris XXIX, XXX codici H; et Luchsius, cum crederet eos ex libro iam magis corrupto quam Harleiani exemplari sua excerpsisse, ideo deceptus est quod correctori

---

[1] *The Laurentian Manuscript of Livy's Third Decade* (*Classical Quarterly*, vol. xxvii, p. 182 sq.).

[2] Erat, ut uidetur, quartus etiam (aequalis fortasse scribae N^3) qui ad finem Decadis aliqua correxit. Hic in adnn. siglo N^r designatus est.

[3] I.e. in magna parte supplementi Spirensiani quod ad 27. 2. 12 sqq. inuenitur.

[4] *Prolegomena* ad ed. 1879, p. xxviii sq.

PRAEFATIO

'*L*' tribuerat multos errores re uera minime ab Spirensiana traditione ortos.[1] Contra plurima alia praua sunt in *H*, de quibus N^4 (cum N^3) solebat silere, non quia in exemplari non fuissent ea, sed quod librarius meliorem esse Laurentiani quam exemplaris sui lectionem saepe duxerat. (Saepe etiam lectionem Spirensianam praebuit quidem N^4, sed uelut de re dubitans notas delendi[2] sub uocibus in *N* stantibus non ausus est subscribere; i.e., ut coniecit Conwaius, praebuit Spirensianam 'ut secundam lectionem'.) Nihil igitur obstat quin ad auctoritatem haud longius ab Σ distantem quam (in Libris XXIX, XXX) Harleiani exemplar respexisse scribam N^4 credamus; quem eodem e fonte (Σ^b) atque *H* hausisse in stemmate indicaui. Quanto autem minus corrupta sit haec auctoritas quam fontes illi unde et codices contaminatos et correctores codicis *A* hausisse conicio, tu, lector, ex illis locis cognoscere poteris ubi omnium solus N^4 (uel N^3) cum *Sp* uel *Frob.* 2 consentit, neglectis illis deprauationibus quae in Σ^c et Σ^r, ut suspicor, primum inductae sunt. Vide e.g. adnn. ad 26. 46. 2; 26. 49. 13; 27. 14. 10; 27. 15. 17; 27. 16. 8; 27. 18. 9; 28. 7. 15; 28. 23. 4 (*ab tergo*); 28. 28. 11. Nec uero desunt loci ubi, ut credimus, silente etiam Rhenano, hic scriba solus lectionem codicis Σ repraesentet (uide e.g. 30. 36. 11).

Defecerat, ut uidetur, in Libro XXVI codex Σ^b uix minus quam ipse Spirensis et eandem perturbationem (uide § 89) praebuerat; neque enim N^3 neque N^4 partem eius Libri in *N* omissam (uide § 85) supplere potuerunt (i.e. non perceperunt eam ad Librum XXVI pertinere). Fragmenta tamen quaedam huius Libri exstitisse in Σ^b uidentur: nam ab eodem codice extractum esse supplementum illud *occupauit Hasdrubal ne* (in 26. 17. 5) licebit fortasse conicere. Et

---

[1] In commentario nostro, ne nimis longi essemus, necesse erat saepe de lectionibus ab N^5 et N^6 (etc.) profectis silere.

[2] Vide Conwaii op. cit.

PRAEFATIO

finis Libri XXX (quamquam saeculo XI scriba codicis *B* (uide § 87 c) uel ab Σ^a ipso uel aliunde potuit hanc partem supplere) saeculo XIII librarios Laurentianos, fortasse iam opere defessos, fefellerat. Quam partem saeculo XIV suppleuit scriba N^z, eodem exemplari quo A^z usus.

Multo deterior quam Σ^b fuit auctoritas illa qua saeculo XIV usi sunt correctores codicis Agennensis, quos A^7 et A^8 nominauimus.[1] Nihil de his Luchsius, qui ibi solum Agennensi usus est ubi supplementa in Libris XXVI et XXX ab A^z (Luchsii '*E*') addita sunt. Percepit tamen Waltersius[2] duos uel tres (rarissime enim medelae et ab A^9 additae sunt) correctores ab fonte aliquo Spirensiano per totos hos Libros hausisse; quorum unus uel alter fortasse idem fuit atque ipse A^z. Quae res utcumque se habuit, non difficile tamen erit perspicere qualis fuerit ille liber uel libri unde lectiones suas hi extraxerunt. Iam enim compluribus in locis is lectiones magis corruptas uel magis ab Σ distantes certe praebuerat. In parte illa Libri XXVIII ubi folium Monacense exstat, duae nouae lectiones, in *S* ipso non praebitae, ab $A^7 A^8$ (cum *θ*) additae sunt (uide c. 41. 2 *ire* pro *isse* et § 8 *peracti* pro *patrati*). Et passim quidem sunt indicia per quae confiteri necesse erit hanc auctoritatem propius ad codices contaminatos accedere quam ad Σ^b. In Libro XXVI multa addit A^7; quamquam si quid eius Libri in Σ^b (uel Σ^c) exstabat fragmenta tantum ibi fuerunt (u. supra). Multi autem loci sunt ubi contra meliores Spirensianos conspirant $A^7 \theta$ corrupta praebendo (uide e.g. 29. 27. 3). Atqui horum correctorum lectiones perscrutari certe operae pretium erat. Nam exemplar eorum, quamquam magis corruptum erat quam Σ^b, non tantum ab Σ degenerauerat quantum exemplaria codicum recentiorum. Hoc concludi poterit non solum ex locis illis ubi meliora praebuit A^z quam $V\Theta$ (uide adnn. ad 26. 42. 5; 42. 7; 42. 8), sed etiam inde quod saepissime de prauiore codicum $V\Theta$ lectione silent $A^7 A^8$. Sane hoc silentium potuit nulla alia de causa saepe oriri quam quod meliorem esse Agennensis quam exemplaris sui lectionem librarius crediderat (uide supra de *N*); sed quoniam in parte Libri XXVIII in *S* seruata multae aliae et nouae uariationes in codicibus Θ praebentur silentibus correctoribus $A^7 A^8$ (e.g. in c.

---

[1] Hi correctores per Libros XXVI-XXX saepissime in una quaque pagina Agennensis sua addiderunt. Priores quidem erant quam correctores A^v, A^5, A^6, sed quare sic nobis nominandi fuerint, disces per adnotationem narrationi meae (*A Test of Spirensian Sources*, *Class. Quart.* xxvii, p. 195) adfixam.

[2] Vide *Classical Quarterly*, xi. 3, p. 155 sq.

PRAEFATIO

40. 1 *diffiniendum* pro *fin.*; in c. 40. 3 *hodierna*; in c. 41. 4 *hoc* pro *haec*),[1] crediderim exemplar quo correctores Agennensis utebantur nondum tantis deprauationibus esse corruptum. Sunt etiam loci ubi $A^7 A^8$ soli codicis Σ testimonium (casu fortasse) uidentur repraesentare (cf. e.g. 28. 7. 17; 30. 28. 1 *transisset*). Equidem in re dubia eos partim ab $Σ^r$ (certe in Libro XXVI), partim ab $Σ^c$ hausisse in stemmate indicaui.[2]

§ 93. *De Codicibus partim ab* Σ *partim ab P deriuatis*. De codicibus recentioribus quidquid scire conducit iam demonstrauit Luchsius.[3] Restat tantum ut hoc addam. Stirps illa Puteani unde hi codices partim deriuati sunt eadem est atque ipse archetypus codicum A et $N (r^b)$; id quod uix in dubium uocabis si glossemata (uelut e.g. in 27. 8. 2) et in hos et in illos recepta respexeris (cf. § 87 B).

E codicibus uero illis qui omnes ab archetypo Θ (i.e. Luchsii '*R*') pendent, duos tantum per totam hanc partem tertiae Decadis denuo perlegendos esse nos censuimus. Codices enim *J* (Lond. Burney 198) et *K* (Harl. 2781), quos huius editionis causa diligentissime contulit Clara M. Knight,[4] satis archetypi lectiones repraesentant. Ceterum in eis partibus Librorum XXVI et XXVII ubi *P* deficit etiam eiusdem stirpis tres alios (*X Y Z*, uide *Sigla*) citamus, siue ibi a Conwaio siue ab aliquo eius adiutorum inspecti sunt. Tum *Vat. Pal.* 879 (*W*) ab Luchsio non adhibitum in sat multis locis pro nobis legit Nan Holley.[5] Hic codex non ex ipso Θ sed ex alio ei cognato uidetur exscriptus esse.

Codices *V* et *F* (uide *Sigla*) nonnihil ab Θ distant et in lectionibus quas praebent et quod lacunam Puteani in Libro XXVI non cum Θ*W* supplent, sed nihil ibi praebent nisi spuria illa (uide § 89) supplemento Spirensiano in Θ*W*

---

[1] Tales codicum θ uariationes saepissime in adnotationibus nostris necesse erat praetermittere.

[2] In commentario nostro stant sigla A^7 et A^8 ante sigla N^3 et N^4. Hoc ideo factum est quod *A* ipse aliquanto antiquior quam *N* uidetur fuisse.   [3] Op. cit.

[4] Vide Praef. Tom. iii, p. xii.   [5] Vide Praef. Tom. iii, p. xiii.

PRAEFATIO

adhaerentia. Haec uero discrepantia ideo (aliqua saltem ex parte) orta est quod hi codices (ut demonstrauit Luchsius) non solum ex eo fonte quem Σ^r nomino oriundi sunt sed etiam e codice *N* ipso iam a correctoribus (nec Spirensianis solum) tractato. At *F* quidem in Liuio edendo nulli omnino usui est. Codex *V* Spirensianae auctoritatis uidetur aliquid habere, non quo erroribus immunis sit—immo sescenties nouas corruptelas induxit—sed quia haud ita raro errorem Spirensianum retinuit qui in Θ correctus est (nota e.g. ad 30. 10. 3 nonnulla cum *Sp* et *H* omissa). Hunc codicem in duobus uel tribus Libris denuo huius editionis causa perlegit eadem illa Nan Holley quam supra nominaui. Verum quoniam adnotationes nostrae iam nimis longae erant, lectiones eius solum in Libro XXX[1] protulimus, rati proprietates quas habet satis ibi fore perspicuas.

At non spernendi sunt recentiores. Per eos enim solos interdum uera ac genuina lectio nobis tradita est, quae ipsius Σ auctoritatem repraesentat. Hoc qui dubitat, inspiciat locum 27. 13. 7, ubi cum *Ta* praebent θ *ademisset* (et sic *V*, quem hic non citamus: *abstulisset P*). Sequitur ut quotiens de Σ silent et Rhenanus et N^4 et A^7 et Harleianus, etiam codicum *V*θ lectio editoribus perpendenda sit.

§ 54. *De Codice Harleiano* (*H*). In una tantum parte (29. 3. 15.—30. 21. 12; i.e. fol. 181 r. init. usque ad fol. 204 u. med.) hic codex, saeculo XV exaratus, nobis usui est; qui alibi manifeste ab Σ^r (uel ab codice ei cognato), ibi tamen ab antiquiore quodam libro et ipsi Σ propiore deriuatus est. Hoc ab Luchsio iam perspectum confirmauit Waltersius, qui codicem denuo in hac parte perlegit. Mendis quidem ibi abundat *H*, sed qualia exemplari male lecto potuit scriba ipse contrahere. De his nos plerumque silere coacti sumus; sed quantum obseruaui uix quicquam erat in hac parte codicis quod ad Puteani traditionem attribui posset. Immo

[1] Sed et ibi de multis uariationibus silere coacti sumus.

PRAEFATIO

codicis Σ lectiones aut integras aut aliquantulum corruptas cum *Sp* et *N*[4] satis constanter praebet.

§ 95. *De Codice Taurinensi (Ta).* Postremus in stirpe codicis Σ nominandus est codex palimpsestus Taurinensis, saeculo v exaratus et a librario aequali, ut uidetur, correctus. Huius fragmenta, quae in bibliotheca Athenaei Taurinensis olim exstabant, diligenter transcripsit atque edidit Gulielmus Studemund.[1] Septem folia is rimatus est, quorum ex uno quidem nihil certum erui poterat, sed quattuor ad Librum XXVII pertinebant, duo ad Librum XXIX. Ex fragmentis[2] pessime habitis hic illic, ubi eius quod in *Ta* scriptum erat ne uestigium quidem manebat, scripturae quaedam ab correctore (*Ta*²) profectae poterant satis clare distingui.

In primo folio (47) nihil apparebat nisi uoces (27. 11. 15) *qui equo merere deberent* et (27. 12. 5) *Bruttiorum* a *Ta*² additae [3] (i.e. ut uidetur, in *Ta* omissae). Plura erant in altero (52). Nam et ex 27. 12. 10 uoces *instaret Marte* et *castra* legi poterant (atque eiusdem capitis nonnulla ex §§ 11, 14, 15) et iam inde ab § 17 usque ad c. 13. 11 maior pars scripturae manebat. In tertio folio (48) legebantur tantum quae *Ta* omiserat in 27. 33. 3–4 et addiderat *Ta*² ; in quarto (51), loci 27. 33. 5–27. 34. 3 umbrae quaedam et ex c. 34. 4–6 plura (omisit *Ta* ex c. 34. 6 *et in senatum uenire*, quod suppleuit[3] *Ta*²), et mox in §§ 8–14 nonnulla. Quintum folium (49) nihil praebebat nisi 29. 12. 6 (*ur*)*bem . . . romano* et id quod in 29. 13. 3 addidit *Ta*². In sexto demum folio (50) nihil aliud legebatur quam quod idem *Ta*² suppleuerat—i.e. 29. 21. 5–7 xxxiii et mox lix litteras (ob ὁμ. omissas) et 29. 23. 2 uoces (*Roman*)*um credidera*(*nt*), xviii litteras non ob ὁμ. omissas.

Hic codex (praesertim postquam ab *Ta*² correctus est) proximus fuit, ut conicere licet, ipsi codici Σ. In stemmate (p. vii) eum ex Σ descriptum esse (cum Luchsio) indicaui. Inspectis enim locis quibusdam (e.g. 27. 34. 12, ubi

---

[1] Mommsen et Studemund, *Analecta Liuiana*, Lipsiae 1873, pp. 6–31.

[2] Paginis singulis xxxv uersus erant, quorum unus quisque uix amplius xl, uix minus xxxiv litteras uidetur habuisse.

[3] De hoc in adnn. nostris silemus.

PRAEFATIO

tamen incertum est num *Ta* omiserit *offerre*), uix crediderim eum ipsum Σ fuisse. Neque uero ab communi codicum *S* Θ (cum *N*⁴ etc.) archetypo (Σ*ᵃ*) eum deriuatum esse neque ipsum illum fuisse inde sumendum erit quod in 27. 13. 5 praebet *Ta* uocem *referam*, quam illi omnes omittunt.

Succurrit autem indicium, qualecumque est, per quod de forma exemplaris eius unde *Ta* exscriptus erat aliquid, credo, licet conicere. Nam Taurinensis sicut Puteanus, laborabat uocibus omissis; ceterum *Ta*² (longe alius quam miser ille corrector *P*²) eodem, ut uidetur, exemplari quo codicis scriba usus, plerumque omissa restituit. Ex paucis uero illis locis ubi codicis nobis notitia est, ter accidit ut tot litterae omissae sint quot in uersum Puteaneum quadraturae erant (uide 27. 11. 15; 27. 34. 6; 29. 23. 2, locos supra memoratos). At fortasse ad 27. 33. 3–4 lacunae causa merae litterarum similitudini (ὁμ.) adsignanda erit: omissa tamen in 29. 21. 5–7 (ea quoque ob ὁμ.) quinque uersibus (ii + iii) eiusdem mensurae poterant suppleri. Qua de causa, quamquam in tali re nihil pro certo dici potest, haud scio an eadem in Σ atque in *P* fuerit uersuum magnitudo.

§ 96. *De Examine Lectionum et de Glossematibus in P et* Σ. Duarum igitur traditionum (*P* et Σ) lectiones cum iam pro uirili parte conixus sit editor quilibet ut quae utrique fuerint reperiat (nam ad finem Libri XXX ne de *P* quidem hoc facile reperiri potest), restat ut nunc hanc nunc illam, prout cuiusque loci sententia atque loquendi usus suadet, in contextum Liuianum recipiat. Saepe ubi inter se discrepant utriuslibet lectio poterit Liuio attribui. Neutra traditio contemnenda est; neutra mendis sat magnis non est corrupta. At codex Σ fortasse aliquanto curatius et a scriba doctiore descriptus est. Quot enim et quanta fuerint menda Puteani inter omnes constat. Sed talibus si non tantis mendis et codicem Σ laborauisse e folio Monacensi potest concludi—quamquam errores ibi nonnullos ipsi *S* (uel Σ*ᵃ*)

PRAEFATIO

potius quam parenti illi Σ forsitan adsignare liceat. Deprauationes uero de industria, ut ita dicam, factas et glossemata in contextu inclusa non solum in Σ (et Σ^a etc.) fuisse sed etiam in *P* nonnulla nemo negare poterit qui et pauca illa ad 27. 26. 10 adn. collecta respexerit et exempla qualia inuenies ad 27. 13. 7 ; 27. 27. 1 et 3 ; 27. 39. 13 (?) ; 27. 45. 12 ; 27. 49. 1 ; 28. 18. 7 ; 28. 32. 9 (?) ; 28. 37. 5 (?) ; 28. 39. 3 ; 28. 40. 5 ; 29. 16. 7. Sunt etiam nonnulli loci ubi uerborum ordinis inter *P* et Σ uariatio inde, ut credimus, orta est quod glossemata inserta erant in archetypum (uide sis 27. 34. 3 adn.). Et uix dubium est quin mutationes in Puteano repertae archetypi correctoribus tribuendae sint potius quam Puteano ipsi ; cuius scriba sententiam Liuianam nihil morabatur, sed glossema uel correctoris medelam hic illic quasi casu recepit (etiam ubi eandem scriba codicis Σ neglexerat). Contra mutationum Spirensianarum siue in Σ siue in alio ab illo deriuato primum factarum permulta sunt exempla (*cf.* e.g. 29. 12. 5 adn.).[1]

§ 97. *De Versibus*[2] *omissis*. Puteani scribae neglegentia nusquam alibi magis patet quam quod crebro cola uel uerborum seriem prorsus praetermisit. Nec uero melius intellegere possumus quantum profuerit traditio Spirensiana quam si recordamur omissa in *P* pleraque per illam in his Libris suppleta esse. Supplementa autem—quod iam pridem perspexerunt uiri docti[3]—totis uersibus Puteani (quorum unus quisque xv–xxi fere[4] litteras praebet), uni uel pluribus, maximam partem sunt paria. Hinc satis probatum est uersibus eandem mensuram habentibus et exemplar quoque

---

[1] Multo plura sunt quam quae ibi collegi.

[2] In hac Praefatione uocem 'uersus' adhibere malui, quamquam Waltersium (Praef. Tom. ii) secutus in adnn. uoce 'linea' usus sum.

[3] Horum in primis nominandus est Waltersius, u. Praef. Tom. ii, pp. xv–xx.

[4] I.e. nunquam minus xiv, nunquam amplius xxii.

PRAEFATIO

Puteani descriptum esse ; id quod uix dubitare poteris cum locorum ubi unum uel plures uersus omisit Puteanus haud minus lxx exempla[1] inueneris, quae ad 26. 51. 8 adn. collegi. Et horum quidem locorum sunt xxiii ubi abest omnis alia omittendi excusatio (i.e. ubi uoces non ob ὁμ. quod uocant omissae sunt). Necnon idem inde concludi potest quod ad 28. 9. 12–13 et 28. 27. 5 (et alibi) bis praebet Puteanus non suos ipsius uersus sed uersus, ut uidetur, exemplaris.

Iam de exemplari Taurinensis idem conici posse monstraui (§ 95). Quid uero de illis quae in traditione Spirensiana omissa, in P suppleta sunt? Exempla inuenies ad 28. 2. 16 adn. collecta, quorum in plurimis uix alia causa omittendi erat quam ὁμ.[2] Quod si locos quales 28. 19. 2 et 29. 36. 8 necnon (quamquam ὁμ. adest) 30. 13. 14 et 30. 37. 3 inspexeris, indicia aliqua habebis unde quod de forma et codicis Σ et ipsius codicum P et Σ archetypi iam[3] coniecimus confirmari posse uideatur.

§ 98. Postremo monendus est lector ne credat omnes Puteani errores, omnes codicum $θ$ uel ceterorum in adnotationibus criticis nostris inclusos esse Multa omittenda erant, sed ea tantum omissa quae leuioris momenti esse uidebantur; de P et $θ$ qui plura uolt cognoscere, consulat editionem Luchsii. Id potius nos egimus ut ubicumque adnotationem scripsimus ibi proferretur quidquid uariationis erat inter lectiones omnium illorum codicum quos adhibebamus ; et aliqua ex parte mores codicum atque usum Liuianum tironis causa exemplis inlustrare conati sumus. Quam ob rem etiam de emendatorum coniecturis quamuis scitis saepe necesse erat silere.

§ 99. Restat iam solum ut et Conwaii et meo nomine

---
[1] Sunt et alia quae in adnn. poteris comperire.
[2] Sunt etiam quae malis fortasse codici $Σ^a$ adsignari.
[3] Vide §§ 85, 89, 95.

PRAEFATIO

gratias plurimas agam illis omnibus quicumque in hac parte huius editonis adiutamenta nobis attulerunt. Iterum commemoranda est insignis illa opera codicum perlegendorum quam nobis et benignissime et impigerrime nauauerunt Clara M. Knight, Florentia Whitehead, Nan Holley, Douglas L. Drew, Iacobus A. Petch. Necnon Bibliothecarum custodibus iam in priore Tomo nominatis grates ex animo deferimus. Huius ipsius Praefationis obscuritatibus quibusdam summa beneuolentia adhibuit scientiam Latinitatis suam Iohannes Wight Duff, Academiae Britannicae Socius. Iterum custodibus Preli Clarendoniani et ipsis prelatoribus multum debemus; qui cum hic Tomus commentario etiam ampliore quam ille tertius oneretur, haudquaquam tamen grauati sunt. Et correctori huius Preli gratiam habeo praecipuam. Is enim neque operae neque eruditioni pepercit dum me sescentis erroribus liberaret.

S. K. JOHNSON.

Dabam Nouis Castris
Kal. Nouembribus, 1934.

ADDENDA

26. 13. 15 *adn. ad* in carcerem] *optime conicit* in crate nem *P. Thoresby Jones, conferendo* 1. 51. 9 (ut ... ad caput aquae Ferentinae crate superne iniecta ... mergeretur) *et* 4. 50. 4 (*necnon Tac. Germ.* 12. 1 *et fort. Plaut. Poen.* 1025-6); *abrupta haec locutio et ad rem et ad personam accommodata est* (*cf. etiam e.g.* ' *dance on air* ') ; *quodsi Subiunctiuus* nem *rarius inuenitur, fortasse inde orta est corruptela*
27. 9. 14 *Post adnn. adde lemma* idem socios], *et huc transfer adn. primam ad c.* 10. 1
27. 45. 5 *adn.*] *post* ' *om. B* ' *adde* ' : *supplet B*² '

De rebus quibusdam ad stirpem Spirensianam codicemque Agennensem pertinentibus quas editores aliis explorandas reliquerunt (uide in Tom. III § 68), nunc denique opus proferendum est quod, nondum a parte Liuiana perfectum, multum tamen ad illam traditionem definiendam ualet. Consule sis *Journal of the Warburg and Courtauld Institutes* XIV (1951), pp. 137-208 : G. Billanovich, 'Petrarch and the Textual Tradition ot Livy '.

Haec sunt praecipue obseruanda :

§ 83. *De Stirpe Spirensiana.* Et Spirensis et ceteri codices qui hanc traditionem repraesentant ab exemplari Carnotensi, ut uidetur, deriuati sunt, quod et ipsum e codice Taurinensi (cf. § 95) per hos libros fortasse exaratum erat.

§ 90. *De Folio Monacensi.* Hoc folium, quod editores codici ipsi Spirensi attribuerunt, gemello Spirensis potius apparet attribuendum esse.

§ 92. *De Correctoribus Spirensianis Codicis Agennensis.* Huius codicis Decas tertia (saeculi XII exeuntis uel XIII ineuntis), ab stirpe Puteana orta, per libros XXVI-XXX e fonte Spirensiano ab ipso Petrarcha suppleta correctaque est. Correctiones autem Spirensianas emendationesque quas Conwaius manibus compluribus (A^2, A^7, A^8, A^9; cf. etiam A^z), attribuit, uni tantum correctori i.e. Petrarchae nunc licet attribuere. Qua ex traditione sic contaminata, postquam per codices recentiores descripta est, Editionem principem deriuatam esse (cf. III § 68a) denique adfirmari potest.

1952   A. H. Mc. D.

SIGLA

P = codex Puteanus, Parisiis (Biblioth. Nat. Cod. Lat. 5730), saec. V; u. *Praef.* §§ 50 sqq. (cf. etiam §§ 84, 85, 96, 97)

$P^1 = P$ ipse se corrigens

P^2, P^3 = correctores subsequentes (ambo tamen eo tempore priores quo ex hoc codice descripti sunt *CRM*); u. *Praef.* § 55

P^4, P^5 = correctores recentiores; u. *Praef.* §§ 55 (e) et (f), 87A (ii)

P^x corrector aliqui de quo nihil amplius adhuc nobis comparuit. Similiter et in codd. ceteris (e.g. C^1, C^2, C^x)

C = codex Colbertinus, Parisiis (Biblioth. Nat. Cod. Lat. 5731), saec. X; u. *Praef.* § 57 (cf. etiam § 87A)

R = codex Romanus, Romae (Biblioth. Vaticanae Vat.-Reg. 762), saec. IX: u. *Praef.* § 59 (cf. etiam § 87B)

M = codex Mediceus, Florentiae (Biblioth. Laurentianae Plut. lxiii. 20), saec. X; u. *Praef.* §§ 60 sqq. (cf. etiam § 87B)

B = codex Bambergensis (Biblioth. Publicae M. iv. 9), saec. XI; u. *Praef.* § 66 (cf. etiam § 87B et C)

D = codex Cantabrigiensis (Biblioth. Coll. Trin. R. 4. 4. 214), saec. XII; u. *Praef.* § 67 (cf. etiam § 87B et C)

A = codex Agennensis, Londinii (Mus. Brit. Harl. 2493), saec. XIII; u. *Praef.* § 68 (cf. etiam § 87B et C)

$\Pi = P$ consentientibus *CRMBDA*

$\Pi^1, \Pi^2 = P^1, P^2$ consentientibus *CRMBDA*

$\pi, \pi^1, \pi^2 = P, P^1, P^2$ consentientibus haud minus tribus ex codicibus *CRMBDA*, ubicumque ex ceteris horum unus uel duo uel tres a P discrepant; sed in Lib. XXX, ubicumque nulla horum codicum memoratur uariatio, post c. 5. 8 ubi R deficit) π = consensus codicum *PCMBDA* et post c. 21. 4 (ubi folium in D exsectum est) $\pi = PCMBA$ et post c. 26. 10 (ubi M etiam deficit) $\pi = PCBA$

N = codex Laurentianus Notatus (λ Luchsii), Florentiae (Biblioth. Laurent. Plut. lxiii. 21), saec. XIII; u. *Praef.* § 70 (cf. etiam § 87B et C)

A^7, A^8, A^9, A^z = codicis A correctores illi qui e fontibus Spirensianis hauserunt (saec. XIV ut uid. omnes); suppleuit A^z lacunas Puteaneorum XXVI c. 41. 18–c. 44. 1, et

SIGLA

XXVII c. 2. 11–c. 3. 7, et ad finem Lib. XXX (inde ab c. 41. 6); u. *Praef.* §§ 87c, 92

$A^v = A$ a Laurentio Valla correctus; u. *Praef.* § 68

$A^r =$ folium in A rescriptum

$N^3, N^4, N^n, N^r =$ codicis N correctores illi qui e fontibus Spirensianis hauserunt saec. XIII omnes (u. *Praef.* § 92); N^n nihil scripsit nisi partem supplementi ad XXVII c. 2. 11–c. 3. 7; raro (in Lib. XXX) sua addidit N^r

$N^z =$ ille qui ultimum codicis N folium (Lib. XXX inde ab c. 41. 6) suppleuit; u. *Praef.* § 87c

$S =$ folium Monacense (M Luchsii), Monachii (Biblioth. Mon. Cod. Lat. 23491), saec. XI; u. *Praef.* § 90

$Sp =$ codex Spirensis ab Rhenano in ed. Frob. 1535 disertis uerbis citatus; u. *Praef.* §§ 88, 89

Sp ut uid. = Rhenanus includens in lemmate suo ubi codicem nominat sed ut de alia re testem; u. *Praef.* § 89

Sp? = Rhenanus lectionem probans et fortasse (sed non diserte) codicem suum sequens; u. *Praef.* § 89

Rhen. = Rhenanus suo Marte ut uidetur coniecturam offerens

$Ta =$ codex palimpsestus Taurinensis, saec. V; u. *Praef.* § 95

$H =$ codex Harleianus, Londinii (Mus. Brit. Harl. 2684), saec. XV; u. *Praef.* § 94

$V =$ codex Vaticanus, Romae (Biblioth. Vaticanae Palat. 876), saec. XV; u. *Praef.* § 93

$W =$ codex Vaticanus, Romae (Biblioth. Vaticanae Palat. 879), saec. XV; u. *Praef.* § 93

$J =$ codex Burneianus (*a* Luchsii), Londinii (Mus. Brit. Burney 198), saec. XV; u. *Praef.* § 93

$K =$ codex Harleianus (β Luchsii), Londinii (Mus. Brit. Harl. 2781), saec. XV; u. *Praef.* § 93

$\theta =$ consensus codicum JK

$X =$ codex Venetus (γ Luchsii), Venetiis (Marc. 364), saec. XIV

$Y =$ codex Mediceus (δ Luchsii), Florentiae (Biblioth. Laurent. Plut. lxiii. 17), saec. XV

$Z =$ codex Mediceus (ϵ Luchsii), Florentiae (Biblioth. Laurent. olim Abb. Florent. 263), saec. XV

$\Theta =$ consensus codicum $JKXYZ$ (R Luchsii); u. *Praef.* § 93

$F =$ codex Mediceus, Florentiae (Biblioth. Laurent. Plut. lxxxix inf. 1), saec. XV; u. *Praef.* § 93

Codicum $VXYZF$ testimonia non in omnibus locis collecta

SIGLA

sunt a nobis aut a sociis nostris; ubi uero ob hanc uel illam causam ii in locis non denuo inspectis nominandi erant, e Luchsii testimonio sic (pluribus litteris secundum normam nostram) citamus:

$Vat = V$ e Luchsio citatus (u. supra)
$Ven = X$,, ,, ,, ,, ,,
$Med.\ 1 = Y$,, ,, ,, ,, ,,
$Med.\ 2 = Z$,, ,, ,, ,, ,,
$Med.\ 3 = F$,, ,, ,, ,, ,,

De Deterioribus aliis ex Drakenborchio citatis (idque rarissime) u. *Sigla* Tom. III huius editionis p. xxx

Aldus = Aldus siue in ed. 1519 siue in ed. 1521 editorum primus lectionem instituens

ald. = Aldus lectionem ab editionibus prioribus accipiens

*Frob.*2 = Gelenius editionis Frobenianae 1535 in contextum lectionem introducens

*ald.Frob.*1.2 = Aldus et editio Frobeniana utraque (1531 et 1535) lectionem iam ab editionibus ueteribus acceptam confirmantes (hinc de Spirensi 'argumentum ex silentio' saepe oritur)

Edd. = editores et priores et posteriores

| indicat finem lineae in codice (e.g. ad 26. 26. 2)

⟨ ⟩ includunt supplementa quae credimus necessaria sed quae omnibus codicibus absunt

[ ] includunt additamenta quae reicienda esse censemus sed quae pluribus uel omnibus codicibus insunt

† indicat locum corruptum cuius de medela nobis non liquet

( ) in adnotationibus ubi lemmati ipsi uoces ex contextu adduntur ut lector locum in pagina facilius reperiat, harum uocum nullam rationem habet adnotatio (e.g. ad 26. 33. 3)

In adnotationibus ut ordo uocum in codicibus uariatus breuiter monstretur stat lemma nonnunquam cum siglo] scriptum, ubi uocis uel uocum locus in hoc uel illo codice per *hic* (i.e. in eo loco quo in contextu nostro stat) et *post* uel *ante* indicatur (e.g. ad 30. 35. 9)

ut s. l. = praebens ut secundam lectionem; cf. *Praef.* § 92

pleniore cal. = pleniore calamo scriptum; cf. *Praef.* § 33 (*b*)

Madv. Em. = Madvig *Emendationes Liuianae* (ed. 2, 1877); editiones Luchsii et Madvigii per *Luchs 1879* tantum et simili modo nominantur

Praef. = Praefatio nostra cuius paragraphae continuis numeris inde a Tom. I denotantur

T. LIVI
AB VRBE CONDITA

LIBER XXVI

Cn. Fuluius Centumalus P. Sulpicius Galba consules cum 1 idibus Martiis magistratum inissent, senatu in Capitolium uocato, de re publica, de administratione belli, de prouinciis exercitibusque patres consuluerunt. Q. Fuluio Ap. Claudio, 2 prioris anni consulibus, prorogatum imperium est atque exercitus quos habebant decreti, adiectumque ne a Capua quam obsidebant abscederent priusquam expugnassent. Ea tum 3 cura maxime intentos habebat Romanos, non ab ira tantum, quae in nullam unquam ciuitatem iustior fuit, quam quod 4 urbs tam nobilis ac potens, sicut defectione sua traxerat aliquot populos, ita recepta inclinatura rursus animos uidebatur ad ueteris imperii respectum. Et praetoribus prioris anni 5 M. Iunio in Etruria, P. Sempronio in Gallia cum binis legionibus quas habuerant prorogatum est imperium. Proro- 6 gatum et M. Marcello, ut pro consule in Sicilia reliqua belli perficeret eo exercitu quem haberet: si supplemento opus 7 esset, suppleret de legionibus quibus P. Cornelius pro praetore in Sicilia praeesset, dum ne quem militem legeret ex eo nu- 8

1 1 Centumalus *Sigonius, cf.* 25. 41. 11 : centimalus Πθ   2 expugnassent *ed. Rom.* 1472 *ald.*: oppugnassent Πθ   3 Ea tum *P (qui mox* curan cura *scripsit* : *del.* curan P^1 *et* P^2) *ald.*: eam. tum *CRMBDA*θ   in nullam R^1MB : in ullam *PCR*   4 respectum Π¹θ : respectusm *P cf.* 22. 2. 2 ; 27. 17. 1; 27. 40. 7 *adnn. et de dittographia cf.* 27. 34. 5 *adn.*   5 in Etruria A^7θ*ald.* : n etruria *P* : etruria $π^3R^2$: truria *R*   in Gallia PA^7θ*ald.*: gallia Π³   6 reliqua $π(M?etM^x$ *per ras.) Gron.*: reliquias *BDA*θ *Edd. ante Gron.* : reliquia $M^2(uel\ M?)$

7 pro praetore *J, cf.* 27. 21. 6 *adn.*: propraetor (*uel* -pret-) A^7 *uel*A^vK, *cf. c.* 2. 4: pro p̄r̄ π : pro p̊. r. *D*

XXVI 18 TITI LIVI

mero quibus senatus missionem reditumque in patriam negas-
9 set ante belli finem. C. Sulpicio cui Sicilia euenerat duae
legiones quas P. Cornelius habuisset decretae et supplementum de exercitu Cn. Fului, qui priore anno in Apulia foede
10 caesus fugatusque erat. Huic generi militum senatus eundem,
quem Cannensibus, finem statuerat militiae. Additum etiam
utrorumque ignominiae est ne in oppidis hibernarent neue
hiberna propius ullam urbem decem milibus passuum aedi-
11 ficarent. L. Cornelio in Sardinia duae legiones datae quibus
Q. Mucius praefuerat; supplementum si opus esset consules
12 scribere iussi. T. Otacilio et M. Valerio Siciliae Graeciaeque
orae cum legionibus classibusque quibus praeerant decretae;
quinquaginta Graecia cum legione una, centum Sicilia cum
13 duabus legionibus habebat naues. Tribus et uiginti legionibus Romanis eo anno bellum terra marique est gestum.

2 Principio eius anni cum de litteris L. Marci referretur, res
gestae magnificae senatui uisae: titulus honoris, quod imperio
non populi iussu, non ex auctoritate patrum dato 'propraetor
senatui' scripserat, magnam partem hominum offendebat:
2 rem mali exempli esse imperatores legi ab exercitibus et sollemne auspicandorum comitiorum in castra et prouincias
procul ab legibus magistratibusque ad militarem temeritatem
3 transferri. Et cum quidam referendum ad senatum censerent,
melius uisum differri eam consultationem donec proficisce-
4 rentur equites qui ab Marcio litteras attulerant. Rescribi de
frumento et uestimentis exercitus placuit eam utramque rem
curae fore senatui; adscribi autem 'propraetori L. Marcio'

9 Sulpicio A^v? *J. Perizonius, cf.* 25. 41. 12: pupio (*uel* puppio) $\pi B^2 \theta$:
om. B   10 ignominiae (*uel* -ie) C^x *per ras.*(-nia ē *C?*)$M^2 uel M^7$
$BDA\theta ald.$: ignominia *PRM*   12 orae *Walters*: ora $\Pi\theta$ *ald. Frob.*
1. 2   decretae Π *ald. Frob.* 1. 2: decreta $A^7\theta$ Graecia *PR ut
uid.*: graeci $\pi^1 R^x\theta ald.$ Sicilia *Alschefski*: siciulia A: siculi $\pi^2\theta$
(-cili *P*) *ald.*   habebat *Walters*: habebant $\Pi\theta$, *sc. ex corruptela praec.
ortum*   13 uiginti (*i.e.* xx) π *ald.*: xxx $A\theta$

2 2 auspicandorum *Madv. Em. p.* 370: auspiciatorum π: auspica-
torum $A\theta$ *ald.*   4 propraetori A^7 *in ras. ald.*: pro. pr. *P*: prop.
r *C*: pro p̄r̄ $R^x MB^2$: .pr *B*: pro populo. r. *D*; *cf. c.* 1. 7 *et* 27. 21. 6
adn.

AB VRBE CONDITA XXVI 2 4

non placuit, ne id ipsum quod consultationi reliquerant pro praeiudicato ferret. Dimissis equitibus, de nulla re prius consules rettulerunt, omniumque in unum sententiae congruebant agendum cum tribunis plebis esse, primo quoque tempore ad plebem ferrent quem cum imperio mitti placeret in Hispaniam ad eum exercitum cui Cn. Scipio imperator praefuisset. Ea res cum tribunis acta promulgataque est ; sed aliud certamen occupauerat animos.

C. Sempronius Blaesus die dicta Cn. Fuluium ob exercitum in Apulia amissum in contionibus uexabat, multos imperatores temeritate atque inscitia exercitum in locum praecipitem duxisse dictitans, neminem praeter Cn. Fuluium ante corrupisse omnibus uitiis legiones suas quam proderet. itaque uere dici posse prius eos perisse quam uiderent hostem, nec ab Hannibale, sed ab imperatore suo uictos esse. neminem cum suffragium ineat satis cernere cui imperium, cui exercitum permittat. quid interfuisse inter Ti. Sempronium ⟨et Cn. Fuluium ? Ti. Sempronium⟩ cum ei seruorum exercitus datus esset breui effecisse disciplina atque imperio ut nemo eorum generis ac sanguinis sui memor in acie esset ⟨sed⟩ praesidio sociis, hostibus terrori essent ; Cumas Beneuentum aliasque urbes eos uelut e faucibus Hannibalis ereptas populo Romano restituisse : Cn. Fuluium Quiritium Romanorum exercitum, honeste genitos, liberaliter educatos, ser-

---

5 Dimissis $C^4 M^1 BDA.ald.$: dimissi π, *cf.* 27. 17. 12 *adn.*   6 promulgataque πR^x *per ras.* (-taquae R) J : promulgata K 7 Blaesus $C^4 A^v$? *Sigonius, cf.* 27. 6. 1 *adn.* : blesus θ : plaesus (*uel* ple-) Π multos $M^1 A^v$? *Gron.* : multo π : multa $C^4 BDAθ$ *ald.* (imperatoris *ald.* : -rem *Frob.* 1)   duxisse *Luchs* 1879 : praeduxisse π (*sc.* prae- *ex uoce praecedente repetito, cf.* 27. 44. 1 *adn.*) : produxisse B^2 (-sse et B) : p eduxisse C : eduxisse C^4 : perduxisse M^2 *uel* M^7 *ald.* *Luchs* 1889, *non male, cf.* 22. 2. 1 *adn. et* 27. 50. 9   10 et Cn. Fuluium? Ti. Sempronium *Madv. Em. p.* 370, *cf. c.* 6. 16 *adn.* : *ignorant* Πθ : *praebent* hunc et *post* inter $A^v ald.$ ac (sanguinis) πB^2 *Aldus* : aut B?D $Aθ$ *Edd. ante Ald.*   esset sed *scripsimus Waltersio monente, cf.* 27. 1. 11 *adn.* : esset Πθ *Madv.* 1882 : set *Madv. olim Em. p.* 371   Beneuentum P^x *per ras.* CM^3 *uel* $M^7 B^2 θ$: beneuolentum π

1*

TITI LIVI

uilibus uitiis imbuisse. ergo effecisse ut feroces et inquieti inter socios, ignaui et imbelles inter hostes essent, nec impetum modo Poenorum sed ne clamorem quidem sustinere possent. nec hercule mirum esse ⟨cessisse⟩ milites in acie cum primus omnium imperator fugeret: magis mirari se aliquos stantes cecidisse et non omnes comites Cn. Fului fuisse pauoris ac fugae. C. Flaminium, L. Paulum, L. Postumium, Cn. ac P. Scipiones cadere in acie maluisse quam deserere circumuentos exercitus: Cn. Fuluium prope unum nuntium deleti exercitus Romam redisse. facinus indignum esse Cannensem exercitum quod ex acie fugerit in Siciliam deportatum ne prius inde dimittatur quam hostis ex Italia decesserit et hoc idem in Cn. Fului legionibus nuper decretum, Cn. Fuluio fugam ex proelio ipsius temeritate commisso impunitam esse et eum in ganea lustrisque ubi iuuentam egerit senectutem acturum, milites qui nihil aliud peccauerint quam quod imperatoris similes fuerint relegatos prope in exsilium ignominiosam pati militiam; adeo imparem libertatem Romae diti ac pauperi, honorato atque inhonorato esse.

3 Reus ab se culpam in milites transferebat: eos ferociter pugnam poscentes, productos in aciem non eo quo uoluerint, quia serum diei fuerit, sed postero die, et tempore et loco aequo instructos, seu famam seu uim hostium non sustinuisse. cum effuse omnes fugerent, se quoque turba ablatum, ut Varronem Cannensi pugna, ut multos alios imperatores. qui

11 ut feroces C^1M^3D: ut et feroces $A^7\theta ald.$: et feroces π (*sc.* et *praesumpto*) 12 esse cessisse *Alschefski* (cessisse *Gron.*): esse ΠJ: fugisse (mil. ex acie) K; *post* in acie *add.* fugisse A^x, non stetisse *ald.*
13 exercitus π: hostibus suos exercitus $A\theta$ (h. ex. suos K, *cf.* 27. 34. 3 *adn.*) *Edd. ante Gron.* 14 in Siciliam Πθ: ita in Siciliam *Alan* decesserit $\pi B^2 Aldus$: discesserit $BA^1\theta$ *Edd. ante Ald.*: demittatur uel discesserit A 16 imperatoris $CBA\theta$: imperatoreis P *ut uid.* (*cf. e.g. c.* 1. 4 *adn.*): imperatores π^x (-ri M^1)

3 1 aequo *Frob.* 2: aeq' P: aeq: M: aequę CR: eque $DA\theta$: aeque *B.ald.* instructos $K.ald.$: instructo ΠJ 2 fugerent $A^7\theta ald.$: fugerunt Π, *cf.* 22. 36. 3 *adn.* 3 qui π: quid $M^3BDA\theta ald.$ *probante Madv.* (*Praef. ed.* 3)

AB VRBE CONDITA   XXVI 3 3

autem solum se restantem prodesse rei publicae, nisi si mors sua remedio publicis cladibus futura esset, potuisse? non 4 se inopia commeatus [non] in loca iniqua incaute deductum, non agmine inexplorato euntem insidiis circumuentum: ui aperta armis acie uictum. nec suorum animos nec hostium in potestate habuisse: suum cuique ingenium audaciam aut pauorem facere. Bis est accusatus pecuniaque anquisitum. 5 Tertio testibus datis cum, praeterquam quod omnibus probris onerabatur, iurati permulti dicerent fugae pauorisque initium a praetore ortum, ab eo desertos milites cum haud 6 uanum timorem ducis crederent terga dedisse, tanta ira accensa est ut capite anquirendum contio succlamaret. De eo 7 quoque nouum certamen ortum; nam cum bis pecunia anquisisset, tertio capitis se anquirere diceret, tribuni plebis 8 appellati collegae negarunt se in mora esse quo minus, quod ei more maiorum permissum esset, seu legibus seu moribus mallet, anquireret quoad uel capitis uel pecuniae iudicasset priuato. Tum Sempronius perduellionis se iudicare Cn. 9 Fuluio dixit, diemque comitiis ab C. Calpurnio praetore urbano petit. Inde alia spes ab reo temptata est, si adesse 10 in iudicio Q. Fuluius frater posset, florens tum et fama rerum

---

3 esset potuisse *Gron.* : esse potuisset Πθ, *qua lectione retenta post* reipublicae *add.* potuisse *A⁷ Edd. ante Gron.*   4 commeatus *C⁴A⁷θ* (come- *J*): commentus Π(*A?*): commentus Π(*A?*)   *ante* in loca *praebent non* Πθ *ald.* : *recte secl. Doering*; *locum sic rescribere uoluit Duker* se non inopia commeatus non incaute in loca iniqua deductum *sed uerborum ordo uix placere potest*; *de non praesumpto cf.* 29. 5. 6 *adn.*   non agmine inexplorato πθ (*om. D* agmine . . . . . armis) : *secl.* agmine *Novák et H. J. Mueller, sed* inexplorato *aduerbium esse et* agmine *cum* euntem *haerere recte monet Weissenb.*   circumuentum *M³*(*qui et* ui *delet*) *BAθald.* : circum π (*om. D u. supra*)   6 ducis *Aldus* : uocis Πθ: necis *dett. tres* : *om. Berolinensis et Edd. ante Ald.*   ira *CM²B²Aθ* : ita π   ut Π *Aldus* : ut id *A⁷θ Edd. ante Ald.*   8 quo minus (*uel coniunctim*) *BDAθ* : quod minus π (*delet uocem inseq.* quod *M¹ uel M²*)   more *Pˣ per ras. C et ut uid. M³ uel M² (qui -r- tamen delet, non -t-) Aθ* : morte π   9 urbano *Madv.* : urb. π *cf.* 25. 1. 11 *et* 27. 22. 12 *adnn.* : urb' *AJ* : urb *B* : urbis *DK.ald. Drak.*   petit Πθ : petiit *H. J. Mueller, sed cf.* 27. 5. 9 *adn.*   10 in iudicio *Gron.* : m iudicio *P* : iudicio Π¹ *uel* Π²θ *Edd. ante Gron.*

11 gestarum et propinqua spe Capuae potiundae. Id cum per litteras miserabiliter pro fratris capite scriptas petisset Fuluius negassentque patres e re publica esse abscedi a Capua, 12 postquam dies comitiorum aderat, Cn. Fuluius exsulatum Tarquinios abiit. Id ei iustum exsilium esse sciuit plebs.

4 Inter haec uis omnis belli uersa in Capuam erat; obsidebatur tamen acrius quam oppugnabatur, nec aut famem tolerare seruitia ac plebs poterant aut mittere nuntios ad 2 Hannibalem per custodias tam artas. Inuentus est Numida qui acceptis litteris euasurum se professus praestaret promissum. Per media Romana castra nocte egressus spem accendit Campanis dum aliquid uirium superesset ab omni 3 parte eruptionem temptandi. Ceterum in multis certaminibus equestria proelia ferme prospera faciebant, pedites superabantur; sed nequaquam tam laetum uincere quam triste uinci ulla parte erat ab obsesso et prope expugnato hoste. 4 Inita tandem ratio est ut quod uiribus deerat arte aequaretur. Ex omnibus legionibus electi sunt iuuenes maxime uigore ac leuitate corporum ueloces; eis parmae breuiores quam equestres et septena iacula quaternos longa pedes data, prae- 5 fixa ferro quale hastis uelitaribus inest. Eos singulos in equos suos accipientes equites adsuefecerunt et uehi post sese et 6 desilire perniciter ubi datum signum esset. Postquam adsuetudine cotidiana satis intrepide fieri uisum est, in cam-

10 Capuae C^xM^1D (*hic* -ue) $A\theta$ (*sed* potiundae *C.* $A\theta$, *cf. c.* 5. 17 *adn.*): capua et π 12 esse sciuit $BDAJ$: esses quid π: sciuit K: *del.* C^2M^1 *uel* M^2: censuit M^x *in marg.*

4 1 erat π *ald.*: est $A\theta$: *delere uoluit ut uid.* M^1 *uel* M^2, *non male* acrius πB^2 *Sabellicus*: carius $A\theta$: artius *uir doctus in A, bene, nisi tam cito secuta esset uox* artas   tam artas πA^v *ut s. l. ed. Par.* 1513 (arctas): tam archas D: armatas $A\theta$ *Edd. ante ed. Par.*   2 professus $M^1BDA\theta$: profectus π 3 pedites $\Pi\theta$: pedite *Gron. dubitanter et Madv., fort. recte*   nequaquam P^x *per ras.* $M^1B^2A\theta$: nequaq. dā PCR: nequam quaedam R^2M: neq̄ quidam C^2: nequadam B: nequam D 5 post sese et M^3 *ald.*: post seset PR: post sese R^xMBDA: posse et $A^7\theta$ 6 Postquam $\Pi\theta$: postquam id *Koch*: id postquam *M. Mueller*   fieri uisum est π: uisum est fieri $MA\theta$ *ald. Drak., non male sed cf. c.* 5. 17 *adn.*

AB VRBE CONDITA

pum qui medius inter castra murumque erat aduersus instructos Campanorum equites processerunt, et ubi ad coniectum teli uentum est signo dato uelites desiliunt. Pedestris inde acies ex equitatu repente in hostium equites incurrit iaculaque cum impetu alia super alia emittunt; quibus plurimis in equos uirosque passim coniectis permultos uolnerauerunt; pauoris tamen plus ex re noua atque inopinata iniectum est, et in perculsum hostem equites inuecti fugam stragemque eorum usque ad portas fecerunt. Inde equitatu quoque superior Romana res fuit; institutum ut uelites in legionibus essent. Auctorem peditum equiti immiscendorum centurionem Q. Nauium ferunt honorique id ei apud imperatorem fuisse.

Cum in hoc statu ad Capuam res essent, Hannibalem diuersum Tarentinae arcis potiundae Capuaeque retinendae trahebant curae. Vicit tamen respectus Capuae in quam omnium sociorum hostiumque conuersos uidebat animos, documento futurae qualemcunque euentum defectio ab Romanis habuisset. Igitur magna parte impedimentorum relicta in Bruttiis et omni grauiore armatu, cum delectis peditum equitumque quam poterat aptissimus ad maturandum iter in Campaniam contendit; secuti tamen tam raptim euntem tres et triginta elephanti. In ualle occulta post

8 atque π ald. : quam Aθ dett. plerique   9 res π Drak. : acies Aθ Edd. ante Drak.   10 fuit ; institutum Πθ : fuit, et institutum Ussing : fuit, instituto Wesenberg, frustra ; uoces institutum—essent secl. Vielhaber, uix recte   Q. (uel quintum) P*x* per ras. $M^1B^2A^7θ$: quiin π (A?) : quitum BD (-tam)   ferunt π(A?)M^1 Aldus : fuerunt RM : tradunt $A^7θ$ Edd. ante Ald. (erant Lov. 2. 4: narrant Lov. 3: dett. alii alia)   imperatorem Πθ : imperatores Ruperti

5 1 diuersum Πθ quod si retines cf. Plaut. Merc. 470 et Sall. Iug. 25. 6 : in diuersum C^1M^1Harl. ald., optime, cf. e.g. 1. 28. 10 ; 25. 11. 20 ; 36. 10. 7 ; 38. 56. 1. De in omisso cf. c. 13. 7 adn.   3 armatu Π Gron. : armatura $C^2M^1A^7θ$ Edd. ante Gron., sane probabilius, sed lect. difficiliorem retinemus quamquam in 33. 3. 10 ; 37. 40. 13 ; 37. 41. 3 ; 42. 55. 10 arma potius quam armati commemorari uidentur   delectis πA^x Aldus : delectis exercitibus Aθ dett. plerique et Edd. ante Ald. aptissimus π(fort. -mos M)B^1(abpt- B)J : aptissimis M^1A^7K dett. ald., fort. recte   secuti M^3 uel M^9BDAθ : seuti π : sequuti C^2

TITI LIVI

Tifata, montem imminentem Capuae, consedit. Adueniens cum castellum Calatiam praesidio ui pulso cepisset, in circumsedentes Capuam se uertit, praemissisque nuntiis Capuam quo tempore castra Romana adgressurus esset ut eodem et illi ad eruptionem parati portis omnibus se effunderent, ingentem praebuit terrorem; nam alia parte ipse adortus est, alia Campani omnes, equites peditesque, et cum iis Punicum praesidium cui Bostar et Hanno praeerant erupit. Romani ut in re trepida, ne ad unam concurrendo partem aliquid indefensi relinquerent, ita inter sese copias partiti sunt: Ap. Claudius Campanis, Fuluius Hannibali est oppositus; C. Nero propraetor cum equitibus sex legionum uia quae Suessulam fert, C. Fuluius Flaccus legatus cum sociali equitatu constitit e regione Volturni amnis. Proelium non solito modo clamore ac tumultu est coeptum; sed ad alium uirorum equorum armorumque sonum disposita in muris Campanorum imbellis multitudo tantum cum aeris crepitu qualis in defectu lunae silenti nocte cieri solet edidit clamorem ut auerteret etiam pugnantium animos. Campanos facile a uallo Appius arcebat: maior uis ab altera parte Fuluium Hannibal et Poeni urgebant. Legio ibi sexta loco cessit; qua pulsa, cohors Hispanorum cum tribus elephantis usque ad uallum peruasit; ruperatque mediam aciem Romanorum et in ancipiti spe ac periculo erat utrum in castra perrumperet an intercluderetur a suis. Quem pauorem legionis periculumque castrorum Fuluius ubi uidit, Q. Nauium

---

5 praemissisque *Crevier ex 'Victorino'*: praemissis (pre- *BD*) namque Πθ *Edd. ante Ald., fort. nam ex* § 6 *praesumpto, cf.* 29. 5. 6 *adn.*: praemissis ante *Aldus*   sese *CM¹BDAθ*: sesse *M*: esse *PR*: se *P²*
6 cum iis *PCRK*: cum his *R¹MBDA*: cum hiis *J*   7 inter sese π: inter se *DAθald. Drak.*   8 Fuluius Πθ: Q. Fuluius *H. J. Mueller, uix necess.*   9 solito *CˣM¹B²Aθ*: soluto π   cieri π *Aldus*: scieri *D*: fieri *Aθ Edd. ante Ald.*   auerteret Πθ: aduerteret *Muretus 'e uet. lib.' Lov.* 5   10 a uallo *PC, cf.* 1. 27. 10; 5. 18. 12; 38. 33. 11: uallo *RMBDA⁷, cf. e.g.* 21. 57. 1: in uallo *A Edd. ante Gron.*: in ualle θ   11 intercluderetur *M³A⁷K ed. Mediol.* 1505: includeretur Π *Edd. ante ed. Mediol.*: intercludetur *J*

AB VRBE CONDITA XXVI 5

primoresque alios centurionum hortatur ut cohortem hostium sub uallo pugnantem inuadant: in summo discrimine rem uerti; aut uiam dandam iis esse—et minore conatu quam condensam aciem rupissent in castra inrupturos—aut conficiendos sub uallo esse ; nec magni certaminis rem fore ; paucos esse et ab suis interclusos ; et quae dum paueat Romanus interrupta acies uideatur, eam si se utrimque in hostem uertat ancipiti pugna medios circumuenturam. Nauius ubi haec imperatoris dicta accepit, secundi hastati signum ademptum signifero in hostes infert, iacturum in medios eos minitans ni se propere sequantur milites et partem capessant pugnae. Ingens corpus erat et arma honestabant ; et sublatum alte signum conuerterat ad spectaculum ciues hostesque. Ceterum postquam iam ad signa peruenerat Hispanorum, tum undique in eum tragulae coniectae et prope tota in unum acies uersa; sed neque multitudo hostium neque telorum uis arcere impetum eius uiri potuerunt.

Et M. Atilius legatus primi principis ex eadem legione signum inferre in cohortem Hispanorum coepit ; et qui

12 primoresque *AJ*: prioresque π: praetoresque *K*   hostium sub π (*sed in P* -um su- *partim erasum ut uid.*) *ald.*: hostium in *Aθ Lov.* 2. 3. 4. 5   inuadant Π *sed in P* -m inuad- *uix apparet*: inuaderet *J*: inuaderent *K*   13 rupissent *Crevier* (*ut in* § 11): in-(*uel* ir-)rupissent π*A*ˣ(-rump- *A*)*θald.*: erupissent *ed. Rom.* 1469: interrupissent *Luchs dubitanter, cf.* § 11, *sed* in- *ex uoce* inrupturos *praesumptum, cf.* § 5 *et* 29. 5. 6 *adn.*   14 Romanus *P* (*sed* -an . s) *Faërnus*: romanis *CRMBDAθ Edd. ante Drak.* (*unde* pauent *pro* paueat *Lipsius*): romanos *M*¹ *ut s.l.*: romana *Gron.* (*adn.*)   eam *PCR Gron., nec non ante eum Lipsius et Faërnus apud Ursinum*: etiam *R*²*MBDAθ Edd. ante Gron.*   utrimque *PCM*¹ *Faërnus ut supra, Gron.*: utrumque *RMBDAθ* (-unque *K*): in utrumque *M*⁹
15 signifero Π *A*ˣ *ald.*: signiferis *A*⁷θ   ni se π *Aldus*: nisi *AJ Edd. ante Ald.*: ni *K*   16 spectaculum *C*²*A*ᵛ *uel A*⁷θ: speculum Π, *cf.* 27. 1. 11 *adn.*   17 uersa *CM*¹*BAθ*: uera *PRM*: uerra *D*   multitudo hostium π: hostium multitudo *Aθald. Drak., cf. in hoc libro cc.* 3. 10; 4. 6; 7. 10; 8. 1 *et* 2; 10. 9; 11. 2 *et* 6; 12. 4 *et* 17; 14. 5; 15. 13; 16. 13; 19. 5; 26. 4; 46. 5; 50. 6; *de mutatione ordinis in codd. AN cf. etiam* 29. 3. 10 *adn., de mutatione in codd. θ cf.* 27. 37. 5 *adn.*   potuerunt π *Aldus*: potuit *Aθ Edd. ante Ald.*

6 1 inferre *Ruperti*: inferni *P*: inferri Π²θ*ald.Drak.*; *de* -ri *pro* -re *cf.* 27. 4. 13 *adn.*   coepit *Ruperti, probante Madvigio qui exemplum contrarii erroris* 25. 35. 8 *citat, cui adde* 29. 29. 9: coegit Πθ*ald. Drak.*

castris praeerant, L. Porcius Licinus et T. Popillius legati, pro uallo acriter propugnant elephantosque transgredientes in ipso uallo conficiunt. Quorum corporibus cum oppleta fossa esset, uelut aggere aut ponte iniecto transitum hostibus dedit ; ibi per stragem iacentium elephantorum atrox edita caedes. Altera in parte castrorum iam impulsi erant Campani Punicumque praesidium et sub ipsa porta Capuae quae Volturnum fert pugnabatur ; neque tam armati inrumpentibus Romanis resistebant quam porta ballistis scorpionibusque instructa missilibus procul hostes arcebat. Et suppressit impetum Romanorum uolnus imperatoris Ap. Claudi, cui suos ante prima signa adhortanti sub laeuo umero summum pectus gaeso ictum est. Magna uis tamen hostium ante portam est caesa, ceteri trepidi in urbem compulsi. Et Hannibal postquam cohortis Hispanorum stragem uidit summaque ui castra hostium defendi, omissa oppugnatione recipere signa et conuertere agmen peditum obiecto ab tergo equitatu ne hostis instaret coepit. Legionum ardor ingens ad hostem insequendum fuit : Flaccus receptui cani iussit, satis ad utrumque profectum ratus ut et Campani quam haud multum in Hannibale praesidii esset, et ipse Hannibal sentiret. Caesa eo die, qui huius pugnae auctores sunt,

1 Licinus (luc- *B*) π, *recte hic et in* 27. 6. 19 *sed perperam* -ius *in* 27. 46. 5 : licinius *A*θ   propugnant π *Gron*. : pugnant *A*ˣ *Aldus* : pugnabant *A*θ : propugnabant *Edd. ante Ald.*   2 per Πθ, *quod, ut in* 9. 13. 11, *Madvigio* 'nihil esse' *uidebatur sed defendi potest ut breuitate Liuiana* pluribus in locis in *significans* (*Angl.* 'all over'), *cf. e.g.* 1. 9. 9 ; 9. 13. 11 ; *Plaut. Cist.* 774 ; *Cic. ad Fam.* 1. 7. 6 ; *Plin.* 19. 94 : super Ussing, *uix necess.*   4 tam *A*⁷ *ut uid. ald.* : iam Πθ, *cf. e.g.* 27. 2. 8 ; 28. 6. 11 ; 30. 36. 10 *al*.   resistebant *CR¹MBDA*θ*ald.* : restistabant *PR* : restabant *Gron*.   porta *Gron*. : quo porta π*A*⁷θ : quo *A* : quod porta *A*ˣ *Edd. uet*. : quam porta (*i.e. cum praec.* quamquam p.) *M*²   5 gaeso (geso *K*) ictum θ *Aldus* : caeso ictum *MA*⁷ *uel A*ᵛ : caeso ictu π(*C?*) : gesso ictum *Edd. ante Ald.* : cęsū ictu *C*¹   6 Hispanorum *R*²*MBD* : spanorum *PR* : ispanorum *C*   oppugnatione *CM²BDA*θ : oppugtione *PRM*, *cf.* 27. 1. 11 *adn.*   7 Flaccus π (-chus *B*) *Gron*. : sed flaccus *A*θ*ald*.   quam Π : quoniam (qm̄) θ

8 qui Πθ : quidam qui *Luchs* 1889, *non male* (*idem uel* alii qui *uel* plerique qui *minus bene*). *Ipse nescio an exciderit fort. linea* (*cf.* § 16) *qualis* quidam ex numero eorum : *Luchsium sequi malit Johnson nisi fort. codicibus obtemperandum est*

AB VRBE CONDITA XXVI 6

octo milia hominum de Hannibalis exercitu, tria ex Campanis tradunt, signaque Carthaginiensibus quindecim adempta, duodeuiginti Campanis.

Apud alios nequaquam tantam molem pugnae inueni plusque pauoris quam certaminis fuisse, cum inopinato in castra Romana Numidae Hispanique cum elephantis inrupissent, elephanti per media castra uadentes stragem tabernaculorum ingenti sonitu ac fugam abrumpentium uincula iumentorum facerent; fraudem quoque super tumultum adiectam, immissis ab Hannibale qui habitu Italico gnari Latinae linguae iuberent consulum uerbis quoniam amissa castra essent pro se quemque militum in proximos montes fugere; sed eam celeriter cognitam fraudem oppressamque magna caede hostium; elephantos igni e castris exactos.

Hoc ultimum, utcumque initum finitumque est, ante dedi- tionem Capuae proelium fuit. Medix tuticus, qui summus magistratus apud Campanos est, eo anno Seppius Loesius erat, loco obscuro tenuique fortuna ortus. Matrem eius quondam pro pupillo eo procurantem familiare ostentum cum respondisset haruspex summum quod esset imperium Capuae peruenturum ad eum puerum, nihil ad eam spem adgnoscentem dixisse ferunt: 'Ne tu perditas res Campa-

---

9 inueni P: inueniri Π^2 uel Π^3: inuenio $A^7\theta$ *Edd. ante Gron.*
10 fugam Π: fuga M^3 uel $M^7\theta$ *Edd. ante Gron.* 11 immissis (inm- *sed cf. Praef.* § 30) M^1 uel $M^3A^7ald.$: inuissis PCR: inuisis R^xMBDAJ: iussis K: missus C^x qui habitu Italico gnari *Weissenb., optime*: qui habuit alico gnari π (*sed* aliquo R^2M): itali qui gnari M^1: aliquibus gnaris (*ut uid.*) M^3 uel M^7 (*his retentis add.* qui *post* linguae M^7 uel M^{11}) A^v: qui habuit aliquem (-am D) gnarum (-ri BD) BDA (-rum *in ras.*) θ (ignarum) *Edd. ante Ald.*: qui (habuit aliquot) gnari (*sic*) *Aldus* 1521 *Frob.* 1. 2. *Drak.* (aliquos *pro* aliquot *Aldus* 1519) 13 utcumque M^1 uel $M^2BDA\theta ald.$: uicumque π: uictorieque C^4 initum $M^1A\theta ald.$: initium π (-ici- D) medix tuticus *Lipsius* (*qui et* qui—est *ut gloss. seclusit*), *Columna ed Enn. Annal.* viii, *cf.* 23. 35. 13 *et* 24. 19. 2: mediatuticus Π (*cf.c.* 37. 3 *adn.*): mediatutitus $A^7\theta$ 15 adgnoscentem (*sed* agn-) $C^4A\theta ald.$: adonoscentem PCR (adan- R^1): adagnoscentem R^2MBD (*cf. e.g.* 28. 27. 4 *adn.*) Ne (*sed* nae) tu *Berolinensis Edd. ad Ald.* 1519 *Lipsius*: noe tu M: no tu PR: noctu $CR^2BDA\theta$: tu $C^xAld.$ 1521 *Frob.* 1. 2: non tu M^rA^v?

XXVI **6** 15 TITI LIVI

norum narras, ubi summus honos ad filium meum perueniet.'
16 Ea ludificatio ueri et ipsa in uerum uertit; nam cum fame ferroque urgerentur nec spes ulla superesset sisti ⟨posse iis qui nati⟩ in spem honorum erant honores detractantibus,
17 Loesius querendo desertam ac proditam a primoribus Capuam, summum magistratum ultimus omnium Campanorum cepit.

7 Ceterum Hannibal, ut nec hostes elici amplius ad pugnam uidit neque per castra eorum perrumpi ad Capuam
2 posse, ne suos quoque commeatus intercluderent noui consules, abscedere inrito incepto et mouere a Capua statuit
3 castra. Multa secum quonam inde ire pergeret uoluenti subiit animum impetus caput ipsum belli Romam petendi, cuius rei semper cupitae praetermissam occasionem post Cannensem pugnam et alii fremebant et ipse non dissimu-
4 labat: necopinato pauore ac tumultu non esse desperandum
5 aliquam partem urbis occupari posse, et si Roma in discrimine esset, Capuam extemplo omissuros aut ambo imperatores Romanos aut alterum ex iis; et si diuisissent copias, utrumque infirmiorem factum aut sibi aut Campanis bene

15 narras πA^v? *Aldus*: om. $A\theta$: praedicas *Edd. ante Ald.*
16 sisti ⟨posse iis qui nati⟩ in spem *Alschefski, optime uestigiis editionis Colon.* 1525 *insistens*: sisti in spem Πθ (*sed* spe θ) *linea* xv *litt. ob* -ti | -ti *omissa*: sisti in speciem A^x*Edd. plerique ante Mog.*: iis qui in spem *ed. Mog.* 1518 *et Aldus*: iis qui nati in spem *ed. Colon.* 1525. *Per Alschefskii emendationem lacunae causa patet, cf.* 8. 37. 12 *adn. et Praef.* §§ 43–45. *Exempla in hoc tomo reperies* (*a*) *linearum in* P *omissarum a* Sp *restitutarum ad c.* 51. 8 *adn.*, (*b*) *ubi in* Sp *omissae lineae a* P *restitutae sunt ad* 28. 2. 16 *adn.*, (*c*) *ubi per coniecturam lineae ut hic siue ab aliis siue a nobis restituuntur ad* § 8 *supra et cc.* 9. 6; 12. 2; 13. 9 *et* 15; 15. 4; 17. 5; 18. 7; 21. 14; 22. 2; 25. 8; 27. 16; 29. 10; 38. 4 (?); 39. 22 *et* 23; 46. 1; 27. 27. 13; 27. 28. 13; 27. 48. 14; 27. 50. 1; 28. 3. 14; 28. 15. 9 (?); 28. 29. 12 (?); 28. 34. 9; 29. 26. 5; 30. 4. 5; 30. 7. 6; 30. 30. 21; 30. 36. 6; 30. 42. 4   erant Π*ald.*: erat $A^7\theta$

7 2 abscedere $C^2RM^2BDA\theta$: abscendere PCR^2M 3 quonam $A^7\theta$*Aldus*: quo iam ΠA^v*Edd. ante Ald.*   *Quamquam pronominis color Liuium magis quam Hannibalem decere potest uideri, ideo tamen uocem* iam *uix hic scripturus erat ne quis* iam inde *pro* ex illo tempore *interpretaretur.   De* nam *et* iam *confusis cf. c.* 49. 12; 29. 8. 9; 30. 19. 6
5 et si ⟨Roma⟩ $M^1A^7\theta$: ei si Π: si *ald.*

AB VRBE CONDITA   XXVI 7

gerendae rei fortunam daturos esse.   Vna ea cura angebat 6
ne ubi abscessisset extemplo dederentur Campani. Numidam promptum ad omnia audenda donis pellicit ut litteris acceptis specie transfugae castra Romana ingressus, altera parte clam Capuam peruadat. Litterae autem erant adhorta- 7
tione plenae: profectionem suam quae salutaris illis foret abstracturam ad defendendam Romam ab oppugnanda Capua duces atque exercitus Romanos; ne desponderent 8
animos; tolerando paucos dies totam soluturos obsidionem.   Inde naues in flumine Volturno comprehensas subigi 9
ad id quod iam ante praesidii causa fecerat castellum iussit. Quarum ubi tantam copiam esse ut una nocte traici posset 10
exercitus allatum est, cibariis decem dierum praeparatis deductas nocte ad fluuium legiones ante lucem traiecit.

Id priusquam fieret ita futurum compertum ex transfugis 8
Fuluius Flaccus senatui Romam cum scripsisset, uarie animi hominum pro cuiusque ingenio adfecti sunt. Vt in re tam 2
trepida senatu extemplo uocato, P. Cornelius cui Asinae cognomen erat omnes duces exercitusque ex tota Italia, neque Capuae neque ullius alterius rei memor, ad urbis praesidium reuocabat. Fabius Maximus abscedi a Capua 3
terrerique et circumagi ad nutus comminationesque Hannibalis flagitiosum ducebat: qui ad Cannas uictor ire tamen 4

6 audenda M^1 uel $M^2 D A\theta ald.$ *Drak.*: audendaque π (-quę C): agenda audendaque *Alschefski, probante Luchsio* 1889 (subeunda audendaque *Weissenb.*: aud. subeundaque *Luchs* 1879: aud. agendaque *Wesenberg*) *fort. recte* (*cf. c.* 11. 12 *adn.*(b)), *sed et hic minus aptum uidetur esse additamentum et de* -que *in P insiticio cf. c.* 11. 12 *adn.* (a)   8 desponderent Π*Jald.*: deponerent $M^7 K$ *et ut s. l.* $A^1 J$ paucos $M^3 B D A\theta$: pacem π   9 subigi ad id *Gron., luculenter* (*Puteani et Vallae uestigiis insistens*): ubi gladio π (-ios C: duci gladios C^4): duci gladio $B D A\theta Edd.$ *ante Mog.*: duci ad id *Valla et ut uid.* A^v: duci Casilinum *ed. Mog.* 1518: duci Galatiam *Glareanus*   10 traici (-ieci K) $C^x M^3 A\theta$ (exercitus traici posset $A\theta$, *cf. c.* 5. 17 *adn.*): et traici π (*i.e. post* noct- *litteris* -e t- *duplicatis*)

8 1 animi hominum π: hominum animi $A\theta ald.$ *Drak., c. cf.* 5. 17 *adn.*
 2 omnes duces exercitusque π $A^x Aldus$: exercitus omnesque duces $A\theta Edd.$ *ante Ald., cf. adn. praec. et c.* 5. 17 *adn.*   3 ducebat Π: dicebat θ 4 ire $C M^1 B D A\theta$: tyre *PRM, fort. littera* t- *ex uoce sq. praesumpta, cf.* 24. 3. 3 *et* 29. 5. 6 *adnn.*: yre P^x *per ras.*

XXVI 8 4

TITI LIVI

ad urbem ausus non esset, eum a Capua repulsum spem
potiundae urbis Romae cepisse! non ad Romam obsidendam, sed ad Capuae liberandam obsidionem ire. Romam
cum eo exercitu qui ad urbem esset Iouem foederum
ruptorum ab Hannibale testem deosque alios defensuros
esse. Has diuersas sententias media sententia P. Valeri
Flacci uicit, qui utriusque rei memor imperatoribus qui ad
Capuam essent scribendum censuit quid ad urbem praesidii
esset; quantas autem Hannibal copias duceret aut quanto
exercitu ad Capuam obsidendam opus esset, ipsos scire.
si ita Romam e ducibus alter et exercitus pars mitti posset, ut
ab reliquo et duce et exercitu Capua recte obsideretur, inter
se compararent Claudius Fuluiusque utri obsidenda Capua,
utri ad prohibendam obsidione patriam Romam ueniundum
esset. Hoc senatus consulto Capuam perlato Q. Fuluius
proconsul, cui collega ex uolnere aegro redeundum Romam
erat, e tribus exercitibus milite electo ad quindecim milia
peditum mille equites Volturnum traducit. Inde cum Hannibalem Latina uia iturum satis comperisset, ipse per Appiae
municipia quaeque propter eam uiam sunt, Setiam, Coram,
Lauinium praemisit ut commeatus paratos et in urbibus
haberent et ex agris deuiis in uiam proferrent, praesidiaque
in urbes contraherent ut sua cuique res publica in manu
esset.

5 ruptorum $CM^1BDA\theta$ (rumt- PRM) 6 *primum* qui P^x: quiqui
π: quique C^2BD utriusque $M^3(uelM^1 secundo consilio)B^2A^7\theta$: utrisque $\pi(A?)$: utrique M^1 (*primo*)   esset (quantas) M^1BDAJ: esse
π: *om*. quid ad .... esset K 7 *si ita Alschefski*: siet | a P:
siet a CR: si et C^xR^1 *uel* $R^2MBDA\theta$ald.   ob-(*uel* op-)sideretur
$P^xC^3R^2M^1BDA\theta$: opsiderentur (obs- M) π, *cf.* 27. 17. 4   8 compararent πR^2A^v(camp- PR, -per- D)ald.: computarent $A\theta$
9 aegro redeundum *Walters*: aegro eundum C^2: egro *Aldus*: aegro
digrediundum *Weissenb.*: aegrediundum PR, *cf.* 27. 1. 11 *adn.*:
aegreundum P^1: egrediundum (-end- θ) $CR^xMBDA\theta Edd. priores$:
aegro gradiendum *ed. Par.* 1513   10 Setiam A^v *ed. Mog.* 1518:
sed iam π: sed eiam C^2: seditam AJ: seducit K (oram *pro* coram
$A\theta$)   Lauinium Π: laminium θ: lanuuium *Cluuerius, fort. recte, sed
propius erat uiae Appiae quam quod in numerum ipsorum 'Appiae
municipiorum' non adscriberetur*

AB VRBE CONDITA XXVI 9 1

Hannibal quo die Volturnum est transgressus, haud procul 9
a flumine castra posuit: postero die praeter Cales in agrum 2
Sidicinum peruenit. Ibi diem unum populando moratus per
Suessanum Allifanumque et Casinatem agrum uia Latina
ducit. Sub Casino biduo statiua habita et passim populationes factae. Inde praeter Interamnam Aquinumque in 3
Fregellanum agrum ad Lirim fluuium uentum, ubi intercisum
pontem a Fregellanis morandi itineris causa inuenit. Et 4
Fuluium Volturnus tenuerat amnis, nauibus ab Hannibale
incensis, rates ad traiciendum exercitum in magna inopia
materiae aegre comparantem. Traiecto ratibus exercitu, reli- 5
quum Fuluio expeditum iter, non per urbes modo sed circa
uiam expositis benigne commeatibus, erat; alacresque milites
alius alium ut adderet gradum memor ad defendendam iri
patriam hortabantur. Romam Fregellanus nuntius diem 6
noctemque itinere continuato ingentem attulit terrorem.
Tumultuosius quam allatum erat ⟨uolgatum periculum dis-⟩
cursu hominum adfingentium uana auditis totam urbem
concitat. Ploratus mulierum non ex priuatis solum domibus 7
exaudiebatur, sed undique matronae in publicum effusae
circa deum delubra discurrunt crinibus passis aras uerrentes,

9 1 quo die $CM^1A^7?ald.$: quode π: quoque ut θ *ed. Rom.* 1472 *et
ed. Parm.* 1480   2 Suessanum *Cluuerius recte*: suessulam ∏θ
(-as K)   Casino *Ussing et olim Weissenb.*: casinum ∏θ: casinum.
ibi *Weissenb. postea*   biduo ∏θ: biduum *Wesenberg, sed cf. e.g. c.* 51.
3 *et Caes. B.C.* 1. 47. 3   5 iri *PCR J. Perizonius*: ire R^2MDAθ*ald'.
fort. recte*: irae B 6 nuntius C^xAθ: nustius (nūst- C) π (*scil.*
-nus- *ex uoce praec. repetitum*) *unde* Mustius *uel* Nostius *dubitanter coniecit Gron. ex Cic. Verr. Act.* II. i. 135 *et ad Fam.* 13. 46   ⟨uolgatum
periculum dis⟩cursu *temptauimus Madvigii uestigiis insistentes et lineam
archetypi praecedentem cum litteris* -uo- (-uosiusquam) *coepisse rati, cf. c.*
6. 16 *adn.*: cursu π *Edd. ante ed. Par.* 1513: cursum A: cursus A^7θ
ed. Par. 1513 *Drak.*: propagatum discursu *Madv.*; *locum castigauit
Weissenb.* quam ⟨quod⟩ allatum erat cursus *scribendo, quem secutus
H. J. Mueller* concursus *pro* cursus *scripsit probante Luchsio* 1889.
concitat M^1A^7 *uel* A^6 *ed. Mediol.* 1480: conciliat ∏*J Edd. priores*:
conciuerat K *Aldus Drak.* (*in P* conciuat *legerat Salmasius*): concitato
ut uid. M^x (*sed* -o *in marg.*)   7 crinibus $P^xCM^1B^xDA$θ: criminibus π. *cf.* 27. 20. 8 *adn.*   passis PCR^1 (-im R) MB^xAldus:
sparsis BAθ *Edd. ante Ald.*: parsis D

8 nixae genibus, supinas manus ad caelum ac deos tendentes orantesque ut urbem Romanam e manibus hostium eriperent matresque Romanas et liberos paruos inuiolatos seruarent. 9 Senatus magistratibus in foro praesto est si quid consulere uelint. Alii accipiunt imperia disceduntque ad suas quisque officiorum partes: alii offerunt se si quo usus operae sit. Praesidia in arce, in Capitolio, in muris, circa urbem, in 10 monte etiam Albano atque arce Aefulana ponuntur. Inter hunc tumultum Q. Fuluium proconsulem profectum cum exercitu Capua adfertur; cui ne minueretur imperium si in urbem uenisset, decernit senatus ut Q. Fuluio par cum 11 consulibus imperium esset. Hannibal, infestius perpopulato agro Fregellano propter intercisos pontes, per Frusinatem Ferentinatemque et Anagninum agrum in Labicanum uenit. 12 Inde Algido Tusculum petiit, nec receptus moenibus infra Tusculum dextrorsus Gabios descendit. Inde in Pupiniam exercitu demisso octo milia passuum ab Roma posuit castra. 13 Quo propius hostis accedebat, eo maior caedes fiebat fugientium praecedentibus Numidis, pluresque omnium generum atque aetatium capiebantur.

10 In hoc tumultu Fuluius Flaccus porta Capena cum exercitu Romam ingressus, media urbe per Carinas Esquilias contendit; inde egressus inter Esquilinam Collinamque 2 portam posuit castra. Aediles plebis commeatum eo comportarunt; consules senatusque in castra uenerunt; ibi de summa republica consultatum. Placuit consules circa portas Collinam Esquilinamque ponere castra; C. Calpurnium

8 Romanam Π*J*: romam *K ed. Mediol.* 1480 *Edd. ad Iac. Gron.*
9 consulere $C^4A^7\theta$: consule *PCR, cf.* 24. 24. 9 *et* 27. 1. 11 *adnn.*: consules R^2MBDA 10 cum exercitu Capua πA^v *Aldus* (*hic* a Capua): a capua (*om. cet.*) $A\theta$ *Edd. ante Ald.*   11 intercisos πA^7 *uel* A^6 *Aldus*: incisos $A\theta$ *Edd. ante Ald.*   13 proprius M^1B^1 $A\theta$: proprius π, *cf.* 22. 42. 1 *adn.*

10 2 republica (*uel* rep̄) πB^x: re *C non male*: re prę *B*: rei publicae $A\theta$ *Edd. ante Gron.*   ponere $R^2MBDA\theta$: ponerent *PCR, cf.* 29. 2. 2 *adn.* (*de* -re *pro* -rent *cf. e.g.* 27. 9. 13)

praetorem urbanum Capitolio atque arci praeesse, et senatum frequentem in foro contineri si quid in tam subitis rebus consulto opus esset. Inter haec Hannibal ad Anienem 3 fluuium tria milia passuum ab urbe castra admouit. Ibi statiuis positis ipse cum duobus milibus equitum ad portam Collinam usque ad Herculis templum est progressus atque unde proxime poterat moenia situmque urbis obequitans contemplabatur. Id eum tam licenter atque otiose facere 4 Flacco indignum uisum est ; itaque immisit equites summouerique atque in castra redigi hostium equitatum iussit. Cum commissum proelium esset, consules transfugas Numi- 5 darum, qui tum in Auentino ad mille et ducenti erant, media urbe transire Esquilias iusserunt, nullos aptiores inter con- 6 ualles tectaque hortorum et sepulcra et cauas undique uias ad pugnandum futuros rati. Quos cum ex arce Capitolioque cliuo Publicio in equis decurrentes quidam uidissent, captum Auentinum conclamauerunt. Ea res tantum tumultum ac 7 fugam praebuit ut nisi castra Punica extra urbem fuissent, effusura se omnis pauida multitudo fuerit: tunc in domos atque in tecta refugiebant, uagosque in uiis suos pro hostibus lapidibus telisque incessebant. Nec comprimi tumultus 8 aperirique error poterat refertis itineribus agrestium turba pecorumque quae repentinus pauor in urbem compulerat. Equestre proelium secundum fuit summotique hostes sunt. 9 Et quia multis locis comprimendi tumultus erant qui temere oriebantur, placuit omnes qui dictatores consules censoresue

3 ad (ac *PD*) portam Collinam $\pi Aldus$: ac (a M^2) porta collinam $M(uel$ -na M : -nā M^3) : a porta collina *fort.* M^2 (*si* -nā *correctori* M^3 *adscribis*) $A\theta$ (*sed* porta *post* collina θ, *cf.* 27. 37. 5 *adn.*) *Edd. ante Ald. Gron. Drak.* 5 ducenti (*sed* cc) Π, *cf.* 22. 41. 2 *et* 28. 34. 2 *adnn.* : ducentos *J Aldus* : trecentos K (ccc) *Edd. ante Ald.* 6 cauas πA^v *Sabellicus Aldus* : acuias B : uacuas $B^2 A\theta$ *Edd. ante Ald.* Publicio π^2 *uel* π^1: publico *PBDAθ Edd. ante Gron.* uidissent $PCM^1 B^x A\theta$: uidisse et P^1 *uel* $P^2 RM$: uidissent et B : uidisseret D 7 effusura $A^6\theta ald.$: effusa πB^2 : effusę B pro hostibus $A^v\theta ald.$: hostibus Π *Lov.* 4 9 tumultus erant $C^3 M^1 BD.ald.$: tumultus erat π : erant tumultus $A\theta$, *cf. c.* 5. 17

fuissent cum imperio esse, donec recessisset a muris hostis. 10 Et diei quod reliquum fuit et nocte insequenti multi temere excitati tumultus sunt compressique.

11 Postero die transgressus Anienem Hannibal in aciem omnes copias eduxit; nec Flaccus consulesque certamen 2 detractauere. Instructis utrimque exercitibus in eius pugnae casum in qua urbs Roma uictori praemium esset, imber ingens grandine mixtus ita utramque aciem turbauit ut uix armis retentis in castra sese receperint, nullius rei minore 3 quam hostium metu. Et postero die eodem loco acies instructas eadem tempestas diremit; ubi recepissent se in 4 castra, mira serenitas cum tranquillitate oriebatur. In religionem ea res apud Poenos uersa est, auditaque uox Hannibalis fertur potiundae sibi urbis Romae modo mentem 5 non dari, modo fortunam. Minuere etiam spem eius duae aliae, parua magnaque, res, magna illa quod cum ipse ad moenia urbis Romae armatus sederet milites sub uexillis in 6 supplementum Hispaniae profectos audiit, parua autem quod per eos dies eum forte agrum in quo ipse castra haberet uenisse nihil ob id deminuto pretio cognitum ex quodam 7 captiuo est. Id uero adeo superbum atque indignum uisum eius soli quod ipse bello captum possideret haberetque inuentum Romae emptorem ut extemplo uocato praecone tabernas argentarias quae circa forum Romanum essent iusserit uenire.

8 His motus ad Tutiam fluuium castra rettulit sex milia

10 excitati CM^1 uel $M^2BDA\theta$: exercitati PRM
11 2 Roma $\Pi ald.$: romana θ uictori (uictor B) praemium (uel pre-) πB^2 : praemium uictori $A\theta Edd.$ ante Ald., cf. § 6 et c. 5. 17 adn.
5 spem eius A^v Valla ed. Par. 1513 marg. et ed. Mog. 1518 : per meius π : per medius M (ubi - supra -u- additum ab M^x, mox erasum) : per melius $A\theta$ Edd. uet. : om. D duae (i.e. ii) aliae Madv. Em. p. 373, cf. c. 51. 2 adn. : et aliae $\Pi\theta$, sed -s et totum delet M^1 (fort. et M^3) parua magnaque M, Gronouium confirmans : paruae magnaque πM^1 : paruae magnaeque (uel -ue -neq.) $M^2 A\theta$ Edd. ante Gron. 6 per eos K Edd. uet. : eos ΠJ castra haberet π : haberet castra $A\theta$, cf. § 2 et c. 5. 17 adn.

AB VRBE CONDITA XXVI 11 8

passuum ab urbe. Inde ad lucum Feroniae pergit ire, templum ea tempestate inclutum diuitiis. Capenates aliique 9 qui accolae eius erant primitias frugum eo donaque alia pro copia portantes multo auro argentoque id exornatum habebant. Iis omnibus donis tum spoliatum templum; aeris acerui cum rudera milites religione inducti iacerent post profectionem Hannibalis magni inuenti. —Huius populatio 10 templi haud dubia inter scriptores est. Coelius Romam euntem ab Ereto deuertisse eo Hannibalem tradit, iterque eius ab Reate Cutiliisque et ab Amiterno orditur: ex Cam- 11 pania in Samnium, inde in Paelignos peruenisse, praeterque oppidum Sulmonem in Marrucinos transisse; inde Albensi agro in Marsos, hinc Amiternum Forulosque uicum uenisse. Neque ibi error est quod tanti ⟨ducis tanti⟩que exercitus 12 uestigia intra tam breuis aeui memoriam potuerint confundi

8 templum Πθ : et templum *Weissenb. (olim), ignarus (ut uid.) quid sit templum* inclutum *P*: inclytum $P^3CRA?K$: inclitum $MBDA^7J$, *cf.* 1. 7. 12 *et* 1. 56. 5   9 aliique qui '*Colbertinus*' *a Douiatio citatus, Gron.*: alique π : aliquę R^2M: aliiquę *C*: aliqui $B^2θ$ *Edd. uet. et Drak.*: qui *Cluuerius*   10 populatio Πθ : spoliatio *Woelfflin sed cf. cum Weissenb. e.g. Cic. Verr. Act. II.* 1. 48   ab Ereto *Sabellicus*: ab freto *PC*: ac freto $RMBDAθ$ deuertisse $πA^6$: diuertisse $Aθ$ Cutiliisque *Glareanus, cf. It. Dial. p.* 365 : cupiliisque πθ: pili isque *C (sed* tradit .... cu- *om.*)   11 in Marrucinos $πA^vAldus$ (martianos *in* marrucinos *correxerat iam Sabellicus*) : instituit in martianos (inst. in martinos *A*) A^7 *uel* $A^6θ$ *Edd. uetustissimi*   transisse *πald.*: transisset *A* : transire *θ*   12 tanti ⟨ducis tanti⟩que *Weissenb., cf.* 21. 60. 4 *adn.* (*b*) : tantique π: tanti C^xM^1 *uel* $M^5Aθ$, *minus bene, quamquam cf.* 21. 60. 4 *adn.* (*a*). *Exempla in hoc tomo reperies* (*a*) *ubi* -que *in codd. insiticium est in cc.* 7. 6 ; 19. 14 ; 41. 20 ; 27. 4. 5 ; 27. 28. 8 ; 27. 45. 8 ; 28. 7. 17 ; 28. 18. 7 ; 29 18. 14 (*cf. etiam de et insiticio* 27. 4. 12 *adn.*): (*b*) *ubi* (*ut hic*) -que *signum est uocis deperditae in cc.* 13. 9 ; 24. 2 ; 47. 6 *et* 9 ; 49. 13 ; 27. 3. 9 ; 27. 10. 2 ; 27. 12. 16 ; 27. 13. 13 ; 27. 46. 11 ; 28. 12. 13 ; 28. 15. 1 ; 28. 26. 6 ; 29. 18. 7 ; 29. 20. 10 ; 29. 22. 4 ; 29. 24. 7 *et* 10 ; 29. 35. 5 *et* 6 : (*c*) *copulae* -que *uel* et *deperditae in cc.* 19. 2 *et* 11 ; 30. 12 ; 35. 8 ; 44. 8 ; 46. 4 ? *et* 5 ; 50. 13 ; 27. 5. 1 ; 27. 20 6 ; 27. 25. 7 ; 27. 35. 10 ; 27. 45. 7 ; 27. 51. 8 *et* 10 ; 28. 2. 7 ; 28. 11. 9 ; 28. 13. 10 ; 28. 19. 9 ; 28. 32. 7 ; 29. 2. 2 *et* 17 ; 30. 13. 2 ; 30. 21. 5 ; 30. 34. 8 ; 30. 40. 1 : (*d*) *asyndeti Liuiani in* 27. 16. 6   breuis aeui P^xBD (*sed* eui *B*: seui *D*) : breui uisae ui πθ (*de syllabis repetitis cf.* 27. 44. 1 *adn.*) : breui uia C^4 : breui uisa aeui M^7

2*

13 —isse enim ea constat—: tantum id interest ueneritne eo itinere ad urbem an ab urbe in Campaniam redierit.

12 Ceterum non quantum Romanis pertinaciae ad premendam obsidione Capuam fuit, tantum ad defendendam 2 Hannibali. Namque ⟨per Samnium Apuliamque⟩ et Lucanos in Bruttium agrum ad fretum ac Regium eo cursu contendit ut prope repentino aduentu incautos oppresserit. 3 Capua etsi nihilo segnius obsessa per eos dies fuerat, tamen aduentum Flacci sensit, et admiratio orta est non simul 4 regressum Hannibalem. Inde per conloquia intellexerunt relictos se desertosque et spem Capuae retinendae deploratam apud Poenos esse. 5 Accessit edictum proconsulum ex senatus consulto propositum uolgatumque apud hostes ut qui ciuis Campanus ante certam diem transisset sine fraude 6 esset. Nec ulla facta est transitio, metu magis eos quam fide continente quia maiora in defectione deliquerant quam 7 quibus ignosci posset. Ceterum quemadmodum nemo priuato consilio ad hostem transibat, ita nihil salutare in 8 medium consulebatur. Nobilitas rem publicam deseruerat, neque in senatum cogi poterant; in magistratu erat qui non

---

12 1 Romanis] *hic* Π : *post* Capuam *A* (*retento tamen* romanis *in priore loco quod delet* A^x) θ*ald. Drak., cf.* § 4 *et c.* 5. 17 *adn.*   2 per Samnium Apuliamque *Luchs* (per Samnium *iam Weissenb.*), *cf. Polyb.* 9. 7. 10: *ignorant* Πθ *Edd. uet.,* linea xx *litt. ob* -amque | -amque *omissa, cf. c.* 6. 16 *adn.*   et Lucanos in Π*J Edd. ad Ald.* : in lucanos et *K* : ex lucanis in *Aldus* 1521   Regium C^x *per ras.* A^x *Lov.* 4 *ald.* : regiis π, *cf.* 27. 17. 1 *adn.* : regii *A*θ *dett. plerique*   eo cursu π*Aldus* : se occursu *A*]*dett.* (hoc cursu v eo ?A^5) : se cursu *K* : tanto cursu *Valla Edd. ante Ald.*   3 obsessa *Lipsius* : oppressa Πθ, *cf.* 30. 7. 4 *et Periocham LVII ad fin.*   dies C^4M^1(*uix* M^3)BAθ : di π : *om. D*   4 apud Poenos (*uel* pen-) esse πR^1 (aput *R*) *ald.* : esse apud poenos (*uel* pen-) *A*θ, *cf.* § 1 *et c.* 5. 17 *adn.*   5 proconsulum *Cod. Berolinensis, cf. c.* 14. 6 : procōs π (-co^{s}s *A*) : procōns *BJ* : proconsulis $A^v K.ald.$ certam Π*ald., cf.* 27. 16. 16 *adn.* : certum θ 6 fide $C^4M^1A^x$ *in ras.* θ*ald.* : fine Π(*A ?*)   7 consulebatur *A*θ*ald.* : constituebatur π : constituebatur CB^2 : consistebatur *D* : confitebatur M^4 : conferebatur A^6 8 deseruerat M^1 *uel* $M^3 A$θ*ald.* (*cum* poterat *ald.*) *Drak. Madv.* : deseruerant π, *fort. recte, sed cf.* 5. 29. 4 *adn.* erat π : haud erat *A* : autem erat A^5θ*ald.*

sibi honorem adiecisset, sed indignitate sua uim ac ius magistratui quem gerebat dempsisset. Iam ne in foro quidem aut publico loco principum quisquam apparebat; domibus inclusi patriae occasum cum suo exitio in dies exspectabant.

Summa curae omnis in Bostarem Hannonemque, praefectos praesidii Punici, uersa erat, suo non sociorum periculo sollicitos. Ii conscriptis ad Hannibalem litteris non libere modo, sed etiam aspere, quibus non Capuam solam traditam in manum hostibus, sed se quoque et praesidium in omnes cruciatus proditos incusabant: abisse eum in Bruttios uelut auertentem sese ne Capua in oculis eius caperetur. at hercule Romanos ne oppugnatione quidem urbis Romanae abstrahi a Capua obsidenda potuisse; tanto constantiorem inimicum Romanum quam amicum Poenum esse. si redeat Capuam bellumque omne eo uertat, et se et Campanos paratos eruptioni fore. non cum Reginis neque Tarentinis bellum gesturos transisse Alpes: ubi Romanae legiones sint, ibi et Carthaginiensium exercitus debere esse. sic ad Cannas, sic ad Trasumennum rem bene gestam, coeundo conferundoque cum hoste castra, fortunam temptando. In hanc sententiam litterae conscriptae Numidis, proposita mercede eam professis operam, dantur. Ii specie transfugarum cum ad Flaccum in castra uenissent ut inde tempore capto abirent, famesque quae tam diu Capuae erat nulli non probabilem

---

10 summa curae *Aθald.* : summae curae (*uel* ·me -re) *π* : summa cura C^3M^3 (*uix* M^1)   praefectos $M^2BDAθ$: praefecto *π*, *cf.* § 16 *et* 27. 17. 12 *adn.*   11 quibus Πθ: *delere uoluit Doering, sed anacoluthon facile ferri potest* (*in* § 15 *exspectandum erat* Numidas cum his litt. dimittunt)   solam Π *Luchs* 1889 : solum *θald. Luchs* 1879 hostibus Π*Aldus* : hostium $A^7θ$ *Edd. ante Ald.*   se quoque et A^7 *θald.* : ne quoque *π* : omne quoque C : eius quoque M^2 12 sese *πAldus* : se *Aθ Edd. ante Ald.*   14 exercitus Π*ald.* : exercitum *θ, fort. recte, cf.* 27. 17. 1   15 eam *Duker, cf. cum Gron.* 1. 39. 2 : iam Πθ   capto Π *dett. plerique Gron.* : captato *θald.* : capuam *Lov.* 1
    famesque quae $M^1B^2Aθ$ (*uel* -q'que): fames quaeque (*uel* queque) *π*   tam diu Π*θald.* : iam diu *Sigonius, haud necess.*

TITI LIVI

16 causam transitionis faceret, mulier repente Campana in castra uenit, scortum transfugarum unius, indicatque imperatori Romano Numidas fraude composita transisse litterasque ad 17 Hannibalem ferre: id unum ex iis qui sibi rem aperuisset arguere sese paratam esse. Productus primo satis constanter ignorare se mulierem simulabat: paulatim dein conuictus ueris cum tormenta posci et parari uideret, fassus id 18 ita esse litteraeque prolatae. Additum etiam indicio quod celabatur et alios specie transfugarum Numidas uagari in 19 castris Romanis. Ii supra septuaginta comprensi et cum transfugis nouis mulcati uirgis manibusque praecisis Capuam rediguntur.

13 Conspectum tam triste supplicium fregit animos Campanorum. Concursus ad curiam populi factus coegit Loesium senatum uocare; et primoribus qui iam diu publicis consiliis aberant propalam minabantur nisi uenirent in senatum circa domos eorum ituros se et in publicum omnes ui extracturos esse. Is timor frequentem senatum magi-
2 stratui praebuit. Ibi cum ceteri de legatis mittendis ad imperatores Romanos agerent, Vibius Virrius, qui defectionis 3 auctor ab Romanis fuerat, interrogatus sententiam, negat eos qui de legatis et de pace ac deditione loquantur meminisse nec quid facturi fuerint si Romanos in potestate habuissent 4 nec quid ipsis patiendum sit. 'Quid? uos' inquit 'eam

16 Numidas *C, Frob.* 1. 2 : numida *PRM, cf.* § 10 *et* 27. 17. 12 *adn.* : numidam *M²BDAθald.* 17 ignorare se mulierem π*Aldus*: se mulierem ignorare *Aθ Edd. ante Ald., cf. c.* 5. 17 *adn.* dein Π, *Iac. Gron.*: deinde *A⁷θald., cf.* 27. 32. 4 *et* 29. 3. 9 *adnn.* fassus π*B²θ* (*om. B* conuictus ... esse) : falsus *D* : fassus est *Madv., fort. recte*
18 Additum *Duker*: et additum Πθ (*cf.* 27. 4. 12 *adn.*) : sunt. Additum *olim temptabam* 19 comprensi π, *cf. c.* 27. 7 *adn.*: comprehensi *CDAθ* mulcati *Lipsius*: multati π (-ctati *Dθ*), *cf.* 28. 30. 12

13 2 agerent *CR²MBDAθ*: egerent *PR* Vibius, *cf.* 23. 6. 1 (*ubi* ubius *P*) *et It. Dial. p.* 158 (*in Campanis inscc. praenomen frequentissimum inter quas una* (**106**) *hunc ipsum uirum uel maiorum eius aliquem uidetur nominare*) : uiuius (*hic, et* uiuium *in c.* 14. 3) Π*J Edd. uet. plerique*: subius *K* (*et* subium *in c.* 14. 3)

AB VRBE CONDITA XXVI 13 4

deditionem fore censetis qua quondam, ut aduersus Samnites auxilium impetraremus, nos nostraque omnia Romanis dedidimus? Iam e memoria excessit, quo tempore et in qua fortuna a populo Romano defecerimus? iam, quemadmodum in defectione praesidium, quod poterat emitti, per cruciatum et ad contumeliam necarimus? quotiens in obsidentes, quam inimice eruperimus, castra oppugnarimus, Hannibalem uocauerimus ad opprimendos eos? hoc quod recentissimum est, ad oppugnandam Romam hinc eum miserimus? Age contra, quae illi infeste in nos fecerint repetite, ut ex eo quid speretis habeatis. Cum hostis alienigena in Italia esset et Hannibal hostis et cuncta bello arderent, omissis omnibus, omisso ipso Hannibale, ambo consules et duo consulares exercitus ad Capuam oppugnandam miserunt. Alterum annum circumuallatos inclusosque nos fame macerant, et ipsi nobiscum ultima pericula et grauissimos labores perpessi, circa uallum ac fossas saepe trucidati ac prope ad extremum castris exuti. Sed omitto haec—uetus atque usitata res est in oppugnanda hostium urbe labores ac pericula pati—: illud irae atque odii ⟨inexpiabilis⟩ exsecrabilisque indicium est. Hannibal ingentibus copiis peditum equitumque castra oppugnauit et ex parte cepit: tanto periculo nihil moti sunt

---

4 dedidimus *Modius*: dedimus Πθ*ald.*, *cf.* 27. 1. 11 *adn.*   5 a populo Romano (*sed* p̄r̄) Πθ : populi Romani *Alan*   6 hoc Πθ : ac *Doering*   7 contra, quae *BDA*θ*ald*. : qua contraq. π : contra quę *C* : quae contra *C*²   in (Italia) *C*²*M*²*A*⁷θ*ald*. : *om.* Π, *cf. cc.* 5. 1 (?) ; 22. 9 ; 47. 7; 27. 2. 4 ; 27. 4. 6 ; 27. 5. 4 ; 27. 15. 4 ; 27. 18. 2 ; 27. 36. 1 ; 28. 1. 3 ; 28. 39. 9 ; 30. 11. 6 ; 30. 34. 8 ; 30. 39. 2. *Contra de* in *in P addito cf.* 27. 8. 7 *adn.*   ambo ... duo π *Gron.*, *uide Neue-Wagener* II, *pp.* 279 *sqq. et cf. e.g.* 25. 6. 5 *et huius libri cc* 7. 5, 26. 11 ; *et* 27. 27. 7 ; 29. 30. 12 ; 30. 14. 3 ; 30. 17. 13 : ambos ... duos *A*θ*ald.*   8 et (grauissimos) *C* : e *P* : *om. RMBDA*θ*ald.*, *optime*, *cf.* 27. 16. 6 *adn.*, *sed hic copulam testatur P*, *cf. e.g. c.* 3. 10 *adn.* : ac *Gron.*   fossas *A*θ (*add.* ac fossas *in marg. K*) *ald.* : fossa *PCR*, *cf. c.* 12. 16 *et* 27. 17. 12 *adn.* : fossam *C*⁴*R*²*MBD*   ac prope *C* : ae prope *PR* : et prope *R*²*MBDA*θ*ald.*   9 ⟨inexpiabilis⟩ exsecrabilisque *Alschefski*, *cf. c.* 11. 12 *adn.* (*b*) : execrabilisque (*uel* exs-) Π : execrabilis (*uel* exs-) *C*²*M*¹ *uel M*²θ*ald.*, *fort. recte*, *cf. c.* 11. 12 *adn* (*a*)

XXVI 13 10   TITI LIVI

ab obsidione.   Profectus trans Volturnum perussit Calenum
11 agrum : nihil tanta sociorum clade auocati sunt.   Ad ipsam
urbem Romam infesta signa ferri iussit : eam quoque tem-
pestatem imminentem spreuerunt.   Transgressus Anienem
tria milia passuum ab urbe castra posuit, postremo ad
moenia ipsa et ad portas accessit ; Romam se adempturum
eis, nisi omitterent Capuam, ostendit : non omiserunt.
12 Feras bestias caeco impetu ac rabie concitatas, si ad cubilia
et catulos earum ire pergas, ad opem suis ferendam auertas :
13 Romanos Roma circumsessa coniuges, liberi, quorum
ploratus hinc prope exaudiebantur, arae foci deum delubra
sepulcra maiorum temerata ac uiolata a Capua non auerterunt ; tanta auiditas supplicii expetendi, tanta sanguinis
14 nostri hauriendi est sitis.   Nec iniuria forsitan ; nos quoque
idem fecissemus, si data fortuna esset.   Itaque quoniam
aliter dis immortalibus est uisum, cum mortem ne recusare
quidem debeam, cruciatus contumeliasque quas parat hostis
dum liber, dum mei potens sum, effugere morte praeter-
15 quam honesta, etiam leni possum.   Non uidebo Ap.
Claudium et Q. Fuluium uictoria insolenti subnixos, neque
uinctus per urbem Romanam triumphi spectaculum trahar,
ut deinde †in carcerem† aut ad palum deligatus, lacerato

11 Anienem *D.ald. Drak.*: anienem amnem πM^2 (aniem amnem
M) : amnem anienem θ ; *cod. D sequimur quia* (i) *in c.* 11. 1 amnem
pro anienem *praebent* θ, (ii) *in c.* 10. 3 Anio *uocatur* fluuius *solito
Latino more* (*aliud est e.g.* Padus amnis), (iii) *uariatus ordo in hoc
loco testis est glossematis, cf.* 27. 34. 3 *adn. et Praef. Liui* § 5
14 idem Π*ald.*: ipsum θ quas parat $M^1 A^x$ (*an* A^v?) : qua sperat
π : quas sperat $C^4 BD A \theta ald.$ *Drak.*   15 et Q. $C^x M^1 B^x A \theta ald.$:
eq. *PRM* (eq:) : etquę *C*: etque *B*: esse Q. *D*   †in carcerem† $\Pi\theta$
(*sed* -carem *PRM* : -cerem M^1) *ald.* : in carcere A^x *Frob.* 2. *Drak.
Madv.* (*sed hic* in c. ad palum, *om.* aut) : *post* in carcerem *add.* condar
Alschefski, conditus expirem *Heraeus* : *post* in carcere *add.* enecer
Fabri, expirem *M. Mueller : ipse lineam excidisse suspicatus* (*cf. c.* 6. 16
adn.) in carcere m(anibus carnuficis expirem) *temptaui* : *Madvigium
sequi malit Johnson* (*cf. de* -m *addito c.* 40. 11 *adn.*) *unum supplicium
memorari ratus, u. adn. sq.   Vide etiam Addenda*   aut ad A^x(*an
A^v?*)$\theta ald.$: aut Π : ad *Madv. Em. p.* 373, *quod probat Johnson qui* 22.
28. 11 (aut crescente *pro* accrescente) *citat*

uirgis tergo, ceruicem securi Romanae subiciam ; nec dirui incendique patriam uidebo, nec rapi ad stuprum matres Campanas uirginesque et ingenuos pueros. Albam unde 16 ipsi oriundi erant a fundamentis proruerunt, ne stirpis, ne memoria originum suarum exstaret: nedum eos Capuae parsuros credam, cui infestiores quam Carthagini sunt. Itaque quibus uestrum ante fato cedere quam haec tot tam 17 acerba uideant in animo est, iis apud me hodie epulae instructae parataeque sunt. Satiatis uino ciboque poculum 18 idem quod mihi datum fuerit circumferetur ; ea potio corpus a cruciatu, animum a contumeliis, oculos aures a uidendis audiendisque omnibus acerbis indignisque quae manent uictos uindicabit. Parati erunt qui magno rogo in propatulo aedium accenso corpora exanima iniciant. Haec una uia 19 et honesta et libera ad mortem. Et ipsi uirtutem mirabuntur hostes et Hannibal fortes socios sciet ab se desertos ac proditos esse.'

Hanc orationem Virri plures cum adsensu audierunt quam 14 forti animo id quod probabant exsequi potuerunt. Maior 2 pars senatus, multis saepe bellis expertam populi Romani clementiam haud diffidentes sibi quoque placabilem fore, legatos ad dedendam Romanis Capuam decreuerunt miseruntque. Vibium Virrium septem et uiginti ferme senatores 3 domum secuti sunt, epulatique cum eo et quantum facere potuerant alienatis mentibus uino ab imminentis sensu mali, uenenum omnes sumpserunt; inde misso conuiuio dextris 4 inter se datis ultimoque complexu conlacrimantes suum

16 stirpis Π*J ed. Par.* 1513, *cf.* 1. 1. 11 : stirps *K Edd. ante ed. Par.*
    parsuros *PRCA*⁷: passuros *R²MBDA*θ : parcituros *M²*
17 tot tam *M¹ uel M² dett. aliq. Edd. ante ed. Par.*: totam π : tota *BD*:
    tot *A*θ : tam *C²*: tot et tam *ed. Par.* 1513   18 a cruciatu *PˣRˣM
    BDA*θ : acscruciatu *PR* (ac cr- *C*)   iniciant *M¹ uel M³A*⁷θ (iniic-
    K) *ald.*: inliiciant *PˣCR* (-luc- *P*: -lic- *CˣRˣMBDA* (ill-*A*))
19 Et ipsi Πθ*ald.*: est. Ipsi *dubitanter Luchs, sed optime orationi quadrat* et . . . et *bis repetitum*
14 3 Vibium *u. c.* 13. 2 *adn.*   facere Πθ : *seclusit Duker*

patriaeque casum, alii ut eodem rogo cremarentur man-
5 serunt, alii domos digressi sunt. Impletae cibis uinoque
uenae minus efficacem in maturanda morte uim ueneni
fecerunt; itaque noctem totam plerique eorum et diei
insequentis partem cum animam egissent, omnes tamen
prius quam aperirentur hostibus portae exspirarunt.

6 Postero die porta Iouis, quae aduersus castra Romana
erat, iussu proconsulum aperta est. Ea intromissa legio una
7 et duae alae cum C. Fuluio legato. Is cum omnium
primum arma telaque quae Capuae erant ad se conferenda
curasset, custodiis ad omnes portas dispositis ne quis exire
aut emitti posset, praesidium Punicum comprehendit, senatum Campanum ire in castra ad imperatores Romanos
8 iussit. Quo cum uenissent, extemplo iis omnibus catenae
iniectae, iussique ad quaestores deferre quod auri atque
argenti haberent. Auri pondo duo milia septuaginta fuit,
9 argenti triginta milia pondo et mille ducenta. Senatores
quinque et uiginti Cales in custodiam, duodetriginta Teanum
missi, quorum de sententia maxime descitum ab Romanis
constabat.

15 De supplicio Campani senatus haudquaquam inter Fuluium Claudiumque conueniebat. Facilis impetrandae
2 ueniae Claudius, Fului durior sententia erat. Itaque Appius
Romam ad senatum arbitrium eius rei totum reiciebat:
3 percontandi etiam aequum esse potestatem fieri patribus,

5 cibis uinoque C^xBD *Aldus*: cibus uinoque (unoque R) P (*non recte
a Luchsio citatus*) CR: cibi (cibo M^4 *uel* M^7) unoque M: uino cibisque
$A\theta$ *Edd. ante Ald., cf. c.* 5. 17 *adn.* diei C^xM^1 *uel* $M^2BDA\theta$: die π
partem $C^xA\theta$ *Ed. Mog.* 1518 *et Frob.* 1. 2: partem is (his B, iis
Edd.) π *Edd. uet. et Ald.* 1521 (*errore typogr.?*) 6 Iouis $C^4M^7A\theta$:
ioui π, *cf.* 27. 17. 12 *adn.* proconsulum K, *Ruperti, cf. c.* 12. 5:
procos. P: procōs CRM^1 *uel* M^3 (ppro cōs M) DA: proconsulis B^2
(-le B) J (-l') 8 duo milia (*i.e.* ∞ ∞) LXX PC: LXX $RMBA$
$\theta ald.$: $\overline{LXX}$ M^2D triginta milia ($\overline{XXX}$ B^2D) πB^2: tria milia B
$A\theta ald.$ et mille (∞) cc PC: et cc $RMA\theta ald.$: et $\overline{cc}$ BD
9 missi M^2 *uel* $M^7A\theta ald.$: misit π

15 1 Fului (*sed* -uii) $A\theta ald.$: fuluio π *Gron., uix recte* (-O *fort. ex
littera* D- *sequentis uocis repetita ortum*)

AB VRBE CONDITA XXVI

num communicassent consilia cum aliquis sociorum Latini nominis [municipiorum] et num ope eorum in bello forent adiuti. Id uero minime committendum esse Fuluius dicere ut sollicitarentur criminibus dubiis sociorum fidelium animi, et subicerentur indicibus quis neque ⟨quid dicerent neque⟩ quid facerent quicquam unquam pensi fuisset; itaque se eam quaestionem oppressurum exstincturumque. Ab hoc sermone cum digressi essent, et Appius quamuis ferociter loquentem collegam non dubitaret tamen litteras super tanta re ab Roma exspectaturum, Fuluius, ne id ipsum impedimentum incepto foret, dimittens praetorium tribunis militum ac praefectis socium imperauit uti duobus milibus equitum delectis denuntiarent ut ad tertiam bucinam praesto essent.

Cum hoc equitatu nocte Teanum profectus, prima luce portam intrauit atque in forum perrexit; concursuque ad primum equitum ingressum facto magistratum Sidicinum citari iussit imperauitque ut produceret Campanos quos in custodia haberet. Producti omnes uirgisque caesi ac securi percussi. Inde citato equo Cales percurrit; ubi cum in tribunali consedisset productique Campani deligarentur ad palum, eques citus ab Roma uenit litterasque a C. Calpurnio praetore Fuluio et senatus consultum tradit. Murmur

---

3 aliquis Π *dett. aliq.*, *cf. e.g.* 24. 22. 14 : aliquibus *A⁷θald.* municipiorum (*post* nominis) Πθ*ald.* : *recte ut gloss. seclusit Madv.* : et mun. *Gron.* : aut mun. *H. J. Mueller post* forent *add.* e ad municipiorum *PCR*, et ad m. *R²MBDAJ*, et m. (*om.* ad) *ald.* : delent *P¹* (*per puncta supra, sed supra* e *illud uidetur littera* c *pro puncto stare fort. ut sit siglum uel secundae lect. uel correcturae*) *C⁴ uel C²A⁷* : *om. K. Apparet igitur* municipiorum *glossema fuisse quod bis Puteanus et supra et hic* (*ubi iam* ad- *ex uoce* adiuti *scribebat*) *introduxit* 4 quid dicerent neque *hic add.* Alschefski (*post* facerent *iam* neque quid dicerent *add. ed. Par.* 1513) : ignorant Πθ, *cf. c.* 6. 16 *adn.* se eam π (*spatium duarum litt. post* eam *reliquit P\A⁷? et ald.* : se etiam *Aθ* 8 omnes *C⁴M*(ōnes)*BA*(o͞ms)θ : ones *PCR* : *om. D*, *spat. v litt. relicto* praetore (*sed* pr) *PC Sigonius* : populus romanus *RM* : populo romano a *BD* (*om.* a *D*) : populoque romano *Aθald.* ; *cf. e.g. c.* 23. 3 *adn.* et s̄. c̄. tradit *PC Gron.* : est c̄ tradit *RM* : tradit *B* : consuli tradit *B²* : .c̄. tradit *D* : contradit *Aθ* : tradidit *Edd. ante Ald.* : cum tradidisset *Aldus* (*cf. c.* 32. 8)

ab tribunali totam contionem peruasit differri rem integram ad patres de Campanis ; et Fuluius, id ita esse ratus acceptas litteras neque resolutas cum in gremio reposuisset, praeconi imperauit ut lictorem lege agere iuberet. Ita de iis quoque
10 qui Calibus erant sumptum supplicium. Tum litterae lectae senatusque consultum, serum ad impediendam rem actam quae summa ope approperata erat ne impediri posset.
11 Consurgentem iam Fuluium Taurea Vibellius Campanus per mediam uadens turbam nomine inclamauit, et cum
12 mirabundus quidnam sese uellet resedisset Flaccus, 'Me quoque' inquit 'iube occidi ut gloriari possis multo fortiorem
13 quam ipse es uirum abs te occisum esse.' Cum Flaccus negaret profecto satis compotem mentis esse, modo prohiberi etiam se si id uellet senatus consulto diceret, tum Vibellius
14 'Quando quidem' inquit 'capta patria propinquis amicisque amissis, cum ipse manu mea coniugem liberosque interfecerim ne quid indigni paterentur, mihi ne mortis quidem copia eadem est quae his ciuibus meis, petatur a uirtute
15 inuisae huius uitae uindicta.' Atque ita gladio quem ueste texerat per aduersum pectus transfixus, ante pedes imperatoris moribundus procubuit.
16 Quia et quod ad supplicium attinet Campanorum et pleraque alia de Flacci unius sententia acta erant, mortuum Ap. Claudium sub deditionem Capuae quidam tradunt;
2 hunc quoque ipsum Tauream neque sua sponte uenisse Cales

---

9 peruasit P^xM^1 *uel* $M^3DA^x\theta$: persuasit π 10 lectae C^4M^3 (*uix* M^1)$BDA\theta$: legata es (*i.e.* legata esse natusque) *PCR* : legatae P^xR^2M 11 Vibellius ΠJ, *cf.* 23. 8. 5, 23. 46. 12 (*et in Nominum Italiae indice in It. Dial.* Vibellia, Vinellia, Vibuleia, Vibullia) : iubellius J^2ald.Drak. (*cf. Val. Max.* 3. 2. *Ext.* 1) *quod in inscc. nusquam in Italia occurrit* : imbellius *K*   turbam π*Aldus* : urbem turbamque $A\theta$ *Edd. ante Ald.* (urbem turbam *ed. Mog.* 1518) *Drak.*   resedisset (resid- *MBD*) πM^1B^1Aldus : inquireret residens $A\theta$ *Edd. ante Ald.*
13 mentis esse πB^2 *Aldus* (*quod praesto erat Prisciano* 6 § 709) : mente in esse *B* : esse mentis $A\theta$ *Edd. ante Ald.*, *cf. c.* 5. 17
16 1 Flacci M^1 *uel* $M^2BDA\theta$: placci π

neque sua manu interfectum, sed dum inter ceteros ad palum deligatur, quia parum inter strepitus exaudiri possent quae uociferaretur silentium fieri Flaccum iussisse ; tum Tauream illa quae ante memorata sunt dixisse, uirum se fortissimum ab nequaquam pari ad uirtutem occidi ; sub haec dicta iussu proconsulis praeconem ita pronuntiasse : 'Lictor, uiro forti adde uirgas et in eum primum lege age.' Lectum quoque senatus consultum priusquam securi feriret quidam auctores sunt, sed quia adscriptum in senatu consulto fuerit si ei uideretur integram rem ad senatum reiceret, interpretatum esse quid magis e re publica duceret aestimationem sibi permissam.

Capuam a Calibus reditum est, Atellaque et Calatia in deditionem acceptae; ibi quoque in eos qui capita rerum erant animaduersum. Ita ad septuaginta principes senatus interfecti, trecenti ferme nobiles Campani in carcerem conditi, alii per sociorum Latini nominis urbes in custodias dati, uariis casibus interierunt : multitudo alia ciuium Campanorum uenum data. De urbe agroque reliqua consultatio fuit, quibusdam delendam censentibus urbem praeualidam propinquam inimicam. Ceterum praesens utilitas uicit ; nam propter agrum, quem omni fertilitate terrae satis constabat primum in Italia esse, urbs seruata est ut esset aliqua aratorum sedes. Vrbi frequentandae multitudo incolarum libertinorumque et institorum opificumque retenta : ager omnis et tecta publica populi Romani facta. Ceterum

2 dum . . . deligatur *Frob.* 2 (*de* -tur *et* -tus *confusis cf.* 27. 21. 5; 23. 48. 9 *adnn. et de* cum *pro* dum *cf* 24. 17. 1 *adn. et* (dum *pro* cum) 1. 40. 7) : cum . . . deligatus (-leg- D) Πθ (*supra* quia *scripsit* ·| J) *ald., unde* (cum *retento*) *coni.* deligatus quiritaret *Weissenb.*, deligaretur *Harant*, deligatus quaedam uociferaretur *Alschefski* (*qui infra uoces* quae uociferatur *omisit*)   uociferaretur *Harant* : uociferatur πA^1? *cf.* 24. 24. 9 *et* 27. 1. 11 *adnn.* : uociferabatur $C^4M^3A^7J^1$ (-bantur J) K *ald.* : uociferantur BDA 5 rerum πA^7? *Aldus* : rei $A\theta$ *Edd. ante Ald.*   6 Campani Πθ : Campani alii *Harant, frustra* 7 censentibus $C^4M^1A\theta$: sescentibus (susc- BD) π, *unde* sciscentibus *Gron. dubitanter*   8 ager $P^xC^2M^1$ *uel* $M^3BDA\theta$: aeger π

habitari tantum tamquam urbem Capuam frequentarique placuit, corpus nullum ciuitatis nec senatum nec plebis concilium nec magistratus esse: sine consilio publico, sine imperio multitudinem nullius rei inter se sociam ad consensum inhabilem fore; praefectum ad iura reddenda ab Roma quotannis missuros. Ita ad Capuam res compositae consilio ab omni parte laudabili. Seuere et celeriter in maxime noxios animaduersum; multitudo ciuium dissipata in nullam spem reditus; non saeuitum incendiis ruinisque in tecta innoxia murosque, et cum emolumento quaesita etiam apud socios lenitatis species incolumitate urbis nobilissimae opulentissimaeque, cuius ruinis omnis Campania, omnes qui Campaniam circa accolunt populi ingemuissent; confessio expressa hosti quanta uis in Romanis ad expetendas poenas ab infidelibus sociis et quam nihil in Hannibale auxilii ad receptos in fidem tuendos esset.

17 Romani patres perfuncti quod ad Capuam attinebat cura, C. Neroni ex iis duabus legionibus quas ad Capuam habuerat sex milia peditum et trecentos equites quos ipse legisset et socium Latini nominis peditum numerum parem et octingentos equites decernunt. Eum exercitum Puteolis in naues impositum Nero in Hispaniam transportauit. Cum Tarraconem nauibus uenisset, expositisque ibi copiis et nauibus subductis socios quoque nauales multitudinis augendae causa armasset, profectus ad Hiberum flumen exercitum ab Ti. Fonteio et L. Marcio accepit. Inde pergit ad hostes ire. Hasdrubal Hamilcaris ad Lapides Atros castra habebat; in Ausetanis is locus est inter oppida Iliturgim et Mentissam.

---

9 senatum θ *Lov.* 3. 5 *Edd. ante Ald. Duker*: senatus Π *Aldus, cf.* 27. 17. 1 *adn.*   13 auxilii $C^2 M^1 B^x D A\theta$: auxilia π (*littera a- duplicata*)   esset $A^7\theta$ (*sed hi duo ante* ad) *ald.*: esse Π (*sed ante* ad *A*)
17 1 patres Π *Gron.*: praetores $A^7\theta$: proconsules *ald.*   quod πθ: qđ *C*: om. *M*: qua *Sabellicus*   C. Π, *cf. c.* 5. 8: claudio *ald.*: clau. *K*: cum *J*   3 L. J^2 *in marg. K, cf.* 25. 37. 1: om. Π*ald.*
4 Ausetanis Πθ: Oretanis *Glareanus, bene, sed nihil mutamus*

Huius saltus fauces Nero occupauit. Hasdrubal, ne in arto 5 res esset, caduceatorem misit qui promitteret si inde missus foret se omnem exercitum ex Hispania deportaturum. Quam 6 rem cum laeto animo Romanus accepisset, diem posterum Hasdrubal conloquio petiuit ut coram leges conscriberentur de tradendis arcibus urbium dieque statuenda ad quam praesidia deducerentur suaque omnia sine fraude Poeni deportarent. Quod ubi impetrauit, extemplo primis tenebris 7 atque inde tota nocte quod grauissimum exercitus erat Hasdrubal quacunque posset euadere e saltu iussit. Data 8 sedulo opera est ne multi ea nocte exirent, ut ipsa paucitas cum ad hostem silentio fallendum aptior, tum ad euadendum per artas semitas ac difficiles esset. Ventum insequenti die 9 ad conloquium est; sed loquendo plura scribendoque dedita opera quae in rem non essent die consumpto, in posterum dilatum est. Addita insequens nox spatium dedit et alios 10 emittendi; nec postero die res finem inuenit. Ita aliquot 11 dies disceptando palam de legibus noctesque emittendis clam e castris Carthaginiensibus absumptae. Et postquam pars maior emissa exercitus erat, iam ne iis quidem quae ultro dicta erant stabatur; minusque ac minus, cum timore simul 12 fide decrescente, conueniebat. Iam ferme pedestres omnes copiae euaserant e saltu cum prima luce densa nebula saltum omnem camposque circa intexit. Quod ubi sensit Hasdrubal, mittit ad Neronem qui in posterum diem conloquium differ-

5 occupauit. Hasdrubal ne $A^7N^3\theta ald$. *Frob.* 1. 2 (*fort. a Spirensiano fonte ortum*): om. π, *fort. linea xx. litt. perdita, cf. cc.* 6. 16 *et* 51. 8 *adn.*: ne *AN*: obsederet *D*: insedit. Hasdrubal cum *uestigiis Gronouii insistens Weissenb.*; *plura excidisse suspicatus erat Madv.* esset P^x *per ras. Cθald.*: esset set *P, cf.* 27. 44. 1: esset sed *RMBD A* missus Πθ: emissus *Madv. Em. p.* 374, *fort. recte* 6 coram *Madv. Em. p.* 375: romam Π*J*: romani (*cum conscriberent*) M^2A^v *K.ald.*: a romanis C^4 tradendis $C^4M^1A^v$*Valla* θ (tradd- *K*): trahendis π: reddendis *D* 7 atque Πθ: ac *ut uid. uoluit* P^x (*secundum Luchsium* a) e saltu *BDAθald., cf.* § 12 *et* 42. 18. 5: saltu M^1, *cf.* 8. 26. 4 *adn.*: salu π 9 loquendo $A^4?\theta$: loquendi π (*sed M mox scribendoq.*: -diq. M^2 *uel* M^7): loquenda *D*
10 Addita insequens π (*sed de P* '-dita in *in ras.*' *ait Luchs, perperam*)
12 qui πθ *Madv.* 1882: *secl. Perizonius, probante Madv. Em p.* 375

ret: illum diem religiosum Carthaginiensibus ad agendum
13 quicquam rei seriae esse. Ne tum quidem suspecta fraus
cum esset, data uenia eius diei, extemploque Hasdrubal cum
equitatu elephantisque castris egressus sine ullo tumultu in
14 tutum euasit. Hora ferme quarta dispulsa sole nebula
aperuit diem, uacuaque hostium castra conspexerunt Romani.
15 Tum demum Claudius Punicam fraudem adgnoscens ut se
dolo captum sensit, proficiscentem institit sequi paratus
16 confligere acie. Sed hostis detractabat pugnam; leuia tamen
proelia inter extremum Punicum agmen praecursoresque
Romanorum fiebant.

18 Inter haec Hispaniae populi nec qui post cladem acceptam
defecerant redibant ad Romanos, nec ulli noui deficiebant;
2 et Romae senatui populoque post receptam Capuam non
Italiae iam maior quam Hispaniae cura erat. Et exercitum
3 augeri et imperatorem mitti placebat; nec tam quem mitterent satis constabat quam illud, ubi duo summi imperatores intra dies triginta cecidissent, qui in locum duorum
4 succederet extraordinaria cura deligendum esse. Cum alii
alium nominarent, postremum eo decursum est ut proconsuli creando in Hispaniam comitia haberentur; diemque
5 comitiis consules edixerunt. Primo exspectauerant ut qui
se tanto imperio dignos crederent nomina profiterentur;
quae ut destituta exspectatio est, redintegratus luctus
acceptae cladis desideriumque imperatorum amissorum.

12 seriae esse C^2 *uel* C^4 *Gron.*: seria (feria D) esse π: feriam esse M^2 *uel* M^7 *uel ambo*: feriatum A: feriatumq. esse θ: feriatum esse *Aldus*: esse *Edd.* (*quos uidimus*) *ante Ald.*   13 cum esset, data $\Pi\theta$; *recte sic interpunxit Harant* (; cum data esset *ald. Drak.*)   extemploque (-tim- *MBD*) π *Harant*: extemplo $A\theta ald.$ *Drak.*
15 sequi $C^4 M^1$ *uel* $M^2B^1A^v?\theta$: equi Π

18 3 tam *Gron.*: tamen $\Pi\theta ald.$ quam illud (*sed* qm̄ A) Π *Gron.*: qm̄ id J: quoniam K: cum illud C^4 *uel* C^6: quoniam illuc *Edd. ante Gron.*   4 ut ... haberentur *Madv. Em. p.* 375: ut populus ... haberet $\Pi\theta ald.$ *quod tutari uoluit Weissenb. exempla qualia* 4. 56. 1 *citando, sed* populus *ex* pro- *duplicato ortum unde* -rentur *in* -ret *mutatum*

AB VRBE CONDITA   XXVI 18 6

Maesta itaque ciuitas prope inops consilii comitiorum die 6 tamen in campum descendit; atque in magistratus uersi circumspectant ora principum aliorum alios intuentium fremuntque adeo perditas res desperatumque de re publica esse ut nemo audeat in Hispaniam imperium accipere, cum 7 subito P. Cornelius ⟨Publi filius eius⟩ qui in Hispania ceciderat, [filius] quattuor et uiginti ferme annos natus, professus se petere, in superiore unde conspici posset loco constitit. In quem postquam omnium ora conuersa sunt, 8 clamore ac fauore ominati extemplo sunt felix faustumque imperium. Iussi deinde inire suffragium ad unum omnes 9 non centuriae modo, sed etiam homines P. Scipioni imperium esse in Hispania iusserunt. Ceterum post rem actam ut iam 10 resederat impetus animorum ardorque, silentium subito ortum et tacita cogitatio quidnam egissent ; nonne fauor plus ualuisset quam ratio. Aetatis maxime paenitebat; quidam 11 fortunam etiam domus horrebant nomenque ex funestis duabus familiis in eas prouincias ubi inter sepulcra patris patruique res gerendae essent proficiscentis.

Quam ubi ab re tanto impetu acta sollicitudinem curam- 19

6 consilii $C^4M^1BDA\theta$: consiui π (*fort.* -suu C)   aliorum Π *Aldus* : aliorumque $A\theta$ *Edd. ante Ald., cf.* § 11   in Hispaniam (imperium) $\Pi\theta$: in Hispania *Gron.*   7 Publi filius eius *hic scripsimus et* filius *infra seclusimus, cf.* 29. 14. 8, *lineam xv litt. ob* -ius | -ius *excidisse rati (cf. c.* 6. 16 *adn.*), *tum uocem* filius *paene necessario in Puteani archetypo esse additam* : ignorant π : illius $AN_0ald.$: Publii *Gron.* : P. Cornelii eius *Iac. Gron., bene* : P. Cornelii M^2 *Alschefski* ; *hi omnes cum codd.* filius *post* ceciderat *retinent*   9 inire πR^1 (ire R) *Drak.* : inire confusum A (*sed* -s- *in ras.*) *Edd. uet.* : inire confisum $A^7N\theta$ *Lov.* 2. 3. 5 : inire confestim *ed. Camp., Gebhard. Num* confusum *illud in marg. exemplaris sui a nescioquo de huius loci obscuritate querente additum in contextum induxerat A?*   10 impetus P^x *per ras.* $C^2M^2A^x ald.$: imperat impetus $\Pi\theta$ nonne *Madv. Em. p.* 375 *sq.* : noui ΠJ^1K (noni *J*) *quorum plerique post* noui *interpunxerunt* : noui ; nam quod A^v *in marg. et Valla* : noui ; quod *ald.* : num C^4 *Lov.* 2. 4. *Gron.*   fauor $\pi C^4\theta$: maior C *qui mox in* § 11 uigiliis *pro* familiis ($\pi\theta$) *praebet* (legionibus C^4!) ; *mirus uterque lapsus ut e.g. in c.* 50. 5 *adn.*   11 eas $\Pi Aldus$: easque θ *Edd. ante Ald., cf.* § 6

19 1 Quam M *uel* $M^1A^v Aldus$: qua ui $PC?R^1$: qua P^x *per ras. uix effectam* C^x (*et* -a- *partim eraso*) R *et* R^xM (*si* quā M^1) : quod $A\theta$ *Edd. ante Ald.*

que hominum animaduertit, aduocata contione ita de aetate sua imperioque mandato et bello quod gerundum esset 2 magno elatoque animo disseruit, ut ardorem eum qui resederat excitaret rursus nouaretque et impleret homines certioris spei quam quantam fides promissi humani aut ratio 3 ex fiducia rerum subicere solet. Fuit enim Scipio non ueris tantum uirtutibus mirabilis, sed arte quoque quadam ab 4 iuuenta in ostentationem earum compositus, pleraque apud multitudinem aut per nocturnas uisa species aut uelut diuinitus mente monita agens, siue et ipse capti quadam superstitione animi, siue ut imperia consiliaque uelut sorte 5 oraculi missa sine cunctatione exsequerentur. Ad hoc iam inde ab initio praeparans animos, ex quo togam uirilem sumpsit nullo die prius ullam publicam priuatamque rem egit quam in Capitolium iret ingressusque aedem consideret 6 et plerumque solus in secreto ibi tempus tereret. Hic mos per omnem uitam seruatus seu consulto seu temere uolgatae opinioni fidem apud quosdam fecit stirpis eum diuinae uirum

1 animaduertit B^2 (-rtam B) $A.ald.$: animam aduertit π : animum aduertit M^1 *Iac. Gron. ex cod. D* (*sed* -mam D) : auertit J : scipio aduertit K 2 nouaretque π (-quę C) : innouaretque $A\theta$ *Edd. uet.* et (impleret) $A\theta ald.$: *om.* π, *cf.* § 11 *et c.* 11. 12 *adn.* (*c*)   ex (fiducia) $\Pi\theta ald.$: et *Luchs* 1889, *frustra*   subicere *Ed. Mog.* 1518 (-iic-) : ubi ecere PR : ubi egere C : ubi iecere R^2MB (eicere B^1?) : ubi iacere D : subire A^x *per ras.* θ 4 aut (per) $\Pi\theta$, *quod ita fort. defendi potest si* uisa *pro* quae sibi uisa esse adfirmabat *interpretaris*; *tum enim* uisa *cum* uelut (ὡς *apud Polyb.* 10. 2. 12) *aequiperatur*: aut ut *praeeunte Dukero Weissenb., bene* : ut *ed. Mog.* 1518   uisa $\Pi\theta$ *Edd. uet.*, *u. adn. praec.* : uisas *Fabri* : *fort. delendum esse censet* $H.J.$ *Mueller*, *male*   mente $\theta ald.$: mentem Π (-m *in P paene deletum*)   ipse πB^1 *Aldus* : ipsi $BA\theta$ *Edd. ante Ald.*   sine P^x *per ras.* *uix perfectam Ed. Mog.* 1518 : sitne PC : sit nec RM : sint|nec (*uel* sint. nec) $BDA\theta$ *Edd. uet.*   exsequerentur *Gron.* : essequerentur PCR : assequerentur $R^2MBDA\theta ald.$ 5 rem egit $CM^1BDA\theta$: remigit PRM secreto M^1 *uel* $M^3\theta$ *Aldus* : secretu π : secretum BDA *Edd. ante Ald.*   tempus *hic praebent* π, *post* plerumque $A\theta$ *Edd. ante Gron., cf. c.* 5. 17 *adn.*   6 Hic mos . . . seruatus C^2 *Pal.* 1 *in marg. probante Gron.* : hic mos . . . seruabat PCR : hic mos . . . seruabatur $MBDA\theta$ *Edd. uet. nonnulli* : hic mos qui . . . seruabatur $ald.$ *Drak.* : hic mos quem . . . seruabat *Weissenb.*, *quod malit Johnson*   fecit $A^7\theta$ *Ed. Mog.* 1518 : fecit ut Π *Edd. ante Mog.* (*cf.* 27. 8. 7 *adn.*)

AB VRBE CONDITA XXVI 19 6

esse, rettulitque famam in Alexandro magno prius uolgatam, 7
et uanitate et fabula parem, anguis immanis concubitu conceptum, et in cubiculo matris eius uisam persaepe prodigii eius speciem interuentuque hominum euolutam repente atque ex oculis elapsam. His miraculis nunquam ab ipso 8 elusa fides est; quin potius aucta arte quadam nec abnuendi tale quicquam nec palam adfirmandi. Multa alia eiusdem 9 generis, alia uera, alia adsimulata, admirationis humanae in eo iuuene excesserant modum; quibus freta tunc ciuitas aetati haudquaquam maturae tantam rerum molem tantumque imperium permisit.

Ad eas copias quas ex uetere exercitu Hispania habebat, 10 quaeque a Puteolis cum C. Nerone traiectae erant, decem milia militum et mille equites adduntur, et M. Iunius Silanus propraetor adiutor ad res gerendas datus est. Ita 11 cum triginta nauium classe—omnes autem quinqueremes erant—Ostiis Tiberinis profectus praeter oram Tusci maris, Alpesque et Gallicum sinum et deinde Pyrenaei circumuectus promuntorium, Emporiis urbe Graeca—oriundi et ipsi a Phocaea sunt—copias exposuit. Inde sequi nauibus iussis 12 Tarraconem pedibus profectus conuentum omnium sociorum

---

8 His miraculis Πθ (hiis *J*) : huius miraculi *Gron. sed cf.* § 6 opinioni   9 tunc C^4? $A^7 ald.$: nunc Πθ *dett.*   rerum molem P^1 *uel* $P^2 C$: molem rerum πθ*ald. Drak.*   10 militum π: peditum *Aθald.*   mille $A^7 θald.$: *om.* π (*cf.* 29. 28. 10 *adn.*) *sed spatium unius litt.* (∞) *reliquit P*: milites *A* (*qui* equites *om.*: *add.* A^7)   11 ostiis *PRM* (*cf. lect. Put.* 22. 38. 8) : hostiis *CBDAθ*: ab ostiis *Wesenberg, fort. recte* (*cf.* 22. 38. 8), *sed cf. e.g.* 27. 41. 8 *et Riemann, Études p.* 271. *De Plurali* ostia *cf.* 9. 19. 4 (Tiberinis) ; 22. 37. 1, *et Verg. Aen.* 1. 1. 14 ; *Singularis in* 1. 33. 9 ; 22. 11. 6 *et* 7 : 23. 38. 8 ; 25. 20. 3 ; 27. 11. 2 ; 27. 22. 12, *cf. etiam* 29. 14. 11. *Pluralis ipsum fluuii exitum uidetur semper designare praecipue a mari aduenientibus*: *quotiens de urbe ipsa et portu agitur, Singularis usurpatur*   Alpesque et $A^7 θ$, *fort. ex Sp ortum, cf.* § 2 *sup.*: alpes neque π($C?A?$): alpesque $C^x M^1$ *uel* M^3: alpes atque *ald. Drak.*   et(deinde) Π*ald.*: ac θ   Pyrenaei (*uel* -nei : -nę *C*) Π (pir- *B*): pyrenes θ*ald.* circumuectus C^4 *uel* $C^5 M^1$ *uel* $M^3 K. ald.$: circumuentus Π(*C?*)*J*
et ipsi] *ob has uoces et ob mentionem triremium Massiliensium in* § 13 *aliquid supra* (*post* Alpesque ?) *excidisse suspicatus est Crevier, recte*

3*

TITI LIVI

—etenim legationes ad famam eius ex omni se prouincia effuderant—habuit. Naues ibi subduci iussit, remissis quattuor triremibus Massiliensium quae officii causa ab domo prosecutae fuerant. Responsa inde legationibus suspensis uarietate tot casuum dare coepit, ita elato ab ingenti uirtutum suarum fiducia animo ut nullum ferox uerbum excideret ingensque omnibus quae diceret cum maiestas inesset tum fides. Profectus ab Tarracone et ciuitates sociorum et hiberna exercitus adiit, collaudauitque milites quod duabus tantis deinceps cladibus icti prouinciam obtinuissent, nec fructum secundarum rerum sentire hostes passi omni cis Hiberum agro eos arcuissent, sociosque cum fide tutati essent. Marcium secum habebat cum tanto honore, ut facile appareret nihil minus uereri quam ne quis obstaret gloriae suae. Successit inde Neroni Silanus, et in hiberna milites noui deducti. Scipio omnibus quae adeunda agendaque erant mature aditis peractisque Tarraconem concessit. Nihilo minor fama apud hostes Scipionis erat quam apud ciues sociosque, et diuinatio quaedam futuri, quo minus ratio timoris reddi poterat oborti temere, maiorem inferens metum. In hiberna diuersi concesserant, Hasdrubal Gisgonis usque ad Oceanum et Gades, Mago in mediterranea maxime supra Castulonensem saltum; Hasdrubal Hamilcaris filius proximus Hibero circa Saguntum hibernauit.

Aestatis eius extremo qua capta est Capua et Scipio in

---

12 famam $\pi^2 A^x$: fam P, *cf.* 27. 1. 11 *adn.*: famam aduentus A? et $A^7\theta ald.$ Drak   14 diceret $BDA\theta ald.$: diceretque π (*sed* -quae RM), *cf. c.* 11. 12 *adn.* (a)

20 2 arcuissent $A^6\theta ald.$: arcissent Π (art- B)   3 uereri quam K *Lov.* 1. 3 *ald.*: quam uereri quam J: quam uereri Π *dett. plerique probante Gron., sed et aliud prorsus est* 27. 18. 11 *et de ordinis in P mutatione cf.* 28. 2. 15 *adn.* (quam magis *pro* magis quam)   5 oborti temere *Gron.* (oborti temere eo *Salmasius, non male sed cf.* 25. 1. 6; 35. 12. 10): oporte temere PR: oportet emere R^1MBD: oportet temere CAJ: temere A^x: omnem temere K: eo opportune *Lov.* 4 *ald.*   6 Gades (*uel* -is) $C^xB^2DA\theta$: gaudis π: gaugis B: gailgis *fort.* B^1 7 qua J. *Perizonius, cf. e.g.* 22. 19. 1: quo $\Pi\theta ald.$

Hispaniam uenit, Punica classis ex Sicilia Tarentum accita ad arcendos commeatus praesidii Romani quod in arce Tarentina erat, clauserat quidem omnes ad arcem a mari aditus, sed adsidendo diutius artiorem annonam sociis quam hosti faciebat; non enim tantum subuehi oppidanis per pacata litora apertosque portus praesidio nauium Punicarum poterat quantum frumenti classis ipsa turba nauali mixta ex omni genere hominum absumebat, ut arcis praesidium etiam sine inuecto quia pauci erant ex ante praeparato sustentari posset, Tarentinis classique ne inuectum quidem sufficeret. Tandem maiore gratia quam uenerat classis dimissa est; annona haud multum laxauerat quia remoto maritimo praesidio subuehi frumentum non poterat.

Eiusdem aestatis exitu M. Marcellus ex Sicilia prouincia cum ad urbem uenisset, a C. Calpurnio praetore senatus ei ad aedem Bellonae datus est. Ibi cum de rebus ab se gestis disseruisset, questus leniter non suam magis quam militum uicem quod prouincia confecta exercitum deportare non licuisset, postulauit ut triumphanti urbem inire liceret. Id non impetrauit. Cum multis uerbis actum esset utrum minus conueniret cuius nomine absentis ob res prospere ductu eius gestas supplicatio decreta foret et dis immortalibus habitus honos ei praesenti negare triumphum, an quem tradere exercitum successori iussissent—quod nisi manente in prouincia bello non decerneretur—eum quasi debellato triumphare cum exercitus testis meriti atque immeriti triumphi abesset,

---

7 ad arcendos C^4?A^v?ald : arcendos (-ntos B) Π (arg- PRM): arcendo $A^7θ$ 8 hosti $M^1Aθald.$: hostibus π, *unde* hostibus *Alschefski* (*sed de* -s *addito cf. c.* 40. 14 *adn.*)   11 est; annona Πθ(-nam C^3) *ald.* : annonam *dubitanter Gron.* (*i.e.* classis dim. annonam ... laxauerat)   laxauerat Πθ, *quae lectio si recta est, cf. Curt.* 4. 3. 6 : laxata est *uolebat Luchs* (1889), *fort. recte, cf.* 2. 34. 12 (laxandi annonam) *et* 32. 5. 2

21 1 exitu $C^xM^1DAθ$: exitus π, *cf.* § 4 *et c.* 40. 14 *adn.*   2 disseruisset $R^2MBDAθ$: deseruisset PCR 3 minus $A^7θald.$: nimis Π   4 non A^6 *Aldus*: num P: *om.* Π$^2θ$ *dett. Edd. ante Ald.* : numquam *Weissenb.*   debellato triumphare *Frob.* 1 (debellato riumphare PR): de bello triumphare π$^2R^1θald.$ (*post* bello *add.* confecto A^7?)   meriti $P^xC^xBDAθ$: meritis π, *cf.* § 1 *et c.* 40. 14 *adn.* atque Πθ*ald.* : aut *Gron.*

5 medium uisum ut ouans urbem iniret. Tribuni plebis ex auctoritate senatus ad populum tulerunt ut M. Marcello 6 quo die urbem ouans iniret imperium esset. Pridie quam urbem iniret in monte Albano triumphauit; inde ouans 7 multam prae se praedam in urbem intulit. Cum simulacro captarum Syracusarum catapultae ballistaeque et alia omnia instrumenta belli lata et pacis diuturnae regiaeque opulentiae 8 ornamenta, argenti aerisque fabrefacti uis, alia supellex pretiosaque uestis et multa nobilia signa, quibus inter primas 9 Graeciae urbes Syracusae ornatae fuerant. Punicae quoque uictoriae signum octo ducti elephanti, et non minimum fuere spectaculum cum coronis aureis praecedentes Sosis Syra-10 cusanus et Moericus Hispanus, quorum altero duce nocturno Syracusas introitum erat, alter Nassum quodque ibi praesidii 11 erat prodiderat. His ambobus ciuitas data et quingena iugera agri, Sosidi in agro Syracusano qui aut regius aut hostium populi Romani fuisset et aedes Syracusis cuius 12 uellet eorum in quos belli iure animaduersum esset, Moerico Hispanisque qui cum eo transierant urbs agerque in Sicilia 13 ex iis qui a populo Romano defecissent, iussa dari. Id M. Cornelio mandatum ut ubi ei uideretur urbem agrumque eis adsignaret. In eodem agro Belligeni, per quem inlectus ad transitionem Moericus erat, quadringenta iugera agri decreta.

8 fabrefacti (-brae-) uis *P et P*^{x} : fabrefacti (*uel* -brae-) uas *P*^{2}*CR* : fabrefacti (-brae- *M*) uasa *M*^{1}*BA*? : fabrefacta uasa *C*^{4}*R*^{2}*DA*^{7}θ *Edd. ante Gron.* 9 fuere π*A*^{v}*Aldus* : fuit *A*θ *Edd. ante Ald.* Moericus] moerichus Π (m͟ęr- *B*) : mericus θ, *et in* §§ 12 (-co) *et* 13 *eadem uariatio, sed* -cu- *P in cc.* 30. 6 *et* 31. 4 10 duce *C*^{x}*A*^{7}?θ*ald.* : ducere *PCR* : ducente *R*^{2}*MBDA* : duce tempore *Koch* (d. terrore *Friedersdorff*), *non male, sed cf.* 3. 58. 2 *et color contumeliosus hic uocis* nocturno *fort. defendi potest ex cc.* 30. 6 *et* 31. 6 Nassum Πθ, *cf. c.* 24. 15 *et* 25. 29. 10 11 belli *C*^{1} *uel C*^{2}*R*^{2}*BDA*θ : uelli π 12 Moerico] *u.* § 9 urbs *CRMBA*θ : urps *PR*^{1} : urbes *D* ex iis (*sed* is) *PR* : ex his *CR*^{2}*MBDAK* : ex hiis *J* 13 *post* adsignaret *scribunt* Πθ eodem agro *et inde uoces* Syracusano (§ 11) *et sqq. repetunt usque ad* animaduersum esset Π, *usque ad* p. r. fuisset θ ; *tum demum uoces* in eodem agro belligeni *etc. in codd. omnibus sequuntur* : *locum castigauit P*^{x} *qui uoces repetitas ut superuacaneas notauit. De repetitionibus Puteani cf.* 29. 1. 23 *adn.* Moericus] *u.* § 9

AB VRBE CONDITA XXVI 21 14

Post profectionem ex Sicilia Marcelli Punica classis octo 14 milia peditum, tria Numidarum equitum exposuit. Ad eos Murgentia et Er(getium urbes defece)re. Secutae defectionem earum Hybla et Macella et ignobiliores quaedam aliae; 15 et Numidae praefecto Muttine uagi per totam Siciliam sociorum populi Romani agros urebant. Super haec exercitus 16 Romanus iratus, partim quod cum imperatore non deuectus ex prouincia esset, partim quod in oppidis hibernare uetiti erant, segni fungebantur militia, magisque eis auctor ad seditionem quam animus deerat. Inter has difficultates M. 17 Cornelius praetor et militum animos nunc consolando nunc castigando sedauit, et ciuitates omnes quae defecerant in dicionem redegit; atque ex iis Murgentiam Hispanis quibus urbs agerque debebatur ex senatus consulto attribuit.

Consules cum ambo Apuliam prouinciam haberent, **22** minusque iam terroris a Poenis et Hannibale esset, sortiri iussi Apuliam Macedoniamque prouincias. Sulpicio Macedonia euenit isque Laeuino successit. Fuluius Romam comi- 2 tiorum causa arcessitus cum comitia consulibus rogandis haberet, praerogatiua Voturia iuniorum T. Manlium Torquatum et T. Otacilium ⟨consules dixit. Cum ad Manlium⟩, qui 3

14 Murgentia et Ergetium urbes defecere *Weissenb.*, *optime duarum hic urbium mentionem esse ratus et ad Plin.* 3. 91 *spectans*: murgentiae | terre *P*, *linea xvii litt. ob* -t er- | -cer- *omissa, cf. c.* 6. 16 *adn.* (*c*): murgeniae (*uel* -ie) terrae (*uel* -re) *CRMBDAθ*: murgentie defecere *A*ᵛ? : murgeniae (*uel*-gentini-) desciuerunt terrae *Edd. uet.*: murgantini defecere *uel* desciuere *Gron.* (*cum* eorum *inf.*) Macella *Sabellicus et Lipsius ex Polyb.* 1. 24. 2 : marcella Πθ et ignobiliores *Weissenb.* (sunt et ign- *ald. Drak.*): st ignobiliores (-oraes *PRMD*) *P*¹*CRM*¹*D* (*sed* marcellasti ign- *D*)*Aθ*(*sed* sunt ign- *Aθ*): ignobiliores *M*³*B*: nobiliores *C*ˣ   17 nunc (castigando) *R*²*MBDAθ*: non *PCR* dicionem (*uel* dit-) π*A*⁸*J*: deditionem *C*ˣ*A dett.*: dictionem *K*
22 1 esset *C*⁴*M*¹*BDAθ*: esse π¹ : sse *P*   2 arcessitus π, *cf.* 3. 45. 3 ; 10. 18. 7 ; 29. 1. 20 ; 29. 11. 1 ; 29. 23. 4 ; 29. 34. 2 ; 30. 9. 5 ; 30. 23. 1 : accersitus *CDA*⁷θ   comitia πθ: mor *C* : morem *C*⁵ Voturia *Madv., cf. e.g. C.I.L.*V² *p.* 546 : ueturia Πθ (*et* uet- *in* §§ 7, 10, 11)   2 *et* 3 consules (cōs) dixit. Cum ad Manlium *Walters*, lineam xx litt. (*cf. c.* 6. 16 *adn.*) *supplens et uestigiis priorum insistens* (absentem consules dixit *Fabri, cui add.* cum ad Manlium *Weissenb.*) : ignorant Πθ; *locum castigare temptabant Edd. uet.*, declarauit *post* iuniorum *addendo et* cum *ante* turba : *post* praesens erat *add. A*⁷ *uel A*ᵛ nominauit et cum

praesens erat, gratulandi causa turba coiret, nec dubius esset consensus populi, magna circumfusus turba ad tribunal consulis uenit, petitque ut pauca sua uerba audiret centuriamque quae tulisset suffragium reuocari iuberet. Erectis omnibus exspectatione quidnam postulaturus esset, oculorum ualetudinem excusauit: impudentem et gubernatorem et imperatorem esse qui, cum alienis oculis ei omnia agenda sint, postulet sibi aliorum capita ac fortunas committi; proinde si uideretur ei, redire in suffragium Voturiam iuniorum iuberet et meminisse in consulibus creandis belli quod in Italia sit temporumque rei publicae; uixdum requiesse aures a strepitu et tumultu hostili, quo paucos ante menses cesserint prope moenia Romana. Post haec cum centuria frequens succlamasset nihil se mutare sententiae eosdemque consules dicturos esse, tum Torquatus 'Neque ego uestros' inquit 'mores consul ferre potero neque uos imperium meum. Redite in suffragium et cogitate bellum Punicum in Italia et hostium ducem Hannibalem esse.' Tum centuria et auctoritate mota uiri et admirantium circa fremitu, petiit a consule ut Voturiam seniorum citaret: uelle sese cum maioribus

3 turba ad $CM^3Aald.$: turis at π (*scil.* IS *pro* B): turma ad $B\theta$: turisa turma ad D: turma $A^7\theta$ 4 petitque $\Pi\theta$: petiitque *Riemann sed uid.* 1. 3. 3 *adn. et* 23. 23. 9 *et cf. in hoc tomo* 27. 5. 9 *adn.*
5 ualetudinem PR (ualit- $CR^2MBDA\theta$) 6 sibi K: sibi post ΠJ: sibi potius *Gron., sed si* post *illud Puteani quicquam aliud sit ac postulet iterum inceptum* (*cf. c.* 17. 5 *et* 27. 44. 1 *adn.*), *malimus potissimum scribere* aliorum $A\theta$: alium Π 7 uideretur ei (*i.e.* Fuluio) *Madv.* (*et ut uid.* P^1, *apice litterae* T *uocis et semieraso*): uideretur et $PCA\theta ald.$: diuidetur et RM: uidetur et M^1BD Voturiam] *u.* § 2 meminisse *Edd. ante Ald., Iac. Gron.*: meminisset $\Pi\theta$ *Aldus*
8 requiesse $P^xDA\theta$: requiessem π, *cf. c.* 40. 11 *adn.*: requiescere *se Edd. uet. ante ed. Par.* 1513: requiescere *ed. Par.* 1513 aures (*uel* -is) $\pi A^7\theta$: in auros (-o- *in ras.*) A^1: in auris $DA?$: muros C^2M^5: muris C^4 cesserint M^7 (*Madvigium confirmans, qui ultro* quoi (*pro* quo) . . . cesserint *coniecit, Em. p.* 377): asserint Π: asseruit $C^2A^7\theta$: assederint $A^6ald. Drak. sed$ adsideo *cum Datino est in* 21. 25. 6; 23. 19. 5, *nec quadrat cum* strepitu: arserint *Alschefski, bene*: ascenderint *Weissenb.*: scansa sint *Luchs*: concussa sint *Doering*: *alia alii* 9 in Italia C^4M^1(*sed ita alia*)$BDAK.ald.$: italia $PCRM$ (ita alia)J, *cf. c.* 13. 7 *adn.*

AB VRBE CONDITA XXVI 22

natu conloqui et ex auctoritate eorum consules dicere. Citatis Voturiae senioribus, datum secreto in Ouili cum iis conloquendi tempus. Seniores de tribus consulendum dixe- 12 runt esse, duobus plenis iam honorum, Q. Fabio et M. Marcello, et si utique nouum aliquem aduersus Poenos consulem creari uellent, M. Valerio Laeuino ; egregie aduersus Philippum regem terra marique rem gessisse. Ita de tribus 13 consultatione data, senioribus dimissis iuniores suffragium ineunt. M. Claudium, fulgentem tum Sicilia domita, et M. Valerium absentes consules dixerunt. Auctoritatem praerogatiuae omnes centuriae secutae sunt. Eludant nunc anti- 14 qua mirantes : non equidem, si qua sit sapientium ciuitas quam docti fingunt magis quam norunt, aut principes grauiores temperantioresque a cupidine imperii aut multitudinem melius moratam censeam fieri posse. Centuriam uero iunio- 15 rum seniores consulere uoluisse quibus imperium suffragio mandaret, uix ut ueri simile sit parentium quoque hoc saeculo uilis leuisque apud liberos auctoritas fecit.

Praetoria inde comitia habita. P. Manlius Volso et L. 23 Manlius Acidinus et C. Laetorius et L. Cincius Alimentus creati sunt. Forte ita incidit ut comitiis perfectis nuntiaretur 2 T. Otacilium, quem T. Manlio nisi interpellatus ordo comi-

11 cum iis C^x : cum uis π : cum his (hiis J) $BDA\theta ald$. 12 terra marique πA^6ald. : *om. $A\theta$ dett. aliq.* rem gessisse C^2 *Berolinensis* (rē cessisse M^4) : recessisse PC?RM^1? (reg- M) : res gessisse BDA θald. 13 Claudium *Madv. Em. p.* 377, *recte, cf.* 23. 14. 10 : marcellus (-llu P^xC^x : -llum $M^1AJ.ald.$) claudium Π$J.ald.$: claudium marcellum K *Frob.* 1 (de uariatione ordinis glossema indicante *cf.* 27. 34. 3 *adn.*) 14 aut (principes) $A^7\theta ald.$: ut π : *om. A* temperantioresque B^2J *Sigonius* : temperantioresque Π(-por- D)K censeam *Frob.* 2 : censeant Πθald. 15 imperium suffragio (-gium RM^1BD : -giu M) π : imperii suffragium $A\theta$ *dett. ald.* parentium quoque Π*ald.* (-tum *ald.*) : parentum uero θ (*cf.* 29. 17. **15** *de* parentium *et* -tum)

23 1 Volso *Aldus* : Vulso *Sigonius et sic* Πθ *in c.* 28. 12 *et Fast. Cap. ad annos* 262 *et* 256 *a.C.n.* (*C.I.L.* 1[2]. 1, *p.* 24), *sed acta triumph. eadem aetate* (*circ.* 37 *a.C.n.*) *incisa* Volsci (*e.g. ad annum* 459 *a.C.n.*) *et simil.* Volsones *ad annum* 294 *a.C.n. praebent* : ualens Πθ *Edd. ante Ald.*
2 nisi *Aldus* : nis πM^1 : iis M (manlius M : manlio M^1) : mnis B : et omnis A : romnis J : ni omnis K : omnis ni *Edd. ante Ald.*

TITI LIVI

tiorum esset collegam absentem daturus fuisse uidebatur
3 populus, mortuum in Sicilia esse. Ludi Apollinares et priore
anno fuerant et eo anno ut fierent referente Calpurnio prae-
4 tore senatus decreuit ut in perpetuum uouerentur. Eodem
anno prodigia aliquot uisa nuntiataque sunt. In aede Con-
cordiae Victoria quae in culmine erat fulmine icta decussa-
que ad Victorias quae in antefixis erant haesit neque inde
5 procidit; et Anagniae et Fregellis nuntiatum est murum
portasque de caelo tacta, et in foro Subertano sanguinis
riuos per diem totum fluxisse, et Ereti lapidibus pluuisse, et
6 Reate mulam peperisse. Ea prodigia hostiis maioribus sunt
procurata et obsecratio in unum diem populo indicta et
7 nouendiale sacrum. Sacerdotes publici aliquot eo anno
demortui sunt nouique suffecti: in locum M'. Aemili Numidae decemuiri sacrorum M. Aemilius Lepidus, in locum
M. Pomponi Mathonis pontificis C. Liuius, in locum Sp.
8 Caruili Maximi auguris M. Seruilius. T. Otacilius Crassus
pontifex quia exacto anno mortuus erat, ideo nominatio in
locum eius non est facta. C. Claudius flamen Dialis quod
exta perperam dederat flamonio abiit.

3 referente *Paulus Manutius et dett. unus*: repente (*sed* repēte *P*)
Πθ : repetente M^1A^v praetore (*sed* pr) *PC*: populus romanus
RM, cf. e.g. c. 15. 8 *adn*.: pretori romanus B: pretori (*uel* prae-) B^xD
$A\theta$ uouerentur $A^6\theta$: mouerentur Π   4 antefixis *M, cf.* 34.
4. 4 : antefixi *PCR, cf.* 27. 17. 12 *adn.*: antefixae B^2(-xęrant B)D(*sed*
erat)$A\theta$(-xe $A\theta$)*Aldus*: arce fixae A^7Lov. 1 *Edd. plerique ante Ald.* :
antefixo *Lipsius*   5 Anagniae *C, Aldus*: anagnia π^1 (angnia *P*)
Edd. ante Ald.: auagnia *J*: a uagina *K*   Fregellis $C^3\theta ald.$: fra-
gellis M^1 (*an* freg- *uel* freag- *uoluit?*): flagellis Π   tacta *P*: tactas
$Π^2$(-tus $D)\theta$ *Aldus fort. recte*: igne tactas *dett. Edd. ante Ald.*
Subertano Π, *cf. It. Dial. p.* 391: subuertano θ: sudertano *Cluuierius
ex Plin.* 3. 52, *ubi tamen* sub- *praebent codd.*   Ereti $A^v ald.$:
freti Π(*A?*): erepti *J* (fredi J^x *in marg.*): cereti *K*   pluuisse Π*J, cf.* 30. 38. 8 *adn.*: pluisse *K*   6 Ea CM^2BDAK: a
PRM: et *J*   7 aliquot CM^1DA^v: aliquod π: aliquanti $A\theta$
demortui *PCR*: eo demortui *M*: eodem mortui R^2BD: mortui $A\theta$
dett. ald.   M'. (Aemili) *Sigonius ex C.I.L.* I^2. 1, *p.* 29 (*a.* 518): m̄
PRM^1BD^x: m. $CD?AJ$: om. *MK*   sacrorum C^4R^2M *uel* M^1BD
$A\theta$: acrorum *PCR (fort. M)*   C. (Liuius) Π: cn. θ 8 C.
(Claudius) Πθ: Q. (*duce Sigonio ad* 27. 21. 5) *Heusinger, fort. recte*
flamonio Π : flaminio $A^7?\theta ald.$ *Drak., cf.* 27. 8. 8 *adn.*

AB VRBE CONDITA XXVI 24

Per idem tempus M. Valerius Laeuinus temptatis prius 24 per secreta conloquia principum animis ad indictum ante ad id ipsum concilium Aetolorum classe expedita uenit. Vbi 2 cum Syracusas Capuamque captas in fidem in Italia ⟨Sicilia⟩que rerum secundarum ostentasset, adiecissetque iam inde a 3 maioribus traditum morem Romanis colendi socios, ex quibus alios in ciuitatem atque aequum secum ius accepissent, alios in ea fortuna haberent ut socii esse quam ciues mallent: Aetolos eo in maiore futuros honore quod gentium trans- 4 marinarum in amicitiam primi uenissent; Philippum eis et 5 Macedonas graues accolas esse, quorum se uim ac spiritus et iam fregisse et eo redacturum esse ut non iis modo urbibus quas per uim ademisset Aetolis excedant, sed ipsam Macedoniam infestam habeant; et Acarnanas quos aegre 6 ferrent Aetoli a corpore suo diremptos restituturum se in antiquam formulam iurisque ac dicionis eorum;—haec dicta 7 promissaque a Romano imperatore Scopas, qui tum praetor gentis erat, et Dorimachus princeps Aetolorum adfirmaue-

---

24 2 captas $A^7 θ ald. Frob.$ 1. 2 : capitas N^5 (-itam N qui et siracusam *scripsit quod in* -as *mutat* N^5): captam Π, *fort. recte, sed* captas *fort. ex Sp ortum est et cum oratoris ratione et consilio magis congruit. De* -m *et* -s *in P saepissime confusis cf.* 27. 17. 2 *et* 27. 40. 7 *adnn.*
in fidem Πθ : in fidam C^4M^x (*uix* M^3) : ad fidem *Novák* Italia Siciliaque *Alschefski* (Sic. It.-que iam A^v in marg. et ultro Gron.) : italiaque (-quę B)πA^6(-lique $A?$)θald., *cf. c.* 11. 12 *et* 21. 60. 4 *adnn.*
(b)   secundarum] *post hanc uocem add.* statum K, euentum A^7 *Lov.* 5, successum *cod. Ber. ald., quae ob omissam uocem* Sicilia *addita sunt: nihil add.* ΠJ 3 adiecissetque C^3 *uel* C^4M^x(*u. adn. supra in* in fidem) $BDA θ ald.$: adiecisseque π, *cf.* 29. 2. 2 *adn.*   5 et eo Πθ : et breui eo *Luchs ed.* 1889 *dubitanter*   redacturum *Gron.* : redactum Πθ *dett. ald.* : redactos *Frob.* 1   ademisset Πθ *Edd. ante Ald.* : ademissent *Aldus, quem posteri sequuntur*   excedant ΠJ *ald.* : excedat K 6 iurisque ac dicionis (*uel* dit-) Π(dict- D)θ : *Retinemus* -que *dubitanter cum Madvigio* (*Em. p.* 377) *qui cupit sed non audet* facturum *post* eorum *addere; de* -que ac *pro* et . . . et *cf. e.g. Ouid. Metam.* 4. 429 *et Tac. Hist.* 3. 63 seque ac liberos, *quod uix sic apud Liuium reperire possumus nisi fort. in* 41. 28. 9 (*in tabula triumph. Ti. Gracchi anno* 174 *a.C.n.*) saluomque atque incolumem *legendum est; de sensu uocis* formulam *cum casu genetiuo cf.* 39. 26. 2, *sed fort. post* eorum *aliquid excidit, cf. c.* 11. 12 *adn.* (b); *sin contra* -que *delendum esse censeas, cf. c.* 11. 12 *adn.* (a)

runt auctoritate sua, minore cum uerecundia et maiore cum fide uim maiestatemque populi Romani extollentes.
8 Maxime tamen spes potiundae mouebat Acarnaniae. Igitur conscriptae condiciones quibus in amicitiam societatemque
9 populi Romani uenirent; additumque ut, si placeret uellentque, eodem iure amicitiae Elei Lacedaemoniique et Attalus et Pleuratus et Scerdilaedus essent, Asiae Attalus, hi Thra-
10 cum et Illyriorum reges; bellum ut extemplo Aetoli cum Philippo terra gererent; nauibus ne minus uiginti quinque
11 quinqueremibus adiuuaret Romanus; urbium Corcyrae tenus ab Aetolia incipienti solum tectaque et muri cum agris Aetolorum, alia omnis praeda populi Romani esset, darentque operam Romani ut Acarnaniam Aetoli haberent;
12 si Aetoli pacem cum Philippo facerent, foederi adscriberent ita ratam fore pacem si Philippus arma ab Romanis sociisque
13 quique eorum dicionis essent abstinuisset; item si populus Romanus foedere iungeretur regi, ut caueret ne ius ei belli in-
14 ferendi Aetolis sociisque eorum esset. Haec conuenerunt, conscriptaque biennio post Olympiae ab Aetolis, in Capitolio ab Romanis, ut testata sacratis monumentis essent sunt
15 posita. Morae causa fuerant retenti Romae diutius legati Aetolorum; nec tamen impedimento id rebus gerendis fuit. Et Aetoli extemplo mouerunt aduersus Philippum bellum, et Laeuinus Zacynthum—parua insula est propinqua Aetoliae;

7 auctoritate sua *PC Frob.* 1: auctoritatem suam $M^1A\theta$ *dett. ald.*: auctoritatem sua (*sed* -suam in ore) *RMBD*   9 additumque ut B^1(adi- *B*)$DA\theta$: additumque ui *P*: additumque iui P^2(*qui fort. nil nisi hasta diuidebat* -que *ab* ui)*R*: additumque huu (his C^4) *C*: ad titum qui ui *M*   Pleuratus Π*ald.*, *cf. Polyb.* 10. 41. 4: pleoratus θ Scerdi-(-ni- *P*)-laedus (*uel*-ledus) π^1 *uel* π^2(-lenus *C*)θ(ser-), *cf. Polyb. l.c.*: scertilętus *M.ald.*   hi (ii *K*: hii *J*) Thracum (trac- Πθ) Π *et* $P^x\theta$: tracum P^2: h -racum M^4 10 uiginti quinque (xxv) quinqueremibus *P*θ: xx quinque remibus P^2 (*silente Luchsio*): xxv remibus *CRMBDA*   11 Corcyrae (*uel* -re) π (-cire *B*): Corcyra Sabellicus (-cira), *probante H. J. Mueller, fort. recte sed cf.* 44. 40. 8
12 foederi (fed- *B*) Π*ald.*: fidei A^7 *ut s.l.* θ fore *Muretus* ('ex msto' *Drak.*): eorum Πθ*ald.*   13 belli πA^x*Aldus*: bellum $A\theta$ *Edd. ante Ald.*

AB VRBE CONDITA XXVI 24

urbem unam eodem quo ipsa est nomine habet ; eam praeter arcem ui cepit—et Oeniadas Nassumque Acarnanum captas Aetolis contribuit ; Philippum quoque satis implicatum bello finitimo ratus ne Italiam Poenosque et pacta cum Hannibale posset respicere, Corcyram ipse se recepit.

Philippo Aetolorum defectio Pellae hibernanti allata est. Itaque quia primo uere moturus exercitum in Graeciam erat, Illyrios finitimasque eis urbes ab tergo metu quietas ut Macedonia haberet, expeditionem subitam in Oricinorum atque Apolloniatium fines fecit, egressosque Apolloniatas cum magno terrore ac pauore compulit intra muros. Vastatis proximis Illyrici in Pelagoniam eadem celeritate uertit iter ; inde Dardanorum urbem Sintiam, in Macedoniam transitum Dardanis facturam, cepit. His raptim actis, memor Aetolici iunctique cum eo Romani belli per Pelagoniam et Lyncum et Bottiaeam in Thessaliam descendit—ad bellum secum aduersus Aetolos capessendum incitari posse homines credebat—et relicto ad fauces Thessaliae Perseo cum quattuor milibus armatorum ad arcendos aditu Aetolos, ipse priusquam maioribus occuparetur rebus in Macedoniam atque inde in Thraciam exercitum ac Maedos duxit. Incur-

15 et Oeniadas (*cf. c.* 25. 10) *Glareanus et Sigonius, cf. e.g. Polyb.* 9. 39. 2 : et oloniadas π *dett. aliq. ald.* (*sed* -da) : aetholoniadas (*uel* eth-) *CBDθ*   Nassumque (-quae *RMB*) Πθ, *cf. c.* 21. 10
16 Philippum quoque Πθ : Philippumque *Weissenb., sed melius codd.*
25 2 eis *codd. Ber. et Voss. Frob.* 1 : eius Π*Nθ dett. Aldus* : ei *Edd. ante Ald.*   ab tergo *Salmasius* : saltergo *P* : salterno *P²R* : alterno *RˣMBDAθald.* : alieno *Frob.* 2   quietas ut *ANθald. Frob.* 1. 2 *Drak.* : quietas π *et Alschefski qui* ut *post erat supra inseruit, quod malit Johnson*   Oricinorum *Sabellicus, cf. e.g.* 24. 40. 2 : originorum π*B*¹ (-gion- *B*)   3 Sintiam *A. Rubens et Gron. ex Stephan. Byz.* (*cf. fort.* 45. 29. 7) : sitam Πθ*ald.* (si|tam *P*)   4 Bottiaeam π*J* : boeotiam *C* : boetiam *BˣAˣK* : boliam *Edd. uet. nonnulli*
5 ad bellum Π¹(*correctura a P*¹ *ipso facta est, cf. Praef.* § 55)θ*ald.* : me ad bellum *P, unde pro* me *coniecerunt* inde *Alschefski*, unde *Harant* (*non male*), etenim *Madv.*, quippe *Koch, alia alii, sed et* me *illud ab uoce* secum *uidetur praesumptum esse, cf. c.* 5. 5 *et* 29. 5. 6 *adn., nec ab lingua Liuiana abhorret interiectio eiusmodi sine coniunctione*
6 Maedos *praeeunte Aldo Sigonius ex Polyb.* 10. 41. 4 (*cf. apud L.* 40. 21. 1) : medos *A¹?θ Edd ante Ald.* : uiaedos (uied- *A*) Π   duxit π : eduxit *Aθald*

rere ea gens in Macedoniam solita erat, ubi regem occupatum externo bello ac sine praesidio esse regnum sensisset.
8 Ad frangendas igitur ⟨uires gentis simul⟩ uastare agros et urbem Iamphorynnam, caput arcemque Maedicae, oppu-
9 gnare coepit. Scopas ubi profectum in Thraciam regem occupatumque ibi bello audiuit, armata omni iuuentute
10 Aetolorum bellum inferre Acarnaniae parat. Aduersus quos Acarnanum gens, et uiribus impar et iam Oeniadas Nassumque amissa cernens Romanaque insuper arma ingruere, ira
11 magis instruit quam consilio bellum. Coniugibus liberisque et senioribus super sexaginta annos in propinquam Epirum missis, ab quindecim ad sexaginta annos coniurant nisi
12 uictores se non redituros; qui uictus acie excessisset, eum ne quis urbe tecto mensa lare reciperet, diram exsecrationem in populares, obtestationem quam sanctissimam potuerunt
13 aduersus hospites composuerunt; precatique simul Epirotas sunt ut qui suorum in acie cecidissent eos uno tumulo con-
14 tegerent, adicerentque humatis titulum: 'Hic siti sunt

8 ⟨uires gentis simul⟩ *scripsimus* (uires *Madv., et iam* eorum uires C^4): *ignorant* Πθ*ald. Frob.* 1. 2, *cf. c.* 6. 16 *adn., sed pro* frangendas (Π) *praebent* (*ut nomen gentis*) Astragandas $A^7\theta$, Phragandas *Lov.* 1 (phrang-) *ald. Frob.* 1. 2 *Drak., et dett. alii alia. Lineam cum* -das *incipit P et summo labore in eandem lineam* agros (*post* uastare) *coegit*; *tu igitur conicias lineas in archetypo sic ordinatas esse* ad frangen|das igitur uires gen|tis simul uastare agros; *quae cum usque ad uocem* igitur *scripsisset P uel nescioquis prior errauerunt oculi ab* -ur u- *superioris lineae in* -ul u- *inferioris, necnon illud errorem adiuuit quod duae lineae in* -gen *exierunt. Pro* frangendas *praebuit* frangendam *Alschefski* (*sc.* '*gentem*'), frangendos (*cum dett. tribus*) *Weissenb.* (*sc.* '*eos*'), *qua lectione accepta post* igitur *add.* spiritus *Friedersdorff, frustra* arcemque $CA\theta$: artemque π coepit M^2 *uel* M^7BD (cę BD): cepit πθ, *sed ut uid. et* o- *et* -re *uocis* oppugnare *et uocem* cepit *scripsit P uel* P^1 *supra lineam uelut scriptis in spatium artum coactis* 10 quos *Frob.* 1 : quod *dett. aliq. ald.*: quod se Πθ, *qui error ex dittographia ortus est, cf. c.* 1. 4 *et* 27. 34. 5 *adn.* Oeniadas *cf. c.* 24. 15: moeniadas (-clas *A*) Πθ (men- $DA\theta$) Nassumque Πθ (*u. c.* 24. 15)
11 super Π: supra θ*ald. Drak.* 13 adicerentque *Weissenb.*: adliberentque PRM: adhiberentque CM^2 *uel* $M^7BDA\theta ald$, *sed* humatis titulum adhib. *vix Latinum est, cf. Madv. Em. p.* 378: adscriberentque *Gron.*: adderentque *Madv. l.c.* (*postea* affigerentque): adlinerentque *Rossbach, sed hoc uerbum notionem contemnentis habet*

AB VRBE CONDITA XXVI 25

Acarnanes, qui aduersus uim atque iniuriam Aetolorum pro patria pugnantes mortem occubuerunt.' Per haec incitatis 15 animis castra in extremis finibus suis obuia hosti posuerunt. Nuntiis ad Philippum missis quanto res in discrimine esset, omittere Philippum id quod in manibus erat coegerunt bellum, Iamphorynna per deditionem recepta et prospero alio successu rerum. Aetolorum impetum tardauerat primo 16 coniurationis fama Acarnanicae; deinde auditus Philippi aduentus regredi etiam in intimos coegit fines. Nec Philip- 17 pus, quanquam ne opprimerentur Acarnanes itineribus magnis ierat, ultra Dium est progressus; inde cum audisset reditum Aetolorum ex Acarnania, et ipse Pellam rediit.

Laeuinus ueris principio a Corcyra profectus nauibus 26 superato Leucata promuntorio cum uenisset Naupactum, Anticyram inde se petiturum edixit ut praesto ibi Scopas Aetolique essent. Sita Anticyra est in Locride laeua parte 2 sinum Corinthiacum intranti; breue terra iter eo, breuis nauigatio ab Naupacto est. Tertio ferme post die utrimque 3 oppugnari coepta est; grauior a mari oppugnatio erat quia et tormenta machinaeque omnis generis in nauibus erant et Romani inde oppugnabant. Itaque intra paucos dies recepta urbs per deditionem Aetolis traditur: praeda ex pacto Romanis cessit. Litterae Laeuino redditae consulem eum 4

14 occubuerunt π *Aldus*: oppetierunt *Aθ Edd. ante Ald.*
15 obuia ⋂ : obuiam $A^7θ ald$. 17 Dium ⋂$(A?)$: deinde $A^7θ$ *Lov.* 5 (*dett. alii alia*) : Clinem *ald*.
26 1 petiturum *Aθald*.: piturum π: iturum C^x 2 *post* Anticyra *om. B* est ... Corinthiacum *totum*: *praebet* B^2 Locride *ed. Rom.* 1469: locide (*uel* loci de) $πB^2θ dett$. : Phocide *Cellarius* intranti; breue *P* (*sed* -tib|reue) : intrantib; (*uel* -tibus) reue *RM*(*ubi litt.* -b *addita ab* M^1 *maior est ceteris litt.*)*BD*: intrantibus breue $CB^2 ald$. : intrantibus breuis *Aθ, qui mox* breuis *omittunt* 3 mari M^2 *uel* $M^7BDAθ$: mare π (*cf.* 27. 4. 13 *adn.*) deditionem $M^2B^xAθ$: ditionem *PD, cf.* 27. 1. 11 : diditionem $π^2$ ex pacto *PK.ald*. : ex naupacto $π^2J$ *Sabellicus et Edd. uet. aliq.* (*de erroribus huiusmodi a* P^2 *inlatis cf.* 28. 8. 4 *adn.*) 4 litterae (-re *BD*) *hic ante* Laeuino *praebent* π, *post* L. *Aθ, cf. c.* 5. 17 *adn.*: *ante* litterae *add.* interim *Weissenb.*, ibi *Luchs, ambo frustra*

absentem declaratum et successorem uenire P. Sulpicium ; ceterum diuturno ibi morbo implicitus serius spe omnium Romam uenit.

5 M. Marcellus cum idibus Martiis consulatum inisset, senatum eo die moris modo causa habuit professus nihil se absente collega neque de re publica neque de prouinciis 6 acturum : scire se frequentes Siculos prope urbem in uillis obtrectatorum suorum esse ; quibus tantum abesse ut per se non liceat palam Romae crimina edita [ficta] ab inimicis 7 uolgare, ut ni simularent aliquem sibi timorem absente collega dicendi de consule esse, ipse eis extemplo daturus senatum fuerit. ubi quidem collega uenisset non passurum quicquam prius agi quam ut Siculi in senatum introducantur. 8 dilectum prope a M. Cornelio per totam Siciliam habitum ut quam plurimi questum de se Romam uenirent ; eundem litteris falsis urbem implesse bellum in Sicilia esse ut suam 9 laudem minuat. Moderati animi gloriam eo die adeptus consul senatum dimisit, ac prope iustitium omnium rerum futurum uidebatur donec alter consul ad urbem uenisset.

10 Otium, ut solet, excitauit plebis rumores. Belli diuturnitatem et uastatos agros circa urbem, qua infesto agmine isset Hannibal, exhaustam dilectibus Italiam et prope quotannis 11 caesos exercitus querebantur, et consules bellicosos ambo uiros acresque nimis et feroces creatos qui uel in pace tran-

---

6 edita (edicta *BD*) ficta π*A*⁶ *uel A*⁷ : edicta facta *AΘ dett.* : edita fictaque *Sabellicus ald. Drak.* : edita *Madv. Em. p.* 378 *sq., optime* : ficta *Ussing* : ementita *Luchs* 1879 : *alia alii* ; *si quis codd. lectionem tutari uelit*, densa obsita 1. 14. 7 *citando (cf.* 27. 16. 6), ficta edita *potius scribendum sit* 7 ni simularent π*A*ˣ : insimularent *AΘ*
9 iustitium (-tic- *D*) π *Aldus* : iustum iudicium *AΘ Edd. uet.* (*sed aliq.* iustum iustitium) 10 diuturnitatem *A*ˣ *Lov.* 3 *Haverkamp. Crevier* : diuturnitate Π *θald.* (*sed* ac *pro* et *J*: *om. K*), *cf. c.* 41. 12 exhaustam Π*J* : et haustam *K* : et exhaustam *ald. Drak.*
prope *Gron.* : pro re Π*J Edd. ante Ald.* : per te *K* : pro rep. *Aldus (u. adn. sq.)* quotannis *Gron.* : quodannis *P* : quod (qđ *M*) cannis π² : quod cannensis *AΘ Edd. ante Ald.* : cannis *Aldus* caesos *Aldus* : caesus Πθ (ces- *K*) *Edd. ante Ald.* 11 ambo π, *cf. c.* 13. 7 *adn.* : ambos *BCAΘ Edd. ante Gron.* acresque π*A*ᵛ? : acres *AΘald. Drak.*

quilla bellum excitare possent, nedum in bello respirare ciuitatem forent passuri. Interrupit hos sermones nocte **27** quae pridie Quinquatrus fuit pluribus simul locis circa forum incendium ortum. Eodem tempore septem tabernae quae **2** postea quinque, et argentariae quae nunc nouae appellantur, arsere; comprehensa postea priuata aedificia—neque enim **3** tum basilicae erant—comprehensae lautumiae forumque piscatorium et atrium regium; aedis Vestae uix defensa est **4** tredecim maxime seruorum opera, qui in publicum redempti ac manu missi sunt. Nocte ac die continuatum incendium **5** fuit, nec ulli dubium erat humana id fraude factum esse quod pluribus simul locis et iis diuersis ignes coorti essent. Itaque consul ex auctoritate senatus pro contione edixit qui, **6** quorum opera id conflatum incendium, profiteretur, praemium fore libero pecuniam, seruo libertatem. Eo praemio **7** inductus Campanorum Calauiorum seruus—Manus ei nomen erat—indicauit dominos et quinque praeterea iuuenes nobiles Campanos quorum parentes a Q. Fuluio securi percussi erant id incendium fecisse, uolgoque facturos alia ni comprendantur. Comprehensi ipsi familiaeque eorum. Et **8**

27 2 quinque Πθ: ueteres *Muretus (et simili consilio praebet infra* nouem *K pro* nouae) 4 aedis *PC, cf.* 27. 11. 2 *et* 27. 37. 7: aedes (*uel* ed-) *RMBA*θ: Caedes *D* 5 nocte ac die *PCR Aldus*: nocte et die *MBDA*θ *Edd. ante Ald.* : noctem ac diem *Wesenberg, sed cf.* 24. 20. 13 *et Madv. Em. p.* 487 *adn.* 6 incendium Πθ (*sed supra* ince- *in M uocem fort. v litt. add. aliquis quae mox erasa est*): incendium esset *Madv. Em. p.* 380, *fort. recte, sed exemplum quod ibi citat non ita dissimile uidetur, cf.* 1. 59. 2 *et c.* 40. 10; *et si* esset *necessarium est, nonne ibi potius ubi* M^x *add. aliquid* (*ante* incendium) *addendum?* 7 praemio πA^7θ: *om. A* Manus ei ΠJ: mannus ei *K.ald.*: Manio *Gron.* : Manius ei *Ruperti* et quinque πA^x*K*: et hi (hii *J*) quinque A^7J: et i quinque *A?* Campanos (canp- *B*) πA^x *Aldus*: campanorum *DA*θ *Edd. ante Ald.* a Q. C^4B^2D *Aldus*: aque (*uel* aq:) π: a *BA*θ *Edd. ante Ald.* comprendantur π² (-und- *Put uid.*) *et sic forma contracta P in c.* 12. 19; 28. 30. 4; 29. 21. 5; 30. 10. 5; 30. 21. 3: comprehendantur *BDA*θ, *cf. in prima Decade* 1. 41. 1; 1. 51. 8; 3. 47. 6; 3. 48. 3 *et hic in* § 8 comprehensi. *Ex his et aliis exemplis conicere licet uerbi* prehendere *formam contractam a Liuio raro uel numquam usurpatam esse, uerbi compositi* (*in hac saltem Decade*) *saepissime. Et in longiore uoce forma contracta legi quam uocant phoneticae conuenit et sermoni cotidiano; consule sis e.g.* 'Making of Latin' (1928), § 87. *Hic ad finem sententiae fort. maluit Liuius formam contractam ut clausulam Ciceronianam euadat* (*ut saepe in narratione sua, quamquam amat in orationibus*) primo eleuabatur index indiciumque: pridie eum uerberibus castigatum ab dominis discessisse; per iram ac leuitatem ex re fortuita crimen commentum. Ceterum ut coram coarguebantur et quaestio ex ministris facinoris foro medio haberi coepta est, fassi omnes, atque in dominos seruosque conscios animaduersum est; indici libertas data et uiginti milia aeris.

Consuli Laeuino Capuam praetereunti circumfusa multitudo Campanorum est obsecrantium cum lacrimis ut sibi Romam ad senatum ire liceret oratum, si qua misericordia tandem flecti possent, ne se ad ultimum perditum irent nomenque Campanorum a Q. Flacco deleri sinerent. Flaccus sibi priuatam simultatem cum Campanis negare ullam esse: publicas inimicitias †hostilis† et esse et futuras, quoad eo animo esse erga populum Romanum sciret; nullam enim in terris gentem esse, nullum infestiorem populum nomini Romano. ideo se moenibus inclusos tenere eos, quia si qui euasissent aliqua, uelut feras bestias per agros uagari et laniare et trucidare quodcunque obuium detur; alios ad Hannibalem transfugisse, alios ad Romam incendendam profectos. inuenturum in semusto foro consulem uestigia sceleris Campanorum; Vestae aedem petitam et aeternos

11 hostilis et π: hostilis $A\theta$: hostis et C^1 uel C^2M: et hostiles *ald.*: *seclusit* hostiles *Ussing, probante olim Madv.* (*Em. p.* 379) *et nunc Johnsonio, qui hanc uocem ut gloss. pro* eo animo *in linea archetypi inferiore insertam et perperam hic supra inclusam esse censet. Excidisse aliquid rati* hostiles ⟨erga urbis ciuis (-es)⟩ et (*Johnson*) *temptabamus, quo facilius phrasi* eo animo esse suppleretur subiectum, *quod mihi ipsi etiam nunc placet* erga πA^x: *om.* $A\theta$: *in ald.* 12 nullum (infestiorem) $A\theta$: nullam π quia ΠJ: q (*i.e.* quod) K: *secl. Madv. Em. p.* 380: *quippe Friedersdorff, bene, si quid mutare uelis, sed cf.* 2. 13. 8; 33. 45. 7, *quorum locorum neutri nobis conuenire uidetur Madvigii formula* (*l.c.*) *de* '*sententiis reapse ex aequo positis*', *quae ad* 4. 3. 3; 4. 51. 4; *Cic. Clu.* § 138 *et similia satis quadrat. Illam potius nos rationem hic et in* 2. 13. 8 *subesse iudicamus quod si in Orat. Recta tota sententia staret, clausula haec Indicatiuum praeberet ut pro* uero ab locutore ipso proposita. *Ideo ad praecedentia referre* (*nisi* -que *uel* enim *inseras*) *poetarum sermoni aptius uidetur, neque hic ad argumentum aeque conducat* aliqua Πald.: aliquo θ: aliquas C^4

ignes et conditum in penetrali fatale pignus imperii Romani. se minime censere tutum esse Campanis potestatem intrandi Romana moenia fieri. Laeuinus Campanos, iure iurando a Flacco adactos quinto die quam ab senatu responsum accepissent Capuam redituros, sequi se Romam iussit. Hac circumfusus multitudine, simul Siculis obuiam egressis secutisque Romam, praebuit ⟨dolentis speciem duarum⟩ clarissimarum urbium excidio, ac celeberrimis uiris uictos bello accusatores in urbem adducentis. De re publica tamen primum ac de prouinciis ambo consules ad senatum rettulere.

Ibi Laeuinus, quo statu Macedonia et Graecia, Aetoli, Acarnanes Locrique essent, quasque ibi res ipse egisset terra marique, exposuit: Philippum inferentem bellum Aetolis in Macedoniam retro ab se compulsum ad intima penitus

14 ignes $C^4BDA\theta$: si ignes C (*et fort.* si *add.* D^x *quod postea erasum est*): sines *PRM* (sine sed cond- *M*) in penetrali $A^7\theta ald.$: inpetrabili (imp- *D*) π : in penetrabili *A*   16 secutisque Romam, praebuit *Weissenb.*: seculisque (sic- C^2R^2MBDAJ *dett.*) romam praebuit ΠJ *dett.*: *om. K. Locum castigare temptabant* (i) *Valla* (*et A^v*), potestatem Romam adeundi fecit et nonnullis (*uel* aemulis) *audacter scribendo, quem secuti sunt* (*uocibus tamen* et nonnullis *uel* aem- *om.*) *post eum Edd. ante Sigon.*, (ii) *Sigonius qui* Romam peruenit *scripsit*, (iii) *Gron. qui* Aetolisque Romam praeiuit, *qui omnes et* adducens *infra praebent et* ac *ante* celeberrimis *om.* (a *pro* ac *Valla*)   dolentis speciem duarum *Johnson, M. Muellerum secutus* (*qui* sp. dol. du. *inseruit*), *lineas sic in Puteani exemplari se habuisse suspicatus* praebuit dolentis|speciem ii claris|simarum urbium *etc.*, oculosque *Puteani ab* -is|s- *in* -is|s- *deerrasse, cf. c. 6.* 16 *adn .*(*c*): *nesciunt* Πθ : *add. post* praebuit *nihil Edd. ante Weissenb.* (*u. adn. praec.*), speciem questuri *de Harant et Weissenb.*, speciem querentis *de Madv.* 1882, *bene,* speciem dolentis *Luchs* 1889 (*iam* ac *infra omittentes add.* speciem *Koehler et Luchs* 1879 *ante* praebuit, *et* formam *pro* Romam ccniecerat *Madv. Em. p.* 379 *sqq.*)   ac celeberrimis (acceberrimus *B*) πB^2 (*sed* -us) : a celeberrimis C^3A^v *Valla* : *del.* ac *Sabellicus et alii* (*u. supra*), *sc. ut* excidio *a* celeberrimis *penderet* : ac celeberrimi nominis *dubitanter Weissenb.* (*cf.* 27. 40. 6), *bene si duplex statuenda est corruptio, sed cf. Vell.* 2. 17. 2 *et Tac. Ann.* 2. 88 *al.*   adducentis $PCRA^x$: adducentes R^2MBDAJ : adducens C^3(*silet A^v*)*K Edd. usque ad Drak., u. supra*

28 2 penitus $P^4CB^2DA\theta$: renitus *PRM*: prenitus *B*

regni abisse, legionemque inde deduci posse ; classem satis
3 esse ad arcendum Italia regem.   Haec de se deque prouincia, cui praefuerat, consul : tum de prouinciis communis
relatio fuit. Decreuere patres ut alteri consulum Italia
bellumque cum Hannibale prouincia esset, alter classem cui
T. Otacilius praefuisset Siciliamque prouinciam cum L.
4 Cincio praetore obtineret. Exercitus eis duo decreti qui in
Etruria Galliaque essent; eae quattuor erant legiones ;
urbanae duae superioris anni in Etruriam, duae quibus Sul-
5 picius consul praefuisset in Galliam mitterentur. Galliae et
legionibus praeesset quem consul cuius Italia prouincia esset
6 praefecisset : in Etruriam C. Calpurnius post praeturam prorogato in annum imperio missus. Et Q. Fuluio Capua pro-
7 uincia decreta prorogatumque in annum imperium ; exercitus
ciuium sociorumque minui iussus ut ex duabus legionibus
una legio, quinque milia peditum et trecenti equites essent,
8 dimissis qui plurima stipendia haberent, et sociorum septem
milia peditum et trecenti equites relinquerentur, eadem
ratione stipendiorum habita in ueteribus militibus dimitten-
9 dis. Cn. Fuluio consuli superioris anni nec de prouincia
Apulia nec de exercitu quem habuerat quicquam mutatum ;
tantum in annum prorogatum imperium est. P. Sulpicius
collega eius omnem exercitum praeter socios nauales iussus
10 dimittere est. Item ex Sicilia exercitus cui M. Cornelius
praeesset ubi consul in prouinciam uenisset dimitti iussus.
11 L. Cincio praetori ad obtinendam Siciliam Cannenses mili-
12 tes dati, duarum instar legionum. Totidem legiones in
Sardiniam P. Manlio Volsoni praetori decretae, quibus L.

3 fuit Π*ald.* : fuerat θ   4 qui in *CM*²*B*²*A*θ*ald.* : quin π
eae *M*²*ald.* : ee *A* : ea π : hee *J*: he *K*   6 prorogato *C*¹*M*⁷*A*⁶
ald. : rogato Πθ   8 et ccc equites (relinq-) Πθ : et cccc equites
Weissenb., fort. recte   ratione *P*¹(*qui per punctum et* -e *delebat*)
*CM*¹*BDA*θ : rationes *PRM*   habita Π*ald.* : inita θ   11 Cincio *ald., cf.* 27. 5. 1 : quinctio (*uel* quintio) Πθ   praetori *M*² *uel*
*M*⁷*ald.*: pr. *PC*: per *RBD*: p *M* : *om. A*θ   12 Volsoni *scripsimus* : uulsoni Πθ*ald., cf. c.* 23. 1 *adn.*

AB VRBE CONDITA XXVI 28 12

Cornelius in eadem prouincia priore anno praefuerat. Vr- 13
banas legiones ita scribere consules iussi ne quem militem
facerent qui in exercitu M. Claudi M. Valeri Q. Fului fuisset,
neue eo anno plures quam una et uiginti Romanae legiones
essent.

His senatus consultis perfectis sortiti prouincias consules. 29
Sicilia et classis Marcello, Italia cum bello aduersus Hannibalem Laeuino euenit. Quae sors, uelut iterum captis 2
Syracusis, ita exanimauit Siculos, exspectatione sortis in
consulum conspectu stantes, ut comploratio eorum flebiles-
que uoces et extemplo oculos hominum conuerterint et
postmodo sermones praebuerint. Circumibant enim sena- 3
torum ⟨domos⟩ cum ueste sordida, adfirmantes se non modo
suam quosque patriam, sed totam Siciliam relicturos si eo
Marcellus iterum cum imperio redisset. nullo suo merito 4
eum ante implacabilem in se fuisse: quid iratum quod Romam de se questum uenisse Siculos sciat facturum? obrui
Aetnae ignibus aut mergi freto satius illi insulae esse quam
uelut dedi noxae inimico. Hae Siculorum querellae domos 5
primum nobilium circumlatae celebrataeque sermonibus,
quos partim misericordia Siculorum, partim inuidia Marcelli
excitabat, in senatum etiam peruenerunt. Postulatum a 6
consulibus est ut de permutandis prouinciis senatum consulerent. Marcellus si iam auditi ab senatu Siculi essent aliam

13 fuisset $A\theta$: fuissent $\pi ald.$, cf. 27. 17. 4 adn. : om. D
29 1 sortiti $DA\theta ald.$: sortirii PR : sortiri CMB : sortiri iussi
Weissenb. dubitanter (sortiri pr. c. iussi Cod. Hafn.) 3 circumibant π : circuibant $MBA\theta$, cf. 27. 15. 13 adn. senatorum domos
Weissenb. (dom. sen. Riemann): senatorum π (et circum pro cum
praebet D) : senatorium $A\theta$: senatum R^3 uel $R^2M^2A^x ald.$ quosque Madv. Em. pp. 381 sqq. : quemque Valla A^v Gron. : quisque $\Pi\theta ald.$
Drak., sed loci quales 4. 31. 2 ; 33. 35. 1 ; 39. 49. 3 uix cum hoc loco
comparandi sunt ubi quisque nominatiuus ex uerbo relicturos pendere
oporteat, et in Sall. Iug. 18. 3 quisque pro quibusque uidetur stare
sed M^2B(set)$DA\theta$: et π, cf. 21. 33. 7 adn. 4 mergi $\Pi^1\theta$: merui
P 5 querellae cf. Praef. § 30 et Praef. Liui § 12 adn. : querelae
θ : quaerellae π (-elae M : -ele D) sermonibus $\Pi^1\theta$: seruioni-
bus P 6 ab (a K) senatu $\pi C^3R^1\theta$ (-ato P^1CR)

XXVI 29 6   TITI LIVI

7 forsitan futuram fuisse sententiam suam dicere: nunc ne quis timore frenari eos dicere posset quo minus de eo libere querantur in cuius potestate mox futuri sint, si collegae nihil
8 intersit mutare se prouinciam paratum esse, deprecari senatus praeiudicium ; nam cum extra sortem collegae optionem dari prouinciae iniquum fuerit, quanto maiorem iniuriam, immo contumeliam esse, sortem suam ad eum transferri?
9 Ita senatus cum quid placeret magis ostendisset quam decreuisset, dimittitur. Inter ipsos consules permutatio prouinciarum rapiente fato Marcellum ad Hannibalem facta
10 est, ut ex quo primus post ⟨aduersissimas haud⟩ aduersae pugnae gloriam ceperat, in eius laudem postremus Romanorum imperatorum prosperis tum maxime bellicis rebus caderet.

30 Permutatis prouinciis Siculi in senatum introducti multa de Hieronis regis fide perpetua erga populum Romanum
2 uerba fecerunt, in gratiam publicam auertentes: Hieronymum ac postea Hippocraten atque Epicyden tyrannos cum ob alia, tum propter defectionem ab Romanis ad Hannibalem inuisos fuisse sibi. ob eam causam et Hieronymum a principibus iuuentutis prope publico consilio interfectum,
3 et in Epicydis Hippocratisque caedem septuaginta nobilissi-

---

7 posset Π*Nθ* : possit *J. H. Voss, fort. recte sed cf. App. II ad Liui Lib. II Cantab.* 1901 *editum et* 27. 17. 14 *adn.*   potestate πA^x *Aldus* : potestatem *ANθ Edd. ante Ald.*   8 extra sortem ... iniquum] *has uoces bis scripsit P (cf.* 29. 1. 23 *adn.), in priore scripto* sortum (sortem *P¹ uel P²*), dare, inicum *praebens, in posteriore* sortem, dari, iniquum : *uoces* inicum usque ad prouinciae *del. P²*   dari *P (u. adn. praec.) et Gron. (de codice P silens)* : dare Π *(i.e. in scripto codicis P a P² comprobato)* θ *Edd. ante Gron.*   9 decreuisset Π¹ *uel potius* Π² : decresset *P, fort. recte*   10 primus π : primum *ANθ Edd. ante Sabellicum, cf.* 27. 30. 12 *adn.*   aduersissimas haud *Madv. Em. p.* 382, *optime uestigiis Alschefskii et Weissenbornii insistens* : ignorant Π*Nθ* *(linea ob* ὁμ. *deperdita, cf. c.* 6. 16 *adn.), post* aduersae pugnae *tantum scribentes (sed* gloriam pugnae *ANθ, cf. c.* 5. 17) *(unde post* ad-am pugnam *C²,* aduersae pugnae *(sine* post) *ald. Drak.*, post tot aduersas secundae pugnae *Alschefski*, post aduersa secundae pugnae *Hertz*, post aduersissimas secundae pugnae *Weissenb.*, *alia alii*)

30 2 postea Π*Nθ (sed nescioquid* (da?) *supra* po- *in P scriptum est)* prope *ald.* : pro Π*N dett. Edd. uet. aliquot* : *om. M⁷A^xθ*
3 LXX Π*θ*, *sed in* 25. 23. 6 dant codd. LXXX

morum iuuenum coniurationem factam ; quos Marcelli mora destitutos quia ad praedictum tempus exercitum ad Syracusas non admouisset indicio facto omnes ab tyrannis interfectos. eam quoque Hippocratis et Epicydis tyrannidem 4 Marcellum excitasse Leontinis crudeliter direptis. nunquam 5 deinde principes Syracusanorum desisse ad Marcellum transire pollicerique se urbem cum uellet ei tradituros; sed eum primo ui capere maluisse; dein cum id neque terra 6 neque mari omnia expertus potuisset, auctores traditarum Syracusarum fabrum aerarium Sosim et Moericum Hispanum quam principes Syracusanorum habere, totiens id nequiquam ultro offerentes, praeoptasse, quo scilicet iustiore de causa uetustissimos socios populi Romani trucidaret ac diriperet. si non Hieronymus ad Hannibalem defecisset, 7 sed populus Syracusanus et senatus, si portas Marcello Syracusani publice et non oppressis Syracusanis tyranni eorum Hippocrates et Epicydes clausissent, si Carthaginiensium animis bellum cum populo Romano gessissent, quid 8 ultra quam quod fecerit nisi ut deleret Syracusas facere hostiliter Marcellum potuisse? certe praeter moenia et 9 tecta exhausta urbis ac refracta ac spoliata deum delubra dis ipsis ornamentisque eorum ablatis nihil relictum Syracusis esse. bona quoque multis adempta ita ut ne nudo quidem 10 solo reliquiis direptae fortunae alere sese ac suos possent.

4 et Epicydis (epycidis *MBD*) π : atque epicydis (*uel* -idis) *AN*θ *ald. Drak.*   5 desisse *P*¹ *ut uid. CR*²*AN*θ : dedisse π
9 certe Π*ald.* : *om.* θ   urbis ac refracta] *his uocibus* (*sed uide adn. sq.*) *incipiunt Rhenani adnn. ex Sp citantis, cf. Praef.* § 88   ac refracta ac spoliata *P* (*duplicatum* ac inuenies *e.g. in* 10. 28. 17; 24. 9. 10) : et refracta *Sp? Frob.* 2, quos (*sed* ac ref.) *sequi uoluit Walters* (*de omissis a Sp uocibus cf.* 27. 39. 12 *adn.*) : (*post* urbi π¹ *uel* π² : urbis *PC*² *uel C*¹ *A*θ*ald.*) sacra fracta ac spoliata Π¹ *uel* Π²θ*ald.*   dis *PCR, cf.* 4. 15. 7 *et* 28. 28. 11 *adnn.* : diis *R*² *uel R*¹*MBDA*θ ablatis *M*¹*A*ˣθ*ald. Frob.* 1. 2 : ablatio π : ablationi *C*
10 nudo π (undo *D*) θ*ald. Frob.* 1. 2 : in nudo *Madv., Ablatiui quem uocant circumstantialem neglegens*   reliquiis (reliis *Sp*) direptae fortunae *Sp Frob.* 2 *cui in parte iterata consentit P, qui tamen* reliquis | direptae fortuitautne | nudo quidemsolore | liquiis direptae fortu|nae *scripsit* (*cf. c.* 29. 8 *et* 29. 1. 23 *adn.*) *unde* reliquis direptae fortunae *P*ˣ *et C* : reliquis direptae (-te *M* : -tis *M*⁷*K*) nae (ne *R*² *MBDA*θ) π²θ : reliquis direptis *A*ᵛ*ald.*   alere *P et P*⁴?*C*⁴*M*² *uel M*⁷*BDA*θ*ald. Frob.* 1. 2 : alacre *P*²*RM* : alacres *C*

XXVI 30 10 TITI LIVI

orare se patres conscriptos ut, si nequeant omnia, saltem quae compareant cognoscique possint restitui dominis 11 iubeant. Talia conquestos cum excedere ex templo ut de 12 postulatis eorum patres consuli possent Laeuinus iussisset, 'Maneant immo' inquit Marcellus, 'ut coram iis respondeam, quando ea condicione pro uobis, patres conscripti, bella gerimus ut uictos armis accusatores habeamus duae-⟨que⟩ captae hoc anno urbes Capua Fuluium reum, Marcellum Syracusae habeant.'

31 Reductis in curiam legatis tum consul 'Non adeo maiestatis' inquit 'populi Romani imperiique huius oblitus sum, patres conscripti, ut, si de meo crimine ambigeretur, consul 2 dicturus causam accusantibus Graecis fuerim ; sed non quid ego fecerim in disquisitionem uenit, quem quidquid in hostibus feci ius belli defendit, sed quid isti pati debuerint. Qui si non fuerunt hostes, nihil interest nunc an uiuo Hierone 3 Syracusas uiolauerim ; sin autem desciuerunt a populo Romano, si legatos nostros ferro atque armis petierunt, urbem

10 compareant Sp $Frob.$ 1. 2 : comparent $\pi Aldus$: compari $A\theta$ (-periri K) : comparere $Edd.$ $ante$ $Ald.$ 11 ex templo (-tim- MBD) $\Pi^2\theta ald.$: et templo P : templo $Frob.$ 2   12 immo Sp $Frob.$ 2 (imo maneant hic) : $om.$ $\Pi\theta ald.$ duaeque $scripsimus$, -q. $ante$ c- $perditum$ et $particulam$ -que $exempli$ $addendi$ uim $habuisse$ $rati$ ($Angl.$ 'and in $particular$', $Germ.$ 'und $zwar$'), $cf.$ $e.g.$ $c.$ 19. 7 rettulitque : duae $\Pi\theta$, $cf.$ $c.$ 11. 12 $adn.$ (c) : et duae $Ussing$

31 1 Reductis $A^6J^2K.ald.$ $Frob.$ 1. 2 : eductis ΠJ $Lov.$ 1. 2. 3. 4. 5   dicturus $M^7\theta ald.$ $Frob.$ 1. 2 : deuicturus Π 2 quem quidquid (sed quicq-) in hostibus feci ius belli defendit (-dendi Sp) : -dit $Rhen.$) sed quid $Sp Frob.$ 2 : sed quid θ $Lov.$ 3. 5 $ald.$: nam quidquid Π (nam pro quem $fort.$ $rectum$ $esse$ $suspicatur$ $Johnson$), $xxxvii$ $litteris$ ob -quid | -quid ($i.e.$ ii $lineis$) $deperditis$, $cf.$ $c.$ 51. 8 $adn.$: quam quid $Gron.$, $probante$ $olim$ $Maáv.$ $Em.$ $p.$ 383 qui $supra$ tam $post$ sed non $add.$

isti pati] hoc $fere$ ex $loco$ '$ingentem$ $saltum$ $fecit$ $librarius$' $codicis$ Sp, $neque$ $ante$ $c.$ 41. 18 (auspiciisque) $rursus$ $lectiones$ $citat$ $Rhen.$, $cf.$ $Praef.$ § 88   nunc an $A^7\theta ald.$ $Frob.$ 1. 2 : nunc a π^2 : nun a P : nunc C 3 a populo Romano, si $Madv.$ (iam a p. R. $Fabrius$: a p. R. ac $Alschefski$) : $om.$ $A^x\theta ald.$ $Frob.$ 1. 2 : portas P^x (an P^1?) et $CRMBDA$: portasi (ut $uid.$) P, $unde$ $coniecit$ (a nobis, hostibus nostris aperuerunt) portas $Boettcher$, (a p. R., hostibus aperuerunt) portas $Weissenb.$, $quorum$ $uestigiis$ $insistens$ (a p. R., p-i R-i hostibus aperuerunt) portas $ipse$ $temptaueram$ cum $credere$ $mallem$ $aliquid$ $excidisse$ $quam$ in $codd.$ iv^i uel v^i $saeculi$ a po.r. si in portasi $esse$ $corruptum$. $Monet$ $tamen$ $Johnson$ $hostium$ $mentionem$ hic uix $desiderari$ et $exempla$ '$architectonici$' $illius$ $studii$ non $deesse$ in $Puteano$, $cf.$ $e.g.$ 27. 31. 1 Annibali pacto pro Naupacto et $u.$ sis 22. 41. 7 ; 27. 20. 8 $adnn.$

AB VRBE CONDITA XXVI 31

ac moenia clauserunt exercituque Carthaginiensium aduersus nos tutati sunt, quis passos esse hostilia cum fecerint indignatur? Tradentes urbem principes Syracusanorum 4 auersatus sum; Sosim et Moericum Hispanum quibus tantam crederem rem potiores habui. Non estis extremi Syracusanorum, quippe qui aliis humilitatem obiciatis: quis 5 est uestrum qui se mihi portas aperturum, qui armatos milites meos in urbem accepturum promiserit? Odistis et exsecramini eos qui fecerunt, et ne hic quidem contumeliis in eos dicendis parcitis; tantum abest ut et ipsi tale quicquam facturi fueritis. Ipsa humilitas eorum, patres con- 6 scripti, quam isti obiciunt maximo argumento est me neminem qui nauatam operam rei publicae nostrae uellet auersatum esse. Et antequam obsiderem Syracusas, nunc 7 legatis mittendis, nunc ad conloquium eundo temptaui pacem, et posteaquam neque legatos uiolandi uerecundia erat nec mihi ipsi congresso ad portas cum principibus responsum dabatur, multis terra marique exhaustis laboribus tandem ui atque armis Syracusas cepi. Quae captis accide- 8 rint apud Hannibalem et Carthaginienses uictos iustius quam apud uictoris populi senatum quererentur. Ego, 9 patres conscripti, Syracusas spoliatas si negaturus essem, nunquam spoliis earum urbem Romam exornarem. Quae autem singulis uictor aut ademi aut dedi, cum belli iure tum ex cuiusque merito satis scio me fecisse. Ea uos rata 10

3 fecerint $\pi^2 B^1$(-unt B)θ: fecerint ino P (*sc. ex uoce sq.*) 4 sum C.*ald. Frob.* 1. 2 : sim π rem *hic add. Boetlcher, ante* tantam $A^7\theta$ *Lov.* 5, *post* tantam *Lov.* 3 *ald. Frob.* 1. 2 : *ignorant* Π, *unde* tantum *pro* tantam *coni. Gron.* Non Π*ald. Frob.* 1. 2 : nec θ 5 ne hic *ald. Frob.* 1. 2 : ne his (hiis J) Πθ 6 nostrae Π*ald. Frob.* 1. 2 : uestrae θ uellet *Gron.*: uelitet π : uelit $A\theta$*ald. Frob.* 1. 2 7 dabatur $CM^1BDA\theta$*ald. Frob.* 1. 2 : dabantur PR^1(-bunt- R)M, *cf.* 28. 6. 11 *adn.* 8 acciderint Πθ*ald. Frob.* 1. 2 : acciderunt *Ussing* uictos C^x *per ras., Douiatius* : uicto se π : uictos se (sese *Edd.*) M^2BD $A\theta$ *Edd. ante Ald.* : uictosque *Aldus* : uictos secum *Gron.* 9 exornarem C^4M^7 *in marg.* BD(*sed* -ret)$A\theta$: exortem π scio me $P^xM^7DA\theta$: socio me π : socione M

XXVI 31 10   TITI LIVI

habeatis, patres conscripti, necne, magis rei publicae interest quam mea. Quippe mea fides exsoluta est: ad rem publicam pertinet ne acta mea rescindendo alios in posterum segnio- 11 res duces faciatis. Et quoniam coram et Siculorum et mea uerba audistis, patres conscripti, simul templo excedemus, ut me absente liberius consuli senatus possit.' Ita dimissi Siculi et ipse in Capitolium ad dilectum discessit.

32 Consul alter de postulatis Siculorum ad patres rettulit. Ibi cum diu sententiis certatum esset et magna pars senatus, 2 principe eius sententiae T. Manlio Torquato, cum tyrannis bellum gerendum fuisse censerent hostibus et Syracusanorum et populi Romani, et urbem recipi, non capi, et receptam legibus antiquis et libertate stabiliri, non fessam 3 miseranda seruitute bello adfligi; inter tyrannorum et ducis Romani certamina praemium uictoris in medio positam urbem pulcherrimam ac nobilissimam perisse, horreum atque aerarium quondam populi Romani, cuius munificentia ac donis multis tempestatibus, hoc denique ipso Punico bello 4 adiuta ornataque res publica esset; si ab inferis exsistat rex Hiero fidissimus imperii Romani cultor, quo ore aut Syracusas aut Romam ei ostendi posse, cum, ubi semirutam ac spoliatam patriam respexerit, ingrediens Romam in uestibulo urbis, prope in porta, spolia patriae suae uisurus sit? — 5 haec taliaque cum ad inuidiam consulis miserationemque Siculorum dicerentur, mitius tamen decreuerunt patres:

10 necne *Lov.* 3. 4 *ald. Frob.* 1. 2 : ne Πθ: nec $M^7 A^1$: et C^4 mea fides *PCR(et ald. Frob.* 1. 2 *sed* mea quippe fides): fides R^2M $BDA\theta$ 11 dimissi Siculi *C, Alschefski*: dimissis siculi *PRM, cf. c.* 40. 14 *adn.*: dimissis siculis $M^7BDA\theta ald. Frob.$ 1. 2

32 1 sententiis *Gron., cf. e.g.* 27. 6. 9: de sententiis (sentiis *M*) Πθ *ald. Frob.* 1. 2 : diuersis sententiis *Koch, sed de illud uel ex* se- *male lecto uel ob constructionem uocis* certare *non intellectam ortum erit* 2 principe Π*ald. Frob.* 1. 2: a principe θ *ed. Rom.* 1469   stabiliri *Frob.* 1. 2 : stabilire Πθ *ald., cf.* 27. 4. 13 *adn.*   bello Π*ald. Frob.* 1. 2 : et bello θ *Lov.* 5   3 certamina $BDA\theta$: certam iā (*uel* iam) π : certam̄ iam M^7 4 imperii (-rio *P*) Romani P^x *et iam antea ut uid.* P^1, $A\theta$: imperio romano π^2 5 mitius $\pi M^2 \theta$: minutius *M*

AB VRBE CONDITA XXVI 32

acta M. Marcelli quae is gerens bellum uictorque egisset rata 6
habenda esse, in reliquum curae senatui fore rem Syracusanam, mandaturosque consuli Laeuino ut quod sine iactura
rei publicae fieri posset fortunis eius ciuitatis consuleret.
Missis duobus senatoribus in Capitolium ad consulem uti 7
rediret in curiam et introductis Siculis, senatus consultum
recitatum est; legatique benigne appellati ac dimissi ad 8
genua se Marcelli consulis proiecerunt obsecrantes ut quae
deplorandae ac leuandae calamitatis causa dixissent ueniam
eis daret, et in fidem clientelamque se urbemque Syracusas
acciperet. Potens senatus consulto consul clementer appellatos eos dimisit.

Campanis deinde senatus datus est, quorum oratio mi- 33
serabilior, causa durior erat. Neque enim meritas poenas 2
negare poterant, nec tyranni erant in quos culpam conferrent, sed satis pensum poenarum tot ueneno absumptis, tot
securi percussis senatoribus credebant: paucos nobilium 3

6 acta M. *Weissenb.*, *optime*: ctam *P*: tam (*A?*)Π² (*sed* cam *M*): cām (*i.e.* causam) *A⁷θ*: causa *M⁶*(cā)*ald. Frob.* 1. 2   esse *K.ald. Frob.* 1. 2: et se Π*J*: et *Aˣ*   reliquum *BDAθ*: relicum *P¹C*: relictum *PRM*   fore *CM?* uel *M¹*? et *M⁶* (*qui in ras. et* -e *et* r- *uocis insequentis scripsit*) *BDAθ*: fere *PR et M?*   ut quod *Alschefski*: ui quod *P* (*cf. e.g.* 28. 4. 2 *adn.*): quod Π² uel Π¹, *Gron.*: quo *A⁶*: quidem si θ: quoad *Edd. ante Gron.*   8 obsecrantes *Aθald. Frob.* 1. 2: et (eum *M⁷*) obsecrantes (ops- *P*) π, *u. adn. sq. et cf. de et insiticio* 27. 4. 12 *adn. et* (*de* -que) *c.* 11. 12 *adn.* (*a*): orantes et obsecrantes *Weissenb.* (*sed melius uel* or. obs. *uel* or. atque obs.)   clientelamque *P¹ ut uid. CM⁷A⁷θ*: et clientelamque *PR*¹(-tal- *R*)*M*(-quae)*BA*: et clientelam *D*   Potens senatus consulto (*i.e.* sōc) *Walters*: potens oc (hoc *M*: ōc *B*) Π: potens c *Cˣ*: postea *C³*: post haec (*uel* hec *uel* h') *M⁸A⁷θald. Frob.* 1. 2, *cf.* 6. 37. 8 *adn.*: potens sui *Alschefski, cf.* 26. 13. 14: potens irae *Weissenb.*: potens uoti *Zingerle*: pollicens hoc *Boettcher*, *optime quidem ad sensum*; *sed pro Waltersio cf.* potens praeda 1. 33. 5, potens fauore 3. 19. 3 (*cf. etiam* hoc decreto armatus 4. 53. 8) *et de* sōc (*uel* s̄. c̄.) *corrupto cf.* 10. 1. 3; 27. 25. 2 *et* 3 ; 29. 15. 11 (socii *pro* s̄ c̄); 29. 36. 11; 30. 26. 12 *et huius libri c.* 15. 8, *etc.*

33 2 meritas ΠN²(-ta *N*)θ*ald. Frob.* 1. 2: meritos *Duker, sed cf.* 8. 7. 12 *adn.*   conferrent (-ferent *R*) π *Aldus*: deferrent *BDANθ Edd. ante Ald.*

superstites esse, quos nec sua conscientia ut quicquam de se grauius consulerent impulerit nec uictoris ira capitis damnauerit; eos libertatem sibi suisque et bonorum aliquam partem orare ciues Romanos, adfinitatibus plerosque et propinquis iam cognationibus ex conubio uetusto iunctos. 4 Summotis deinde e templo paulisper dubitatum an arcessendus a Capua Q. Fuluius esset—mortuus enim post captam Claudius consul erat—ut coram imperatore qui res gessisset, sicut inter Marcellum Siculosque disceptatum 5 fuerat, disceptaretur. Dein cum M. Atilium C. Fuluium fratrem Flacci legatos eius et Q. Minucium et L. Veturium Philonem item Claudi legatos qui omnibus gerendis rebus adfuerant in senatu uiderent nec Fuluium auocari a Capua 6 nec differri Campanos uellent, interrogatus sententiam M. Atilius Regulus, cuius ex iis qui ad Capuam fuerant maxima 7 auctoritas erat, ' In consilio' inquit ' arbitror me fuisse consulibus Capua capta cum quaereretur ecqui Campanorum 8 bene meritus de re publica nostra esset. Duas mulieres compertum est Vestiam Oppiam Atellanam Capuae habi-

---

3 superstites esse $A^7N^3\theta ald.$ *Frob.* 1. 2 : superior esse P, *cf. c.* 35. 6 : superiores esse $\Pi^2(A?)N$: *ex lectione Puteani coni.* super iis esse *Gron., mire,* superesse *Alschefski, bene, sed* superstites *illud ex Spirensiano fonte fort. ortum melius est quam ut ab emendatore excogitatum esse credas, cf.* § 9   nec (uictoris) $M^7A\theta ald.$ *Frob.* 1. 2 : ne π eos $\Pi\theta$: os N : eo se *Harant (qui post* R-os *sententiam claudit), fort. recte, sed si* eos *tutandum est fort. significabit* ' *cum tales essent*', *nam negari non potest inter oratores hic fuisse* paucos nobilium bonorum $CM^7BDAN\theta$: bononum *PRM*   iam *Frob.* 2 : iam iam $\Pi N\theta ald.$ (*cf.* § 14 *et* 27. 44. 1 *adn.*) : iam etiam *Gron.* : etiam *Madv.* (*Em. p.* 384), *sed adhuc unum tantum exemplum* 10. 38. 2 *cognouimus ubi uocum* etiam *et* et *iunctura in codd. Liuianis admodum probabilis est. Cf.* 27. 10. 4 ; 28. 18. 5 *adnn.*   4 consul erat $CM^7BDAN\theta$: consuleret *PRM*   ut coram $A^7\theta ald.$ *Frob.* 1. 2 : coram ΠN sicut $\pi N\theta ald.$ *Frob.* 1. 2 : sicut et M, *non male*   5 fratrem *ald. Frob.* 1. 2 : fratres $\Pi\theta$, *cf.* 27. 17. 1 *adn.*   et Q. P : et que C : atque RM $BDA\theta$(*sed* atque leg. eius M. K)*ald.* : ac Q. *Frob.* 2   adfuerant (*sed* aff-) $C.ald.$ *Frob.* 1. 2 : anfuerant π : $\overline{\text{an}}$ (*uel* ante) fuerant AJ : interfuerant K uellent $C^4BDA^7\theta ald.$ *Frob.* 1. 2 : uellet π 7 ecqui C : equi *PRM* : qui $BDA\theta$: et qui C^4 : ecquis *ald. Frob.* 1. 2

AB VRBE CONDITA XXVI 33 8

tantem et Paculam Cluuiam quae quondam quaestum corpore fecisset, illam cottidie sacrificasse pro salute et uictoria populi Romani, hanc captiuis egentibus alimenta clam suppeditasse: ceterorum omnium Campanorum eun- 9 dem erga nos animum quem Carthaginiensium fuisse, securique percussos a Q. Fuluio fuisse magis quorum dignitas inter alios quam quorum culpa eminebat. Per senatum agi 10 de Campanis, qui ciues Romani sunt, iniussu populi non uideo posse, idque et apud maiores nostros in Satricanis factum esse cum defecissent ut M. Antistius tribunus plebis prius rogationem ferret scisceretque plebs uti senatui de Satricanis sententiae dicendae ius esset. Itaque censeo cum 11 tribunis plebis agendum esse ut eorum unus pluresue rogationem ferant ad plebem qua nobis statuendi de Campanis ius fiat.' L. Atilius tribunus plebis ex auctoritate senatus 12 plebem in haec uerba rogauit: 'Omnes Campani Atellani Calatini Sabatini qui se dediderunt in arbitrium dicionemque populi Romani ⟨Q.⟩ Fuluio proconsuli, quosque una 13 secum dedidere quaeque una secum dedidere agrum urbemque diuina humanaque utensiliaque siue quid aliud dediderunt, de iis rebus quid fieri uelitis uos rogo, Quirites.'

8 Paculam, *cf. It. Dial. p.* 204: fauculam (flau *D*) Π*θald.* : faculam *J*[1] *in marg., cf. Val. Max.* 5. 2. 1 *ubi* Cluuia Facula *uel* Falcula *nominatur* sacrificasse π*M*[7]θ (-sset *RM*) 9 Fuluio fuisse *A*[7] θ*ald. Frob.* 1. 2, *quod emendationem non redolet, cf.* § 3: fului | cisse *P*: fuluio (flu- *B*) uicisse π[2]*B*[2]: Fuluio esse *Gron.* 10 Satricanis (*bis*) *A*[7]θ satrianis (*bis*) Π *Lov.* 1. 3: sutrianis *ald. Frob.* 1. 2 scisceretque *Gron.*: sciretque Πθ *Edd. ante Gron., cf.* 27. 1. 11 *adn.* 11 qua π*ald. Frob.* 1. 2: quā *C*: qui *A*θ 12 Q. (Fuluio) *Madv.*: *nesciunt* Πθ *Edd. uet.* 13 quosque una secum dedidere quaeque una secum dedidere *P, recte ut in huiusmodi formulis (cf. e.g. Tab. Iguuinas* VI, *It. Dial.* § 365): *del.* -didere quaeque una secum dedi- *P*[1] *uel P*[2] *sed rursus* -di- *illud alterum restituit* quosque una secum dedidere *praebens, quem secuti sunt CR*[1](dedere *R*)*MBD*(*om.* una)*A*θ *Edd. ante Mog.*: quaeque una secum (secum una *ed. Mog.*) dedidere *Ed. Mog.* 1518 *Aldus, quibus consentit Madv.* quosque—dedidere *delens* de iis *PCR.ald. Frob.* 1. 2: de his *R*[2]*MBDAK*: de hiis *C*[4]*J* fieri *CR*[2]*MBDA*θ: fiere *PR* uelitis Πθ: uelitis iubeatis *Luchs* 1889, *ex* § 14 *et Gell.* 5. 19. 9

14 Plebes sic iussit: 'Quod senatus iuratus, maxima pars, censeat, qui adsient, id uolumus iubemusque.'

34 Ex hoc plebei scito senatus consultus Oppiae Cluuiaeque primum bona ac libertatem restituit: si qua alia praemia 2 petere ab senatu uellent, uenire eas Romam. Campanis in familias singulas decreta facta quae non operae pretium est 3 omnia enumerare: aliorum bona publicanda, ipsos liberosque eorum et coniuges uendendas, extra filias quae enupsis- 4 sent priusquam in populi Romani potestatem uenirent: alios in uincula condendos ac de iis posterius consulendum: aliorum Campanorum summam etiam census distinxerunt 5 publicanda necne bona essent: pecua captiua praeter equos et mancipia praeter puberes uirilis sexus et omnia quae solo 6 non continerentur restituenda censuerunt dominis. Campanos omnes Atellanos Calatinos Sabatinos, extra quam qui eorum aut ipsi aut parentes eorum apud hostes essent, 7 liberos esse iusserunt, ita ut nemo eorum ciuis Romanus aut Latini nominis esset, neue quis eorum qui Capuae fuisset dum portae clausae essent in urbe agroue Campano intra 8 certam diem maneret; locus ubi habitarent trans Tiberim qui non contingeret Tiberim daretur: qui nec Capuae nec in urbe Campana quae a populo Romano defecisset per bellum 9 fuissent, eos cis Lirim amnem Romam uersus, qui ad Ro-

14 quod $C^4A\theta ald.$ $Frob.$ 1. 2: quo π: quos D adsient $Cobet$ (iam adsid $i.e.$ adsit $Klockius$): adsidens (ass- $D\theta$) $\Pi\theta ald.$ $Frob.$ 1. 2: adsidetis 'e $uet.$ $lib.$' $Sigonius, Drak.$: adsidet $C^4.$ De $forma$ $antiqua$ in $formulis$ $retenta$ $cf.$ 27. 43. 9 et 1. 24. 3 $adnn.$ iubemusque R^x MBD(lib-)$A\theta.$: iubemusqueque (-que quę CR) $PCR,$ $cf.$ iam iam § 3
34 1 plebei scito B^2DA $Gron.$: plebe scito π: plebis scito M^7A^7: plebiscito $C^4\theta ald.$ Oppiae $cf.$ $c.$ 33. 8 (ubi Opp- $codd.$): appiae (uel -ie) $\Pi N\theta$ uenire eas $\Pi N\theta$ $Edd.,$ $quod$ si $sanum$ est ($i.e.$ si iussit uel placuit $supplendum$) $cf.$ $fort.$ $Cic.$ $Phil.$ 11. 12. 30 et $Liui$ 22. 61. 3. 2 familias Π: falerias θ 4 summam $\Pi(M$ uel $M^1)\theta$: summa $Duker$ (sic $fort.$ M) 5 uirilis sexus $CM^2A\theta ald.$ $Frob.$ 1. 2: uiriles sexus π: uirile secus $Iac.$ $Gron., fort. recte, cf. c.$ 47. 1 censuerunt $A^7\theta ald. Frob.$ 1. 2: censuerint (-rit D) Π dominis $C^4BA\theta$: dominus π 7 esset $PCA^6ald.$ $Frob.$ 1. 2: set R: sed $MBDAJ$: $om.$ K intra $\Pi\theta$: ultra $Wesenberg$ 8 Capuae M^2A^1 N^4 ut $s.$ $l.$ $\theta ald.$ $Frob.$ 1. 2: captae $\Pi(A?)N$

AB VRBE CONDITA   XXVI 34

manos transissent priusquam Capuam Hannibal ueniret, cis
Volturnum emouendos censuerunt, ne quis eorum propius
mare quindecim milibus passuum agrum aedificiumue
haberet. qui eorum trans Tiberim emoti essent, ne ipsi 10
posteriue eorum uspiam pararent haberentue nisi in Veiente
Sutrino Nepesinoue agro, dum ne cui maior quam quinquaginta iugerum agri modus esset.   Senatorum omnium 11
quique magistratus Capuae Atellae Calatiae gessissent bona
uenire Capuae iusserunt: libera corpora quae uenum dari
placuerat Romam mitti ac Romae uenire.   Signa statuas 12
aeneas quae capta de hostibus dicerentur, quae eorum sacra
ac profana essent ad pontificum collegium reiecerunt.   Ob 13
haec decreta maestiores aliquanto quam Romam uenerant
Campanos dimiserunt; nec iam Q. Fului saeuitiam in sese,
sed iniquitatem deum atque exsecrabilem fortunam suam
incusabant.

Dimissis Siculis Campanisque dilectus habitus.   Scripto 35
deinde exercitu de remigum supplemento agi coeptum; in 2
quam rem cum neque hominum satis nec ex qua pararentur
stipendiumque acciperent pecuniae quicquam ea tempestate
in publico esset, edixerunt consules ut priuatim ex censu 3
ordinibusque, sicut antea, remiges darent cum stipendio
cibariisque dierum triginta.   Ad id edictum tantus fremitus 4

10 posteriue $A^x\theta ald.$ *Frob.* 1. 2: posterius Π: posteri N: posteri-
que N^5 *ut credo*   in Veiente *Alschefski*: in ueniente (-iten- B:
-ien- B^2) agros (agro $B^2DA?N$) ΠN (agro *praesumpto et* s- *duplicato*):
in ueiente agros M^1: agros C, *spatio ante relicto, sed* domos uel agros
ante nisi *add.* C^4: in ueiente aut $A^xN^2\theta$(-uey- K)*ald.* *Frob.* 1. 2 *Drak.*
ne cui $A^7\theta$(*sed* nec ui K)*ald.* *Frob.* 1. 2: ne ui P: ne qui Π^1 *uel* Π^2
($A?$)   11 Calatiae *Frob.* 1. 2 (*ex* § 6 *ubi* Cal- *codd.*): galatiae A^7
(-ie)*ald.*: galeae P: galetae (-lat- B) π$^2B^2$ uenum dari PR: ue-
nundari $CR^2MBDA\theta$

35 1 exercitu $M^2BA\theta ald.$: exercitus π, *cf. c.* 40. 14 *adn.*   remigum CD(-emig- *in ras.*)$A\theta ald.$: regimum π   2 quam π$^2\theta ald.$:
aqua PRM (*infra pro* ex qua *praebet* M ex aqua)   3 consules Π$^2R^x$
(-lles R): consunt consules P priuatim Πθ *Aldus*: priuati
Frob. 1: priuato *Edd. ante Ald.*   cibariisque *ald.* *Frob.* 1. 2:
dariisque Π: dari his(hiis J)que C^4J: dapibusque K

hominum, tanta indignatio fuit ut magis dux quam materia seditioni deesset: secundum Siculos Campanosque plebem Romanam perdendam lacerandamque sibi consules sumpsisse. per tot annos tributo exhaustos nihil reliqui praeter terram nudam ac uastam habere. tecta hostes incendisse, seruos agri cultores rem publicam abduxisse, nunc ad militiam paruo aere emendo, nunc remiges imperando; si quid cui argenti aerisue fuerit, stipendio remigum et tributis annuis ablatum. se ut dent quod non habeant nulla ui nullo imperio cogi posse. bona sua uenderent; in corpora quae reliqua essent saeuirent; ne unde redimantur quidem quicquam superesse. Haec non in occulto, sed propalam in foro atque oculis ipsorum consulum ingens turba circumfusi fremebant; nec eos sedare consules nunc castigando, nunc consolando poterant. Spatium deinde iis tridui se dare ad cogitandum dixerunt; quo ipsi ad rem inspiciendam ⟨et⟩ expediendam usi sunt. Senatum postero die habuerunt de remigum supplemento; ubi cum multa disseruissent cur aequa plebis recusatio esset, uerterunt orationem eo ut dicerent priuatis id seu aequum seu iniquum onus iniungendum esse; nam unde, cum pecunia in aerario non esset, paraturos nauales socios? quomodo autem sine classibus aut Siciliam obtineri aut Italia Philippum arceri posse aut tuta Italiae litora esse?

4 tanta Π*ald. Frob.* 1. 2: tantaque θ   magis $R^2MBDA\theta$: mage PCR 5 rem publicam (*uel* rē *uel* rem p̄.) Π (*sed* R. P. *A*) *ald. Frob.* 1. 2: romani populi $A^7\theta$ imperando C *et ut uid.* $C^1BDA\theta ald.$: imperam $P(\text{-rā}|)RM$: imperatos M^x (*uix* M^7)   6 se ut dent $P\theta ald. Frob.$ 1. 2: seu (sue B) dent π^2B^2: suadent C^4 superesse $A^7\theta ald. Frob.$ 1. 2: superior esse P, *cf. c.* 33. 3: superiores esse $\Pi^2(A?)$ 7 circumfusi π*ald. Frob.* 1. 2: circumfusa A(*uel* -si A: -sa $A^{x?}$)θ   eos (sedare) $C^7?BDA\theta ald. Frob.$ 1. 2: eo π consolando $CR^1MBDA\theta$ (consul- PR)   8 iis (hiis K) tridui θ *et duce Sigonio* '*e uet. lib.*' *Gron.*: iis tribui PCM^x (*uix* M^7): his tribui (-bin B) C^4BDA: instribui RM: his tribuni $A^6?$: his tribuere *ald. Frob.* 1. 2 (*qui* -que *post* dare *addunt*)   et *Alschefski*: *ignorant* Π*J, cf. c.* 11. 12 *adn.* (*c*): *addunt* -que *post* exped. *K.ald. Frob.* 1. 2, *Drak., fort. recte*   9 cur aequa (curae qua CRM: cur ae- M^5) π*ald. Frob.* 1. 2: cum B: cum aequa (equa $A\theta$) $B^2DA\theta$

AB VRBE CONDITA XXVI 36

Cum in hac difficultate rerum consilium haereret ac prope **36**
torpor quidam occupasset hominum mentes, tum Laeuinus
consul: magistratus senatui et senatum populo, sicut honore 2
praestet, ita ad omnia quae dura atque aspera essent subeunda ducem debere esse. 'Si quid iniungere inferiori uelis, 3
id prius in te ac tuos si ipse iuris statueris, facilius omnes
obedientes habeas; nec impensa grauis est, cum ⟨ex⟩ ea plus
quam pro uirili parte sibi quemque capere principum uident.
Itaque ⟨si⟩ classes habere atque ornare uolumus populum 4
Romanum, priuatos sine recusatione remiges dare, nobismet
ipsis primum imperemus. Aurum argentum ⟨aes⟩ signatum 5
omne senatores crastino die in publicum conferamus, ita ut
anulos sibi quisque et coniugi et liberis, et filio bullam et
quibus uxor filiaeue sunt singulas uncias pondo auri relin-
quant: argenti qui curuli sella sederunt equi ornamenta et 6
libras pondo, ut salinum patellamque deorum causa habere

---

36 2 praestet $A^7\theta ald.$ *Frob.* 1. 2: praestent (*sed* -stent tita *PR*:
-stent ita P^1C) $\pi(A?)$, *minus bene, seu per lapsum calami* (*cf.* -ent *pro*
-et 27. 17. 4 *adn.*) *seu de industria mutatum est*: praestitit (-stetit R^3)
R^3MBD essent $\Pi\theta$ (*sed* ẽet *i.e.* esset CJ): sint *I. H. Voss, sed*
essent *pro* erunt *Orat. Rectae scriptum est, cf. App. II ad Liui Lib. II
Cantab.* 1901 *editum et* 27. 17. 14 *adn.* ducem (duem *D*) $\Pi\theta ald.$
Frob. 1. 2: duces *Crevier* (*qui supra* praestent *retinuit*) 3 Si
quid $\pi R^1 \theta ald.$ *Frob.* 1. 2: quid (*post spat. uel ras.*) R: si quod *Madv.
Em. p.* 385, *omittens* si *infra, fort. recte* in te $C^x A^7 (in\ ras.\ ubi\ et$
ac tuos *erasum est*)$\theta ald.$ *Frob.* 1. 2: ante $\Pi(A?)$ si *hic* (*post* tuos)
add. $A^7\theta ald.$ *Frob.* 1. 2: *ignorant* Π *neque inserit Madv., cf. supra*: *add.*
si *ante id Hertz ab ordine Liuiano aberrans* (*et fort. post* prius *addidit uel
addere incipiebat C*: *del.* C^4) ex ea *ed. Par.* 1513, *bene si* capere
pro pati *ut in* 5. 20. 2 *interpretaris* (*cf. etiam* 2. 65. 5; 10. 5. 6): ea Π *Edd.
ante ed. Par.*: eam $A^7\theta$ uident π *Aldus*: uideant M: uiderint
Lov. 3 *Edd. ante Ald.*: uiderit θ 4 ⟨si⟩ classes *Madv. Em. p.* 386
(classes si *uel* classem si *Alschefski*): classes $\Pi\theta$, *quos sequitur Gron.,
signum interrogationis post* dare *addens*: ut classem *ald Frob.* 1. 2 (*cf.
adn. sq.*). *Si Madvigium sequi nolis, fort. ante* uolumus *inseras* si
habere atque $C(ut\ uid.\ sed$ habẽ atquẹ)M^7A^v *Gron.*: habeatque (-quẹ
B^2D) $\pi B^2 J$: habeat populusquẹ B: habeat quam (quas K) *K.ald.
Frob.* 1. 2, *cf. supra* populum Romanum (*sed* -nu' *A*) M^5A
Gron.: pr. PCA^v: populus (-luc D) romanus $RMB^2D\theta ald.$ *Frob.* 1.2:
romanus B, *cf. supra* imperemus (*uel* inp-) $CM^1BDA\theta$: pere-
mus *PRM* 5 aes *add. ed. Mog.* 1518 *ex* § 8: *ignorant* $\Pi\theta$ *dett.*
omne *Gron.*: omnes $\Pi\theta$ (*sc.* s- *duplicato*) 6 et libras P (*cf. c.* 47.
7 *adn.*): *fort.* et ⟨ii⟩ libras *legendum est* (*cf.* 29. 28. 10 *adn.*)
salinum A^v *Valla et ald.*: alinum P: alignum P^2CR: lignum
$R^2MB^2DA\theta$: lignumque B: ad ignem C^4: culignam *Lipsius*

XXVI 36 6　　　　　　　　TITI LIVI

7 possint: ceteri senatores libram argenti tantum: aeris signati quina milia in singulos patres familiae relinquamus:
8 ceterum omne aurum argentum aes signatum ad triumuiros mensarios exemplo deferamus nullo ante senatus consulto facto, ut uoluntaria conlatio et certamen adiuuandae rei publicae excitet ad aemulandum animos primum equestris
9 ordinis, dein reliquae plebis. Hanc unam uiam multa inter nos conlocuti consules inuenimus; ingredimini dis bene iuuantibus. Res publica incolumis et priuatas res facile saluas praestat: publica prodendo tua nequiquam serues.'
10 In haec tanto animo consensum est ut gratiae ultro con-
11 sulibus agerentur. Senatu inde misso pro se quisque aurum argentum et aes in publicum conferunt, tanto certamine iniecto ut prima aut inter primos nomina sua uellent in publicis tabulis esse ut nec triumuiri accipiundo nec
12 scribae referundo sufficerent. Hunc consensum senatus equester ordo est secutus, equestris ordinis plebs. Ita sine edicto, sine coercitione magistratus nec remige in supplementum nec stipendio res publica eguit; paratisque omnibus ad bellum consules in prouincias profecti sunt.

37　　Neque aliud tempus belli fuit quo Carthaginienses Romanique pariter uariis casibus immixti magis in ancipiti spe

9 facile $M^5\theta ald.$ Frob. 1. 2: facite $\pi(A?)$, sed in codice M -e illud insolitam habet formam ut fort. -o M ipsum uoluisse conicere liceat: facere $A^7?$: factae D (qui res p. ... priuatas om.)　　10 consensum $CM^7BDA\theta$: consensu PRM, cf. c. 41. 12 adn.　　11 argentum $\pi\theta ald.$ Frob. 1. 2 (sed om. et ante aes Aldus, non male): et argentum C, sed aurum argentum (cf. c. 47. 7) fort. exemplum est Asyndeti more antiquo usitati (cf. 22. 29. 11 et 27. 16. 6 adnn.), cui et aes ut aliud adicitur　　aut Madv. Em. p. 385: ut P (quod retinere uolt Friedersdorff deleto ut prima): om. $\Pi^2\theta ald.$ Frob. 1. 2, cf. de dittographiae falsa suspicione 29. 7. 7 adn.　　tabulis esse $BDA\theta ald.$ Frob. 1. 2: tabulis tabulis sese P: tabulis sese π^1　　12 coercitione A^x Gron.: coercitationem (sed -ne BDA: -nē P) π: coertione (coh-θ) $C\theta$: coertatione M: cohortatione (coor- M^7) M^7 ald. Frob. 1. 2　　remige C ut uid. $A^x\theta ald.$: remiges π, cf. c. 40. 14 adn.: remigibus C^4

37　1 aliud K Lov. 2, Perizonius: aliud magis Π J.ald. Frob. 1. 2, unde alterum magis infra secludere uoluit Sigonius, non male, sed hunc potius ad locum (post aliud) additurus erat corrector　　immixti $MA^x\theta$ Edd. ante Ald.: immixtis (uel inm-) πM^1 Aldus, uix recte

AB VRBE CONDITA XXVI

ac metu fuerint. Nam Romanis et in prouinciis hinc in 2 Hispania aduersae res, hinc prosperae in Sicilia luctum et laetitiam miscuerant, et in Italia cum Tarentum amissum 3 damno et dolori, tum arx cum praesidio retenta praeter spem gaudio fuit, et terrorem subitum pauoremque urbis 4 Romae obsessae et oppugnatae Capua post dies paucos capta in laetitiam uertit. Transmarinae quoque res quadam 5 uice pensatae: Philippus hostis tempore haud satis opportuno factus, Aetoli noui adsciti socii Attalusque Asiae rex, iam uelut despondente fortuna Romanis imperium orientis. Carthaginienses quoque Capuae amissae Tarentum captum 6 aequabant, et ut ad moenia urbis Romanae nullo prohibente se peruenisse in gloria ponebant, ita pigebat inriti incepti, pudebatque adeo se spretos ut sedentibus ipsis ad Romana 7 moenia alia porta exercitus Romanus in Hispaniam duceretur. Ipsae quoque Hispaniae quo propius spem uenerant 8 tantis duobus ducibus exercitibusque caesis debellatum ibi ac pulsos inde Romanos esse, eo plus ab L. Marcio tumultuario duce ad uanum et inritum uictoriam redactam esse indignationis praebebant. Ita aequante fortuna suspensa 9 omnia utrisque erant, integra spe, integro metu, uelut illo tempore primum bellum inciperent.

Hannibalem ante omnia angebat quod Capua pertinacius 38

3 dolori $P^2CRA^7\theta$: dololori P: dolore R^3 *uel* R^2MBD(-lere)A?
arx *Aldus* 1521: ara P (*de* x *et a confusis cf. c.* 51. 8; 27. 25. 14; 27. 46. 11; 27. 49. 2): arcem π^2: arce $M^1?BDA^7\theta$ *Edd. usque ad Ald.*

4 ob-(op- PR: ob- R^2)sessae (*uel* -se) et oppugnatae (*uel* -te) πald: obsessa et oppugnata $DA\theta$ Capua $DA\theta ald$. *Frob.* 1. 2: capuae (-ue B) π 5 uelut $A\theta$ *Frob.* 1: uel πald., *cf* 10. 19. 16 *adn*.: *om.* M 6 Capuae amissae P: capuae amissae^t (*sic*) P^2, *unde* capuae (-ua $CB^1DA\theta$) amissa (adm- J) et $CRMBDA\theta$: capuam amissam et M^7ald. *Frob.* 1. 2   pigebat $\pi M^7A\theta$: pigebant RM 8 Ipsae $M^7BDA\theta ald$.: ipsa π spem θald. *Frob.* 1. 2: spe Π, *cf. c.* 41. 12 *adn.*: *om.*   eo plus $C^4M^7A^v$ *ed. Rom.* 1469: eo pl. i. bus PC: eo p̄l. ibus $RMBDA$?: eo tempore $A^7\theta$ *Lov.* 3. 5: eo p. r. *Lov.* 4 (*et dett. alii alia*)   indignationis *ed. Rom.* 1469: indignationes $\Pi\theta$ *dett.*
9 utrisque M^7: utriusque Π: utrinque A^7 *uel* $A^6\theta ald$. *Frob.* 1. 2, *fort. recte*

XXVI 38 1   TITI LIVI

oppugnata ab Romanis quam defensa ab se multorum
2 Italiae populorum animos auerterat, quos neque omnes
tenere praesidiis nisi uellet in multas paruasque partes
carpere exercitum quod minime tum expediebat poterat,
nec deductis praesidiis spei liberam uel obnoxiam timori
3 sociorum relinquere fidem. Praeceps in auaritiam et crude-
litatem animus ad spolianda quae tueri nequibat, ut uastata
4 hosti relinquerentur, inclinauit. Id foedum consilium cum
incepto tum etiam exitu fuit. Neque enim indigna patien-
tium modo abalienabantur animi, sed ceterorum etiam ;
5 quippe ad plures exemplum † quam † pertinebat ; nec consul Romanus temptandis urbibus sicunde spes aliqua se
ostendisset deerat.

6   Salapiae principes erant Dasius et Blattius, Dasius Hannibali amicus ; Blattius quantum ex tuto poterat rem Romanam fouebat et per occultos nuntios spem proditionis
fecerat Marcello ; sed sine adiutore Dasio res transigi non
7 poterat. Multum ac diu cunctatus, et tum quoque magis
inopia consilii potioris quam spe effectus, Dasium appellabat ;
at ille, cum ab re auersus, tum aemulo potentatus inimicus,
8 rem Hannibali aperit. Arcessito utroque Hannibal cum pro
tribunali quaedam ageret mox de Blattio cogniturus, starent-
que summoto populo accusator et reus, Blattius de prodi-
9 tione Dasium appellat. Enimuero ille, uelut in manifesta re,

    38 4 quam ΠJ : *om*. K : quam calamitas *ald. Frob.* 1. 2 *quos sequi malit Johnson* : *ipse lineam amissam ratus* (*cf. c.* 6. 16 *adn.*) quam (perpessio malorun) *temptaui*. Damnum, pernicies, clades, pestis, malum *ab aliis* (*post* quam) *coniecta sunt. Voluerat Walters codicem* K *sequi. Cf. de* quam *insiticio* 7. 12. 5 *adn., ubi* 8. 36. 10 *addendum erat. Vix tamen credibile nobis uidetur ut glossema sine Substantiuo additum esse* quam   7 et (tum) Πθ*ald. Frob.* 1. 2 : est *Madv. Em. p.* 386, *sensum uocis* et *in hoc loco neglegens. Cf. contra Madvigii adn. ad* 21. 25. 9, *ubi recte codd. lectionem castigat*   appellabat Πθ*ald.* : appellat *Madv. l. c., uix necess.* ; *haesitationem aliquam depingit Imperfectum*   8 appellat *Madv., recte hic ut credimus, et corruptio hic facilior fuit post § 7 supra* : appellabat Πθ*ald.* (*Ussing* 1886)   9 in manifesta re *ald. Frob.* 1. 2 : in manitestare (*uocibus aliter ab aliis diuisis*) π (-manu- *D*) : in mani (*ceteris ab* C[x] *erasis*) C : inmaniter instare θ *et dett. alii alia* : in manu rem stare A[5]?

AB VRBE CONDITA XXVI 38

exclamat sub oculis Hannibalis secum de proditione agi. Hannibali atque eis qui aderant quo audacior res erat, minus similis ueri uisa est: aemulationem profecto atque odium esse, et id crimen adferri quod, quia testem habere non posset, liberius fingenti esset. Ita inde dimissi sunt. Nec Blattius ante abstitit tam audaci incepto quam idem obtundendo, docendoque quam ea res ipsis patriaeque salutaris esset, peruicit ut praesidium Punicum—⟨quingenti⟩ autem Numidae erant—Salapiaque traderetur Marcello. Nec sine caede multa tradi potuit. Longe fortissimi equitum toto Punico exercitu erant. Itaque, quamquam improuisa res fuit nec usus equorum in urbe erat, tamen armis inter tumultum captis et eruptionem temptauerunt et, cum euadere nequirent, pugnantes ad ultimum occubuerunt, nec plus quinquaginta ex his in potestatem hostium uiui uenerunt. Plusque aliquanto damni haec ala equitum amissa Hannibali quam Salapia fuit; nec deinde unquam Poenus, quo longe plurimum ualuerat, equitatu superior fuit.

Per idem tempus cum in arce Tarentina uix inopia tolerabilis esset, spem omnem praesidium quod ibi erat Romanum praefectusque praesidii atque arcis M. Liuius in commeatibus ab Sicilia missis habebant, qui ut tuto praeteruerentur oram Italiae, classis uiginti ferme nauium Regii stabat. Praeerat classi commeatibusque D. Quinctius, obscuro genere

---

10 posset Π*θald.* : potuisset *Frob.* 2 : possit *Madv. Em. p.* 386 (sit *infra cum Gron. retinens*)   fingenti esset. Ita A^7 : fingendi esset ita θ *Lov.* 5 (libertas *hic pro* liberius) : fingentisitia *P, unde* fingenti sit ita *Gron., sed in breui eiusmodi oratione* esset (*cum* posset *supra*) *usitatius* : fingentis (*sed* -ti *C*) ita Π²(*A?*), *sed fort.* fingenti ita *P²*, *qui* -i- (*ante* -a) *certe sed non* (*ut Luchs ait*) -ia *deleuit* : fingeretur. ita *ald. Frob.* 1. 2   11 tam $C^x M^x A\theta ald.$: tament *PR* : tamen $\gtrsim R^x$: tamen (*uel* tam̃) *CMBD* : tamen tam *Gron.*   docendoque (dic- *D*) Π*θald.* : -que *C* : del. C^2 uel C^4 quingenti (*i.e.* D) *Sigonius ex Val. Max.* 3. 8. *Ext.* 1 : *ignorant* Π, *cf. c.* 39. 21 *et* 29. 28. 10 *adnn.* : hii $A^7 J$: hi *ald. Frob.* 1. 2 : ii *K*   13 ex his Π*ald. Frob.* 1. 2 : ex hiis *J* : ex iis *K*   14 amissa $C^4 A\theta ald.$ *Frob.* 1. 2 : missa π

39 3 classi $C^x M^7$ *uel* $M^2 BD$: classis π, *cf. c.* 40. 14 *adn.*

ortus, ceterum multis fortibus factis militari gloria inlustris.
4 Primo quinque naues, quarum maximae duae triremes, a
Marcello ei traditae erant [habuit]: postea rem impigre saepe
5 gerenti tres additae quinqueremes: postremo ipse a sociis
Reginisque et a Velia et a Paesto debitas ex foedere exigendo classem uiginti nauium, sicut ante dictum est, efficit.
6 Huic ab Regio profectae classi Democrates cum pari nauium
Tarentinarum numero quindecim milia ferme ab urbe ad
7 Sapriportem obuius fuit. Velis tum forte improuidus futuri
certaminis Romanus ueniebat; sed circa Crotonem Sybarimque suppleuerat remigio naues, instructamque et arma-
8 tam egregie pro magnitudine nauium classem habebat; et
tum forte sub idem tempus et uenti uis omnis cecidit et
hostes in conspectu fuere ut ad componenda armamenta
expediendumque remigem ac militem ad imminens certamen
9 satis temporis esset. Raro alias tantis animis iustae concurrerunt classes, quippe cum in maioris discrimen rei quam
10 ipsae erant pugnarent, Tarentini ut reciperata urbe ab
Romanis post centesimum prope annum, arcem etiam liberarent, spe commeatus quoque hostibus si nauali proelio
11 possessionem maris ademissent interclusuros, Romani ut
retenta possessione arcis ostenderent non ui ac uirtute, sed
proditione ac furto Tarentum amissum.

4 habuit Π*θald. Frob.* 1. 2 : *seclusit Madv., Dukerum secutus*
5 Velia *scripsimus, cf. It. Dial. p.* 17 ('Ελέα): uellia Π*J, num recte?* :
uella *K* Paesto *Gron.* (Pesto *Sabellicus ald.*) : pesio Πθ
classem xx *C*[1] *ed. Mog.* 1518, *cf.* § 2 : classe xxx *PCR*[1] *uel R*[2] : classes
(-ases *B*) xxx *RMBDA* : classem xxx *M*[2] uel *M*[7]θ *Edd. ante Mog.*
efficit Π, *cf.* § 16 *et* 27. 5. 9 *adn.* : effecit *K.ald. Frob.* 1. 2, *fort. recte* :
exegit efficit *J*   6 pari *K, Crevier* : pari classi (clasi *RB* : classe
M[2] uel *M*[7] *Edd.*) Π*J.ald Frob.* 1. 2   Sapriportem] *cf. It. Dial.
p.* 33. *Sic PRM, sed* -tum *CM*[2] uel *M*[7], saci- *D,* sacriportam (-pert-
θ) *A*θ   7 tum (*sed* tn̄ *i.e.* tamen *J*) forte Πθ*ald. Frob.* 1. 2 :
dei. *Wesenberg, frustra*   8 idem π : idem fere *A*θ*ald. Frob.* 1. 2
ad (componenda) *PCA*[7]θ : *om. RMBDA*   9 discrimen
Π*ald. Frob.* 1. 2 : discrimine θ   10 spe (spem *A*) . . . interclusuros (-sores *C*) Π : spem . . . interclusuri *A*[7]θ*ald. Frob.* 1. 2
11 arcis *M*?*B*[2]*DA*θ : areis (aer- *B*) π*M*[1]   ui ac *A*[7] : ut hac *A*θ :
ut ac Π, *cf.* 23. 18. 1 : *del. M*[2] : ui aut *ald. Frob.* 1. 2

Itaque ex utraque parte signo dato cum rostris concurris- 12 sent neque retro nauem inhiberent nec dirimi ab se hostem paterentur quam quis indeptus nauem erat ferrea iniecta manu, ita conserebant ex propinquo pugnam ut non missilibus tantum, sed gladiis etiam prope conlato pede gereretur res. Prorae inter se iunctae haerebant, puppes alieno re- 13 migio circumagebantur; ita in arto stipatae erant naues ut uix ullum telum in mari uanum intercideret; frontibus uelut pedestris acies urgebant peruiaeque naues pugnantibus erant. Insignis tamen inter ceteras pugna fuit duarum quae 14 primae agminum concurrerant inter se. In Romana naue 15 ipse Quinctius erat, in Tarentina Nico cui Perconi fuit cognomen, non publico modo sed priuato etiam odio inuisus atque infestus Romanis quod eius factionis erat quae Tarentum Hannibali prodiderat. Hic Quinctium simul pugnan- 16 tem hortantemque suos, incautum hasta transfigit. Ille ut praeceps cum armis procidit ante proram, uictor Tarentinus 17 in turbatam duce amisso nauem impigre transgressus cum summouisset hostes et prora iam Tarentinorum esset, puppim male conglobati tuerentur Romani, repente et alia a puppe triremis hostium apparuit; ita in medio circumuenta Romana 18 nauis capitur. Hinc ceteris terror iniectus uti praetoriam nauem captam uidere, fugientesque passim aliae in alto mersae, aliae in terram remis abreptae mox praedae fuere Thurinis Metapontinisque. Ex onerariis quae cum com- 19

12 hostem Πθ: hostilem *Luchs* 1889 (*dubitanter*) gereretur res $A^v{}^?K$ *Gron.*: quereretur res P: quereretur (quaer- *RMB Edd.*) $Π^2J$ *Edd. uet. quorum* -rentur *aliq.*: proeliarentur *ed. Mog.* 1518
13 in mari Πald. *Frob.* 1. 2: in mare $θ$, *Forchhammer, probante H. J. Mueller*   pedestris Πθald.: pedestres *Fabri*:   14 agminum *Koch*: agminus P, *cf.* 27. 17. 1 *adn.*: agminis $Π^2$ *uel* $Π^1J.ald.$ *Frob.* 1. 2: agmini K 15 Quinctius (-nci- C^xK: -nti- M^2B^2J) erat $C^x M^2B^2θ$: quin et iusserat (ius erat B) $π$: quinestius erat D
16 Hic $BDA^7θald.$: hinc $π$ transfigit Πald. *Frob.* 1. 2: transfixit $θ$, *sed cf.* § 5 *et* 27. 5. 9 *adn.*   Ille ut $A^7θ$ (*cf.* 9. 4. 9 *adn.*): ille atque Πald. *Frob.* 1. 2, *quod defendit Gron.* atque *pro* continuo *interpretatus*: atque ille *Ruperti*, *cum praecedentibus conectens*
18 uti M^2: utin $π$: ut $C^2BDAθald.$ *Frob.* 1. 2: ubi *Woelfflin* (*quod malit Johnson*)   19 cum commeatu (come- J) $M^2A^7θald.$ *Frob.* 1. 2: cum- (com- CMB^2) meatu $(A?)Π$ (*sed* -tus eq- MBD: -tu seq- M^2B^2)

XXVI 39

meatu sequebantur, perpaucae in potestatem hostium uenere; aliae ad incertos uentos hinc atque illinc obliqua transferentes uela, in altum euectae sunt.

20 Nequaquam pari fortuna per eos dies Tarenti res gesta. Nam ad quattuor milia hominum frumentatum egressa cum 21 in agris passim uagarentur, Liuius qui arci praesidioque Romano praeerat, intentus in omnes occasiones gerendae rei, C. Persium impigrum uirum cum duobus milibus et 22 ⟨quingentis⟩ armatorum ex arce emisit, qui uage effusos per agros palatosque adortus cum diu passim cecidisset, paucos ex multis, trepida fuga incidentes semiapertis portarum foribus, in urbem compulit ne⟨que multum afuit quin⟩ urbs 23 eodem impetu caperetur. Ita aequatae res ad Tarentum, Romanis uictoribus ⟨terra⟩, Carthaginiensibus mari. Frumenti spes, quae in oculis fuerat, utrosque frustrata pariter.

40 Per idem tempus Laeuinus consul iam magna parte anni circumacta in Siciliam ueteribus nouisque sociis exspectatus cum uenisset, primum ac potissimum omnium ratus Syracusis 2 noua pace inconditas componere res, Agrigentum inde, quod belli reliquum erat tenebaturque a Carthaginiensium ualido 3 praesidio, duxit legiones. Et adfuit fortuna incepto. Hanno

---

21 qui (arci) $CM^2A^7\theta ald.$ Frob. 1. 2 : aui π : ui (?) M^1 Persium Π : perseum $A^7\theta$ et quingentis Alschefski : et π, cf. (de D omisso) c. 38. 11 et 29. 28. 10 adnn. (cf. etiam c. 11. 12 adn. (b)) : om. $BDA\theta ald.$ Frob. 1. 2   22 incidentes (-tis PCR) PCR Frob. 1 : incedentis (-tes $B^2K.ald$) C^5R^2 et $R^3MBDA\theta ald.$ ne⟨que multum afuit quin⟩ Alschefski (qui tamen nec pro neque praebet) : ne Πθald. Frob. 1. 2, linea haud amplius xviii litt. omissa, cf. c. 6. 16 adn. (c) : parumque afuit ne Pal. 2 : parum abfuit ne A^5 23 terra, Carthaginiensibus (i.e. -ib') scripsimus, lineam xix uel xx litt. post uictorib' a P omissam esse rati, cf. adn. praec. et c. 6. 16 adn. : ignorant ΠJ : cartaginensibus K: terra tarentinis hic ed. Mediol. 1505 (iam antea terra Edd. plerique praebent cum dett., quorum aliq. mari omittunt) ; terra post Romanis ponit C^4, qui et tarentinis post uictorib. praebet : tarentinis (sed post mari) A^5 Lov. 3 : terra, uictis J. Kvičala

40 1 Syracusis dett. unus, Gron. : syracusus P: syracusanus π² : syracusanis (-aous- B) $BDAJ.ald.$ Frob. 1. 2 : syracusanas (sir- K) C^4M^8K. et Gron. ut lect. alteram, non male   2 a Carthaginiensium (-inens- B Edd.) Πθald. Frob. 1. 2, sed malimus cum Alano a Carthaginiensibus scribere, Genetiuum ex § 3 praesumptum esse rati, cf. 24. 3. 3 et 29. 5. 6 adnn.

erat imperator Carthaginiensium, sed omnem in Muttine Numidisque spem repositam habebant. Per totam Siciliam 4 uagus praedas agebat ex sociis Romanorum neque intercludi ab Agrigento ui aut arte ulla nec quin erumperet ubi uellet prohiberi poterat. Haec eius gloria quia iam imperatoris 5 quoque famae officiebat, postremo in inuidiam uertit ut ne bene gestae quidem res iam Hannoni propter auctorem satis laetae essent. Postremo praefecturam eius filio suo dedit, 6 ratus cum imperio auctoritatem quoque ei inter Numidas erepturum. Quod longe aliter euenit; nam ueterem fauorem 7 eius sua insuper inuidia auxit; neque ille indignitatem iniuriae tulit confestimque ad Laeuinum occultos nuntios misit de tradendo Agrigento. Per quos ut est facta fides 8 compositusque rei gerendae modus, portam ad mare ferentem Numidae cum occupassent pulsis inde custodibus aut caesis Romanos ad id ipsum missos in urbem acceperunt. Et cum agmine iam in media urbis ac forum magno tumultu 9 iretur, ratus Hanno non aliud quam tumultum ac secessionem, id quod et ante acciderat, Numidarum esse, ad comprimendam seditionem processit. Atque ille cum ei multi- 10 tudo maior quam Numidarum procul uisa et clamor Romanus haudquaquam ignotus ad aures accidisset, priusquam ad ictum teli ueniret capessit fugam. Per auersam 11

3 Muttine Π, *cf. c.* 21. 15 *et* 25. 40. 5 : mutine (-ty- *K*) *A⁷θ*
habebant π *Gron.* : habebat *M²BDAθald. Frob.* 1. 2   4 sociis
Π²θald. : sociis ad *P* (*sc.* ab *infra praesumptum, cf.* § 2 *et* 29. 5. 6 *et* (ad *pro* ab) 27. 25. 12)   5 auctorem ... essent] *om. B* : *supplet B²*
laetae (*uel* letae) *B²DAθald. Frob.* 1. 2 : latae π : gratae *M⁴* (*uix M²*)
6 Postremo *Cˣ M²* *uel* *M³B* : propter postremo π (*fort.* propter *ex* § 5 *supra repetitum*) *B²* : propterea *A⁷* (*sed* postremo *non delet*) *θ* : propter quae *ald. Frob.* 1. 2   7 euenit *M³* *uel* *M²Aθald. Frob.* 1. 2 :
uenit π   8 ad id *C⁴* (*qui fort.* ipsum *delere uoluit*) *ald. Frob.* 1. 2 :
ad Πθ (*cf.* 21. 55. 11 *adn.*)   9 Hanno non *R²* *uel* *R³BDAθald.* :
hannon *PCR, cf.* 27. 1. 11 *adn.* : hanno *Cˣ* : hanno nē *M* : Hanno nihil *Luchs* 1889, *frustra*   10 uisa et Πθald. *Frob.* 1. 2, *probante Madv. edd.* 2 *et* 3 : *add.* esset *inter* uisa *et et discipulus Siesbyaei, u. Madv. Em. p.* 388 *adn., sed cf. c.* 27. 6 *adn. et* 1. 59. 2

TITI LIVI

portam emissus adsumpto comite Epicyde cum paucis ad mare peruenit; nactique opportune paruum nauigium, relicta hostibus Sicilia de qua per tot annos certatum erat, in Africam traiecerunt. Alia multitudo Poenorum Siculorumque ne temptato quidem certamine cum caeci in fugam ruerent clausique exitus essent circa portas caesa.

Oppido recepto Laeuinus qui capita rerum Agrigenti erant uirgis caesos securi percussit, ceteros praedamque uendidit; omnem pecuniam Romam misit. Fama Agrigentinorum cladis Siciliam cum peruasisset, omnia repente ad Romanos inclinauerunt. Prodita breui sunt uiginti oppida, sex ui capta : uoluntaria deditione in fidem uenerunt ad quadraginta. Quarum ciuitatium principibus cum pro cuiusque merito consul pretia poenasque exsoluisset, coegissetque Siculos positis tandem armis ad agrum colendum animos conuertere, ut esset non incolarum modo alimentis frugifera insula, sed urbis Romae atque Italiae, id quod multis saepe tempestatibus fecerat, annonam leuaret, ab Agathyrna inconditam multitudinem secum in Italiam transuexit. Quattuor milia hominum erant, mixti ex omni conluuione exsules obaerati capitalia ausi plerique cum in ciuitatibus suis ac sub legibus uixerant, et postquam eos ex uariis causis fortuna similis conglobauerat Agathyrnam per latrocinia

---

11 comite Epicyde (*sed* epichi- *a* B^x *in ras. vi uel vii litt. scriptum*) $CM^xB^xA^x$, *Sabellicus ed. Par.* 1510 *Frob.* 1 : comitem epicyde $P\bar{R}$ MB?, *unde* comite m. (an *pro* m. *D*) epicyde (epycide *A*) *DA. ald.*, comite inde epicyde θ. *De* -m *in codice P addito cf. Praef.* § 79 *et* 22. 37. 13 *adn., et cf. in hoc tomo e.g. cc.* 13. 15 (?); 22. 8; 50. 6 *et* 27. 18. 6; 27. 20. 9; 27. 45. 9; 28. 25. 14; 28. 30. 10; 28. 42. 1; 29. 17. 3; 30. 13. 12; 30. 31. 1. *Cf. de* -m *perdito c.* 41. 12 *adn., et de* -s *addito et omisso cf. adn. sq.*   14 ui $C^xM^xBDA\theta$: sui PRM, *sc.* -s *post* sex *uel* vi *addito. De* -s *finali addito cf. Praef.* § 79 *et e.g. cc.* 21. 1 *et* 4 ; 35. 1 ; 36. 12 ; 49. 6; 51. 9; 27. 1. 6 *et* 13 ; 27. 5. 14; 27. 15. 2 (?); 27. 38. 9; 27. 51. 3; 28. 2. 6; 28. 19. 6; 28. 42. 5; 28. 45. 12; 29. 19. 6; 30. 16. 2; 30. 33. 10. *Cf. de* -m *addito adn. praec. et de* -s *perdito* 27. 17. 12 *adn.*   15 pretia (*uel* praet- *uel* praec- *uel* prec-) π : praemia (*uel* pre-) *A*θ*ald. Frob.* 1. 2
17 cum *Madv. Em. p.* 387: et cum Π*θald. Frob.* 1. 2, *cf. c.* 32. 8 *et* 27 4. 12 *adn.*

AB VRBE CONDITA   XXVI 40 17

ac rapinam tolerantes uitam. Hos neque relinquere Laeuinus 18
in insula tum primum noua pace coalescente uelut materiam
nouandis rebus satis tutum ratus est, et Reginis usui futuri
erant ad populandum Bruttium agrum adsuetam latrociniis
quaerentibus manum. Et quod ad Siciliam attinet eo anno
debellatum est.

In Hispania principio ueris P. Scipio nauibus deductis 41
euocatisque edicto Tarraconem sociorum auxiliis classem
onerariasque ostium inde Hiberi fluminis petere iubet.
Eodem legiones ex hibernis conuenire cum iussisset, ipse 2
cum quinque milibus sociorum ab Tarracone profectus ad
exercitum est. Quo cum uenisset adloquendos maxime
ueteres milites qui tantis superfuerunt cladibus ratus, contione aduocata ita disseruit: 'Nemo ante me nouus impera- 3
tor militibus suis priusquam opera eorum usus esset gratias
agere iure ac merito potuit: me uobis priusquam prouinciam 4
aut castra uiderem obligauit fortuna, primum quod ea pietate
erga patrem patruumque meum uiuos mortuosque fuistis,
deinde quod amissam tanta clade prouinciae possessionem 5
integram et populo Romano et successori mihi uirtute uestra
obtinuistis. Sed cum iam benignitate deum id paremus 6
atque agamus non ut ipsi maneamus in Hispania sed ne
Poeni maneant, nec ut pro ripa Hiberi stantes arceamus
transitu hostes sed ut ultro transeamus transferamusque bellum, uereor ne cui uestrum maius id audaciusque consilium 7

---

17 ac (rapinam) $CM^2BD.ald. Frob.$ 1. 2: at P: ad RM 18
Laeuinus (uel leu-) CM^2B(leu-)$DA\theta$ (et sic P in § 1 et § 13): laeui-
(laui- M)anos PRM in $C^4M^2A^1$ uel $A^6ald. Frob.$ 1. 2: om. $\Pi\theta$
nouandis rebus CDA^7 in ras. K: nouam dis rebus (rebus P,
sed rep uel rep RMB)$\pi(A?)J$ debellatum est $\pi A^5 K$(om. est K)
$ald. Frob.$ 1. 2: de-(di- A^1 uel A^6)latum est AJ (om. est J)

41 2 superfuerunt ΠJZ: superfuerant $K.ald. Frob.$ 1. 2
4 uobis $C^4M^2BDA\theta Z$: nouis π meum $CB^2DA\theta Z$: eum PR:
om. M (sed add. eū post uiuos: delet M^2): in eum B 6 paremus $CA^7\theta Z$: parem $PM^2A?$: patrem $RMBD$ sed ut (ultro)
$PC\theta Z Frob.$ 1: sed ui $RMBDA.ald.$ (in M tamen -i pleniore cal. scriptum est, cf. 22. 10. 9; 27. 2. 10 adnn.)

TITI LIVI

quam aut pro memoria cladium nuper acceptarum aut pro
aetate mea uideatur. Aduersae pugnae in Hispania nullius
in animo quam meo minus oblitterari possunt, quippe cui
pater et patruus intra triginta dierum spatium ut aliud super
aliud cumularetur familiae nostrae funus interfecti sunt; sed
ut familiaris paene orbitas ac solitudo frangit animum, ita
publica cum fortuna tum uirtus desperare de summa rerum
prohibet. Ea fato quodam data nobis sors est ut magnis
omnibus bellis uicti uicerimus.

Vetera omitto, Porsennam Gallos Samnites: a Punicis
bellis incipiam. Quot classes, quot duces, quot exercitus
priore bello amissi sunt? Iam quid hoc bello memorem?
Omnibus aut ipse adfui cladibus aut quibus afui, maxime
unus omnium eas sensi. Trebia Trasumennus Cannae quid
aliud sunt quam monumenta occisorum exercituum consu-
lumque Romanorum? Adde defectionem Italiae, Siciliae
maioris partis, Sardiniae; adde ultimum terrorem ac pauorem, castra Punica inter Anienem ac moenia Romana posita
et uisum prope in portis uictorem Hannibalem. In hac
ruina rerum stetit una integra atque immobilis uirtus populi
Romani; haec omnia strata humi erexit ac sustulit. Vos

---

9 Ea *P*, *Gron.*: eo π² *uel* π³θ*Z.ald. Frob.* 1. 2 quodam data *Gron.* (*cf. cc.* 44. 4 *et* 48. 10 *adnn. et Periocham xv* nata *pro* data): quodam nata Π (*sed* quo damn- *R*: quo dampn- *A*): quo donata θ*Z.ald. Frob.* 1. 2: quodam innata *A*⁵ *in marg., non male*: quodam nobis *A*⁴ bellis *C*⁴*M*⁷*BDAθZ*: belli π, *cf.* 27. 17. 12 *adn.* 10 Porsennam Π²*C*⁴ (p se- *C*) θ*Y* (-enam *KZ*), *cf.* 2. 9. 1 *adn.*: porsi|nam *uel* porsin|nam *P* quot (*ter*) *M*⁷*BDAθZ*: quod (*ter*) π
11 quibus afui (aff- *CDJ*: abf- *C*²*A*ˣ*KY*) Πθ*Z*: a quibus afui *Madv.* 1882, *sed cf. e.g. c.* 13. 1; 7. 37. 6. *et fort.* 25. 16. 15 *et Hor. Carm.* 3. 24. 64 Trasumennus, *cf. e.g.* 22. 4. 1: thrasumenus (*sed* thars- *PRM*: taas- *M*²: tras- *AK*: trans- *JZ*) Π (-ennus *D*) θ*Z*
12 defectionem *CM*²*AθZ*: fectionem *MBD*: fectione *PR* (de- *post* -de *om., cf.* 27. 1. 11 *adn.*). *De* -m *perdito cf. Praef.* § 79 *et e.g.* § 15 *infra et cc.* 36. 3 *et* 10; 37. 8; 27. 37. 6; 27. 40. 4; 28. 1. 1; 28. 8. 6; 28. 10. 12; 28. 39. 6; 28. 43. 2 *et* 3; 29. 3. 13; 30. 5. 8 *al. De* -m *addito cf. c.* 40. 11 *adn.* maioris partis] *hic* Πθ*Z.ald.*: *post* Italiae *uoluit Forchhammer, probante olim Madv. Em. p.* 388 in portis *DAθZ*: imporiis *PB*: impertis *P*²?*RM*: imperiis *C* (-ru *C*ˣ)

AB VRBE CONDITA XXVI 41

omnium primi, milites, post Cannensem cladem uadenti Hasdrubali ad Alpes Italiamque, qui si se cum fratre coniunxisset nullum iam nomen esset populi Romani, ductu auspicioque patris mei obstitistis; et hae secundae res illas aduersas sustinuerunt. Nunc benignitate deum omnia secunda prospera in dies laetiora ac meliora in Italia Siciliaque geruntur. In Sicilia Syracusae, Agrigentum captum, pulsi tota insula hostes, receptaque prouincia in dicionem populi Romani est: in Italia Arpi recepti, Capua capta. Iter omne ab urbe Roma trepida fuga emensus Hannibal, in extremum angulum agri Bruttii compulsus nihil iam maius precatur deos quam ut incolumi cedere atque abire ex hostium terra liceat. Quid igitur minus conueniat, milites, quam cum aliae super alias clades cumularentur ac di prope ipsi cum Hannibale starent, uos hic cum parentibus meis—aequentur enim etiam honore nominis—sustinuisse labantem fortunam populi Romani, nunc eosdem quia illic omnia secunda laetaque sunt animis deficere? Nuper quoque quae acciderunt, utinam tam sine meo luctu quam ††.

Nunc di immortales imperii Romani praesides qui

13 esset $C^4B^2A\theta Z$ (*sed* esset nomen K): set P: sed $CRMBD$ mei $A^7\theta Z.ald.$ *Frob.* 1. 2: ei $\Pi(A?)$ 15 dicionem *Aldus*: dicione (*uel* dit-) $\Pi\theta Z$ *Edd. ante Ald.* (dict- K), *cf.* § 12 16 Roma $\Pi ald.$ *Frob.* 1. 2: romana θ 17 parentibus $\pi ald.$ *Frob.* 1. 2: patribus $A\theta Z$ enim π: enim ipsi $A\theta Z.ald.Frob.$ 1. 2 labantem π *Aldus*: labentem $CA\theta Z$ *Edd. ante Ald.* quia . . . sunt $\Pi ald.$ *Frob.* 1. 2: quia . . . sint θZ: cum iam (cū iā) . . . sunt *Madv. Em. p.* 388 (cum . . . sunt *I. H. Voss*), *sed Indicatiuum miramur. Fort.* cum iam . . . sint *legendum, sed credi potest Scipio cum omnia in Italia laeta esse aperte dicat et militum animis deiectis de industria opponat subaudire tantum uoluisse in Hispania minus laeta* 18 quoque quae $\theta Z.ald.$ *Frob.* 1. 2: quoque Π: que (*i.e.* quae) A^x luctu quam ΠN, *qui post has uoces scribunt* armauerat, *omnia ab* nunc di *usque ad* Africa (*c.* 43. 8 *ad fin., u. adn. ad loc.*) *omittentes*: lacunam notauerunt C^4R^x (*manus satis recens*), *et in marg. scripsit* M^x 'q', *quod postea erasit alter qui ipse* p (*i.e. perditum?*) *addidit*: luctum quam uestro (*uel* ūro, *sed* n̄ro V, nostro F) transissent $A^zVW\Theta F$ *Lov. quinque ald. Frob.* 1. 2 (*sed plura hic excidisse liquet*), *post* quae (*sed cum* ΠN *deficiunt* VF *Lov.*1.2.4.5) *praebent cc.* 41. 18–43. 8 (nunc di—Africa) $A^zW\Theta$ *Lov* 3 *Ber. ald. Frob.* 1. 2. *Hunc locum et in* Sp *exstitisse e uerbis Rhenani apparet. Cf.Praef.* § 88 di, *cf. c.* 30. 9 *et* 28. 28. 11 *adn.*: dii $A^z\Theta ald.$ *Frob.*

centuriis omnibus ut mihi imperium iuberent dari fuere auctores, iidem auguriis auspiciisque et per nocturnos etiam
19 uisus omnia laeta ac prospera portendunt. Animus quoque meus, maximus mihi ad hoc tempus uates, praesagit nostram Hispaniam esse, breui extorre hinc omne Punicum nomen
20 maria terrasque foeda fuga impleturum. Quod mens sua sponte diuinat, idem subicit ratio haud fallax. Vexati ab iis socii nostram fidem per legatos implorant. Tres duces discordantes prope ut defecerint alii ab aliis, trifariam
21 exercitum in diuersissimas regiones distraxere. Eadem in illos ingruit fortuna quae nuper nos adflixit; nam et deseruntur ab sociis, ut prius ab Celtiberis nos, et diduxere
22 exercitus quae patri patruoque meo causa exitii fuit; nec discordia intestina coire eos in unum sinet neque singuli nobis resistere poterunt. Vos modo, milites, fauete nomini Scipionum, suboli imperatorum uestrorum uelut accisis
23 recrescenti stirpibus. Agite, ueteres milites, nouum exercitum nouumque ducem traducite Hiberum, traducite in terras
24 cum multis fortibus factis saepe a uobis peragratas. Breui faciam ut, quemadmodum nunc noscitatis in me patris patrui-
25 que similitudinem oris uoltusque et lineamenta corporis, ita

18 dari $A^z\Theta ald.$ *Frob.* 1. 2 : *seclusit Duker, non male* auspiciisque et *Sp* (*hinc denuo a Rhen. citatus, cf. c.* 31. 2 *adn.*) A^z *Frob.* 2 : auspiciis ac (*uel* et) $\theta XZ.ald.$: et auspiciis et Y uisus $A^z\theta XZ$ *ald. Frob.* 1. 2 : *om.* Y 19 extorre Sp? $A^z\theta Z$ *Frob.* 2 : extorrem Y: ex tempore X: tempore *Lov.* 3 *ald.* 20 iis $KZ.ald.$ *Frob.* 1. 2 : his A^zY: hiis JX nostram $K.ald.$ *Frob.* 1. 2 : nostramque $A^zJXYZ,$ *cf. c.* 11. 12 *adn.* (*a*) : opem nostramque A^5 discordantes (-cer- X : -cor- X^1) A^zJXYZ: discrepantes $K.ald.$ *Frob.* 1. 2, *quod uix sic a Liuio usurpatur* exercitum Sp *Frob.* 2 : exercitus $\Theta ald.$ (exercit' A^z), *cf.* 27. 17 1 *adn.* 21 illos *Frob.* 2 : uiros $A^z\Theta ald.$: eos *Ber.* nos (adfl.) $A^zKXYZ.ald.Frob.$ 1.2 : uos $J,$ *cf.* § 22 *infra et c.* 43. 5 ab (*bis*) $A^z\theta XY.ald.$ *Frob.* 1. 2 : a (*bis*) Z et (*om.* et Y) diduxere $A^zJXY.ald.$ *Frob.* 1. 2 : et (*om.* et K) deduxere KX^2Z 22 fauete $A^zKZ.ald.$ *Frob.* 1. 2 : fauere JXY suboli *Frob.* 2 : soboli $A^z\Theta ald.$ uestrorum $A^zK.ald.$ *Frob.* 1. 2 : nostrorum (*sed ante* imp. X) $JXYZ,$ *cf.* § 21 (nos) 23 peragratas $A^zJXY.ald.$ *Frob.* 1. 2 : agitatas K : peragratis Z

AB VRBE CONDITA   XXVI 41 25

ingenii fidei uirtutisque effigiem uobis reddam ut reuixisse aut renatum sibi quisque Scipionem imperatorem dicat.'

Hac oratione accensis militum animis relicto ad praesidium regionis eius M. Silano cum tribus milibus peditum et trecentis equitibus ceteras omnes copias—erant autem uiginti quinque milia peditum, duo milia quingenti equites —Hiberum traiecit. Ibi quibusdam suadentibus ut quoniam in tres tam diuersas regiones discessissent Punici exercitus, proximum adgrederetur, periculum esse ratus ne eo facto in unum omnes contraheret nec par esset unus tot exercitibus, Carthaginem Nouam interim oppugnare statuit urbem cum ipsam opulentam suis opibus tum hostium omni bellico apparatu plenam—ibi arma, ibi pecunia, ibi totius Hispaniae obsides erant—sitam praeterea cum opportune ad traiciendum in Africam tum super portum satis amplum quantaeuis classi et nescio an unum in Hispaniae ora qua nostro adiacet mari.

Nemo omnium quo iretur sciebat praeter C. Laelium. Is classe circummissus ita moderari cursum nauium iussus erat ut eodem tempore Scipio ab terra exercitum ostenderet et classis portum intraret. Septimo die ab Hibero Carthaginem uentum est simul terra marique. Castra ab regione urbis

---

25 effigiem *Hertz, recte* exemplum *ut gloss. secludens. cf.* 27. 34. 5 *adn.*: exemplum effigiem $A^z\Theta$: exemplum ac effigiem *ald. Frob.* 1. 2 : exemplum expressam ad effigiem *Curio* 1549

42 1 trecentis $A^z\Theta ald.$ *Frob.* 1. 2 : quingentis *Sigonius ex Polyb.* 10. 6. 7. *fort. recte*   2 in tres (*uel* treis *uel* tris) $A^zKZ.ald.$ *Frob.* 1. 2 : in t'ris (*i.e.* terris) J : ĭn trēs X : intus Y esset unus A^v *uel* $A^b\theta XY$: unus esset A^zZ 3 cum (ipsam) *Frob.* 2 : tum $A^z\Theta$ (*quorum X uidetur dubitasse, cui* tamen *attribuit Luchs*) *ald., cf. adn. sq. et c.* 43. 7   4 cum (opportune) *Frob.* 2 : tum $A^z\Theta ald., cf. sup.* an unum *Sp Frob.* 2 : an num (*uel* annum) $A^z\Theta$ *Edd. principes*: an omnium A^6 : an unam *ed. Par.* 1513 *ald.*   in Hispaniae ora *Sp Frob.* 2 : hispaniae oram $A^zK.ald.$: in hispaniae oram $JXYZ$ qua *Sp K Frob.* 2 : quam A^zJXYZ : quae A^v *ut s. l. ald.* 5 Scipio ab terra *Sp* A^z *Frob.* 2 : *om.* Θ *Lov.* 3 *Ber. ald.*   exercitum *Sp* A^z *Frob.* 2 : exercitus $A^x\Theta$ *dett. ald., cf. c.* 41. 20 *adn.* ostenderet *Sp ut uid.* $A^zJXYZ.ald.$ *Frob.* 1. 2 : se ostenderet K et $A^z\Theta ald.$: *om. Sp? Frob.* 2   6 Hibero (*uel* ib-) $A^zK.ald.$ *Frob.* 1. 2 : hi (hy-) JZ) ero $JXYZ$

qua in septentrionem uersa est posita; his ab tergo—nam
7 frons natura tuta erat—uallum obiectum. Etenim sita Carthago sic est. Sinus est maris media fere Hispaniae ora, maxime Africo uento oppositus, ⟨ad duo milia⟩ et quingentos passus introrsus retractus, paululo plus passuum ⟨mille et
8 ducentos⟩ in latitudinem patens. Huius in ostio sinus parua insula obiecta ab alto portum ab omnibus uentis praeterquam Africo tutum facit. Ab intimo sinu paeneinsula excurrit, tumulus is ipse in quo condita urbs est, ab ortu solis et a meridie cincta mari: ab occasu stagnum claudit paulum etiam ad septentrionem fusum, incertae altitudinis utcumque
9 exaestuat aut deficit mare. Continenti urbem iugum ducentos fere et quinquaginta passus patens coniungit. Vnde cum tam parui operis munitio esset, non obiecit uallum imperator Romanus, seu fiduciam hosti superbe ostentans siue
43 ut subeunti saepe ad moenia urbis recursus pateret. Cetera quae munienda erant cum perfecisset, naues etiam in portu uelut maritimam quoque ostentans obsidionem instruxit; circumuectusque classem cum monuisset praefectos nauium ut uigilias nocturnas intenti seruarent, omnia ubique primo
2 obsessum hostem conari, regressus in castra ut consilii sui

6 uallum obiectum *Rhen. Frob.* 2: nullum obiectum *Sp*: nullum uallum obiectum (*uel* n. o. u. *uel* o. n. u.; *de uariatione ordinis dittographiam indicante cf.* 27. 34. 3 *adn.*) $A^z\Theta ald.$: duplex (duplum *Gron.*) uallum obiectum *Gron. et Schelius ex Polyb.* 10. 9 7, *optime sed uix necess.* 7 Etenim *Sp? A^z Frob.* 2: ceterum $\Theta ald.$ ad duo milia *Sigonius ex Polyb.* 10. 10. 1: *ignorant* $A^z\Theta ald.$ *Frob.* 1. 2 (*om. et Edd.*), *cf. inf. et* 29. 28. 10 *adn.* paululo *Sp? Frob.* 2, *cf.* 8. 39. 3 *adn.*: paulo $A^z\Theta ald.$ mille et ducentos *Madv.* (*cf. Polyb. l. c.*): *om.* $A^z\Theta ald.$ *Frob.* 1. 2 (*cf.* 29. 28. 10 *adn.*) *sed ab* A^z *spat. xii uel xiii litt., ab YZ spat. vi uel vii litt. relictum est* latitudinem $A^z X$ *ald. Frob.* 1. 2: latitudine Z: altitudine θY: K *et* X *falso citat Luchs* 8 tutum] *hic ald. Frob.* 1. 2: *post* portum *Ber.*: *om.* $A^z\Theta$ paeneinsula (*uel* pen-) $A^z\Theta$: paeninsula (*uel* pen-) $A^6 ald.$ *Frob.* 1. 2 paulum *Sp? Frob.* 2: patulum $A^z\Theta ald.$ aut deficit *Sp? A^z Frob.* 2: *om.* $\Theta ald.$ 9 urbem $\Theta ald.$ *Frob.* 1. 2: urbe A^z *post* ostentans *om.* X *omnia ab siue ut ad* ostentans (*c.* 43. 1)
43 1 classem *Sp $A^z J$ Frob.* 2: classe $A^5?KXYZ.ald.$ intenti *Sp Frob.* 2: interim $A^z\Theta ald.$

AB VRBE CONDITA XXVI 43

rationem quod ab urbe potissimum oppugnanda bellum orsus esset militibus ostenderet et spem potiundae cohortando faceret, contione aduocata ita disseruit:

'Ad urbem unam oppugnandam si quis uos adductos 3 credit, is magis operis uestri quam emolumenti rationem exactam, milites, habet ; oppugnabitis enim uere moenia unius urbis, sed in una urbe uniuersam ceperitis Hispaniam. Hic 4 sunt obsides omnium nobilium regum populorumque, qui simul in potestate uestra erunt, extemplo omnia quae nunc sub Carthaginiensibus sunt in dicionem tradent ; hic pecunia 5 omnis hostium, sine qua neque illi gerere bellum possunt, quippe qui mercennarios exercitus alant, et quae nobis maximo usui ad conciliandos animos barbarorum erit; hic tor- 6 menta arma omnis apparatus belli est, qui simul et uos instruet et hostes nudabit. Potiemur praeterea cum pulcherrima opu- 7 lentissimaque urbe tum opportunissima portu egregio unde terra marique quae belli usus poscunt suppeditentur ; quae cum magna ipsi habebimus tum dempserimus hostibus multo maiora. Haec illis arx, hoc horreum aerarium armamenta- 8 rium, hoc omnium rerum receptaculum est ; huc rectus ex

2 ab urbe—oppugnanda *Sp? Frob.* 2 : ad urbem—oppugnandam A^z Θ*ald.* bellum *Sp? A^zΘ Frob.* 2: bello *ald.* cohortando *Sp? Frob.* 2 : hortando (*uel* ort-) $A^z\theta XY$: urbis hortando Z 3 credit $A^z\theta XY^2Z.ald. Frob.$ 1. 2 : querit Y : queritur A^5? *ut s. l. in marg.* uestri $A^z\theta YZ.ald. Frob.$ 1. 2 : nostri X, *cf. c.* 41. 21 *adn. et* § 5 *infra* exactam $A^z JXYZ.ald. Frob.$ 1. 2 : *om.* K : exactam urbem W
4 dicionem (*uel* dit- *uel* dict-) *Sp A^zΘ Frob.* 2 : dicionem nostram *ald.* : dicionem populi Romani *Weissenb.*, *sed praecedente uoce* uestra *aliena ab hac oratione uel uox* nostram *uel populi R. mentio* 5 nobis *ald. Frob.* 1. 2 : uobis A^zΘ (*cf.* § 3), *quod retinere malit Johnson, Scipionis esse ratus rem ita depingere militibus uelut si ipsi distributuri essent dona*
6 arma A^zΘ(*sed in Z* arma omnis *bis scripto, tum expuncto*)*ald.* : armamenta arma *Sp?* : arma armamenta *Frob.* 2 et uos *Sp? A^z Frob.* 2 : uos $\theta XZ.ald.$: *om.* Y nudabit] *post lemma illud quod in hanc uocem exit scripsit Rhenanus* 'Et hic deerat pagina aut amplius in exemplari manu scripto', *nec rursus ex codice Sp lectiones citat ante c.* 46. 2 intentis omnibus. (*Cf. Praef.* § 88)
7 cum (pulcherrima) $A^z JX.ald. Frob.$ 1. 2 : tum KY^2 *uel* Y^1Z, *cf. c.* 42. 3 : *om.* Y 8 huc (rectus) *Aldus Frob.* 1. 2 : hoc A^z : hic A^5Θ : hinc *Edd. ante Ald.*

XXVI 43 8   TITI LIVI

Africa cursus est ; haec una inter Pyrenaeum et Gades statio ; hinc omni Hispaniae imminet Africa.††

44 †† armauerat. Cum terra marique instrui oppugnationem
2 uideret et ipse copias ita disponit. Oppidanorum duo milia ab ea parte qua castra Romana erant opponit: quingentis militibus arcem insidit, quingentos tumulo urbis in orientem uerso imponit: multitudinem aliam quo clamor, quo subita
3 uocasset res intentam ad omnia occurrere iubet. Patefacta deinde porta eos quos in uia ferente ad castra hostium instruxerat emittit. Romani duce ipso praecipiente parumper cessere, ut propiores subsidiis in certamine ipso sum-
4 mittendis essent. Et primo haud impares stetere acies;

8 omni Hispaniae ... Africa A^z *Gron.* : omnis hispaniae (*uel* -ie) ... africa (*uel* affr-) Θ : omnis hispania ... Africae *ald. Frob.* 1. 2 *Post* imminet Africa (*sed post* luctu quam nostro transissent $VF, u. c.$ 41. 18 *adn.*) *et ante* Cum terra (*c.* 44. 1) *praebent cum minutis uariationibus hoc supplementum* A^z (*ubi minor quidem scriptura sed eadem manus est*) $VW\ThetaF.ald.$, *Frob.* 1. 2 :—sed quoniam (quidem F) uos (nos J : *om.* Y) instructos et ordinatos cognosco, ad Carthaginem nouam oppugnandam totis uiribus et bono animo transeamus. Cumque omnes una uoce hoc faciendum (hoc f. una u. K) succlamarent (-assent YF) eos Cartaginem duxit. Tunc (tum $X.ald.$) terra marique eam oppugnari iubet. Contra Mago dux Poenorum (*uel* pen-) : *haec omnia ut spuria deleuit Heerwagen, recte*: *lacunam hic esse negat H. Bernhardt et pro* armauerat (*u. adn. sq.*) *praebet* Mago (Mago *illud supra delens*) : *sed ut alia taceamus* (*cf. Praef.* § 89) *et deficiunt haec in* Π *et in Sp* (*u.* § 6 *adn.*) *defecerunt*

44 1 armauerat Π, *quod post* luctu quam (*uide c.* 41. 18 *adn.*) *sine interuallo scribunt* (*post quae spatium iv litt. reliquit* P, *et* Cum insequens capitali littera scribunt *RMD*): *del.* A^x : *ignorant* $V\Theta F.ald.$ *Frob.* 1. 2   disponit Π*JZ.ald.* : disposuit KY 2 insidit *Madv. Em. p.* 389: insedit Πθ*ald.*, *uix recte hic Perfectum praebentes. Quod autem ad* insĭdēre *attinet cf.* 3. 50. 13, *quod ad* insĭdēʀe *sensu transitiuo cf.* 21. 54. 3 (*cum adn.*). *Hos duos tantum locos apud Liuium adhuc repperimus ubi formae eae occurrunt quas non ad utramque partem referre liceat*   imponit Π*JZ.ald. Frob.* 1. 2 : opponit K : imposuit Y quo subita uocasset π (*sed* qua *pro* quo *ante* clamor M) *Gron.* : quos ubi auocasset BDA : quo uis (quo subita uis *ald.*) aduocasset $A^6\theta ald.$ res intentam PC^4 (rem C) *Gron.* : resistentam (res sist- B) RMB (-tem $DA\theta$ *Edd. ante Gron.*)   3 emittit *Weissenb.* : mittit Πθ*ald.*, *uix recte, quamquam cf. e.g. Verg. Aen.* 7. 7[15]   summittendis $P, u.$ § 4 *adn.*   4 impares (stetere) CM^2, *Duker*: impare PR : impar $R^2 MB^2 D$ (impar te B, *qui inde spat. iv l:tt. reliquit ante* acies, *mox in* impar stetere *uertit* B^2) : impari $A\theta ald.$, *qui* acie (*cum* D : acies π) *praebent*

AB VRBE CONDITA XXVI 44

subsidia deinde identidem summissa e castris non auerterunt solum in fugam hostes, sed adeo effusis institerunt ut nisi receptui cecinisset permixti fugientibus inrupturi fuisse in urbem uiderentur.

Trepidatio uero non in proelio maior quam tota urbe fuit; multae stationes pauore atque fuga desertae sunt relictique muri cum qua cuique erat proximum desiluissent. Quod ubi egressus Scipio in tumulum quem Mercuri uocant animaduertit multis partibus nudata defensoribus moenia esse, omnes e castris excitos ire ad oppugnandam urbem et ferre scalas iubet. Ipse trium prae se iuuenum ualidorum scutis oppositis—ingens enim iam uis omnis generis telorum e muris uolabat—ad urbem succedit; hortatur imperat quae in rem sunt, quodque plurimum ad accendendos militum animos intereat, testis spectatorque uirtutis atque ignauiae cuiusque adest. Itaque in uolnera ac tela ruunt; neque illos muri neque superstantes armati arcere queunt quin

---

4 summissa (subm- M^2) e $PM^2ald.$: summissae (subm- MB) CR $MBA?$: summissa $C^4A^7\vartheta$. *De* subm- *et* summ- *cf. in prima Decade* 3. 48. 3; 3. 67. 11 *adnn.*; *cui adde* 2. 7. 7; 2. 59. 3; 2. 60. 5; 3. 45. 6; *ubi consensus optimorum codicum tantus erat ut contra Buckium* (*Latin Grammar, p.* 25) subm- *scripserimus.* Summ- *tamen fere constanter praebet Puteanus, cf. e.g.* § 3 *supra*; 25. 3. 16; 27. 31. 6; 28. 27. 15; 29. 2. 3. *His et pluribus aliis locis freti in hoc tomo* summ- *semper scribimus*   cecinisset π^1 *uel* π^2K : cecidissent (cecin- CJ) PCJ, *cf. c.* 41. 9 *et* 27. 17. 4 *adnn.*   5 in PC *Gron.* : *om.* $RMBDA\theta$ *Edd. ante Gron.*   fuga desertae *Gron.* : loca (*sed* oga P: loga P^1 *uel* P^2, *cui perperam* loca *attribuit Luchs*) desertae π^1 *uel* π^2 : loca deserta $A\theta$ *Edd. ante Gron.*   relictique muri $CM^4BDA\theta ald.$: relicti quem uiri PRM 6 ubi egressus *Salmasius* : obuereessus P: obueressus P^1 *uel* P^2R : obueressus (*sed* -su $C?MDA?$ *ita ut* ob uere suscipio *aedificent MD*) $C?R^xMBDA?$: obuersus (-sis J) C^4 *uel* C^5 θ (*et Edd. ante Ald., sed quod ubi Sc. in t. obu.*): congressus (*om.* quod) A^4 *in ras.* : ubi uidet J^1 *ut s. l. in marg.* : ubi uersus *Aldus Frob.* 1. 2   Mercuri (*sed* -rii) *Rubenius* : mercurium $\Pi\theta$: Mercurium Teutatem *ald. Frob.* 1. 2   uocant animaduertit C^4 *Salmasius* (uocant adu- $A^v?$): cantanti (*sed* cantāi, *i.e.* cantanimi $C?$: cantant $A\theta$) aduertit $\Pi\theta$ (au- J): appellant aduertit *ald. Frob.* 1. 2

8 quodque *Vat Pal.* 2 *ald. Frob.* 1. 2: quod $\Pi K, cf. c.$ 11. 12 *adn.* (c) : q3 J 9 uolnera (*uel* uul-) $CM^2BDA\theta ald.$: uulnerata PRM

10 certatim adscendant. Et ab nauibus eodem tempore ea quae mari adluitur pars urbis oppugnari coepta est. Ceterum 11 tumultus inde maior quam uis adhiberi poterat. Dum applicant, dum raptim exponunt scalas militesque dum qua cuique proximum est in terram euadere properant, ipsa festinatione et certamine alii alios impediunt.

45 Inter haec repleuerat iam Poenus armatis muros, et uis 2 magna ex ingenti copia congesta telorum suppeditabat; sed neque uiri nec tela nec quicquam aliud aeque quam moenia ipsa sese defendebant. Rarae enim scalae altitudini aequari poterant, et quo quaeque altiores, eo infirmiores erant. 3 Itaque cum summus quisque euadere non posset, subirent tamen alii, onere ipso frangebantur. Quidam stantibus scalis cum altitudo caliginem oculis offudisset, ad terram 4 delati sunt. Et cum passim homines scalaeque ruerent et ipso successu audacia atque alacritas hostium cresceret, sig-5 num receptui datum est; quod spem non praesentis modo ab tanto certamine ac labore quietis obsessis, sed etiam in posterum dedit scalis et corona capi urbem non posse: opera et difficilia esse et tempus datura ad ferendam opem imperatoribus suis.

6 Vix prior tumultus conticuerat cum Scipio ab defessis iam uolneratisque recentes integrosque alios accipere scalas 7 iubet et ui maiore adgredi urbem. Ipse ut ei nuntiatum est aestum decedere, quod per piscatores Tarraconenses, nunc

9 adscendant (*uel* asc-) $M^2A^7\theta ald$. *Frob.* 1. 2: ascendunt Π: accedant C^4 10 adhiberi *Gron.*: hiberi π: haberi $A\theta$: uideri *Edd. ante Gron.*   11 raptim *Crevier*: partim Πθ*ald. Frob.* 1. 2, *cf.* 23. 36. 6; 29. 28. 9 *adnn.*   alii M^1 *uel* $M^2A^7\theta ald. Frob.* 1. 2: alia Π
45 1 ex ingenti *Gron.*: et ingenti Π: et ingens A^6?$\theta ald. Frob.* 1. 2 copia $CM^2A\theta$: conia π   suppeditabat $A\theta ald.$: suppedabat (*uel* subp-) π (suppe|dabat *P*), *cf.* 27. 1. 11 *adn*.   2 tela $C^4M^2 A\theta ald.$: teli π   ipsa sese π*ald.*: ipse (ipsa C^4 *uel* C^3) se C: esse (ex se K) ipsa sese θ erant $CM^2BDA\theta$: erunt *PRM*
3 alii *P(an alit?)K*: alie π^2J: aliẹ (*uel* -iae) *CMB*   offudisset π*ald.*: effudisset $C\theta$ 5 corona (ch- *RM*) π$M^2ald. Frob.* 1. 2: conatu θ datura *K, ed. Par.* 1513 *et Frob.* 1: daturum Π*J Edd. principes et ald.*: datum iri *Weissenb.*   6 et ui $\theta ald. Frob.* 1. 2: ui Π (*sc.* et *post* -et *omissum*)

AB VRBE CONDITA XXVI 45

leuibus cumbis, nunc ubi eae siderent uadis peruagatos stagnum, compertum habebat facilem pedibus ad murum transitum dari, eo secum armatos quingentos duxit. Medium 8 ferme diei erat, et ad id, quod sua sponte cedente in mare aestu trahebatur aqua, acer etiam septentrio ortus inclinatum stagnum eodem quo aestus ferebat et adeo nudauerat uada ut alibi umbilico tenus aqua esset, alibi genua uix superaret. Hoc cura ac ratione compertum in prodigium ac deos 9 uertens Scipio qui ad transitum Romanis mare uerterent et stagna auferrent uiasque ante nunquam initas humano uestigio aperirent, Neptunum iubebat ducem itineris sequi ac medio stagno euadere ad moenia.

Ab terra ingens labor succedentibus erat; nec altitudine **46** tantum moenium impediebantur, sed quod † euntes † ad ancipites utrimque ictus subiectos habebant Romanos, ut latera infestiora subeuntibus quam aduersa corpora essent. At parte † in alia quingentis et per stagnum facilis transitus 2 et in murum adscensus inde fuit; nam neque opere emunitus erat ut ubi ipsius loci ac stagni praesidio satis creditum

7 eae A^1 *uel* $A.ald.$ *Frob.* 1. 2: ea πθ   uadis A^1 *ipse* (*ut uid.*) *in ras. ald.*: uagis $\Pi(A?)J$: mag' K pedibus πald.: *om.* $A\theta$
eo secum *Gron.*: eos eum P: eos $\Pi^2\theta$: eo M^2 *dett. ald. Frob.*
1. 2   quingentos (*i.e.* d.) *hic post* armatos *add. Weissenb., post* eo *Crevier ex c.* 46. 2 (.d. *illud facilius ante* duxit *omitti poterat*): *ignorant* Πθ*ald., cf. e.g. c.* 38. 11 *et* 29. 28. 10 *adnn.*   8 aestu C^4M^2 *uel* $M^7A^7\theta ald.$: aestut P: est ut $C?RMDA?$: estus B alibi (umbilico) Π^2 *uel* $\Pi^1\theta$: libi P 9 uerterent Πθ: auerterent *Luchs dubitanter*   stagna (auf-) πald.: stagnum $A\theta$: stagno *Gron., quod* '*optimis*' *attribuit*

46 1 quod euntes (*uel* -tis) Πθ*ald. Frob.* 1. 2: coeuntis N: *castigabat locum Gron.* (*i*) et tuentes, (*ii*) quod adeuntes, (*iii*) et cuneis *temptando*: *alii alia post* quod *add., e.g.* superstantes *Doering,* defendentes *Weissenb.* (*om.* quod), e turribus pugnantes *M. Mueller,* iacientes *Friedersdorff,* hostes *Luchs* 1879 *qui postea* (1889) tuentes (*post* quod) *dubitanter accepit. Cum et nominatiuus et uerbum magis proprium desiderentur,* quod ⟨defensores adgred-⟩ ientes (*i.e.* -tis) *conicio duas lineas in archetypo in* -d *exiisse ratus et cum* d- *coepisse alterutram* (-diebantur sed quod | defensores adgred-), *cf. c.* 6. 16 *adn.*
2 parte in alia Π*N.ald. Frob.* 1. 2: parte in aliam $A^7\theta$ (hac *pro* at *praebentes*): in *suspicatur recte Weissenb.*: *si quid mutandum, fort.* parte marina *scribendum*; *utique* in *deletum uelim*

foret, nec ulla armatorum statio aut custodia opposita intentis omnibus ad opem eo ferendam unde periculum ostendebatur.

3 Vbi urbem sine certamine intrauere, pergunt inde quanto maximo cursu poterant ad eam portam circa quam omne 4 contractum certamen erat; in quod adeo intenti omnium non animi solum fuere sed etiam oculi auresque pugnantium 5 spectantiumque et adhortantium pugnantes ut nemo ante ab tergo senserit captam urbem quam tela in auersos inci- 6 derint et utrimque ancipitem hostem habebant. Tunc turbatis defensoribus metu et moenia capta et porta intus forisque pariter refringi coepta; et mox caedendo confectis ac distractis ne iter impediretur foribus armati impetum 7 fecerunt. Magna multitudo et muros transcendebat; sed hi passim ad caedem oppidanorum uersi; illa quae portam ingressa erat iusta acies cum ducibus, cum ordinibus media 8 urbe usque in forum processit. Inde cum duobus itineribus fugientes uideret hostes, alios ad tumulum in orientem

2 intentis omnibus ad opem] *hinc lectiones ex codice Sp denuo citare incipit Rhenanus, cf. c.* 43. 6 *adn.* eo ferendam *Sp?N⁴ Frob.* 2: offerendam π: ferendam *MBAN*θ*ald.* 4 fuere Π*N.ald.*: erant θ: fuerant *Frob.* 2 et (adhortantium) *A⁷*θ*ald. Frob.* 1. 2: *om.* Π*N, fort. recte, cf. c.* 47. 7 *infra et* 22. 29. 11 *et* 27. 16. 6 *adnn., sed et retinemus ut fort. ex Sp ortum (et cf. c.* 11. 12 *adn. (c) et* § 5 *infra*) 5 ante ab (*sed* a) tergo senserit *Sp? Frob.* 2: ab tergo ante (an *P*: ante *P*²) sentiret π: sentiret ante ab (*uel* a) tergo *AN*θ*ald., cf. c.* 5. 17 *adn. Ideo fort. errauit P quod uocem* ante *in exemplari suo omissam (cf.* 27. 43. 3) *et inter lineas additam male tanquam* an ti *intellexit, unde* an senti- *pro* ante senser- *scripsit* auersos *ald. Frob.* 1. 2: aduersos (-sus *M*: -sos *M*²) Π*N*θ et (utrimque) *Sp Frob.* 2: *om.* Π*N*θ*ald., cf.* § 4 *et c.* 11. 12 *adn. (c)* 6 turbatis *CM²B²A⁷*θ*ald. Frob.* 1. 2: uerbatis π: uerberatis *A?N* coepta (*uel* cep-) Π*N*θ*ald.*: coepit *Sp? Frob.* 2 confectis Π*N*θ*ald.*: confractis *N⁴ ut s. l. Frob.* 2 (*om. hic ac* distractis) impediretur *AN*θ*ald. Frob.* 1. 2: impediret (-ent *M*²) π foribus *M¹B²DAN*θ (*sed post* distractis *K*) *ald. Frob.* 1. 2: fortibus π 7 hi (*sed* hii) passim *Frob.* 2: ipassim *P, ubi supra* i- *illud add.* •|• *P¹ uel P² aut ut aliquid inseratur aut siglum ad uoces separandas adhibens*: ii passim *CR²?*: ipsas sim *R et R^xM*: ipsi (ipsa *N*) passim *BDAN*θ*ald.*
usque in *N⁴*: in π*N*θ*ald. Frob.* 1. 2 (*sc. post* urbe *om.* usque *P*): *om. M*

AB VRBE CONDITA XXVI 46 8

uersum qui tenebatur quingentorum militum praesidio, alios in arcem in quam et ipse Mago cum omnibus fere armatis qui muris pulsi fuerant refugerat, partem copiarum ad tumulum expugnandum mittit, partem ipse ad arcem ducit. Et 9 tumulus primo impetu est captus, et Mago arcem conatus defendere, cum omnia hostium plena uideret neque spem ullam esse, se arcemque et praesidium dedidit. Quoad 10 dedita arx est, caedes tota urbe passim factae nec ulli puberum qui obuius fuit parcebatur: tum signo dato caedibus finis factus, ad praedam uictores uersi, quae ingens omnis generis fuit.

Liberorum capitum uirile secus ad decem milia capta; 47 inde qui ciues Nouae Carthaginis erant dimisit urbemque et sua omnia quae reliqua eis bellum fecerat restituit. Opifices 2 ad duo milia hominum erant; eos publicos fore populi Romani edixit, cum spe propinqua libertatis si ad ministeria belli enixe operam nauassent. Ceteram multitudinem in- 3 colarum iuuenum ac ualidorum seruorum in classem ad supplementum remigum dedit; et auxerat nauibus octo captiuis classem. Extra hanc multitudinem Hispanorum 4 obsides erant, quorum perinde ac si sociorum liberi essent cura habita. Captus et apparatus ingens belli; catapultae 5 maximae formae centum uiginti, minores ducentae octoginta

---

8 militum $C^4M^2AN\theta$: milium π alios in arcem $A^v\theta ald.$ *Frob.* 1. 2 : alios ΠN: alios qui in arcem N^4 partem (copiarum) $C^4M^2A^x\theta ald.$ *Frob.* 1. 2 : partim (-tum M) ΠN, *quod Liuium ipsum scripsisse negare noluerimus*   partem (ipse) $C^4A^7ald.$: partim Π, *u. supra* : *om. Sp*θ *Frob.* 2, *fort. recte* (*de* ducit *intransitiuo cf. e.g.* 22. 18. 6)   9 plena $\pi^2N\theta$: plera P : plebs R^1M : ples R spem ullam A^7N^G (*in ras., fort.* N^4 *ut saepe rescribens*) $\theta ald.$ *Frob.* 1. 2 : se multam $\Pi(A?)N?$ se $PA^7N^4\theta ald$ *Frob.* 1. 2 : *om.* Π^2N (*u. adn. praec.*)   10 fuit (parcebatur) $\Pi N\theta ald.$ *Frob.* 1. 2 : fuisset *Siesbyaeus*   caedibus $CM^2BDAN\theta ald.$ *Frob.* 1. 2 : aedibus PRM

47 1 uirile secus PRN^4 *ut s.l., cf. e.g.* 31. 44. 4 : uirile (-ae D) sexus CR^3MBDAN : uirilis sexus $M^2A^x\theta ald.$ *Frob.* 1. 2 *ut* P (*sed* -les) *c.* 34. 5   3 octo $\Pi N\theta ald.$ *Frob.* 1. 2 : XVIII *Sigonius ex Polyb.* 10. 17. 13, *fort. recte*   5 formae πSp *Frob.* 2 : ferme (-mϱ B^2) $CB^2D AN\theta ald.$

6 una; ballistae maiores uiginti tres, minores quinquaginta duae; scorpionum maiorum minorumque et armorum telorumque ingens numerus; signa militaria septuaginta quat-
7 tuor. Et auri argenti relata ad imperatorem magna uis: paterae aureae fuerunt ducentae septuaginta sex, librales ferme omnes pondo; argenti infecti signatique decem et octo milia et trecenta pondo, uasorum argenteorum magnus
8 numerus; haec omnia C. Flaminio quaestori appensa adnumerataque sunt; tritici quadringenta milia modium, hordei
9 ducenta septuaginta. Naues onerariae sexaginta tres in portu expugnatae captaeque, quaedam cum suis oneribus, frumento, armis, aere praeterea ferroque et linteis et sparto
10 et nauali alia materia ad classem aedificandam, ut minimum omnium inter tantas opes belli captas Carthago ipsa fuerit.

48 Eo die Scipio C. Laelio cum sociis naualibus urbem cus-
2 todire iusso ipse in castra legiones reduxit fessosque milites omnibus uno die belli operibus, quippe qui et acie dimicassent et capienda urbe tantum laboris periculique adissent et capta cum iis qui in arcem confugerant iniquo etiam loco
3 pugnassent, curare corpora iussit. Postero die militibus naualibusque sociis conuocatis primum dis immortalibus

---

6 maiorum $A^7\theta ald$. Frob. 1. 2 : *om.* ΠN, *cf.* § 9 *et c.* 11. 12 *adn.* (*b*)
7 argenti π, *cf. c.* 36. 11 *supra* (*et u. sis* 27. 16. 6 *adn.*): argentique $M^2 AN\theta ald$. Frob. 1. 2   librales $Sp?A^6\theta$ Frob. 2 : libras π, *cf.* 27. 1. 11 *adn.* : librae (*uel* -re) $AN.ald.$, *cf.* 3. 29. 3 ; 4. 20. 4 *ubi tamen Singularis*; *si quis* librales *hic unice apud Liuium occurrere queritur, notato* cubitalis *in* 24. 34. 9. *Cf. etiam c.* 36. 6 *adn.*
infecti *Gron.*: facti (-te AN *qui et* signate *praebent*: signati A^6) $\Pi\theta ald$. Frob. 1. 2 ; *cf. de in omisso c.* 13. 7 *adn.*   8 quadringenta PRB^2D: quadraginta (*uel* xl) $CMBAN\theta ald$. Frob. 1. 2   9 Naues Sp *ut uid.*, Frob. 2 : ad naues π : at naues M^2 (*si sic uoluit*) $BDAN\theta ald$.: ac naues *dett. plerique*   captaeque $A^7 N^6$ *in ras.* θald. Frob. 1. 2: que $\pi (A?N?)$, *cf.* § 6 *et c.* 11. 12 *adn.* (*b*) : *om.* $M^2 DA^x?N^x?$
nauali alia (alia A) $\Pi^2 N^6$ (*ubi* -li *in ras. v litt. est*) θald. *et in* Frob. 2 *retentum*: naualiali | alia P *et sic* R^x *et fort.* N: naualia Sp, *unde* nauali *Rhen.*   10 belli captas $Sp?$ N^2 *ab* N^6 *in ras. rescriptus*, Frob. 2 : belli castas P: bellicas $\Pi^2 N?\theta ald$.
48 2 operibus $\Pi N.ald.$: operis $Sp\theta$, Frob. 2, *sed de* -is *pro* -ib. *cf.* 22. 21. 4 *et* 27. 2. 8 *adnn.*   et capta ... pugnassent] *omnia om.* N, *add. in marg.* N^3 (*non* N^4)

AB VRBE CONDITA XXVI 48

laudes gratesque egit, qui se non urbis solum opulentissimae omnium in Hispania uno die compotem fecissent, sed ante eo congessissent omnis Africae atque Hispaniae opes, ut neque hostibus quicquam relinqueretur et sibi ac suis omnia superessent. Militum deinde uirtutem conlaudauit quod eos non 4 eruptio hostium, non altitudo moenium, non inexplorata stagni uada, non castellum in alto tumulo situm, non munitissima arx deterruisset quo minus transcenderent omnia perrumperentque. itaque quamquam omnibus omnia deberet, prae- 5 cipuum muralis coronae decus eius esse qui primus murum adscendisset; profiteretur qui se dignum eo duceret dono. Duo professi sunt, Q. Trebellius, centurio legionis quartae, et 6 Sex. Digitius, socius naualis. Nec ipsi tam inter se acriter contendebant quam studia excitauerant uterque sui corporis hominum. Sociis C. Laelius, praefectus classis, legionariis 7 M. Sempronius Tuditanus aderat. Ea contentio cum prope 8 seditionem ueniret, Scipio tres recuperatores cum se daturum pronuntiasset qui cognita causa testibusque auditis iudicarent uter prior in oppidum transcendisset, C. Laelio et M. Sem- 9 pronio, aduocatis partis utriusque, P. Cornelium Caudinum de medio adiecit eosque tres recuperatores considere et causam cognoscere iussit. Cum res eo maiore ageretur certa- 10 mine quod amoti tantae dignitatis non tam aduocati quam

---

3 eo $πA^6N^4$ *ut s. l. (uel N^1 ab N^4 ut s. l explicatum)* θald. Frob. 1. 2: eum C^4AN omnis ΠN, *quod ut Genetiuus mihi magis placet (uocibus* urbis opulentissimae *oppositus) ut Accus. Johnsonio (cum Madv.):* omnis (*uel* -nes) paene (*uel* pene) A^7θald. Frob. 1. 2
4 inexplorata PCA^6N^4θ: explorata $RMBDAN$ 6 Trebellius (*hic, et in* § 13 -um) $Sp?A^7$θ (-eli- *J*) Frob. 2: ti-(ty- *ald.*)-berilius (*hic, et in* § 13 -um) ΠN.*ald., nomen gentilicium quod in Indice nominum Italic. ex C. I. L. constructo in 'It. Dial.' non reperies*   7 praefectus N^3 *in marg., Rhen., Frob.* 2: que tectus *Sp*: q. *uel* que $πN$. que B: qui D: om. C^2A^xθald. (*sed* classicis *pro* classis *ald., et* classi A^7)
legionariis A^7N^4 (-ris N^4) θald. Frob. 1. 2: legionarii ΠN, *cf.* 27. 17. 12 *adn.* (-arii et C^4)   9 P. (Cornelium) $Sp A^7$ Frob. 2: om. ΠN.*ald.*   10 quod amoti ($A?)π$ (*sed* quodam oti RM: quodam uti R^3 BD) N^6 *in ras.* (quod amore N^7 !) $Sp?K$ Edd. *ante ed. Par.* 1513, Frob. 2: quod admoti $C^4M^2A^7N?J$.*ald.* (*sed* indignitatis *ald.*)

moderatores studiorum fuerant, C. Laelius relicto consilio
11 ad tribunal ad Scipionem accedit, eumque docet rem sine
modo ac modestia agi ac prope esse ut manus inter se con-
ferant: ceterum, etiamsi uis absit, nihilo minus detestabili
exemplo rem agi, quippe ubi fraude ac periurio decus petatur
12 uirtutis. stare hinc legionarios milites, hinc classicos, per
omnes deos paratos iurare magis quae uelint quam quae
sciant uera esse et obstringere periurio non se solum suumque
caput sed signa militaria et aquilas sacramentique religionem.
13 haec ad eum de sententia P. Corneli et M. Semproni deferre.   Scipio conlaudato Laelio ad contionem aduocauit
pronuntiauitque se satis compertum habere Q. Trebellium
et Sex. Digitium pariter in murum escendisse, seque eos
14 ambos uirtutis causa coronis muralibus donare. Tum
reliquos prout cuiusque meritum uirtusque erat donauit;
ante omnes C. Laelium praefectum classis et omni genere
laudis sibimet ipsi aequauit et corona aurea ac triginta bubus
donauit.

49   Tum obsides ciuitatium Hispaniae uocari iussit; quorum

10 ad (tribunal) $AN\theta ald.$ *Frob.* 1. 2: an π, *cf. c.* 41. 9 *adn.*: ante CM^2A^x *in marg.*   accedit $\pi^2N\theta$: accendit P: misit C, *mire*: accepit D 12 paratos SpN^3 uel $N^4\theta$ *Frob.* 2: apparatos πC^4N: apparat C aquilas] *post hanc uocem add.* ut in pluribus A^v? *in marg. Vat.* θ *Lov.* 4, *quod obiter dictum fuisse a nescioquo uidetur et a codd.* Θ *in contextum insertum*: etiam pluribus *Ven. Lov.* 2: *nesciunt* $\Pi N.ald.$ *Frob.* 1. 2: *delet* A^x 13 haec ΠN: haec es $A^7N^4\theta ald.$ *Frob.* 1. 2, *fort. recte* (*et hic malit Johnson*), *sed cf.* 23. 34. 4. *adn. et Frigell, Prolegom. in Lib.* 23 *pp.* xlvii–liv. *Cf. etiam* 27. 19. 9; 28. 18. 3; 28. 34. 9; 30. 22. 5 (*et e.g.* 27. 36. 4; 28. 35. 11; 29. 5. 5; 29. 8. 4; 29. 19. 2). *De Infinitiuo futuri sine* se *uide* 27. 38. 5 *adn.*
aduocauit $\Pi N\theta ald.$, *cf. e.g.* 42. 33. 2: uocauit *Sp Frob.* 2   compertum habere $\Pi N\theta ald.$ *Frob.* 1.2: comperisse Sp Trebellium] *u.* § 6   escendisse PR, *cf.* 27. 5. 8 *adn.*: ascendisse CR^3MBD $AN\theta ald.$ *Frob.* 1. 2   ambos $N^4\theta ald.$ *Frob.* 1. 2: *om.* ΠN
14 cuiusque $\theta ald.$ *Frob.* 1. 2: cuique πR^2 uel R^3 (*sed* -iq. *in marg. scripsit*): cui M ipsi $AN.ald.$ *Frob.* 1. 2: ipse $\pi\theta$, *cf.* 6. 37. 3 *et* 27. 3. 2 *adnn.*   ac xxx $\Pi N.ald.$ *Frob.* 1. 2: xx Sp *ut uid.*: et xxx θ bubus $\Pi N Sp$, *cf.* 7. 26. 10; 7. 37. 1; 28. 38. 8: bobus $\theta ald.$ *Frob.* 1. 2

49 1 ciuitatium πD^xN: ciuitatum $D\theta ald.$ (*cf.* § 9)

AB VRBE CONDITA XXVI 49

quantus numerus fuerit piget scribere, quippe ubi alibi trecentos ferme, alibi tria milia septingentos uiginti quattuor fuisse inueniam.—Aeque et alia inter auctores discrepant. Praesidium Punicum alius decem, alius septem, alius haud plus quam duum milium fuisse scribit. Capta alibi decem milia capitum, alibi supra quinque et uiginti inuenias. Scorpiones maiores minoresque ad sexaginta captos scripserim, si auctorem Graecum sequar Silenum; si Valerium Antiatem, maiorum scorpionum sex milia, minorum tredecim milia; adeo nullus mentiendi modus est. Ne de ducibus quidem conuenit. Plerique Laelium praefuisse classi, sunt qui M. Iunium Silanum dicant; Arinen praefuisse Punico praesidio deditumque Romanis Antias Valerius, Magonem alii scriptores tradunt. Non de numero nauium captarum, non de pondere auri atque argenti et redacta pecunia conuenit; si aliquis adsentiri necesse est, media simillima ueri sunt.—Ceterum, uocatis obsidibus primum uniuersos bonum animum habere iussit: uenisse enim eos in populi Romani

---

1 ubi Π(*A?*)*N.ald.* (*de subiunctiuo cf. e.g. c.* 46. 2) : cum $A^7θ$ *Frob.* 2 tria milia (*i.e.* ∞ ∞ ∞) *PC* : *om. RMBDANθald. Frob.* 1. 2 xxiv *PCR* : xxv $R^xMBDANJ.ald. Frob.$ 1. 2 : lxv *K*   2 haud π*J.ald. Frob.* 1. 2 : aut *C* : haut C^1 *uel* C^2B : non *AN* : *om. K* alibi decem milia (m̄ N^x) capitum $A^7N^xθald. Frob.$ 1. 2 : *om.* Π*N* (*et pro* alibi *insequenti praebet* alii *J* : *om. N et silet* N^x), *linea xuiii litt. ante alt.* alibi *deperdita, cf. c.* 51. 8 *adn.* : *delet* A^x inuenias (-ies *RN*) Π : inuenio $A^7N^7θald. Frob.$ 1. 2, *fort. recte, sed cf. e.g.* 23. 12. 10 *adn. et* 22. 7. 4   3 tredecim *Gron.* : xiii $DA^7θ$ *et ii* (*sed om.* milia) *ald. Frob.* 1. 2 (*et* milia *summatim a DK scriptum est*) : decem tria π*N* (*substrinxit* decem $M^2?$) : *lineam erasit* (M^x) : decem et tria AN^2. *Paene certum est in archetypo* xiii *stetisse ; nos igitur* (*pace A. C. Clark quem uide e.g. ad Cic. Rosc. Am.* 7. 20) tredecim, quattuordecim *etc. semper in hoc tomo scribimus, cf. Neue-Wagener pp.* 286 *sqq. et e.g.* 27. 29. 8 ; 28. 4. 6 ; 28. 38. 5 ; 29. 2. 17 ; 29. 37. 6 (*cf. contra* 24. 49. 1) 4 Ne π*ald. Frob.* 1. 2, *cf.* § 15 : nec *AN* (*om.* de ducibus *AN* : *add.* A^7N^4 ab N^6 *rescriptus*), *quod si probas, cf. e.g.* 8. 7. 19 6 pondere *CM²BDANθald. Frob.* 1. 2 : ponere *PRM* : numero *Sp*   redacta pecunia *Sp Frob.* 2 : redactae pecuniae (*uel* -te -nie) Π*Nθald., non male*   aliquis Π*NSp* : aliquibus $C^5A^7θald. Frob.$ 1. 2 (*cf. c.* 15. 3) : alicui M^2 simillima Π*Nθald.* : similia *Sp Frob.* 2   ueri M^1BSp *Frob.* 2, *cf.* 5. 21. 9 *adn.* : ueris *DAN*θ *ald.* : ueneris π   8 uenisse enim $A^7θ$: uenire enim N^4 : uenisses *P, cf.* 5. 39. 6 *et* 7 *et* (-s *pro* ·m) 27. 17. 1 *adn.* : uenisse $Π^2ald. Frob.$ 1. 2 : uenire *N*

XXVI 49 8   TITI LIVI

potestatem, qui beneficio quam metu obligare homines malit exterasque gentes fide ac societate iunctas habere quam tristi 9 subiectas seruitio. Deinde acceptis nominibus ciuitatium recensuit captiuos quot cuiusque populi essent, et nuntios 10 domum misit ut ad suos quisque recipiendos ueniret. Si quarum forte ciuitatium legati aderant, eis praesentibus suos restituit: ceterorum curam benigne tuendorum C. Flaminio 11 quaestori attribuit. Inter haec e media turba obsidum mulier magno natu, Mandonii uxor, qui frater Indibilis Ilergetum reguli erat, flens ad pedes imperatoris procubuit obtestarique coepit ut curam cultumque feminarum impensius custodibus 12 commendaret. Cum Scipio nihil defuturum iis profecto diceret, tum rursus mulier 'Haud magni ista facimus' inquit; 'quid enim huic fortunae non satis est? Alia me cura aetatem harum intuentem—nam ipsa iam extra pericu-13 lum iniuriae muliebris sum—stimulat.'—Et aetate et forma florentes circa eam Indibilis filiae erant aliaeque nobilitate

8 tristi ΠNθald. Frob. 1. 2 : a tristi Sp   9 ciuitatium (hic et § 10) πD⁴N, cf. § 1 : ciuitatum (hic et § 10) BDA⁷θald.Frob.1.2   quot M² uel M⁷A⁷θald. Frob. 1. 2 : quod ΠN   10 suos C⁴DANθald. Frob. 1. 2 : uos π (sc. s- post -s om.) : hos M² : suis B   11 e ΠNθald. Frob. 1. 2 : om. Sp   Indibilis (et sic P in § 13) πM²N⁶ in ras. ald., cf. 25. 34. 6 adn. (Indib- praebet P in 27. 17. 3; 28. 24. 3; 28. 31. 5 ; 28. 34. 8 ; 29. 1. 19 : Indeb- in 29. 2. 14) : indebilis R² uel R³MBDN? : om. Aθ   procubuit πald. Frob. 1. 2 : procidit ANθ   12 iis Sp: his N⁴: om. πNθald. nec in Frob. 2 additum, non male   Alia me N⁶ in ras. (correcturam ab N⁴ profectam fort. obtegente) : aliam ΠN? : aliarum (curam) M² uel M⁷ : alia A^xθ : alia me angit Sp Frob. 2, optime dumtaxat sed u. adn. inf. (stimulat) ipsa iam DN⁶ Edd.: ipsa nam (-a am B) πB² (cf. c. 7. 3 adn.): om. ANθ : ipsa A⁵?   sum C⁴A⁷N⁶ in ras. J Edd.: cum Π(A?)N? : sub K   12-13 stimulat.—Et PC: stimulat C⁴RMBDAN⁶ in ras. θ : animum stimulat ald. : Simul Sp Frob. 2 (u. supra). Aut uoce angit supra in exemplari Puteani omissa stimulat in marg. additum erat, mox huc insertum ; aut (ad quod re saepius perpensa inclinamur) stimulat in simul in fonte Spirensiano corruptum est ideoque uox angit supra a docto aliquo uiro addita ; quippe parenthesis nam— sum matronae precibus bene conuenit et uox stimulat i.q. 'me loqui cogit' significat; contra simul, siue cum florentes siue cum erant coniungas, prorsus languet
13 filiae erant aliaeque Sp N⁶ in ras. (u. supra) Frob. 2 : filiaeque PC, cf. c. 11. 12 adn. (b) : filii aeque (uel eque) RMBDAN? : filiae eaeque (eque θ) θald. (sed ante aetate add. stabant ald.): filiae quinque C⁴: filii filiaeque A^x

AB VRBE CONDITA XXVI 49

pari, quae omnes eam pro parente colebant.—Tum Scipio 14 'Meae populique Romani disciplinae causa facerem' inquit, 'ne quid quod sanctum usquam esset apud nos uiolaretur: nunc ut id curem impensius, uestra quoque uirtus dignitas- 15 que facit quae ne in malis quidem oblitae decoris matronalis estis.' Spectatae deinde integritatis uiro tradidit eas tuerique 16 haud secus uerecunde ac modeste quam hospitum coniuges ac matres iussit.

Captiua deinde a militibus adducitur ad eum adulta uirgo, 50 adeo eximia forma ut quacumque incedebat conuerteret omnium oculos. Scipio percontatus patriam parentesque, 2 inter cetera accepit desponsam eam principi Celtiberorum; adulescenti Allucio nomen erat. Extemplo igitur parentibus 3 sponsoque ab domo accitis cum interim audiret deperire eum sponsae amore, ubi primum uenit, accuratiore eum sermone quam parentes adloquitur. 'Iuuenis' inquit 'iu- 4 uenem appello, quo minor sit inter nos huius sermonis uerecundia. Ego cum sponsa tua capta a militibus nostris ad me ducta esset audiremque tibi eam cordi esse, et forma faceret 5 fidem, quia ipse, si frui liceret ludo aetatis, praesertim in

13 eam $\pi N^4 ald. Frob.$ 1. 2: om. $AN\theta$ 14 quid $RMBDAN\theta ald.$ $Frob.$ 1. 2: quit PC, cf. e.g. § 9: om. Sp, uix recte 15 facit πB^x $N\theta ald. Frob.$ 1. 2 (fuit B): om. Sp: monet Sp^x ut uid. ne $\pi R^2 A^x$, cf. § 4: nec $RMAN.ald. Frob.$ 1. 2 oblatae $C^4 M^1 DAN$ $\theta ald. Frob.$ 1. 2: oblatae πR^1 uel R^2 (abl- R) 16 hospitum Sp $A^v?N^6$ in ras. $Frob.$ 2: hostitum PRM, cf. 27. 15. 11 adn.: hostium CR^1 uel $R^2 M^1 BDA$: ciuium A^x in marg. θ Lov. 5 ald.

50 1 incedebat πA^v Aldus Frob. 1. 2: se uerteret $AN\theta$ Edd. ante Ald. 2 desponsam $\pi Sp\theta$: desponsatam $DANJ^1$ ut s. l. ald. Frob. 1. 2 eam $\Pi N\theta ald. Frob.$ 1. 2: eam esse N^4, optime Allucio (hic et in § 12) Sp ut uid. Frob. 2, cf. Dio. Cass. 16. 43: aluccio PRM (in § 12 alucceio PR: lucc- $R^x M$): aluceio $C(et in$ § 12$)M^2$: luctio$B$: cui luceio $AN\theta ald.$: luceio $C^x?M^2?B^2$ (et sic in § 12 BD $AN\theta$ (lut- J) ald.): om. Allucio—erat D 3 ab (domo) $\Pi N^2 K$. ald. Frob. 1. 2: a SpJ: ad N 4 quo minor Gron. ab N^6 anticipatus: minor $\Pi N\theta ald.$: quominus Sp Frob. 2 inter nos huius $\Pi N\theta ald. Frob.$ 1. 2: huius inter nos Sp N^4 ab N^6 rescriptus tua capta $PCSp?N^4$ ut uid., Frob. 2: tua cata R: uacata $R^2 M$: uocata M^7 uel $M^2 BDAN$: tua uocata $A^v?\theta ald.$ ducta πN: deducta AN^1 $\theta ald. Frob.$ 1. 2 5 in recto Sp? (ubi tamen fort. recto sine in legebat Rhen. et sic Frob. 2): in lecto et lecto PRM: lecto C: in lecto M^2: in lecto (ill- $\theta ald.$) et laeto (leto $AN\theta$) $BDAN\theta ald.$

recto et legitimo amore, et non res publica animum nostrum occupasset, ueniam mihi dari sponsam impensius amanti 6 uellem, tuo cuius possum amori faueo. Fuit sponsa tua apud me eadem qua apud soceros tuos parentesque suos uerecundia; seruata tibi est, ut inuiolatum et dignum me 7 teque dari tibi donum posset. Hanc mercedem unam pro eo munere paciscor: amicus populo Romano sis et, si me uirum bonum credis esse quales patrem patruumque meum iam ante hae gentes norant, scias multos nostri similes in 8 ciuitate Romana esse, nec ullum in terris hodie populum dici posse quem minus tibi hostem tuisque esse uelis aut amicum 9 malis.' Cum adulescens, simul pudore et gaudio perfusus, dextram Scipionis tenens deos omnes inuocaret ad gratiam illi pro se referendam, quoniam sibi nequaquam satis facultatis pro suo animo atque illius erga se merito esset, parentes 10 inde cognatique uirginis appellati; qui, quoniam gratis sibi redderetur uirgo ad quam redimendam satis magnum attulis- 11 sent auri pondus, orare Scipionem ut id ab se donum acciperet coeperunt, haud minorem eius rei apud se gratiam futuram esse adfirmantes quam redditae inuiolatae foret 12 uirginis. Scipio quando tanto opere peterent accepturum se pollicitus, poni ante pedes iussit uocatoque ad se Allucio

5 et legitimo π*Sp? Frob.* 2 : legitimoque *ANθald.* cuius possum *PSpN⁴ Frob.* 2 : cuius sposso *P²* : cuius (eius *K*) sponso (-sa *A*) *RMBDANθ* : cui uis ius sponso (*om.* tuo) *C* : cuius sponsa est *Aᵉ?ald.*
6 qua *M²Aᵛ?Sp ut uid. θald. Frob.* 1. 2 *et sic fort. uoluit N⁴ (uel N¹) qui tamen* q̇ (*i.e. in N* quam) *reliquit* : que *N* : quam π, *cf. c.* 40.
11 *adn.* : que *A*   tibi est π*Sp? Frob.* 2 : est tibi *ANθald.* (*cf. c.* 5. 17 *adn.*)   7 quales (*uel* -is) Π(*A?*)*ald. Frob.* 1. 2 (-eis *Edd. hi*) : qualem *A⁷θ*   9 Cum *Sp Frob.* 2 : *om.* Π*Nθald.* (*add. post* omnes *C⁴*)   et gaudio *PCSp* : gaudio *RMBD* : gaudioque *ANθald. Frob.* 1. 2   perfusus *Sp Frob.* 2 : perusus *P* : percusus *P²R* : percussus *R²MBDAN* : perculsus *CAᵛ?ald.*   inuocare *BDANθald.* (*sc. cum supra omittentes*)   quoniam (sibi) *Sp ut uid. A⁷θald. Frob.* 1. 2 : quā iam π : quamquam iam *AN* merito *SpN⁴K Frob.*2 : *om.* Π*NJ.ald.*   11 ab se Π*NSp ut uid. θald. Frob.* 1. 2 : ipse *Spˣ ut uid.*   futuram esse Π*Nθ* : futuram *Frob.* 2 *et sic Liuium scripsisse suspicamur, cf.* 27. 38. 5 *adn.* : fore *ald.*
12 Allucio] *u. § 2 supra*

AB VRBE CONDITA XXVI 50

'Super dotem' inquit, 'quam accepturus a socero es, haec tibi a me dotalia dona accedent'; aurumque tollere ac sibi habere iussit. His laetus donis honoribusque dimissus domum, impleuit populares laudibus meritis Scipionis: uenisse dis simillimum iuuenem, uincentem omnia cum armis, tum benignitate ac beneficiis. Itaque dilectu clientium habito cum delectis mille et quadringentis equitibus intra paucos dies ad Scipionem reuertit.

Scipio retentum secum Laelium, dum captiuos obsidesque et praedam ex consilio eius disponeret, satis omnibus rebus compositis, data quinquereme ⟨et⟩ captiuis †cum Magone et quindecim fere senatoribus qui simul cum eo capti erant in naues sex impositis nuntium uictoriae Romam mittit. Ipse paucos dies quibus morari Carthagine statuerat exercendis naualibus pedestribusque copiis absumpsit. Primo die legiones in armis quattuor milium spatio decurrerunt; secundo

---

12 accedent (-nent M: -dent M^1) Π$N.ald.$ $Frob.$ 1. 2 : accedant θ
13 honoribusque A^7 uel $A^vN^4ald.$ $Frob.$ 1. 2 : honoribus ΠN, uix $recte$ ($quamquam$ $cf.$ 27. 16. 6 $adn.$), $cf.$ $c.$ 11. 12 $adn.$ (c)   cum (armis) Π$N.ald.$ $Frob.$ 1. 2 : tum DA^7 uel $A^vN^2\theta$ 14 delectis $Aldus$ $Frob.$ 1. 2 : dilectis π (ob $dilectu$ $errantes$) : $om.$ $AN\theta$ $Edd.$ $ante$ $Ald.$
quadringent:s ($i.e.$ cccc) π$N.ald.$ $Frob.$ 1. 2 : ccc A^7 uel $A^r\theta$ reuertit π $Aldus$ $Frob.$ 1. 2 : redit $AN\theta$ $Edd.$ $ante$ $Ald.$ (-iit hi)
51 2 satis omnibus rebus $Walters$: satis omnibus π$N\theta ald.$: rebus omnibus $SpN^4Frob.$ 2; $cf.$ 29. 7. 7 $adn.$ ⟨et⟩ captiuis cum $Johnson$ (qui et captiuis centum (uel c.) cum $maluit$) : captiuis cum SpN^4 $Frob.$ 2: captiuisque PC (magone P^2: magn- P) : captiuis $RMBDAN\theta ald.$: e captiuis ($sc.$ nauibus) atque $Madv.$, $cf.$ $c.$ 47. 3. Nos $uero$ non $audemus$ captiuis a Magone $separare$, cum $Polybius$ (10. 19 8) non $solum$ $Magonem$ et $senatores$ $Poenorum$ ($id.$ 10. 18. 1) sed $etiam$ τῶν ἄλλων αἰχμαλώτων τοὺς ἐπιφανεστάτους cum $Laelio$ $Romam$ $missos$ $narret$; $cf.$ $etiam$ $apud$ $Liuium$ 27. 7. 1 ubi '$agmen$ $captiuorum$' cum $Laelio$ $urbem$ $ingreditur$ ($u.$ $adn.$ $sq.$). De -que pro cum in P $cf.$ 22. 1. 1 $adn.$ naues sex (i $e.$ vi) $scripsi$, $respiciens$ 27. 7. 4 ubi non una $nauis$ sed $naues$ $nominantur$ ($cf.$ $etiam$ $App.$ 6. 23) : naue ut π (de -s $omisso$ $u.$ 27. 17. 12 et de ut pro ui 23. 18. 1 $adnn.$): naue $C^4M^1BDAN.ald.$ $Frob.$ 1. 2 : nauem θ $Madv.$ (ut pro -m in P $positum$ $ratus$), $satis$ $scite$ si $modo$ $statuis$ tot $tantosque$ $uiros$ a $Scip.$ uni $nauigio$ $commissos$ $esse$ et $Liuium$ $Polybio$ hic $obsecutum$ $esse$, sed in 27. 7. 4 $hunc$ $locum$ $neglexisse$. De $corruptelis$ $numerorum$ $cf.$ 1. 19. 6 ; 21. 28. 8 ; 26. 11. 5 ; 27. 7. 7 ; 27. 11. 8 ; 27. 28. 11 ; 27. 40. 7 ; 28. 34. 2 ; 30. 10. 20 $al.$ (de $numeris$ $omissis$ $u.$ 29. 28. 10 $adn.$)

XXVI 51 4　　　　　　　TITI LIVI

die arma curare et tergere ante tentoria iussi; tertio die rudibus inter se in modum iustae pugnae concurrerunt praepilatisque missilibus iaculati sunt; quarto die quies data;
5 quinto iterum in armis decursum est. Hunc ordinem laboris
6 quietisque quoad Carthagine morati sunt seruarunt. Remigium classicique milites tranquillo in altum euecti, agilitatem
7 nauium simulacris naualis pugnae experiebantur. Haec extra urbem terra marique corpora simul animosque ad bellum acuebant; urbs ipsa strepebat apparatu belli fabris
8 omnium generum in publicam officinam inclusis. Dux cuncta pari cura obibat: nunc in classe ac nauali erat, nunc cum legionibus decurrebat: nunc operibus adspiciendis tempus

4 iussi *Gron.*: iussit Π*N*θ (*cf.* 27. 24. 3)　　　rudibus Π*N*: sudibus *M*⁶θ*ald. Frob.* 1. 2　　　praepilatisque (prop- *M*) π*B*²*N*θ*ald. Frob.* 1. 2 : piiatisque *Sp*: *om. B* praep. . . . data (*sc. lineam codicis M*) *quae supplet B*²　　6 classicique *PCSpN*⁴ *ut uid.*: classici *Frob.* 2: clausicique *R*: clausi (classi *D*) ciuesque *R*²*MBDAN*: classis ciues (-esque *A*⁷*K*) *A*⁷θ*ald.* (*sed remigio ald.*)　　naualis *PCR Edd.*: naualibus *R*²*MBDAN*θ (*cf.* 27. 2. 8 *adn.*)　　pugnae *C*⁵*M*⁶ *uel M*⁴ *per ras.*: pugna π(*M?A?*): pugnam *M uel M*ˣ*A*ˣ: pugnis *A*⁷θ
7 urbs *SpHFrob.* 2: urp.s *P*: -ur.p.s *CR*: -ur. p̄ *k*²*M* (*delet* -ur *M*⁷): r. p. (*uel* respublica) *BDAN*θ*ald.*　　belli . . . publicam officinam *Walters ex Sp et* Π: belli . . . publica officina Π*N*θ*ald. Frob.* 1. 2, *cf. c.* 41. 12 *adn.*: bellicam officinam *Sp, sc. post* belli *xxvi litteris ob* -li -li- *omissis, cf.* 28. 2. 16 *adn.*　　8 Dux *SpN*⁴ *ab N*⁶ *rescriptus Frob.* 2: data Π(*C?*)*N*θ*ald.* (*add.* quam *ante* pari *ald. et uoces* data cuncta *cum praec.* § 7 *coniungunt*): Scipio *C*⁴; *uidetur* dux *in* data *corruptum esse per* -a- *pro* -x- *scriptum* (*cf. c.* 37. 3 *adn.*); *scribit M* data *in spatio vii litt. ut solet cum difficilia se scribere scit* (*et sic* data *in* § 2 *supra*), *cf.* 22 10. 9 *adn.*　　obibat *SpN*⁴ *ab N*⁶ *rescriptus Frob.* 2: ubibat *P*: subibat (subb- *R*) π²*R*²*N*θ*ald.*　　nunc in classe . . . decurrebat *SpN*³ *Frob.* 2: *om.* Π*N*θ*ald., sc. tribus lineis* (*li litteris*) *quarum prima cum uoce* nunc *incipiebat perditis. Cf. Praef.* §§ 41-46 (*et* 8. 8. 8 *adn.*) *et Praef.* § 97.　　*Exempla linearum in P siue ob homoioteleuton quod uocant siue alias ob causas omissarum et per fontes Spirensianos seruatarum his in locis reperies*;—*huius libri cc.* 17. 5; 31. 2; 49. 2; *libri* 27 *cc.* 7. 1 *et* 10 *et* 13; 12. 12; 15. 8; 17. 7 *et* 9-10; 22. 3; 23. 5; 28. 3; 31. 1; 32. 7; 34. 13 (*Sp et Ta*); 35. 2; 36. 13; 37. 5; 40. 6; 46. 9; 47. 5; 51. 10; *libri* 28 *cc.* 3. 13; 5. 14; 8. 12; 11. 2 *et* 8; 12. 9; 21. 2; 23. 1 *et* 4 *et* 8; 33. 5; 34. 9 *et* 10 *et* 12; 39. 19? *et* 20; 41. 1; 42. 6?; 44. 2; 46. 3; *libri* 29 *cc.* 1. 10 *et* 11; 9. 10; 11. 3; 12. 4? *et* 5 *et* 14; 17. 4; 18. 9; 19. 2; 20. 9; 21. 4 *et* 5; 22. 3; 24. 6; 26. 8; 27. 11; 28. 5; 35. 5 *et* 6 *et* 14; 38. 3; *libri* 30 *cc.* 1. 9; 4. 6; 12. 18-19; 17. 9; 32. 3; 33. 15; 37. 10. *Contra de omissionibus in Sp factis uocum in P exstantium u.* 28. 2. 16 *adn. et de lineis per coniecturam restitutis c.* 6. 16 *adn.* (*c*)　　ac naauli *SpN*³ *Frob.* 2, *cf. Ouid. Met.* 3. 661: *emendantium temptamina praeterimus*

AB VRBE CONDITA XXVI 51 8

dabat, quaeque in officinis quaeque in armamentario ac naualibus fabrorum multitudo plurima in singulos dies certamine ingenti faciebat. His ita incohatis refectisque quae 9 quassata erant muri dispositisque praesidiis ad custodiam urbis, Tarraconem est profectus, a multis legationibus protinus in uia aditus, quas partim dato responso ex itinere dimisit, 10 partim distulit Tarraconem, quo omnibus nouis ueteribusque sociis edixerat conuentum. Et cuncti fere qui cis Hiberum 11 incolunt popuii, multi etiam ulterioris prouinciae conuenerunt. Carthaginiensium duces primo ex industria famam captae Carthaginis compresserunt: deinde, ut clarior res erat quam ut tegi ac dissimulari posset, eleuabant uerbis: necopinato aduentu ac prope furto unius diei urbem unam 12 Hispaniae interceptam, cuius rei tam paruae praemio elatum insolentem iuuenem immodico gaudio speciem magnae uictoriae imposuisse; at ubi adpropinquare tres duces, tres 13 uictores hostium exercitus audisset, occursuram ei extemplo domesticorum funerum memoriam. Haec in uolgus 14 iactabant, haudquaquam ipsi ignari quantum sibi ad omnia uirium Carthagine amissa decessisset.

8 ac (naualibus) $N^4Aldus\ Frob.$1.2 : quae (-que N) ac (hac C) ΠN (cf. 27.44. 1 adn.) : quae a (uel ab) $A^7J\ Edd.\ ante\ Ald.$: quaeque ab K singulos $C^4M^2(M^7?)A^7N^4\ ut\ s.\ l.\ \theta$: singula $\Pi(A?)N$
9 quae quassata erant muri $SpN^4\ Frob.$2 : qua quas|sauerant muris P (de -s cf. c. 40. 14 adn.) : quas- (aquas-R)sauerant (-at N) muris (-ros R) π^1 uel $\pi^2R^2N^2\theta$ (sed post refectis praebent que B : queq; D) : quos quassauerant muris $CA^7ald.$: quassati erant murus P^4 (an $P^3?$)
ad custodiam $N^4\ Sabellicus$: accusato (-tę C) iam π : accurato (-tę $M^6\ K$) iam $M^6BDAN\theta$: quas iam C^4 aditus $\pi N^4\ ut\ s.\ l.$ (-tur $AN\theta$, sed add- J)   10 nouis $N^4\ Edd.$: in suis ΠN : suis $C^xM^1?A^7?\theta$ 11 posset $C^x\theta\ Edd.$: possent ΠN, cf. 27. 17. 4 adn.   12 cuius $\Pi N\theta ald.Frob.$1.2 : eius Sp, non male
paruae $C^4M^1Sp\ ut\ uid.\ N^4$(-ue)$KAldus$: paruaet π : paruae et BDA $NJ\ Edd.\ ante\ Ald.$ elatum πN^2(an $N^7?)\theta\ Edd.$: datum AN
13 extemplo $A^7\theta$ (exem- ΠN)

Subscriptiones : titi libii ($\overline{\text{lib}}\ M$) ab urbe condita lib XXVI explc. inc. lib XXVII $PRM\ et\ sim.\ BD$: silet C : explicit liber VI incipit liber VII AN : plura subscribunt θ : add. recognobi P^2

T. LIVI
AB VRBE CONDITA

LIBER XXVII

Hic status rerum in Hispania erat. In Italia consul Marcellus Salapia per proditionem recepta Marmoreas et Meles de Samnitibus ui cepit. Ad tria milia militum ibi Hannibalis, quae praesidii causa relicta erant, oppressa: praeda— et aliquantum eius fuit—militi concessa. Tritici quoque ducenta quadraginta milia modium et centum decem milia hordei inuenta. Ceterum nequaquam inde tantum gaudium fuit quanta clades intra paucos dies accepta est haud procul Herdonea urbe. Castra ibi Cn. Fuluius proconsul habebat spe recipiendae Herdoneae, quae post Cannensem cladem ab Romanis defecerat, nec loco satis tuto posita nec praesidiis firmata. Neglegentiam insitam ingenio ducis augebat spes ea quod labare iis aduersus Poenum fidem senserat, postquam Salapia amissa excessisse iis locis in Bruttios Hannibalem auditum est. Ea omnia ab Herdonea per occultos nuntios delata Hannibali simul curam sociae retinendae urbis et spem fecere incautum hostem adgrediendi. Exercitu

---

1 1 Marmoreas ΠN: maronea $A^7N^4\theta$: maroneam *ald.Frob.*1.2
2 tria ΠN.*ald.Frob.*1.2: duo (*uel* ii) θ militum ibi ΠN.*ald.Frob.*
1.2: ibi militum θ, *cf. c.* 37. 5 *adn.*   et (aliquantum) $\pi SpA^7\theta$:
om. BDAN et (*sed* praedae) *ald.Frob.*1.2. *De et explicatiuo cf.* 22. 1.
19 *adn. et e.g.* 28. 2. 4   militi πR^x *per ras.* M^2(mihi M)N.*ald.Frob.*1.2:
militibus θ: militum Sp: usui militum *Rhen.*   3 Herdonea urbe
$\pi\theta Edd.$: ab urbe Herdonea AN, *sed antiquiore illa structura saepe
utitur Liuius, cf. e.g.* 2. 13. 6; 3. 22. 4; 4. 10. 5; 4. 22. 2; 38. 16. 15;
saepe etiam ab addit, cf. e.g. 2. 26. 5; 7. 37. 6 (*cf. etiam* 29. 3. 10, *adn.
de codd. AN*)   4 Cn. ΠN, *cf.* 26. 28. 9: c. θ recipiendae
Π$N\theta ald.$: recipiundae *Frob.*2 (*non ut in c.* 6. 16)   5 senserat
$M^2A^7N\theta ald.Frob.$1.2: senserant Π, *cf. c.* 17. 4 *adn.*

7*

XXVII 1 6   TITI LIVI

expedito ita ut famam prope praeueniret magnis itineribus ad Herdoneam contendit et, quo plus terroris hosti obiceret, 7 acie instructa accessit. Par audacia Romanus, consilio et 8 uiribus impar, copiis raptim eductis conflixit. Quinta legio et sinistra ala acriter pugnam inierunt; ceterum Hannibal signo equitibus dato ut, cum pedestres acies occupassent praesenti certamine oculos animosque, circumuecti pars 9 castra hostium, pars terga trepidantium inuaderent, ipse Cn. Fului similitudinem nominis—quia Cn. Fuluium praetorem biennio ante in iisdem deuicerat locis—increpans, similem 10 euentum pugnae fore adfirmabat. Neque ea spes uana fuit. Nam cum comminus acie et peditum certamine multi ceci- 11 dissent Romanorum, starent tamen ordines signaque, equestris tumultus a tergo, simul a castris clamor hostilis auditus sextam [ante] legionem, quae in secunda acie posita prior ab

---

6 terroris Π$N.ald.Frob.$1.2 : $om.\ J$: pauoris K acie $N^x\theta ald.$ $Frob.$1.2 : acies ΠN, $cf.$ § 13 et 26. 40. 14 $adn.$ 7 Par $Sp?J\ Frob.$ 2 : pari Π$NK.ald.$ Romanus $\pi M^2NK^2ald.Frob.$1.2 : romanis $R^xM\theta$ 8 inierunt $M^2AN.ald.Frob.$1.2 : iniecerunt π, $cf.\ c.$ 20. 8 $adn.$: ingerunt θ acies $A^7N^4\theta$: aues P: eques π^2 : equesque (uel aeq-)$BDAN$: equitesque M^2 terga $C^4M^2BDAN^4$(trga N^1 : trgna N^2)θ : erga π trepidantium $Gron.$, $cf.$ 2. 46. 3; 23. 16. 12; 44. 38. 10; $Verg.\ Aen.$ 4. 121 : oppidantium π : oppugnantium $AN.ald.$, $quod\ ut\ s.\ l.\ in\ Puteani\ exemplari\ fuisse\ conicias$, $cf.\ de$ $dittogr.\ Puteani\ c.$ 34. 5 : pugnantium $\theta\ Frob.$1.2 : oppidanorum M^2 necopinantium $H.\ Sauppe$: alia alii   9 Cn. Fului $ald.Frob.$1.2 (-ii), $cf.\ e.g.\ Cic.\ ad\ Q.\ Fr.$ 2. 3. 3: consulem fuluii $A^7\theta$ (procons- K), $cf.$ § 12 : in fuluis (inpul- C) π, $quos\ sequitur\ Madv.$ 1882 (in fuluiis) : in fuluii (-ui M^2) M^2B^2(fluuii B)AN, $quos\ seq.\ Gron.\ Weissenb.\ Madv.$ 1872 (in Cn. Fului $Luchs$), $sed\ hoc\ sine\ accusatiuo\ personae\ uix\ pro·$ $bandum$, $cf.\ e.g.$ 1. 51. 1 : in Cn. Fuluiis $Luterbacher, non male$ Cn. (Fuluium) Π$N.ald.Frob.$1.2, $cf.$ 25. 3. 2 : $om.\ \theta$ 10 comminus πM^2N, $cf.$ 10. 43. 6: cominus $A^7N^4\theta$ (quo- J) : cōmunus M cecidissent] $ante$ Romanorum Π$N.ald.Frob.$1.2 : $post$ R. θ, $non\ male$ $sed\ cf.$ § 2 $et\ c.$ 37. 5 $adn.$ 11 a castris $A^7N^4\theta$: acris π : -atus BD : -atque $AN.\ De\ ‘euisceratione'\ Puteani\ cf.$ 22. 3. 6 $adn.\ et$ $e.g.$ 26. 6. 6; 26. 8. 9; 26. 9. 9; 26. 33. 10; 26. 40. 9; $huius\ libri$ $cc.$ 16. 11; 19. 11; 20. 8; 22. 6; 28. 9; 38. 10; 39. 8; 48. 14; in 28, $cc.$ 6. 8; 7. 15; 8. 4; 13. 1; 15. 7; 20. 9; 24. 7; in 29, $cc.$ 2. 3; 5. 6; 10. 3; 17. 5; 26. 7; in 30, $cc.$ 4. 4; 34. 8; 40. 13 $al.$ ante ($post$ sextam) $\pi\theta\ Frob.$2 : $post$ legionem $AN.ald.$: $deleuit\ J.\ H.$ $Voss, recte ut credo$: $cum\ Luchsio\ tutari\ malit\ Johnson$, $cf.\ Plin.$ 34. 131 $et\ Cels.$ 7. 29 $al.$: $de\ ordinis\ uariatione\ glossema\ indicante\ cf.\ c.$ 34. 3 $adn.$: $contra\ de\ ordine\ codd.\ AN\ uariato\ cf.$ 29. 3. 10 $adn.$

AB VRBE CONDITA   XXVII 1 11

Numidis turbata est, quintam deinde atque eos qui ad prima signa erant auertit ; pars in fugam effusi, pars in medio caesi, ubi et ipse Cn. Fuluius cum undecim tribunis militum cecidit. Romanorum sociorumque quot caesa in eo proelio milia sint, quis pro certo adfirmet, cum tredecim milia alibi, alibi haud plus quam septem inueniam ? Castris praedaque uictor potitur. Herdoneam, quia et defecturam fuisse ad Romanos comperit nec mansuram in fide, si inde abscessisset, multitudine omni Metapontum ac Thurios traducta, incendit: occidit principes qui cum Fuluio conloquia occulta habuisse comperti sunt. Romani qui ex tanta clade euaserant diuersis itineribus semermes ad Marcellum consulem in Samnium perfugerunt.

Marcellus nihil admodum tanta clade territus litteras Romam ad senatum de duce et exercitu ad Herdoneam amisso scribit: ceterum eundem se, qui post Cannensem pugnam ferocem uictoria Hannibalem contuderit, ire aduersus eum, breuem illi laetitiam qua exsultet facturum. Et

---

12 Cn. Π*N Edd., cf.* § 4 : consul (proco- *K*) $A^7θ$ 13 eo $Π^2Nθ$: seo *P, cf.* § 6 *et* 26. 40. 14 *adn.*   sint N^1 *uel* N^4 *rescriptus* θ*ald. Frob.*1.2 : sunt Π*N, cf.* 22. 36. 1 *adn.*   alibi, alibi *AN.ald Frob.* 1.2 : alibi πθ (*sed alterum* alibi *post* cum *praebent* $C^4θ$)   14 omni Metapontum $C^4A^7N^4θald.Frob.$1.2 : omnium (hominum M^2) et a ponto Π*N*   occidit Π*NK* (*sed post* principes *K*) : occidit et M^2 : concidit *J* : occiditque *ald.Frob.*1.2 : *om. Sp ut uid.*   qui *BDN*θ*ald.Frob.*1.2 : *om.* π (*add. post* Fuluio C^4)   sunt Π*NSp?*θ*ald.Frob.*1.2 : sunt perempti *marginator cod. Spirensis ubi* occidit *omissum erat ut uid.* : sunt securi percussit *Vat*
15 semermes *Gron. ex lectione Put. et sic scripsit P in* 28. 16. 6 ; 30. 6. 7, *et sic scribere uoluit in* 25. 19. 14 ; 30. 28. 3, *sed* semi- *in* 22. 50. 4 *et* 23. 5. 1 (*eadem uariatio est et in* iv[ta] *decade. cf.* 31. 41. 10 ; 39. 31. 13 ; 40. 58. 7) : semiermes $A^7θEdd.$ *ante Gron.* : inermes *Sp?*: semerses *P, cf. c.* 17. 1 (-sis $P^1?C$: -si P^2R) : emersi R^xMBDAN : emensis C^2 perfugerunt Π*N* : refugerunt θ : confugerunt *ald.Frob.*1.2

2 1 litteras (lite- *Edd.*) *K.ald.Frob.*1.2 : litteris Π*N*: lictis *J*   Romam $N^4θald.Frob.$1.2 : romae Π*N*   2 contuderit θ *Madv., cf. ed. Cantabrig. Liui lib. II p.* 190 *et c.* 17. 14 *et* 23. 43. 12 *adnn.*: contudisset (-tund- *BD*) Π*N Aldus Frob.*1.2 (*sequente Gron. qui ibi interpungit*), *recte quidem si P* exultet *ex* exultaret *euiscerauit*   exsultet (*uel* exu-) Π*N*θ *Edd.* : *malimus* exsultaret *retento* contudisset, *cf c.* 1. 11 *adn. et e.g.* 24. 24. 9

TITI LIVI

XXVII 2 3

Romae quidem cum luctus ingens ex praeterito, tum timor 4 in futurum erat: consul ex Samnio in Lucanos transgressus ad Numistronem in conspectu Hannibalis loco plano, cum 5 Poenus collem teneret, posuit castra. Addidit et aliam fidentis speciem, quod prior in aciem eduxit; nec detractauit Hannibal, ut signa portis efferri uidit. Ita tamen aciem instruxerunt ut Poenus dextrum cornu in collem 6 erigeret, Romani sinistrum ad oppidum adplicarent. Ab Romanis prima legio et dextra ala, ab Hannibale Hispani milites et funditores Baliares, elephanti quoque commisso iam certamine in proelium acti; diu pugna neutro inclinata 7 stetit. Ab hora tertia cum ad noctem pugnam extendissent, fessaeque pugnando primae acies essent, primae legioni tertia, dextrae alae sinistra subit, et apud hostes integri a 8 fessis pugnam accepere. Nouum atque atrox proelium ex iam segni repente exarsit, recentibus animis corporibusque;

3 cum (*sed post* luctus *AN, cf.* 29. 3. 10) . . . tum ΠN*θald.Frob*.1.2: quam . . . tam *Sp, cf. e.g.* 33. 17. 9: quam . . . ac *Vat*   4 *ante* consul *add. at Woelfflin, perperam*: *nesciunt codd.*   in (Lucanos) A^7N^4 *θald.Frob*.1.2: *om.* ΠN, *cf.* 26. 13.   7 *adn*.   5 detractauit πN, *cf.* 2. 43. 3 *adn*.: detrectauit *Cθ*; *nonnunquam* -trect- *praebet P ut in c.* 9. 9; 28. 12. 15, *sed saepius* -tract- *ut in cc.* 10. 10; 12. 11 *al*. collem N^2*θald.Frob*.1.2: collet *P*: colle $Π^2N$ 6 Ab Romanis . . . stetit] *hae uoces* (cl *litterae*) *post* § 7 Ab hora . . . acies essent (*lxxv litt.*) *stant in* Πθ*ald.Frob*.1.2: *recte huc transponendas censuit Heusinger*: *placuerat iam Creuerio* diu pugna . . . stetit *post* adplicarent *scribere, sed ne sic quidem congruunt uoces ad* noctem *cum* commisso iam certamine. *Coniecturam fort. confirmat interuallum v litt. post* adplicarent *in P relictum. De uocibus uel lineis omissis et perperam restitutis cf.* 8. 8. 4 *et* 22. 10. 2 *adnn., et u.* 28. 5. 15; 28. 7. 3; 28. 34. 9; 30. 35. 4 (*u. etiam* 28. 2. 15 *adn.*)   et funditores A^7*θald.Frob*.1.2: effundit|or *P*: effunditor P^2R: et funditor *C*: effunditur $R^2MBDA?N$ Baliares] *u. c.* 18. 7 *adn*.   6–7 *ante* diu (§ 6) *add.* ubi *Weissenb., ante* primae legioni (§ 7) *add. ut Madv., quae ob transpositionem nostram superuacanea fiunt*   7 subit *Spθ, cf.* § 9 *et c.* 5. 9 *adnn*.: subiit ΠN*.ald.* (*in Frob.*2 *retentum*)   7–8 accepere. Nouum] *sic cum Edd. uet. interpunximus*   8 iam *Duker*: tam ΠN*θald., cf.* 26. 6. 4 *adn*.   corporibusque C^4 *uel* $C^2A^7N^4$*θald.Frob*.1.2: corporis ΠN. *De* -is *et* -ib. *cf.* 22. 21. 4 *adn.*; 26. 48. 2; 27. 18. 9; 27. 41. 6; 28. 25. 7; 30. 15. 12. *Fort.* -que *hic delendum* (*cf. c.* 16. 6 *adn. et* animos dexteras 35. 35. 16) *ut in uoce* sed *insequenti excusationem suam habeat* s- *omissum*

AB VRBE CONDITA XXVII 2 8

sed nox incerta uictoria diremit pugnantes. Postero die 9 Romani ab sole orto in multum diei stetere in acie; ubi nemo hostium aduersus prodit, spolia per otium legere et congestos in unum locum cremauere suos. Nocte insequenti 10 Hannibal silentio mouit castra et in Apuliam abiit. Marcellus, ubi lux fugam hostium aperuit, sauciis cum praesidio modico Numistrone relictis praepositoque iis L. Furio Purpurione, tribuno militum, uestigiis institit sequi. Ad Venusiam adeptus eum est. Ibi per dies aliquot cum ab 11 stationibus procursaretur, mixta equitum peditumque tumultuosa magis proelia quam magna et ferme omnia Romanis secunda fuere. Inde per Apuliam ducti exercitus sine ullo 12 memorando certamine, cum Hannibal nocte signa moueret locum insidiis quaerens, Marcellus nisi certa luce et explorato ante non sequeretur.

Capuae interim Flaccus dum bonis principum uendendis, 3 agro qui publicatus erat locando—locauit autem omnem frumento—tempus terit, ne deesset materia in Campanos saeuiendi, nouum in occulto gliscens per indicium protractum est facinus. Milites aedificiis emotos, simul ut cum 2 agro tecta urbis fruenda locarentur, simul metuens ne suum quoque exercitum sicut Hannibalis nimia urbis amoenitas emolliret, in portis murisque sibimet ipsos tecta militariter

8 sed $A^7N^4\theta ald.Frob.$1.2 : ex P : et Π^1 uel Π^2N 9 ab ΠN : a θ (cf. e.g. 30. 44. 13; 30. 45. 7)   diei $C^1M^2BDAN.ald.$: dici ΠN : diem $Sp\theta$ $Frob.$2   prodit SpJ, cf. § 7 : prodiit ΠNK $ald.Frob.$1.2   10 et $CAN\theta$: om. π Numistrone $A^7\theta Edd.$: nuministro ΠN : numistro M^2 iis $PCRB^2$: his R^1MDANK : om. B : hiis J L. (Furio) $\Pi N.ald.Frob.$1.2 : q. θ ad Venusiam $\pi R^2B^2N\theta$ (sed in N-ā separatim et pleniore cal., cf Praef. § 33 b) : aduentus iam R : ad uenusiam iam B 11 ab ΠN : a θ (cf. § 9)   proelia] post hanc uocem om. quam magna ... usque ad Atellam (c. 3. 7) omnia ΠN : supplent A^zN^3 (qui usque ad § 12 certamine tantum ipse inseruit) et N^n (qui sequentia ab cum Hannibal usque ad finem lacunae addidit) $VW\Theta$, cf. Praef. § 85. Lacunam notauerunt C^2M^3 12 insidiis $A^zN^nW\Theta$: insioniis (non insignius ut ait Luchs) V

3 1 omnem $SpKFrob.$2 : omne $A^zN^nVWJXYZ.ald.$ 2 ipsos $Sp?A^zN^nVW\Theta$ $Edd.$ ante $Mog.$, $Frob.$2 : ipsis $Lov.$ 5 ed. $Mog.$ 1518, cf. 6. 37. 1 adn. ; 26. 48. 14 ; 27. 25. 1 ; 27. 46. 5 ; 29. 7. 9 ; 30. 32. 5

XXVII 3 2   TITI LIVI

3 coegerat aedificare; erant autem pleraque ex cratibus ac tabulis facta, alia harundine texta, stramento intecta, omne
4 uelut de industria alimentum ignis. Haec noctis una hora omnia ut incenderent, centum septuaginta Campani princi-
5 pibus Blossiis fratribus coniurauerunt. Indicio eius rei ex familia Blossiorum facto, portis repente iussu proconsulis clausis cum ad arma signo dato milites concurrissent, comprehensi omnes qui in noxa erant, et quaestione acriter habita damnati necatique; indicibus libertas et aeris dena
6 milia data. Nucerinos et Acerranos, querentes ubi habitarent non esse, Acerris ex parte incensis, Nuceria deleta,
7 Romam Fuluius ad senatum misit. Acerranis permissum, ut aedificarent, quae incensa erant: Nucerini Atellam quia id maluerant, Atellanis Calatiam migrare iussis, traducti.
8 Inter multas magnasque res, quae nunc secundae, nunc aduersae occupabant cogitationes hominum, ne Tarentinae
9 quidem arcis excidit memoria. M. Ogulnius et P. Aquilius in Etruriam legati ad frumentum coemendum quod Tarentum portaretur profecti, et mille milites de exercitu urbano, par numerus Romanorum sociorumque, eodem in praesidium cum frumento missi.

---

3 omne $SpA^zN^nVW\Theta$: omnibus *ed. Par.* 1513 *ald.Frob.*1.2 (*cum alimentis*): omnia *Rhen.*   de $A^zVW\Theta$: om. N^n (*qui* uelud *praebet*)   alimentum A^z: alimentis $Sp?N^n$ (*sed ipse* -tis sig- *in* -ti sig- *mutauit*) Θ*ald.Frob.*1.2   4 ut] *hic Madv.*: *ante* omnia *ald. Frob.*1.2: *ante* noctis W: om. $A^zN^nV\Theta$ (*sc. ante* in- *deperditum, cf. cc.* 8. 7 *et* 9. 9)   incenderent A^zN^nVJXYZ: incendere *corrector in* A^z, WK Blossiis A^zN^nVW (*et* -ssi- § 5), *cf. It. Dial. p.* 115: blosiis (bas- Y) Θ (*sed in* § 5 -ssi- JX: -si- KYZ)   5 Blossiorum] *u. sup.*   necatique $A^z\Theta$: nec utique N^n
7 Atellam (*cf.* Atellanis *infra P*) *u. It. Dial. p.* 152: attellam (ath- K) $A^zN^nW\Theta Y$: athella V: attellani X: et atelani Z quia id] *his uocibus rursus incipiunt* ΠN Calatiam $N\Theta$ (*sed* -tina Y), *cf.* 9. 28. 6 *et It. Dial. p.* 147: galatiam (-th- D) ΠN^1 (*et sic P in* 26. 5. 4)   iussis $A^7\Theta ald.Frob.$1.2: iussit ΠN, *cf. Praef.* § 79 *et e.g.* 28. 1. 6
8 occupabant A^7N^6 (*praeeunte ut uid.* N^4) $\Theta ald.Frob.$1.2: occultabant ΠN excidit PC^4AN^4 *ab* N^6 *rescriptus* θ: excidii π^2N (*cf. e.g. c.* 2. 8)   9 M. (Ogulnius) πN (*sed hi omnes* memoriam og- *uel* oc-) *Edd.*: om. $C^xBA^xN^x\theta$ Etruriam ΠNJ *ut s. l. K.ald.Frob.* 1.2: aet-(*uel* et- *uel* eth-)oliam SpA^7J Romanorum sociorumque A^7N^4 *ut s. l.* $\Theta ald.Frob.$1.2: romanorumue π, *cf.* 26. 11. 12 *adn.* (*b*): romanorum C^2: romanorum ut BN missi $C^xA^x\theta$: mis/s P: missis π^2: missi sunt BDA, *sed si Liuius* sunt *scripsisset, cum* uoce *profecti* iunxisset

AB VRBE CONDITA XXVII 4 1

Iam aestas in exitu erat comitiorumque consularium in- 4
stabat tempus; sed litterae Marcelli, negantis e re publica
esse uestigium abscedi ab Hannibale cui cedenti certa-
menque abnuenti grauis ipse instaret, patribus curam inie- 2
cerant ne aut consulem tum maxime res agentem a bello
auocarent aut in annum consules deessent. Optimum 3
uisum est, quamquam extra Italiam esset, Valerium potius
consulem ex Sicilia reuocari. Ad eum litterae iussu sena- 4
tus ab L. Manlio praetore urbano missae cum litteris
consulis M. Marcelli, ut ex iis nosceret quae causa patribus
eum potius quam collegam reuocandi ex prouincia esset.

Eo fere tempore legati ab rege Syphace Romam uenerunt, 5
quae is prospera proelia cum Carthaginiensibus fecisset,
memorantes: regem nec inimiciorem ulli populo quam Car- 6
thaginiensi nec amiciorem quam Romano esse adfirmabant;
misisse eum antea legatos in Hispaniam ad Cn. et P. Cor-
nelios imperatores Romanos: nunc ab ipso uelut fonte

4 1 e re publica] e rep̄. *PRθ* : de rep̄. (*uel* rep.) R^2MBDAN:
re p. *C*   uestigium ΠNJ *ut s. l. K* (*post* abscedi *K*) *ald.Frob.*1.2 :
uestibulum A^7J, *mire. Si sana est lectio* (*cui nihil simile repperimus
nisi e.g. prouerbium* digitum discedere), *uocis* uestigium *usus uidetur
popularem aliquem colorem habere quo Marcelli sermonis uigor pingitur,
cf.* 23. 45. 2 *et* 3, *nec non* 27. 13. 9; *de Accusatiuo egit Kühnast
Synt. p.* 155   abnuenti (anu- J) $A^7N^4θ$ *Edd.* : abeunti ΠN
ipse $\Pi N.ald.Frob.$1.2 : *om.* $θ$ 2 patribus $A^7θ$: ipse N^4
(*qui post uoces* ipse instaret *interpunxit et* iniecerant *in* -rat *mutauit*) : ipsi *Vat. Med.* 3 : *om.* $\Pi N.ald.Frob.$1.2. *Scil. omissionem satis
antiquam sanare uoluerat aliquis signum aliquod non nimis per-
spicuum uelut* prb *in marg. codicis Spirensis appingens, quod recte alii
interpretati sunt, alii perperam*   consulem *Spθ? Frob.*2 : cos.
m̄ *PR* : cōs m *M* : cōs CM^2 : consulem (*uel* cōns.) Marcellum *BDA
N.ald.*   3 potius $πA^7N^4$ *ab* N^6 *rescriptus* $θ$ *ald.Frob.*1.2 : *om. AN*

4 L. Manlio *AN Edd., cf.* 26. 23. 1 : l. mallio $π$: manlio $θ$
(mallio J)   urbano *Sigonius e* '*uet. lib.*' : urbis $\Pi Nθ$, *cf. c.* 22. 12
adn.   5 quae (*uel* que) is $SpN^4θ$ *Frob.*2 : quaeq. ΠN, *cf.* 26.
11. 12 *adn.* (*a*) : amicitiam renouaturi quaeque *Rossbach, non male, cf.*
26. 11. 12 *adn.* (*b*) : quae *ald.*   cum $ANθ$: rex cum $\Pi ald.Frob.$
1.2   6 Romano $\Pi^1 N.ald.Frob.$1.2 : romamno *P* : romanis
Spθ   esse adfirmabant (*uel* aff-) $πSp$ *ut uid.* $θ$: affirmabant
esse $AN.ald.Frob.$1.2, *cf. c.* 1. 11 *et* 29. 3. 10 *adn.*; *malim ipse* esse
delere (*cf. c.* 34. 3)   in $N^4θ ald.Frob.$1.2 : *om.* ΠN, *cf.* 26. 13. 7
adn.   Cn. et P. $PCA^1 ald.$: cn. et publium (-us R^xM: -lus R)
M^2BD : *om.* $θ$: cn. et publicum *AN*

7 petere Romanam amicitiam uoluisse. Senatus non legatis modo benigne respondit, sed et ipse legatos cum donis ad regem misit, L. Genucium, P. Poetelium, P. Popillium. 8 Dona tulere togam et tunicam purpuream, sellam eburneam, 9 pateram ex quinque pondo auri factam. Protinus et alios Africae regulos iussi adire; iis quoque quae darentur por- 10 tata, togae praetextae et terna pondo paterae aureae. Et Alexandream ad Ptolomaeum et Cleopatram reges M. Atilius et M'. Acilius, legati ad commemorandam renouandamque amicitiam missi, dona tulere, regi togam et tunicam purpuream cum sella eburnea, reginae pallam pictam cum amiculo purpureo.

11 Multa ea aestate qua haec facta sunt ex propinquis urbibus agrisque nuntiata sunt prodigia: Tusculi agnum cum ubere lactenti natum, Iouis aedis culmen fulmine ictum ac 12 prope omni tecto nudatum; iisdem ferme diebus Anagniae terram ante portam ictam diem ac noctem sine ullo ignis alimento arsisse, et aues ad compitum Anagninum in luco 13 Dianae nidos in arboribus reliquisse; Tarracinae in mari haud procul portu angues magnitudinis mirae lasciuientium 14 piscium modo exsultasse; Tarquiniis porcum cum ore

---

7 sed et πN.ald.Frob.1.2 : sed Bθ   P. Poetelium (sed petell-) Frob.2 : poetelium (pet- AN.ald.) ΠN.ald. (sed -til- D : -tell- ald.); de Poetel- u. 3. 35. 11 adn.   Popillium π : popilium (pomp- K) A Nθ (u. e.g. 7. 12. 1 adn.)   8 pateram ΠN.ald.Frob.1.2 : pateram (path- K) auream Spθ   auri ΠN.ald. : om. Spθ : auream (hic) Frob.2   9 portata C¹ ut uid. ANSp ut uid. : porta π : portate (uel -tae) θald.Frob.1.2   terna πθald.Frob.1.2 : ternę BD : terne AN.   Sensus requiritur 'una quaeque trium (librarum) pondo'; cui lectio codd. hunc ferre sensum uidetur, nihil mutet : cui ut nobis res dubia uidetur, ternarum uel trium uel ternum (gen.) fort. scribat; sed cf. e.g. 44. 14. 2. ubi duo fort. Accusatiuo stat casu   10 et Cleopatram ΠN.ald. : cleopatramque θ Frob.2   11 ea ΠN.ald. : om. Spθ Frob.2   agnum C⁴M¹B²A⁷N⁶ uel N? : agmon π : agnus AN?
12 terram A⁵?N⁴ ab N⁶ rescriptus : ternam π : termam AN   ad C^xM²ANθ : et ad π (scil. et repetito uel, ut saepe, insiticio, cf. cc. 5. 19; 16. 8; 28. 5; 26. 12. 18; 26. 32. 8; 26. 40. 17; 28. 11. 14; 28. 18. 5; 28. 21. 10; 28. 42. 4; 29. 20. 10; 30. 24. 5. Cf. etiam 26. 11. 12 adn. (a))   13 mari Frob.2 : mare ΠNθald. De -ri et -re confusis cf. cc. 8. 5; 11. 15; 25. 9; 26. 3; 30. 17; 39. 3; 42. 3; 46. 9; 47. 10 et 11; 26. 6. 1; 26. 32. 2; 28. 1. 1; 28. 7. 13; 28. 8. 2; 29. 12. 3; 29. 19. 4 et 5; 30. 9. 7; u etiam 3. 13. 8 et 25. 1. 10 adnn.

AB VRBE CONDITA XXVII 4 14

humano genitum, et in agro Capenate ad lucum Feroniae quattuor signa sanguine multo diem ac noctem sudasse.

Haec prodigia hostiis maioribus procurata decreto 15 pontificum; et supplicatio diem unum Romae ad omnia puluinaria, alterum in Capenati agro ad Feroniae lucum indicta.

M. Valerius consul litteris excitus, prouincia exercituque 5 mandato L. Cincio praetori, M. Valerio Messalla praefecto classis cum parte nauium in Africam praedatum simul speculatumque quae populus Carthaginiensis ageret pararetque misso, ipse decem nauibus Romam profectus cum 2 prospere peruenisset, senatum extemplo habuit, ubi de suis rebus gestis commemorauit: cum annos prope sexaginta in 3 Sicilia terra marique magnis saepe cladibus bellatum esset, se eam prouinciam confecisse. neminem Carthaginiensem 4 in Sicilia esse; neminem Siculum non esse; qui fugati metu inde afuerint, omnes in urbes, in agros suos reductos arare, serere; desertam recoli terram, tandem frugiferam ipsis 5 cultoribus populoque Romano pace ac bello fidissimum annonae subsidium. Exim Muttine, et si quorum aliorum 6

---

15 supplicatio ΠNK.*ald.Frob.*1.2 : supplicatione A^8J: supplicatio in *Luchs* unum $A^8?N^4θald.Frob.$1.2 : *om.* ΠN Capenati ΠN: capenate $A^8θald.Frob.$1.2, *cf.* 28. 43. 14 *adn.*
5 1 L. *Vat, cf.* 26. 28. 11 : *om.* ΠNθ*ald.Frob.*1.2 speculatumque $N^4θald.Frob.$1.2 : speculatum ΠN, *cf.* 26. 11. 12 *adn.* (*c*) pararetque $RM^2BDθald.Frob.$1.2 : pareretque PCR^2M (pararet ageretque AN^4 : aret geretque N; *cf.* 29. 3. 10 *adn.*) 2 peruenisset ΠN.*ald.Frob.*1.2 : uenisset $Spθ$ ubi ΠN.*ald.* : ibi $Spθ Frob.$2, *cf. c.* 16. 11 ; 28. 1. 1 ; 29. 22. 11 ; 29. 32. 4 ; 30. 35. 9 ; 30. 40. 2
3 magnis saepe ΠN.*ald.* : saepe magnis *Frob.*2 : prope magnis θ
4 in (Sicilia) $M^2A^7N^4θ$: *om.* ΠN, *cf. c.* 4. 6 *et* 26. 13. 7 *adn.* non esse] *has uoces, quas post* afuerint *praebent* ΠNθ *Frob.*2 *et praebuit ut uid. Sp* (*om.* non *ald.*), *huc transposuit Madv., luculenter* (*u. Em. p.* 391 *sq.*); *cf. c.* 2. 6 fugati] *hic* πθ *et Sp ut uid.* : *post* inde $AN.ald.Frob.$1.2, *cf.* § 1 *et* 29. 3. 10 *adn.* in agros ΠN.*ald.* : agrosque θ *Frob.*2 serere $N^4θald.Frob.$1.2 : *om.* ΠN
5 recoli Π^2N, *Edd.* : recolli P : coli θ terram tandem ΠN.*ald.* : tandem terram θ *Frob.*2 6 Exim π : exin $ANθ Frob.$2 : exinde *Med.* 2. 3 *ald. De forma* -im *cf. e.g. Verg. Aen.* 7. 341 *et Lucr.* 3. 160 ; *formam posteriorem* exin *uindicat Cic. Or.* 45. 154 Muttine (*et in* § 7 -nes) πN, *cf.* 26. 40. 3 : mutine (*et in* § 7 -nes $A^7θ$) $Dθ$

merita erga populum Romanum erant in senatum introductis honores omnibus ad exsoluendam fidem a consule
7 habiti. Muttines etiam ciuis Romanus factus, rogatione ab tribunis plebis ex auctoritate patrum ad plebem lata.
8 Dum haec Romae geruntur, M. Valerius quinquaginta nauibus cum ante lucem ad Africam accessisset, improuiso
9 in agrum Vticensem escensionem fecit; eumque late depopulatus multis mortalibus cum alia omnis generis praeda captis ad naues redit et ad Siciliam tramisit, tertio decimo die
10 quam profectus inde erat Lilybaeum reuectus. Ex captiuis quaestione habita haec comperta consulique Laeuino omnia ordine perscripta ut sciret quo in statu res Africae essent:
11 quinque milia Numidarum cum Masinissa, Galae filio, acerrimo iuuene, Carthagine esse, et alios per totam Africam milites mercede conduci qui in Hispaniam ad Hasdrubalem
12 traicerentur, ut is quam maximo exercitu primo quoque tempore in Italiam transgressus iungeret se Hannibali; in
13 eo positam uictoriam credere Carthaginienses; classem praeterea ingentem apparari ad Siciliam repetendam eamque

6 a consule Π*N.ald.*: consulis *Spθ Frob.*2: a consule datam *Madv. olim Em. p.* 392. *Cum durius uideatur* fidem *sine* consulis, *nec facilius cum* Drak. a consule *pro* consulis *intellegere, ipse conicio* fidem consulis a consule (*utpote qui senatui tum praesideret*) habiti; *de dittographiae falsa suspicione cf.* 29. 7. 7 *adn.* 7 Muttines] *u.* § 6 etiam Π*N.ald.Frob.*1.2: et θ tribunis *Vat*: tr̄ Π*N*: trib. *K*: tribuno *J Edd., sed in tali re tribuni plures una agere solebant* 8 quinquaginta Π*N.ald.Frob.*1.2: *om.* θ (*cf.* 29. 28. 10 *adn.*) escensionem *PCR*: ascensionem *R*²*MBDAN* (*ut saepe, cf. e.g.* 8. 17. 9; 22. 20. 4; 26. 48. 13; 27. 29. 7; 28. 19. 16; 28. 26. 13; 29. 28. 5; 30. 15. 11; 30. 25. 11): excursionem *A*⁷?θ 9 eumque *M*²*N*¹ *uel Nθald.Frob.*1.2: cumque Π*N?* redit Π*NJ*: rediit *C*²*K.ald.Frob.*1.2. *Cf. e.g. cc.* 2. 7 *et* 9; 6. 14; 14. 2; 18. 5; 24. 7; 25. 14; 31. 3; 39. 13; 41. 9; 42. 8; 43. 8; 26. 3. 9; 26. 22. 4; 26. 39. 5 *et* 16; 28. 5. 15; 28. 36. 3; 28. 45. 8; 29. 7. 6; 30. 36. 3. (*cf. et* 23. 23. 9 *et* 1. 3. 3 *adnn.*) et ad Π*N.ald.*: atque in θ *Frob.*2, *fort. recte* tramisit *P*: trasmisit *P*²*R*: transmisit*CMBDAN*θ. *Praebet* tram- *P in c.* 29. 7; 28. 5. 18; 28. 41. 17: *contra* transm*in c.* 22. 7; 30. 24. 5 *al.* inde erat *N*⁴θ *Frob.*2: inde Π*N*: erat inde *Med.* 3 *ald.* 10 haec Π*N.ald.Frob.*1.2: *om.* θ res Africae *Spθ Frob.*2: africae res Π*N.ald., cf.* 28. 2. 15 *adn.* essent *Sp ut uid. BDAN*θ*ald.Frob.*1.2: esset π 11 conduci *A*⁶?θ*ald. Frob.*1.2: deduci Π*N* (*scil. repetito* -de *uocis praec.*)

AB VRBE CONDITA XXVII 5

se credere breui traiecturam. Haec recitata a consule ita mouere senatum ut non exspectanda comitia consuli censeret, sed dictatore comitiorum habendorum causa dicto extemplo in prouinciam redeundum. Illa disceptatio tenebat quod consul in Sicilia se M. Valerium Messallam qui tum classi praeesset dictatorem dicturum esse aiebat, patres extra Romanum agrum—eum autem Italia terminari—negabant dictatorem dici posse. M. Lucretius tribunus plebis cum de ea re consuleret, ita decreuit senatus ut consul priusquam ab urbe discederet populum rogaret quem dictatorem dici placeret, eumque quem populus iussisset diceret dictatorem ; si consul noluisset, praetor populum rogaret ; si ne is quidem uellet, tum tribuni ad plebem ferrent. Cum consul se populum rogaturum negasset quod suae potestatis esset, praetoremque uetuisset rogare, tribuni plebem rogarunt, plebesque sciuit ut Q. Fuluius, qui tum ad Capuam erat, dictator diceretur. Sed quo die id plebis concilium futurum erat, consul clam nocte in Siciliam abiit ; destitutique patres litteras ad M. Claudium mittendas censuerunt ut desertae ab collega rei publicae subueniret diceretque quem populus iussisset dictatorem. Ita a M. Claudio consule Q. Fuluius dictator dictus, et ex eodem plebis scito ab Q. Fuluio dic-

---

14 consuli *Aldus Frob.*1.2 : consulis ΠNSpθ, *cf.* 26. 40. 14 *adn.* censeret *Spθ Frob.*2 : censerent ΠN.*ald.*, *cf. c.* 17. 4 *adn.*
dictatore . . . dicto *Spθ Frob.*2 : dictatorem . . . dici et ΠN.*ald.* Lectionem Spirensianam dubitanter amplectimur, dicto *per meram scripturae obscuritatem in* dici et corruptum, *inde* dictatore *in* -rem *antiquitus mutatum rati*; quamquam *censere* cum acc. *et inf. illustratur ex e.g.* 21. 20. 4 (*et structuram sententiae uariatam fort. tutari uelis citando e.g.* 1. 4. 3 *et* 22. 6. 12 (*P*))   15 quod $N^x(uix\ N^4)θald. Frob.$1.2 : quo ΠN   Italia $A^7θ$: in Italia ΠN.*ald.Frob.*1.2
16 dictatorem . . . quem $πA^7N^4$: *om. AN*   diceret dictatorem ΠN.*ald.* : dictatorem diceret θ *Frob.*2, *cf. c.* 37. 5 *adn.*   praetor (*uel* pr.) $πM^2B^2Nθ$: populus romanus *RM* : *om. B*   17 plebem *K* : pl (*uel* p̄l) ΠN: plebis *J.ald.Frob.*1.2, *minus recte, nam sic* rogarunt *cum* populum coniungitur   18 diceretque quem $CRM^2BDANθ$: diceret quemque *PM*   19 ita a M. $C^xald.Frob.$1.2 : ita a marcello $A^7θ$: italiam (-ia *D*) π (*cf. c.* 20. 8 *adn.*) : ita a M^2BAN plebis scito ΠN: plebiscito θ *et in c.* 6. 6 *eadem uariatio*   ab Q. (*uel* quinto) $A^7θ$: et ab q. $πB^x$, *cf. c.* 4. 12 *adn*: et absque CR^2MBN

tatore P. Licinius Crassus pontifex maximus magister equitum dictus.

6 Dictator postquam Romam uenit, C. Sempronium Blaesum legatum quem ad Capuam habuerat in Etruriam prouinciam ad exercitum misit in locum C. Calpurni praetoris, quem ut Capuae exercituique suo praeesset litteris exciuit. 2 Ipse comitia in quem diem primum potuit edixit; quae certamine inter tribunos dictatoremque iniecto perfici non 3 potuerunt. Galeria iuniorum, quae sorte praerogatiua erat, Q. Fuluium et Q. Fabium consules dixerat, eodemque iure uocatae inclinassent ni se tribuni plebis C. et L. Arrenii 4 interposuissent, qui neque magistratum continuari satis ciuile esse aiebant et multo foedioris exempli eum ipsum 5 creari qui comitia haberet; itaque si suum nomen dictator acciperet, se comitiis intercessuros: si aliorum praeterquam 6 ipsius ratio haberetur, comitiis se moram non facere. Dictator causam comitiorum auctoritate senatus, plebis scito, 7 exemplis tutabatur: namque Cn. Seruilio consule cum C. Flaminius alter consul ad Trasumennum cecidisset, ex auctoritate patrum ad plebem latum plebemque sciuisse ut, quoad bellum in Italia esset, ex iis qui consules fuissent

---

6 1 C. (Sempronium) Π*N*: om. *θ*, cf. 26. 2. 7 Blaesum (*uel* ble-) *CANK*, cf. *l.c.*: plaesum (*uel* ple-) π*J* ad exercitum *C*⁴*A*⁷*N*⁴*θ*: om. ad Π*N*: cum exercitu *M*²*A*ˣ 2 edixit *A*⁷*N*¹*K ald.Frob.*1.2: dixit Π*N*: et dixit *J* inter *A*⁷*θald.Frob.*1.2: in Π*N* potuerunt *A*⁷*θ*: potuerant Π*N*, cf. *de* -runt *et* -rant *cc.* 13. 9; 25. 13; 27. 14; 29. 10; 36. 1; 28. 22. 4; 28. 39. 8; 29. 2. 5; 30. 16. 2 3 Q. Fabium π*M*²*A*⁷*ald Frob.*1.2: que faebium *RM*: fabium *BANθ* (*et om.* q *ante* Fuluium *AN*) dixerat *N*⁴*θ*: dixerant Π*N*, cf. *c.* 17. 4 *adn.* iure uocatae Π*NSpJ*: cetere uocate *K*: iure uocatae reliquae *ald.Frob.*1 2. ni se *Drak.*: nisi Π*N Edd. priores (sed* ni *aliq.*) Arrenii (*ut P in cc.* 26. 12; 27. 8) *Alschefski* (arennii *Pighius et Gron.* 1678): arriani Π(*C ?*)*N*: artiani (*uel* arc-) *θ* 5 acciperet Π*N.ald.Frob.*1.2: exciperet *SpC*⁴*θ* se moram Π*N.ald.Frob.*1.2: moram se *θ*, cf. § 12 *et c.* 37. 5 *adn.* 6 plebis scito] *u. c.* 5. 19 exemplis *C*²*PM*²*N*⁴ *uel N*¹*θ*: exempli Π*N*, cf. *c.* 17. 12 *adn.*: exemplisque *ald.Frob.*1.2 7 cum C. *Sp?*: cumo *P*: cum eo Π² *uel* Π¹(*A?*): cum cn. *A*⁷: cum *θald.Frob.*1.2 ad plebem Π*N.ald.Frob.*1.2: om. *θ* sciuisse Π*N.ald.Frob.*1.2: iussisse *SpA*⁷*N*⁴ *ut s. l. θ* iis *Ven Med.* 2: is *PCR*: his *R*²*MBDANK*: hiis *J* (*ut semper*). Cf. e.g. *c.* 7. 3

AB VRBE CONDITA XXVII 6 7

quos et quotiens uellet reficiendi consules populo ius esset; exemplaque in eam rem se habere, uetus L. Postumi Megelli, 8 qui interrex iis comitiis quae ipse habuisset consul cum C. Iunio Bubulco creatus esset, recens Q. Fabi, qui sibi continuari consulatum nisi id bono publico fieret profecto nunquam sisset. His orationibus cum diu certatum esset, 9 postremo ita inter dictatorem ac tribunos conuenit ut eo quod censuisset senatus staretur. Patribus id tempus rei 10 publicae uisum est ut per ueteres et expertos bellique peritos imperatores res publica gereretur; itaque moram fieri comitiis non placere. Concedentibus tribunis, comitia 11 habita; declarati consules Q. Fabius Maximus quintum, Q. Fuluius Flaccus quartum. Praetores inde creati L. 12 Veturius Philo, T. Quinctius Crispinus, C. Hostilius Tubulus, C. Aurunculeius. Magistratibus in annum creatis Q. Fuluius dictatura se abdicauit.

Extremo aestatis huius classis Punica nauium quad- 13 raginta cum praefecto Hamilcare in Sardiniam traiecta, Olbiensem primo, dein postquam ibi P. Manlius Volso 14 praetor cum exercitu apparuit circumacta inde ad alterum insulae latus Caralitanum agrum uastauit, et cum praeda omnis generis in Africam redit.

Sacerdotes Romani eo anno mortui aliquot suffectique. 15

---

7 reficiendi consules (*uel* cōs) ΠN : *om.* θ   8 exemplaque Spθ$Frob$.2 : exemplumque (-quae RM) π$M^2N.ald$.   in eam rem PC : eam rem $RMBDAN$: in ea re A^7θ : ea in re $ald.Frob$.1.2   recens Q. Sp?$BDAN Frob$.2 : recensque π : recens θ : recensque Q. *ald*. sisset π : siuisset $CAN^1ald.Frob$.1.2 : scisset M^2N^4θ : sciuisset A^7 *uel* A^x : siusset N 9 His C^4?RMB^2DANK : iis PC : hiis B?J 10 id tempus rei p.] *add* interesse *marginator in* Sp : *ignorant* ΠNθ Edd.   11 quintum $A^vK.ald.Frob$.1.2 : u (*uel* ū) πR^xN : ua R : quinquies A^7?J, *cf. c.* 7. 7   quartum K : quintum A^v : iu P : *om.* π^2N : quater A^7?J (*u. supra*)   12 inde A^7θ, '*e uet. lib.*' *Sigonius* : in P : *om.* Π$^2N.ald.Frob$.1.2   Tubulus N^1 (*uix* N^4) J : tribulus K : tumulus ΠN, *sed recte P in c.* 40   10   se abdicauit Π$N.ald.Frob$.1.2 : abdicauit se θ, *cf. e.g.* § 5   14 dein Π$N Frob$.2 : deinde θ*ald*., *cf. c.* 32. 4   Volso K, *cf.* 26. 23. 1 *adn.* : uulso A^7J : colso ΠN redit ΠN : rediit C^1 *uel* $C^2.M^2$θ$ald.Frob$.1.2, *cf c.* 5. 9 *adn*.

XXVII 6 15 TITI LIVI

C. Seruilius pontifex factus in locum T. Otacili Crassi, Ti. Sempronius Ti. filius Longus augur factus in locum T. Ota-
16 cili Crassi. Decemuir item sacris faciundis in locum Ti. Semproni C. filii Longi Ti. Sempronius Ti. filius Longus suffectus. M. Marcius rex sacrorum mortuus est et M. Aemilius Papus maximus curio; neque in eorum locum sacerdotes eo anno suffecti.

17 Et censores hic annus habuit L. Veturium Philonem et P. Licinium Crassum, maximum pontificem. Crassus Licinius nec consul nec praetor ante fuerat quam censor est factus:
18 ex aedilitate gradum ad censuram fecit. Sed hi censores neque senatum legerunt neque quicquam publicae rei egerunt: mors diremit L. Veturi; inde et Licinius censura se ab-
19 dicauit. Aediles curules L. Veturius et P. Licinius Varus ludos Romanos diem unum instaurarunt: aediles plebei Q. Catius et L. Porcius Licinus ex multaticio argento signa aenea ad Cereris dedere et ludos pro temporis eius copia magnifici apparatus fecerunt.

15 Ti. Sempronius . . . Crassi] *om. θald.Frob.*1.2: *praebent* Π*N*.
Post augur *del.* factus . . . Crassi *Madv., cf. de re Mueller-Weissenb. ad loc. et Mommsen Röm. Forsch.* 1. 83 *sq. cum adnn.* locum T.
Otacili (*post* augur factus in) Π¹ *uel* Π²(*sed* -lii)*N* (*cf.* 22. 10. 10) : locuta-tacilii *P*   16 decemuir *ald.Frob.*1.2: x (*uel* decem-)uiri π*N*θ : uiri *C, spat. iii litt. relicto*   faciundis θ, *quod in formula antiqua probandum est, cf.* 26. 33. 14 *adn.* : faciendis Π*N*   Ti. Semproni *Sigonius* : t. semproni (*uel* -ii) π*N.ald.* : *om. D* : tullii *A*⁷ : tulii *J* : t. *K*
C. filii . . . Ti. filius *Pighius* : ti. f. . . . c. f. Π(*A?*)*N* : t. f. . . . c. f. *ald.* : tullius . . . fuluius *A*⁷ : fuluii . . . Sempronius (*om.* ti. f. longus) θ
17 Licinium. . . Crassus] *om. N* : *add. N*ˣ (*manus antiquior quam N*³)
18 Sed hi (hii *NJFrob.*) Π*NSp ut uid. θFrob.*2 : hi *ald.*
quicquam publicae (*uel* -ce) rei Π*N Frob.*2 : publicae rei quicquam θ : quicquam rei p. *ald.*   Veturi (*sed* -rii) *A*⁷θ : ueturius π*N*
19 L. Veturius *A*⁷*ald.Frob.*1.2, *cf. fort.* § 12 : l. (*uel* lucius) uetulus θ : ueturius (ueter- *M* : utur- *D*) Π*N*   plebeii (*sed* -bei) Q. (que *R*) *PCR* : plebisque *M*¹ (-esq: *M*) : plebis q. *BDAN.ald.Frob.*1.2 : plebis θ   Licinus π, *cf.* 26. 6. 1 *adn.* : licinius *AN*θ   ad Cereris *A*ᵛ*J.ald.Frob.*1.2 : ad cereris edem *K* : ad rererem *N*³ *in marg.* : ad ceteris *PR* : a ceteris *C* : ad ceteros *R*²*MBDAN*
dedere *A*ᵛ*N*³θ : debere Π*N*   eius *SpA*⁶θ *Frob.*2 : huius Π*N ald.*
magnifici apparatus Π*N.ald.* : magnifice apparatos *Sp Vat* θ *Frob.*
2, *optime, cf.* 31. 4. 5; 39. 22. 1; 44. 9. 5

AB VRBE CONDITA XXVII 7 1

Exitu anni huius C. Laelius legatus Scipionis die quarto et 7
tricensimo quam a Tarracone profectus erat Romam uenit;
isque cum agmine captiuorum ingressus urbem magnum
concursum hominum fecit. Postero die in senatum intro- 2
ductus captam Carthaginem caput Hispaniae uno die, re-
ceptasque aliquot urbes quae defecissent nouasque in
societatem adscitas exposuit; ex captiuis comperta iis fere 3
congruentia quae in litteris fuerant M. Valeri Messallae.
Maxime mouit patres Hasdrubalis transitus in Italiam, uix
Hannibali atque eius armis obsistentem. Productus et in 4
contionem Laelius eadem edisseruit. Senatus ob res feliciter
a P. Scipione gestas supplicationem in unum diem decreuit;
C. Laelium primo quoque tempore cum quibus uenerat
nauibus redire in Hispaniam iussit. — Carthaginis expugna- 5
tionem in hunc annum contuli multis auctoribus, haud
nescius quosdam esse qui anno insequenti captam tradide-

7 1 C. (gn. N^3K) Laelius legatus Scipionis $A^7N^3\theta$: *om.* ΠN, *cf.*
26. 51. 8 *adn.*   erat Π$N^4\theta$: erat helias N: erat C. Lelius M^2 :
erat Laelius *ald. Frob.* 1. 2   captiuorum $M^2BDAN\theta ald. Frob.* 1.
2 : capti π   2 in (societatem) Π$N.ald. Frob.* 1. 2 : deinde in K:
inde in J adscitas ΠN : ascitas $M^2\theta$ exposuit Π$N\theta ald.*
Frob. 1. 2, *cf.* § 3 *adn.*   3 iis *Ven* : his Π$N\theta$(hiis J)*ald. Frob.* 1.
2, *cf. c.* 6. 7 (*sed in* § 12 iis *PCR* : his *ceteri*)   quae $A^xN^4\theta ald.*
Frob. 1. 2 : quaequae (*uel* -que) ΠN *post* Messallae *add.* N^4
exposuit *quod ipse credo hic a Liuio scriptum sed perperam post uocem*
adscitas § 2 *in P praesumptum esse* (*cf.* 29. 5. 6 *adn.*) *uel* (*quod malit
Johnson si quid mutandum*) *uerbum aliquod uelut* enuntiat *ibi expulisse* ;
non enim facile perspicio quomodo ' *ex captiuis comperta* ' *ad senatum nisi
per Laelium relata fuerint, et uoces* eadem edisseruit (*inf.* § 4) *unum
potius quam plures indicant*   obsistentem A^6 *ed. Par.* 1513 *Frob.*
2 : subsistentem Πθ *Aldus* (-tententem N)   4 et in ΠN: in θ
ald. Frob. 1. 2   eadem *PA*$^7\theta ald. Frob.* 1. 2 : ea demum π^2R^1 *in
ras. N* ; *de studio* ' *architectonico* ' *scribae P^2 cf.* 28. 8. 4 *adn.*
edisseruit (*sed* aed-) P : disseruit (- rint D) Π$^2N\theta ald. Frob.* 1. 2
a P. Scipione *Sp? Frob.* 2, *quod melius formulae senatus consulti conuenit* : ab Scipione Π$NK.ald.* : apud scipionem J supplicationem
Sp?A$^7N^4$ ab N^6 *rescriptus Frob.* 2 : supplicationes C^4 *Vat.ald.* : *om.*
ΠN (*cf.* 26. 51. 8 *adn.*)   C. ΠN: *om.* θ (*cf. supra*)   Laelium
(*uel* le-) ... iussit Π$N.ald. Frob.* 1. 2 : lelius ... iussus θ
5 nescius $A^7N^4\theta$ *Edd.* : segnius πN : segusnius D insequenti
Π$N.ald. Frob.* 1. 2, *cf. c.* 26. 11 *et* 6. 21. 1 *adnn.* : sequenti θ

TITI LIVI

6 rint, quod mihi minus simile ueri uisum est annum integrum Scipionem nihil gerendo in Hispania consumpsisse.

7 Q. Fabio Maximo quintum Q. Fuluio Flacco quartum consulibus, idibus Martiis, quo die magistratum inierunt, Italia ambobus prouincia decreta, regionibus tamen partitum imperium: Fabius ad Tarentum, Fuluius in Lucanis ac 8 Bruttiis rem gereret. M. Claudio prorogatum in annum imperium. Praetores sortiti prouincias, C. Hostilius Tubulus urbanam, L. Veturius Philo peregrinam cum Gallia, T. Quinctius Crispinus Capuam, C. Aurunculeius Sardiniam. 9 Exercitus ita per prouincias diuisi: Fuluio duae legiones quas in Sicilia M. Valerius Laeuinus haberet, Fabio, quibus 10 in Etruria C. Calpurnius praefuisset: urbanus exercitus ut in Etruriam succederet: C. Calpurnius eidem praeesset prouinciae exercituique: Capuam exercitumque quem Q. Ful11 uius habuisset T. Quinctius obtineret: C. Hostilius ab C. Laetorio propraetore prouinciam exercitumque qui tum

---

6 quod Π*N.ald.*, *cf. fort.* quod *in* 26. 44. 6; 6. 7. 2; 6. 8. 2 *et* quae *in* 25. 28. 1: sed *Spθ Frob.* 2   ueri π*M²ald.*: uero *Frob.* 2: uiri *RM*   gerendo θ: gerundo Π*N* (*sed cf. c.* 6. 16)   7 Q. (Fabio) π*M¹N*: que *RM*: *om. Bθ*   quintum *K.ald. Frob.* 1. 2, *cf. c.* 6. 11: IIII (*i.e.* quartum) *A^v*: quinquies *A⁷J*: uel π*N*, *cf.* 26. 51. 2 *adn.*: *om. C*   Q. (Fuluio) *M¹B¹ uel B²DAN*: que π: *om.* θ   quartum (*uel* IIII.) *K.ald. Frob.* 1. 2: u. π*B²N*, *u. supra*: uel *R*: V. *B* ac *M²ANJ.ald. Frob.* 1. 2: a π: et *K*: *om. C*   9 per *C⁴M² AN.ald. Frob.* 1. 2: *om.* π: in θ   M. θ *Frob.* 2, *cf. e.g. c.* 5. 8: *om.* Π*N.ald.*   *ante* Fabio *praebent* Q. Π(-que *R*)*N.ald. Frob.* 1. 2: *ignorant* θ (*ut et* Π *ante* Fabius *in* § 7)   praefuisset *Sp?A⁷N⁴θ Frob.* 2: *om.* Π*N, u. adn. sq.*: praeesset *ald.*   10 urbanus *A⁷N⁴θ et sic* (*sed post* exercitus) *ald. Frob.* 1. 2: *om.* Π*N* (*u.* § 9), *sc. linea xviii litt. ob* -us| -us| *deperdita, cf.* 26. 51. 8 *adn.*   eidem *A⁷N⁴θ*: idem Π*N*   exercituique: Capuam *Sp ut uid. A⁷N⁴θald. Frob.* 1. 2 (*sed uoces* quem . . . habuisset *transpositae sunt post* exercituique *et ante* Capuam *in ald.*): *om.* Π*N, cf. supra* (*mutauit sq.* exercitumque *in* -uique *M²*)   T. *SpA⁷N⁴J Frob.* 2 (*cf. c* 6. 12): *om.* Π*N.ald*: Q. *K* (*qui* Crispinus *pro* Quinctius)   11 Laetorio (*uel* let-) Π*N*, *cf.* 26. 23. 1: lectorio θ. *Hic nomen C. Hostilii pro nom. L. Veturii substitutum esse* (*utrum in fontibus Liui an a scriba?*) *Pighio uidebatur, recte quoad nobis iudicare licet, cf. c.* 10. 12; *nullum tamen in codd. perturbationis signum repperimus*   propraetore (*sed pro* pr̄) Π*N*: proconsule θ (*et* proconsulis *pro* praetoris *in* § 13)   exercitumque Π*NSp ut uid. ald. Frob.* 1. 2: et exercitum θ   qui tum *A⁷θald. Frob.* 1. 2: *om. Sp ut uid.*: qui tumam *PR*: qui tum iam π² *R²N*

AB VRBE CONDITA XXVII 7

Arimini erat acciperet. M. Marcello quibus consul rem gesserat legiones decretae; M. Valerio cum L. Cincio—iis quoque enim prorogatum in Sicilia imperium—Cannensis exercitus datus, eumque supplere ex militibus qui ex legionibus Cn. Fului superessent iussi. Conquisitos eos consules in Siciliam miserunt; additaque eadem militiae ignominia sub qua Cannenses militabant quique ex praetoris Cn. Fului exercitu ob similis iram fugae missi eo ab senatu fuerant. C. Aurunculeio eaedem in Sardinia legiones quibus P. Manlius Volso eam prouinciam obtinuerat decretae. P. Sulpicio eadem legione eademque classe Macedoniam obtinere iusso prorogatum in annum imperium. Triginta quinqueremes ex Sicilia Tarentum ad Q. Fabium consulem mitti iussae: cetera classe placere praedatum in Africam aut ipsum M. Valerium Laeuinum traicere aut mittere seu L. Cincium seu M. Valerium Messallam uellet. Nec de Hispania quicquam mutatum nisi quod non in annum Scipioni Silanoque, sed donec reuocati ab senatu forent prorogatum

---

11 quibus consul Π(*A?*)*N*(*sed* consules *N*)*ald*. *Frob*. 1. 2 : qui bene *A*⁷ *in ras*. *N*⁴(*uel N*⁵*?*)θ 12 Cincio *A*⁷θ*ald*. *Frob*. 1. 2, *cf*. 26. 23. 1 : licinio Π(*A?*)*N* : licuo ? *N*¹ iis] *u*. § 3 *adn*. enim *PCRSp*θ *Frob*. 2 : est *R*ˣ*MBDAN.ald*. imperium] *hic* Π*N.ald*. *Frob*. 1. 2 : *ante* in Sicilia *A*⁸θ *et sic Sp ut uid*. 13 eadem militiae ignominia *A*⁷*N*⁴θ*ald*. *Frob*. 1. 2 : ea Π*N*, *linea fort. xx litt. om., cf.* §§ 9-10; 26. 51. 8 *adn*. 14 eaedem *C*⁸*?M*²*B*²*DANK* : eadem π : edem *J* in Sardinia Π*Sp? Frob*. 2 : in sardiniam *ald*. *Post adn. ad has uoces factam scribit Rhen.* ' hic unam paginam transilire coacti fuimus ob defectum qui erat ' *i.e. in Sp, nec uero ante c*. 9 § 14 *denuo hunc cod. citare incipit*. *In saeculis x̣iii*ᵐᵒ *et xiv*ᵐᵒ *non tantam fuisse lacunam conicias quantam repperisse se ait Rhen., neque est cur de correcturis in* §§ 15-17 *huius capitis dubitemus*; *at quaedam etiam tum defecisse apparet cum post c*. 7. 17 *nullae ab N*⁴ *aut N*³ *profectae occurrant correcturae ante c*. 9. 9, *et absint A*⁷ *et A*⁸ *usque ad c*. 8. 14. *De hac 1e et de codd. interpolatis cf. Praef*. § 89 15 iusso *M*²*A*⁷*N*⁸θ*ald*. : iussus Π*N* 16 placere *A*⁷*N*⁸θ*ald*. : *om*. Π*N* aut (ipsum) Π*NK*: et Aˣ*J* Laeuinum traicere aut mittere *A*⁷*N*⁴ θ*ald*.: messallam misere Π(*A?*)*N* uellet *A*⁷*N*⁴θ*ald*. : *om*. Π*N* 17 non Π*N*(*et ut credo restituit N*⁴)θ: *om*. *N*¹*Vat* annum (Scip.) *C*⁴*M*²*A*⁷*N*⁴ *uel N*³θ : annuis Π*N* : annum is *N*¹

8*

XXVII 7 17 TITI LIVI

imperium est. Ita prouinciae exercituumque in eum annum partita imperia.

8 Inter maiorum rerum curas comitia maximi curionis, cum in locum M. Aemili sacerdos crearetur, uetus excita-2 uerunt certamen, patriciis negantibus C. Mamili Atelli, qui unus ex plebe petebat, habendam rationem esse quia nemo 3 ante eum nisi ex patribus id sacerdotium habuisset. Tribuni appellati ad senatum ⟨rem⟩ reiecerunt: senatus populi potestatem fecit: ita primus ex plebe creatus maximus curio 4 C. Mamilius Atellus. Et flaminem Dialem inuitum inaugurari coegit P. Licinius pontifex maximus C. Valerium Flaccum; decemuirum sacris faciundis creatus in locum Q. 5 Muci Scaeuolae demortui C. Laetorius. Causam inaugurari coacti flaminis libens reticuissem, ni ex mala fama in bonam uertisset. Ob adulescentiam neglegentem luxuriosamque C. Flaccus flamen captus a P. Licinio pontifice maximo erat, L. Flacco fratri germano cognatisque aliis ob 6 eadem uitia inuisus. Is ut animum eius cura sacrorum et caerimoniarum cepit, ita repente exuit antiquos mores ut nemo tota iuuentute haberetur prior nec probatior primo-

17 exercituumque *Lov.* 1. 2. *Ber.*: exercitumque (*uel* -quae) Π*N*: exercitusque $C^2M^2A^x\theta ald$. *Frob.* 1. 2   annum (partita) *in Voss. corrector Frob.* 2. *Drak.*: locum Π*N*θ *ald. Gron.*

8 1 curas $C^2A\theta ald$.: curas cum Π*N* (*scil. ex uoce sq.* cum *duplicato*)   2 ex plebe petebat πA^v?*ald.*: fuit ex plebe petens *AN*θ (*ubi* fuit petens, *i.e.* candidatus, *merum est glossema*)   3 rem *Gron.*: *om.* Π*N*θ (*sc. ante* rei-)   populi Π: populo A^1?*N*θ*ald.*; *lectionem Put. defendit Gron. laudans Sall. Iug.* 79. 8 Graeci optionem Carthaginiensium faciunt; *de locis quos ex Liui libro* 43 *citant Edd., in* 43. 15. 5 *Datiuo potius fauet codex, ex* 43. 22   6 *hic* potestatis *requirendum erat. Nihil tamen mutamus*   4 Et Π*NJ ut s. l. ald.*: cum θ, *cf.* § 8   flaminem *ald.*: flamē *P*: flamen *CRMB*: flam̄ *DAN*θ   inaugurari *ed. Colon.* 1525(*u.* § 5): augurari Π*N*θ (*cf.* 26. 13. 7 *adn.*)   decemuirum *PCR*: decemuirorum $R^xMBDAN\vartheta$ (*sed* et d- θ): decemuir *Madv., sed cf.* 3. 40. 12 *adn.*   faciundis (facun- *B*) Π, *cf. c.* 6. 16: faciendis *AN*θ   5 inaugurari *Frob.* 1, *u.* § 4 (-re Π*N*θ*ald., cf. c.* 4. 13 *adn.*)   coacti ΠN^1(-is *N*)*J*: creati *J ut s. l. K*   reticuissem Π *et* A^x (-set $A^b\theta$)   captus (*sed* capp- *PR*: cap- R^1) Π*NJ*, *cf. Weissenb. ad loc.*: creatus *J ut s. l. K*

AB VRBE CONDITA   XXVII 8 6

ribus patrum, suis pariter alienisque, esset. Huius famae 7
consensu elatus ad iustam fiduciam sui rem intermissam
per multos annos ob indignitatem flaminum priorum repe-
tiuit, ut in senatum introiret. Ingressum eum curiam cum 8
P. Licinius praetor inde eduxisset, tribunos plebis appellauit. Flamen uetustum ius sacerdotii repetebat : datum id
cum toga praetexta et sella curuli ei flamonio esse. Praetor 9
non exoletis uetustate annalium exemplis stare ius, sed re-
centissimae cuiusque consuetudinis usu uolebat : nec patrum nec auorum memoria Dialem quemquam id ius usurpasse. Tribuni rem inertia flaminum oblitteratam ipsis, 10
non sacerdotio damno fuisse cum aequum censuissent, ne
ipso quidem contra tendente praetore, magno adsensu
patrum plebisque flaminem in senatum introduxerunt,
omnibus ita existimantibus magis sanctitate uitae quam
sacerdotii iure eam rem flaminem obtinuisse.

Consules priusquam in prouincias irent, duas urbanas 11
legiones in supplementum quantum opus erat ceteris exercitibus militum scripserunt. Vrbanum ueterem exercitum 12
Fuluius consul C. Fuluio Flacco legato—frater hic consulis
erat—in Etruriam dedit ducendum et legiones quae in Etruria erant Romam deducendas. Et Fabius consul reliquias 13
exercitus Fuluiani conquisitas—fuere autem ad quattuor

7 introiret $C^2R^xMBDAN\vartheta$: ut introiret PCR (sc. ut *repetito*) ; *de* ut *et* in *addito et de* ut, in *confusis cf. e.g. cc.* 3. 4 ; 9. 9 ; 36. 14 ; 37. 4 ; 30. 5. 10 ; 30. 23. 5   8 P. *Glareanus et Sigonius ex cc.* 21. 5 *et* 22. 3 : l. Π*N.ald.*   et (sella) Π*N*: cum θ, *cf.* § 4   ei *Madv.*: et Π*N*: est J: gn. K : C. *Med.* 2 *ald.* : *del. Modius Gron.*
flamonio] *sic* P *in* 26. 23. 8, *cf. Tac. Ann.* 4. 16. 3 ; 13. 2. 6 *et Mommsen. Ephem. epigr.* I 222 (*in Cic. Phil.* 13. 41 *uariant inter se codd.*): flaminio Π*N*θ 9 usu uolebat A^v?*ald.* : usus (usui A^x) ualebat Π*N*: usui uolebat θ usurpasse $C^2?A^x$: usurpasset Π*NJ* (sc. -t *ex* t- *uocis sq.*) : usurparet BK 10 inertia C^xM^1 *uel* M^2BDAN θ (inhe- J) : inertias π, *cf.* 26. 40. 14 *adn.*   aequum $R^2MBD, u.$ *Praef.* § 30 : aequom PCR: equum $AN\vartheta$ praetore C^2B^2DAN θ : praetura π : pr̨e to B plebisque $A^x\theta ald.$: plebisuae π : plebisue CM^1B^2AN eam rem] *hic* Π*N.ald.* (rem eam *ald.*) : *post* flaminem θ 11 erat Π*N.ald.* : esset θ 12 dedit Π*N.ald.* : concedit θ 13 conquisitas Π*N Edd.* : exquisitas θ quattuor milia (*sed* ∞ ∞ ∞ ∞)PC : *om. RMBDAN*θ : tria milia Vat(iii^m) *ald.*

XXVII 8 13 TITI LIVI

milia trecenti quadraginta quattuor— Q. Maximum filium ducere in Siciliam ad M. Valerium proconsulem iussit, atque 14 ab eo duas legiones et triginta quinqueremes accipere. Nihil eae deductae ex insula legiones minuerunt nec uiribus nec 15 specie eius prouinciae praesidium; nam cum praeter egregie suppletas duas ueteres legiones transfugarum etiam Numidarum equitum peditumque magnam uim haberet, Siculos quoque qui in exercitu Epicydis aut Poenorum fuerant, belli 16 peritos uiros, milites scripsit. Ea externa auxilia cum singulis Romanis legionibus adiunxisset, duorum speciem exercituum seruauit; altero L. Cincium partem insulae, regnum 17 qua Hieronis fuerat, tueri iussit: altero ipse ceteram insulam tuebatur diuisam quondam Romani Punicique imperii finibus, classe quoque nauium septuaginta partita ut omni 18 ambitu litorum praesidio orae maritimae essent. Ipse cum Muttinis equitatu prouinciam peragrabat ut uiseret agros cultaque ab incultis notaret et perinde dominos laudaret 19 castigaretque. Ita tantum ea cura frumenti prouenit ut et Romam mitteret et Catinam conueheret unde exercitui qui ad Tarentum aestiua acturus esset posset praeberi.

9 Ceterum transportati milites in Siciliam—et erant maior pars Latini nominis sociorumque—prope magni motus causa fuere; adeo ex paruis saepe magnarum momenta rerum pen-2 dent. Fremitus enim inter Latinos sociosque in conciliis

13 xxxxiv PCR?: xxxxv R^xMBDAN (sed add. M -q: quod separat M^2 ut pro praenomine stet): xxxvi J: xxvi K filium π: fuluium $AN\theta$ accipere $CM^2A^x\theta$: accepere πN 14 eae deductae A^7: eae eductae $C^2\theta$ald.: ea eductae π: ee educte $A?N$ specie ΠN: spe A^7 uel $A^8\theta$ 15 haberet ΠNK: haberent J 16 exercituum $C^2M^2B^2DAN\theta$: exercitu (-tum B) π regnum qua ΠN: qua regnum A^6J.ald. (om. altero—iussit K) Hieronis (ier- $BDAN$) $C^2M^2A^vJ$: peronis PC: feronis RM 17 classe πN: classes $BDA\theta$: classis ald. nauium $C^4Vat.$ald.: om. $\Pi N\theta$ partita PCR: parte R^1M(sed -te aut pro -tita ut)BD AN: paratae $A^6?\theta$: parata ald. praesidio $C^2\theta$ald.: praesidia ΠN 19 ea cura] hic $\Pi N.$ald.: post frumenti θ (cf. c. 37. 5 adn.) prouenit $\Pi N.$ald.: peruenit θ, cf. 21. 19. 9 adn. esset $BVen.$ald.: isset $\pi\theta$: erat Vat
9 1 erant PCR: erat $C^xR^xMBDAN\theta$ald. (om. maior M)

AB VRBE CONDITA XXVII 9

ortus, decimum annum dilectibus stipendiis se exhaustos esse; quotannis ferme clade magna pugnare; alios in acie occidi, alios morbo absumi; magis perire sibi ciuem qui ab Romano miles lectus sit quam qui ab Poeno captus: quippe ab hoste gratis remitti in patriam, ab Romanis extra Italiam in exsilium uerius quam in militiam ablegari. octauum iam ibi annum senescere Cannensem militem, moriturum ante quam Italia hostis, quippe nunc cum maxime florens uiribus, excedat. si ueteres milites non redeant in patriam, noui legantur, breui neminem superfuturum. itaque quod propediem res ipsa negatura sit, priusquam ad ultimam solitudinem atque egestatem perueniant, negandum populo Romano esse. si consentientes in hoc socios uideant Romani, profecto de pace cum Carthaginiensibus iungenda cogitaturos: aliter nunquam uiuo Hannibale sine bello Italiam fore.   Haec acta in conciliis.

Triginta tum coloniae populi Romani erant; ex iis duodecim, cum omnium legationes Romae essent, negauerunt consulibus esse unde milites pecuniamque darent. Eae fuere Ardea, Nepete, Sutrium, Alba, Carseoli, Sora, Suessa, Circeii, Setia, Cales, Narnia, Interamna. Noua re consules icti cum absterrere eos a tam detestabili consilio uellent,

---

2 stipendiis (-dis *CR*) π*C¹R¹N*: et stipendiis *A⁷* uel *A⁸θald.*, *cf. c.* 16. 6 *adn.*   se *praeeunte Rupertio Alschefski*: s *P*: *om.* Π²*Nθ ald.*, *uix recte, quamquam cf.* 26. 48. 13 *adn.*   4 hostis *A⁷θ Frob.* 1. 2: hostis excedat Π*N, cf. cc* 7. 3; 13. 9; 29. 5. 6 *adnn.*: hostis abscedat *ald.*   cum θ*ald. Frob.* 1. 2: tum Π*N*   uiribus excedat Π*Nθald. Frob.* 1. 2   5 redeant Π²*N* (-di-): reant *P*   perueniant *PCθald. Frob.* 1. 2: perueniat *RBDA*: perueniat in *M*: perueniatur *N, quod ipse malim*   6 profecto *CBDANθ*: profecti *PRM*   uiuo *C⁴A⁸θald.*: uno Π*N*   7 tum Π*N ald.*: tunc θ (*et sic* θ *in c.* 5. 15 *et* 16)   Nepete Sutrium *PRM²ald.*: nepetes utrum *C*(-te sut-)*MBDA?N*: nepetes iuturnia (*sed* -uit- *K*) *A⁸θ*   Alba *PCR?M⁵ald.*: alta *R²MBDANθ*   Sora *M⁵ Frob.* 1 (*sed ordine coloniarum confuso*), *cf.* 29. 15. 5: co π*N*: *om. CA⁷θald.*

Circeii, *cf. e.g.* 1. 56. 3: cerei Π*N* (*sed* cereis et iacates): cerete *A⁸θ* (*sed* ceretes et iacetes (*om.* et *K*)); *sim. uariatio in* 29. 15. 5   Cales *M⁵* (*et* calib. *recte praebent* π *in* 29. 15. 5): cates Π*N*: cetes θ (*sed u. supra*)

XXVII 9 8 TITI LIVI

castigando increpandoque plus quam leniter agendo pro-
9 fecturos rati, eos ausos esse consulibus dicere aiebant quod
consules ut in senatu pronuntiarent in animum inducere
non possent; non enim detractationem eam munerum mili-
10 tiae, sed apertam defectionem a populo Romano esse. redirent itaque propere in colonias et tamquam integra re,
locuti magis quam ausi tantum nefas, cum suis consulerent.
admonerent non Campanos neque Tarentinos esse eos sed
11 Romanos, inde oriundos, inde in colonias atque in agrum
bello captum stirpis augendae causa missos. quae liberi
parentibus deberent, ea illos Romanis debere, si ulla pietas,
12 si memoria antiquae patriae esset. consulerent igitur de
integro; nam tum quidem quae temere agitassent, ea pro-
dendi imperii Romani, tradendae Hannibali uictoriae
13 esse.   Cum alternis haec consules diu iactassent, nihil
moti legati neque se quid domum renuntiarent habere dixerunt neque senatum suum quid noui consuleret, ubi nec
miles qui legeretur nec pecunia quae daretur in stipen-
14 dium esset. Cum obstinatos eos uiderent consules, rem
ad senatum detulerunt, ubi tantus pauor animis hominum
est iniectus ut magna pars actum de imperio diceret: idem
alias colonias facturas, idem socios; consensisse omnes ad
prodendam Hannibali urbem Romanam.

9 ut $N^4\theta$: *om.* ΠN (*ante* in *omisso* ut, *cf. c.* 8. 7 *adn.*) : *praebent post*
senatu *ald. Frob.* 1. 2   detract- *u. c.* 2. 5 *adn.*   10 esse eos π :
eos esse *AN.ald. Frob.* 1. 2 : eos θ. *De ordine in codd. uariato fort.*
glossema indicante cf. c. 34. 3 *adn., sed de codd. AN u.* 29. 3. 10 *adn.*
        11 inde in $N^4\theta$*ald. Frob.* 1. 2 : inde ΠN: in A^7?   stirpis
$A^7\theta$*ald.* : urbis ΠN   12 tradendae $A^7\theta$*ald.* : tradendi (-iq. C^2)
ΠN   13 diu iactassent $A^7 N^4 \theta$: dimastassent ΠN   quid
(domum) *scripsimus, cf.* quid *infra et adn.*: quod $\pi C^3 A^8 N\theta$*ald.*: q A :
C *legi nequit*   renuntiarent $C^4 BDAN\theta$: renuntiare π, *cf.* 29. 1. 24
        quid (noui) ΠNθ*ald. Frob.* 1. 2 : quod *Madv.* '*uix dubium*' ; *sed
cf. et c.* 12. 3 *et Cic. N. D.* 3. 25. 64 ; *Tusc.* 5. 28. 82 ; *ad Att.* 7. 19 ;
Rosc. Am. 15. 45   consuleret ΠN.*ald.* : consulerent $M^2\theta$
14 diceret ΠN,*ald.* : dicerent θ   prodendam (-da R) ΠN.*ald.* :
praebendam θ

AB VRBE CONDITA XXVII 10 1

Consules hortari et consolari senatum et dicere alias colo- 10
nias in fide atque officio pristino fore: eas quoque ipsas
quae officio decesserint si legati circa eas colonias mittantur
qui castigent, non qui precentur, uerecundiam imperii habi-
turas esse. Permissum ab senatu iis cum esset, agerent 2
facerentque ut e re publica ducerent, pertemptatis prius
aliarum coloniarum animis citauerunt legatos quaesiuerunt-
que ab iis ecquid milites ex formula paratos haberent. Pro 3
duodeuiginti coloniis M. Sextilius Fregellanus respondit et
milites paratos ex formula esse, et si pluribus opus esset
plures daturos, et quidquid aliud imperaret uelletque popu- 4
lus Romanus enixe facturos; ad id sibi neque opes deesse,
animum etiam superesse. Consules parum sibi uideri 5
praefati pro merito eorum sua uoce conlaudari [eos] nisi
uniuersi patres iis in curia gratias egissent, sequi in senatum
eos iusserunt. Senatus quam poterat honoratissimo decreto 6

10 1 *Lectiones hinc denuo de Sp citat Rhen., u. c.* 7. 14 *adn.*
decesserint *Spθ Frob.* 2 : decessissent (-isent *B*) Π*N.ald., cf. c.* 17. 14
adn. colonias (mittantur) Π*N.ald. Frob.* 1. 2 : *om. θ, non male*
non Π*N.ald. Frob.* 1. 2 : et non *θ* esse Π*N.ald. Frob.* 1.
2 : *om. θ (cf.* daturos § 4 *infra*), *quod melius usum Inf. Fut. antiquum et Liuianum repraesentat; uide sis c.* 38. 5 *adn.* 2 cum esset
*BDAN*⁴*θ* : cum essent π*N, cf. c.* 17. 4 facerentque *A*⁷*N*⁴*θald.
Frob.* 1. 2 : que π*R*²*N, cf.* 26. 11. 12 *adn. (b)* : quae *RBD* ut e
re p. ducerent Π(*A? et A*⁷ *qui* facerentque *add. in ras.*)*N.ald. Frob.* 1.
2: *om. θ* pertemptatis (-tent- *Sp ut uid. K Frob., sed cf. Praef.*
§ 30) *SpN*⁴*θ Frob.* 2 : temptatis (tent- *B*) Π*N.ald.* ecquid *C.ald.
Frob.* 1. 2 : equid *PR* : quid *R*ˣ *MBDA?N* : quot *A*ˣ : qui *θ*
3 paratos ex formula *A*⁷ *uel A*⁸*N*⁴ : paratos formula Π*N* : ex formula
paratos *θald. Frob.* 1. 2, *cf. c.* 37. 5 *adn.* si *C*²*M*²*ANθ* : *om.* π
4 deesse *CM*²*A*⁷*N*⁴*θald. Frob.* 1 2 : deesset (-sent *DAN*) π,
unde deesse et *Alschefski. sed de* -et *pro* -e *cf.* 29. 2. 2 *adn. et Praef.*
§ 79. *De* 'et ... etiam' *cf.* 26. 33. 3 *adn.* 5 parum sibi *PCN*⁴ :
sibi parum *A*⁷*θald. Frob.* 1. 2 : sibi *RMBDAN* eos (*ante* nisi)
Π*Nθald. Frob.* 1. 2, *quod nobis inter* eorum *et* iis *ualde displicet. Seclusimus, in archetypo praesumptum esse rati. Cf. adnn. inf.* patres
iis *Gron.* : tresis *P (deleuit ut uid. et* tre- *et* -is *P*²) : iis *C (sed* uniuersis, *cf. P*²) : *om. RMBDAN* : patres *A*⁷*N*⁴*θ Edd. ante Gron.*
senatum eos *A.ald.* : senatu eos π*N* : senatum *Sp ut uid. θ Frob.* 2,
fort. recte 6 honoratissimo *C*ˣ*M*²*ANθald.* : honoratissimos π,
cf. 26. 40. 14 *adn.*

adlocutus eos, mandat consulibus ut ad populum quoque eos producerent, et inter multa alia praeclara quae ipsis maioribusque suis praestitissent recens etiam meritum 7 eorum in rem publicam commemorarent. Ne nunc quidem post tot saecula sileantur fraudenturue laude sua: Signini fuere et Norbani Saticulanique et Fregellani et Lucerini et Venusini et Brundisini et Hadriani et Firmani et Ariminen- 8 ses, et ab altero mari Pontiani et Paestani et Cosani, et mediterranei Beneuentani et Aesernini et Spoletini et Pla- 9 centini et Cremonenses. Harum coloniarum subsidio tum imperium populi Romani stetit, iisque gratiae in senatu 10 et apud populum actae. Duodecim aliarum coloniarum quae detractauerunt imperium mentionem fieri patres uetuerunt, neque illos dimitti neque retineri neque appellari a consulibus; ea tacita castigatio maxime ex dignitate populi Romani uisa est.

11 Cetera expedientibus quae ad bellum opus erant consulibus, aurum uicesimarium quod in sanctiore aerario ad ulti-

6 eos (mandat) $\pi A^x ald.$ Frob. 1. 2: est eos AN: om. $N^4\theta$, hic uix recte ipsis maioribusque $\Pi N.ald.$ Frob. 1. 2: ipsi maioribus θ, cf. c. 3. 2 adn.; *ipse paene malim ante* ipsis *subiectum uelut* (coloniarum ciues) *inserere, quod displicet Johnsonio* eorum $\Pi N.ald.$ Frob. 1. 2: om. θ, cf. supra   7 Ne $\Pi N.ald.$ Frob. 1. 2: nec θ Signini ΠN (sieg- AN): sipnini $A^7\theta$ Norbani Sp *ut uid.* $A^7 N^4 \theta$ Frob. 2. cf. 2. 34. 6: norani ΠN: nolani et norbani ald.   Lucerini $A^7 N^4$ Frob. 2: nucerini $\Pi N.ald.$ et Venusini Sp *ut uid.* $A^7 N^4$ Frob. 2: om. $\pi N.ald.$ (*u. sq.*)   et Brundisini (*uel* -dus-) $A^7 N^4 ald.$ Frob. 1. 2: om. ΠN, cf. 26. 51. 8 adn.   8 Paestani (*uel* pes-) $A^8 \theta ald.$ Frob. 1. 2: prae- (*uel* pre-, *sed* prite- B: pe- A) -stani ΠN et Cosani $\Pi ald.$ (coss- ald.), cf. It. Dial. p. 389: et consani A^7 et $A^8 N^4$(c̄s-)θ: om. N et (Aesernini) $N^4\theta$(om. ae-θ)ald.: om. ΠN Spoletini (-lent- D) $\Pi N Sp$ Frob. 2: spoletani $A^8 \theta ald.$, *sed cf.* It. Dial. p. 438   9 apud populum πSpK Frob. 2: ad populum $AN.ald.$: om. J 10 aliarum $BDAN\theta ald.$: illiarum PCR (ili- R): milia M (*delet* M^2): illarum C^x detract— *u. c.* 2. 5 adn.   *ante* castigatio *add.* cogitatio seu AN (cf. 28. 12. 13 adn.): del. A^x (*silet* N^4)   11 uicesi— PC: uicessi— RM: uicissi— $BDAN$: uicensi— $N^4\theta$, cf. c. 12. 14 *et Neue-Wagener* II, pp. 314 sq.   sanctiore C^2 *uel* $C^4 A^7 N^4\theta$ ⸵ sanctione ΠN

AB VRBE CONDITA XXVII 10 11

mos casus seruabatur promi placuit. Prompta ad quattuor 12
milia pondo auri. Inde quingena pondo data consulibus et
M. Marcello et P. Sulpicio proconsulibus et L. Veturio
praetori qui Galliam prouinciam erat sortitus, additumque 13
Fabio consuli centum pondo auri praecipuum quod in arcem
Tarentinam portaretur; cetero auro usi sunt ad uestimenta
praesenti pecunia locanda exercitui qui in Hispania bellum
secunda sua fama ducisque gerebat.

Prodigia quoque priusquam ab urbe consules proficisce- 11
rentur procurari placuit. In Albano monte tacta de caelo 2
erant signum Iouis arborque templo propinqua, et Ostiae
lacus, et Capuae murus Fortunaeque aedis, et Sinuessae
murus portaque. Haec de caelo tacta: cruentam etiam 3
fluxisse aquam Albanam quidam auctores erant, et Romae
intus in cella aedis Fortis Fortunae de capite signum quod
in corona erat in manum sponte sua prolapsum. Et Priuerni 4
satis constabat bouem locutum uolturiumque frequenti foro
in tabernam deuolasse, et Sinuessae natum ambiguo inter
marem ac feminam sexu infantem, quos androgynos uolgus, 5

---

11 seruabatur Π*N.ald.* : seruaretur *SpN*⁴ *ut s. l.* θ *Frob.* 2
12 quattuor milia (*uel* ∞ ∞ ∞ ∞) *PCA*⁸*N*⁴θ*ald. Frob.* 1. 2 : *om. RM
BDAN* (*delet ad et pondo N*⁴) quingena *N*⁴ *Frob.* 2 : quinqua-
gena Π*N*θ : quingenta *ald.* et M. . . . proconsulibus Π*N.ald.
Frob.* 1. 2 : *om.* θ erat sortitus πθ (*sed* erat prou. s. θ) : sortitus
erat *AN.ald. Frob.* 1. 2, *cf.* 29. 3. 10 *adn.* 13 auro *A*⁸*N*⁴θ :
ignorant Π*N ald. Frob.* 1. 2, *fort. recte*
11 1 ab urbe π*N*⁴θ*ald. Frob.* 1. 2 : *om. AN, non male* 2 Ostiae
cf. 26. 19. 11 *adn.* : hostiae *C*¹ (-ie *C*ˣ*ald.*) : ostium Π(ho- *C*?*BN*θ)θ
lacus Π*N.ald. Frob.* 1. 2 : locus *A*⁸ *uel A*⁶*N*⁴ *ut s l.* θ : lucus
Crevier, bene aedis Π*N, cf.* 26. 27. 4 *adn.* : edes *A*⁸*N*¹θ
3 Haec Π*N*(hec)*ald. Frob.* 1. 2 : *om.* θ in cella *N*⁴θ : cellam
Π*N, et sic* (*sed* intra *pro* intus) *ald. Frob.* 1. 2 aedis Fortis Π*N
ald. Frob.* 1. 2 : fortis *A*⁸θ, *sed cf.* 10. 46. 14 manum Π*NK* :
manu *N*⁴*J* (*sed cum in N uox sq.* spōnte (*sic*) *sequatur, fort. hanc
potius lineam superuacaneam perstringere uoluerat N*⁴) prolapsum
Π*N.ald. Frob.* 1. 2 : lapsum θ 4 bouem *CB*ˣ(-e- *in ras.*)*DA*¹*N*θ :
bonum *PRM* : boue *M*² : bouem esse *A*? uolturiumque (*uel*
uul-) π*N.ald., cf. c.* 23. 3 : uulturemque *A*⁸ *uel A*⁷*N*⁴θ *Frob.* 2
ac (feminam) Π*N*: et θ 5 uolgus *PC, cf. Praef.* § 30 : uulgus
*RMBDAN*θ

XXVII 11 5   TITI LIVI

ut pleraque, faciliore ad duplicanda uerba Graeco sermone appellat, et lacte pluuisse et cum elephanti capite puerum 6 natum. Ea prodigia hostiis maioribus procurata, et supplicatio circa omnia puluinaria, obsecratio in unum diem indicta; et decretum ut C. Hostilius praetor ludos Apollini sicut iis annis uoti factique erant uoueret faceretque.

7 Per eos dies et censoribus creandis Q. Fuluius consul comitia habuit. Creati censores ambo qui nondum consules fuerant, M. Cornelius Cethegus P. Sempronius Tuditanus. 8 Ii censores ut agrum Campanum fruendum locarent ex auctoritate patrum latum ad plebem est plebesque sciuit.

9 Senatus lectionem contentio inter censores de principe 10 legendo tenuit. Sempronii lectio erat; ceterum Cornelius morem traditum a patribus sequendum aiebat ut qui primus censor ex iis qui uiuerent fuisset, eum principem legerent; 11 is T. Manlius Torquatus erat; Sempronius cui di sortem legendi dedissent ei ius liberum eosdem dedisse deos; se id suo arbitrio facturum lecturumque Q. Fabium Maximum quem tum principem Romanae ciuitatis esse uel Hannibale 12 iudice uicturus esset. Cum diu certatum uerbis esset, concedente collega lectus a Sempronio princeps in senatum Q. Fabius Maximus consul. Inde alius lectus senatus octo praeteritis, inter quos M. Caecilius Metellus erat, infamis

---

6 obsecratio ΠN.ald. Frob. 1. 2: et obsecratio C¹N¹θ   8 Ii Drak. (hi Sigonius): duo Sp?A⁷N⁴ ut s. l. θ Frob. 2, cf. 26. 51. 2 adn.: in P: om. Π²N.ald.   ad A⁷θald. Frob. 1. 2: in ΠN   9 lectionem Bˣ ANθ: legionem π (leg- eraso in C): factionem C⁴ in marg. 10 a A⁷N⁴ ut s. l. θald. Frob. 1. 2: ΠN   ut qui A⁷N⁴θald. Frob. 1. 2: qui PCAN¹?: ut RMBDN?   ante principem add. censorem N⁴   is T. Sp? Frob. 2: et is T. C.ald.: et iit PR (an iil? R): et ibi (ubi D) Rˣ MBDA?N: is lelius A⁷?N⁴J: is l. K: is luti' A⁶?, cf. c. 33. 6 adn.   11 ei Sp?N⁴K Frob. 2: et ΠN.ald.: eis J   facturum lecturumque θald. Frob. 1. 2: lecturum facturumque ΠN; de ordine in P corrupto cf. cc. 13. 9; 18. 8; 28. 2. 15 adn.   uicturus πald. Frob. 1.2, cf. e.g. Cic. Pro Clu. § 124: dicturus C¹ uel C²ANθ   12 concedente collega (uel conl-) ΠN Edd.: om. θ   in senatum Riemann ex C. I. L. I¹, p. 288: in senatu ΠNθ Edd., et sic Bamb. in 38. 28. 2. De -m omisso cf. c. 10. 5 et 26. 41. 12 adn.   erat πA⁷N⁴J.ald. Frob. 1. 2: om. ANK

AB VRBE CONDITA XXVII 11 12

auctor deserendae Italiae post Cannensem cladem. In 13 equestribus quoque notis eadem seruata causa, sed erant perpauci quos ea infamia attingeret; illis omnibus—et multi 14 erant—adempti equi qui Cannensium legionum equites in Sicilia erant. Addiderunt acerbitati etiam tempus, ne praeterita stipendia procederent iis quae equo publico emeruerant, sed dena stipendia equis priuatis facerent. Magnum praeterea numerum eorum conquisiuerunt qui 15 equo merere deberent, atque ex iis qui principio eius belli septemdecim annos nati fuerant neque militauerant omnes aerarios fecerunt. Locauerunt inde reficienda quae circa 16 forum incendio consumpta erant, septem tabernas, macellum, atrium regium.

Transactis omnibus quae Romae agenda erant consules 12 ad bellum profecti. Prior Fuluius praegressus Capuam: post 2 paucos dies consecutus Fabius, qui et collegam coram obtestatus et per litteras Marcellum ut quam acerrimo bello detinerent Hannibalem dum ipse Tarentum oppugnaret— ea urbe adempta hosti iam undique pulso, nec ubi con- 3 sisteret nec quid fidum respiceret habenti, ne remorandi

12 cladem A^7N^4 *ut s. l. θald. Frob.* 1. 2: *om.* ΠN 13 in ΠN *ald. Frob.* 1. 2: inde θ (*ex* § 12) 14 quae (equo) ΠN (*sed* q; *B DN*): qui $A^7N^4θald. Frob.* 1. 2 emeruerant ΠN, *cf.* 21. 43. 10: meruerant θ*ald. Frob.* 1. 2 dena stipendia $A^7N^8θ$ *Edd.*: denascendia *PCR*: denascendi $R^xMBDA?N$ 15 qui ... deberent] *om. Ta ut uid.*: *add.* Ta^2. *Cf. Praef.* § 95 merere $A?NTa^2Sp?$ *Frob.* 2: mereri πA^7 *in ras. θald., cf. c.* 4. 13 *adn.* deberent Ta^2Sp *ut uid.* $A^7N^4θ$ *Frob.* 2: defren ΠN *A?N* (*sed* -ato *N*: atque N^1: *del.* defrenatque N^2: *restituit* atque N^4) ex iis qui π*K.ald. Frob.* 1. 2: ex his qui R^2MBDNJ: eos qui *Ruperti* 16 regium $C^4A^7?θald. Frob.* 2, *cf.* 26. 27. 3 (*P*): regiam ΠN: regiae *Gron., non male*

12 2 praegressus ΠN.*ald. Frob.* 1. 2: progressus $D^2?θ$, *cf. c.* 13. 2 *adn.* et conlegam ΠN (conl- *PCRM*: coll- *ceteri*) *ald. Frob.* 1. 2: collegam θ ut $PCA^7N^4θ$: *om. RMBDAN* detinerent θ: detineret ΠN.*ald Frob.* 1. 2 3 iam $PCRN^4$: um R^1MB^2 *in ras.* (*i.e.* hostium): *om. ANθald. Frob.* 1 2 nec ubi *C ut uid.* $A^7N^4θald.$: ne uiri π*A?N* quid ΠN (*ubi* ne quid *N*: nec quid N^1 *uel* N^2): quod *Wesenberg. sed cf. c.* 9. 13 *adn.* fidum $A^7N^4θ$: fidem ΠN remorandi ΠN.*ald.* (*intransitiue*): remoranti *N*: morandi *Spθ Frob.* 2. *Puteana lectio poetas certe redolet, ut ait Madv., sed a Liuio quam a librario electum esse uocabulum* remorari *uerisimilius est*

4 quidem causam in Italia fore—Regium etiam nuntium mittit ad praefectum praesidii quod ab Laeuino consule 5 aduersus Bruttios ibi locatum erat, octo milia hominum, pars maxima ab Agathyrna, sicut ante dictum est, ex Sicilia traducta, rapto uiuere hominum adsuetorum; additi erant Bruttiorum indidem perfugae, et audacia et audendi omnia 6 necessitatibus pares. Hanc manum ad Bruttium primum agrum depopulandum duci iussit, inde ad Cauloniam urbem oppugnandam. Imperata non impigre solum sed etiam auide exsecuti direptis fugatisque cultoribus agri summa ui urbem oppugnabant.

7 Marcellus et consulis litteris excitus et quia ita induxerat in animum neminem ducem Romanum tam parem Hannibali quam se esse, ubi primum in agris pabuli copia fuit ex hibernis profectus ad Canusium Hannibali occurrit. 8 Sollicitabat ad defectionem Canusinos Poenus; ceterum ut appropinquare Marcellum audiuit, castra inde mouit. Aperta erat regio, sine ullis ad insidias latebris; itaque in 9 loca saltuosa cedere inde coepit. Marcellus uestigiis instabat castraque castris conferebat, et opere perfecto extemplo in aciem legiones educebat. Hannibal turmatim per equites peditumque iaculatores leuia certamina serens casum uni- 10 uersae pugnae non necessarium ducebat. Tractus est tamen ad id quod uitabat certamen. Nocte praegressum adsequitur

5 hominum (pars) Π*N*θ : *delere uoluit* Gron., *uocibus* pars . . . traducta *in parenthesi separatis, sed* pars maxima *uocibus* rapto . . . adsuetorum *adhaeret, cf. e.g.* 23. 35. 6 indidem π(*R?A? in ras.*) *A*⁷*N*(*an N*¹*?*)*ald. Frob.* 1. 2, *quod pro* indidem ex Bruttiis *interpretandum, sc.* '*Bruttians from the district* (*of Regium*)' : itidem *N*⁴ (*sc.* ob eandem necessitatem) : incudem *N?* : identidem (*ut uid.*) *P*³*C*⁴ : in diem θ   6 Cauloniam *A*⁷θ*ald. Frob.* 1. 2, *cf. It. Dial. p* 6 (*et sic* Π *in c.* 16. 9) : cauloneam *N*⁴ *ut s. l.* : cautoneam π*B*¹*N* : cautionem *B* : cautonam *M*²   7 ita *Sp? Frob.* 2 : *om.* ΠΝθ*ald*   induxerat in animum θ : in animum induxerat *Sp ut uid. A*⁷*N*⁴ *ald. Frob.* 1. 2 : induxerunt in animum π (in an. ind. *AN, cf.* 29. 3. 10 *adn.*) 9 educebat ΠΝ.*ald. Frob.* 1. 2 : ducebat θ   turmatim *BDAN*θ *ald.* : turbatim π   10 praegressum π*SpFrob.*2 : praegressum eum *AN*θ*ald.*

AB VRBE CONDITA   XXVII 12

locis planis ac patentibus Marcellus; castra inde ponentem pugnando undique in munitores operibus prohibet. Ita signa conlata pugnatumque totis copiis, et cum iam nox instaret Marte aequo discessum est. Castra exiguo distantia spatio raptim ante noctem permunita. Postero die luce prima Marcellus in aciem copias eduxit; nec Hannibal detractauit certamen, multis uerbis adhortatus milites ut memores Trasumenni Cannarumque contunderent ferociam hostis: urgere atque instare eum; non iter quietos facere, non castra ponere pati, non respirare aut circumspicere; cottidie simul orientem solem et Romanam aciem in campis uidendam esse; si uno proelio haud incruentus abeat, quietius deinde tranquilliusque eum bellaturum. His inritati adhortationibus simulque taedio ferociae hostium cottidie instantium lacessentiumque acriter proelium ineunt. Pugnatum amplius duabus horis est. Cedere inde ab Romanis dextra ala et extraordinarii coepere. Quod ubi Marcellus uidit, duodeuicesimam legionem in primam aciem inducit. Dum alii trepide cedunt, alii segniter subeunt, turbata tota acies est, dein prorsus fusa, et uincente pudorem metu terga dabant. Cecidere in pugna fugaque ad duo milia et septingenti ciuium sociorumque; in iis quattuor

---

10 patentibus $C^4M^2BDAN\theta$: parentibus π ponentem $M^2BA N\theta$: potentem π conlata $\Pi^xN\theta$: conlocata P totis $\Pi N ald.Frob$.1.2 : om. J : omnibus K ab instaret *fere ad pronuntiatque (c 13. 11) in partibus exstat (apud Studemund) Ta, cf Praef.* § 95
11 detract— *u. c.* 2. 5 *adn.*   12 non iter quietos facere $SpFrob$.2 (*et fort. etiam Ta, cf. Studemund ad loc.*): quietos facere N^4 (*add.* inter *ante* quietos N^5, *non* N^4) : *silet* A^7: om. $\Pi N.ald., cf.$ 26. 51. 8 *adn.*   non castra $\Pi N.ald.Frob$.1.2 : castra non $Sp^2\theta$
13 ferociae $C^2M^2BDAN^4\theta$: feroniae π : feroce N ineunt $C M^2BDAN\theta$: in eum PRM 14 duodeuicesimam] -ces- $\pi R^xN K$: -cess- RJ : -cens- $Ta, cf. c.$ 10. 11 *adn*.   15 trepide $Sp\theta Frob$.2 : trepidi $\Pi N.ald., fort. recte. cf. e.g c.$ 19. 5 *adn.*   dein $Ta \Pi NJ.ald.$: deinde $K, cf.$ 29. 3. 9 *adn.*   prorsus $TaCR^1MBDAN$: prosus PR 16 fugaque $A^7\theta$: que $\pi, cf.$ 26. 11. 12 *adn.* (*b*) : om. $AN.ald.Frob$.1.2 (*sed* cecidereque *Edd.*) : usque M^2 et septingenti $\Pi N.ald.Frob$.1.2 : et septingentos A^7, *sed cf.* 28. 34. 2 *adn.*
in iis PCR : in his $RMBDA$ et $A^xN.ald.Frob$.1.2 : inter ques fuere $A^7\theta$

XXVII 12 16   TITI LIVI

Romani centuriones, duo tribuni militum, M. Licinius et M. Heluius. Signa militaria quattuor de ala prima quae fugit, duo de legione quae cedentibus sociis successerat amissa.

Marcellus postquam in castra reditum est, contionem adeo saeuam atque acerbam apud milites habuit ut proelio per diem totum infeliciter tolerato tristior iis irati ducis oratio esset. 'Dis immortalibus, ut in tali re, laudes gratesque' inquit 'ago quod uictor hostis cum tanto pauore incidentibus uobis in uallum portasque non ipsa castra est adgressus; deseruissetis profecto eodem terrore castra quo omisistis pugnam. Qui pauor hic, qui terror, quae repente qui et cum quibus pugnaretis obliuio animos cepit? Nempe iidem sunt hi hostes quos uincendo et uictos sequendo priorem aestatem absumpsistis, quibus dies noctesque fugientibus per hos dies institistis, quos leuibus proeliis fatigastis, quos hesterno die nec iter facere nec castra ponere passi estis. Omitto ea quibus gloriari potestis: cuius et ipsius pudere ac paenitere uos oportet referam—nempe aequis manibus hesterno die diremistis pugnam. Quid haec nox, quid hic dies attulit? Vestrae iis copiae imminutae sunt an illorum auctae? Non equidem mihi cum exercitu meo loqui uideor

---

17 quae fugit Π*N.ald.Frob.*1.2 : quae fuit *Ta* : om. *θ*
13 2 gratesque inquit Π*N*(-inquid *N*)*θ* : grates quid *Ta ut uid.* profecto *CM²BDANθ* : praefecto *PRM, cf. cc.* 12. 2 ; 22. 5 ; 28. 13. 9 (21. 28. 8 *adn.*)   3 qui (terror) Π*N.ald.Frob.*1.2 : om. *θ* (*sed pro* terror quae *dant θ* terrorque)   priorem aestatem *Ta Sp?Frob.*2 : priore aestate Π*N* : in priorem aestatem *θ*   4 fatigastis π²*Ta²* : fatigatis *PTa* : fugastis *ANθald.Frob.*1.2   5 ac paenitere (*uel* pen-) Π*NTa²* : om. *Ta*   referam Π*NTa.ald.* : om. *SpN⁴θFrob.*2. *Si* referam *sanum est, opponuntur* (*ut monet Johnson*) '*ea*' (*sc. uictoriae in* §§ 3 *et* 4 *commemoratae*) *proelio ambiguo hesterno* (*i.e.* '*cladem hodiernam hesternis tantum rebus metiar, non uictoriis prioribus*') : *sin* (*quod ipse malebam*) *Spirensi obsequendum est, uoces* cuius et ipsius *ad* gloriari potestis *referenda erunt et duo membra oppositionis erunt* omitto ea . . . *et* quid haec nox . . . ?. *Facilius tamen est intellegere cur quis* referam *delere potuerit quam cur inserere, nec displicet ordo chiasticus* omitto . . . referam   6 uestrae *M²ANθTa? ald.* : uestra (-tra; *C*) π : urā *MB*   meo loqui *Ta²SpA⁷N⁴ ab N⁶ rescriptus θFrob.*2 : me loqui *PCRTa* : eloqui *RˣMBD*(ael-)*AN* : meo eloqui *ald.*

AB VRBE CONDITA XXVII 13 6

nec cum Romanis militibus : corpora tantum atque arma
eadem sunt. An si eosdem animos habuissetis, terga uestra 7
uidisset hostis ? signa alicui manipulo aut cohorti ademisset?
Adhuc caesis legionibus Romanis gloriabatur : uos illi hodierno die primum fugati exercitus dedistis decus.' Clamor 8
inde ortus ut ueniam eius diei daret : ubi uellet deinde
experiretur militum suorum animos. ' Ego uero experiar,'
inquit ' milites, et uos crastino die in aciem educam ut
uictores potius quam uicti ueniam impetretis quam petitis.'
Cohortibus quae signa amiserant hordeum dari iussit, cen- 9
turionesque manipulorum quorum signa amissa fuerant
destrictis gladiis discinctos destituit; et ut postero die
omnes pedites equites armati adessent edixit. Ita contio 10
dimissa fatentium iure ac merito sese increpitos neque illo
die uirum quemquam in acie Romana fuisse praeter unum
ducem, cui aut morte satisfaciendum aut egregia uictoria
esset.

Postero die ornati [armatique] ad edictum aderant. Im- 11

6 arma eadem sunt $Ta(sed$ -ma ea- *legi non poterant)ald.Frob*.1.2 :
eadem arma sunt A^7N^4 *fort. ab N^6 rescriptus* θ : armas (animas C) ut
eadem PC : arma ut eiusdem $RMBDAN$ (*del.* ut eius- N^1 *et casu*
-dem *intactum reliquit* N^4) 7 An si TaA^7N^2 *ab N^6 rescriptus*
K : ausi J : anni ΠN : si C^4 ademisset $Ta\theta$: abstulisset $\Pi N.ald.$
$Frob$.1.2 8 ut (ueniam) $\Pi NKAldus$: et J : *om. Edd. ante Ald.*
9 amiserant Ta *ut uid*. A^7N^4 *ut s. l.* θ(adm- J)*ald.Frob*.1.2 : amise-
runt (-ss- R) ΠN, *cf. c.* 6. 2 *adn.* destrictis $\Pi N\theta ald.Frob$.1.2 *et
ut uid. Ta (ubi* -ictis *tantum legi poterat*) : destrinctis Sp discinctos (-cintos AN) $\Pi NK.ald.Frob$.1.2 : descinctos TaJ (-cint- J) :
scinctos Sp destituit ; et Sp *ut uid*. N^4 *ut s. l. ald.Frob*.1.2 : de-
stutui et Ta *ut uid.* : destituit θ : destitui iussit et ΠN, *cf. c.* 9. 4
(*excedat bis*) *et de uocibus repetitis* 29. 1. 23 *adn.* : destitui et *Gron.*
 pedites equites Ta : equites pedites Π, *sed cf. e.g.* 5. 7. 12 ;
29. 33. 6 *al.* ; *in* 8. 39. 8 *prior equitum mentio narratione ipsa requiritur
(cf. c.* 26. 5 *de Hannibale;* 28. 13. 3 *de Culcha*) : equites peditesque $N\theta$,
sed cf. c. 16. 6 *adn.* (ped. equitesque *ald.Frob*.1.2). *In Ta utrum* -que
an armati *secutum sit non satis liquet. De ordine Puteani corrupto u.*
28. 2. 15 *adn.* 10 fatentium $Sp?N^4$ *ut s. l.* θ *Frob*.2 : fatentum
$M^2A^v?$: fatendum π, *cf.* 1. 41. 1 *adn.* : fatendo C^1 *uel* $C^2AN.ald.$
quemquam $A^7N^3\theta$: quemque ΠN *post* uictoria *add.* aƚ, ℧ N^4
(*i.e. ut nunc demum constitui* aliunde) 11 ornati armatique
$\Pi NJ.ald.$ (*sed* ordin- *ald.*) *cf.* 10. 40. 12 : armati ornatique $TaSpKFrob$.2
et duo uoc. retinere malit Johnson, cf. e.g. c. 15. 7 ; 7. 10. 5 ; *cf.* 24. 48. 7.
Ipse armatique *deleui ordinem* codd. *uariatum respiciens, cf. c.* 34. 3 *adn.*

TITI LIVI

perator eos conlaudat pronuntiatque a quibus orta pridie fuga esset cohortesque quae signa amisissent se in primam aciem inducturum; edicere iam sese omnibus pugnandum ac uincendum esse et adnitendum singulis uniuersisque ne prius hesternae fugae quam hodiernae uictoriae fama Romam perueniat. Inde cibo corpora firmare iussi ut si longior pugna esset uiribus sufficerent. Vbi omnia dicta factaque sunt quibus excitarentur animi militum in aciem procedunt. Quod ubi Hannibali nuntiatum est, 'Cum eo nimirum' inquit 'hoste res est qui nec bonam nec malam ferre fortunam possit. Seu uicit, ferociter instat uictis: seu uictus est, instaurat cum uictoribus certamen.' Signa inde canere iussit et copias educit. Pugnatum utrimque aliquanto quam pridie acrius est Poenis ad obtinendum hesternum decus adnitentibus, Romanis ad demendam ignominiam. Sinistra ala ab Romanis et cohortes quae amiserant signa in prima acie pugnabant et legio duodeuicesima ab dextro cornu instructa. L. Cornelius Lentulus et C. Claudius Nero legati cornibus praeerant: Marcellus mediam aciem hortator testisque praesens firmabat. Ab Hannibale

---

11 eos CM^2TaA^7 uel $A^8\theta ald.Frob.$1.2 : -es PRM : -is $BDA?N$ post conlauda(-t p-)ro *silet Ta usque ad c.* 33. 5   cohortesque quae $N^4\theta ald.Frob.$1.2 : cohortes quaeque ΠN inducturum ΠN $ald.Frob.$1.2 : educturum θ (ad- J)   12 adnitendum (ann- K) πNK : admittendum M (amitt- J)   13 iussi $\pi N.ald.Frob.$1.2 : iussit CN^4 *ut s. l.* θ si $A^7N^4\theta ald.Frob.$1.2 : *om.* ΠN factaque A^7N^4 *ab* N^6 *rescriptus* $\theta ald.Frob.$1.2 : quae (*uel* que) πN, *cf.* 26. 11. 12 *adn.* (*b*)   excitarentur $N^1\theta ald.Frob.$1.2 : exultarentur (exut- PR : exalt- M^2) π^2R^2N

14 1 res est $N^4(rescriptus)J.ald.Frob.$1.2 : res $A^v?K$: resset P : esset Π^2N : esse C^x possit ΠN : potest N^4 *ut s. l.* $\theta ald.Frob.$ 1 2   uictis : seu uictus $A^7N^4\theta ald.Frob.$1.2 : uictis P : uictus $\Pi^2 N$: seu uictus $A^v?$ 2 et $Sp?N^2\theta Frob.$2 : *om.* $\Pi N.ald.$ educit ΠNSp *ut uid., cf. c.* 5. 9 *adn.* : eduxit θ ad demendam ... Romanis (§ 3) ΠN^4: *om.* N 3 Sinistra $\Pi N^4\theta$: dextra *Perizonius, cf. cc.* 12.14 *et* 13.11, *sed, ut uid., stant nunc in prima acie non solum* (*i*) *cohortes dextrae alae in priore proelio infames et* (*ii*) *xuiii^{ma} legio* (*et ipsa infamis*) *sed etiam* (*iii*) *ala illa quae sinistra erat* duodeuicesima *Perizonius ex c.* 12. 14 : uicensima (*uel* -ces-) $\Pi N\theta$ 4 Nero ΠN : *om.* θ testisque $\Pi N\theta ald.Frob.$1.2 : testis Sp, *uix recte*

AB VRBE CONDITA XXVII 14 5

Hispani primam obtinebant frontem—et id roboris in omni exercitu erat. Cum anceps diu pugna esset, Hannibal elephantos in primam aciem induci iussit, si quem inicere ea res tumultum ac pauorem posset. Et primo turbarunt signa ordinesque, et partim occulcatis, partim dissipatis terrore qui circa erant nudauerant una parte aciem, latiusque fuga manasset ni C. Decimius Flauus tribunus militum signo arrepto primi hastati manipulum eius signi sequi se iussisset. Duxit ubi maxime tumultum conglobatae beluae faciebant pilaque in eas conici iussit. Haesere omnia tela haud difficili ex propinquo in tanta corpora ictu et tum conferta turba; sed ut non omnes uolnerati sunt, ita in quorum tergis infixa stetere pila, ut est genus anceps, in fugam uersi etiam integros auertere. Tum iam non unus manipulus, sed pro se quisque miles qui modo adsequi agmen fugientium elephantorum poterat, pila conicere. Eo magis ruere in suos beluae tantoque maiorem stragem edere quam inter hostes ediderant, quanto acrius pauor consternatam agit quam insidentis magistri imperio regitur. In perturbatam transcursu beluarum aciem signa inferunt Romani pedites et haud magno certamine dissipatos trepidantesque auertunt. Tum in fugientes equitatum immittit Marcellus, nec ante

---

7 occulcatis (-ult- *BDAN*θ) Π*NSp*θ*Frob*.2 : concultatis *ald.* partim (diss-) *Sp ut uid.* θ*ald.Frob*.1 2 : et partim Π*N* dissipatis *CN*⁴θ : disputatis π*N*, *unde et ex* § 11 (dissup- *P*) *in locis antiquitatem et poeticam redolentibus formam antiquiorem a Luuio scriptam esse fort. coniicias. Sed cum et e.g. in c.* 26. 6 *et* 28. 16. 13 *praebeat P* dissup- *et idem* dissip- *in* 28. 3. 1 ; 28. 20. 8 ; 30. 5. 7, *nos in re dubia* dissip- (*cf. e.g.* 2. 28. 3 *adn.*) *semper scribimus* terrore *A*⁷*N*⁴θ : errore π*N* : *om.* (*cum* qui) *D* 8 ni Π*NK.ald.Frob*.1.2 : nisi *J* Flauus π*Frob* 2, *cf.* 39. 32. 14 *et* 38. 2 (*praetor urb*') : flauius *AN*θ*ald.* 9 difficili *Frob*.1.2 : difficile (difi- *B*) Π*N*θ*ald.* tum π (*cf. e.g.* 24. 37. 3) : tam *BDAN*θ*ald.Frob*.1.2 : eum *Sp* conferta Π*N*θ*ald. Rhen.* : conferat *Sp* sed π*R*²*N*θ : *om. R* : et *Madv. olim dubitanter, sed* sed *pro* sed etiam stat (*cf. e.g. Cic. Att.* 5. 13. 3 ; *Plaut. Rud.* 799) 10 consternatam (·tum *N*) Π*SpN*⁴ *ut s. l. Frob.* 2 : consternatas *A*⁷ *uel A*⁸θ(*sed* -tus *K*)*ald.* regitur Π*NSp Frob.*2 : reguntur *A*⁷ *uel A*⁸θ*ald.* 11 dissipatos) *u.* § 7 *adn.*

XXVII 14 12   TITI LIVI

finis sequendi est factus quam in castra pauentes compulsi 13 sunt. Nam super alia quae terrorem trepidationemque facerent, elephanti quoque duo in ipsa porta corruerant, coactique erant milites per fossam uallumque ruere in castra. Ibi maxima hostium caedes facta; caesa ad octo 14 milia hominum, quinque elephanti. Nec Romanis incruenta uictoria fuit: mille ferme et septingenti de duabus legionibus et sociorum supra mille et trecentos occisi; uolnerati 15 permulti ciuium sociorumque. Hannibal nocte proxima castra mouit: cupientem insequi Marcellum prohibuit **15** multitudo sauciorum. Speculatores qui prosequerentur agmen missi postero die rettulerunt Bruttios Hannibalem petere.

2 Iisdem ferme diebus et ad Q. Fuluium consulem Hirpini et Lucani et Volceientes traditis praesidiis Hannibalis quae in urbibus habebant dediderunt sese, clementerque a consule cum uerborum tantum castigatione ob errorem praeteri- 3 tum accepti sunt, et Bruttiis similis spes ueniae facta est, cum ab iis Vibius et Paccius fratres, longe nobilissimi gentis eius, eandem quae data Lucanis erat condicionem deditionis petentes uenissent.

4 Q. Fabius consul oppidum in Sallentinis Manduriam ui cepit; ibi ad quattuor milia hominum capta et ceterae praedae aliquantum. Inde Tarentum profectus in ipsis

13 facerent ΠN.ald.Frob.1.2 : fecerant $A^7θ$ quoque Gron. ex 'Reg.' : que ΠN, cf. c. 15. 5 adn. (apparatuque), 2. 2. 2 et Gron. de 2. 40. 12 : forte A^7N^4 θald.Frob.1.2, optime   14 et (trecentos)N^4 ut s. l. θ : om. ΠN(sed om. et mille MDA)

15 1 prosequerentur ΠNθald., i.e. 'adsidue obseruando sed nusquam lacessendo': sequerentur Sp Frob.2; persequerentur dett. aliq. (cf. **25**. 11. 4), quod uerbum fugientes lacessendi notionem exprimit
2 Volceientes, cf. It. Dial. **26A** (Lucania) : uulcientis (-tes B^2) πN : uolscentes θ: uideretis D   accepti sunt BDAN : accepti Sp?θFrob.2 : acceptis π : recepti sunt ald.   3 spes A^7 N^2θald.Frob.1.2 : res Π(A?)N (cf. correcturam Weissenb. in 28. 24. 10) Vibius A^7 uel A^8θ : uiuius ΠN (cf. 26. 13. 2 adn.)
4 in (Sallent-) A^7N^4θald.Frob.1.2 : om. ΠN, cf. 26. 13. 7 adn. quattuor milia A^7N^4θ Edd. : ∞ ∞ ∞ PC, pari iure : om. RMBDAN

AB VRBE CONDITA XXVII 15

faucibus portus posuit castra. Naues quas Laeuinus tutandis 5 commeatibus habuerat partim machinationibus onerat apparatuque moenium oppugnandorum, partim tormentis et saxis omnique missilium telorum genere instruit, onerarias quoque, non eas solum quae remis agerentur, ut alii machinas 6 scalasque ad muros ferrent, alii procul ex nauibus uolnerarent moenium propugnatores. Hae naues ab aperto mari 7 ut urbem adgrederentur instructae parataeque sunt; et erat liberum mare classe Punica cum Philippus oppugnare Aetolos pararet Corcyram tramissa. In Bruttiis interim Cauloniae 8 oppugnatores sub aduentu Hannibalis ne opprimerentur in tumulum a praesenti impetu tutum, ad cetera inopem, concessere.

Fabium Tarentum obsidentem leue dictu momentum ad 9 rem ingentem potiundam adiuuit. Praesidium Bruttiorum datum ab Hannibale Tarentini habebant. Eius praesidii praefectus deperibat amore mulierculae cuius frater in exercitu Fabi consulis erat. Is certior litteris sororis factus 10 de noua consuetudine aduenae locupletis atque inter populares tam honorati, spem nactus per sororem quolibet impelli amantem posse, quid speraret ad consulem detulit.

---

5 Laeuinus *Unger, cf. c.* 7. 16 : il. iuius *P* : il iuius *CRM* : liuius *M*¹ *BDAN*θ (*notat* li- *et* -i- *pleniore cal. N, cf. c.* 2. 10. *adn.*) partim (mach-) *BDAN*θ : partem *PCR*²*M* : patrem (*ut uid.*) *R* apparatuque θ*ald.* : apparatu (-ta *R*) quoque π*R*²*N* telorum Π*N.ald. Frob.*1.2 : telorumque *A*⁷θ (*silet N*⁴) quoque non eas *A*⁷*N*⁴ θ*ald.Frob.*1.2 : *om.* Π*N* 6 machinas scalasque Π*N.ald.Frob.*1.2 (scalas ma- que θ, *cf. c.* 37. 5 *adn.*) 7 ab Π : ad *N* : ut θ : ut ab *Madv.* (*u. sq.*) ut (*hic*) *C*⁴*N.ald.Frob.*1.2 : *om.* Π (*sc. ante* ur-) *et hic* θ *Madv.* Corcyram *C*θ : corcuram (-cir- *A*⁷*N*¹) π*N* tramissa π*N*? (trām- *N*¹?), *cf. c.* 5. 9 *adn.* : transmissa *DA*ʳ?θ
8 Cauloniae (*sed* -ie) *K, cf. c.* 12. 6 *adn.* : caulonee *A*⁷*N*⁴ : cautones (capt- *D*) Π*N* : Caulonis *Gron.* (*sed* Caulon *promontorium potius designat*) aduentu Π*N, cf.* 2. 55. 1 *et Caes. B.C.* 1. 27. 3 : aduentum θ*ald.Frob.*1.2 *fort. recte, cf.* 28. 10. 5 *adn.* ad cetera inopem concessere *Sp ut uid. A*⁷θ*Frob.*2 : sere *P, linea* xx *litt. omissa, cf.* 26. 51. 8 *adn.* : se recepere (-cip- *RMBD*) Π²*N* (*add.* ad cetera *N*⁴ *ut s. l.*) : ad cetera inopem se recepere *ald.* 9 obsidentem] *hic* Π*N.ald. Frob.*1.2 : *ante* tarentum θ, *cf. c.* 37. 5 *adn.* momentum *A*⁷*N*⁴ *in marg.* θ : ommentum *N*ˣ, *a quo N*⁴ *uitiatus est* : *om.* Π*N*

11 Quae cum haud uana cogitatio uisa esset pro perfuga iussus Tarentum transire, ac per sororem praefecto conciliatus primo occulte temptando animum, dein satis explorata leuitate blanditiis muliebribus perpulit eum ad proditionem 12 custodiae loci cui praepositus erat. Vbi et ratio agendae rei et tempus conuenit, miles nocte per interualla stationum clam ex urbe emissus ea quae acta erant quaeque ut agerentur conuenerat ad consulem refert.

13 Fabius uigilia prima dato signo iis qui in arce erant quique custodiam portus habebant, ipse circumito portu ab 14 regione urbis in orientem uersa occultus consedit. Canere inde tubae simul ab arce simul a portu et ab nauibus quae ab aperto mari adpulsae erant, clamorque undique cum ingenti tumultu unde minimum periculi erat de industria 15 ortus. Consul interim silentio continebat suos. Igitur Democrates, qui praefectus antea classis fuerat, forte illi loco praepositus, postquam quieta omnia circa se uidit, alias partes eo tumultu personare ut captae urbis interdum exci-

11 pro perfuga θ *et sic uoluit* C (*qui* p perfuga *tamen scripsit*) : proterfuga *PR, cf. cc.* 31. 1 *et* 38. 6 : propter fugam R^1M : pro tranfugam *B* : pro transfuga est *DAN* : pro transfuga B^x(tranf-)*ald.* : profuga *Sp* (*sine pro praec. ut uid.*) : perfuga *Rhen.Frob.2*   Tarentum πC^1 *in ras.* R^x(-ntt- R)A^7N^4θ : *om. AN*   temptando (tent- *K, cf. Praef.* § 30) animum πθ : animum eius tentando *AN.ald.Frob.*1.2, *cf.* 29. 3. 10 *adn.*   12 emissus π*ald.Frob.*1.2 : missus *AN*θ   acta Π*N.ald.Frob.*1.2 : facta θ, *cf. c.* 16. 10 *adn.*   conuenerat πθ : conuenerant *BAN*   refert Π*N.ald.Frob.*1.2 : defert A^7θ (*ex* § 10 ?)   13 circumito π : circuito *AN*θ. *Cf. Neue-Wagener* II *p.* 825, *unde apparet* (1) *in nominibus et* circum- *et* circu- *in optimis codd. reperiri*, (2) *in uerbo* circum- *longe frequentius esse* ; *nos* circum- *in uerbo,* circu- *in nominibus scribimus, quamquam in* 8. 37. 9 *codicum consensui obtemperabamus*   14 simul a portu *BDAN.ald.* : et a portu *SpFrob.*2 : simul a | bortu *P* : simul ab ortu *CRM* : simul portu θ   ab (nauibus) *PC, cf. c.* 26. 7 : a *Sp ut uid.* θ*ald.* : *om. RMB DAN*   ab (aperto) π*ald.* : *om. ANSp*θ *Frob.* 2   clamorque π*N.ald.Frob.*1.2 : clamor CA^7θ   periculi πθ*ald.Frob.*1.2 : periculum *AN*   15 antea *Sp ut uid.* N^4θ : *om.* Π*N*   illi *Sp*? A^7 *uel* A^8θ *Frob.*2 (*et iam Edd. ante Ald.*) : illo Π*N.Aldus, fort. recte, cf. e.g.* 8. 36. 1 (praeposito in urbe) *sed datiuus melius indicat officium hominis quod mox deseruit*

AB VRBE CONDITA XXVII 15

taretur clamor, ueritus ne inter cunctationem suam consul 16
aliquam uim faceret ac signa inferret, praesidium ad arcem
unde maxime terribilis accidebat sonus traducit. Fabius 17
cum et ex temporis spatio et ex silentio ipso quod, ubi paulo
ante strepebant excitantes uocantesque ad arma, inde nulla
accidebat uox, deductas custodias sensisset, ferri scalas ad
eam partem muri qua Bruttiorum cohortem praesidium agitare proditionis conciliator nuntiauerat iubet. Ea primum 18
captus est murus adiuuantibus recipientibusque Bruttiis, et
transcensum in urbem est; inde et proxima refracta porta
ut frequenti agmine signa inferrentur. Tum clamore sublato 19
sub ortum ferme lucis nullo obuio armato in forum perueni-
unt, omnesque undique qui ad arcem portumque pugnabant in se conuerterunt.

Proelium in aditu fori maiore impetu quam perseuerantia **16**
commissum est. Non animo, non armis, non arte belli,
non uigore ac uiribus corporis par Romano Tarentinus erat ;
igitur pilis tantum coniectis, prius paene quam consererent 2
manus terga dederunt, dilapsique per nota urbis itinera in
suas amicorumque domos. Duo ex ducibus Nico et Demo- 3
crates fortiter pugnantes cecidere. Philemenus, qui proditionis ad Hannibalem auctor fuerat, cum citato equo ex

---

16 aliquam ΠN^x (*fort. N^4 rescriptus*) : -ari quam N : aliqua *Luchs.*
1889, *uix necess.*   ac signa $\pi Sp\theta Frob$.2 : signaque *AN.ald.*
accidebat $SpN^4 Frob$.2, *cf.* § 17 *et c.* 29. 7 ; 10. 5. 2 ; 10. 41. 7 ; 26. 40.
10 (*contra* 21. 10. 12) : accedebat $\Pi N\theta ald.$ (*de errore cf.* 2. 50. 7)
17 et ex (temporis) $\Pi N.ald.$: ex $Sp\theta Frob$.2   accidebat SpN^4
*Frob.*2 : accedebat $PC\theta ald.$, *cf. supra* § 16 : accebat R : arcebat $R^1 MB$
DAN   agitare $\Pi NJRhen.Frob$.2 : cogitare Sp : agitaret $M^5 N^4$ *ut
s. l.* (*separans ut parenthesin uoces* proditionis . . . nuntiauerat) : tenere
K (*om.* praesidium) : esse agitatae *ald.* (cohortem *omisso*)   nuntiauerat $\pi B^2 N.ald.Frob$.1.2 : nontiaserat B : pronuntiauerat θ
18 inde $\Pi N.ald.$: deinde $Sp\theta$ *Frob.*2   et (proxima) $C^2 DAN.ald.$:
ex π : *om. Spθ Frob.2.*
16 1 aditu $C^3 M^2 A$ *uel* A^x(-tum A?)$N^4 \theta$: auditu (-tus D) πN
2 paene (*uel* pene) $\Pi N\theta ald.$: *om. Sp?Frob.*2   3 Philemenus *Drak., Gronouii uestigiis insistens qui sic in* 25. 8. 3 *legit* (*cum
P*) *ex Polyb.* 8. 24. 4 : philemenes (-mones D) ΠN (-es *pleniore cal. N,
cf. c.* 2. 10) θ (phylem- J : philom- K)

XXVII 16 3   TITI LIVI

4 proelio auectus esset, uagus paulo post equus [errans] per urbem cognitus, corpus nusquam inuentum est; creditum
5 uolgo est in puteum apertum ex equo praecipitasse. Carthalonem autem praefectum Punici praesidii cum commemoratione paterni hospitii positis armis uenientem ad consulem
6 miles obuius obtruncat. Alii alios [passim] sine discrimine armatos inermes caedunt, Carthaginienses Tarentinosque pariter. Bruttii quoque multi passim interfecti, seu per errorem seu uetere in eos insito odio seu ad proditionis famam ut ui potius atque armis captum Tarentum uideretur
7 exstinguendam. Tum ab caede ad diripiendam urbem discursum. Triginta milia seruilium capitum dicuntur capta, argenti uis ingens facti signatique, auri tria milia octoginta pondo, signa tabulae prope ut Syracusarum ornamenta
8 aequauerint. Sed maiore animo generis eius praeda abs-

---

4 uagus Π$N\theta$: uacuus *ald.Frob.*1.2, *non male* (*de errore cf. c.* 20. 8) errans Π$N\theta$: erransque *Aldus Frob* 1.2 : uagans erransque *Edd. ante Ald.* : *deleuit Walters et (insciens) Johnson. Errare de hominib. aptius quam de animalib. usurpatur. De sententiae structura more Liuiano compacta cf. Praef.* § 31 *et* 9. 13. 11   nusquam $A\theta$: nūquam *PN* : nunquam (numq- *B*) *CRMBD*   praecipitasse π *Sp?Frob.*2 (se praec- M^2), *cf. e.g. c.* 40. 3 : prae- (*uel* pre-) -cipitatum (-to *N*) $AN^1\theta ald.$ 5 autem Π$N\theta ald.Frob.$1.2 : tum N^4, *non male* praefectum (prof- *RM, cf. c.* 13. 2) πA^7 *uel* A^8(*hic post* Punici) *ald.* : *om. AN*   6 passim Π$\theta N\theta Edd.$: *interclusimus, melius infra post* multi *hoc aduerbium stare rati* (*de uocibus in P praesumptis cf.* 29. 5. 6 *adn.*)   inermes (*uel* -is) ΠN : inermesque $A^7N^4\theta ald.Frob.$1. 2, *pari iure, cf.* 26. 11. 12 *adn.* (*c*), *sed de asyndeto Liuiano uocum more antiquo coniunctarum cf. Frigellium Prolegom. in lib.* 22, *p.* xxi.   *Cf. etiam* 1. 14. 7 *et* 22. 29. 11 *adnn. et in hoc tomo* § 7 *inf. et* 26. 13. 8 (?) ; 26. 46. 4 (?); 26. 50. 13 (?) ; 27. 2. 8 (?) ; 27. 9. 2 ; 27. 13. 9 ; 28. 13. 5 ; 28. 23. 2 ; 29. 17. 5   passim interfecti $A^7\theta$: interfecti Π$A^xN.ald.Frob.$1.2, *u. supra*   seu per . . . odio πA^7 *uel* $A^8N^4\theta$: *om. AN*   7 ab (caede) $N^4\theta$, *cf.* 30. 9. 11 *adn.* : a ΠN xxx milia $\theta ald.Frob.$1.2 : millia (milia *DN*) xxx ΠN capta A^7N^4 *ut s. l.* $\theta ald.Frob.$1.2 : capti ΠN ingens] *hic* ΠN *ald.* : *ante* argenti $\theta Frob.$2   III milia LXXX *Madv. Em. p.* 396 *adn.* (*cf.* 26. 14. 8) *a Plut. Fab.* 18. 7 *aliquatenus confirmatus* : LXXXIII milia ΠN : LXXIIII m. θ signa N^4 *ut s. l.* θ *et* (*sed* tabulaeq.) *ald. Frob.*1.2 *cf.* § 6 *adn.* : signata (-te *C* : -ti M^2) Π (-ta *ex uoce sq.*): signa et *Alschefski* : signa ac *Weissenb., sed cf. e.g. Sall. Cat.* 11. 6 aequauerint π*ald.* : equauerunt (-uēr *A*) *AN, cf. c.* 1. 13 : aequarent $Sp?A^7N^8\theta Frob.$2   8 Sed $Sp?Frob.$2 : set N^3 *ut credo* : sed (set *N*) et Π$N.ald. cf. c.* 4. 12 *adn.* : *om.* θ (*de Marcelli rapinis cf.* 25. 40. 1 *et* 2)

AB VRBE CONDITA XXVII 16 8

tinuit Fabius quam Marcellus; † qui interroganti scribae †
quid fieri signis uellet ingentis magnitudinis—di sunt, suo
quisque habitu in modum pugnantium formati—deos iratos
Tarentinis relinqui iussit. Murus inde qui urbem ab arce 9
dirimebat dirutus est ac disiectus.

Dum haec Tarenti aguntur, Hannibal iis qui Cauloniam
obsidebant in deditionem acceptis, audita oppugnatione Ta- 10
renti dies noctesque cursim agmine acto cum festinans ad
opem ferendam captam urbem audisset, 'Et Romani suum
Hannibalem' inquit 'habent; eadem qua ceperamus arte
Tarentum amisimus.' Ne tamen fugientis modo conuertisse 11
agmen uideretur, quo constiterat loco quinque milia ferme
ab urbe posuit castra; ibi paucos moratus dies Metapontum
sese recepit. Inde duos Metapontinos cum litteris principum 12
eius ciuitatis ad Fabium Tarentum mittit, fidem ab consule
accepturos impunita priora fore si Metapontum cum praesidio Punico prodidissent. Fabius uera quae adferrent esse 13
ratus, diem qua accessurus esset Metapontum constituit
litterasque ad principes dedit, quae ad Hannibalem delatae
sunt. Enimuero laetus successu fraudis si ne Fabius qui- 14

8 qui ΠΝθ*Edd.*: *malim ipse* cum *scribere*, *ueritus ne* qui *ad* Marcellus
referatur (*cf. e.g.* que *pro* cum 26. 51. 2): *melius tamen* qui *quam* cum
esse credit Johnson interroganti scribae $C^xA^v?N^3\theta ald$. *Frob.*1.2,
quod cum iussit *prauum est*, *nisi Anacoluthon admittas*: interrogatis
(-antis M^2) scribae ΠΝ, *cf. c.* 17. 10 *adn.*: interrogante (*uel* -ti) scriba
Drak., *optime si corruptelam antiquiorem statuas*. *An aliquid excidit
uelut* (impulsus monitu) interrogantis scribae? signis ΠΝ: de
signis $C^4A^7\theta ald.Frob$.1.2 modum A^7 *uel* $A^8N^3\theta$: domum ΠΝ
9 Tarenti (aguntur) $A^7\theta ald.Frob$.1.2: *om.* ΠΝ, *fort. recte*
Cauloniam] *u. c.* 12. 6 *adn.* obsidebant πC^2(-bat C)$N\theta$: ob-
sederant *Gertz, non necess.* deditionem $CM^2A^7?N^1\theta ald$. *Frob.*1.2:
seditionem πN 10 acto $Sp\theta Frob$.2: facto ΠΝ, *cf. c.* 15. 12 *adn.*
11 uideretur $C^4M^2B^2AN\theta ald$.: uidetur π, *cf. c.* 1. 11 *adn.*
constiterat $C^xM^2A^1\theta ald$.: constituerat ΠΝ ibi ΠΝ.*ald. Frob.* 1.2:
ubi θ, *cf. c.* 5. 2 12 *ante* priora *add.* iis *PR.ald.*, tis C, his
$R^2MBDAN\theta$ (hiis J): *om. Sp?Frob.*2 *et delet* N^4 *ante* cum (praes.)
add. iis *PCR*, his R^2 *etc.*, ei $A^7\theta ald.Frob$.1.2: *delet* N^4 13 uera
quae $CMBDAN.ald.Frob$.1.2: ueraq. *PR* (-que R): quae uera θ (*sed
quae adf. uera*), *cf. c.* 37. 5 *adn.* 14 ne $PCRN^4$ *ut s. l.* θ: non
R^1MBDAN

TITI LIVI

dem dolo inuictus fuisset, haud procul Metaponto insidias
ponit. Fabio auspicanti priusquam egrederetur ab Tarento, aues semel atque iterum non addixerunt. Hostia quoque caesa consulenti deos haruspex cauendum a fraude hostili et ab insidiis praedixit. Metapontini postquam ad constitutum non uenerat diem remissi ut cunctantem hortarentur ac repente comprehensi, metu grauioris quaestionis detegunt insidias.

Aestatis eius principio qua haec agebantur, P. Scipio in Hispania cum hiemem totam reconciliandis barbarorum animis partim donis, partim remissione obsidum captiuorumque absumpsisset, Edesco ad eum clarus inter duces Hispanos uenit. Erant coniunx liberique eius apud Romanos; sed praeter eam causam etiam uelut fortuita inclinatio animorum quae Hispaniam omnem auerterat ad Romanum a Punico imperio traxit eum. Eadem causa Indibili Mandonioque fuit, haud dubie omnis Hispaniae principibus, cum omni popularium manu relicto Hasdrubale secedendi in imminentes castris eius tumulos unde per continentia iuga tutus receptus ad Romanos esset. Hasdrubal cum hostium res tantis augescere incrementis cer-

---

14 fuisset Π*N.ald.Frob*.1.2: esset *Sp?A⁷θ*   15 a (fraude) *A⁷N⁴θald.Frob*.1.2: om. Π*N*   16 constitutum Π*N¹* (-tus *N*), cf. 3. 22. 4: constitutam *θald.Frob*.1.2, cf. e.g. cc. 17. 14; 23. 5; 30. 6; 38. 4 (et 1. 50. 1 et 2. 49. 2). *Ex his et aliis exemplis patet genus fem. proprie usurpari in iuris formulis de die uel statuenda uel statuta; extra has formulas licebat semper masculino uti, sed si fem. eligebatur semper notionem illam legalem importabat (nisi ubi dies i.q. aetas erat, ut e.g. in 29. 1. 23)*

17 1 agebantur Π*N ald.Frob*.1.2: gerebantur *θ*   partim (remissione) *CR¹MBDANθ*: partis *PR* ('parti *P²*' *Luchs, quod nos non repperimus*). *De* -s *pro* -m cf. Praef. § 79 et 22. 2. 2 adn. Cf. etiam e.g. 26. 1. 4; 26. 39. 14; 27. 1. 15; 27. 27. 3; 28. 2. 12; 28. 5. 8; 28. 9. 14; 28. 15. 14; 28. 20. 2; 28. 45. 18; 29. 3. 11; 30. 10. 3; 30. 24. 10; et (-m *pro* -s) u. c. 40. 7 adn.   ad eum Π*N.ald.Frob*.1.2: om. *θ*   2 Punico *A⁷N⁴ ut s. l. θ*: ponic. *PR*: poni ·c· *R?MB DA?N* (*sed pro* a Puni- *praebet D* apponi): ponico *M²*: poeni *C*   3 popularium π*A⁷N⁴ ut s. l. θ*: populorum *AN*
4 tantis Π*Nθ*(*sed* -tas *J*)*ald*.: tacitis *SpFrob*.2 (*de errore cf. cum Drak*. 40. 9. 5)

AB VRBE CONDITA XXVII 17 4

neret, suas imminui ac fore ut, nisi audendo aliquid moueret, qua coepissent ruerent, dimicare quam primum statuit. Scipio auidior etiam certaminis erat cum a spe quam 5 successus rerum augebat tum quod priusquam iungerentur hostium exercitus cum uno dimicare duce exercituque quam simul cum uniuersis malebat. Ceterum etiamsi cum pluri- 6 bus pariter dimicandum foret, arte quadam copias auxerat. Nam cum uideret nullum esse nauium usum, quia uacua omnis Hispaniae ora classibus Punicis erat, subductis nauibus Tarracone nauales socios terrestribus copiis addidit; et armorum affatim erat ⟨et⟩ captorum Carthagine et 7 quae post captam eam fecerat tanto opificum numero incluso.

Cum iis copiis Scipio ueris principio ab Tarracone 8 egressus—iam enim et Laelius redierat ab Roma, sine quo nihil maioris rei motum uolebat—ducere ad hostem pergit. Per omnia pacata eunti, ut cuiusque populi fines transiret 9 prosequentibus excipientibusque sociis, Indibilis et Mandonius cum suis copiis occurrerunt. Indibilis pro utroque 10 locutus haudquaquam ⟨ut⟩ barbarus stolide incauteue, sed

4 moueret C^1? $M^1\theta ald$: mouerent ΠN   De -rent pro -ret et -rant pro -rat cf. Praef. § 79 et e.g. 26. 8. 7 ; 26. 28. 13 ; 26. 51. 11 ; 27. 1. 5 ; 27. 5. 14 ; 28. 6. 11 ; 28. 15. 11 ; 30. 33. 10   ruerent $Sp A^7 N^4$ ut s. l. $\theta Frob$.2 : fluerent Π(C?)$N.ald$, fort. recte (sed aliud 7. 29. 5 ; 7. 32. 7) : fluere C^2 in ras. : an fluere ruerent legendum ?   5 auidior $\pi A^7 N^4$ ut s. l. $\theta ald Frob$.1.2 : auidus AN a Sp?$Frob$.2, cf. e.g. 26. 1. 3 : ea Π$N\theta ald$., uix recte, quamquam conferendum est e.g. 1. 23. 10   6 Punicis erat $A^7 N^4\theta ald.Frob$.1.2 : om. ΠN, u. infra
7 et captorum Carthagine Alschefski : captorum Carthagine $A^7 N^4 \theta ald. Frob$.1.2 : om. ΠN (linea ante alterum et omissa, cf. § 9 infra et 26. 51. 8 adn.)   numero incluso $A^7 N^4\theta ald.Frob$.1.2 : om. ΠN (sed uoces Cum iis copiis (§ 8) scribit P uelut nouam paragraphum incepturus, unde conicere licet lineam solita breuiorem excidisse) : ad lineam supplendam coniciunt numero ⟨officinis⟩ incluso Weissenb. (n. in officinis inc. Perthes), cf. 26. 51. 7, numero illic incluso Rossbach, frustra   8 copiis Π $N\theta ald$.: om. Sp ut uid.$Frob$.2   iam enim Π$N\theta$: om. Sp, lacunula relicta   motum ΠNSp ut uid. $ald.Frob$.1.2 : om. θ
9, 10 post Indibilis (§ 9) om. et ... Indibilis ΠN. xliv litteris (fort. iii lineis) ob ὁμ. deperditis, cf. 26. 51. 8 adn. : supplent A^7 uel $A^8 N^3\theta ald$. $Frob$.1 2   10 ut $ald.Frob$.1.2 : om. ΠNθ, cf 28. 5. 2 ; 30. 2. 8

TITI LIVI

potius cum uerecundia ⟨ac⟩ grauitate, propiorque excusanti transitionem ut necessariam quam glorianti eam uelut 11 primam occasionem raptam; scire enim se transfugae nomen exsecrabile ueteribus sociis, nouis suspectum esse; neque eum se reprehendere morem hominum si tam anceps 12 odium causa, non nomen faciat.   Merita inde sua in duces Carthaginienses commemorauit, auaritiam contra eorum superbiamque et omnis generis iniurias in se atque populares. 13 itaque corpus dumtaxat suum ad id tempus apud eos fuisse: animum iam pridem ibi esse ubi ius ac fas crederent coli; ad deos quoque confugere supplices qui nequeant hominum 14 uim atque iniurias pati. se id Scipionem orare ut transitio sibi nec fraudi apud eum nec honori sit. quales ex hac die experiundo cognorit, perinde operae eorum pretium faceret.
15   Ita prorsus respondet facturum Romanus, nec pro trans-

10 ac *Alschefski*: et C^1 *uel* C^2: om. Π*N*θ *et* (*sed* uerecunda grau-) *ald.Frob.*1.2   excusanti C^2M^2BDANθ: excusati π, *cf. c.* 16. 8   quam Π*N*θ*ald.Frob.*1.2: qua *Sp*   eam uelut C^xθ*ald.*: ea uelut Π*NSp, cf.* 26. 41. 12 *adn.*: ea uelut ad *Rhen.Frob.*2   raptam πN^2θ*ald.*: rapta *SpFrob.*2: ratam *AN*   11 se (reprehendere) $M^2BDANSp$ *ut uid.* θ*ald.*: si π*N*   morem A^x *ed. Mediol.* 1505 *Rhen.Frob.*2: amorem SpA^7N^4θ: nomen Π (*A? et A^v? uocem ab A^7 erasam restituens*) *N*θ*ald.*   tam Π*N*θ*ald.Rhen.*: tamen $Sp?N^5Frob.$2   12 iniurias A^7N^4θ*ald.Frob.*1.2: iniuriam C^4M^1 *uel* M^2: iniuria Π*N*; *cf. de* -s *omisso e.g.* 26. 2. 5; 26. 12. 10; 26. 23. 4; 26. 48. 7; 27. 6. 6; 27. 47. 4; 27. 49. 5; 28. 1. 2; 28. 5. 12; 28. 14. 5; 30. 11. 4 (*u. de* -s *addito* 26. 40. 14 *adn.*)   in se atque A^7N^4 *ut s. l.* θ*ald.Frob.*1.2: in statque Π(*A?*)*N* (*del.* in C^4) *sed in P post primam litteram uocis* iniuria *cetera obscura sunt, ubi aliquid infra uidetur primo scriptum esse. Fort.* iteratas *primo scripsit P, quod ipse* (*ubi uidit praesumptum*) *in* iniurias *mutare uoluit, unde* iniurias iteratas in se atque *conicias*   13 ad deos A^7θ*Frob.*1.2: adeos (*uel* ad eos) Π*N.ald.*   14 transitio C^2 *uel* $C^3A^7N^4$ *ut s. l.* θ *Edd.*: trasitio *P*: traditio Π^2(*A?*)*N*   hac Π*N.ald.*: ea SpA^7N^4 *ut s. l.*θ *Frob.*2 (*cf. c.* 16. 16 *adn.*)   cognorit *PCR*: cognouerit R^1MBD^x(-ouit *D*)*AN*θ   operae (*uel* -re) PN^4 *ut s. l.* θ*ald.Frob.*1.2: opera Π^2N faceret Π*NAldus*: faciat SpN^4 *ut s. l.* θ *Edd. ante Ald.Frob.*2, *sed* faceret *Liuianae structurae similius. Vide* 23. 43. 12 *adn. et App. II ad Liui lib. II Cantab.* 1901 *editum de temporib. in O. O. uariatis. Cf. etiam* 26. 3. 2; 26. 29. 7; 26. 36. 2; 27. 43. 8; 27. 51. 3; 28. 2. 2; 28. 5. 15; 28. 8. 7; 28. 28. 7; 28. 34. 10 (?); 30. 42. 10 *et* 18 *et* 19
15 ita prorsus MN^4θ*ald.Frob.*1.2: prorsus ita A^v *in marg.*: ita prosus *PCR*: ita pro suis *BD*: pro suis ita *AN*: ita N^2

AB VRBE CONDITA XXVII 17

fugis habiturum qui non duxerint societatem ratam ubi nec diuini quicquam nec humani sanctum esset. Productae deinde 16 in conspectum iis coniuges liberique lacrimantibus gaudio redduntur, atque eo die in hospitium abducti: postero die 17 foedere accepta fides dimissique ad copias adducendas. Iisdem deinde castris tendebant donec ducibus iis ad hostem peruentum est.

Proximus Carthaginiensium exercitus Hasdrubalis prope 18 urbem Baeculam erat. Pro castris equitum stationes habebant. In eas uelites antesignanique et qui primi agminis 2 erant aduenientes ex itinere priusquam castris locum acciperent, adeo contemptim impetum fecerunt ut facile appareret quid utrique parti animorum esset. In castra 3 trepida fuga compulsi equites sunt signaque Romana portis prope ipsis inlata. Atque illo quidem die inritatis tantum 4 ad certamen animis castra Romani posuerunt: nocte Has- 5 drubal in tumulum copias recipit plano campo in summo patentem; fluuius ab tergo, ante circaque uelut ripa praeceps oram eius omnem cingebat. Suberat et altera inferior 6 summissa fastigio planities; eam quoque altera crepido haud facilior in adscensum ambibat. In hunc inferiorem 7

---

16 iis $A^vald.$: is *PCR*: eius Sp?A^7N^4 *ut s. l.* $\theta Frob.2$: his R^1MB DA?N (*hic tamen ipse* eius *suprascripsit*, his *delens*; *tum* eius *ut s. l.* (*per* ʔ *suum*) *commendat* N^4) abducti πSp?$B^2NFrob.2$: adducti $B\theta ald.$ 17 castris ΠN: in castris N^4 *ut s. l.* $\theta ald.Frob.1.2$ (*silet A^7*)

18 1 Baeculam *Sigonius ex c.* 20. 3 *et Polyb.* 10. 38. 7: betulam A^6? (bec- A^7?)θ: baesulam $\pi A^v (sed$ bes-)N: belusam D: regulam (*uel* Begulam) N^4 *ut s. l.*: *add. in marg.* besula urbs A^x (betula A^4) 2 In N^4 *ut s. l.* θ: *om.* ΠN, *cf.* 26. 13. 7 *adn.* acciperent ΠN: caperent N^4 *ut s. l.* $\theta ald.Frob.1.2$ 3 ipsis πA^vN^4Aldus: *om. A* $N\theta$ *Edd. ante Ald.* 4 illo Π$N.ald.Frob.1.2$: eo θ 5 recipit ΠN: recepit N^4 *ut s. l.* $\theta ald.Frob.1.2$, *cf. c.* 5. 9 *adn.* patentem; fluuius Sp *ut uid.* $A^7N^4\theta Frob.2$: patent. et (*uel* patentet) fuluius (fluuius A?: fluius N) ΠN: patent fluuius N^1: patentem et fluuius *ald.* 6 et Π$N.ald.Frob.1.2$: ex $N^1\theta$ inferior A^7? N^4 *ut s. l.* θ: interior ΠN altera (crepido) $Frob.1.2$: alteram Π$N.ald.$, *cf.* 26. 40. 11 *adn.* facilior in ads-(N^4 as-)-censum (*sed* -su K) Π$N\theta ald.Frob.1.2$: faciliori adscensu *Madv., sed codd. lectio defendenda est subaudiendo 'facilior Romanis in adscensum uenientibus'. Cf. etiam e.g.* in utramque partem

XXVII 18 7 TITI LIVI

campum postero die Hasdrubal postquam stantem pro castris hostium aciem uidit, equites Numidas leuiumque armorum Baliares et Afros demisit.

8 Scipio circumuectus ordines signaque ostendebat hostem praedamnata spe aequo dimicandi campo captantem tumulos, loci fiducia non uirtutis armorumque stare in conspectu; sed altiora moenia habuisse Carthaginem, quae transcendis-
9 set miles Romanus; nec tumulos nec arcem, ne mare quidem armis obstitisse suis. ad id fore altitudines quas cepissent hostibus ut per praecipitia et praerupta salientes
10 fugerent; eam quoque se illis fugam clausurum. Cohortesque duas alteram tenere fauces uallis per quam deferretur amnis iubet, alteram uiam insidere quae ab urbe per tumuli obliqua in agros ferret. Ipse expeditos qui pridie stationes hostium pepulerant ad leuem armaturam infimo
11 stantem supercilio ducit. Per aspreta primum, nihil aliud quam uia impediti, iere; deinde ut sub ictum uenerunt, telorum primo omnis generis uis ingens effusa in eos est;
12 ipsi contra saxa quae locus strata passim, omnia ferme missilia, praebet ingerere, non milites solum, sed etiam turba calonum immixta armatis.

---

7 Bali- ΠN (*cf.* 21. 21. 12 *adn.*) : bale- $M^2A^7\theta$; bali- *praebet P in c.* 2. 6; 28. 37. 8; 28. 46. 7 *al.*   demisit *Aldus Frob.*1.2, *cf.* 7. 23. 6 (*ubi* dem. *contra codd. legendum*) : dimisit ΠNθ *Edd. ante Ald.*
8 aequo dimicandi θ*Frob* 2 : dimicandi aequo ΠN(equo)*ald. Cf. c.* 11. 11 *et* 28. 2. 15 *adnn.*   armorumque ΠN.*ald.* (-que *ut e.g. in* 7. 34. 12; 21. 10. 12) : aut armorum *Sp?N*⁴θ*Frob.*2   9 ne *PCRA*⁷ *Frob.*2 : nec *R*¹*MBDAN*θ*ald.*   hostibus *Sp?N*⁴ *ut s. l. Frob.* 2 : hostes ΠNθ*ald.* (*Cf. de* -is *et* -ib. *corruptis c.* 2. 8)   10 deferretur π*N*⁷(-ff- *N*)*J.ald.* : deferreretur *D* : defertur *Sp?KFrob.*2   ab urbe *PMN Edd.* : ad urbe *N*ˣ (*non N*⁴ *ut s. l.*)   in agros *P MN Edd.* : per in agros *N*⁷ (*non N*⁴) *qui aliquid ab N*⁴ *scriptum erasit*   infimo ΠN.*ald.Frob.*1.2 (*sc.* '*infima parte inferioris planitei*') : in summo *A*ᵛ *ut s. l.* θ   11 aspreta *SpFrob.*2, *cf. e.g* 9. 35. 2 *cum adn.* : aspera ΠNθ*ald.*   primum *Sp ut uid. A*⁷*N*⁴ *ut s. l.* θ *ald.Frob.*1.2 : prima ΠN (*cf. c.* 30. 12 *adn.*) : primo *M*²   ictum π*N*⁴ *ut s. l.* : iactum *AN*θ*ald.Frob.*1.2   12 praebet *A*⁷*N*⁴ *ut s. l. ald.Frob.*1.2 : praemet π*N*: premet *CD* (*in C* omnĭa ... premĕt *sic notata sunt*) : prement *A*

AB VRBE CONDITA XXVII 18

Ceterum quamquam adscensus difficilis erat et prope obruebantur telis saxisque, adsuetudine tamen succedendi muros et pertinacia animi subierunt primi. Qui simul cepere aliquid aequi loci ubi firmo consisterent gradu, leuem et concursatorem hostem atque interuallo tutum cum procul missilibus pugna eluditur, instabilem eundem ad comminus conserendas manus, expulerunt loco et cum caede magna in aciem altiore superstantem tumulo impegere. Inde Scipio iussis aduersus mediam euadere aciem uictoribus ceteras copias cum Laelio diuidit, atque eum parte dextra tumuli circumire donec mollioris adscensus uiam inueniret iubet: ipse ab laeua, circuitu haud magno, in transuersos hostes incurrit. Inde primo turbata acies est dum ad circumsonantem undique clamorem flectere cornua et obuertere ordines uolunt. Hoc tumultu et Laelius subiit; et dum pedem referunt ne ab tergo uolnerarentur, laxata prima acies locusque ad euadendum et mediis datus est, qui per tam iniquum locum stantibus integris ordinibus elephantisque ante signa locatis nunquam euasissent. Cum ab omni parte caedes fieret Scipio, qui laeuo cornu in dextrum incucurrerat, maxime in nuda latera hostium pugnabat; et iam ne fugae quidem patebat locus; nam et stationes utrimque Romanae dextra laeuaque insederant uias, et porta castrorum ducis principumque fuga clausa erat, addita

---

13 adscensus (*uel* asc-) $CM^2BDAN\theta$: accensus *PRM*
13, 14 primi. Qui $\pi B^x N \theta ald.Frob.$1.2 (*interpunxit N ante* primi) : primi qus B : primique $F.\ Leo$ 14 cum caede $\Pi N.ald.$: caede $Sp?N^4\ ut\ s.\ l.\ \theta Frob.$2   altiore ΠN(-rem B^x)$ald.$: altiori $Sp\theta$, *fort. recte, cf.* 9. 34. 23 *adn. et Neue-Wagener* II *p.* 266. *Cf. etiam c.* 30. 5 ; 28. 17. 15 ; 29. 26. 4 ; 42. 65. 10   15 ipse $MBDAN\theta$: ipsi *PCR*   circuitu $MBDAN\theta$: circumitu *PCR, cf. c.* 15. 13 *adn.*
17 et (dum) $CMDAN^1$(*om. N*)$\theta ald.$: ei *PRB*   laxata $M^2\theta ald.Frob.$1.2 : latata π : lassata A^7N^4 (*an* lax-?) : lata $BDAN$
19 fieret $\Pi N\theta ald.$: fierent $Sp?Frob.$2   incucurrerat π : incurrerat $AN\theta ald.Frob.$1.2   latera hostium π : hostium latera $AN\theta ald.Frob.$1.2, *cf.* 26. 5. 17 *adn.*   20 nam A^7N^1(*an* N^4 *rescriptus?*)θ : *om.* ΠN, *uix recte*   porta ... clausa erat (*sed* clauserat $RBDAN$) πN : portam (-tas A^v) ... clauserat $MA^v\theta ald.Frob.$1.2

XXVII 18 20 TITI LIVI

trepidatione elephantorum quos territos aeque atque hostes timebant. Caesa igitur ad octo milia hominum.

19 Hasdrubal iam ante quam dimicaret pecunia rapta elephantisque praemissis, quam plurimos poterat de fuga exci-2 piens praeter Tagum flumen ad Pyrenaeum tendit. Scipio castris hostium potitus cum praeter libera capita omnem praedam militibus concessisset, in recensendis captiuis decem milia peditum, duo milia equitum inuenit. Ex his Hispanos sine pretio omnes domum dimisit, Afros uendere 3 quaestorem iussit. Circumfusa inde multitudo Hispanorum et ante deditorum et pridie captorum regem eum ingenti 4 consensu appellauit. Tum Scipio silentio per praeconem facto sibi maximum nomen imperatoris esse dixit quo se milites sui appellassent: regium nomen alibi magnum, 5 Romae intolerabile esse. regalem animum in se esse, si id in hominis ingenio amplissimum ducerent, taciti iudicarent: 6 uocis usurpatione abstinerent. Sensere etiam barbari magnitudinem animi, cuius miraculo nominis alii mortales 7 stuperent id ex tam alto fastigio aspernantis. Dona inde regulis principibusque Hispanorum diuisa, et ex magna copia captorum equorum trecentos quos uellet eligere Indibilem iussit.

8 Cum Afros uenderet iussu imperatoris quaestor, puerum adultum inter eos forma insigni cum audisset regii generis 9 esse, ad Scipionem misit. Quem cum percontaretur Scipio

20 atque $N^4\theta ald.Frob.$1.2 : *om.* ΠN
19 2 Ex his K: ex iis $J.ald.Frob.$1.2: ex PRM (his *ante* hispomisso*) : et CDN: exim M^2: *om.* A omnes domum $\Pi N.ald.$ $Frob.$1.2: domum omnes θ, *cf. c.* 37. 5 *adn.* 3 eum $\Pi N\theta$: cum N^2 ingenti consensu πA^7 *uel* $A^8 N^2 \theta ald.Frob.$1.2: *om.* AN, *cf. e.g.* § 10 4 intolerabile $\Pi N\theta ald.$: intolerandum $Sp Frob.$2
5 se N^4 *ut s. l.* $\theta ald.Frob.$1.2 : *om.* ΠN (*i.e.* inesse) hominis π $A^7 NK.ald.Frob.$1.2: homines AN^4 *ut s. l.* (*qui uocem praec.* in *uidetur substrinxisse*): oris J: horis J^2 *in marg. ut s. l.* taciti $A^7 N^4$ *ut s. l.* θ, *cf. e.g.* 24. 1. 8: tacite (*uel* -tae) $\Pi N.ald.Frob.$1.2, *fort. recte*
6 Sensere $\theta ald.Frob$ 1.2 : censere ΠN alto $A^7 \theta ald.Frob.$1.2: magno ΠN 7 captorum PN: captiuorum N^7

AB VRBE CONDITA XXVII 19 9

quis et cuias et cur id aetatis in castris fuisset, Numidam esse ait, Massiuam populares uocare: orbum a patre relictum apud maternum auum Galam, regem Numidarum, eductum, cum auunculo Masinissa, qui nuper cum equitatu subsidio Carthaginiensibus uenisset, in Hispaniam traiecisse; prohibitum propter aetatem a Masinissa nunquam ante 10 proelium inisse: eo die quo pugnatum cum Romanis esset inscio auunculo clam armis equoque sumpto in aciem exisse; ibi prolapso equo effusum in praeceps captum ab Romanis esse. Scipio cum adseruari Numidam iussisset, 11 quae pro tribunali agenda erant peragit; inde cum se in praetorium recepisset, uocatum eum interrogat uelletne ad Masinissam reuerti. Cum effusis gaudio lacrimis cupere 12 uero diceret, tum puero anulum aureum tunicam lato clauo cum Hispano sagulo et aurea fibula equumque ornatum donat, iussisque prosequi quoad uellet equitibus dimisit.

De bello inde consilium habitum; et auctoribus quibus- 20 dam ut confestim Hasdrubalem consequeretur, anceps id 2 ratus ne Mago atque alter Hasdrubal cum eo iungerent copias, praesidio tantum ad insidendum Pyrenaeum misso ipse reliquum aestatis recipiendis in fidem Hispaniae populis absumpsit.

Paucis post proelium factum ad Baeculam diebus cum 3

---

9 esse ΠN, cf. 26. 48. 13 adn.: esse se N⁷θ: se esse Aᵛald.Frob.1.
2 (de ordinis uariatione additamentum indicante cf. c. 34. 3 adn.)
Massiuam C, cf. Sall. Iug. 35 (alium quemdam eodem nomine):
massium πN(sed in N -u- pleniore cal., cf. c. 2. 10 adn.)J: masium K
eductum BDAN: edictum π: educatum M²A⁷ uel A⁸θald.
Frob.1.2, sed cf. 2. 9. 6 et Liui lib. 2 ed. Cantab. ad loc. 10 propter aetatem πA⁷N⁴ uel N³θald.Frob.1.2: om. AN, cf. e.g. § 3
die ΠN: die se N⁷ uel N⁴θald.Frob.1.2, cf. § 9 et 26. 48. 13 adnn.
inscio C²M²BDANθald.Frob.1.2: inscipio π, cf. c. 20. 8 adn.
11 uelletne (uel -et ne) N⁴θald.Frob.1.2: uelle π, cf. c. 1. 11
adn.: uellet M   12 quoad (uel quo ad) CBANθald.: quoac P
RM: quoa D   dimisit ΠN.ald.Frob.1.2: dimittit θ, minus bene hic
20 1 consequeretur ΠNθald.: persequeretur Sp?Frob.2
2 alter N⁴θ: om. ΠN ald.Frob.1.2   ipse C⁴M²BDANθ: ipso π
3 Baeculam πN⁴(cf. c. 18. 1): betulam ANθ (ad b- A⁷: a b- A)

141-50   10

XXVII 20 3   TITI LIVI

Scipio rediens iam Tarraconem saltu Castulonensi excessisset, Hasdrubal Gisgonis filius et Mago imperatores ex ulteriore Hispania ad Hasdrubalem uenere, serum post male gestam rem auxilium, consilio in cetera exsequenda 4 belli haud parum opportuni. Ibi conferentibus quid in cuiusque prouinciae regione animorum Hispanis esset, unus Hasdrubal Gisgonis ultimam Hispaniae oram quae ad Oceanum et Gades uergit ignaram adhuc Romanorum esse 5 eoque Carthaginiensibus satis fidam censebat: inter Hasdrubalem alterum et Magonem constabat beneficiis Scipionis occupatos omnium animos publice priuatimque esse nec transitionibus finem ante fore quam omnes Hispani milites aut in ultima Hispaniae amoti aut traducti in 6 Galliam forent. itaque etiam si senatus Carthaginiensium non censuisset, eundum tamen Hasdrubali fuisse in Italiam ubi belli caput rerumque summa esset, simul ut Hispanos omnes procul ab nomine Scipionis ex Hispania 7 abduceret. exercitum eius cum transitionibus tum aduerso proelio imminutum Hispanis repleri militibus, et Magonem Hasdrubali Gisgonis filio tradito exercitu ipsum cum grandi pecunia ad conducenda mercede auxilia in 8 Baliares traicere; Hasdrubalem Gisgonis cum exercitu

---

3 iam Π*N.ald.Frob*.1.2 : *om*. θ (iam *ante* excess- *praebentes, cf. c.* 37.
5 *adn*.)   Gisgonis filius (*uel* fil. : lil *B*) π*B²ald.Frob*.1.2 : filius gisgonis θ, *cf. adn. praec*.   exsequenda (*uel* exe-) Π*Nθ* : exsequendi *Madv. Em. p*. 396   belli *M²BDANθ* : uelli π
haud *A⁷N⁴ ut s. l. θald.Frob*.1.2 : hauo *P* (*cf*. 28. 18. 6) : hanno π², *cf*. 28. 8. 4 *adn*. : anno *AN* : animo *C⁴ ut s. l*.   4 prouinciae (*uel* -cie *uel* -tie) Π*Nθald.Frob*.1.2, *quod tutari uolt Johnson*, cuiusque *pro Masculino genere interpretatus* (*et de* regione prou. *cf. c.* 35. 10) : *ipse delere malim ut ex glossemate ortum* : prouincia ac *Riemann* (*iam* prouincia *et Madv*.)   Hispaniae oram *A⁷ uel A⁸N⁴*(horam)*ald. Frob*.1.2 : hispaniaeorum *PR* : hispaniam eorum *CMBDAN*
Gades *C*(*sed* -is)*M²BDANθ, cf*. 21. 21. 9 *adn*. : cadis *PR* : cades *R²M*
5 amoti Π*N.ald*. : moti *SpN⁷θFrob*.2   6 itaque etiam Π*N.ald.Frob*.1.2 : ita θ   rerumque *A⁷N⁴ ut s. l*. θ : rerum Π*N, cf*. 26. 11. 12 *adn*. (*c*) : et rerum *C²ald.Frob*.1.2   ut *Sp?N⁴ ut s. l*. θ*Frob*.1.2 : et Π*N.ald*.

AB VRBE CONDITA   XXVII 20 8

penitus in Lusitaniam abire, nec cum Romano manus conserere; Masinissae ex omni equitatu quod roboris esset tria milia equitum expleri, eumque uagum per citeriorem Hispaniam sociis opem ferre, hostium oppida atque agros populari;—his decretis, ad exsequenda quae statuerant duces digressi. Haec eo anno in Hispania acta.

Romae fama Scipionis in dies crescere, Fabio Tarentum 9 captum astu magis quam uirtute gloriae tamen esse, Fului senescere fama, Marcellus etiam aduerso rumore esse, super- 10 quam quod primo male pugnauerat, quia uagante per Italiam Hannibale media aestate Venusiam in tecta milites abduxisset. Inimicus erat ei C. Publicius Bibulus tribunus 11 plebis. Is iam a prima pugna quae aduersa fuerat adsiduis contionibus infamem inuisumque plebei Claudium fecerat, et iam de imperio abrogando eius agebat cum tamen neces- 12 sarii Claudii obtinuerunt ut relicto Venusiae legato Marcellus Romam rediret ad purganda ea quae inimici obicerent nec

---

8 Lusitaniam $M^2A^7N^1\theta$: dusitanum P : lusitanum π^2R^2N (iusit- R)   Romano manus $SpA^7N^4\theta Frob.2$: romanus ΠN, $cf.$ c. 1. 11. $adn.$: romanis M^1B^x : romanis manus $ald.$ uagum N^4 ut $s.$ $l.$ θ $ald.Frob.$1.2 : uacuum ΠN, $cf.$ c. 16. 4 $adn.$ duces $A^xN^4\theta ald.$ $Frob.$1.2: $om.$ ΠN acta $N^4\theta ald.Frob.$1.2: accepta ΠN. De $studio$ '$architectonico$' $Puteani$ $cf.$ $Praef.$ § 48 et 22. 39. 20; 22. 41. 7 ($amplificatio$ ibi ex $dittogr.$ $orta$) $adn.$ $Cf.$ in hoc $tomo$ $e.g.$ 26. 9. 7; 26. 31. 3; 27. 1. 8; 27. 19. 10; 27. 30. 11; 27. 31. 1; 27. 32. 4; 27. 51. 13; 28. 1. 2; 28. 2. 8; 28. 12. 1; 28. 16. 8; 28. 31. 5; 28. 36. 13; 29. 1. 8; 29. 27. 3; 30. 10. 8; 30. 11. 6. De $erroribus$ $sim.$ $correctoris$ P^2 $cf.$ 28. 8. 4 $adn.$ 9 astu magis SpA^7 ut $s.$ $l.$ N^4 ut $s.$ $l.$ $\theta Frob.2$: agis P $cf.$ c. 1. 11 $adn.$: magis π^2: ingenio magis $AN.ald.$: fraude magis C^4 : astu $Gron.$ fama $CRBDAN\theta$ $Edd.$: famam $PMN^x(N^5?)$, $cf.$ 26. 40. 11 $adn.$ 10 tecta $\Pi N\theta ald.Frob.$1.2 : exta Sp: aestiua $dubitanter$ $Rhen.$ 11 ei M^1A^7 uel $A^8\theta ald.Frob.$1.2 : et ΠN: ei et N^2 uel N^4 ut $s.$ $l.$ (num $recte$?)   plebei πN : pl. RB : plebi A^7 uel A^8N^2 uel $N^7\theta$ 12 cum tamen CN^2 uel $N^4ald.Frob.$1.2 ($recte$ hic, non ut in 6. 42. 11 ubi tandem $Perizonius$) : cum tame PR : cum tam R^2MBDAN : tum tamen θ ut A^7N^2 uel N^4 ut $s.$ $l.$ θ : $om.$ ΠN ($post$ -unt $perditum$)   Romam M^2N^2 uel N^4 ut $s.$ $l.$ θ : romae ΠN rediret $\Pi N.ald.$: ueniret $Sp\theta Frob.2$ obicerent A^7N^4 ut $s.$ $l.$ $\theta ald.Frob.$1.2 : decernerent ΠN, $unde$ $conicit$ $Castiglioni$ decerneretur pro ageretur $inf.$ (ΠNSp : agerent $ald.$), uix $recte$, $quamquam$ $fatemur$ $excusationem$ $erroris$ $Puteani$ $latere$ nec $\pi N\theta$ $Edd.$: ne CM^2A^7?

10*

XXVII 20 12　　　　　　　　　TITI LIVI

13 de imperio eius abrogando absente ipso ageretur. Forte sub idem tempus et Marcellus ad deprecandam ignominiam et 21 Q. Fuluius consul comitiorum causa Romam uenit. Actum de imperio Marcelli in circo Flaminio est ingenti concursu 2 plebisque et omnium ordinum. Accusauit tribunus plebis non Marcellum modo, sed omnem nobilitatem: fraude eorum et cunctatione fieri ut Hannibal decimum iam annum Italiam prouinciam habeat, diutius ibi quam 3 Carthagine uixerit; habere fructum imperii prorogati Marcello populum Romanum; bis caesum exercitum eius 4 aestiua Venusiae sub tectis agere. Hanc tribuni orationem ita obruit Marcellus commemoratione rerum suarum ut non rogatio solum de imperio eius abrogando antiquaretur, sed postero die consulem eum ingenti consensu centuriae 5 omnes crearent. Additur collega T. Quinctius Crispinus, qui tum praetor erat. Postero die praetores creati P. Licinius Crassus Diues pontifex maximus, P. Licinius Varus Sex. Iulius Caesar Q. Claudius.

6 Comitiorum ipsorum diebus sollicita ciuitas de Etruriae defectione fuit. Principium eius rei ab Arretinis fieri C. Calpurnius scripserat, qui eam prouinciam pro praetore obti-7 nebat. Itaque confestim eo missus Marcellus consul

21 1 plebisque Π*N.ald Frob.*1.2, *cf.* 29. 22. 11 (1. 43. 2; 2. 59. 7): plebis θ　　　omnium $A^7N^2\theta$: omni ui Π(omni | ui *P*)*N*
2 Accusauit *SpFrob.*2: accusauitque Π*N*θ*ald., fort. recte ut causa concursus omnium ordinum explicetur, cf.* 26. 30. 12　　3 Venusiae $C^2A^7N^4\theta ald.$: uenusia Π*N*　　4 antiquaretur BDA^7 *in marg.* *N*θ *ald.*: antequaereretur π, *cf. c.* 20. 8 *adn*　　5 Additur Π*N.ald. Frob.*1.2: additus θ, *cf.* 26. 16. 2 *adn*.　　T. $M^2AN\theta ald.Frob.$1.2, *cf. c.* 22. 1: tum π (*i.e.* conlegatum), *sc. ex sq.* tum *praesumpto*: ti P^x
qui tum $CM^2BDAN^1\theta$: quintu *PR*: quintum *MN*: quitu P^x
Postero die (diei R^2) Π*N.ald Frob.*1.2: tum θ　　　Crassus $CN^1\theta$: arassus (cra- A^7) crassus π*N*　　Diues A^7N^4 *ut tert. lect.* θ: diuerso Π(*A?*): diuiso *N*: diu N^1 *ut s. l.*　　*post* Claudius *praebent* Flamen *Frob* 2, Flaminius *Lov.* 1 *Aldus, sc. ex c.* 22. 3 *sumptum* (*u. adn. ad loc.*): *ignorant* Π*N*θ *Edd. ante Ald.*　　6 pro praetore *Lov.* 1 *et in c.* 22. 4 *Lov.* 3: pro. pr (*uel* propr̄) Π*N* (*et in c.* 22. 4): propraetor $A^7\theta$; *cf. e.g.* 26. 1. 7; 26. 2. 4; 27. 7. 11; 27. 29. 6; 27. 33. 8; 27. 35. 2; 30. 1. 3; 30. 27. 8　　7 Itaque *ald.Frob.*1.2: aque *PRM*: atque CM^2BDAN: ita θ

AB VRBE CONDITA XXVII 21 7

designatus, qui rem inspiceret ac, si digna uideretur, exercitu accito bellum ex Apulia in Etruriam transferret. Eo metu compressi Etrusci quieuerunt. Tarentinorum legatis 8 pacem petentibus cum libertate ac legibus suis responsum ab senatu est ut redirent cum Fabius consul Romam uenisset.

Ludi et Romani et plebeii eo anno in singulos dies 9 instaurati. Ædiles curules fuere L. Cornelius Caudinus et Ser. Sulpicius Galba, plebeii C. Seruilius et Q. Caecilius Metellus. Seruilium negabant iure aut tribunum plebis 10 fuisse aut aedilem esse, quod patrem eius, quem triumuirum agrarium occisum a Boiis circa Mutinam esse opinio per nouem annos fuerat, uiuere atque in hostium potestate esse satis constabat.

Vndecimo anno Punici belli consulatum inierunt M. **22** Marcellus quintum—ut numeretur consulatus quem uitio creatus non gessit—et T. Quinctius Crispinus. Vtrisque 2 consulibus Italia decreta prouincia est et duo consulum prioris anni exercitus—tertius Venusiae tum erat, cui Marcellus praefuerat—ita ut ex tribus eligerent duo quos uellent, tertius ei traderetur cui Tarentum et Sallentini prouincia euenisset. Ceterae prouinciae ita diuisae: praetoribus, 3 P. Licinio Varo urbana, P. Licinio Crasso pontifici maximo

9 in singulos $π^xR^xNθald.$: sin singulos *PR* (*i.e.* annos in s.): singulos *Frob.2 et Luchs* 1889 *uestigiis Riemanni insistens, uix recte nam in c.* 6. 19; 29. 38. 8; 30. 26. 11 *non eadem est formula*   instaurati M^2A^7 *ut uid.* N^4(-auiati N)θ*ald.Frob.*1.2 : inestaurati ΠN
L. (Cornelius) A^7 *uel* A^8θ*ald.Frob.*1.2: *om.* ΠN   Caudinus *Frob.2*: gaudinus ΠN: claudius θ*ald.*   et Q. Caecilius Metellus A^7N^4θ*ald.Frob.*1.2: *om.* ΠN, *cf.* 26. 51. 8 *adn.*   10 a (*uel* ab) Boiis CA^7θ: a bolis πN: a bohiis N^3 nouem *C, cf.* 21. 25. 3: nexem π (*sed in M littera* -x- *magnis litteris scribitur, cf.* 23. 19. 17 *adn.*): decem ANθ*ald.Frob.*1.2   *Mutationes aliquae a barbaro quodam factae sequuntur in N, quas omnes Luchs falso ad Spirensianam originem attribuit*

22 1 T. A^7N^3θ*ald., cf. c.* 21. 5: *om.* ΠN   2 Vtrisque consulibus ΠN.*ald*, *cf. e.g.* 29. 37. 17: utrique consulum *Sp?θFrob.2*
3 Varo ... Licinio A^7N^4θ*ald.Frob.*1.2: *om.* ΠN, *linea xviii litt. post* Licinio *deperdita, cf.* 26. 51. 8 *adn.*

peregrina et quo senatus censuisset, Sex. Iulio Caesari
4 Sicilia, Q. Claudio [Flamini] Tarentum. Prorogatum imperium in annum est Q. Fuluio Flacco ut prouinciam Capuam quae T. Quincti praetoris fuerat cum una legione obtineret. Prorogatum et C. Hostilio Tubulo est ut pro praetore in Etruriam ad duas legiones succederet C.
5 Calpurnio. Prorogatum et L. Veturio Philoni est ut pro praetore Galliam eandem prouinciam cum iisdem duabus
6 legionibus obtineret quibus praetor obtinuisset. Quod in L. Veturio, idem in C. Aurunculeio decretum ab senatu, latumque de prorogando imperio ad populum est qui praetor Sardiniam prouinciam cum duabus legionibus obtinuerat. Additae ei ad praesidium prouinciae quinqua-
7 ginta longae naues quas P. Scipio ex Hispania misisset. Et P. Scipioni et M. Silano suae Hispaniae suique exercitus in annum decreti. Scipio ex octoginta nauibus quas aut secum ex Italia adductas aut captas Carthagine habebat
8 quinquaginta in Sardiniam tramittere iussus, quia fama erat magnum naualem apparatum eo anno Carthagine esse:

3 Flamini (*uel* fl.) π*Frob*.2, *cf. c.* 21. 5 *adn.*: flaminio $M^2AN\theta$*ald.*: seclusit *Johnson* (*monente B. L. Hallward*); *neque enim si hic flamen Dialis fuisset, factus esset praetor cum imperio, et siue unum ex flam. maioribus hunc fuisse credas seu cognomen Flaminis* (*non alibi repertum*) *huic indas, patricium fuisse coniciendum est, neque eundem atque tribunum illum qui in* 21. 63. 3 *nominatur. Fort. in marg. archetypi addiderat aliquis* Flaminini *ut uoces* (§ 4) t. quinti praetoris (*v lineis infra in P scriptas*) *cognomine illo inlustri explicaret, alium quam T. Quinctium consulem hic nominari perperam ratus, idque ex marg. perperam huc recepit P*   4 imperium in annum Π*N.ald.Frob.*1.2: in annum imperium θ, *fort. recte, cf. Luchs Proleg. p. cx*   quae T. *PCSp Frob.*2: qua et *RMBDAN*: qua M^2: qua et T. A^7: qua T. θ: in qua et T. *ald.*   Quincti (*sed* quinti) π*Sp?*: quintus *BD*: quintius (*uel* quinct-) $AN\theta$*ald.*   pro praetore] *u. c.* 21. 6 *adn.* succederet $A^7N^4\theta$*ald.Frob.*1.2: sc. (*uel* sc) cederet πB^2N (*om. in* Etr. . . . pro praetore § 5 *B*)   5 Prorogatum $CM^2B^2A^7N^3\theta$: praerogatum πN, *cf. c.* 13. 2 *adn.*   eandem N^3 *uel* $N^5\theta$*ald.*: tandem ΠN 6 Additae ei $A^7\theta$*ald.Frob.*1.2: additum et Π($A?$) N: addita N^4 *ut s. l.* et *delens* (*quod non uidit Luchs*)   quinquaginta longae N^4 *ut s. l.* θ*ald.Frob.*1.2: quinquagintae P, *cf. c.* 1. 11 *adn.*: quinquaginta Π^2N 7 tramittere Π^2 *uel* Π$^1N\theta$, *cf. c.* 5. 9 *adn.*: transmittere *P*

AB VRBE CONDITA XXVII 22 8

ducentis nauibus omnem oram Italiae Siciliae Sardiniaeque impleturos. Et in Sicilia ita diuisa res est: Sex. Caesari 9 exercitus Cannensis datus est: M. Valerius Laeuinus—ei quoque enim prorogatum imperium est—classem quae ad Siciliam erat nauium septuaginta obtineret; adderet eo triginta naues quae ad Tarentum priore anno fuerant; cum ea centum nauium classe si uideretur ei praedatum in Africam traiceret. Et P. Sulpicio ut eadem classe Mace- 10 doniam Graeciamque prouinciam haberet prorogatum in annum imperium est. De duabus quae ad urbem Romam fuerant legionibus nihil mutatum. Supplementum quo 11 opus esset ut scriberent consulibus permissum. Vna et uiginti legionibus eo anno defensum imperium Romanum est. Et P. Licinio Varo praetori urbano negotium datum 12 ut naues longas triginta ueteres reficeret quae Ostiae erant et uiginti nouas naues sociis naualibus compleret, ut quinquaginta nauium classe oram maris uicinam urbi Romanae tueri posset. C. Calpurnius uetitus ab Arretio mouere 13 exercitum nisi cum successor uenisset; idem et Tubulo imperatum ut inde praecipue caueret ne qua noua consilia orerentur.

Praetores in prouincias profecti: consules religio tenebat 23 quod prodigiis aliquot nuntiatis non facile litabant. Et ex 2

---

8 Siciliae Sardiniaeque $\pi N.ald.$ (Sic.-que ac S. $Sp?\theta Frob.2$)
9 Sicilia $\pi^x N\theta$: siciliae P ita $\Pi N.ald.Frob.1.2$: om. θ
diuisa πN: diuersa D: diuise $N^x(fort. N^4)\theta$ est (*post* res) Π
$N.ald.Frob.1.2$: om. $Sp?N^2\theta$, *fort. recte*   11 ut $N^4\theta ald.Frob.1.2$:
om. ΠN consulibus $N^4\theta$: consules ΠN 12 urbano θ:
urbem π, *cf. e.g. cc.* 4. 4; 33. 8; 26. 3. 9 (25. 1. 11 *adn.*): urbis M^2B
DAN: urbe C^x compleret $\theta Frob.2$: impleret (*uel* inp-) $\Pi N.ald.$
maris A^1 *uel* $A^v?N^4\theta$: magis ΠN 13 idem $\pi N\theta$ *Edd.*:
om. B: eidem *J. Perizonius, sensum perperam interpretatus*
caueret $M^2 N^4$ *ut s. l.* θ: caperet ΠN orerentur *Luchs* 1879 *p.*
lxxviii: orirentur N^4 *ut s. l.* $\theta ald.Frob.1.2$ (*sed de forma Liuiana cf.*
1. 31. 5 *adn.* (*et Neue-Wagener* III *p.* 254) *et* 28. 46. 12; 29. 6. 11;
29. 12. 5): caperentur ΠN, *quod ex correctura aliqua uocis* caperet
sine dubio ortum est, cf. e.g. 4. 7. 11 *adn.*

23 1 quod prodigiis ... litabant] om. N: *supplet* N^3 *in marg.*
2 Et ex ΠN: ex $\theta ald Frob.1.2$

XXVII 23 2   TITI LIVI

Campania nuntiata erant Capuae duas aedes, Fortunae et Martis, et sepulcra aliquot de caelo tacta, Cumis—adeo minima etiam rebus praua religio inserit deos—mures in aede Iouis aurum rosisse, Casini examen apium ingens in 3 foro consedisse; et Ostiae murum portamque de caelo tactam, Caere uolturium uolasse in aedem Iouis, Volsiniis 4 sanguine lacum manasse. Horum prodigiorum causa diem unum supplicatio fuit. Per dies aliquot hostiae maiores sine litatione caesae diuque non impetrata pax deum. In capita consulum re publica incolumi exitiabilis prodigiorum euentus uertit.

5 Ludi Apollinares Q. Fuluio Ap. Claudio consulibus a P. Cornelio Sulla praetore urbano primum facti erant; inde omnes deinceps praetores urbani fecerant; sed in unum 6 annum uouebant dieque incerta faciebant. Eo anno pestilentia grauis incidit in urbem agrosque, quae tamen magis in 7 longos morbos quam in permitiales euasit. Eius pestilentiae

2 Cumis *Lipsius*: cum iis *PCR.ald.Frob.*1.2: cum his C^2R^2MBD N^6K: cum AN (*mox* inerat *pro* inserit *intrudit* N^6, *ibi interpungens ut* deos mures *coniungantur*)   praua $A^7\theta ald.Frob.$1.2: parua ΠN
   Casini ΠN^3J *et* (*sed* -ss-) *ald.Frob.*1.2: Casilini K *quod uoluit Pichon, recte si* Campania *supra seuere interpreteris* (*om. N* Casini . . . consedisse: *supplet* N^3)   3 Ostiae (*sed* -ie) K: hostiae (*uel* -ie) $C^2A^7 ald.Frob.$1.2: hostiam N(*ut puto*)J: ostis π, *sed cf. cc.* 11. 2; 22. 12; 26. 19. 11 *adn.*: ostiis M^2: hostis CDN^x: osti A uolturium (*sed* uul-) Π($A?$)$N.ald.Frob.$1.2, *cf. c.* 11. 4: uulturem A^7 *uel* A^8N^4(*uix* N^2) θ uolasse Π$N^1\theta$: uocasse N: inuolasse *Madv., non necess.*
   Volsiniis *cf. It. Dial.* I *p.* 390: uulsinis (-us *N*) ΠN^1: uul-(uol- K) sciniis θ 5 Claudio consulibus a P. *Vat.ald.Frob.*1.2: *om.* ΠN θ, *linea haud minus xvii litt. post* Ap. *deperdita, cf.* 26. 51. 8 *adn.*
   uouebant *P*: uolebant N: uomebant (!) N^6 incerta θ *Frob.*2, *cf. c.* 16. 16 *adn.*: incerto Π$N.ald.$ 6 in urbem M^1 *uel* $M^2A^7N^2\theta ald.$: in urbe (-bę B) ΠN, *cf.* 26. 41. 12 *adn.*: per urbem Sp *Frob.*2, *fort. recte*   longos morbos Sp *ut uid.* θ*Frob.*2: morbos longos Π$N.ald.$, *cf.* 28. 2. 15 *adn.*   in permitiales Sp, *cf. Munro ad Lucr.* 1. 451: in permitiabilis *PRM*: in (im- *D*) perniciabilis (-es A^7) *CBDA, fort. recte, cf. Tac. Ann.* 4. 34: in (im- N^6) pernici-(*uel* -ti-)ales $N^6\theta ald.$ *et in Frob.*2 *retentum* (impernicialibus N): internicialis *Rhen. Harum uocum cum nulla alibi apud Liuium reperta sit, uox illa antiquior* permitiales *aptior huic loco nobis uidetur esse, nec non codd. testimonio probari*

AB VRBE CONDITA XXVII 23

causa et supplicatum per compita tota urbe est et P. Licinius Varus praetor urbanus legem ferre ad populum iussus ut ii ludi in perpetuum in statam diem uouerentur. Ipse primus ita uouit, fecitque ante diem tertium nonas Quinctiles. Is dies deinde sollemnis seruatus.

De Arretinis et fama in dies grauior et cura crescere 24 patribus. Itaque C. Hostilio scriptum est ne differret obsides ab Arretinis accipere, et cui traderet Romam deducendos C. Terentius Varro cum imperio missus. Qui ut 2 uenit, extemplo Hostilius legionem unam quae ante urbem castra habebat signa in urbem ferre iussit praesidiaque locis idoneis disposuit; tum in forum citatis senatoribus obsides imperauit. Cum senatus biduum ad considerandum [tem- 3 pus] peteret, aut ipsos extemplo dare aut se postero die senatorum omnes liberos sumpturum edixit. Inde portas custodire iussi tribuni militum praefectique socium et centuriones ne quis nocte urbe exiret. Id segnius negle- 4 gentiusque factum; septem principes senatus priusquam custodiae in portis locarentur ante noctem cum liberis euaserunt. Postero die luce prima cum senatus in forum 5 citari coeptus esset desiderati, bonaque eorum uenierunt: a

---

7 ut ii *Vat Med.* 2: uti ∏*N*: ut hi (*uel* hii) *A⁷N⁶θald.Frob.*1.2
  statam π*A⁷ uel A¹Frob.*2, *cf. c.* 16. 16 *adn.*: statutam *ANθ*: statutum *ald.*
  ante diem ∏*Nθald.*: ad (*i.e.* ad iii nonas) *Rhen.*(*ex Sp?*)*Frob.*2
  nonas ∏*NSp ut uid. θ Edd.*: idus *Merkel, cf.* 37. 4. 4 *et C.I.L.*
  I¹. 396   Quinctiles] -nt- *P, sed* -nct- *scribimus, ut in* 8. 20. 3;
  9. 46. 15 (*in* 5. 32. 1 *et* 6. 1. 12 -nt- *casu retentum erat*)
  24 1 et cui ∏*N.ald.*: cui *Sp?θFrob.*2   2 Qui *A^xN⁴ald.*: cum
qui·π*N*: cum *B*   quae π*N²* uel *N⁴ et N⁶*: que *AN*: qua θ
forum *Duker*: foro ∏*Nθald., fort. recte, sed ex* forom *facile corruptum*
(*cf.* 26. 41. 12 *adn.*)   3 tempus] *hic* ∏*N.ald.*: *post* peteret θ
*Frob.*2: *recte delendum censuit Duker* (*qui ut s. l.* bidui *pro* biduum
coniecit). *De ordine uariato glossema indicante cf. c.* 34. 3 *adn., sed ut
minus obscurum sit cur quis* tempus *inseruerit, conicit* bidui (spatiu)m
ad c. *fort. legendum esse Johnson*   iussi tribuni *Gron., optime*:
iussit tribuni π*N¹ uel N⁵* (*cf.* 26. 51. 4): iussit tribunis *M²BDAN
ald.* (*cf. c.* 16. 8): iussit tribunos *Sp?A^vθFrob.*2   praefectique
π*N¹ uel N⁵* (-tisque *M²BDAN.ald.*: -tosque *Sp?A^vθFrob.*2)
centuriones π*A^vθSp?Frob.*2: centurionib. *M²BDAN*   5 bonaque *CA⁷N¹ uel N⁵θald.*: binaque *P*: binamque (*sed plerique* -rat ibi
namque) *RMBDA?.N*   a *A⁷N¹ uel N⁵θald.*: *om.* ∏*N*

ceteris senatoribus centum uiginti obsides liberi ipsorum
6 accepti traditique C. Terentio Romam deducendi. Is
omnia suspectiora quam ante fuerant in senatu fecit. Itaque
tamquam imminente Etrusco tumultu, legionem unam,
alteram ex urbanis, Arretium ducere iussus ipse C. Terentius
7 eamque habere in praesidio urbis: C. Hostilium cum
cetero exercitu placet totam prouinciam peragrare et cauere
8 ne qua occasio nouare cupientibus res daretur. C. Terentius
ut Arretium cum legione uenit, claues portarum cum magistratus
poposcisset, negantibus iis comparere fraude amotas
magis ratus quam neglegentia intercidisse ipse alias claues
omnibus portis imposuit cauitque cum cura ut omnia in
9 potestate sua essent; Hostilium intentius monuit, ut in eo
spem non moturos quicquam Etruscos poneret, si ne quid
moueri posset praecauisset.

25 De Tarentinis inde magna contentione in senatu actum
coram Fabio, defendente ipso quos ceperat armis, aliis infensis
et plerisque aequantibus eos Campanorum noxae
2 poenaeque. Senatus consultum in sententiam M'. Acilii
factum est ut oppidum praesidio custodiretur Tarentinique
omnes intra moenia continerentur, res integra postea

5 liberi M^2 uel M^1N^x per ras. $\theta ald.$: liber P: liberis Π^2N
accepti $A^x\theta ald.$: acceptis ΠN, cf. 26. 40. 14 adn.   6 unam ΠN:
om. $\theta ald.Frob.$1.2   eamque ΠN: eosque θ: eos N^1 uel N^5 (fort. N^4)   7 placet ΠN: placuit $A^v?N^1$ uel N^5(an N^4?)θ, cf. c. 5. 9 adn.   8 comparere $C^2MA^v?N\theta ald.Frob.$1.2: comparare Π
fraude $N^1A^7\theta ald.Frob.$1.2: a fraude ΠN magis ratus $A^vK ald.$
$Frob.$1.2: magistratus $\Pi NJ?$ cum cura $\Pi N.ald.$: om. $Sp\theta Frob.$
2   sua $\pi N^4\theta ald.$: om. AN 9 moucri posset ΠN: mouere
possent A^7 uel $A^v?\theta ald.Frob.$1.2 (silet N^4)   praecauisset A^7N^4
$\theta ald.Frob.$1.2: cauisset ΠN

25 1 ipso ΠN: ipsos A^7 ut uid. θ, cf. c. 3. 2 adn.   infensis
$\Pi(A?)N Edd.$: inuisis A^7 uel A^8 in ras. θ noxae $M^2DA^7\theta$
$Edd.$: nosse (ut uid. sed cf. c. 18. 17 laxata) N^4: mosae πN^1: mosce
N: more C 2 senatus consultum] ·s̄ c̄· PM^4 in ras.: sc. C:
s̄c̄ $RBAN$: st̆ (i.e. sunt) D: om. $A^7\theta$: fort. in sociis M, cf. § 3
M'. Sigonius, cf. c. 4. 10: m. PRN^4 per ras. K: m̄ $MBDAN$:
marcelli J: om. C est ut $BDAN$: esse ut π: est N^1 (uix N^4
nisi rescriptus est): s. c.^{tum} K: om. J

AB VRBE CONDITA XXVII 25

referretur cum tranquillior status Italiae esset. Et de M. Liuio praefecto arcis Tarentinae haud minore certamine actum est, aliis senatus consulto notantibus praefectum quod eius socordia Tarentum proditum hosti esset, aliis praemia decernentibus quod per quinquennium arcem tutatus esset maximeque unius eius opera receptum Tarentum foret, mediis ad censores non ad senatum notionem de eo pertinere dicentibus, cuius sententiae et Fabius fuit. Adiecit tamen, fateri se opera Liui Tarentum receptum quod amici eius uolgo in senatu iactassent; neque enim recipiundum fuisse nisi amissum foret.

Consulum alter T. Quinctius Crispinus ad exercitum quem Q. Fuluius Flaccus habuerat cum supplemento in Lucanos est profectus. Marcellum aliae atque aliae obiectae animo religiones tenebant, in quibus quod cum bello Gallico ad Clastidium aedem Honori et Virtuti uouisset dedicatio eius a pontificibus impediebatur, quod negabant unam cellam amplius quam uni deo recte dedicari, quia si de caelo tacta aut prodigii aliquid in ea factum esset difficilis procuratio foret, quod utri deo res diuina fieret sciri non posset; neque enim duobus nisi certis deis rite una hostia fieri. Ita addita Virtutis aedes adproperato opere; neque tamen ab

---

2 tranquillior CR^1MBDAN^1(tnq- N)θ : tranquilliore PR (*sed in P-e satis pallida*)   3 senatus consulto] s̄ c̄ P: s̄c̄ RM: sc· $CA(?)$: .s c̄. BDN: sociis SpA^7N^6J (*unde coni.* ocii *Rhen.*) : om. K : sententiis $A^v ald.$ *nec in Frob.*2 *mutatum. Cf.* § 2 *et* 26. 32. 8 *adn.*
4 quod $B^2A^9N^6\theta ald.$: quo πN: om. B (aliis ... esset *hic omissis*) maximeque $\pi N.ald.$: maxime θ : maximaeque BD^x (*nam in D littera* -e- *persaepe in* -ę- *a* D^x *mutatum est*; *de hac re alibi silemus*)
5 fuisse ΠNK: fuisset $N^5(uix\ N^4\backslash J$ 6 Consulum $\Pi N\ ald.Frob.$1.2 : consul θ T. $A^7\theta Frob.$2 : i π: om. $CM^4B^xDAN\ ald.$ (*cf. c.* 22. 1 *adn.*)   7 uouisset CR^2MBDA^7 *uel* $A^8N^x(N^4?)\theta$: uobis P, *cf.* 26. 11. 12 *adn.* (*c*) : uobisset P^2: uobis sed R: nouisset $A?N$ 8 amplius quam uni deo SpA^7N^4 *ut s. l.* $\theta Frob.$2 (*quod augustiorem pontificum sermonem melius repraesentat quam quod quis interpolet*) : duobus $\Pi N.ald.$ (*sc. post lineam omissam ex* § 9 *tractum*) : duobus diis *Weissenb. ex Val. Max.* 1. 1. 8   9 diuina $RMBDAN\ \theta$: diuinae P^2(-ai P)C sciri C^2 *uel* $C^3M^2B^xA^8?\theta ald.$: scire ΠN, *cf. c.* 4. 13 *adn.*   posset $\pi A^x\theta ald.$: possent A : possit CJ

XXVII 25 9   TITI LIVI

10 ipso aedes eae dedicatae sunt. Tum demum ad exercitum quem priore anno Venusiae reliquerat cum supplemento proficiscitur.

11 Locros in Bruttiis Crispinus oppugnare conatus quia magnam famam attulisse Fabio Tarentum rebatur, omne genus tormentorum machinarumque ex Sicilia arcessierat; et naues indidem accitae erant quae uergentem ad mare 12 partem urbis oppugnarent. Ea omissa oppugnatio est quia Lacinium Hannibal admouerat copias, et collegam eduxisse iam a Venusia exercitum fama erat, cui coniungi uolebat.
13 Itaque in Apuliam ex Bruttiis reditum, et inter Venusiam Bantiamque minus trium milium passuum interuallo con-
14 sules binis castris consederant. In eandem regionem et Hannibal rediit auerso ab Locris bello. Ibi consules ambo ingenio feroces prope cottidie in aciem exire haud dubia spe, si duobus exercitibus consularibus iunctis commisisset sese hostis, debellari posse.

26   Hannibal, quia cum Marcello bis priore anno congressus uicerat uictusque erat, ut cum eodem si dimicandum foret nec spem nec metum ex uano haberet, ita duobus consuli-

11 rebatur *PCR*: ferebatur *R¹MBDANθald.Frob*.1.2, *non male*: exceptum uidebatur *Wachendorf*: re(-ceptum uide-)batur *Castiglioni*. *Nos nihil mutandum censemus*   12 Lacinium Π*N*, *cf*. 28. 46. 16: laginium (*uel* -num) *N⁶?θ* (-gyn- *K*)   a Venusia *θald.Frob*.1.2: ad uenusia *PCR*: ad uenusiam *R¹MBDAN*. *De ab et ad confusis cf*. 24. 37. 1; 26. 40. 4; 28. 7. 3; 30. 42. 2   13 consederant π*M⁵N ald.Frob*.1.2: considerant *R¹MBD*: consederunt *A⁶?θ*, *cf. c*. 6. 2
14 rediit π*B¹*(-dd- *B*)*N*: redit *θ*, *cf. c*. 5. 9   in aciem exire *Lov*. 3 *et* 4, *Gron*.: in acie heare *P* (-hea- *ex* -mex- *corrupto*; *de* -x- *et* -a- *cf. c*. 49. 2 *et* 26. 37. 3): milites in aciem excire (*uel* exciere, *sed* exire *N⁴*) *A⁷N⁴θald.Frob*.1.2 (*uox* milites *addita erat ut uid. in Sp ut sensum haberet corrupta uox* excire): in acte (in hac re *C²*) heare *CRMBD*: in acie ea re *M¹ uel M²*: *in A erasum*: iacte ea re *N*: in acie ex re *N¹*: in acie stare *Weissenb*.   iunctis Π*N ald.Frob*.1.2: coniunctis *θ*
26 1 quia Π*N.ald.Frob*.1.2: qui *θ*   uano Π*N.ald.Frob*.1.2: uno *A⁷θ*   haberet Π*Nϑ Edd*.: habebat *Gron*., *dubitanter*. *Ipse de uoce* haberet *dubito donec aliud exemplum inueniam ubi ex duabus clausulis cum ut . . . ita incipientibus altera habeat huiusmodi Subiunctiuum, altera Indicatiuum; interea* habere *legendum esse conicio ut tota clausula Hannibalis sententiam exponat (sed cf.fort. etiam c*. 33. 10 *adn*.). *Defendit* haberet *Johnson, uoces Hann*. 'si dimicandum sit . . . habeam' *in clausula cum obliquo colore subiuncta hic repraesentari ratus (pro* se habiturum credebat)

AB VRBE CONDITA XXVII 26

bus haudquaquam sese parem futurum censebat; itaque totus in suas artes uersus insidiis locum quaerebat. Leuia tamen proelia inter bina castra uario euentu fiebant. Quibus cum extrahi aestatem posse consules crederent, nihilo minus oppugnari Locros posse rati L. Cincio ut ex Sicilia Locros cum classe traiceret scribunt; et ut ab terra quoque oppug- nari moenia possent, ab Tarento partem exercitus qui in praesidio erat duci eo iusserunt. Ea ita futura per quosdam Thurinos comperta Hannibali cum essent, mittit ad insidendam ab Tarento uiam. Ibi sub tumulo Peteliae tria milia equitum, duo peditum in occulto locata; in quae inexplorato euntes Romani cum incidissent, ad duo milia armatorum caesa, mille et quingenti ferme uiui capti, alii dissipati fuga per agros saltusque Tarentum rediere.

Tumulus erat siluestris inter Punica et Romana castra ab neutris primo occupatus, quia Romani qualis pars eius quae uergeret ad hostium castra esset ignorabant, Hannibal in- sidiis quam castris aptiorem eum crediderat. Itaque nocte ad id missas aliquot Numidarum turmas medio in saltu con- diderat, quorum interdiu nemo ab statione mouebatur ne aut arma aut ipsi procul conspicerentur. Fremebant uolgo in castris Romanis occupandum eum tumulum esse et

---

1 censebat A^7N^4 *ut s. l. θ, cf.* 28. 37. 5 : credebat Π*N.ald.Frob.*1.2, *quos hic sequi malit Johnson*   3 oppugnari Π*N.ald.Frob.*1.2 : oppugnare $A^7θ$, *cf. c.* 4. 13 *adn.*   4 et ut Π*N.ald.Frob.*1.2 : ut θ   ab (Tarento) θ (*cf.* § 5 *ubi* ab T. *P*) : a Π*N*   partem Π*N.ald.* : eam (ea *J*) partem A^7(*qui mox ipse* eam *del.*)θ   qui *Sigonius e* '*uet. lib.*' : quae Π*Nθald.Frob.*1.2 : qui ibi *Weissenb.*
5 Peteliae A^v, *cf. It. Dial. p.* 6 : petellae (*uel* -lle) Π*N* : petil- (-tyl- θ) $A^7θ$ tria milia (*uel* ∞ ∞ ∞) equitum duo peditum (*sed om.* tria milia *MB*) π : equitum duo peditum tria milia (*uel* -ll-) M^5AN(*sed add. N* m. *etiam post* milia)*ald.Frob.*1.2 (tria milia p. duo milia eq. θ)
6 quae (*uel* que) π*N*: q; *B* : quam θ   ad duo milia (*uel* ad ∞ ∞) $PCA^7N^4θ$: ad *RMBD* : ∞ (?) *A* : *om. N*   ∞ et d. *P C* : et *RMBDA?N* : mille et cc A^7(*plene*)*ald.Frob.*1.2 : m·cc· N^4 *ut s. l. pro* et (*non* m. et cc. *uoluit*)   dissipati $C^xR^xMB^2$(-isi- *B*)*DANθ* (-sup- *PCR sed u. c.* 14. 7 *adn.*)   7 ab Π*N⁴K* : a *ANJ, sed cf. c.* 15. 14 *adn.*   ad Π*N.ald.* : in θ*Frob.*2   9 Fremebant Π*N. ald.* : publice fremebant θ : p. r. fremembant N^2 *uel* N^5 tumu- lum πA^7N^2 *uel* $N^5θald.Frob.*1.2 : locum *AN, cf.* 28. 12. 13 *adn.*

XXVII 26 9   TITI LIVI

castello firmandum ne, si occupatus ab Hannibale foret, uelut
10 in ceruicibus haberet hostem. Mouit ea res Marcellum, et
collegae 'Quin imus' inquit 'ipsi cum equitibus paucis
exploratum? Subiecta res oculis certius dabit consilium.'
11 Adsentienti Crispino, cum equitibus ducentis uiginti, ex
quibus quadraginta Fregellani, ceteri Etrusci erant, proficis-
12 cuntur; secuti tribuni militum M. Marcellus consulis filius
et A. Manlius, simul et duo praefecti socium L. Arrenius et
13 M'. Aulius. Immolasse eo die quidam prodidere memoriae
consulem Marcellum et prima hostia caesa iocur sine capite
14 inuentum, in secunda omnia comparuisse quae adsolent,
auctum etiam uisum in capite; nec id sane haruspici placuisse quod secundum trunca et turpia exta nimis laeta
27 apparuissent. Ceterum consulem Marcellum tanta cupiditas tenebat dimicandi cum Hannibale ut numquam satis
2 castra castris conlata diceret; tum quoque uallo egrediens
signum dedit ut ad locum miles esset paratus, ut si collis in
quem speculatum irent placuisset, uasa conligerent et
sequerentur.

9 ne si *CM*¹ *uel M*²*BDAN*θ : nisi *PRM*   10 *post* oculis *add.*
nostris Π*N.ald.* : *om.* θ*SpFrob.*2 (*multo melius*). *De glossematibus in*
P insertis et deprauationibus ibi consulto factis cf. e.g. 28. 17. 8 ; 29. 16.
7 ; 29. 17. 6 ; 29. 35. 7 ; 30. 21. 9 *al.*   11 Adsentienti *Luchs ex*
*Sp?*θ*Frob.*2 (*qui* ass- *uel* adsentiente) ; *cf. de* -ti *Neue-Wagener* II
pp. 89 *sqq. et praecipue pp.* 100 *sq. cuius testimoniis credimus obtemper-*
andum esse (*cf. contra* 6. 21. 1) : consentienti Π*N.ald.*   12 tribuni militum] *hic Alschefski* : *post* Manlius θ*ald.Frob.*1.2 : *post* simul
*A*⁷ : tr̄. mil. *ante* consulis Π*N*   M. Marcellus *ald.Frob.*1.2 : m̄.
marcellum π, *cf. c.* 40. 7 *adn* : marcellum *A* : m. marcellum c. fabius
*A*⁷θ   A. (Manlius) *PCR.ald.Frob.*1.2 : *om. R*ˣ*MBDAN*θ
simul Π²*N.ald.Frob.*1.2 : simus *P*: *om.* θ   M'. *Gron. ex c.* 27. 8 :
m̄ Π*NK* : marcus *J*   Aulius *CR*¹*MBDAN*θ : aullius *PR*
13 prodidere memoriae (-am *M* : -a *M*²) Π*N.ald.* : memoriae prodidere θ*Frob.*2   iocur *P* : iecur π²*R*² : ieocur *R* (*de dittogr. cf.*
e.g. 26. 1. 4 *et* 27. 34. 5 *adnn.*)   14 nec id Π*N* : ne id θ

27 1 cupiditas Π*N*θ*ald.Frob.*1.2 : cupido θ   diceret *SpA*⁷θ
*Frob.*2 : crederet Π*N.ald.*   2 ut (ad) Π*N.ald.Frob.*1.2 : *om.* θ
          ut (si) π*B*²*N.ald.* : et *B* : *om. Sp*θ*Frob.*2   et π*N* : ac *C* :
ac θ*ald.Frob.*1.2, *fort. recte*

AB VRBE CONDITA XXVII 27

Exiguum campi ante castra erat; inde in collem aperta 3
undique et conspecta ferebat uia. Numidis speculator
nequaquam in spem tantae rei positus sed si quos uagos pabuli aut lignorum causa longius a castris progressos possent
excipere, signum dat ut pariter ab suis quisque latebris
exorerentur. Non ante apparuere quibus obuiis ab iugo 4
ipso consurgendum erat quam circumiere qui ab tergo
intercluderent uiam ; tum undique omnes exorti, et clamore
sublato impetum fecere. Cum in ea ualle consules essent ut 5
neque euadere possent in iugum occupatum ab hoste nec
receptum ab tergo circumuenti haberent, extrahi tamen
diutius certamen potuisset ni coepta ab Etruscis fuga pauorem ceteris iniecisset. Non tamen omisere pugnam deserti 6
ab Etruscis Fregellani donec integri consules hortando
ipsique ex parte pugnando rem sustinebant; sed postquam 7
uolneratos ambo consules, Marcellum etiam transfixum
lancea prolabentem ex equo moribundum uidere, tum et ipsi
—perpauci autem supererant—cum Crispino consule duobus iaculis icto et Marcello adulescente saucio et ipso effugerunt. Interfectus A. Manlius tribunus militum, et ex 8
duobus praefectis socium M'. Aulius occisus, ⟨L.⟩ Arrenius

3 ante (ant|e *P*) π(*sed pro* campi ante *scribunt* capiant e *PRM*)*Sp ut uid.* θ*Frob.*2 : ante ea *BDAN.ald.* collem *A⁷N⁴ ut s. l.* θ : collis Π*N* (-es *B²*), *cf. c.* 17. 1 *adn.* possent *SpN² uel N⁴*θ*Frob.* 2 : posset Π*N.ald.* ab (*uel* a) suis quisque latebris *A⁷N⁴ ut s. l.* θ*ald.Frob.*1.2 : ab utrisque lateribus Π*N* exorerentur *PCR* (-rir- *C²R¹MBDAN*θ), *cf. c.* 22. 13 *adn.* 4 circumiere *A⁷*θ*ald.Frob.*1.2 : circumire Π*N* (*cf. c.* 15. 13 *adn.*) intercluderent *SpA⁷N⁴ ut s. l.* θ*Frob.*2 : includerent Π*N.ald.* et (clamore) Π*N*θ*ald. Frob.*1.2: *delere uoluit Madv. Em. pp.* 261 *sqq. qui usum hunc certe rarissimum esse ostendit* ; *at praebent* et *codd. non solum in* 25. 39. 2 (*ubi longior est clausula*) *sed et in* 24. 12. 5 ; 32. 14. 2 5 euadere possent Π*N.ald.* : euaderent *Sp*θ*Frob* 2 6 donec Π*N.ald.Frob.*1.2 : equites, donec *A⁷N⁴ ut s. l.* θ, *uix recte* (*gloss. ex c.* 26. 11)
7 supererant *BANJ.ald.Frob.*1.2 : superaret (-nt *M*) *PRM* : superant *D* : superfuerant *K* : superati *C* (*qui* per paucitatem *pro* perpauci autem *praebet*) 8 Interfectus *Sp*?*A⁷*θ*Frob.*2 : interfecti Π*N.ald.*
M'. (*sed* manius) Π*N, cf. c.* 26. 12: m. *uel* marcus *A*ᵛθ
Aulius *A⁷*?θ (*ut C etc. in c.* 26. 12) : auxilius (-isius ?*P*) Π² *uel* Π¹*N*
L. *Frob.*1 *ex c.* 26. 12 (*ubi* l. *praebet et P*) : *om.* Π*N*θ*ald.*

XXVII 27 8 TITI LIVI

captus; et lictores consulum quinque uiui in hostium potestatem uenerunt, ceteri aut interfecti aut cum consule effuge-
9 runt; equitum tres et quadraginta aut in proelio aut in fuga
10 ceciderunt, duodeuiginti uiui capti. Tumultuatum et in castris fuerat, ut consulibus irent subsidio, cum consulem et filium alterius consulis saucios exiguasque infelicis expedi-
11 tionis reliquias ad castra uenientes cernunt. Mors Marcelli cum alioqui miserabilis fuit, tum quod nec pro aetate —iam enim maior sexaginta annis erat—neque pro ueteris prudentia ducis tam improuide se collegamque et prope totam rem publicam in praeceps dederat.

12 Multos circa unam rem ambitus fecerim si quae de Mar-
13 celli morte uariant auctores, omnia exsequi uelim. Vt omittam alios, Coelius triplicem gestae rei † ordinem edit, unam traditam fama, alteram scriptam in laudatione filii, qui rei gestae interfuerit, tertiam quam ipse pro inquisita ac sibi
14 comperta affert. Ceterum ita fama uariat ut tamen plerique loci speculandi causa castris egressum, omnes insidiis circumuentum tradant.

9 equitum ΠΝ.ald.: equites $Sp?A^7N^2$ uel N^4 ut s. l. JFrob.2 (om. ceteri ... capti K)   duodeuiginti ΠΝ: decem et octo N^4 ut s. l., cf. 26. 49. 3 adn.   10 et in $SpN^4\theta Frob.2$: in ΠΝ.ald. (add. et ante Tum. ald.), cf. fort. c. 4. 12, sed per et Liuius ardorem in castris ut partem tragici euentus iuxta uirtutem eorum qui pugnauerant depingit   11 iam enim maior $A^7\theta$: maior iam enim ΠΝ.ald.Frob.1.2, cf. 28. 2. 15 adn.   ueteris ΠΝ.ald.Frob.1.2: ueteri A^7N^4K: ueti[s] J se $\pi(A?)Sp?A^8$? ut s. l. in marg. $N^4\theta Frob.2$: isset BDA^7? in ras. ald.: is se Iac. Gron.   12 rem $A^x\theta ald.$: rem p̄. ΠΝ (ex § 11)
13 Coelius Lov. 5 et sic P recte in 28. 46. 14; 29. 25. 3: cloelius PCR: c. loe- (uel lae- uel -le) -lius $MBDAN$: lelius ($L. K$) celius θ ordinem ΠΝθald.Frob.1.2: seriem $J.$ Perizonius (idem uel narrationem Douiat): rationem Weissenb.: recordationem Madv. dubitanter: opinionem Heraeus: memoriam Luchs: ordine ⟨memoria⟩m Castiglioni, uestigiis M. Muelleri insistens: alii alia: ipse⟨commemorationem⟩ ordine dubitanter proposui, cf. e.g. Quint. 5. 11. 6 et de -m addito u. 26. 40. 11 adn.   Post triplicem malit Johnson ⟨commemorationem⟩ gestae rei ordine lineam post -em omissam esse ratus et ordinē ad fin. lineae in archetypo stetisse, cf. 26. 6. 16 adn.   scriptam in N^1, Madvigium confirmans: scriptam (scribtā P) ΠΝθald. (in post -m perdito): scripta $SpFrob.2$ interfuerit $CM^2BDA^1NSpFrob.2$: interuenerit PR: interruerit P^1R^2MA: interfuit ald.   14 tradant A^x(fort. A^9)$\theta ald.Frob.1.2$: tradunt ΠΝ (cf. de -runt et -rant c. 6. 2 adn.)

AB VRBE CONDITA XXVII 28

Hannibal magnum terrorem hostibus morte consulis 28 unius, uolnere alterius iniectum esse ratus, ne cui deesset occasioni castra in tumulum in quo pugnatum erat extemplo transfert; ibi inuentum Marcelli corpus sepelit. Crispinus 2 et morte collegae et suo uolnere territus, silentio insequentis noctis profectus, quos proximos nanctus est montes, in iis loco alto et tuto undique castra posuit. Ibi duo duces 3 sagaciter moti sunt, alter ad inferendam, alter ad cauendam fraudem. Anulis Marcelli simul cum corpore Hannibal 4 potitus erat. Eius signi errore ne qui dolus necteretur a Poeno metuens Crispinus circa ciuitates proximas miserat nuntios occisum collegam esse anulisque eius hostem potitum : ne quibus litteris crederent nomine Marcelli compositis. Paulo ante hic nuntius consulis Salapiam uenerat quam 5 litterae ab Hannibale allatae sunt Marcelli nomine compositae se nocte quae diem illum secutura esset Salapiam uenturum : parati milites essent qui in praesidio erant, si quo opera eorum opus esset. Sensere Salapitani fraudem ; et 6 ab ira non defectionis modo sed etiam equitum interfectorum rati occasionem supplicii peti, remisso retro nuntio— 7 perfuga autem Romanus erat—ut sine arbitro milites quae

---

28 1 iniectum $A^7N^4(an\ N^2?)\theta$: infectum ΠN 2 nanctus ΠN, cf. 22. 44. 4 ; 24. 31. 14 ; 24. 36. 1 ; 25. 30. 2 ; 28. 31. 3 : nactus $CB^2 A\theta$ 3 alter ad cauendam $A^7N^4\theta ald.Frob.$1.2 : om. ΠN, sc. linea xv litt. ob δμ. deperdita, cf. 26. 51. 8 adn.   4 Anulis πA^7 uel $A^8 N$: anulo $A^5\theta ald.Frob.$1.2 : anulu (uel -ū) A ne qui $Sp Frob.$2 : ne cui (nec ui D) $\Pi N.ald.$: ne quis A^7 ut s. l. θ : ne quid N^4 ut s. l. (doli pro dolus praebens)   anulisque ΠN et $N^6?$: anuloque $A^5 N^x\theta ald.Frob.$1.2   5 quam $N^4?$ ut s. l. (fort. autem qua scripsit) θ: cum $\Pi N.ald.Frob.$1.2   nomine $MAN\theta$: nomine ex π, cf. c. 4. 12 adn.   nocte $C^4M^2BDAN^4(ipse\ se\ corrigens)K$: necte PRM: note CN: noctem $N^4(primo)J$ parati $C^4A^7N^4$ ut s. l. $\theta ald.Frob.$1.2 : om. ΠN si quo πN et $N^4(ipse\ se\ corrigens)$ $Sp?Frob.$2 : si q A : si qua $C^4A^7N^4(primo)\theta ald.$, sed cf. e.g. 26. 9. 9
   6 non $C^4A^7N^4\theta$: om. ΠN (om. D et ab ira non), cf. 2. 45. 4 ; 4. 58. 4 ; 29. 27. 14 ; 30. 23. 6 (contra non additum 22. 28. 1 adn.) 6-7 peti, remisso $PCRSp?Frob.$2 : petere misso $R^1MBDAN\theta ald.$ (sed retro re- est e.g. in c. 42. 16 ; 22. 26. 7 ; 23. 28. 4)   7 erat —ut A^7 uel $A^8N^4\theta ald.Frob.$1.2 : om. ΠN: erat C^4 arbitro $CN^4 K$ (-trio πNJ)   milites $\Pi N\theta Edd.$: delere uoluit Koch, uix necess.

uellent agerent, oppidanos per muros urbisque opportuna
8 loca in stationibus disponunt; custodias uigiliasque in eam noctem intentius instruunt; circa portam qua uenturum hostem rebantur quod roboris in praesidio erat opponunt.
9 Hannibal quarta uigilia ferme ad urbem accessit. Primi agminis erant perfugae Romanorum et arma Romana habebant. Ii ubi ad portam est uentum Latine omnes loquentes excitant uigiles aperirique portam iubent: consulem adesse.
10 Vigiles uelut ad uocem eorum excitati tumultuari trepidare moliri portam. Cataracta [deiecta] clausa erat; eam partim uectibus leuant, partim funibus subducunt, in tantum alti-
11 tudinis ut subire recti possent. Vixdum satis patebat iter cum perfugae certatim ruunt per portam; et cum sescenti ferme intrassent, remisso fune quo suspensa erat cataracta
12 magno sonitu cecidit. Salapitani alii perfugas neglegenter ex itinere suspensa humeris, ut inter pacatos, gerentes arma inuadunt, alii e turribus portae murisque saxis sudibus pilis
13 absterrent hostem. Ita inde Hannibal suamet ipse fraude captus abiit, profectusque ad Locrorum soluendam obsidionem, qua ⟨cingebat urbem L.⟩ Cincius summa ui operibus tormentorumque omni genere ex Sicilia aduecto oppugnans.

8 intentius $C^xM^1BDA^7$ in ras. $N^4\theta$: intemptius (-ptis $A?N$)ΠN
rebantur C^xM^2 uel $M^7A^8?\theta ald.$: quaerebantur (quer- DAN)π N (sc. -que insiticio, cf. 26. 11. 12 adn. (a)): uae-(ue- N^4 uel N^2)rebantur P^1 ut uid. N^4 uel N^2 9 aperirique C^4 uel C^2M^2BDAN ald.: aperique PCR^1(apir- R)M: aperireque θ 10 deiecta ΠN $AldusFrob.1.2$: om. θ $Vat.$ $Edd.$ ante $Ald.$, recte ut credimus
recti $A^6\theta ald.Frob.1.2$, cf. e.g. Catull. 86. 2; 10. 20: recte ΠN, cf. Plin. 7. 24   11 sescenti (sed sexc-) $A^7\theta ald.$: d c N^4: d C: de πR^2N, cf. 26. 51. 2 adn.: per R: sexcenti cum de M^x(praec. cum retento)
12 e turribus $Sp A^7\theta Frob.2$: et turribus N^4 ut s. l.: e turri eius $C.ald.$: et turri eius πN 13 suamet PR(sed suā et P: suam et R)$N^4Frob.2$: sua et $\pi^2R^1N\theta ald.$ qua ⟨cingebat urbem L.⟩ Cincius ... oppugnans Johnson, lineam ante cinc- excidisse ratus (cf. 26. 6. 16 adn.): quam (add. L. Sigonius, recte) Cincius ... oppugnabat $A^7\theta$ Edd., sed quam sine urbem positum ab uoce obsidionem separari uidetur nequire (nec sic causa patet lectionis Puteani oppugnas): quamcinus ... oppugnas P: quam ancinus (qua man- AN): quam Cincius N^4 ut s. l.) ... oppugnasset Π²N, cf. de P^2 28. 8. 4 adn.   De -m addito (praecipue ad finem lineae) cf. e.g. c. 27. 13 adn. (et 26. 40. 11 adn.).

AB VRBE CONDITA   XXVII 28 14

Magoni iam haud ferme fidenti retenturum defensurumque 14
se urbem, prima spes morte nuntiata Marcelli adfulsit.
Secutus inde nuntius Hannibalem Numidarum equitatu 15
praemisso ipsum quantum adcelerare posset cum peditum
agmine sequi. Itaque ubi primum Numidas edito e specu- 16
lis signo aduentare sensit, et ipse patefacta repente porta
ferox in hostes erumpit. Et primo, magis quia improuiso
id fecerat quam quod par uiribus esset, anceps certamen
erat ; deinde ut superuenere Numidae, tantus pauor Roma- 17
nis est iniectus ut passim ad mare ac naues fugerent relictis
operibus machinisque quibus muros quatiebant. Ita aduentu Hannibalis soluta Locrorum obsidio est.

Crispinus postquam in Bruttios profectum Hannibalem 29
sensit, exercitum cui collega praefuerat M. Marcellum tribunum militum Venusiam abducere iussit : ipse cum legio- 2
nibus suis Capuam profectus uix lecticae agitationem prae
grauitate uolnerum patiens, Romam litteras de morte collegae scripsit quantoque ipse in discrimine esset : se comi- 3
tiorum causa non posse Romam uenire quia nec uiae
laborem passurus uideretur et de Tarento sollicitus esset ne
ex Bruttiis Hannibal eo conuerteret agmen ; legatos opus
esse ad se mitti uiros prudentes cum quibus quae uellet de re
publica loqueretur. Hae litterae recitatae magnum et luc- 4
tum morte alterius consulis et metum de altero fecerunt.
Itaque et Q. Fabium filium ad exercitum Venusiam miserunt, et ad consulem tres legati missi Sex. Iulius Caesar L.
Licinius Pollio L. Cincius Alimentus cum paucis ante

15 posset ΠN.ald.Frob.1.2 : possit θ   16 e PCR.ald. : om. R¹
MBDANSpθFrob.2   quam quod par uiribus (sed -ribis R : -rebis
R² : -reb; M : -rib; M¹ uel M²) πK : quam quod paruis rebus BDA?N
(quam delet N⁴, sed pro quod paruis reb. praebet ut s. l. cum par
uiribus) : quod cum par uiribus JVat   certamen . . . superuenere (§ 17) ΠN Edd. : om. θ
29 1 abducere πSp?JFrob.2 : adducere BDANK.ald.   3 de
Tarento πN.ald. : tarento Dθ   ad se ΠN.ald. : om. θ
4 Venusiam ΠNθald. : uenusianum Sp?Frob.2   Alimentus (sed
hal-) C, cf. e.g. 21. 38. 3 : halimetus πN : alimetus A : balimetus A⁶θ

11*

TITI LIVI

5 diebus ex Sicilia redisset. Hi nuntiare consuli iussi ut si ad comitia ipse uenire Romam non posset dictatorem in
6 agro Romano diceret comitiorum causa; si consul Tarentum profectus esset, Q. Claudium praetorem placere in eam regionem inde abducere legiones in qua plurimas sociorum urbes tueri posset.

7 Eadem aestate M. Valerius cum classe centum nauium ex Sicilia in Africam tramisit, et ad Clupeam urbem escensione facta agrum late nullo ferme obuio armato uastauit. Inde ad naues raptim praedatores recepti, quia repente fama
8 accidit classem Punicam aduentare. Octoginta erant et tres naues. Cum his haud procul Clupea prospere pugnat Romanus. Duodeuiginti nauibus captis, fugatis aliis cum magna terrestri naualique praeda Lilybaeum rediit.

9 Eadem aestate et Philippus implorantibus Achaeis auxilium tulit, quos et Machanidas tyrannus Lacedaemoniorum finitimo bello urebat et Aetoli, nauibus per fretum quod Naupactum et Patras interfluit—Rhion incolae uocant—
10 exercitu traiecto, depopulati erant. Attalum quoque regem Asiae, quia Aetoli summum gentis suae magistratum ad eum proximo †anno† concilio detulerant, fama erat in
30 Europam traiecturum. Ob haec Philippo in Graeciam descendenti ad Lamiam urbem Aetoli duce Pyrrhia, qui

---

5 ipse N^4 ut s. l. ab N^6 rescriptus θald.Frob.1.2: om. ΠN
6 praetorem (sic) A^8: pr. uel pr̄ ΠN: propraetorem uel p pr̄ θ, cf. c. 21. 6 adn. 7 M. PM(sed cum uoce praec. coniunctum)A^6N^4 ut s. l. Frob.2: om. CRBDANθald. tramisit PCR, cf. c. 5. 9 adn. Clupeam ΠN (et sic P recte in 29. 32. 6): clipeam C^x per ras. N^2 uel N^4 (cf. § 8) escensione PCN^4 ut s. l. Frob.2 (exc-), cf. c. 5. 8 adn.: essentione R(-em)MBDAN(asc- M^2): excursione A^7θ ald. uastauit Π^1(A et A^7)N.ald.: uastuit P: uastabat θFrob.2
8 Clupea MBDANθ, cf. § 7: clipea $PCRN^2$ uel N^4 Duodeuiginti, cf. 26. 49. 3 adn.: x et viii ΠN 9 Machanidas A^7N^4 ut s. l. θ: machinaidas ΠN (sed recte P in 28. 7. 14 al.) uocant C^xA^1 uel A^6?$N^xθ$ Edd.: uocantes ΠN (ex ex- sq.?) 10 anno πa A^1N: suo anno A: om. $A^vθald.Frob.1.2$, recte ut credit cum Luchsio Johnson: annuo Weissenb., non male, sed ipse malim proximi anni concilio detulerant θald.Frob.1.2: detulerunt ΠN, cf. c. 6. 2 adn. traiecturum $C^1A^7θ Edd.$: tracturum ΠN, cf. c. 1. 11 adn.

30 1 Lamiam θald.Frob.1.2: labiam (lamiam BDAN) iam ΠN

AB VRBE CONDITA XXVII 30

praetor in eum annum cum absente Attalo creatus erat, occurrerunt. Habebant et ab Attalo auxilia secum et mille 2 ferme ex Romana classe a P. Sulpicio missos. Aduersus hunc ducem atque has copias Philippus bis prospero euentu pugnauit; mille admodum hostium utraque pugna occidit. Inde cum Aetoli metu compulsi Lamiae urbis moenibus 3 tenerent sese, Philippus ad Phalara exercitum duxit; in Maliaco sinu is locus est, quondam frequenter habitatus propter egregium portum tutasque circa stationes et aliam opportunitatem maritimam terrestremque. Eo legati ab 4 rege Aegypti Ptolomaeo Rhodiisque et Atheniensibus et Chiis uenerunt ad dirimendum inter Philippum atque Aetolos bellum. Adhibitus ab Aetolis et ex finitimis pacificator Amynander, rex Athamanum. Omnium autem non 5 tanta pro Aetolis cura erat, ferociori quam pro ingeniis Graecorum gente, quam ne Philippus regnumque eius rebus Graeciae, graue libertati futurum, immisceretur. De pace 6 dilata consultatio est in concilium Achaeorum, concilioque ei et locus et dies certa indicta; interim triginta dierum indutiae impetratae. Profectus inde rex per Thessaliam 7

2 ab Attalo M^7(et *praec. delens*)N^4 *ut s. l.* θ : altato ΠN (abt- ?N) : ab aetalo A^7 mille (ferme) $PC(\infty)A^7N^4$ *ut s. l.* θ : *om. RMB DAN*   P. (*uel* p̄.) ΠN.*ald.Frob.*1.2 : prefecto $A^7\theta$, *cf. cc.* 31. 1 ; 33. 5   mille (admodum) $PC (\infty)$: *om. RMBDAN*: milites N^4 : multos $A^7\theta ald.Frob.$1.2   3 ad Phalara (-lera AN, *sed cf.* § 12 *et e.g. Polyb.* 20. 10. 16) AN : a phalera π : ad phaleram (-lar- θ) $A^7N^4\theta$ duxit ΠA^x N : reduxit $A^7\theta ald.Frob.$1.2, *fort. recte*   circa ΠN.*ald.Frob.*1.2 : *om. Sp*θ 4 Ptolomaeo (*sed* -meo) CM^1N^2 *uel* $N^4 A^7\theta$: ptolomei πN (*sed* tol- B : pthol- D)   Rhodiisque (-usq. B) et Ath. (*plene*) $CB^x\theta$: *idem bis a P scriptum, cf.* 29. 1. 23 *adn.* : rhodiisque et ath. rhodiisque π^2N (*sed* hr- *pro* rh- (*bis*) AN : *in prima uoce* h- *erasit N*) : ath. rhodiisque M, *fort. recte* : rhodiisque et ath.,- que P^3 *uel* P^4 (*alterum* rhodiis *delens*, -que *intacto*)   5 ferociori (*cf. c.* 18. 14 *adn.*) . . . gente (*sed* -ti) M^1 *Gronouium confirmans* : ferocioris . . . gentis ΠNθ (*errore ob* -s *additum orto, cf.* 26. 40. 14 *adn.*) : ferocioribus . . . gentis *ed. Par.* 1513 *ald.Frob.*1.2   quam (ne) ΠNθ : quanta *Wesenberg, sed cf. e.g. Verg. Aen.* 6. 352   rebus Graeciae] *hic* ΠN : *post* futurum $\theta ald.Frob.$1.2, *cf. c.* 37. 5 *adn.* graue $C\theta ald.Frob.$1.2 : graui πN   6 concilioque ei et $N^4 ald. Frob.$1.2 : concilio et ΠA?$A^v N$: concilioque ei (eius ei J)$A^7 J^1 K$

XXVII 30 7   TITI LIVI

Boeotiamque Chalcidem Euboeae uenit ut Attalum, quem classe Euboeam petiturum audierat, portibus et litorum 8 adpulsu arceret. Inde praesidio relicto aduersus Attalum si forte interim traiecisset, profectus ipse cum paucis equitum 9 leuisque armaturae Argos uenit. Ibi curatione Heraeorum Nemeorumque suffragiis populi ad eum delata quia se Macedonum reges ex ea ciuitate oriundos referunt, Heraeis peractis ab ipso ludicro extemplo Aegium profectus est ad 10 indictum multo ante sociorum concilium. Ibi de Aetolico finiendo bello actum ne causa aut Romanis aut Attalo in- 11 trandi Graeciam esset. Sed ea omnia uixdum indutiarum tempore circumacto Aetoli turbauere postquam et Attalum Aeginam uenisse et Romanam classem stare ad Naupactum 12 audiuere. Vocati enim in concilium Achaeorum, in quo et eae legationes erant quae ad Phalara egerant de pace, primum questi sunt quaedam parua contra fidem conuentionis 13 tempore indutiarum facta; postremo negarunt dirimi bellum posse nisi Messeniis Achaei Pylum redderent, Romanis restitueretur Atintania, Scerdilaedo et Pleurato Ardiaei. 14 Enimuero indignum ratus Philippus uictos uictori sibi ultro

7 et $C^1?A^7N^2\theta$: et ut ΠΝ   8 leuisque ΠN.ald.Frob.1.2 : leuis $Sp\theta$ 9 referunt ΠNθald.Frob.1.2 : ferunt *Perizonius, sed cf. Ouid. Met.* 13. 141 rettulit Aias | esse Iouis pronepos peractis N^4 *uel* $N^6ald.Frob.1.2$: coactis ΠNθ (coh- *K*)   Aegium *Glareanus* : rhegium ΠN: rhium $A^7\theta ald.Frob.1.2$ 11 indutiarum $M^2A^7N^4\theta$: indutus (-tiis *CB*) lat-(lac- *B*)iarum Π, *cf. c.* 20. 8 *adn.* : indutulatiarum P^1 *uel* P^2R^2 : tiis latiatrum *N*   audiuere $A^7N^4\theta$: nudiusre (-ro *R*) ΠN   12 et eae PCM^2B : et ea *RM* : et hec *DAN* : eedem (*uel* eae-) θald.Frob.1.2   Phalara (-era *A*) Π, *cf.* § 3: phaleram (-aram *N?*) $N^4A^7\theta$ primum N^4 *ut s. l.* $\theta Frob.2$: primi ΠN.ald., *cf. c.* 51. 1 *et* 26. 29. 10; 30. 18. 12 ; 30. 33. 4   13 Atintania *Gron., cf.* 29. 12. 13 (*P*) : atitanta *PCM* : at in tantas *RBDA?N, u. adn. sq.* : athamanis A^7N^4 *ut s. l.* (-mamis *hic*) *J.ald.* : archarnanis *K*   Scerdilaedo (*sed* s- *post* tantas *om. RBD*) π, *cf.* 26. 24. 9: credi (cerdi *A*) ledo *A N*: cerdileo A^7N^4 *ut s. l.* (scerdileum π *in c.* 33. 3)   Ardiaei *Gron. (sed* -dy-), *cf. e.g. Polyb.* 2. 11. 10 : arrhidaei *PCR* : arrhidae (*uel* -de) *MB* (arri-) *DAN* (arhi-) : archide $A^7\theta$: et archidi (*om. et ante* Pl.) *ald.* : parthini *Frob.2*   14 Enimuero ΠNθald. : id uero *Frob.2*

AB VRBE CONDITA   XXVII 30

condiciones ferre, ne antea quidem se aut de pace audisse aut indutias pepigisse dixit spem ullam habentem quieturos Aetolos, sed uti omnes socios testes haberet se pacis, illos belli causam quaesisse. Ita infecta pace concilium dimisit quattuor milibus armatorum relictis ad praesidium Achaeorum et quinque longis nauibus acceptis, quas si adiecisset missae nuper ad se classi Carthaginiensium et ex Bithynia ab rege Prusia uenientibus nauibus, statuerat nauali proelio lacessere Romanos iam diu in regione ea potentes maris. Ipse ab eo concilio Argos regressus; iam enim Nemeorum appetebat tempus, quae celebrari uolebat praesentia sua.

Occupato rege apparatu ludorum et per dies festos licentius quam inter belli tempora remittente animum P. Sulpicius ab Naupacto profectus classem adpulit inter Sicyonem et Corinthum agrumque nobilissimae fertilitatis effuse uastauit. Fama eius rei Philippum ab ludis exciuit; raptimque cum equitatu profectus iussis subsequi peditibus, palatos

14 ullam ∏*NK*: nullam N^2 uel N^4 ut s. l. *J*   uti A^7N^6 uel N^4 θ: ut π*N.ald.Frob.*1.2: it *D* (*sed* seditiones *pro* sed uti omnes)
16 adiecisset A^7N^4θ*ald.Frob.*1.2: adcepisset (acc- B^2D) ∏*N*
missae nuper $C^2A^7N^2$θ: misenum (-ss- *RN*) per (par *D, i.e.* parat *pro* -per ad) ∏*N*   Bithynia θ (-tyn- *K*): bithinia (*sed* -tun- M^1 *B*: -tin- B^x) M^1BAN: ibī│tȳnia *P*: ibi bithynia *C*: ibit tynia *R*: bibitunia (-tyn- R^2) *M* (*del.* bi- M^1): libitinia *D*   17 ab eo A^7 θ*ald.Frob.*1.2: abo *P*: abito $π^2$, *cf.* 28. 8. 4 *adn.*: habito C^2M^1BDAN
Nemeorum A^7N^4 ut s. l. θ: eorum ∏*N* (nem- *post* -nim *perdito*)   celebrari A^7N^2 uel N^4 ut s. l. θ*ald.Frob.*1.2: celebrare ∏ *N, cf. c.* 4. 13 *adn.*

31 1 P. *PCSp?Frob.*2, *cf. c.* 30. 2: *om. RMBDA et A^vN.ald.*: prae(*uel* pre-)fectus A^9N^4θ   ab Naupacto P^1 uel P^2N^4 ut s. l. θ: annibali pacto *P, cf. c.* 20. 8 *adn.*: naupacto C^1(-pauto *C*)*RMBDAN*   adpulit (sed app-) CA^7θ*ald.Frob.*1.2: aptulit *PR*: abstulit R^1 *MBDAN*: abpulit N^4 ut s. l. ab N^6 *rescriptus*   inter B^1DAN^4 θ: in per π*N, cf. c.* 15. 11 *adn.*   Sicyonem (*sed* sici-) A^7N^4θ: Sycionem A^x: silycionem *PCR*: silicionem *MB*(*sed* syl-)*D*(-iti-)*A?N*
agrumque nobilissimae A^7N^4θ*ald.Frob.*1.2: *om.* ∏*N, sc. linea haud amplius xx litt. deperdita, cf.* 26. 51. 8 *adn.*   2 exciuit A^7 N^4(*sed* esci- *uel fort.* esi-)θ: sciuit ∏(*A?*)*N*: asciuit C^4 raptimque ∏*N.ald.*: raptim *K*: partim *J, cf.* 29. 28. 9 *adn.*
iussis $C^2Sp?A^7$ uel A^8θ*Frob.*2: sis *P* (*om.* ius- *post* -tus): si P^2CR: se *MBDAN*: iussit N^4 ut s. l. supra se sub- *hoc scribens*: iussis se *ald.*

XXVII 31 2 TITI LIVI

passim per agros grauesque praeda ut qui nihil tale metue-
3 rent adortus Romanos compulit in naues. Classis Romana haudquaquam laeta praeda Naupactum redit: Philippo ludorum quoque qui reliqui erant celebritatem quantaecumque, de Romanis tamen, uictoriae partae fama auxerat,
4 laetitiaque ingenti celebrati festi dies, eo magis etiam quod populariter dempto capitis insigni purpuraque atque alio regio habitu aequauerat ceteris se in speciem, quo nihil
5 gratius est ciuitatibus liberis; praebuissetque haud dubiam eo facto spem libertatis nisi omnia intoleranda libidine foeda ac deformia effecisset. Vagabatur autem cum uno
6 aut altero comite per maritas domos dies noctesque, et summittendo se in priuatum fastigium quo minus conspectus eo solutior erat, et libertatem, cum aliis uanam osten-
7 disset, totam in suam licentiam uerterat. Neque enim omnia emebat aut eblandiebatur, sed uim etiam flagitiis adhibebat, periculosumque et uiris et parentibus erat
8 moram incommoda seueritate libidini regiae fecisse; uni etiam principi Achaeorum Arato adempta uxor nomine Polycratia ac spe regiarum nuptiarum in Macedoniam asportata fuerat.
9 Per haec flagitia sollemni Nemeorum peracto paucisque

2 ut qui A^7N^4(*cuius punctum ab N^6 rescriptum est*)$\theta ald.$: aut qui Π N in (naues) Π$N.ald$, *cf.* 28. 8. 10 : ad $Sp?N^4$(*ut s. l. ?*)$\theta Frob.$ 2. *fort. recte, cf.* Luchs 1879 *p.* civ   3 redit $AN^4\theta$, *cf. c.* 5. 9 *adn.* : rediit π*ald.Frob.*1.2 : reddit N reliqui erant $M^1A^7N^4\theta$: reliquerant ΠN 4 eo $A^7N^4\theta ald.$: ed PR : sed C : et $MBDAN$ purpuraque (porp- M) πM^1N(-par-)$ald.$: purpura $Sp?N^4$ (-par- *non mutato*)$\theta Frob.$2   ceteris DAN(*om.* se N : *add.* N^4)θ : celeris π   gratius $BDAN\theta$: eratius PRM : ius C 5 deformia CM^1N^4 *uel* N^7 : deformi π$N\theta$ autem N^4 *ut s. l.* θ, *cf. e.g. c.* 35. 7 : enim Π$N.ald.Frob.$1.2, *quod malit Johnson*   maritas Π$N.ald.Frob.$1.2 : maritum as Sp : maritimas $A^7\theta$ *Rhen.* (*silet* N^4)   7 emebat Π$N\theta$ *Edd.* : metuebat . emebat (*sic*)N^4 etiam $A^7?N^4\theta Frob.$2 : *om.* Π$N.ald.$ adhibebat π$N.ald.$: addebat A^7 *ut s. l.* θ : adhaerebat D 8 Arato Sp *ut uid.* N^4 *ut s. l.* θ (har-K), *cf.* 32. 21. 23 : erato πN : erat C Polycratia] polychr- PR M : polichr- $CDAN$: policr- $B\theta$ (*sed* -tea J : thea K)

AB VRBE CONDITA XXVII

additis diebus, Dymas est profectus ad praesidium Aetolorum quod ab Eleis accitum acceptumque in urbem erat eiciendum. Cycliadas—penes eum summa imperii erat— Achaeique ad Dymas regi occurrere, et Eleorum accensi odio quod a ceteris Achaeis dissentirent, et infensi Aetolis quos Romanum quoque aduersus se mouisse bellum credebant. Profecti ab Dymis coniuncto exercitu transeunt Larisum amnem, qui Eleum agrum ab Dymaeo dirimit. Primum diem quo fines hostium ingressi sunt populando absumpserunt; postero die acie instructa ad urbem accesserunt praemissis equitibus qui obequitando portis promptum ad excursiones genus lacesserent Aetolorum.

Ignorabant Sulpicium cum quindecim nauibus ab Naupacto Cyllenen traiecisse et expositis in terram quattuor milibus armatorum silentio noctis ne conspici agmen posset intrasse Elim. Itaque improuisa res ingentem iniecit terrorem postquam inter Aetolos Eleosque Romana signa atque arma cognouere. Et primo recipere suos uoluerat rex; deinde contracto iam inter Aetolos et Tralles—Illyriorum id est genus—certamine cum urgeri uideret suos, et ipse rex cum equitatu in cohortem Romanam incurrit. Ibi equus pilo traiectus cum prolapsum super caput regem effudisset, atrox

---

9 Aetolorum *PN* (eth-): hetholorum N^4 (*quem perperam citat Luchs*) Eleis Π*N* (*hic et in* 28. 7. 14 *recte, sed* eli- *in* § 10, elei- *in* § 11, *ubi tamen* ele- *C*) : eliis (lel- *K*) θ (*et* eli- *in* § 10 *sed* elie- *in* § 11) 10 imperii erat C^2M^2BDANθ : imperiebat π, *cf. c.* 47. 1 *adn.* Eleorum] *cf.* § 9 11 ab (Dymis) A^7N^7θ : ar *P*: a $π^2N$: *om. A* amnem qui Π : quia amnis *N*: amnem qui aamnis N^7 Eleum] *cf.* § 9 ab (Dymaeo) A^7N^7θ*Frob.2* : a Π*N.ald.*, *u. supra.*

32 1 portis A^7N^4θ *Edd.* : *om.* Π*N* 2 et Π*N Edd.* : *om.* θ 2-3 intrasse Elim (-lum *C*). Itaque CM^2 *uel* $M^1A^7N^4J$: intrasset limitaque (-aquaeque *D*) π*N*: intrasse helym *K* (itaque *post* impr. *praebens*) 3 Eleosque (*sed* -li-, *cf. c.* 31. 9) A^7N^3 *et* N^7θ : aeosqua π : eos qua *AN* (*sed* tholoseos qua *pro* Aet. E.-que) 4 deinde Π*N.ald.*: dein θ*Frob.2, cf. c.* 6. 14 ; 26. 12. 17; 28. 20. 9; 29. 3. 9 (*adn.*) ; 30. 11. 6; 30. 17. 9; 30. 24. 3 *al.* urgeri A^7N^4θ *Edd.* : urbe geri Π*N, cf. c.* 20. 8 *adn.* 5 super *Madv., cf.* 22. 3. 11 : per Π*NSpFrob.2* : in A^7?θ*ald.*

XXVII 32 5　　　　　　　TITI LIVI

pugna utrimque accensa est, et ab Romanis impetu in regem
6 facto et protegentibus regiis. Insignis et ipsius pugna fuit
cum pedes inter equites coactus esset proelium inire ; dein
cum iam impar certamen esset caderentque circa eum
multi et uolnerarentur, raptus ab suis atque alteri equo
7 iniectus fugit. Eo die castra quinque milia passuum ab urbe
Eleorum posuit ; postero die ad propinquum Eleorum castellum—Pyrgum uocant—copias omnes eduxit, quo agrestium multitudinem cum pecoribus metu populationum
8 compulsam audierat. Eam inconditam inermemque multitudinem primo statim terrore adueniens cepit ; compensa-
ueratque ea praeda quod ignominiae ad Elim acceptum
9 fuerat. Diuidenti praedam captiuosque—fuere autem quattuor milia hominum, pecorisque omnis generis ad uiginti
milia—nuntius ex Macedonia uenit Aeropum quendam corrupto arcis praesidiique praefecto Lychnidum cepisse ; tenere
et Dassaretiorum quosdam uicos et Dardanos etiam concire.
10 Omisso igitur Achaico atque Aetolico bello, relictis tamen
duobus milibus et quingentis omnis generis armatorum cum

6 et (uolner-) Π$N\theta$ald.Frob.1.2 : om. Sp　　　　fugit Π$N\theta$ Edd.:
fuit Sp　　　7 ad propinquum Eleorum (sed eli-) castellum $A^8\theta$ald.
Frob.1.2 : castellum π, sc. linea xix litt. omissa, cf. 26. 51. 8 adn. : ad
castellum AN (post quae add. eliorum propinquum N^4)
Pyrgum Sp ut uid. $A^7\theta$Frob.2 : phyrcum (-irc- C: -yrg- A) Π : quod
phyrcum (-gum A^vN^4) A^vN.ald. (pyrgum)　　copias omnes (post
uocant) ΠN (sed omnes copias AN, quod hic ab $A^8N^4N^7$ retentum est):
omnes copias (post die supra) $A^8N^7\theta$ald.Frob.1.2, sed cf. c. 37. 5 adn.
　　　　eduxit ΠN : duxit Sp ut uid. θald.Frob.1.2, cf. c. 41. 8 adn.
　　9 fuere Vat : fuēr θ : fuera P (sc. -a ex uoce sq. orto) : fuerat
CR : fuerunt Sp ut uid. (?) MBDAN.ald.　　　　quattuor milia (uel
∞ ∞ ∞ ∞) PCSp$A^7N^4\theta$ (m N^4) : om. RMBDAN　　hominum
Π$N\theta$ald.Frob.1.2 : peditum. hominum (sic N^4) SpN^4　　pecorisque N^4 : pecoris ΠN : pecorum θ (-rumque ald.Frob.1.2)
uiginti milia θFrob.2 : milia (-ll- R) uiginti (uing- N) πR^xN.ald.
praesidiique $CM^2A^7\theta$ (-diiqui P) : praesidiis qui (-que MN^4) RBDA?
N　　Lychnidum (sed luch-) ΠN, cf. Polyb. 34. 12. 6 : lichnidum
(-dem K) $A^x\theta$: luchinidum N^2　　　Dassaret- Sabellicus, cf. e.g.
Polyb. 5. 108. 2 : darset- (sed -sec- BAN : -soc- D) Π$N\theta$
10 atque Aetolico $A^7N^4\theta$ Edd. : om. ΠN　　generis $A^7N^4\theta$: con-
seris π : cum seris A?N　　　armatorum A^7N^4 ut s. l. θ Edd. :
armorum ΠN, cf. c. 1. 11 adn.

AB VRBE CONDITA XXVII 32

Menippo et Polyphanta ducibus ad praesidium sociorum, profectus ab Dymis per Achaiam Boeotiamque et Euboeam 11 decimis castris Demetriadem in Thessaliam peruenit.

Ibi alii maiorem adferentes tumultum nuntii occurrunt, 33 Dardanos in Macedoniam effusos Orestidem iam tenere ac descendisse in Argestaeum campum, famamque inter barbaros celebrem esse Philippum occisum. Expeditione ea 2 qua cum populatoribus agri ad Sicyonem pugnauit, in arborem inlatus impetu equi ad eminentem ramum cornu alterum galeae praefregit; id inuentum ab Aetolo quodam perla- 3 tumque in Aetoliam ad Scerdilaedum, cui notum erat insigne galeae, famam interfecti regis uolgauit. Post profectionem ex 4 Achaia regis Sulpicius Aeginam classe profectus cum Attalo sese coniunxit. Achaei cum Aetolis Eleisque haud procul 5 Messene prosperam pugnam fecerunt. Attalus rex et P. Sulpicius Aeginae hibernarunt.

Exitu huius anni T. Quinctius consul, dictatore comitiorum 6 ludorumque faciendorum causa dicto T. Manlio Torquato, ex uolnere moritur; alii Tarenti, alii in Campania mortuum 7

10 Polyphanta *ed. Mog.* 1518, *cf.* 28. 5. 11 (-tam): polyphania π: poliph(*sed* -ih- *N*: -if- *K*)ania (-ta *N*⁴*K*) *ANθ*
33 1 ac Π*N.ald.Frob.*1.2: *om.* θ   Argestaeum (*uel* -teum) Π*N*: agrestinum θ   2 cum *ANθald.Frob.*1.2: *om.* π   inlatus impetu Π*N ald.Frob.*1.2: impetu illatus θ, *cf. c.* 37. 5 *adn.*
prae-(*uel* pre-)fregit *CBDANJ*: praeflegit *PRM*: perfregit *K*
3 Scerdilaedum] *cf. c.* 30. 13   famam π¹M²Nθ: ramam *P*: flamam *RD*: fammam (fl- *M*) *M*¹: formam *N*⁷   interfecti] *post hanc uocem uidetur a Ta* (*fol.* 48 *r.*) *uoces ab* regis . . . *ad* (§ 4) profecti-(onem) *ob* ὁμ. *omissas esse*; *add. enim Ta*² interfecti r . . . . uulgauit p . . . prof   regis Π*NTa*² *ut uid. ald.*: philippi *SpA*⁷ *ut s. l.* θ *Frob.*2, *fort. recte, sed lectio Puteani ab umbris Taurinensis defenditur*: philippi regis *N*⁴   4 sese Π*N.ald.Frob.*1.2: se θ   5 Eleisque *AN*, *cf. c.* 31. 9 *adn.*: aeleisquae (*uel* -que) π: elis-(*uel* -iis- *uel* -eiis-)que *N*² *uel N*⁷θ (hel- *K*)   P. (*uel* p̄) Π, *cf. c.* 30. 2: pro *N*: proconsul *A*⁷θ: *fort. om. Ta* (*qui incipiente fol.* 51 *u.* Sulpic- *scripsit, ante quod uestigia uocis* et *uderi poterant*)   6 *post* Quinctius *add.* Crispinus *A*⁷θ: *ignorant* Π*N.ald.Frob.*1.2   T. (Manlio) *A*⁷ θ (*ut P recte in* 26. 32. 1): l. Π*N*: tito l. *N*⁹ (*non N*⁴)   uolnere *PCR*, *cf. Praef.* § 30: uulnere *MBDANθ*   7 Tarenti, alii *A*⁷*N*⁴ *ab N*⁷ *confirmatus θEdd.*: *om.* Π*N*

tradunt; ita quod nullo ante bello acciderat, duo consules sine memorando proelio interfecti uelut orbam rem publicam reliquerant. Dictator Manlius magistrum equitum C. Ser-
8 uilium—tum aedilis curulis erat—dixit. Senatus quo die primum est habitus ludos magnos facere dictatorem iussit, quos M. Aemilius praetor urbanus C. Flaminio, Cn. Seruilio consulibus fecerat et in quinquennium uouerat; tum dictator
9 et fecit ludos et in insequens lustrum uouit. Ceterum cum duo consulares exercitus tam prope hostem sine ducibus essent, omnibus aliis omissis una praecipua cura patres populumque incessit consules primo quoque tempore creandi et ut eos crearent potissimum quorum uirtus satis tuta a fraude
10 Punica esset: cum toto eo bello damnosa praepropera ac feruida ingenia imperatorum fuissent, tum eo ipso anno consules nimia cupiditate conserendi cum hoste manum in
11 necopinatam fraudem lapsos esse; ceterum deos immortales, miseritos nominis Romani, pepercisse innoxiis exercitibus, temeritatem consulum ipsorum capitibus damnasse.

34 Cum circumspicerent patres quosnam consules facerent,
2 longe ante alios eminebat C. Claudius Nero. Ei collega

7 ita *Weissenb.*: id ΠNθ*ald.Frob.*1.2: et id *Madv.*; *non nihil tamen uereor ipse ne linea aliqua ante* id *quod exciderit* 8 urbanus *Vat*: urb. π: urbis M^2 *uel* $M^7N?θ$: ubs *D. Cf. c.* 22. 12 *adn.* in insequens ΠN.*ald.*: in sequens θ*Frob.*2 uouit C^3M^2 *uel* M^7BD $A^7?N^4θ$: mouit π: nouit A: uomit N 9 essent omnibus] *has uoces in* Ta *defuisse coniecit Studemund* et ut Ta *ut uid.* θ*Frob.* 2: ut Π*N.ald.*: et N^4 10 fuissent ΠNθ *et ut uid. Ta* (*ubi* -ent *ante* tum *legi poterat*) *ald.*: fuisse Sp?*Frob.*2, *fort. recte, cf. e.g.* 36. 43. 6, *sed Puteano obsequimur quod etiam in O. R. cum ad uocem* tum *sequentem prospectans nonnunquam cum Subiunctiuo iungitur, cf.* 8. 21. 1 (*et fort.* 4. 60. 2; *aliud. ut uid.*, 28. 2. 6) anno TaA^7(*an A^5?*)$N^4θ$: *om.* ΠN nimia $TaCM^2B^2ANθ$: ni|nia P: nia $π^2$ in necopinatam *Ta ut uid.* $A^7N^4θald.$: innecopiana|tam P: sine (sinne R: sine R^1) copia nactam (*sed* natam RB^2AN: natari MB) $Π^2N$ 11 miseritos π: misertos $ANθald.Frob.$1.2 (*et sic uariant codd. in c.* 34. 12) ipsorum] *hic* π(*sed* p. sorum RM: p. forum D)*ald.*: *ante* cons. $ANθ$ (*cf.* 26. 5. 17 *adn.*)
34 2 Ei A^7N^4 *ut s. l.* θ*ald.Frob.*1.2: et πN: set B: sed B^2

AB VRBE CONDITA XXVII 34

quaerebatur ; et uirum quidem eum egregium ducebant, sed promptiorem acrioremque quam tempora belli postularent aut hostis Hannibal; temperandum acre ingenium [eius] moderato et prudenti uiro adiuncto collega censebant. M. Liuius erat, multis ante annis ex consulatu populi iudicio damnatus, quam ignominiam adeo aegre tulerat ut rus migrarit et per multos annos et urbe et omni coetu careret hominum. Octauo ferme post damnationem anno M. Claudius Marcellus et M. Valerius Laeuinus consules reduxerant eum in urbem ; sed erat ueste obsoleta capilloque et barba promissa, prae se ferens in uoltu habituque insignem memoriam ignominiae acceptae. L. Veturius et P. Licinius censores eum tonderi et squalorem deponere et in senatum uenire fungique aliis publicis muneribus coegerunt; sed tum quoque aut uerbo adsentiebatur aut pedibus in sententiam ibat donec cognati hominis eum causa M. Liuii Macati, cum fama eius ageretur, stantem coegit in senatu sententiam dicere. Tunc ex tanto interuallo auditus conuertit ora

---

2 eum ΠNTa ut uid. ald.Frob.1.2 : om. $A^7\theta$ egregium C^2 $A^7N^2D\theta$: egreciae (-giāe C : -giae B) π : egrecia $MA?N?$ ducebant ΠNθ : dicebant N^7 3 eius (hic) ΠNTa ut uid. ald. : ante ingenium θFrob.2 : deleuimus ut gloss. post acriorem superuacaneum. De ordinis in codd. uariatione glossema indicante cf. Praef. § 33 (i) et Praef. Liui § 5 adn. Cf. etiam cc. 1. 11 ; 13. 11 ; 19. 9 ; 24. 3 ; 42. 9 ? ; 46. 4 ; 28. 3. 9 ; 28. 13. 1 ; 28. 24. 6 ? ; 29. 5. 1 ; 29. 14. 10 ; 30. 4. 6 ; 30. 17. 14 ? al.   ante annis Ta (ubi -nis non poterat legi) θFrob.2 (cf. c. 37. 5 adn.) : annis ante ΠN.ald.   4 ut Π et A^xNK : ut et $A^7?J.ald.Frob.$1.2   migrarit Ta^2 $Lov.$ 4 $Frob.$2 : migrarent Ta : migraret ΠNθald., fort. recte sed ueremur ne Perfectum actionem unam significans causa fuerit mutandi careret in caruerit ; et migrarent ex -auerit facile nasci potuit   careret ΠN.ald. : caruerit $TaSp\theta$, fort. recte sed de praeteritis iam pridem, per multos annos et sim. cum Imperfecto iungi solent. Tempora consecutiua Liuius secundum sensum uariare amat, cf. e.g. 8. 36. 7 ; 28. 19. 15 adnn.
5 promissa πA^7N : de-(uel di-)missa $A\theta$ prae se ferens TaA^x : prae se referens ΠN.ald. : praeferens SpN^2 uel $N^4\theta$Frob.2. Lectio Put. ex dittographia { prae se } { re- } ferens orta est ; cf. c. 1. 8 ; 26. 1. 4 ; 26. 25. 10 ; 29. 4. 8 ; 29. 7. 8 ; 29. 16. 1 al., adnn.   7 fama πA^1 uel A^8N^4, cf. e.g. 28. 19. 14 : de fama $A^7\theta$ald.Frob.1.2 : in fama AN coegit $TaA^7N^4\theta$: cogit ΠN

XXVII 34 8　　　　　　　TITI LIVI

hominum in se, causamque sermonibus praebuit indigno iniuriam a populo factam magnoque id damno fuisse quod tam graui bello nec opera nec consilio talis uiri usa res 9 publica esset: C. Neroni neque Q. Fabium neque M. Valerium Laeuinum dari collegam posse quia duos patricios 10 creari non liceret; eandem causam in T. Manlio esse praeterquam quod recusasset delatum consulatum recusaturusque esset; egregium par consulum fore, si M. Liuium C. 11 Claudio collegam adiunxissent. Nec populus mentionem 12 eius rei ortam a patribus est aspernatus. Vnus eam rem in ciuitate is cui deferebatur honos abnuebat, leuitatem ciuitatis accusans: sordidati rei non miseritos candidam togam 13 inuito offerre; eodem honores poenasque congeri. si uirum bonum ducerent, quid ita pro malo ac noxio damnassent? si noxium comperissent, quid ita male credito priore consulatu 14 alterum crederent? Haec taliaque arguentem et querentem castigabant patres, et M. Furium memorantes reuocatum de exsilio patriam pulsam sede sua restituisse—ut parentium saeuitiam, sic patriae patiendo ac ferendo lenien-
15 dam esse—, adnisi omnes cum ⟨C.⟩ Claudio M. Liuium consulem fecerunt.

35　Post diem tertium eius diei praetorum comitia habita. Praetores creati L. Porcius Licinus C. Mamilius C. et A.

8 praebuit $TaA^7N^4θ$: om. ΠN　　　talis uiri usa PC(tali C)M^2 $B^xANθ$: tali uiro iussa P^2R: talis uiri iussa MBD　　9 collegam θ: conlegas $(uel$ coll-$)$ ΠNTa$(sed$ in hoc -gas $solum$ $legi$ $potuit)$ald.Frob.1.2　10 recusasset ΠTa^2: recusare ut $uid.$ Ta　　recusaturusque $CBDANθ$: recuraturusque PRM　　C. $TaA^vald.$Frob.1.2: cum ΠN: consuli $A^7θ$　　12 miseritos] $u.$ $c.$ 33. 11 $adn.$
offerre ΠNK^2: offerri θ: om. Ta ut $uid.$　　13 uirum bonum Ta ut $uid.$: bonum uirum A^7N^9 uel $N^4θald.Frob.1.2$: bonum πR^1N: bi bonum R　　malo ac noxio damnassent $Ta(ubi$ damnass- non $potuit$ $legi)A^7N^4θ(hi$ iv -mpn-$)ald.Frob.1.2$: om. ΠN $(qui$ et si $sq.$ $omittunt),$ $cf.$ 26. 51. 8 $adn.$　　si noxium comperissent $Ta(sed$ -nt $defit)SpN^4Frob.2$ $(hic$ innoxium $errore$ $typogr.$ $?)$: $idem$ $sine$ si ΠN $(sed$ noxio $B^2DAN)$: si malum A^v: om. θald.　　14 patriam pulsam π$SpA^7Frob.2$: patria pulsum M^5DA et A^xN: patriam pulsum ald.: pulsum θ　　15 C. $ald.Frob.1.2$: om. ΠNθ

35 1 Licinus $N,$ $cf.$ $c.$ 6. 19 et 26. 6. 1: Licinius ΠN^1J: om. K
C. Mamilius $Sigonius$ $(sic$ P in $c.$ 36. 9): m̅ anilius P: c. manlius C $(qui$ $fort.$ $ipse$ c. $erasit)$: manilius $RMBDANJ$: manlius K　　C. et A. $Alschefski,$ $u.$ § 2 et 31. 4. 3: t. et a. ΠN: t et N^1: et t. et a. θ

AB VRBE CONDITA XXVII

Hostilii Catones. Comitiis perfectis ludisque factis dictator et magister equitum magistratu abierunt. C. Terentius Varro in Etruriam pro praetore missus ut ex ea prouincia C. Hostilius Tarentum ad eum exercitum iret quem T. Quinctius consul habuerat; et L. Manlius trans mare legatus iret uiseretque quae res ibi gererentur; simul quod Olympiae ludicrum ea aestate futurum erat quod maximo coetu Graeciae celebraretur, ut si tuto per hostem posset adiret id concilium ut qui Siculi bello ibi profugi aut Tarentini ciues relegati ab Hannibale essent, domos redirent scirentque sua omnia iis quae ante bellum habuissent reddere populum Romanum.

Quia periculosissimus annus imminere uidebatur neque consules in re publica erant, in consules designatos omnes uersi quam primum eos sortiri prouincias et praesciscere quam quisque eorum prouinciam, quem hostem haberet uolebant. De reconciliatione etiam gratiae eorum in senatu actum est principio facto a Q. Fabio Maximo; inimicitiae autem nobiles inter eos erant et acerbiores eas indignioresque Liuio sua calamitas fecerat quod spretum se in ea fortuna credebat. Itaque is magis implacabilis erat et nihil opus esse reconciliatione aiebat: acrius et intentius omnia gesturos timentes ne crescendi ex se inimico collegae potestas fieret.

1 Hostilii *Voss.*: hostiliis πN, cf. 26. 40. 14 *adn.*: hostilius $CBA^x N^4 K$: obstilius J 2 pro praetore, cf. c. 21. 6 *adn.*: pro. pl. (*sic*) πN: propr. C: propr̄ $M^2 K$: pro. p. r. N^4: propraetor $M^7 A^7 J$ (*post hunc locum de propr. uel pr. confusis silemus*) C. (Hostilius) $N^4\theta$: e $P(erasum)RM$: *om.* $\pi^x N$: a $C^2 B$ (*sed prouinciae B*) Quinctius consul habuerat et L. $A^7 N^4$ *ut s. l.* $\theta ald.Frob.$1.2 (*sed aliter alii nom. et praen. scribunt*): *om.* ΠN, cf. 26. 51. 8 *adn.* 3 res ibi $Sp?C^4 A^7 N^4 \theta Frob.$2: sibi Π: ibi $N.ald.$ Graeciae (*uel* -ie) $A^7 N^4 (ut s. l.?)\theta$: *om.* ΠN 4 concilium $C^2 A^v \theta$: consilium ΠN, cf. 28. 5. 15; 29. 3. 1; 30. 36. 10 iis $PCR.ald.$: his $R^1 MD$: hiis BAN: *om.* $Sp\theta Frob.$2 5 praesciscere $\pi B^2 N$: praescire (*uel* pre-) $B(\bar{p}s-)\theta$ quisque $SpN^4 \theta Frob.$2, cf. e.g. 2. 44. 9: quis $\pi B^1 N^2 ald.$: qus B: quique N haberet πK: habere $CN^4 J$: *om.* N 7 indignioresque $BD(om.$ -que$)AN^1$ *uel* N^2(ingign- $N)\theta$: indienioresque π: in die maiores M^2 8 ne crescendi $\pi N\theta$: nec rescindi C inimico $A^7 N^4 \theta ald.$: inimi P (-co *ante* co- *om.*): minimi P^2, cf. 28. 8. 4 *adn.*: minime $CRMBDAN$

9 Vicit tamen auctoritas senatus ut positis simultatibus com-
10 muni animo consilioque administrarent rem publicam. Prouinciae iis non permixtae regionibus, sicut superioribus annis,
sed diuersae extremis Italiae finibus, alteri aduersus Hannibalem Bruttii et Lucani, alteri Gallia aduersus Hasdrubalem
11 quem iam Alpibus adpropinquare fama erat, decreta; exercitum e duobus qui in Gallia quique in Etruria esset addito
12 urbano eligeret quem mallet, qui Galliam esset sortitus: cui
Bruttii prouincia euenisset, nouis legionibus urbanis scriptis
13 utrius mallet consulum prioris anni exercitum sumeret; relictum a consule exercitum Q. Fuluius proconsul acciperet
14 eique in annum imperium esset. Et C. Hostilio, cui pro
Etruria Tarentum mutauerant prouinciam, pro Tarento
Capuam mutauerunt; legio una data cui Fuluius proximo
anno praefuerat.

36 De Hasdrubalis aduentu in Italiam cura in dies crescebat.
Massiliensium primum legati nuntiauerant eum in Galliam
2 transgressum erectosque aduentu eius, quia magnum pondus
auri attulisse diceretur ad mercede auxilia conducenda, Gal-
3 lorum animos. Missi deinde cum iis legati ab Roma Sex.
Antistius et M. Raecius ad rem inspiciendam rettulerant
misisse se cum Massiliensibus ducibus qui per hospites eo-
4 rum principes Gallorum omnia explorata referrent; pro
comperto habere Hasdrubalem ingenti iam coacto exercitu
proximo uere Alpes traiecturum, nec tum eum quicquam
aliud morari nisi quod clausae hieme Alpes essent.

9 animo $A^7N^4\theta ald.$: mo P: om. Π^2N consilioque $\pi A^7N^4\theta$: consilio M^2BDAN (sed sequitur in AN rasura) 10 et Vat: om. $\Pi N\theta ald.Frob.$1.2, cf. 26. 11. 12 adn. (c) aduersus (Hasdr.) ΠN ald.Frob.1.2: contra θ, non male, cf. Luchs 1879 p. cv 14 mutauerunt (; legio) $\pi SpA^7N^4\theta$: mutauerant P^2 (sed mox -unt restitutum): om. $AN.ald.$ data Sp ut uid. $\theta Frob.$2 : data est $\Pi N.ald.$
36 1 in (Ital.) $C^4M^7AN\theta ald.$: om. π, cf. 26. 13. 7 adn. nuntiauerant $\theta ald.Frob.$1.2: nuntiauerunt (uel nunci-) ΠN, cf. c. 6. 2 adn.
3 se $PCAN.ald.$: om. $RMBD\theta$ Massiliensibus (mans- B) ΠN (-ll- N): massiliensium θ

AB VRBE CONDITA XXVII 36

In locum M. Marcelli P. Aelius Paetus augur creatus in- 5
auguratusque, et Cn. Cornelius Dolabella rex sacrorum
inauguratus est in locum M. Marci qui biennio ante mortuus
erat. Hoc eodem anno et lustrum conditum est a censori- 6
bus P. Sempronio Tuditano et M. Cornelio Cethego. Censa 7
ciuium capita centum triginta septem milia centum octo,
minor aliquanto numerus quam qui ante bellum fuerat. Eo 8
anno primum ex quo Hannibal in Italiam uenisset comitium
tectum esse memoriae proditum est, et ludos Romanos semel
instauratos ab aedilibus curulibus Q. Metello et C. Seruilio.
Et plebeiis ludis biduum instauratum a C. Mamilio et M. 9
Caecilio Metello aedilibus plebis; et tria signa ad Cereris
iidem dederunt; et Iouis epulum fuit ludorum causa.

Consulatum inde ineunt C. Claudius Nero et M. Liuius 10
iterum, qui quia iam designati prouincias sortiti erant, praetores sortiri iusserunt. C. Hostilio iurisdictio urbana euenit; 11
addita et peregrina, ut tres in prouincias exire possent. A.
Hostilio Sardinia, C. Mamilio Sicilia, L. Porcio Gallia euenit.
Summa legionum trium et uiginti ita per prouincias diuisa: 12
binae consulum essent, quattuor Hispania haberet, binas

---

5 P. Aelius *Sigonius ex* 41. 21. 8: l. aquilius (aquibus *B*) $\pi B^2 N$:
prefectus aquilius θ 7 cxxxvii milia centum octo (*uel* c et viii)
⊓$N\theta$ *Edd., uix recte, cf. cum Madv. Perioch. libri* 20 *et* 29. 37. 6
9 plebeiis (*uel* -beis) ludis ⊓$N\theta$ald.Frob.1.2: plebei ludi A^x (*an* A^1?),
qui instaurati (*pro* -tum) *praebet, sed cf. e.g.* 31. 4. 5   aedilibus *ald.
Frob.*1.2: aed. π: ed' *DK*: ed *AN*: ede *J*   iidem (*sed* eid-) N^4
uel N^2 (*fort.* idem N^2: eidem N^4): fidem ⊓N: edem (*uel* ae-) $A^7\theta$ald.
*Frob.*1.2   dederunt ⊓$N^2\theta$: dedertur N (*mox* epulum N^2: sep- N)
fuit $\pi A^7 N^4\theta$ald.: *om. AN*   10 qui quia iam *Vat ald.Frob.*1.2:
qui quia ⊓N: quippe iam θ: qui paria iam (*ut uid.*) N^4 *ut s. l.*
11 iurisdictio $N^4\theta$ald.Frob.1.2: *om.* ⊓N, *fort. recte, cf. e.g.* 29. 13. 2
ut tres C^4 *uel* $C^2B^2A^7\theta$ald.Frob.1.2: ui tres π: ut res CM^1B
AN; *non intellexit Luchs lectionem ab* N^4 *profectam*; *hic enim supra* ut
add. ut s. l. iii, *i.e. uel* tres (*pro* ut res) *uel* tres ut, *quod ipse legere
malim*   in ⊓N.ald.: *om.* θ A. ⊓N.ald., *cf. c.* 35. 1: *om.* θ
(*qui et* L *sq. om.*)   12 per prouincias PN^4: prouincie N
diuisa: binae *Sp?* A^7N^4 (-ne) *ut s. l.* (*sed* diuisas N^7) *Frob.*2: diuisa ut
binae *ald., sed cf. e.g. c.* 22. 3; 28. 10. 10: dimissa (-se *AN*) ut unae
(*uel* -ne: uni M^5) ⊓N.

13 tres praetores, in Sicilia et Sardinia et Gallia, duas C. Terentius in Etruria, duas Q. Fuluius in Bruttiis, duas Q. Claudius circa Tarentum et Sallentinos, unam C. Hostilius Tubulus
14 Capuae; duae urbanae ut scriberentur. Primis quattuor legionibus populus tribunos creauit: in ceteras consules miserunt.

37 Priusquam consules proficiscerentur nouendiale sacrum
2 fuit quia Veiis de caelo lapidauerat. Sub unius prodigii, ut fit, mentionem alia quoque nuntiata: Minturnis aedem Iouis et lucum Maricae, item Atellae murum et portam de caelo
3 tactam; Minturnenses, terribilius quod esset, adiciebant sanguinis riuum in porta fluxisse; et Capuae lupus nocte
4 portam ingressus uigilem laniauerat. Haec procurata hostiis maioribus prodigia et supplicatio diem unum fuit ex decreto pontificum. Inde iterum nouendiale instauratum quod
5 in Armilustro lapidibus uisum pluere. Liberatas religione mentes turbauit rursus nuntiatum Frusinone natum esse infantem quadrimo parem nec magnitudine tam mirandum quam quod is quoque, ut Sinuessae biennio ante, incertus
6 mas an femina esset natus erat. Id uero haruspices ex Etruria acciti foedum ac turpe prodigium dicere: extorrem

---

12 et (Sardinia) J: in Π$N.ald.Frob.$1.2: *om*. K 13 in Bruttiis, duas Q. Claudius $A^7N^4\theta ald.Frob.$1.2: *om*. ΠN, *cf. c.* 35. 2 *et* 26. 51. 8 *adn.*   C. (Hostil.) ΠN, *cf. c.* 6. 12: gn̄. θ 14 in N^1 *uel* $N^2\theta ald.Frob.$1.2: ut in ΠN, *cf. c.* 8. 7 *adn.*

37 2 ut ΠN: uti θ Minturnis aedem $C^4A^7N^2\theta$, *cf.* 8. 10. 9 *adn. et It. Dial. p.* 284: menturni saedem (*uel* se-) ΠN (*sed* mint- AN); *scribit* ment- P *fere semper ut in* § 3 *et c.* 38. 4   tactam CDN *uel* N^2 *uel* $N^4\theta ald.Frob.$1.2: tacta πN? *sed cf. e.g. c.* 23. 3
3 Minturnenses] *u*. § 2   nocte Π$N.ald.Frob.$1.2: *om. Sp*θ, *fort. recte*   4 fuit $Sp?\theta Frob.$2: fuit ut ΠN, *cf. cc.* 36. 14 *et* 8. 7 *adnn.*   inde $PSpFrob.$2: *om. ald.*   Armilustro Π$(C?)N$: armilustro $A^7N^1\theta$: alio lustro C^4 5 Frusinone natum $A^7N^4\theta ald.Frob.$1.2 (*sed* Fr. inf. nat. esse $Edd.\ hi$): *om*. ΠN (*post* -atum), *cf.* 26. 51. 8 *adn.*   esse infantem θ: infantem esse ΠN; *rectum, ut et in c.* 34. 3 (ante), *hic ordinem praebent* θ, *qui tamen ut uid. saepissime prauatum. Cf. e.g. cc.* 1. 2; 1. 10; 6. 5; 6. 12; 15. 6; 19. 2; 20. 3; 30. 5; 32. 7; 33. 2; 41. 2; 42. 2; 30. 3. 4; 30. 3. 8; 30. 19. 12; 30. 21. 2; 30. 26. 5; 30. 28. 6; 30. 34. 11; 30. 35. 9; 30. 38. 5; 30. 40. 14. *Cf. etiam* 26. 5. 17 *adn., et de* P *cf.* 28. 2. 15 *adn.*   6 extorrem $AN\theta$: extorre π, *cf.* § 2 *et* 26. 41. 12 *adn.*: extollere J^1 *ut s. l.*

AB VRBE CONDITA XXVII 37 6

agro Romano, procul terrae contactu, alto mergendum. Viuum in arcam condidere prouectumque in mare proiecerunt. Decreuere item pontifices ut uirgines ter nouenae 7 per urbem euntes carmen canerent. Id cum in Iouis Statoris aede discerent conditum ab Liuio poeta carmen, tacta de caelo aedis in Auentino Iunonis reginae; prodi- 8 giumque id ad matronas pertinere haruspices cum respondissent donoque diuam placandam esse, aedilium curulium 9 edicto in Capitolium conuocatae quibus in urbe Romana intraque decimum lapidem ab urbe domicilia essent, ipsae inter se quinque et uiginti delegerunt ad quas ex dotibus stipem conferrent; inde donum peluis aurea facta lataque 10 in Auentinum, pureque et caste a matronis sacrificatum.

Confestim ad aliud sacrificium eidem diuae ab decem- 11 uiris edicta dies, cuius ordo talis fuit. Ab aede Apollinis boues feminae albae duae porta Carmentali in urbem ductae; post eas duo signa cupressea Iunonis reginae portabantur; 12 tum septem et uiginti uirgines, longam indutae uestem, 13 carmen in Iunonem reginam canentes ibant, illa tempestate forsitan laudabile rudibus ingeniis, nunc abhorrens et inconditum si referatur; uirginum ordinem sequebantur decemuiri coronati laurea praetextatique. A porta Iugario uico in 14 forum uenere; in foro pompa constitit et per manus reste data uirgines sonum uocis pulsu pedum modulantes incesserunt. Inde uico Tusco Velabroque per bouarium forum 15

---

6 condidere Π$N.ald.$: condiderunt θ 7 discerent B^rA^6 fort. $N^2ald.Frob.$ 1.2 : discederent (-cerner- N^4)Π(dec- C: desc- C^2)N, cf. c. 20. 8 adn. : di-(uel de-)scenderent θ conditum ΠN: creditum J : editum K aedis Π, cf. 26. 27. 4 adn. : edis AN: edes θ
8 ad $CM^7AN\theta$: om. π ($post$ id)   9 curulium (-ulum Vat) edicto Vat^1 ald. : cur (cur. CB^2K) edicto Π(A?)θ : curus edito N : cure dicto N^4 10 pureque et caste $Sp\theta Frob.$2 : pure (-rę M) casteque (-tęq. MB^1 : -taq. BN) Π$N.ald.$ a Π$N.ald.$: om. θ sacrificatum ΠN (-ta θ)   13 inconditum PN (incred- N^4 ut s. l. uel potius N^9)   14 constitit et Sp?$\theta Frob.$2 : constitet P RM : constitit $CM^2A^7ald.$: consistet $BDAN$ (-ens AN): conspicit et N^4 ut s. l. (quae fort. conspicitur debuit esse)   incesserunt A^7 $N^2\theta$ (interc- ΠN, cf. § 7 et c. 20. 8 adn.)   15 bouarium ΠN^2? (-reum N)θ, cf. 10. 23. 3 · 29. 37. 2 adnn. (sed boa- P in 21. 62. 3)

12*

XXVII 37 15   TITI LIVI

in cliuum Publicium atque aedem Iunonis reginae perrectum. Ibi duae hostiae ab decemuiris immolatae et simulacra cupressea in aedem inlata.

38 Deis rite placatis dilectum consules habebant acrius intentiusque quam prioribus annis quisquam meminerat habi- 2 tum ; nam et belli terror duplicatus noui hostis in Italiam aduentu et minus iuuentutis erat unde scriberent milites. 3 Itaque colonos etiam maritimos, qui sacrosanctam uacationem dicebantur habere, dare milites cogebant. Quibus recusantibus edixere in diem certam ut quo quisque iure 4 uacationem haberet ad senatum deferret. Ea die ad senatum hi populi uenerunt, Ostiensis Alsiensis Antias Anxurnas Minturnensis Sinuessanus, et ab supero mari Senensis. 5 Cum uacationes suas quisque populus recitaret, nullius cum in Italia hostis esset praeter Antiatem Ostiensemque uacatio obseruata est ; et earum coloniarum iuniores iure iurando adacti supra dies triginta non pernoctaturos se extra moenia coloniae suae donec hostis in Italia esset.

6 Cum omnes censerent primo quoque tempore consulibus eundum ad bellum—nam et Hasdrubali occurrendum esse descendenti ab Alpibus ne Gallos Cisalpinos neue Etruriam 7 erectam in spem rerum nouarum sollicitaret, et Hannibalem suo proprio occupandum bello ne emergere ex Bruttiis atque

15 Publicium $\pi R^2 N Sp?Frob.$2 : publicum $R\theta ald.$

38 1 annis $C^2 M^2$ uel $M^7 BDAN\theta$: anno π (*sed* priorib. M: priori M^1: -ris M^2 uel M^7)   2 iuuentutis ΠN: inuentum θ 3 quisque ... populi (§ 4)] *om.* D 4 uenerunt ΠN (adu- θ)   Anxurnas $P\theta$, *cf. It. Dial. p.* 274 : anxuras (-roas C : -rias B) $\Pi^2 N$ *post* Minturnensis (*u. c.* 37. 2 *adn.*) *add.* π alsiensis : *hic nesciunt* $AN\theta$ 5 se $\Pi N.ald.$: se esse $Sp?\theta Frob.$2, *sed cf. Frigell Prolegom. in Lib.* 23 *pp. liv–lv, qui ex* i^{ma} *et* iii^a *decade citat Infinitiui Futuri* (a) *xvii exempla ubi pronomine adiuncto deest* esse (*e.g. c.* 28. 14), (b) *duo tantum exx.* (22. 50. 4 *et* 28. 23. 6, *sed hic om. et* esse θ, *quos sequimur*) *ubi* esse *adiuncto deest* se ; *idem amplius lxx locos Liuianos se repperisse dicit ubi desunt et esse et* se. (*Vide* ' *Making of Latin*' *p.* 128.) *De Infinitiuo aliorum temporum sine pronomine a Liuio usurpato cf. Frigell ib. pp.* xlvii–liv *et u.* 26. 48. 13 *adn.*   6 Alpibus $CB^2 DA N^1\theta$: altibus πN (alit- N), *cf. c.* 15. 11 *adn.* : aptibus B 7 emergere ΠN (-ret $N^2\theta$)

AB VRBE CONDITA   XXVII 38

obuiam ire fratri posset—, Liuius cunctabatur parum fidens suarum prouinciarum exercitibus: collegam ex duobus consularibus egregiis exercitibus et tertio cui Q. Claudius Tarenti praeesset electionem habere; intuleratque mentionem de uolonibus reuocandis ad signa. Senatus liberam potestatem consulibus fecit et supplendi unde uellent et eligendi de omnibus exercitibus quos uellent permutandique ex prouinciis quos e re publica censerent esse traducendos. Ea omnia cum summa concordia consulum acta. Volones in undeuicensimam et uicensimam legiones scripti. Magni roboris auxilia ex Hispania quoque a P. Scipione M. Liuio missa quidam ad id bellum auctores sunt, octo milia Hispanorum Gallorumque et duo milia de legione militum, equitum mille octingentos mixtos Numidas Hispanosque; M. Lucretium has copias nauibus aduexisse; et sagittariorum funditorumque ad tria milia ex Sicilia C. Mamilium misisse.

Auxerunt Romae tumultum litterae ex Gallia allatae ab L. Porcio praetore: Hasdrubalem mouisse ex hibernis et iam Alpes transire; octo milia Ligurum conscripta armataque coniunctura se transgresso in Italiam esse nisi mitteretur in

---

8 collegam ... exercitibus] *om.* K   9 permutandique Π$N\theta$ (*cf. Cic. ad Att.* 15. 15. 4): permutandique et *Aldus Madv.* (*u. sqq.*)
quos (e) π$N\theta$ *ald.*: quo *Madv., optime* (*cf.* 26.40.14 *adn.*), *nisi quod duae corruptelae statuendae sunt*   traducendos *scripsimus* (-cendi Π$N\theta$ *Edd.*)   10 Ea A^7N^4 *uel* $N^9\theta$ *ald.*: *om.* ΠN Volones PC M^2 *uel* $M^7A^7N^4$ *ut s. l.* θ: uoles P, *cf. c.* 1.11 *adn.*: uolens $RMBDA$ N 11 Magni roboris $CM^2AN^4\theta$: magni roris π (*sed* magni | roris P, *ad init. lineae spatio ii litt. ob pergamenae uitium relicto*), *cf.* § 10: ma gnoris N a P. Scipione M. $P(\text{a}\bar{\text{p}})C(\text{sed }$-onem$)$: a p. scipione $C^x\theta$ *ald.*: apud scipionem $RMBDAN$ et (duo) ΠN *ald.Frob.*1.2: ad $Sp?N^4\theta$, *fort. recte*   mille octingentos $Sp?Ber.$ *ald.* (*add.* ad *ante* mille *Frob.*2, *non cum Rhen.*): ∞ PCR: x (*uel* x̄) R^1MBDAN (*cf. F. W. Shipley, Trans. Am. Phil. Ass. xxxiii,* 1902, *p.* 45 *sq.*): mille x (*uel* decem) θ 12 aduexisse $Sp?N^4$ *ut s. l* θ: adduxisse Π$N.ald.$ ∞ ∞ ∞ PCR^xB^2: xxx $RMBDAN$: quattuor milia $A^7\theta$ *ald.Frob.*1.2

39 1 allatae ΠN (-te): misse θ Porcio $BD(-\text{tio})AN\theta$: populo π   2 mouisse Π$N\theta$ *Edd.*, *cf. e.g.* § 5; *c.* 40. 11; 10. 4. 9 *adn.*

Ligures qui eos bello occuparet; se cum inualido exercitu
quoad tutum putaret progressurum. Hae litterae consules
raptim confecto dilectu maturius quam constituerant exire
in prouincias coegerunt ea mente ut uterque hostem in sua
prouincia contineret neque coniungi aut conferre in unum
uires pateretur. Plurimum in eam rem adiuuit opinio Hannibalis quod, etsi ea aestate transiturum in Italiam fratrem
crediderat, recordando quae ipse in transitu nunc Rhodani
nunc Alpium cum hominibus locisque pugnando per quinque menses exhausisset, haudquaquam tam facilem maturumque transitum exspectabat; ea tardius mouendi ex
hibernis causa fuit. Ceterum Hasdrubali et sua et aliorum
spe omnia celeriora atque expeditiora fuere. Non enim
receperunt modo Aruerni eum deincepsque aliae Gallicae
atque Alpinae gentes, sed etiam secutae sunt ad bellum; et
cum per munita pleraque transitu fratris quae antea inuia
fuerant ducebat, tum etiam duodecim annorum adsuetudine
peruiis Alpibus factis inter mitiora iam transibant hominum
ingenia. Inuisitati namque antea alienigenis nec uidere
ipsi aduenam in sua terra adsueti, omni generi humano insociabiles erant; et primo ignari quo Poenus pergeret
suas rupes suaque castella et pecorum hominumque praedam peti crediderant; fama deinde Punici belli quo
duodecimum annum Italia urebatur satis edocuerat uiam
tantum Alpes esse; duas praeualidas urbes magno inter
se maris terrarumque spatio discretas de imperio et opibus
certare.

3 exire in M^7A^7 uel $A^8N^4\theta$: exire ad C : exiret (-re B^xAN) πN
prouincias (uel -ti-) $\pi A^7N^4\theta$: om. AN ut uterque $N^4\theta$:
utrique πN^1 : utrique (uterq A) c̄ AN conferre ΠN : conferri
N^1 uel N^4 ut s. l. θ 5 maturumque $A^7N^4\theta$: aturumque π :
atrumque $MBDA?N$ 6 aliae $\Pi N.ald.Frob.$1.2 : om. $Sp\theta$
7 ducebat MN^4 uel $N^3\theta$: ducebant πN, cf. c. 17. 4 adn.   transibant ΠN : transibat $\theta ald.Frob.$1.2   8 insociabiles $N^4\theta Frob.$2 :
insociales $\Pi N.ald.$, cf. c. 1. 11 adn.   9 Italia A^7N^4 ab N^7 rescriptus θ : om. ΠN

AB VRBE CONDITA XXVII 39

Hae causae aperuerant Alpes Hasdrubali. Ceterum quod celeritate itineris profectum erat, id mora ad Placentiam dum frustra obsidet magis quam oppugnat corrupit. Crediderat campestris oppidi facilem expugnationem esse, et nobilitas coloniae induxerat eum, magnum se excidio eius urbis terrorem ceteris ratum iniecturum. Non ipse se solum ea oppugnatione impediit, sed Hannibalem post famam transitus eius tanto spe sua celeriorem iam mouentem ex hibernis continuerat, quippe reputantem non solum quam lenta urbium oppugnatio esset sed etiam quam ipse frustra eandem illam coloniam ab Trebia uictor regressus temptasset.

Consules diuersis itineribus profecti ab urbe uelut in duo pariter bella distenderant curas hominum, simul recordantium quas primus aduentus Hannibalis intulisset Italiae clades, simul cum illa angeret cura, quos tam propitios urbi atque imperio fore deos ut eodem tempore utrobique res publica prospere gereretur? adhuc aduersa secundis pensando rem ad id tempus extractam esse. cum in Italia ad Trasumennum et Cannas praecipitasset Romana res, prospera bella in Hispania prolapsam eam erexisse; postea, cum in Hispania alia super aliam clades duobus egregiis ducibus amissis duos exercitus ex parte delesset, multa secunda in Italia Siciliaque gesta quassatam rem publicam

---

12 ratum ΠN.ald.: om. N³ uel N⁴θFrob.2. De uocibus uel syllabis in Sp omissis cf. e.g. c. 50. 2 et 9; 28. 18. 2 et 8; 28. 21. 5; 28. 22. 2 et 12; 28 29. 4 et 5; 28. 35. 7; 29. 2. 9; 29. 6. 2; 30. 1. 5; 30. 11. 1; 30. 38. 11   13 ipse se Sp?N³ uel N⁴θFrob.2: ipse PRM: ipsum CBDAN.ald.   oppugnatione Sp?N⁴θ (sed imp- N⁴J): oppugnatio ΠN (quod fort. cum ipsum malis)   impediit SpM⁷K: impedit ΠNJ, fort. recte, cf. c. 5. 9 adn.   celeriorem ΠNθ (-ris M⁷, Luchs 1879 p. cxxxiii ex §§ 5, 6, 10)

40 2 ut P²CA⁷N³θ: urbit P: om. RMBDAN   utrobique R²MBDANθ, cf. Neue-Wagener II p. 660 et e.g. 10. 39. 4: utrubique PCR   adhuc ΠN: om. θ   pensando rem A^vθ: pensandorum π: pendorum BD (peno- B²N): pensando M⁵A⁷ (pends-) 3 erexisse πA^vK: rexisse N³J: exisse BDAN

4 duos C⁴N⁴θ: duobus Π (et exercitus in -tibus mutauit M⁷): duo N multa ΠN.ald.: om. θFrob.2   quassatam rem A^x(quas satam rem A)N²θ: quassata rem PCR, cf. 26. 41. 12 adn.: quas p̄ satarem R¹MBD: quas satarem N

TITI LIVI

5 excepisse; et ipsum interuallum loci, quod in ultimis terrarum oris alterum bellum gereretur, spatium dedisse ad respi-
6 randum. nunc duo bella in Italiam accepta, duo celeberrimi nominis duces circumstare urbem Romanam, et unum in locum totam periculi molem, omne onus incubuisse. qui eorum prior uicisset, intra paucos dies castra cum altero
7 iuncturum. Terrebat et proximus annus lugubris duorum consulum funeribus. His anxii curis homines digredientes
8 in prouincias consules prosecuti sunt. Memoriae proditum est plenum adhuc irae in ciues M. Liuium ad bellum proficiscentem monenti Q. Fabio ne priusquam genus hostium cognosset temere manum consereret, respondisse ubi pri-
9 mum hostium agmen conspexisset pugnaturum. Cum quaereretur quae causa festinandi esset, 'Aut ex hoste egregiam gloriam' inquit 'aut ex ciuibus uictis gaudium meritum certe, etsi non honestum, capiam'.

10   Priusquam Claudius consul in prouinciam perueniret per extremum finem agri † Larinatis ducentem in Sallentinos exercitum Hannibalem expeditis cohortibus adortus C. Hostilius Tubulus incomposito agmini terribilem tumultum
11 intulit; ad quattuor milia hominum occidit, nouem signa militaria cepit. Mouerat ex hibernis ad famam hostis Q.

---

5 loci ΠNK: locis $A^7?J$ 6 Italiam ΠNFrob.2 : italia $A^5?N^3$ θald.   paucos dies castra $A^7N^4θ$: om. ΠN, linea xvi litt. ob. -tra | -tra perdita, cf. 26. 51. 8 adn.   7 anxii πNθ : an duodecim C, cf. 26. 51. 2 adn.   digredientes (uel -tis) $πB^2A^7N$ uel N^1 (degr- $BDAN^1$ uel N: ingr- θ : egr- N^2)   prouincias $A^7θald.$: prouinciam ΠN. Cf. (-m pro -s) 26. 1. 4 ; 26. 24. 2 ; 27. 26. 12 ; 27. 43. 1 ; 28. 24. 14 ; 28. 34. 4 ; 29.17. 10 ; 29. 19. 7 al. (de -s pro -m u. c. 17. 1 adn.)   8 proditum est $P^2CM^{10}A^v$ uel $A^5θ$: proditum | st P : proditum sed RMBDAN (pr. est sed $A^7?N^2$)   cognosset π SpFrob.2 : cognouisset MD : nosset AN.ald. : cognosceret θ
10 perueniret SpθFrob.2 : ueniret ΠN.ald.   Larinatis P^1 ut uid. θ : laritanis π : laritani BAN: laritani N^1 : larinati N^3 : Vriatis Madv. (cf. fort. Mela 2. 4) : defendit Larinatis S. M. Furness (Class. Review Tom. xxxiv p. 167 sq.) uoces per ... Larinatis cum pr. Claudius ... perueniret coniungens, non cum ducentem ; sed hoc, ut alia taceamus, ob verborum ordinem nobis displicet   incomposito $C^2M^{10}A^7N^3θ$: in (uel im-) posito πN(cf. c. 1. 11 adn.)   agmini Frob.2 : agmine ΠNθald.

AB VRBE CONDITA XXVII 40

Claudius, qui per urbes agri Sallentini castra disposita habebat. Itaque ne cum duobus exercitibus simul confligeret Hannibal nocte castra ex agro Tarentino mouit atque in Bruttios concessit. Claudius in Sallentinos agmen conuertit, Hostilius Capuam petens obuius ad Venusiam fuit consuli Claudio. Ibi ex utroque exercitu electa peditum quadraginta milia, duo milia et quingenti equites, quibus consul aduersus Hannibalem rem gereret: reliquas copias Hostilius Capuam ducere iussus ut Q. Fuluio proconsuli traderet.

Hannibal undique contracto exercitu quem in hibernis aut in praesidiis agri Bruttii habuerat, in Lucanos ad Grumentum uenit spe recipiendi oppida quae per metum ad Romanos defecissent. Eodem a Venusia consul Romanus exploratis itineribus contendit et mille fere et quingentos passus castra locat ab hoste. Grumenti moenibus prope iniunctum uidebatur Poenorum uallum; quingenti passus intererant. Castra Punica ac Romana interiacebat campus: colles imminebant nudi sinistro lateri Carthaginiensium, dextro Romanorum, neutris suspecti quod nihil siluae neque ad insidias latebrarum habebant. In medio campo ab stationibus procursantes certamina haud satis digna dictu serebant. Id modo Romanum quaerere apparebat ne abire hostem pateretur: Hannibal inde euadere cupiens totis uiribus in aciem descendebat. Tum consul ingenio hostis

13 obuius ΠN, *cf. c.* 51. 1 *adn.*: obuiam θ   fuit ΠN: fit N⁴ *ut s. l. θald.Frob.*1.2, *pari iure*   14 electa CR¹N⁴*ald.*: electu PR: electo M: electi BDAN: lecta A⁷ *uel* A⁶θ   quadraginta ΠN: quattuor θ   duo milia *Vat ald.Frob.*1.2: duo d N⁴: duo A⁷ *uel* A⁶θ: *om.* ΠN   et quingenti A⁷N⁴*Jald.Frob.*1.2: et xx K: et Π (A?)N; *cf.* 29. 28. 10 *adn.*   rem N³θ: *om.* ΠN: bellum A^v

41 1 in (praesidiis) ΠN: *om.* θ   2 mille (*uel* ∞) PCR (*hic saltem siglum* ∞ *imitatus*) A⁷N³θ: x MBDAN   castra ... passus (§ 3)] *om.* D   locat ab hoste πN: ab hoste (urbe J) locat θald.Frob.1.2, *fort. recte, sed cf. c.* 37. 5   3 iniunctum πN: iunctum (*uel* uinct-) M²A⁷θ*ald.Frob.*1.2   4 neutris *Frob.* 2: neutri ΠNθ*ald.* latebrarum Π(A *et* A^x)N: latebrosum A⁷ *uel* A⁸θ   5 apparebat PCθ: appetebat (-per- R) R²MBDAN (*sed* ape- N¹: atpe- N) euadere A⁷N⁴θ: *om.* ΠN (*sed* hannibale PRMN: *corr.* P^xM¹N⁴)

XXVII 41 6   TITI LIVI

usus, quo minus in tam apertis collibus timeri insidiae poterant, quinque cohortes additis quinque manipulis nocte iugum superare et in auersis collibus considere iubet: 7 tempus exsurgendi ex insidiis et adgrediendi hostem Ti. Claudium Asellum tribunum militum et P. Claudium prae- 8 fectum socium edocet, quos cum iis mittebat. Ipse luce prima copias omnes peditum equitumque in aciem eduxit. Paulo post et ab Hannibale signum pugnae propositum est clamorque in castris ad arma discurrentium est sublatus; inde eques pedesque certatim portis ruere ac palati per 9 campum properare ad hostes. Quos ubi effusos consul uidet, tribuno militum tertiae legionis C. Aurunculeio imperat ut equites legionis quanto maximo impetu possit in 10 hostem emittat: ita pecorum modo incompositos toto passim se campo fudisse ut sterni obterique priusquam instruantur possint.

42 Nondum Hannibal e castris exierat cum pugnantium clamorem audiuit; itaque excitus tumultu raptim ad hostem 2 copias agit. Iam primos occupauerat equestris terror; peditum etiam prima legio et dextra ala proelium inibat. Incompositi hostes, ut quemque aut pediti aut equiti casus 3 obtulit, ita conserunt manus. Crescit pugna subsidiis et procurrentium ad certamen numero augetur; pugnantesque

       6 quo Π*Nθ Edd.*: qua *Thoresby Jones, sed ellipsis defendi potest ex* 23. 15. 14   cohortes *KFrob.*2 : cohortibus Π*NJ.ald., sed cf. c.* 2. 8 *adn.*
    collibus (considere) Π*N*: uallibus *A⁷N⁴θald.Frob.*1.2   7 adgrediendi (*uel* aggr-) *N⁴θ* : adgredi (*uel* aggr-) Π*N* (agr-), *cf. c.* 1. 11 *adn.*
    8 Ipse *C⁴M²BDANθ* : ipsis π, *cf. c.* 3. 2. *adn.*   eduxit Π*N*: duxit *θ, cf. cc.* 32. 7; 42. 8   clamorque ... est] *om. N*: *supplet N⁴*   ruere *CBDANθ* : uere *PRM*   9 uidet π*M² N.ald.Frob.*1.2 : uide *RM* : uidit θ ; *cf. c.* 5. 9 *adn.*   possit Π *N Edd.* : posset θ   10 se campo Π*Nθald.* : campo se *Frob.*2 : se campos *N³ uel N⁴* (*qui fort.* campo se *ut s. l. uoluit*)   fudisse Π*N.ald. Frob.*1.2 : effudisse *A⁷ uel AᵛN⁴ uel N³*(*sed* efu-, *u. adn. praec.*)*θ*
    obterique (opt- *PC*) π*R²Nθald.Frob.*1.2 : opteneriquae *R* : operique *Sp*
    42 1 excitus *PCN²K*: exercitus *RMBDANJ*   2 equestris *A⁷N⁴ uel N³θFrob.*2 : eques π*R¹* : equites *RC⁴ald.* : equester *Salmasius, non male et ob omissionem Puteani defendendum, sed hac forma Ciceroniana in formulis uet. tantum* (*cf. e.g.* 5. 7. 5) *uti uidetur Liuius*   prima legio π*B²N.ald.* : legio *B* : legio prima θ, *cf. c.* 37. 5. *adn.*

AB VRBE CONDITA XXVII 42

—quod nisi in uetere exercitu et duce ueteri haud facile est—inter tumultum ac terrorem instruxisset Hannibal, ni cohortium ac manipulorum decurrentium per colles clamor ab tergo auditus metum ne intercluderentur a castris iniecisset. Inde pauor incussus et fuga passim fieri coepta est; minorque caedes fuit, quia propinquitas castrorum breuiorem fugam perculsis fecit. Equites enim tergo inhaerebant; in transuersa latera inuaserant cohortes secundis collibus uia nuda ac facili decurrentes. Tamen supra octo milia hominum occisa, [supra] septingenti capti ; signa militaria nouem adempta; elephanti etiam, quorum nullus usus in repentina ac tumultuaria pugna fuerat, quattuor occisi, duo capti. Circa quingentos Romanorum sociorumque uictores ceciderunt.

Postero die Poenus quieuit: Romanus, in aciem copiis eductis postquam neminem signa contra efferre uidit, spolia legi caesorum hostium et suorum corpora conlata in unum sepeliri iussit. Inde insequentibus continuis diebus aliquot ita institit portis ut prope inferre signa uideretur, donec Hannibal tertia uigilia crebris ignibus tabernaculisque quae pars castrorum ad hostes uergebat et Numidis paucis qui in uallo portisque se ostenderent relictis profectus Apuliam petere intendit. Vbi inluxit, successit uallo Romana acies,

---

3 duce ueteri N^3 uel N^4, cf. 10. 2. 14: duci ueteri ΠN.ald.: duce uetere $A^7N^5\theta Frob.2$ 4 decurrentium $C^4A^7N^4$ ut s. l. θ: decursū (uel -sum) ΠN a $N^4\theta$ald.Frob.1.2: om. ΠN (non male, sed cum de loco agitur intercludo ab Liuianum est)   6 tergo inhaerebant (uel -her- uel -er-) ΠN et (sed in t. inh.) ald Frob.1.2: in tergo habebant N^4 ut s. l. θ 7 supra septingenti PK (cf. Neue-Wagener II p. 926): supra septingentos Edd., cf. c. 14. 14 et 30. 6. 9: seclusimus supra   8 circa quingentos (sed d) PC: circa π^2N: et circa Sp ut uid. $N^4\theta$ald.: et cccc A^v: et tres Rhen.: om. Frob.1.2   uictores ΠNJ^x ut s. l. K: ductores Sp ut uid. J.ald.: ducenti Frob.1.2   eductis $Sp?A^7\theta Frob.2$: ductis ΠN, cf. c. 41. 8 uidit ΠN: uidet N^5 uel N^4 ut s. l. θ 9 continuis diebus ΠN Edd.: diebus continuis θ: malim ipse continuis secludere, cf. c. 34. 3 adn.
10 ostenderent M^2 uel $M^7A^7\theta$: ostenderunt Π (-rat N: -ret N^5), cf. 22. 36. 3 et 30. 33. 3 adnn.   11 inluxit (uel ill-) Π$N\theta$: luce N^4 ut s. l.

XXVII 42 11   TITI LIVI

et Numidae ex composito paulisper in portis se ualloque ostentauere, frustratique aliquamdiu hostes citatis equis
12 agmen suorum adsequuntur. Consul ubi silentium in castris et ne paucos quidem qui prima luce obambulauerant parte ulla cernebat, duobus equitibus speculatum in castra praemissis postquam satis tuta omnia esse exploratum est,
13 inferri signa iussit; tantumque ibi moratus dum milites ad praedam discurrunt receptui deinde cecinit multoque ante
14 noctem copias reduxit. Postero die prima luce profectus magnis itineribus famam et uestigia agminis sequens haud
15 procul Venusia hostem adsequitur. Ibi quoque tumultuaria pugna fuit; supra duo milia Poenorum caesa. Inde nocturnis montanisque itineribus Poenus ne locum pugnandi daret
16 Metapontum petiit. Hanno inde—is enim praesidio eius loci praefuerat—in Bruttios cum paucis ad exercitum nouum comparandum missus: Hannibal copiis eius ad suas additis Venusiam retro quibus uenerat itineribus repetit at-
17 que inde Canusium procedit. Nunquam Nero uestigiis hostis abstiterat et Q. Fuluium, cum Metapontum ipse proficisceretur, in Lucanos ne regio ea sine praesidio esset arcessierat.

43 Inter haec ab Hasdrubale postquam a Placentiae obsidione abscessit quattuor Galli equites, duo Numidae cum litteris missi ad Hannibalem cum per medios hostes
2 totam ferme longitudinem Italiae emensi essent, dum Meta-

---

11 hostes $R^1MBDAN.ald.$: hostis C (*iure, sed cf. Praef.* § 30): liostis PR, *cf. c.* 44. 10: hostem $\theta Frob.2$, *fort. recte*   12 paucos $\Pi N\theta$ $ald.Frob.1.2$: passus SpN^4 *ut s. l.*: ipsos *Rhen.*   14 prima luce $\Pi NEdd.$: luce prima θ, *cf. c.* 37. 5 *adn.*   15 duo milia] $\infty \infty P$ CR^2: xx $RMBD$: uiginti milia (*uel* $\overline{xx}$) M^2AN: tria milia $A^v\theta$ caesa $\Pi N.ald.Frob.1.2$: caesi θ 16 repetit $\theta ald.Frob.1$. 2, *cf. c.* 5. 9 *adn.*: repetiit ΠN, *fort. recte*   17 arcessierat A^1 *uel* A^7N^3 *uel* N^5(*sed* -ant)θ(*sed* accers-): arcessiebat Π(-sseb- C)N
43 1 a Placentiae obsidione (*uel* ops-) abscessit (*uel* abc-) ΠN $ald.Frob.1.2$: ad Pl. obsidionem accessit SpN^4 *ut s. l.* θ missi ad (a N^x: ab B) Hannibalem $\pi B^2 N$: ad Hannibalem missi $\theta ald.Frob.1.2$, *cf. c.* 37. 5 *adn.*   medios hostes $A^7\theta Frob.2$: mediostenm P, *cf. c.* 40. 7 *adn.*: mediostem P^2R: medium hostem CR^2 $MBDN.ald.$: medi | hoste A

AB VRBE CONDITA XXVII 43

pontum cedentem Hannibalem sequuntur incertis itineribus Tarentum delati, a uagis per agros pabulatoribus Romanis ad Q. Claudium propraetorem deducuntur. Eum primo in- 3 certis implicantes responsis ut metus tormentorum admotus fateri uera coegit, edocuerunt litteras se ab Hasdrubale ad Hannibalem ferre. Cum iis litteris, sicut erant, signatis L. 4 Verginio tribuno militum ducendi ad Claudium consulem traduntur; duae simul turmae Samnitium praesidii causa 5 missae. Qui ubi ad consulem peruenerunt litteraeque lectae per interpretem sunt et ex captiuis percontatio facta, tum 6 Claudius non id tempus esse rei publicae ratus quo consiliis ordinariis prouinciae suae quisque finibus per exercitus suos cum hoste destinato ab senatu bellum gereret—auden- 7 dum ac nouandum aliquid improuisum, inopinatum, quod coeptum non minorem apud ciues quam hostes terrorem faceret, perpetratum in magnam laetitiam ex magno metu uerteret—, litteris Hasdrubalis Romam ad senatum missis 8 simul et ipse patres conscriptos quid pararet edocet; monet ut cum in Vmbria se occursurum Hasdrubal fratri scribat, legionem a Capua Romam arcessant, dilectum Romae 9 habeant, exercitum urbanum ad Narniam hosti opponant. Haec senatu scripta. Praemissi item per agrum Larinatem 10 Marrucinum Frentanum Praetutianum, qua exercitum duc-

---

2 sequuntur *RMBDANθ* (*uid. e.g. Buck Lat. Gr. p.* 21): sequontur *PC*   5 percontatio *Vatθ, cf.* 21. 18. 1 *adn.*: percunctatio Π (-unt- *N*). *Scribit P fere semper* -cunct-, *perperam, ut e.g. in cc.* 50. 9; 51. 3; 28. 25. 5 *al.*   6 *ante* prouinciae *add.* in *Wesenberg, frustra*   7 ac nouandum $A^7N^4θald.Frob.$1.2: *om.* Π(*et* A^x)*N*   quod $πA^7$ $N^2JFrob.$2: ques *B*: q; si *D*: q; sed *AN*: -que quod *K.ald.*   8 pararet Π*N.ald.*: paret *SpθFrob.*2. *sed cf. e.g. c.* 46. 7; 1. 51. 1; 24. 33. 7 *et u. App. II ad Liui lib. II Cantab.* 1901 *editum p.* 189, B (1). *Cf. c.* 17. 14 *adn.*   monet ut $A^7N^4θ$: ut Π*N.ald.Frob.*1.2, *quod Johnsonio satisfacit, cf. e.g.* § 11 *et* 9. 2. 3: et ut *Duker. De temporibus cf. App. II op. c.*   9 senatu PCR^x (-tus *R*), *cf.* 9. 41. 7: senatui $π^3$ C^1 *uel* $C^2Nθ$, *sed codd. bonis antiquiorem formam praebentibus in formulis antiquis obsequimur, cf.* 26. 33. 14 *adn.*   10 item Π*NSp?Frob.*2: inde *θald.*   Frentanum π, *cf.* 9. 45. 18 *et It. Dial. p.* 212 (*sed in* 9. 16. 1 Ferent- *ubi ad oppidum potius quam gentem res referenda*): ferentanum $M^7BDANθ$ Praetutianum *ed. Mog.* 1518, *cf. It. Dial. p.* 450: praetutilanum Π*N* (-tutsta- N^2 · -turia- *θ*)   qua $CR^1BDANθ$: quae *PRM*

XXVII 43 10 TITI LIVI

turus erat, ut omnes ex agris urbibusque commeatus paratos militi ad uescendum in uiam deferrent, equos iumentaque alia producerent ut uehiculorum fessis copia esset.
11 Ipse de toto exercitu ciuium sociorumque quod roboris erat delegit, sex milia peditum, mille equites; pronuntiat occupare se in Lucanis proximam urbem Punicumque in ea praesidium uelle; ut ad iter parati omnes essent.
12 Profectus nocte flexit in Picenum.

Et consul quidem quantis maximis itineribus poterat ad collegam ducebat, relicto Q. Catio legato qui castris prae-
44 esset. Romae haud minus terroris ac tumultus erat quam fuerat quadriennio ante cum castra Punica obiecta Romanis moenibus portisque fuerant. Neque satis constabat animis
2 tam audax iter consulis laudarent uituperarentne; apparebat, quo nihil iniquius est, ex euentu famam habiturum: castra prope Hannibalem hostem relicta sine duce cum exercitu cui detractum foret omne quod roboris, quod floris fuerit;
et consulem in Lucanos ostendisse iter cum Picenum et
3 Galliam peteret, castra relinquentem nulla alia re tutiora quam errore hostis qui ducem inde atque exercitus partem
4 abisse ignoraret. quid futurum, si id palam fiat et aut insequi Neronem cum sex milibus armatorum profectum Hannibal toto exercitu uelit aut castra inuadere praedae
5 relicta, sine uiribus, sine imperio, sine auspicio? Veteres eius belli clades, duo consules proximo anno interfecti terrebant: et ea omnia accidisse cum unus imperator, unus exercitus hostium in Italia esset: nunc duo bella Punica

---

12 poterat] *post* itin. Π*N.ald.*, *cf.* 9. 24. 9 *adn.*: *ante* itin. θ*Frob.*2
44 1 haud πθ: non *AN*   quadriennio *Glareanus, recte nam cf.*
26. *c.* 10: biennio Π*N*θ   cum Π*NK*: quam *N*⁴ *uel N*³ *ut s. l. J*
    audax iter *A*⁷θ*ald.*: aut audaxter *P* (*cf. e.g.* 26. 2. 7; 26. 11.
12; 26. 22. 6; 26. 33. 3; 28. 19. 8): aut audax iter *C*: aut (ut *BD*)
audacter *RMB*²*A*?*N*   3 inde Π*N*: om. θ   abisse *Sp?N*³
*uel N*⁴ *ut s. l.* θ*Frob.*2: abesset *PRM*: abesse π*ˣM*¹ *uel M*⁴*N.ald*
    5 duo consules *A*⁷*N*⁴θ: dilocos *P* (*i.e.* -il- *pro* -u-): locos π*ˣ*
*B*²*N*: loco *B*: c̄o̅s̅ *M*⁷

AB VRBE CONDITA

facta, duos ingentes exercitus, duos prope Hannibales in Italia esse. quippe et Hasdrubalem patre eodem Hamilcare genitum, aeque impigrum ducem, per tot annos in Hispania Romano exercitatum bello, gemina uictoria insignem, duobus exercitibus cum clarissimis ducibus deletis. nam itineris quidem celeritate ex Hispania et concitatis ad arma Gallicis gentibus multo magis quam Hannibalem ipsum gloriari posse; quippe in iis locis hunc coegisse exercitum quibus ille maiorem partem militum fame ac frigore, quae miserrima mortis genera sint, amisisset. Adiciebant etiam periti rerum Hispaniae haud cum ignoto eum duce C. Nerone congressurum sed quem in saltu impedito deprensus forte haud secus quam puerum conscribendis fallacibus condicionibus pacis frustratus elusisset. Omnia maiora etiam uero praesidia hostium, minora sua, metu interprete semper in deteriora inclinato, ducebant.

Nero postquam iam tantum interualli ab hoste fecerat ut detegi consilium satis tutum esset, paucis milites adloquitur. Negat ullius consilium imperatoris in speciem audacius, re ipsa tutius fuisse quam suum: ad certam eos se uictoriam ducere; quippe ad quod bellum collega non ante quam ad satietatem ipsius peditum atque equitum datae ab senatu copiae fuissent, maiores instructioresque quam si aduersus ipsum Hannibalem iret, profectus sit, eos ipsos quantum-

---

6 annos $A^7N^4\theta$: om. ΠN   exercitatum Π*N.ald.* : exercitum θ *Frob*.2   7 et Π*N.ald.Frob*.1.2 (*sed duce eo K*) *Edd. aliq. ante Ald.* : om. C^xMB *DAN Aldus Frob*.1.2, *et hoc malit Johnson, uocem* cum *ex praec. repetitam esse* (*cf. c.* 45. 11 *adn.*) ratus (*cf. de Infinitiuo Futuri c.* 38. 5 *adn.*)
  saltu $A^7N^4\theta$: aliu *PCR*: alio R^1MBDAN elusisset M^2D A^7N^2 *uel* $N^4\theta$: elusisse πN (*cf.* 29. 2. 2 *adn.*)   10 hostium $CDA^7N^2\theta$: liostium πN (*cf. c.* 42. 11 *et* 28. 5. 10): lihostium B minora CA^7N^2 *uel* $N^4\theta$: hinora *PR*: inora R^1MBAN (*om.* minora sua D)

45 1 postquam iam $A^7N^4\theta ald.Frob$.1.2: postquam Π(*et* A^x)N paucis $PA^v\theta$: paucos Π²N 2 speciem Π(*A?*)N: spem quidem $A^7\theta$: spem C^4: spe A^x *per ras.*   audacius $M^2BDAN\theta$: audacibus π   3 eos ipsos $AN\theta$: eo ipsos π$N^1ald.Frob$.1.2 (*sed sic* eo *cum* inclinaturos *iungendum erat perperam*): eo ipsi si *Madv., non male*

XXVII 45 3   TITI LIVI

cumque uirium momentum addiderint rem omnem inclina-
4 turos. auditum modo in acie—nam ne ante audiatur,
daturum operam—alterum consulem et alterum exercitum
5 aduenisse haud dubiam uictoriam facturum. famam bellum
conficere et parua momenta in spem metumque impellere
animos. gloriae quidem ex re bene gesta partae fructum
6 prope omnem ipsos laturos ; semper quod postremum adiectum sit id rem totam uideri traxisse. cernere ipsos quo
concursu, qua admiratione, quo fauore hominum iter suum
celebretur.
7 Et hercule per instructa omnia ordinibus uirorum mulier-
umque undique ex agris effusorum inter uota ac preces et
laudes ibant. Illos praesidia rei publicae, uindices urbis Romanae imperiique appellabant : in illorum armis dextrisque
suam liberorumque suorum salutem ac libertatem repositam
8 esse. Deos omnes deasque precabantur ut illis faustum iter,
felix pugna, matura ex hostibus uictoria esset, damnarentur-
9 que ipsi uotorum quae pro iis suscepissent ut, quemadmodum nunc solliciti prosequerentur eos, ita paucos post dies
10 laeti ouantibus uictoria obuiam irent. Inuitare inde pro se
quisque et offerre et fatigare precibus ut quae ipsis iumentisque usui essent ab se potissimum sumerent ; benigne omnia
11 cumulata dare. Modestia certare milites ne quid ultra
usum necessarium sumerent; nihil morari, nec ab signis

4 audiatur $Sp?A^7\theta Frob.2$, *cf. c.* 17. 14 *adn.* : audiretur $\Pi N.ald.$
5 gloriae . . . laturos] *om.* B gesta $C^xB^2A^7$ *uel* $A^2N^1\theta$: gestae
$\pi(A?)N$ partae D (-te) *Aldus, cf.* 30. 36. 11 *adn.* : partes π :
pares B^2AN: partem C^2A^8 *uel* $A^7\theta$ *Edd. ante Ald.*   6 fauore
πA^xNK: pauore CJ : fauorē A 7 ac $Sp?\theta Frob.2$: et $\Pi N.ald.$
liberorumque $Sp?\theta Frob.2$, *cf.* 26. 11. 12 *adn.* (*c*) : liberorum π,
fort. recte, cf. c. 16. 6 *adn.* : liberum BD : et liberum AN : et liberorum
ald.   8 iter $C^1R^1MBDAN\theta$: iterque PCR, *cf.* 26. 11. 12 *adn.* (*a*)
felix $PCRSp?\theta Frob.2$: felixque $R^1MBDAN.ald.$
9 ouantibus πA^7N^2 *uel* $N^5\theta$: *om.* $BDAN$ uictoria N^3 *uel* $N^4\theta$
ald. : uictoriam ΠN, *cf.* 26. 40. 11 *adn.*   10 fatigare ΠN, *cf. e.g.
c.* 50. 5 : flagitare $Sp\theta Frob.2$ (*minus Liuianum*)   11 nec ab (*uel
a*) signis $N^4\theta ald.Frob.1.2$: nec ab signis nec ΠN (*de uocibus perperam
sic repetitis cf. c.* 44. 1 *et* 29. 1. 23 *adnn.*), *u. sqq.*

AB VRBE CONDITA XXVII 45

absistere cibum capientes; diem ac noctem ire; uix quod satis ad naturale desiderium corporum esset quieti dare. Et ad collegam praemissi erant qui nuntiarent aduentum percontarenturque clam an palam, interdiu an noctu uenire sese uellet, iisdem an aliis considere castris. Nocte clam ingredi uisum est.

Tessera per castra ab Liuio consule data erat ut tribunus tribunum, centurio centurionem, eques equitem, pedes peditem acciperet: neque enim dilatari castra opus esse, ne hostis aduentum alterius consulis sentiret; et coartatio plurium in angusto tendentium facilior futura erat quod Claudianus exercitus nihil ferme praeter arma secum in expeditionem tulerat. Ceterum in ipso itinere auctum uoluntariis agmen erat, offerentibus ultro sese et ueteribus militibus perfunctis iam militia et iuuenibus, quos certatim nomina dantes, si quorum corporis species roburque uirium aptum militiae uidebatur, conscripserat. Ad Senam castra alterius consulis erant, et quingentos ferme [inde] passus

---

11 absistere *Frob.*2, *cf. Caes. B.G.* 5. 17. 2 *ubi* 'ab signis non absisterent' *nobis uidetur esse i. q.* 'nequirent pabulatores ab s. longius abire'; *hic milites ad cibum capiendum ibidem in uia consederunt*: subsistere ΠN*θald.*, *fort. iam antiquitus* -nis ab- *in* -nis sub- *corrupto*; *qui alterum* nec (*u. supra*) *seruant, coacti sunt* (*aut ante aut post* ab signis) *addere* abire *Weissenb.*, discedere *Madv. olim,* abscedere *Madv. postea,* Luchs (*ambo male deserendi notionem inferentes*); *iidem* subsistere *retinent, cui add. Madv.* nisi, *quod cum* subsistere *paene necessarium erat* diem ac noctem ΠN*θ* : die ac nocte *Z, Madv.* 1886
12 percontarenturque (*uel* -cunct-, *u. c.* 43. 5 *adn.*) *A*[7]*θald.* : ne (re *P*) cunctarenturque (-quid *R*[1]) *P*[2]*CR* : ne (nec *N*) cunctarentur quod *MB DA?N*   sese *A*[7]*N*[4] *ut s. l. θ* : esse *PCR* : an esse *MBDA?N*   ingredi *A*[7]*N*[4]*θ* : inaredi *PC?R*[2] : inare redi *R* : in are *R*[1] *MB* : -itare *D*: intrare *M*[2] *uel M*[7]*A*[v] : minare *A?N* (meare *A*[1]*?*) *post* ingredi *add.* melius ΠN*θald.* (*cf.* 27. 26. 10 *adn.*) : *om. SpVat.Frob.*2
46 1 tribunus tribunum ΠN*.ald.* (-um -us *Sp?Frob.*2 : -i -os *θ*)
2 coartatio (*uel* cohar.) *N*[3] *uel N*[4]*θ* : cortatio *P*, *cf. c.* 1. 11 *adn.* : coortatio *P*[2]*R* : cohortatio *CR*[2]*MBDAN*   erat ΠN*Sp ut uid. ald.Frob.* 1.2 : esset *θ*   ferme *SpN*[4]*θFrob.*2 : fere *PCA*[1]*ald.* : ferre *RMBD AN*   in expeditionem *C*[4]*M*[2]*A*[v]*N*[4]*J*: *idem sed* -ne *A*[x]*K* : expeditionem ΠN (*om.* in *post* -m)   3 auctum *A*[7]*N*[3] *uel N*[4] *ut s. l. θ* : aut cum ΠN : cum *C*[x]   et (ueteribus) *J.ald.* : ex ΠN : ut *N*[5] *uel N*[4] : *om. K*   militibus . . . iuuenibus π*A*[7]*N*[2]*θ* : *om. AN*   4 ferme inde ΠN : inde ferme *Sp ut uid. θald.Frob.*1.2. *Ipse* inde *seclusi* (*cf c.* 34. 3 *adn.*) : *malit Johnson post* ferme *retinere* (*cf. c.* 37. 5 *adn.*)

Hasdrubal aberat. Itaque cum iam appropinquaret, tectus montibus substitit Nero ne ante noctem castra ingrederetur. 5 Silentio ingressi ab sui quisque ordinis hominibus in tentoria abducti cum summa omnium laetitia hospitaliter excipiuntur. Postero die consilium habitum, cui et L. Porcius 6 Licinus praetor adfuit. Castra iuncta consulum castris habebat, et ante aduentum eorum per loca alta ducendo exercitum cum modo insideret angustos saltus ut transitum clauderet, modo ab latere aut ab tergo carperet agmen, ludificatus hostem omnibus artibus belli fuerat; is tum in con- 7 silio aderat. Multorum eo inclinant sententiae ut, dum fessum uia ac uigiliis reficeret militem Nero, simul et ad noscendum hostem paucos sibi sumeret dies, tempus 8 pugnandi differretur. Nero non suadere modo sed summa ope orare instituit ne consilium suum quod tutum celeritas 9 fecisset temerarium morando facerent; errore qui non diuturnus futurus esset uelut torpentem Hannibalem nec castra sua sine duce relicta adgredi nec ad sequendum se iter intendisse. antequam se moueat deleri exercitum Hasdrubalis 10 posse redirique in Apuliam. qui prolatando spatium hosti det, eum et illa castra prodere Hannibali et aperire in Galliam iter ut per otium ubi uelit Hasdrubali coniungatur. 11 extemplo signum dandum et exeundum in aciem abutendumque errore hostium absentium praesentiumque dum neque illi sciant cum paucioribus nec hi cum pluribus et

5 sui $A^x\theta$ *ed. Mediol.* 1505: suis ΠN, *cf. c.* 3. 2 *adn.* Licinus N, *cf.* 26. 6. 1 *adn.*: Licinius Πθ   6 cum $A^7N^4\theta$: *om.* ΠN
7 inclinant ΠNθ: inclinabant *Med.* 1 *ald.Frob.*1.2   paucos $A^7N^4\theta$: paruos ΠN   pugnandi $SpPN^4$ *uel* N^5 *ut s. l.* θ: pugnae ΠN *ald., sc.* -di *ante* dif- *olim perdito*   8 ope orare $A^7N^4\theta$: operare πN: opera M^2B: operam dare D   9 se (iter) $πB^1N\theta$ *Aldus*: *om. BSp? Edd. ante Ald.Frob.*2   deleri $πB^2NK.ald.$: dereli B: delere SpA^7N^3 *uel* $N^5JFrob.$2   exercitum Hasdrubalis posse redirique *Gron.*: *idem sed* -reque $A^7N^4\theta$ *Edd. ante Gron.*: que ΠN, *sc. duobus lineis post* deleri *omissis, cf.* 26. 51. 8 *adn.* De -re *pro* -ri *cf. c.* 4. 13 *adn.*   10 et (illa) ΠN.*ald.Frob.*1.2: *om.* $A^7?\theta$
11 exeundum $A^7N^4\theta ald.Frob.$1.2: aeundum PR (*cf.* 26. 37. 3 arx, *adn.*): eundum CR^xMB^1(*coeperat* x *scribere* B)*DAN*   praesentiumque $A^7N^4\theta ald.$: que ΠN, *cf.* 26. 11. 12 *adn.* (b): *del.* -que M^2

AB VRBE CONDITA   XXVII 46

ualidioribus rem esse.   Consilio dimisso signum pugnae
proponitur confestimque in aciem procedunt.

Iam hostes ante castra instructi stabant. Moram pugnae 47
attulit quod Hasdrubal prouectus ante signa cum paucis
equitibus scuta uetera hostium notauit quae ante non uiderat et strigosiores equos; multitudo quoque maior solita
uisa est. Suspicatus enim id quod erat, receptui propere 2
cecinit ac misit ad flumen unde aquabantur ubi et excipi
aliqui possent et notari oculis si qui forte adustioris coloris
ut ex recenti uia essent; simul circumuehi procul castra 3
iubet specularique num auctum aliqua parte sit uallum, et
ut attendant semel bisne signum canat in castris. Ea cum 4
ordine relata omnia essent, castra nihil aucta errorem faciebant; bina erant, sicut ante aduentum consulis alterius
fuerant, una M. Liui, altera L. Porci; neutris quicquam quo
latius tenderetur ad munimenta adiectum. Illud ueterem 5
ducem adsuetumque Romano hosti mouit quod semel in
praetoriis castris signum, bis in consularibus referebant
cecinisse; duos profecto consules esse, et quonam modo
alter ab Hannibale abscessisset cura angebat. Minime id 6
quod erat suspicari poterat, tantae rei frustratione Hannibalem elusum ut ubi dux, ubi exercitus esset cum quo castra
coniuncta habuerit ignoraret: profecto haud mediocri clade 7

47 1 uiderat $RA^7N^4\theta Edd.$: uidebat πR^1N, cf. c. 31. 10 adn.
2 Suspicatus $CM^2A^7N^4$ ab N^7 rescriptus θ : suscitatus π (scisci- B) :
suspitatus P^4N enim ΠN: om. θ ubi et ΠN^4: et ubi θ :
ubi N oculis $CM^2AN\theta$: oculos π qui $C^xA^x\theta ald.$: quit
P: quid $CRMBDAN$ 3 ut $\Pi N.ald.$ (cf. e.g. 38. 35. 9): om.
$Sp\theta Frob.2$ 4 relata omnia N^4K : omnia relata $A^7J.ald.Frob.1.2$:
omnia ΠN neutris $C^2\theta ald.$: naeutri π (cf. c. 17. 12 adn.) : neutri
R^xMBD tenderetur ΠN, cf. c. 46. 2 : tenderentur $M^1\theta$
5 hosti $\Pi N.ald.$: hoste θ praetoriis $C^4\theta ald.$: praetoris ΠN
duos profecto consules esse $A^7N^4\theta ald.Frob.1.2$ (sed praefecto N^4) :
om. ΠN, sc. lineam unam si cos pro consules steterat, cf. 26. 51. 8 adn.
6 tantae $CM^1DAN^1\theta$: antae PMN(-te RB)   coniuncta
$A^7?J$, cf. e.g. 3. 69. 9 : iuncta K : conlata (uel coll-) $\Pi N.ald.Frob.1.2$,
quos sequi malit Johnson (u. e.g. 26. 12. 14)   habuerit $\Pi N.ald.$:
haberet $Sp\theta Frob.2$, sed tutatur habuerit constans Liui in O. O. temporum
usus (cf. c. 17. 14 adn.); scil. potuit scribi ' ignorabat Hasdr. id quod
erat; reuera ita elusus est Hann. ut ignoraret ubi dux esset cum quo . . .
habuit'

13*

XXVII 47 7 TITI LIVI

absterritum insequi non ausum; magno opere uereri ne perditis rebus serum ipse auxilium uenisset Romanisque eadem iam fortuna in Italia quae in Hispania esset. interdum litteras suas ad eum non peruenisse credere interceptisque iis consulem ad sese opprimendum accelerasse. His anxius curis, exstinctis ignibus, uigilia prima dato signo ut taciti uasa conligerent, signa ferri iussit. In trepidatione et nocturno tumultu duces parum intente adseruati, alter in destinatis iam ante animo latebris subsedit, alter per uada nota Metaurum flumen tranauit. Ita desertum ab ducibus agmen primo per agros palatur, fessique aliquot somno ac uigiliis sternunt corpora passim atque infrequentia relinquunt signa. Hasdrubal dum lux uiam ostenderet ripa fluminis signa ferri iubet, et per tortuosi amnis sinus flexusque cum errorem uoluens haud multum processisset, ubi prima lux transitum opportunum ostendisset transiturus erat. Sed cum, quantum a mari abscedebat, tanto altioribus coercentibus amnem ripis non inueniret uada, diem terendo spatium dedit ad insequendum sese hosti.

48 Nero primum cum omni equitatu aduenit: Porcius deinde adsecutus cum leui armatura. Qui cum fessum agmen carperent ab omni parte incursarentque, et iam omisso itinere

---

9 intente $Sp?A^7\theta Frob.2$: inte π, cf. c. 1. 11 adn.: iter C^4BDAN: intenti iter Ven.ald.   adseruati (uel ass-) $Sp?A^7\theta$: adseruat Π (sed -nt C?BA et A^vN): asseruare ald.   tranauit πθ (transn- D θ): transnatauit AN   fessique $πN.ald.Frob.$1.2: fessisque B: fessi θ   somno ac uigiliis] pessime haec temptauerunt emendatores; cf. Hor. Carm. 3. 4. 11   10 uiam $A^7N^4\theta Aldus$: iam ΠN: uiam iam M^{10} Edd. ante Ald.   ostenderet ripa fluminis A^7N^4 (ostenderet ut s. l. tantum praebens, ceteris sine dubio additis) θald.: ostendentis Π: ostentis N   ferri $A^7\theta ald.$: ferre ΠN, cf. c. 4. 13 adn.   errorem π(C?): errore C uel C^xDANSp ut uid. θald.: orbem Weissenb.: errore iter re- Riemann; difficilis sane locutio est errorem uoluens, sed ut credimus Liuiana   erat Sp ut uid. A^7N^4 θ Edd. ante Gron.: om. ΠN (spatio iv litt. ante Sed in PR relicto), unde del. cum supra Gron. et processit pro -ssisset legit, add. substitit ante ubi Sartorius, non male   11 a mari A^7N^4 ut s. l. θald.: mare ΠN, cf. § 10 et c. 4. 13 adn.   terendo $AN^4\theta$ (terr- J): ferendo πN (diff- A^v ut s. l.)

AB VRBE CONDITA XXVII 48 2

quod fugae simile erat castra metari Poenus in tumulo super fluminis ripam uellet, aduenit Liuius peditum omnibus 3 copiis non itineris modo sed ad conserendum extemplo proelium instructis armatisque. Sed ubi omnes copias 4 coniunxerunt directaque acies est, Claudius dextro in cornu, Liuius ab sinistro pugnam instruit: media acies praetori tuenda data. Hasdrubal omissa munitione castrorum 5 postquam pugnandum uidit, in prima acie ante signa elephantos conlocat: circa eos laeuo in cornu aduersus Claudium Gallos opponit, haud tantum iis fidens quantum ab hoste timeri eos credebat: ipse dextrum cornu aduersus M. 6 Liuium sibi atque Hispanis—et ibi maxime in uetere milite spem habebat—sumpsit: Ligures in medio post elephantos 7 positi. Sed longior quam latior acies erat; Gallos prominens collis tegebat; ea frons quam Hispani tenebant cum 8 sinistro Romanorum cornu concurrit: dextra omnis acies extra proelium eminens cessabat; collis oppositus arcebat ne aut a fronte aut ab latere adgrederentur.

Inter Liuium Hasdrubalemque ingens contractum certa- 9 men erat, atroxque caedes utrimque edebatur. Ibi duces 10 ambo, ibi pars maior peditum equitumque Romanorum, ibi Hispani uetus miles peritusque Romanae pugnae, et Ligures durum in armis genus. Eodem uersi elephanti, qui primo impetu turbauerant antesignanos et iam signa mouerant

48 2 fugae $C^2A^7N^3$ uel N^4 ut s. l. θ : fuga ΠN 3 itineris (iten- R) Π$NSp?$: itineri $A^x θ ald.$, quod retinet Frob.2 4 directaque $R^2MBDAθ$, cf. 2. 49. 11 adn. et e.g. 30. 33. 3 : derectaque $PCRN$, minus recte nisi fort. ut Verg. in G. 2. 281 Liuius hic aciei utriusque frontem in primis uolebat indicare: decertaque N^2 uel N^4 ut s. l. Cf. etiam 28. 22. 13; 29. 27. 12; 29. 33. 4 5 conlocat (uel coll-) Π$N.ald.$: locat $Spθ Frob.2. fort. recte$ (cf. Luchs 1879 p. lxxxvi) tantum P^4 uel $P^5CM^1A^7N^2$ uel $N^4θ$: iantum π($A?$)N (om. haud tant. ... ipse (§ 6) D) fidens $CM^2A^7N^2$ uel $N^4θ$: fidene π($A?$)N
5–6 credebat : ipse dextrum A^7 et $A^v(sed \bar{i}$ A^7 : ipse $A^v)N^4θ ald.$ $Frob$.1.2 : credebatur se (sed C) dextrum PC : credebatur (credebat M^2) sen-(sin- $MBA?N$)istrum π² uel π³, cf. § 14 adn. : sinistrum D
8 ea Π$N.ald.Frob.$1.2: et θ a $A^7N^4θ Edd.$: om. ΠN
10 Romanorum ... peritusque π$A^7N^2θ$: om. $BDAN$ antesignanos $PP^xA^vN^2$(arios θ) : ante signa romanos Π²N, cf. 28. 8. 4 adn.

XXVII 48 10 TITI LIVI

11 loco; deinde crescente certamine et clamore impotentius iam regi et inter duas acies uersari uelut incerti quorum essent, 12 haud dissimiliter nauibus sine gubernaculo uagis. Claudius 'Quid ergo praecipiti cursu tam longum iter emensi sumus?' clamitans militibus cum in aduersum collem frustra signa 13 erigere conatus esset, postquam ea regione penetrari ad hostem non uidebat posse, cohortes aliquot subductas e dextro cornu, ubi stationem magis segnem quam pugnam 14 futuram cernebat, post aciem circumducit, et non hostibus modo sed etiam suis inopinantibus in sinistrum ⟨euectus in dextrum⟩ hostium latus incurrit; tantaque celeritas fuit ut cum ostendissent se ab latere mox in terga iam pugnarent. 15 Ita ex omnibus partibus, ab fronte, ab latere, ab tergo, trucidantur Hispani Liguresque; et ad Gallos iam caedes 16 peruenerat. Ibi minimum certaminis fuit; nam et pars magna ab signis aberant nocte dilapsi stratique somno passim per agros, et qui aderant itinere ac uigiliis fessi, in- 17 tolerantissima laboris corpora, uix arma umeris gerebant; et iam diei medium erat, sitisque et calor hiantes caedendos capiendosque adfatim praebebat.

49 Elephanti plures ab ipsis rectoribus quam ab hoste interfecti. Fabrile scalprum cum malleo habebant; id, ubi saeuire beluae ac ruere in suos coeperant, magister inter aures positum ipsa in compage qua iungitur capiti ceruix quanto 2 maximo poterat ictu adigebat. Ea celerrima uia mortis in

---

14 sinistrum ⟨euectus in dextrum⟩ *scripsi*, (*cf.* 26. 6. 16 *adn.*) : sinistrum π⁴*Nθald.Frob.*1.2 : sistrum *PRM* : dextrum *Glareanus, quem sequi malit Johnson errorem codicum fort. ex* -us *in* bis *scripto ortum esse ratus* (*cf. etiam* § 6 *adn.*) *Certe nusquam apparet maior scribarum* (*an Liui?*) *socordia quam in proeliorum ratione, cf. e.g.* 8. 8. 4; 22. 47. 7 ab (latere) Π*N.ald.* : in *SpθFrob.*2   15 trucidantur Π*N ald.Frob.*1.2 : trucidabantur *A*⁶θ (-arentur *Sp*)   16 gerebant *Sp θFrob.*2 : gestabant Π*N.ald.* (*hic minus aptum quam e.g. in* 10. 26. 11)
49 1 id π*B*²*N* : *om. B* : et θ   ipsa in compage qua *N*⁴ *ut s. l.* (*qui primo scripsit* q, *mox ipse se corrigens* q̃) *θald.Frob.*1.2 : ipso in articulo quo (*om.* quo *N*) Π*N, pari iure, sed fort. glossematis magis proprium*

AB VRBE CONDITA XXVII

tantae molis belua inuenta erat ubi regendi spem ui uicissent, primusque id Hasdrubal instituerat, dux cum saepe alias memorabilis tum illa praecipue pugna. Ille pugnantes 3 hortando pariterque obeundo pericula sustinuit; ille fessos abnuentesque taedio et labore nunc precando, nunc castigando accendit; ille fugientes reuocauit omissamque pugnam aliquot locis restituit; postremo cum haud dubie fortuna 4 hostium esset, ne superstes tanto exercitui suum nomen secuto esset concitato equo se in cohortem Romanam immisit; ibi, ut patre Hamilcare et Hannibale fratre dignum erat, pugnans cecidit.

Nunquam eo bello una acie tantum hostium interfectum 5 est, redditaque aequa Cannensi clades uel ducis uel exercitus interitu uidebatur. Quinquaginta septem milia hostium 6 occisa, capta quinque milia et quadringenti; magna praeda alia cum omnis generis tum auri etiam argentique; ciuium 7 etiam Romanorum qui capti apud hostes erant supra quattuor milia capitum recepta. Id solatii fuit pro amissis eo proelio militibus. Nam haudquaquam incruenta uictoria fuit: octo ferme milia Romanorum sociorumque occisa, adeoque etiam 8 uictores sanguinis caedisque ceperat satias ut postero die

---

2 inuenta CDA^7N^2 *uel* $N^4\theta$: inuecta πN regendi spem ui uicissent N^3 *uel* N^4 (*et sic ald. sed* -set), *cf.* 1. 58. 5 : regendi spem uicissent $Sp?A^7N^7$(ui *illud perstringens*)$\theta Frob$.2, *quod ex codd. testimonio probabilius credit Johnson* : regendis peruicissent $\Pi(A?)N$: rectores (*uel* regentes) peruicissent *dett. aliq.* : regentis spreuissent *Weissenb.* : regendi spem perdidissent *Kindscher* : *alia alii, sed de* regendi spem *cf. e.g. Verg. A.* 5. 590   dux $CM^1A^7N^2$ *uel* N^4 *ut s. l. K Edd.* : dua π, *cf.* 26. 37. 3 *adn.* : *om. D* : quia AN : dux qui J 3 et labore $\Pi N\theta$: laborem *Madv. Em. p.* 402, *frustra* (*ut ipse uidit postea*), *cf. e.g.* 6. 24. 9   4 dubie (-iae B) πN : dubia C N^1 *ut s. l.* $\theta ald.Frob$.1.2   superstes . . . esset P *et* $P^xSp?A^7$ *et sic uoluit* N^4(*qui* -esset *ante* tanto *eradere ut uid. oblitus est*)$\theta Frob$.2 : superesset P^2 (*deleto* esset *post* secuto) *quem seq.* CM^2(*an* -se ?)B^2A^v *et* $A?N$: superest (*sine* esset *infra*) $RMBD$ 5 clades $A^v\theta ald.$: clade (-dę D) ΠN (*cf. c.* 17. 12 *adn.*)   6 septem $A^7\theta$: sex ΠN *ald.Frob*.1.2 (*cf. Oros.* 4. 18, *cui satisfecimus quoad licuit*)   quattuor milia $A^7\theta ald.Frob$.1.2: ∞ ∞ ∞ PC: xxx $RMBAN$ (*hi duo plene*) : $\overline{xxx}$ M^7 *uel* M^2D: triginta M. N^4. *Cf. Oros. l. c.*
8 satias $SpFrob.2$ (*cf.* 25. 23. 16 ; 30. 3. 4) : satietas (saci- RM : sati- M^2 : saoi- B) $\Pi N.\theta ald.$

TITI LIVI

cum esset nuntiatum Liuio consuli Gallos Cisalpinos Liguresque qui aut proelio non adfuissent aut inter caedem effugissent uno agmine abire sine certo duce sine signis sine ordine
9 ullo aut imperio; posse, si una equitum ala mittatur, omnes deleri; 'Quin supersint' inquit 'aliqui nuntii et hostium cladis
50 et nostrae uirtutis.' Nero ea nocte quae secuta est pugnam ⟨profectus in Apuliam⟩ citatiore quam inde uenerat agmine,
2 die sexto ad statiua sua atque ad hostem peruenit. Iter eius frequentia minore—nemo enim praecesserat nuntius—laetitia uero tanta uix ut compotes mentium prae gaudio
3 essent celebratum est. Nam Romae neuter animi habitus satis dici enarrarique potest, nec quo incerta exspectatione euentus ciuitas fuerat nec quo uictoriae famam accepit.

4 Nunquam per omnes dies ex quo Claudium consulem profectum fama attulit ab orto sole ad occidentem aut senator quisquam a curia atque ab magistratibus abscessit aut
5 populus e foro; matronae quia nihil in ipsis opis erat in preces obtestationesque uersae per omnia delubra uagae sup-
6 pliciis uotisque fatigare deos. Tam sollicitae ac suspensae

---

8 Liguresque M^2 uel M^1B^2AN (-risque π^2) : ligur quo P : et ligures θ signis ΠN : signo θ ullo aut ΠN : ullo sine θ : si non (an sine?) uallo N^2 9 posse] ante si $\Pi N.ald.Frob.$1.2 : ante omnes $A^7?N^4?(erasum)\theta$, cf. c. 37. 5 adn. deleri ; ' Quin Gron. : delerique $\pi(A?)$, sed -q̇; M : deleri qui $C^1M^4DA?N$: deleri $A^7 N^4\theta$ Edd. ante Gron. et sic malit Johnson, cf. 26. 11. 12 adn. (a) : capi delerique Castiglioni inquit ' aliqui A^7N^4(uel N^1 et N^4 sed alii) θ : alii qui ΠN; de Indicatiuo inquit cf. 4. 28. 4

50 1 nocte $\Pi^2N\theta$: nec|te P profectus in Apuliam Rossbach (iam profectus Sartorius) optime, cf. 26. 6. 16 adn. : silent $\Pi N\theta$ Edd. uet. : regressus Madv. 1879 (profectus 1886) ad (hostem) $N^4\theta$ ald.Frob.1.2, cf. Drak. ad 6. 28. 6 : om. ΠN, non male, cf. e.g. 6. 28. 6 ubi praep. repetita deest in opt. codd. 2 nemo enim $Sp?\theta Frob.$2 : quia nemo $\Pi N.ald.$ prae $\Pi N.ald.$: om. $Sp\theta Frob.$2
3 enarrarique $\Pi N.ald.$: narrarique $Sp?\theta Frob.$2 fuerat . . . accepit $\Pi N.ald.$ (sed -perit ald.) : fuerit . . . acceperit Sp ut uid. N^2 uel N^4(sed hic -pit non mutat)$\theta Frob.$2, pari iure, u. 28. 5. 6 adn.
4 e (foro) $\Pi N.ald.$, et in $Frob.$2 retentum : om. $Sp?\theta$ 5 in (preces) $A^7\theta ald.$: inter ΠN suppliciis $\theta ald.Frob.$1.2, cf. 22. 57. 5 : supplices ΠN (supl-) fatigare $\Pi N.ald.$: fatigauere $Sp?N^4\theta Frob.$2

AB VRBE CONDITA XXVII 50 6

ciuitati fama incerta primo accidit duos Narnienses equites in castra quae in faucibus Vmbriae opposita erant uenisse ex proelio nuntiantes caesos hostes. Et primo magis auribus 7 quam animis id acceptum erat, ut maius laetiusque quam quod mente capere aut satis credere possent; et ipsa celeritas fidem impediebat quod biduo ante pugnatum dicebatur. Litterae deinde ab L. Manlio Acidino missae ex castris 8 adferuntur de Narniensium equitum aduentu. Hae litterae per forum ad tribunal praetoris latae senatum curia exciuerunt; tantoque certamine ac tumultu populi ad fores curiae concursum est ut adire nuntius non posset, sed traheretur a percontantibus uociferantibusque ut in rostris prius quam in senatu litterae recitarentur. Tandem summoti et 10 coerciti a magistratibus, dispensarique laetitia inter impotentes eius animos potuit. In senatu primum, deinde in 11 contione litterae recitatae sunt; et pro cuiusque ingenio aliis iam certum gaudium, aliis nulla ante futura fides erat quam legatos consulumue litteras audissent. Ipsos deinde 51 adpropinquare legatos allatum est.

Tunc enimuero omnis aetas currere obuii, primus quisque oculis auribusque haurire tantum gaudium cupientes. Ad 2 Muluium usque pontem continens agmen peruenit. Legati 3

---

7 Et ∏*N.ald.Frob*.1.2 : *om.* (*cum* id *sq.*) θ   fidem A^7 uel A^v N^1 uel N^4 ab N^6 *rescriptus* θ : idem ∏*N*   8 Acidino πR^1B^1A et A^v (acci- R : aciu- B), *cf.* 26. 23. 1 : accindio N : accuidino N^2 : acciuino $A^7θ$ 9 praetoris latae $Sp?A^7θFrob$.2 : perlataes P, *cf*. 26. 2. 7 *adn.* : perlatae ∏$^1N.ald$.   curia ∏*N.ald.Frob*.1.2 : in curiam $N^4θ$ sed traheretur $SpVat$: traheretur π (sed *post* -set *omisso*) : traheretur que $ANθald.Frob$.1.2   percontantibus ∏*N*θ (*sed* -cunct- ∏*N*: -cont- $A^xθ$, *cf. c.* 43. 5 *adn.*) : cunctantibus Sp (*qui praec.* a *om. ut uid.*) J^1 *ut s. l.*   10 dispensarique ∏*NJ*^{1}(-atiq.)*Edd.* : dissertarique Sp : disserariq. (-atiq. J) θ   inter impotentes (*uel* -tis) $Spθald$. *Madv*. 1886 : inter ponentis ∏*NJ*^{1} : inter potentes *Madv. olim*, *scite sed frigidius*   11 aliis iam $BANJ.ald.Frob$.1.2 : alius iam π : iam K : *om. Sp* : *del.* N^4 (*an* N^2?)   gaudium ∏*Nθ Edd.* : gaudio Sp

51 1 Tunc ∏*Nθald.*, *cf.* 2. 36. 6 : tum *Ven Drak.*   obuii ∏ (A?)*N.ald.* : obuiam $Sp?A^7θFrob$.2, *fort. recte, sed cf. c.* 40. 13 *adn.* primus ∏*N.ald.* : primum θ, *cf. c.* 30. 12   2 Muluium PCM^1 uel $M^2A^7θ$: miluui-(*uel* -lui-)um $RMA^7?N^4$ *ut s. l.* (mol- $BDAN$)

XXVII 51 3 TITI LIVI

—erant L. Veturius Philo P. Licinius Varus Q. Caecilius Metellus—circumfusi omnis generis hominum frequentia in
4 forum peruenerunt, cum alii ipsos, alii comites eorum quae acta essent percontarentur; et ut quisque audierat exercitum hostium imperatoremque occisum, legiones Romanas incolumes, saluos consules esse, extemplo aliis porro impertie-
5 bant gaudium suum. Cum aegre in curiam peruentum esset, multo aegrius summota turba ne patribus misceretur, litterae in senatu recitatae sunt. Inde traducti in contionem
6 legati. L. Veturius litteris recitatis, ipse planius omnia quae acta erant exposuit cum ingenti adsensu, postremo etiam clamore uniuersae contionis cum uix gaudium animis
7 caperent. Discursum inde ab aliis circa templa deum ut grates agerent, ab aliis domos ut coniugibus liberisque tam
8 laetum nuntium impertirent. Senatus quod M. Liuius et C. Claudius consules incolumi exercitu ducem hostium legionesque occidissent supplicationem in triduum decreuit. Eam supplicationem C. Hostilius praetor pro contione edixit,
9 celebrataque a uiris feminisque est. Omnia templa per totum triduum aequalem turbam habuere, cum matronae amplissima ueste cum liberis perinde ac si debellatum foret omni
10 solutae metu deis immortalibus grates agerent. Statum quoque ciuitatis ea uictoria mouit, ut iam inde haud secus quam

---

3 Philo *ald.*, *cf. c.* 22. 5 : philus πN^1 *uel* $N^4\theta$: philu *A?N*
Caecilius *Vat ald.Frob.*1.2 : *om.* ΠNθ *ut saepe Liuius, cf. e.g. c.* 36. 8 (*et contra c.* 36. 9) : *u. sis e.g.* 'Vergilian Age' *p.* 58   4 alii (ipsos) $\pi^x M^1$ *et* $M^4 N^4$ *uel* $N^2\theta$: aliis *PRMN* (*om.* ipsos *N* : *add.* N^4 *uel* N^2)   essent ΠN.*ald.* : sint *Sp?θFrob.*2, *sed cf. App. II ad Liui lib. II Cantab. editum p.* 189 *B* (1) *et c.* 17. 14 *adn.*
percontarentur] -cunct- Π, *cf. c.* 43. 5 *adn.*   im-(*uel* in-)pertiebant $A^7\theta$ (-part- *K*): im-(*uel* in-)pertierant ΠN, *cf. c.* 42. 17 *adn.*
5 peruentum esset ΠN.*ald.* : peruenissent *Sp?θFrob.*2   Inde traducti *PCSpθFrob.*2, *cf.* 45. 2. 6 : intraducti *RM* (introd- *BDAN*) : inde introducti *ald.* : inde producti *Sigonius*   6 ipse planius Π N^1(-nus N)θ*Edd.* : *om. Sp*   8 C. (Hostilius) *Aldus, cf. c.* 36. 13 : a (*uel* aulus) Πθ : q *N in ras.*   pro contione $A^7\theta$*ald.* : *om.* ΠN
celebrataque $N^4\theta$*Frob.*2 : celebrata ΠN.*ald., cf.* 26. 11. 12 *adn.* (*c*)   est ΠN.*ald.* : *om.* θ*Frob.*2   9 Omnia ΠN.*ald.* : omniaque $N^4\theta$*Frob.*2   10 uictoria mouit ut iam $A^7 N^4\theta$*ald.* : uictoriam ΠN (-ria)

AB VRBE CONDITA XXVII 51 10

in pace res inter se contrahere uendendo, emendo, mutuum dando argentum creditumque soluendo auderent.

C. Claudius consul cum in castra redisset, caput Hasdru- 11 balis quod seruatum cum cura attulerat proici ante hostium stationes, captiuosque Afros uinctos ut erant ostendi, duos etiam ex iis solutos ire ad Hannibalem et expromere quae acta essent iussit. Hannibal tanto simul publico familiari- 12 que ictus luctu, adgnoscere se fortunam Carthaginis fertur dixisse ; castrisque inde motis ut omnia auxilia quae diffusa 13 latius tueri non poterat in extremum Italiae angulum Bruttios contraheret, et Metapontinos ciuitatem uniuersam excitos sedibus suis et Lucanorum qui suae dicionis erant in Bruttium agrum traduxit.

10 emendo, mutuum dando $A^7N^4\theta ald.$: om. ΠN, cf. 26. 51. 8 adn
creditumque SpA^7 uel $A^vJFrob.2$: creditum $\Pi NK.ald.$, cf. § 8 et 26. 11. 12 adn. (c)   11 uinctos $\Pi^1?$(scripsit P ipse inter uin- et -c- duas litt. nunc erasas)N: uincti $Sp\theta$ ex $\pi B^1N.ald.$: om. B : de θ 13 ut $\Pi N.ald.Frob.$1.2 : om. $N^4\theta$ contraheret ΠN ald.Frob.1.2 : contrahit N^3(an N^4?)θ sedibus A^7 uel A^vN^2 uel N^4 ut s. l. θ : seditionibus ΠN, cf. c. 20. 8 adn.

Subscriptio in P titi liuii ab urbe condita liber xxvii explic incipit liber xxviii feliciter : *in ceteris sim.*

T. LIVI
AB VRBE CONDITA

LIBER XXVIII

Cvm transitu Hasdrubalis quantum in Italiam declinauerat belli tantum leuatae Hispaniae uiderentur, renatum ibi subito par priori bellum est. Hispanias ea tempestate sic 2 habebant Romani Poenique: Hasdrubal Gisgonis filius ad Oceanum penitus Gadesque concesserat: nostri maris ora 3 omnisque ferme Hispania qua in orientem uergit Scipionis ac Romanae dicionis erat. Nouus imperator Hanno in 4 locum Barcini Hasdrubalis nouo cum exercitu ex Africa transgressus Magonique iunctus cum in Celtiberia, quae media inter duo maria est, breui magnum hominum numerum armasset, Scipio aduersus eum M. Silanum cum decem 5 haud amplius milibus militum, equitibus quingentis misit. Silanus quantis maximis potuit itineribus—impediebant 6 autem et asperitates uiarum et angustiae saltibus crebris, ut pleraque Hispaniae sunt, inclusae—tamen non solum nuntios sed etiam famam aduentus sui praegressus, ducibus indidem

1 1 Italiam $\theta Frob$.2: italia $\Pi N.ald.$, cf. 26. 41. 12 adn. declinauerat $\Pi N.ald.Frob$.1.2: inclauerat (uel indau-) Sp: inclinauerat N^4 ut s. l. θ ibi M^1 et $M^4AN\theta$: ubi π, cf. 27. 5. 2 adn. priori A^xN^4 ut s. l. θ: priore ΠN, cf. 27. 4. 13 adn. est ΠN: et θ: est et A^7N^4? (rursus erasum) 2 Hispanias A^7 uel A^8N^4 ut s. l. θ: hispania πN, cf. 27. 17. 12 adn.: hispaniae M^2: in hispania C^4 sic $A^xN^4\theta$: signa $\Pi(A?)N$, cf. 27. 20. 8 adn. 3 in A^7 $N^4\theta$: om. ΠN, cf. 26. 13. 7 adn. 4 hominum A^7N^3 uel $N^4\theta$: om. ΠN 5 decem haud amplius milibus scripsimus (x haud plus m. Gron.), cf. e.g. c. 2. 11: decemiliauo plus millibus P (cf. c. 18. 6): decem (dece P^2) milia (milibus C^4A^1: mille M^1) seu plus Π^2N: decem milia N^2: decem milibus A^7N^3 uel $N^4ald.Frob$.1.2 militum ΠN: peditum A^8 uel $A^7\theta$ (cf. 26. 19. 10 adn.)

XXVIII 16   TITI LIVI

7 ex Celtiberia transfugis ad hostem peruenit. Eisdem auctoribus compertum est cum decem circiter milia ab hoste abessent bina castra circa uiam qua irent esse; laeua Celtiberos nouum exercitum, supra nouem milia hominum, dextra 8 Punica tenere castra; ea stationibus uigiliis omni iusta militari custodia tuta et firma esse: illa altera soluta neglectaque, ut barbarorum et tironum et minus timentium quod in sua terra essent.

9 Ea prius adgredienda ratus Silanus signa quam maxime ad laeuam iubebat ferri, necunde ab stationibus Punicis conspiceretur; ipse praemissis speculatoribus citato agmine ad 2 hostem pergit. Tria milia ferme aberat, cum hauddum quisquam hostium senserat; confragosa loca, et obsiti uirgultis 2 tegebant colles. Ibi in caua ualle atque ob id occulta considere militem et cibum capere iubet; interim speculatores 3 transfugarum dicta adfirmantes uenerunt · tum sarcinis in medium coniectis arma Romani capiunt acieque iusta in pugnam uadunt. Mille passuum aberant, cum ab hoste conspecti sunt trepidarique repente coeptum; et Mago ex castris citato equo ad primum clamorem et tumultum aduehi-4 tur. Erant in Celtiberorum exercitu quattuor milia scutata et ducenti equites; hanc iustam legionem—et id ferme robo-

6 Celtiberia $CB^2A^xN^3\theta$: celliliberia P (*sed recte in c.* 2. 4 *et* 7, *al.*): cellitiberia (-am RD) P^2RM(celti-)D : celtiberiam BAN
transfugis C^4M^7(*uix* M^2)$N^4\theta$: transfugit $\pi(C?)$, *cf.* 27. 3. 7 *adn.*: transfuga A (-gia N)   7 cum $\Pi N.ald.Frob$ 1.2 : quod A^7N^4 *ut s. l.* θ hominum ΠN : *om.* θ 8 ea ΠN : *om.* θ iusta $\Pi N\theta$: iuxta N^1 (*uix* N^4 *ut s. l.*)   9 citato P^x *per ras.* $M^1B^2DA N\theta$: scitato π (*sed fort.* sicitato M : scitato M^1 *et fort.* M^4)

2 1 obsiti πB^2 (*sed* ops- PB^2) : obsita $C^4AN\theta$(*sed* ops- AN) : obs-A^7)ald.$Frob$.1.2 : oppositi B tegebant $Kreyssig$, *optime* : tenebant $A^9N^4\theta ald$. : tenebat ΠN 2 interim $A^7N^4\theta ald.Frob$.1.2 : *om.* ΠN 3 cum P^x *per ras.* CR^2 *uel* $R^1M^2AN\theta$: eum π et (Mago) ΠN : *om.* $\theta ald.Frob$.1.2   4 Celtiberorum $A^8\theta Frob$.2 : celtibero $\Pi N.ald$.   quattuor milia (*uel* ∞ ∞ ∞ ∞) PCA^8 *uel* $A^7\theta$: xl $RMDAN$: $\overline{XL}$ M^2 : $\overline{XXXX}$ B : $\overset{M}{_{XL}}N^2$ scutata $\pi A^7N^4\theta ald.Frob$.1.2 : scuta AN : scutati $Gron.$, *quod malit Johnson* ferme $\Pi Sp\theta Frob$.2 : ferme quod $A^7N.ald$.

AB VRBE CONDITA XXVIII 2 4

ris erat—in prima acie locat: ceteros leuem armaturam in subsidiis posuit. Cum ita instructos educeret e castris, uix- 5 dum in egressos uallo [eos] Romani pila coniecerunt. Sub- 6 sidunt Hispani aduersus emissa tela ab hoste, inde ad mittenda ipsi consurgunt; quae cum Romani conferti, ut solent, densatis excepissent scutis, tum pes cum pede conlatus et gladiis geri res coepta est. Ceterum asperitas locorum et 7 Celtiberis, quibus in proelio concursare mos est, uelocitatem inutilem faciebat, et haud iniqua eadem erat Romanis stabili pugnae adsuetis, nisi quod angustiae et internata uirgulta 8 ordines dirimebant et singuli binique uelut cum paribus conserere pugnam cogebantur. Quod ad fugam impedimento 9 hostibus erat, id ad caedem eos uelut uinctos praebebat; et 10 iam ferme omnibus scutatis Celtiberorum interfectis leuis armatura et Carthaginienses, qui ex alteris castris subsidio uenerant, perculsi caedebantur. Duo haud amplius milia 11 peditum et equitatus omnis uix inito proelio cum Magone effugerunt: Hanno alter imperator cum eis qui postremi iam profligato proelio aduenerant uiuus capitur. Magonem 12 fugientem equitatus ferme omnis et quod ueterum peditum

---

4 ceteros π*Spθ Frob.*2: ceterum *AN*: *om. ald.* in subsidiis A^vN^4 *ut s. l. θ*: insidis *PCR, cf.* 27. 1. 11 *adn.*: insidiis *MBD*: in insidiis C^4M^2AN 5 e π*N* (castrix *N*: castris N^4)*ald.* (*cf. c.* 24. 13): *om. θFrob.*2 in egressos C^1 *uel* C^2*ald.Frob.*1.2: in egressus *PCR* (*cf.* 30. 36. 8 *adn.*): in gressus (*uel* -os *M*) *MBAN*: *om. D*: egressos M^7A^7 *uel* A^8θ eos Π*N*: in eos $M^7A^xN^4$θ: *om. ald.Frob.*1.2, *quos sequimur eos secludentes* 6 Romani P^x *per ras.* M^1B^xANθ: romanis π, *cf.* 26. 40. 14 *adn.* et gladiis A^8 *uel* A^7θ: est cladis *P*: est cladiis $π^2$ *uel* $π^1$: est gladiis *CAN?*: est et gladiis N^4 7 et (Celtiberis) A^8 *uel* A^7θ*Frob.*2: *om.* Π*N.ald., cf. c.* 13. 10 *et* 26. 11. 12 *adn.* (*c*) iniqua eadem erat *RMB* (*sed hi* -quae ademerat) A^8 *uel* A^7N^2 *uel* N^4 *ut s. l.* θ: iniquae | demerat *P*: inique ademerat *CDAN* Romanis C^4M^2 *uel* M^7ANθ: romani π 8 binique P^x *per ras.* A^8 *uel* A^7N^2 *uel* N^4θ: libidinique πR^x, *cf.* 27. 20. 8 *adn.*: libinique *CRN* 9 id ad (caedem) Π*N*θ *Edd.*: *om. Sp spatio relicto*: et ad *Rhen. dubitanter* 11 Duo (d*ut A*) haud (*uel* aut) amplius πA^v*ald.Frob.*1.2: haud amplius tria θ inito $π^2$*ald.*: initio *P et fort.* M^3 (*qui* i *infra* -t- *add.*): mixto θ aduenerant $M^2AN.ald.Frob.$1.2: aduenerat π: aduenerunt θ (auen- *K*) 12 fugientem M^2ANθ: fugientes π, *cf.* 27. 17. 1 *adn.*

erat secuti, decimo die in Gaditanam prouinciam ad Hasdrubalem peruenerunt: Celtiberi nouus miles in proximas dilapsi siluas inde domos diffugerunt.

13 Peropportuna uictoria nequaquam tantum iam conflatum bellum, quanta futuri materia belli, si licuisset iis Celtiberorum gente excita et alios ad arma sollicitare populos, op-
14 pressa erat. Itaque conlaudato benigne Silano Scipio spem debellandi si nihil eam ipse cunctando moratus esset nactus, ad id quod reliquum belli erat in ultimam Hispaniam
15 aduersus Hasdrubalem pergit. Poenus cum castra tum forte in Baetica ad sociorum animos continendos in fide haberet, signis repente sublatis fugae magis quam itineris
16 modo penitus ad Oceanum et Gades ducit. Ceterum, quoad continuisset exercitum, propositum bello se fore ratus, antequam freto Gades traiceret exercitum omnem passim in ciuitates diuisit ut et muris se ipsi et armis muros tutarentur.

3 Scipio ubi animaduertit dissipatum passim bellum, et circumferre ad singulas urbes arma diutini magis quam magni
2 esse operis, retro uertit iter. Ne tamen hostibus eam relin-

13 quanta A^7 *uel* $A^v\theta ald\, Frob.1.2$: quantum ΠN   materia A^8 *uel* $A^7\theta$: memoria ΠN (*sed* bella ΠN: belli C^2M^1)   alios C^2A^7 *uel* A^vN^4 *ut s. l.* θ: alias ΠN   oppressa (-raesa M) erat πA^7? (*in ras.*) $NAldus$: oppresserat (-raese- M^1) $M^1N^4\theta Frob.2$: oppressum erat *Edd. ante Ald.*   14 eam ipse ΠN: eam spem ipse θ: ea spe ipse N^2 15 tum $\pi(A$ et $A^v)N.ald.$: sua SpA^8 *uel* A^7N^4 (*sed* tum *expunxerat* $N^2)\theta Frob.2$: *om.* D   forte C^1AN et $N^4Sp\theta$ *ald.*: fore πN^2 ad sociorum animos] *hic* $SpN^3\theta$ *ed. Basil.* 1554: *ante* in Baetica ΠN.ald. *et sic* $Frob.2$: *om.* N^2. *De ordine Puteani corrupto cf. adn. sq. et e.g.* 26. 20. 3; 27. 11. 11; 27. 13. 9; 27. 18. 8; 27. 23. 6; 27. 27. 11; 28. 3. 2 (*infra*); 28. 17. 10; 28. 22. 13; 28. 37. 6; 28. 46. 13; 29. 1. 24; 29. 12. 16(?); 29. 13. 1; 29. 20. 2; 30. 5. 10; 30. 20. 5 (*u. etiam* 27. 2. 6 *adn.*)   magis quam $AN\theta ald.$: quam magis π, *cf. adn. praec.*   16 exercitum ... traiceret ΠN $Vat\theta Edd.$: *om. Sp ob* ὁμ. (*fort. iv lineis*), *cf. cc.* 3. 14; 14. 12; 19. 2; 19. 16; 25. 6; 26. 51. 7; 29. 6. 2; 29. 10. 8; 29. 19. 8 *et* 10; 29. 36. 8; 30. 2. 1; 30. 6. 5; 30. 10. 3; 30. 13. 14 (*bis*); 30. 37. 3 (*cf. contra* 26. 51. 8 *adn.*)   diuisit $\pi N.ald.$: dimisit $DSpN^4$ *ut s. l.* θ $Frob.2$ ipsi $M^7A^7N^2$ *uel* N^4 *ut s. l.* θ: ipse ΠN

3 1 et PCN^2 *uel* $N^4\theta$: *om.* $RMBDAN$ 2 tamen hostibus θ $Frob.2$: hostibus tamen ΠN.ald., *cf. c.* 2. 15 *adn.*

AB VRBE CONDITA XXVIII 3 2

queret regionem, L. Scipionem fratrem cum decem milibus peditum, mille equitum ad oppugnandam opulentissimam in iis locis urbem—Orongin barbari appellabant—mittit. Sita in Maesessum finibus est, Hispanae gentis; ager 3 frugifer; argentum etiam incolae fodiunt. Ea arx fuerat Hasdrubali ad excursiones circa mediterraneos populos faciendas. Scipio castris prope urbem positis, priusquam 4 circumuallaret urbem misit ad portas qui ex propinquo adloquio animos temptarent suaderentque ut amicitiam potius quam uim experirentur Romanorum. Vbi nihil pacati 5 respondebatur, fossa duplicique uallo circumdata urbe in tres partes exercitum diuidit ut una semper pars quietis interim duabus oppugnaret. Prima pars cum adorta †op- 6 pugnare est,† atrox sane et anceps proelium fuit; non subire, non scalas ferre ad muros prae incidentibus telis facile erat; etiam qui erexerant ad murum scalas, alii furcis 7 ad id ipsum factis detrudebantur, in alios lupi superne ferrei iniecti ut in periculo essent ne suspensi in murum extraherentur. Quod ubi animaduertit Scipio nimia paucitate 8 suorum exaequatum certamen esse et iam eo superare hostem quod ex muro pugnaret, duabus simul partibus

---

2 mille $A^8θ$: *om.* ΠN (*sed* equitumque N) *cf.* 29. 28. 10 *adn.*
urbem πθ: urbem quam *AN.ald.Frob.*1.2   3 Sita in Maesessum (maess- *BM*) finibus est π*Sp* (*hic* melessum?): in meseum (maessessū *A?N*: mesesū $A^xθ$: meless- *ald.*) finibus sita est *ANθald.* (*cf.* 26. 5. 17 *adn*)   Hispanae πN (-ie *uel* -iae *BDθ*): Bastetanae *Weissenb. ex Zonara* 9. 8, *doctissime, sed cf. adn. ad* 2. 10. 6 (H. gentis *fort. i. q.* '*gentis indigenae*' *est*)   frugifer *PCA*[7] *uel* $A^8θ$ *et sic uoluit* N^x: fructifer *RMBDAN*   Ea arx fuerat ΠN(*sed* ea ar *M*: ea ars M^1 *pleniore cal.*: in eā arxque *AN*: ea arxque N^2: ea arx A^7)*ald.*: ea arx fuit *SpθFrob.*2   circa ΠN: circa in *Sp*: in θ
5 circumdata urbe Π*N.ald.Frob.*1.2: circumdat urbem $SpN^4θ$
tres *Sp?*('treis' *Rhen.*)$A^8θ$: tris *P*: tribus $Π^2(A?)N$, *cf.* 27. 2. 8 *adn.*
partes $SpA^8θ$: portis ΠN: partibus N^2 (*non* N^4)
6 oppugnare (*om.* op- *R*: *add.* R^1) est ΠNθ: *pro* est *conicit* esset *Riemann constanti usui Liuiano obtemperans; uix autem placet nobis* oppugnare *post* oppugnaret (§ 5); *quod fort. perperam ex praec. linea repetitum causa fuit corruptelae; sensui sane sufficit* adorta esset
7 ferrei $C^xANθ$: ferret π: ferrent *D*   8 et iam πNθ*ald.*: etiam *Sp?BDFrob.*2   eo πθ: eos *DAN*

XXVIII 3 8　　　　　　　TITI LIVI

9 prima recepta urbem est adgressus. Quae res tantum pauoris iniecit fessis iam cum primis pugnando, ut et oppidani moenia repentina fuga desererent et Punicum praesidium metu ne prodita urbs esset relictis stationibus in unum se conligeret.

10 Timor inde oppidanos incessit ne, si hostis urbem intrasset, sine discrimine Poenus an Hispanus esset obuii 11 passim caederentur; itaque patefacta repente porta frequentes ex oppido sese eiecerunt, scuta prae se tenentes ne tela procul conicerentur, dextras nudas ostentantes ut gladios 12 abiecisse appareret. Id utrum parum ex interuallo sit conspectum an dolus aliquis suspectus fuerit incompertum est; impetus hostilis in transfugas factus, nec secus quam 13 aduersa acies caesi; eademque porta signa infesta urbi inlata. Et aliis partibus securibus dolabrisque caedebantur portae et refringebantur, et ut quisque intrauerat eques, ad forum occupandum—ita enim praeceptum erat—citato 14 equo pergebat. Additum erat et triariorum equiti praesidium; legionarii ceteras partes urbis peruadunt. Direp-

---

9 unum Π(A et A^v)N, cf. e.g. 25. 35. 6 : unum locum $SpA^7\theta$ (sed unum se coll. loc. K, cf. 27. 34. 3 adn.)　　　10 ne, si $AN\theta$: nisi π sine $PA\theta$: siue $π^2N$　　　discrimine $A^8N^4\theta$: di P : om. $Π^2N$
11 itaque A^8N^4 ut s. l. : adque P : atque $CRMBDAN$　　　scuta ... conicerentur] om. N : supplet N^4　　　conicerentur P^4(coic-Π)ald.Frob.1.2 (conic- fere constanter praebent codd. Liuiani quamquam coic- hic et in 30. 27. 2 π. Cf. Neue-Wagener II p. 864 sqq.) : proicerentur $N^4\theta$　　　12 aliquis Π$N\theta$ald.Frob.1.2 : aliqui Sp, fort. recte, cf. e.g. 7. 13. 8　　　caesi ald.Frob.1.2 : caesa ΠN : est caesa N^3 uel $N^4\theta$　　　13 urbi $M^2A^7\theta$ald. : urbē P : urbe $P^x{}^2$ et $CRMB$ (-bę)DAN : in urbem Gron.　　　et refringebantur] hic N^4 : ante portae $A^7\theta$(-frig- J)ald.Frob.1.2 et sic malit Johnson : om. ΠN, sc. lineam xvi litt., cf. 26. 51. 8 adn.　　　14 erat et triariorum (om. et C) ΠN^2(-riarum N)θ(trianorum J)ald.Frob.1.2 : caetratorum Madv., leuissimum certe 'praesidium', neque alibi ut uid. apud Liuium pro Romanis pugnant caetrati Hispanienses. Displicet tamen Johnsonio legionarii illud sic uoci triariorum oppositum, qui ueretur ne ante ceteras exciderit aliquid uelut legionarii ⟨ceteri per⟩ ceteras ... ceteras partes urbis Luchs (sed partis, sat recte sed cf. Praef. § 30) : ceteram (uel -rā) partis (-tes C) ΠN, cf. 27. 40. 7 adn. ; ceteram partem C^2 : ceteram partem urbis SpA^7 uel A^8N^4 ut s. l. θFrob.2 : ceteras parteis ald.

AB VRBE CONDITA XXVIII 3 14

tione et caede obuiorum, nisi qui armis se tuebantur, abstinuerunt. Carthaginienses omnes in custodiam dati 15 sunt, oppidanorum quoque trecenti ferme qui clauserant portas; ceteris traditum oppidum, suae redditae res. Ceci- 16 dere in urbis eius oppugnatione hostium duo milia ferme, Romanorum haud amplius nonaginta.

Laeta et ipsis qui rem gessere urbis eius expugnatio fuit 4 et imperatori ceteroque exercitui; et speciosum aduentum suum ingentem turbam captiuorum prae se agentes fecerunt. Scipio conlaudato fratre cum quanto poterat uerborum 2 honore Carthagini ab se captae captam ab eo Orongin aequasset, quia et hiemps instabat ut nec temptare Gades 3 nec disiectum passim per prouinciam exercitum Hasdrubalis consectari posset, in citeriorem Hispaniam omnes suas copias reduxit; dimissisque in hiberna legionibus L. Scipione fratre 4 Romam misso et Hannone hostium imperatore ceterisque nobilibus captiuis ipse Tarraconem concessit.

Eodem anno classis Romana cum M. Valerio Laeuino 5 proconsule ex Sicilia in Africam transmissa in Vticensi Carthaginiensique agro late populationes fecit. Extremis finibus Carthaginiensium circa ipsa moenia Vticae praedae actae

14 abstinuerunt (aps- *P*) Π*N.ald.* : *om. Spθ et Frob.*2 (*qui post peruadunt non interpunxit, pessime Liuium interpretatus*)
15 quoque trecenti $A^8?N^4θ$: con *P, sc. pro* ccc (*cf.* 26. 51. 2 *adn.*), *corrupto fort. iam antea* quoque *in* q., *ut in* 27. 14. 13 : *om.* Π²*N*
16 amplius LXXXX (LXXX *CM?*) π*M⁴N.ald.* : plus XC *Sp?Frob.*2 : plus CX θ

4 1 et (speciosum) Π*NJ* : *om. Sp ut uid. K.ald.Frob.*1.2
2 conlaudato (*sed* coll-) M^2A^7 *uel* $A^vθ$: conlaudat (*uel* coll-) Π*N* (fratrem CM^6B^2DAN) captam P^4 *uel* $P^5C^4A^7$ *uel* $A^8θ$: capiam *P* (*cf. c.* 6. 11 *adn.*) : copiam Π²*N*   Orongin] *sic P in c.* 3. 2 : orongim C^2A^v : oroncim π*N*(*sed* -cima equasset RB^1DAN)*J* : oroncina (-ima D^x) BD^x : orocim *K*   3 hiemps] *sic cum P scribimus, cf.* 30. 39. 3 *adn.*   posset Π*N.ald.Frob.*1.2 : poterat θ omnes (*uel* omnis) suas (sua *P*) copias reduxit Π¹ *uel* Π²(*sed* redix- D)*Nθald.* : recipit exercitum *SpVatFrob.*2 : supra exerc. Hasdr. *scripsit* N^4 in citeriorem hispaniam recipit (*uel* recipitur) *quod mox erasum est; fort.* recipitur exercitus *in marg. olim stabat*
4 ipse Π*N.ald.Frob.*1.2 : *om. Spθ*

14*

6 sunt. Repetentibus Siciliam classis Punica—septuaginta erant longae naues—occurrit; septemdecim naues ex iis captae sunt, quattuor in alto mersae; cetera fusa ac fugata
7 classis. Terra marique uictor Romanus cum magna omnis generis praeda Lilybaeum repetit. Tuto inde mari pulsis hostium nauibus magni commeatus frumenti Romam subuecti.

5 Principio aestatis eius qua haec sunt gesta P. Sulpicius proconsul et Attalus rex cum Aeginae sicut ante dictum est hibernassent, Lemnum inde classe iuncta—Romanae quinque et uiginti quinqueremes, regiae quinque et triginta
2 —transmiserunt. Et Philippus ut, seu terra seu mari obuiam eundum hosti foret, paratus ad omnes conatus esset, ipse Demetriadem ad mare descendit, Larisam diem ad
3 conueniendum exercitui edixit. Vndique ab sociis legationes
4 Demetriadem ad famam regis conuenerunt. Sustulerant enim animos Aetoli cum ab Romana societate tum post
5 Attali aduentum finitimosque depopulabantur; nec Acarnanes solum Boeotique et qui Euboeam incolunt in magno metu erant, sed Achaei quoque, quos super Aetolicum bellum Machanidas etiam Lacedaemonius tyrannus haud procul
6 Argiuorum fine positis castris terrebat. Hi omnes suis quisque urbibus quae pericula terra marique portenderentur
7 memorantes auxilia regem orabant. Ne ex regno quidem

6 septemdecim] decem et septem P et *sic (uel* x et VII *uel* XVII) *ceteri, sed u.* 26. 49. 3 *adn.* 7 magna πA^7 *uel* $A^8 N^2$ *uel* N^4 *ut s. l.* θ : *om.* AN Tuto $\Pi N.ald.$: toto SpN^4 *ut s. l.* $\theta Frob.$2, *fort. recte*

5 1 Aeginae $A^8 N^2$ *uel* N^4 (*sed* egine) : reginae π : regie AN : egie N^1 (*non* N^4) Lemnum $\pi N.ald.$: lemnē (*sic*) B : leuinum $A^x \theta$ Romanae PM *uel* M^7(*rursus erasum*)$A^v N^2 \theta$: romana $\pi^2 M^1$ *uel* MN erant *add. post* quinqueremes *Madv., ante* transmiserunt *Ussing, uix necess., cf. e.g.* 31. 27. 6 2 ut $A^7 N^4 \theta$: *om.* ΠN, *cf.* 27. 17. 10 *adn.* Larisam ΠN : larissam θ
3 regis $\pi A^7 \theta$: *om.* AN 5 nec Acarnanes θ : nec arnanes P : nec carnanes C : nec arnes RB : ne carnes $MDA?N$: nec acarnes A^8 *uel* A^7 : nec acarnales N^2? (*non* N^4) Argiuorum ΠN : argeorum $Sp?\theta$ 6 portenderentur $Sp?A^7 J$(portenderentur . . . regem *om.* K)$Frob.$2 : portendebantur $\Pi N.ald., cf.$ 27. 50. 3 *adn. sed structura haec paulo secus*

AB VRBE CONDITA XXVIII 5 7

ipsius tranquillae nuntiabantur res : et Scerdilaedum Pleuratumque motos esse, et Thracum maxime Maedos, si quod longinquum bellum regem occupasset, proxima Macedoniae incursuros. Boeoti quidem et interiores Graeciae populi 8 Thermopylarum saltum, ubi angustae fauces coartant iter, fossa ualloque intercludi ab Aetolis nuntiabant ne transitum ad sociorum urbes tuendas Philippo darent.

Vel segnem ducem tot excitare tumultus circumfusi pote- 9 rant. Legationes dimittit pollicitus prout tempus ac res sineret omnibus laturum auxilium. In praesentia quae maxime 10 urgebat res, Peparethum praesidium urbi mittit, unde allatum erat Attalum ab Lemno classe transmissa omnem circum urbem agrum depopulatum. Polyphantam cum modica manu 11 in Boeotiam, Menippum item quendam ex regiis ducibus cum mille peltatis—pelta caetrae haud dissimilis est—Chalcidem mittit ; additi quingenti Agrianum ut omnes insulae partes 12

7 ipsius θ : ipsi ut πN : ipsi in D : ipsius ut A^8 uel $A^7 N^2$ (non N^4)
Pleuratumque Π (sed pler- C : plur- $D)N$: et pleuratum N^1 uel
$N^2\theta$ motos πN : motus CD : moturos N^1 uel N^2 (an motus ?)θ
Maedos (praeeunte Aldo) Sigonius ex Polyb. 10. 41. 4 : medos
$\Pi N\theta$: bellum medos N^2 quod C^1 uel $C^2 M^5 A^7\theta$ald.: quo ΠN
regem M^2(an M^7?)$A^7 N^2\theta$: regum $\pi R^2 N$: reg um R? : om. C
(et bellum omisso) 8 saltum θ : saltus ΠN.ald.Frob.1.2, cf. 27.
17. 1 adn. nuntiabant $\Pi N\theta$ald. : nuntiarant Sp?(-ci- ?)$Frob.2$
9 legationes A^8 uel $A^7\theta$ald. : legiones ΠN, cf. 27. 1. 11 adn.
res sineret Sp?A^8 uel $A^7 N^4$ ut s. l. $\theta Frob.2$: resideret π
(resed- B) : res daret $C^4 M^2$: res se daret AN.ald. Drak.
laturum Sp?$\theta Frob.2$, cf. 27. 38. 5 adn. : laturum se ΠN.ald.
10 urgebat ΠN : urgebant θald.Frob.1.2 res Peparethum duce
Sigonio Gron. ex Polyb. 10. 43. 7 : resperaret | lium P (cf. 27. 44. 10
-li- pro -h-) : respiraret (res pararet M^2) limnum (lem- B) $\pi^2 R$ et R^2
(spat. post -ret ab R relicto) : res iraret limnum N^1 : res irarent tum
?N^4 (nisi irarent litum uoluit) : res pararent tum A^8 uel A^7(an -ret ?)
θald.Frob.1.2 11 Polyphantam (poli- DJ) $D\theta$, cf. 27. 32. 10 et
Polyb. 10. 42. 2 : poly- (poli- C) pantham π (-phan- B) : poliphantem
(-pan- N) AN peltatis (pelth- K) $\Pi N\theta$: peltastis Iac. Gron.,
sed -tat- in Ou. Am. 2. 14. 2 et Mart. 9. 102. 5 ; in 31. 36. 1 et 33. 4. 4
praebet Bamb. peltas tantum idque ut Graecum nomen Chalcidem $A^7\theta$ (sed calch- A^7) : calchidam π (chalchi- RM : chalchy- B) :
om. AN 12 quingenti (uel d) $PA^7 N^2\theta$: om. $\Pi^2 N$ (cf. 29. 28. 10
adn.) Agrianum Sigonius ex Polyb. 10. 42. 2 : aenianum $\Pi N\theta$
(eni- D : heni θ)

XXVIII 5 12   TITI LIVI

tueri posset. Ipse Scotussam est profectus eodemque ab
13 Larisa Macedonum copias traduci iussit. Eo nuntiatum est
concilium Aetolis Heracleam indictum regemque Attalum
14 ad consultandum de summa belli uenturum. Hunc conuentum ut turbaret subito aduentu, magnis itineribus Hera-
15 cleam duxit. Et concilio quidem dimisso [iam] uenit;
segetibus tamen, quae iam prope maturitatem erant, maxime
in sinu Aenianum euastatis Scotussam copias reducit. Ibi
exercitu omni relicto, cum cohorte regia Demetriadem sese
16 recepit. Inde ut ad omnes hostium motus posset occurrere,
in Phocidem atque Euboeam et Peparethum mittit qui loca
17 alta eligerent unde editi ignes apparerent: ipse in Tisaeo
—mons est in altitudinem ingentem cacuminis editi—specu-
lam posuit ut ignibus procul sublatis signum, ubi quid molirentur hostes, momento temporis acciperet.

18   Romanus imperator et Attalus rex a Peparetho Nicaeam
traiecerunt; inde classem in Euboeam ad urbem Oreum tramittunt, quae ab Demetriaco sinu Chalcidem et Euripum
19 petenti ad laeuam prima urbium Euboeae posita est. Ita
inter Attalum ac Sulpicium conuenit ut Romani a mari, regii
6 a terra oppugnarent. Quadriduo postquam adpulsa classis

---

12 Scotussam $A^8\theta$ *Gron. et sic K in* § 15 (*ubi* -tyss- *P,* -tos- A^7N^4, -tus- *J,* -tiss- *ceteri*) *et in c.* 7. 3 (*ubi* -tusam ∏*NJ*) : scopyssam *P*(*ut uid.*)*M* : scopussam $P^2?C$(-piss-)RB^x : copissam *BAN* (scotusa *in codd. Plin. e.g.* 4. 42)   copias $C^3?M^2(an\ M^7)N\theta$: copia ∏*N, cf.* 27. 17. 12 *adn.*   14 hunc conuentum . . . aduentu A^8 *uel* A^7N^4 *in marg.* $\theta ald.Frob$.1.2 : *om.* ∏*N, duobus lineis post* uenturum *usque ad* aduentu m- *deperditis* (*u. adn. sq.*), *cf.* 26. 51. 8 *adn.*   magnis ∏$^2N\theta$: agnis *P*   duxit $\pi A^8N^2\theta$: dixit *AN*   15 concilio $N^4\theta$: consilio ∏*N* (*cf.* 27. 35. 4 *adn.*)   iam uenit ∏$N\theta Edd.$: iam *seclusimus ut ex clausula sq. omissum et hic perperam restitutum, cf.* 27. 2. 6 *adn.*   iam (prope) $A^7N^4\theta Edd.$: *om.* ∏*N*   Scotussam] *u.* § 12 *adn.*   reducit ∏$N^2Sp?\theta Frob.$2 : reduxit *N.ald.*   recepit ∏*NJ.ald.* : recipit $Sp?KFrob$.2, *cf.* 27. 5. 9 *adn.*   16 Peparethum, *cf.* § 10 : pepharetum ∏*N* (in § 18 peparrh- ∏)   18 tramittunt π, *cf.* 27. 5. 9 *adn.* (transm- $CB^2AN\theta$)   19 a terra oppugnarent π (*sed* regia t. *RMBD* : regi et a t. $M^2?$) : am terram oppugnarent *AN* (*i.e.* regiam t.) : oppugnarent a terra θ, *cf.* 27. 37. 5 *adn.*

    6 1 quadriduo *PR* : quatriduo *CMBDAN*θ

AB VRBE CONDITA XXVIII 6

est, urbem adgressi sunt. Id tempus occultis cum Platore, qui a Philippo praepositus urbi erat, conloquiis absumptum est. Duas arces urbs habet, unam imminentem mari; altera 2 urbis media est. Cuniculo inde uia ad mare ducit, quam a mari turris quinque tabulatorum egregium propugnaculum claudebat. Ibi primo atrocissimum contractum est certa- 3 men, et turre instructa omni genere telorum et tormentis machinisque ad oppugnandam eam ex nauibus expositis. Cum omnium animos oculosque id certamen auertisset, 4 porta maritimae arcis Plator Romanos accepit momentoque arx occupata est. Oppidani pulsi inde in mediam urbem ad alteram tendere arcem; et ibi positi erant qui fores portae 5 obicerent. Ita exclusi in medio caeduntur capiunturque. Macedonum praesidium conglobatum sub arcis muro stetit, 6 nec fuga effuse petita nec pertinaciter proelio inito. Eos 7 Plator uenia ab Sulpicio impetrata in naues impositos ad Demetrium Phthiotidis exposuit; ipse ad Attalum se recepit.

Sulpicius tam facili ad Oreum successu elatus Chalci- 8 dem inde protinus uictrici classe petit, ubi haudquaquam ad spem euentus respondit. Ex patenti utrimque coactum in 9 angustias mare speciem intuenti primo gemini portus in ora duo uersi praebuerit; sed haud facile alia infestior classi

2 media π, cf. e.g. 42. 58. 9 et fort. 10. 2. 15 (adn.): medio AN.ald. Frob.1.2, fort. recte, cf. e.g. 5. 41. 2   quam ΠNθEdd.: qua N^4
a mari $M^2A^v\theta$: a mare $\pi B^1 N$, cf. 27. 4. 13 adn.: ad mare B: mare N^1 5 portae $N^4 A^8$ uel $A^7\theta$: portas Π et $A^v N$
6 pertinaciter Sp ut uid. RMBDANθ: perunaciter P: perncicter P^2: perniciter C   proelio inito Sp?θFrob.2: proelium initium π (sed in P -i- postremum satis pallidum est): proelium initum $P^x C^x M^1 B^2 A$ N: proelio iterato ald.   7 ab Ven: b P: a $Π^2$ uel $Π^1 Nθ$
Demetrium SpθFrob.2: demetriacum πN.ald.: demetria R
Phthiotidis Aldus: phtiotidis π: thiotidis Sp: theotidis ANθ   se πθFrob.2: sese AN.ald.   8 Oreum] sic P in c. 5. 18 (cf. c. 7. 10 adn.): oraeum $M^2 A^7$ uel A^8 (hor-): orae eum π: horae (-re D) eum BD: hoream A?N: orreum θ   uictrici $P^4 M^2 A^8$ uel $A^7 N^4\theta$: uicti π, cf. 27. 1. 11 adn.: uicta N: ūicta C^3
9 mare ΠN.ald.: mare ut $Sp?A^7 N^4\theta Frob.2$ praebuerit $Sp?A^7 N^4 J Frob.2$: praebuere ΠN, cf. 29. 2. 2 adn.: praebuit K.ald.

XXVIII 6 9   TITI LIVI

10 statio est. Nam et uenti ab utriusque terrae praealtis montibus subiti ac procellosi deiciunt, et fretum ipsum Euripi non septiens die, sicut fama fert, temporibus statis reciprocat, sed temere in modum uenti nunc huc nunc illuc uerso mari, uelut monte praecipiti deuolutus torrens rapitur. Ita nec 11 nocte nec die quies nauibus datur. Cum classem tam infesta statio accepit, tum et oppidum, alia parte clausum mari, alia ab terra egregie munitum praesidioque ualido firmatum et praecipue fide praefectorum principumque, quae fluxa et uana apud Oreum fuerat, stabile atque inexpugnabile fuit. 12 Id prudenter, ut in temere suscepta re, Romanus fecit quod circumspectis difficultatibus ne frustra tempus tereret celeriter abstitit incepto classemque inde ad Cynum Locridis —emporium id est urbis Opuntiorum mille passuum a mari sitae—traiecit.

7 Philippum et ignes ab Oreo editi monuerant sed serius Platoris fraude ex specula elati; et impari tum maritimis

    10 deiciunt (*uel* deiic-) Π*N*θ, *scil.* '*classem*', *cf. e.g.* 23. 40. 6 (*et de praesidio c.* 7. 3; 4. 53. 9): se deiciunt *Gron.*, *quod malit Johnson* se *post* -si *excidisse ratus*   statis Π*A*⁷*ald.Frob.*1.2: statutis *AN*θ
    11 tam *AN*θ*ald.Frob.*1.2: iam π*A*ˣ, *cf. c.* 4. 2 *et* 26. 6. 4 *adn.*
firmatum π*N*²(*uix N*⁴)θ*ald.*: firmatum fuit *AN*   et (praecipue) Π*N*θ: *delere uoluit Gron., optime nisi* (*ut nos distinximus*) *et* praesidioque *et* fide *uoci* firmatum *subiungas*   fuerat *Sp*?*N*⁴*uel N*³θ*Frob.*2: fuerant Π*N.ald.*, *cf.* 27. 17. 4 *adn.*   stabile (-li *C*) atque π*N*θ: stabili *Gron. dubitanter, minus bene*   12 suscepta *M*⁵(*sed* susceta, *quod per err. in* suscetap *mutauit M*⁸ *uel M*ˣ)*A*⁷ *uel A*⁸*ald.Frob.*1.2: suspecta Π*N*   Romanus *PCM*²*A*⁷ *uel A*ᵛθ: romanos *RMBDAN* (-nis *N*⁴)   quod θ*ald.Frob.*1.2: quo Π*N*   id est Π*N.ald.Frob.*1.2: inde *A*⁷?*VatK*: idem *A*⁸?*N*⁴   urbis Opuntiorum *N*⁴*ald.*, *cf. c.* 7. 8 *adn.*: opuntiorum urbis *VatFrob.*2: opuntiorum urbem *A*⁷θ: orbis et pontiorum Π*N*: orbis pontiorum *N*²: opuntiorum *N*⁶ mille Π(mile *B*)*N*θ: MM *duce Wesselingio Drak. ex Strab.* 9. 4. 2, *sed u. Weissenb. ad loc.*   sitae π³*N* (-te): sitam *A*⁸?θ: sita *PN*¹ *ut s. l.*

    7 1 ignes *CM*²*A*⁰?θ: ignos π*N* (ignosa boreo *D*): ingens *N*⁷ (*non N*⁴)   editi monuerant *A*⁸ *uel A*ᵛ: editim monuerant *M*²: editi mouerant *N*⁴(*sed* edicti *N*⁷)θ*ald Frob.*1 2: editī (*uel* -tim) minuerant π: edit imminuerant *C*: editi minuerant *AN*   specula elati *P C*¹*MB*²*A*⁷*N*¹ *ut s. l.* θ: speculae lati *RM* (-lę *B*): speculae lati *DA?*: specule elati *N*   impari tum maritimis *A*⁷ *uel A*⁸*N*⁴ *ab N*⁶ *rescriptus, ald.*: impari maritumis *Sp*θ*Frob.*2, *et* (*sine* tum) *malit Johnson*: inparitumuis π, *cf.* 27. 1. 11 *adn.*: impari tum *AN*

AB VRBE CONDITA XXVIII 7

uiribus haud facilis erat in insulam classi accessus; ita re 2
per cunctationem omissa ad Chalcidis auxilium, ubi signum
accepit, impigre est motus. Nam et ipsa Chalcis, quamquam
eiusdem insulae urbs est, tamen adeo arto interscinditur
freto, ut ponte continenti iungatur terraque aditum faciliorem
quam mari habeat. Igitur Philippus ab Demetriade Sco- 3
tussam, inde de tertia uigilia profectus, deiecto praesidio
fusisque Aetolis qui saltum Thermopylarum insidebant cum
trepidos hostes Heracleam compulisset, ipse uno die Phocidis
Elatiam milia amplius sexaginta contendit. Eodem ferme 4
die ab Attalo rege Opuntiorum urbs capta diripiebatur—
concesserat eam regi praedam Sulpicius, quia Oreum paucos
ante dies ab Romano milite, expertibus regiis, direptum fuerat. Cum Romana classis Oreum sese recepisset, Attalus 5
ignarus aduentus Philippi pecuniis a principibus exigendis
terebat tempus, adeoque improuisa res fuit ut, nisi Creten- 6
sium quidam forte pabulatum ab urbe longius progressi
agmen hostium procul conspexissent, opprimi potuerit.

2 re $A^v\theta Aldus$: om. ΠN: res *Sp?Edd. ante Ald.Frob.*2
ponte C^2N^4 *ut s. l.* θ*ald.*: ponto ΠN   terraque ΠN¹θ*ald.*: terra
*SpFrob.*2 (*cf.* § 3 fusis): terram N   3 Igitur ΠNθ: Rediit igitur
M. Müller   ab (*sed u. adn. sq.*) Demetriade ... profectus] *haec
omnia post uoces* deiecto (di- π) ... insidebant *cum praebent* ΠNθ*ald.*:
*huc transposuit Madv. Crevierium paene secutus, qui tamen et uocem cum
cum priorib. post* Philippus *conlocare uoluit; Madvigium sequimur et quia
concinnius stat cum post Participium et quia sic intellegi potest tres lineas
(xlviii litt.) post Philippus *usque ad* profectus *ob ὁμ. omissas esse, tum
perperam* (*post lxiv uel lxvi litt. i.e. iv lineas*) *restitutas. Cf.* 27. 2. 6
adn.   ab (Dem.) $N^4\theta$: ad π: a $P^xC^xM^1AN$ Scotussam]
u. c. 5. 12 *adn.*   de ΠN: om. N^4(*uel fort.* e N^4: *del.* N^7)θ*ald.
Frob.*1.2   deiecto *RANK.ald.*: deieto *J*: diiecto πR^x
fusisque (-quae *PRB*) ΠNθ*ald.*: fusis *SpFrob.*2, *cf.* § 2   contendit P^5 (*an manus recentior?*) *et CRMBAN*θ: contedit *PD*
5 cum Romana classis Oreum sese recepisset A^6 *uel* A^7N^4: cum romana classis eo se cepisset πN *et sic* (*sed* recep-) $CM^7ald.$: romana
classis oreum sese receperat et $SpA^8\theta Frob.$2 (*sed* cum *retinet* A^8), *pro-
bantibus Luchsio et Madv.* 1886. *Voces* Oreum ... direptum fuerat *ad
res a Rom. in c.* 6. 1–7 *gestas referunt: contra uoces* cum ... recepisset
significant i. q. 'cum iam Rom. Cyno (*u. c.* 6. 12) *relicto* (*unde, si man-
sissent, Attalo auxilium iam ferre poterant*) *rursus Oreum rediissent'*

XXVIII 7 7 TITI LIVI

7 Attalus inermis atque incompositus cursu effuso mare ac naues petit, et molientibus ab terra naues Philippus super-
8 uenit tumultumque etiam ex terra nauticis praebuit. Inde Opuntem rediit, deos hominesque accusans quod tantae rei
9 fortunam ex oculis prope raptam amisisset. Opuntii quoque ab eadem ira increpiti quod, cum trahere obsidionem in aduentum suum potuissent, uiso statim hoste prope in uoluntariam deditionem concessissent.

Compositis circa Opuntem rebus Toronen est profectus.
10 Et Attalus primo Oreum se recepit; inde, cum fama accidisset Prusian Bithyniae regem in fines regni sui transgressum, omissis Romanis rebus atque Aetolico bello in Asiam traiecit.
11 Et Sulpicius Aeginam classem recipit, unde initio ueris profectus erat. Haud maiore certamine quam Opuntem Attalus
12 ceperat, Philippus Toronen cepit. Incolebant urbem eam profugi ab Thebis Phthioticis; urbe sua capta a Philippo cum in fidem Aetolorum perfugissent, sedem iis Aetoli eam

7 effuso Sp? A^6 uel $A^7\theta Frob.2$: effusu P : effusus $\Pi^2N.ald.$
petit $\Pi(A$ et $A^v)ald.Frob.1.2$: petiit $A^7N^4\theta$, cf. 27. 5. 9 adn. (petiit ... naues om. N: add. N^4) superuenit $\Pi N.ald.$: aduenit $Sp\theta Frob.2$ tumultumque $\Pi N.ald.$: metumque SpA^7N^4 ut s. l. $\theta Frob.2$
8 Opuntem A^7N^4(opon-)θ : pontem P : pontum Π^2N; sed in § 9 opontem πK: opuntem CA^7J; in § 11 opunt- P: opont- P^2; in c. 6. 12 supra pont- P; in c. 8. 12 oppugnatiorum π (cf. 27. 20. 8 adn.) pro oppuntiorum $(A^7N^4\theta)$ tantae rei $\pi A^7N^4\theta$: tantae regi BD · tanti regis AN 9 potuissent $CAN\theta$: posuissent π
Opuntem] u. § 8 Toronen $\pi N^1 Frob.2$ (-nem $AN\theta ald.$ sed -rr- J, th- K); idem codd. in § 11; in § 13 turone πN (tor- θ): coniecit Thronium $Glareanus$, sed notandum recepta in § 13: si quid mutandum Thronen in promptu est 10 Oreum N^4A^9J, cf. c. 6. 8: oraeum C^1?: orreum K: oratum ΠN se recepit $N^4\theta ald.Frob.1.2$: est profectus ΠN, sc. ex § 9 repetitum : seclusit Gron. Prusian $C^4\theta^2$: prysian π (pris- CBD): prusiam A(-iā)N(psiam)θ(prux- K)
Romanis rebus $SpN^4A^7\theta Frob.2$: rebus ΠN: romanis ald.
11 recipit $SpN^4 Frob.2$: recepit $\Pi N\theta ald.$, fort. recte, cf. 27. 5. 9 adn.
ceperat $A^7N^4\theta ald.Frob.1.2$: decertat π : decertans AN: deletum malimus, Puteani decertat ex -RE (uocis maiore) et certa- (uocis certamine) repetitis ortum esse rati Toronen] u. § 9 12 Phthioticis A: pthioticis π (phi- CR) N: phthiotici Sp ut uid. $A^7N^4\theta$(sed phiot- θ)ald. perfugissent $\Pi N.ald.Frob.1.2$: peruenissent SpA^7 (-set ?)N^4 ut s. l. θ sedem iis (uel his uel hiis) A^7N^3 uel $N^4\theta$: sedememiis P: sedem eiis π^1 et π^2N; sed me iis (his D) BD: sedem ei iis A: sede mei is N; del. N^7

AB VRBE CONDITA   XXVIII 7

dederant urbis uastae ac desertae priore eiusdem Philippi bello. Tum ab Torone, sicut paulo ante dictum est, recepta profectus Tithronion et Drumias, Doridis parua atque ignobilia oppida, cepit. Inde Elatiam iussis ibi se opperiri Ptolomaei Rhodiorumque legatis uenit. Vbi cum de finiendo Aetolico bello ageretur—adfuerant enim legati nuper Heracleae concilio Romanorum Aetolorumque—nuntius adfertur Machanidam Olympiorum sollemne ludicrum parantes Eleos adgredi statuisse. Praeuertendum id ratus legatis cum benigno responso dimissis—se neque causam eius belli fuisse nec moram, si modo aequa et honesta condicione liceat, paci facturum—cum expedito agmine profectus per Boeotiam Megara atque inde Corinthum descendit, unde commeatibus sumptis Phliunta Pheneumque petit. Et iam cum Heraeam uenisset, audito Machanidam fama aduentus sui territum refugisse Laecedaemonem, Aegium se ad concilium Achaeorum recepit, simul classem Punicam, ut mari quoque aliquid posset accitam, ibi ratus se inuenturum. Paucis ante diebus inde †Oxeas traiecerant Poeni, inde portus Acarnanum

---

12 uastae $Sp\theta Frob.2$, cf. e.g. 24. 3. 11 : uastatat P : uastata π^2 : uastatae (sed -te) $CAN.ald.$ (-tae)   eiusdem $\Pi N\theta ald.$: quidem $SpFrob.2$ 13 Torone] u. § 9   paulo N^3 uel $N^4\theta Edd.$: om. ΠN Tithronion $Ruperti$: uthronon P : uturonon (uth- $RMBD$ A) Π^2 : ut choronon N : tithronon N^4(tri-)θ $Madv.$ 1886

Drumias $\Pi N\theta$ Doridis $A^7 N^4\theta$: dori ΠN opperiri $Med.$ 2 ald. (ope- $A^7?N^3$ uel $N^4\theta Frob.2$) : operire (opp- P) ΠN, cf. 27. 4. 13 adn.   Rhodiorumque $A^7 N^4$(rod-hi)θ : rriliediorumq. P : diorumq. $\Pi^2 N$ 14 Machanidam] u. 27. 29. 9 adn.   Eleos] u. 27. 31. 9 adn.   15 dimissis se $A^7 N^4$ rescriptus θ : dimisse P, cf. 27. 1. 11 adn. : dimissis $\Pi^2 N$ paci facturum N^4 ut s. l. Aldus: pacem facturum $\Pi N Edd.$ ante Ald. : pacificaturum $N^6\theta$ 16 cum ΠN ald.Frob.1.2: quam $Sp\theta$ Phliunta $Sabellicus$, cf. e.g. Polyb. 2. 52. 2 : phleiumta ΠN : alia alii   petit $\Pi NEdd.$: petiit $A^7\theta$, cf. 27. 5. 9 adn.   17 Heraeam $Sigonius$, cf. e.g. Polyb. 4. 77. 5 : heraeum (uel -reum) $\Pi N\theta$ et sic in c. 8. 6   audito A^7 $Rhen.$ $Frob.2$: audita SpN^2 uel N^4 : audit $\Pi N\theta$ ald.   Aegium $SpFrob.2$: aegiumque $\Pi N\theta$, cf. 26. 11. 12 adn. (a)   concilium $N^4\theta$: consiliorum (conc- PCN^2) ΠN : consilium se A^x : consilium A^7?   Achaeorum ald. $Frob.1.2$: aetolorum πN^4 (etol-) : etholorum $DAN\theta$ posset θ ald.Frob.1.2: possit ΠN, cf. 27. 17. 14 adn.   18 Oxeas $Crevier$, cf. $Strab.$ 10. 2. 19 : uaeas πN (cf. de -x- et -a- 26. 37. 3 adn.) : ut eas A : phoceas $A^7\theta$

XXVIII 7 18   TITI LIVI

petierant, cum ab Oreo profectum Attalum Romanosque audissent, ueriti ne in se iretur et intra Rhium—fauces eae sunt Corinthii sinus—opprimerentur.

8 Philippus maerebat quidem et angebatur cum ad omnia ipse raptim isset nulli tamen se rei in tempore occurrisse, et rapientem omnia ex oculis elusisse celeritatem suam fortu- 2 nam; in concilio autem dissimulans aegritudinem elato animo disseruit, testatus deos hominesque se nullo loco nec tempore defuisse quin ubi hostium arma concrepuissent eo 3 quanta maxima posset celeritate tenderet: sed uix rationem iniri posse utrum a se audacius an fugacius ab hostibus geratur bellum. sic ab Opunte Attalum, sic Sulpicium ab Chalcide, sic eis ipsis diebus Machanidam e manibus suis 4 elapsum. sed non semper felicem esse fugam nec pro diffi- cili id bellum habendum in quo, si modo congressus cum 5 hoste sis, uiceris. quod primum esset, confessionem se hostium habere nequaquam pares esse sibi: breui et uicto- riam haud dubiam habiturum, nec meliore euentu eos secum quam spe pugnaturos.

6 Laeti regem socii audierunt. Reddidit inde Achaeis

18 in se $\theta ald.Frob.$1.2 ($cf.\ e.g.$ 2. 6. 8) : ad se Π$N, fort. recte si cursus tantum describitur (delet$ ad se iretur N^3 : $add.$ in seriretur $ut\ nunc\ uid.$ $N^4?\ sed\ supra\ add.\ nescio\ quid\ N^x$) et $AN\theta ald.Frob.$1.2: $om.$ π ($cf.$ c. 2. 7 et 26. 11. 12 $adn.$ (c)), $unde\ post$ se $add.$ si $Weissenb.$
intra Rhium π ($sed\ in$ 27. 29. 9 Rhion π) : intra hrium AN: in tha- cium N^2: in tanchium θ
8 2 nullo ... tempore $Gron.$: nullo ... tempori ΠN, $cf.$ 27. 4. 13 $adn.$: nulli ... tempori (-re J) $A^4\theta Edd.$ ante $Gron., Philip.\ rhetorice mentientem et postea se corrigentem$ (; quin ... tenderet) $perperam pin- gentes$ 3 uix Π$N\theta ald.Frob.$1.2: id $SpN^4\ ut\ s.\ l.$: haud $Rhen.$
an Π$N.ald.Frob.$1.2: quam $SpA^7N^4\ ut\ s.\ l.\ \theta$ fugacius $PCRA^7 K$ (-tius $MBDA^xN^4J$): fugatis AN ab (Chalcide) ΠN: a $ald.$: $om.\ Sp\theta Frob.$2   4 modo $Sp\ ut\ uid.\ A^x\theta ald.$: mo P: nemo Π^2N; $de\ erroribus\ `architectonicis'\ a\ P^2\ ortis, cf.\ cc.$ 24. 16; 25. 11; 26. 26. 3; 27. 7. 4; 27. 20. 3; 27. 28. 13; 27. 30. 17; 27. 48. 10; 30. 6. 4 et 6; 30. 14. 2 et ($ut\ conicit\ Johnson$) 30. 42. 2. $Cf.\ etiam$ 27. 20. 8 $adn.$
hoste $Sp\theta Frob.$2: hostibus Π$N.ald.$ sis, uiceris π$A^7\theta$: suis uicerit AN 5 pares esse $Sp\ ut\ uid.\ A^7\theta ald.$: parese π, $cf.$ 27. 1. 11 $adn.$: par $\overline{ee}$ C: par esse N: pares C^2 sibi ΠN: eos $Sp\theta Frob.$2: eos sibi $Med.$ 3 $ald.$ spe $N^1\ uel\ N^2A^7\theta$: ope ΠN

AB VRBE CONDITA XXVIII 8 6

Heraeam et Triphuliam, Alipheram autem Megalopolitis quod suorum fuisse finium satis probabant restituit. Inde 7 nauibus acceptis ab Achaeis—erant autem tres quadriremes et biremes totidem—Anticyram traiecit. Inde quinqueremi- 8 bus septem et lembis uiginti amplius, quos ut adiungeret Carthaginiensium classi miserat in Corinthium sinum, profectus ad Eruthras Aetolorum, quae prope Eupalium sunt, escensionem fecit. Haud fefellit Aetolos ; nam hominum 9 quod aut in agris aut in propinquis castellis Potidaniae atque Apolloniae fuit in siluas montesque refugit : pecora quae 10 inter festinationem abigi nequierant sunt direpta et in naues compulsa. Cum iis ceteraque praeda Nicia praetore Achaeorum Aegium misso cum Corinthum petisset, pedestres inde copias per Boeotiam terra duci iussit : ipse ab Cenchreis 11 praeter terram Atticam super Sunium nauigans inter medias prope hostium classes, Chalcidem peruenit. Inde conlaudata 12 fide ac uirtute quod neque timor nec spes flexisset eorum animos, hortatusque in posterum ut eadem constantia permanerent in societate si suam quam Oritanorum atque Opuntiorum fortunam mallent, ab Chalcide Oreum nauigat, 13

6 Heraeam] *u. c.* 7. 17 *adn.*   Triphuliam J(typh- K) : tri-(try- B)phyl- (-phil- C : -pil- D : -pyl- AN)ΠN Alipheram C $M^2 A^7 \theta$: alipheram πN (*cf.* 26. 41. 12 *adn.*)   fuisse P^4 *uel* $P^5 M^2$ $N^4 \vartheta$: uisse π : iusse D : uis esse $C^4 A$: uix esse N : iure esse A^6
8 adiungeret $N^4 \theta Edd.$: adiungerent ΠN, *cf.* 27. 17. 4 *adn.*
Eruthras (-tras CAN) π : ae iruthras B (*del.* i- B^1) : erithras J : heritras K Eupalium $B.ald.$: euphalium $\pi B^2 N$: eupallum J : cumpalum K escensionem] esc- π : exc- N^4 : exsc- $SpA^7 Frob.2$: desc- $A^x ald.$: asc- M^2 : sc- AN ; *cf.* 27. 5. 8 *adn.*
9 fefellit Aetolos (athol- P : aethol- P^2 : atehol- M^2) $PCM^2 A^7 N^1 \theta$: fellitate holos RM : felicitate holos $BDAN$ Potidaniae *ald. Frob.*1.2 : potidanias ΠN : post idonie θ 10 in naues $C^{42} M^1$ *uel* $M^3 A^7 \theta$: inanes ΠN 11 ab Cenchreis $Sp? Frob.2$: a chencris $A^7 \theta$: ab aenotris $\Pi N.ald.$: cenchrs tris N^4, *qui* ab *et* aeno- *delet*, -tris *relicto*   terram Atticam (-cen A^7) $\Pi N.ald.$: atticen SpJ(-cem) $Frob.2$: athicensem K super Sunium (syni- P : sini- $CR^1 MBA$ N : sin- RDJ)ΠNJ : per sunium $Sp?$: sinum K 12 flexisset $\Pi N\theta ald.$: flexissent $Sp? Frob.2$ in posterum ... Oritanorum atque] *om.* ΠN, *lxxiv ferme litteris (i.e. iv uel v lineis) ob* -usque | -um atque *deperditts, cf.* 26. 51. 8 *adn.* : *supplent* $A^7 N^4 \theta Edd.$ Opuntiorum] *u. c.* 7. 8 *adn.*

XXVIII 8 13 TITI LIVI

principumque iis qui fugere capta urbe quam se Romanis tradere maluerant summa rerum et custodia urbis permissa ipse Demetriadem ab Euboea, unde primum ad opem feren-
14 dam sociis profectus erat, traiecit. Cassandreae deinde centum nauium longarum carinis positis contractaque ad effectum eius operis multitudine fabrorum naualium, quia res in Graecia tranquillas et profectio Attali fecerat et in tempore laborantibus sociis latum ab se auxilium, retro in regnum concessit ut Dardanis bellum inferret.

9 Extremo aestatis eius qua haec in Graecia gesta sunt, cum Q. Fabius Maximus filius legatus ab M. Liuio consule Romam ad senatum nuntiasset consulem satis praesidii Galliae prouinciae credere L. Porcium cum suis legionibus esse,
2 decedere se inde ac deduci exercitum consularem posse, patres non M. Liuium tantum redire ad urbem sed collegam
3 quoque eius C. Claudium iusserunt. Id modo in decreto interfuit quod M. Liui exercitum reduci, Neronis legiones
4 Hannibali oppositas manere in prouincia iusserunt. Inter consules ita per litteras conuenit ut, quemadmodum uno animo rem publicam gessissent, ita quamquam ex diuersis regionibus conuenirent uno tempore ad urbem accederent;

13 principumque $C^xM^1A^7?N^1\theta$: principiumque ΠN : principisque M^2 (*nisi* -ibq. *uoluit*) urbe quam $\pi A^{c?}N^x\theta$: quam urbe AN, *cf.* 29. 3. 10 *adn.* primum ΠN.*ald.* : primo $Sp?\theta Frob.2$ sociis A^8 *uel* $A^7N^4\theta ald.Frob.$1.2 : copiis ΠN 14 in Graecia ΠNθ : ingrauauerat N^8 tranquillas et P et P^x *per ras.* $A^7N^2(uix\ N^4)\theta$: tranquilla esset π^2 : tranquillas esse C : tranquilla se M^1 ut $A^xN^4\theta ald.$: aut ΠN Dardanis $A^7N^4\theta ald.$: dicionis ΠN (-iti- $RMBDAN$) inferret $A^7N^4\theta ald.$: ferret ΠN (*cf.* 26. 13. 7 *adn.*)
9 1 gesta sunt (*sed* gestas uni $PRMD$) $\pi M^2N.ald.$: sunt gesta $\theta Frob.2$, *cf.* 27. 37. 5 *adn.* Q. ΠN (*sed* -que) : qui N^1 Maximus filius *Alan*, *cf.* 27. 29. 4 (*fort. hic* maximus *delendum*) : maximi p (*uel* p̄) π : maxim' p̄ A : maximus pre N : maximus C^2A^x $Sp?\theta$: Maximus praetor *Edd. ante Gron.* : Maximi filius *Gron.*, *negligens Fastorum normam (i.e.* Q. Fabius Q. Fab. Max. f.) *post* senatum *praebent* missus $A^7N^4\theta ald.Frob.$1.2, *quod rectissime ignorant* ΠN 2 patres ΠN$\theta ald.Frob.$1.2 : *om. Sp* 3 Liui π^2 : liuii $AN\theta$: liuite P 4 consules (*uel* cōs *uel* cōns) $PCA^7N^2(non\ N^4)\theta$: quos $RMBDAN$, *cf. c.* 40. 8 *adn.* uno (tempore) $\pi N^2(non\ N^4)$ $Sp\theta Frob.2$: unoq. AN : uno quoque *ald.*

AB VRBE CONDITA XXVIII 9 4

Praeneste qui prior uenisset, collegam ibi opperiri iussus. Forte ita euenit ut eodem die ambo Praeneste uenirent. Inde praemisso edicto ut triduo post frequens senatus ad aedem Bellonae adesset, omni multitudine obuiam effusa ad urbem accessere. Non salutabant modo uniuersi circumfusi, sed contingere pro se quisque uictrices dextras consulum cupientes, alii gratulabantur, alii gratias agebant quod eorum opera incolumis res publica esset. In senatu cum more omnium imperatorum expositis rebus ab se gestis postulassent ut pro re publica fortiter feliciterque administrata et dis immortalibus haberetur honos et ipsis triumphantibus urbem inire liceret, se uero ea quae postularent decernere patres merito deorum primum, dein secundum deos consulum responderunt; et supplicatione amborum nomine et triumpho utrique decreto, inter ipsos, ne cum bellum communi animo gessissent triumphum separarent, ita conuenit, quoniam et in prouincia M. Liui res gesta esset et eo die quo pugnatum foret eius forte auspicium fuisset et exercitus Liuianus deductus Romam uenisset, Neronis deduci de prouincia non potuisset, ut M. Liuium quadrigis urbem ineuntem milites sequerentur, C. Claudius equo sine militibus inueheretur.

Ita consociatus triumphus cum utrique, tum magis ei qui quantum merito anteibat tantum honore collegae cesserat, gloriam auxit. Illum equitem aiebant sex dierum spatio

---

5 multitudine $C^5A^7?N^1\theta ald.$ (-ni ΠN)   6 circumfusi $\Pi N\theta ald.$: *om. Frob.*2, *et delere malit Johnson ut gloss. quo extrusum est* contingere
        contingere $A^7\theta ald.Frob.$1.2 : *om.* Π : prospicere N pro se $CA^7\theta ald.$: pro $\pi(A?)N$ opera $\pi A^6K.ald.Frob.$1.2 : ope $A Sp$: opere NJ 7 cum $\Pi^2N\theta$: ium P : tum $?P^1$ feliciterque $\Pi N.ald.$: fideliterq. $SpA^7\theta Frob.$2   dis, *cf. c.* 28. 11 *adn.*: deis PCR : diis $MBDAN\theta$ 8 dein secundum (-do $N^2?$) $\Pi^1N.ald.$: deindecundum P : deinde secundum θ 10 *ante* quoniam *add.* ut $\Pi N\theta ald.$: *om.* $Sp Frob.$2   et (in) $\Pi N.ald.$: *om.* $Sp\theta Frob.$2   et eo $\Pi N.ald.Frob.$1.2: eo $Sp\theta$ fuisset et $\Pi N.ald.$: fuisset $Sp\theta Frob.$2   deduci de pr. non potuisset πSpN (*correctura postea erasa*): deduci non potuisset de pr. AN, *cf.* 29. 3. 10 *adn.*: de pr. deduci non potuisset $\theta ald.Frob.$1.2, *cf.* 27. 37. 5 *adn.*
11, 12 auxit. Illum $A^7N^4\theta ald.$: auxilium ΠN

transcurrisse longitudinem Italiae, et eo die cum Hasdrubale in Gallia signis conlatis pugnasse quo eum castra aduersus sese in Apulia posita habere Hannibal credidisset. ita unum consulem pro utraque parte Italiae aduersus † duos duces † duos imperatores hinc consilium suum hinc corpus opposuisse. nomen Neronis satis fuisse ad continendum castris Hannibalem; Hasdrubalem uero qua alia re quam aduentu eius obrutum atque exstinctum esse? itaque iret alter consul sublimis curru multiiugis si uellet equis: uno equo per urbem uerum triumphum uehi, Neronemque etiamsi pedes incedat uel parta eo bello uel spreta eo triumpho gloria memorabilem fore. Hi sermones spectantium Neronem usque in Capitolium prosecuti sunt. Pecuniae in aerarium tulerunt sestertium triciens, octoginta milia aeris. Militibus M. Liuius quinquagenos senos asses diuisit; tantundem C. Claudius absentibus militibus suis est pollicitus cum ad exercitum redisset. Notatum est eo die plura carmina militaribus iocis in C. Claudium quam in consulem suum iactata;

12 quo $AN\theta$: quod π 12, 13 credidisset. ita unum CBA^x N^1 uel $N^4\theta$: bis scribunt πN, cf. 29. 1. 23 adn.   duos duces duos imperatores $\Pi N\theta$, quod non displicuit Weissenbornio: duas acies duos imp. Koch, Madv. 1886 (cf. e.g. cc. 25. 6; 28. 9): duos duces summos imp. Rossbach, optime: alia alii: uoces duos imp. possis secludere, tanquam ex uoce duos perperam repetita orto pleonasmo, sed anaphoram hic nescioquam latere credit Johnson, cf. 27. 44. 5   14 continendum C^1 uel $C^2AN\theta$ (-dis π, cf. 27. 17. 1 adn.)   15 itaque $A^7N^4\theta ald.$: que πN: qua C: quare A^x uno equo $C^2Sp?A^7N^4\theta Frob.2$: unde quo π: un' equo A: unus equo N: unius equo ald. Neronemque (-quϱ C) π^1 uel $\pi^2NSp\theta Frob.2$: ronemque P: neronemqui θ: neronique ald.   parta eo $C^3SpFrob.2$: part$\bar{e}$ (uel -tem) ea π: part$\bar{a}$ eo $A^7(ut\ uid.)\theta$: eo N: parte (-tae N^x) eo $A?N^x$: partem incedat ea D: parto eo ald.   spreta eo $SpN^2?Frob.2$: spreteo P: spreto $\pi^2N.ald.$: pr$\varrho$to B: preto D: spret$\bar{a}$ eo $A^7\theta$ gloria $C^xSpFrob.2$: gloriam $\Pi\theta ald.$: groriam N
16 pecuniae $P\ ut\ uid.\ Sp?A^7\theta Frob.2$: pecuniam $\pi^2ald.$: pecunia BDN octoginta $\Pi NSp?ald.Frob.1.2$: nonaginta $A^7\ in\ marg.\ ut\ s.\ l.$: $\overset{c}{\text{VIII}} Vat$: D. CCCC θ 18 Notatum est $A^7N^4\theta$: notatum $\pi N.ald.Frob.1.2$: notandum D iocis $C^xA^7\theta ald.$: locis ΠN in (cons.) $C^4AN\theta ald.$: om. π, cf. 26. 13. 7 adn.   suum $\Pi(A\ et\ A^x)N$: liuium $A^5\vartheta$ iactata $\Pi N.ald.$: iacta $N^2\ (uix\ N^4)$: om. θ: iactasse C^4

AB VRBE CONDITA XXVIII 9

equites L. Veturium et Q. Caecilium legatos magnis tulisse 19
laudibus hortatosque esse plebem ut eos consules in proximum annum crearent; adiecisse equitum praerogatiuae 20
auctoritatem consules postero die in contione quam forti
fidelique duorum praecipue legatorum opera usi essent commemorantes.

Cum comitiorum tempus appeteret et per dictatorem 10
comitia haberi placuisset, C. Claudius consul M. Liuium
collegam dictatorem dixit, Liuius Q. Caecilium magistrum
equitum. A M. Liuio dictatore creati consules L. Veturius 2
Q. Caecilius, is ipse qui tum erat magister equitum. Inde 3
praetorum comitia habita; creati C. Seruilius M. Caecilius
Metellus Ti. Claudius Asellus Q. Mamilius Turrinus, qui tum
aedilis plebis erat. Comitiis perfectis dictator, magistratu 4
abdicato dimissoque exercitu, in Etruriam prouinciam ex
senatus consulto est profectus ad quaestiones habendas qui 5
Etruscorum Vmbrorumue populi defectionis ab Romanis
ad Hasdrubalem sub aduentum eius consilia agitassent quique eum auxiliis aut commeatu aut ope aliqua iuuissent.
Haec eo anno domi militiaeque gesta. 6

Ludi Romani ter toti instaurati ab aedilibus curulibus
Cn. Seruilio Caepione Ser. Cornelio Lentulo; item ludi 7
plebeii semel toti instaurati ab aedilibus plebis M. Pomponio
Mathone et Q. Mamilio Turrino.

Tertio decimo anno Punici belli L. Veturio Philone et 8
Q. Caecilio Metello consulibus, Bruttii ambobus ut cum

10 2 Q. (Caecilius) $CA^T N\theta$: que (*uel* -q. *uel* -q;) π 3 Ti.
(Claudius) *Sigonius ex* 27. 41. 7 (P) : t. ΠNK : titus J Mamilius
Sigonius ex §§ 7 *et* 9 : manilius ΠNJ : manlius K 4 est profectus . . . Etruscorum (§ 5) ΠN^4 *in marg.* θ : *om.* N 5 aduentum
$\Pi N S p ? \theta F r o b.2$ (*et in* § 12) : aduentu *Vat ald.* (*et in* § 12) ; *cf.* 27. 15. 8
adn.   6 domi Π^2 *uel* $\Pi^1 \theta$: domo N : mi domi P gesta C^2
$S p ? (c e r t e ~ s i n e ~ e t) A^x \theta F r o b.2$: gestae π : gesta et $AN.ald.$: *om.* D

7 Mamilio (*sed* -ll- $RMBD$) $\Pi N J$: manlio K 8 Bruttii π
$(A?)N$: brutti PC^2 : brutii $DSp?A^7\theta Frob.2$: *om. ald.*   ambobus
C^2 *uel* $C^1 S p A^7 N^4 V a t \theta$: ambopusi P : ambo pulsi $\Pi^2 N?$ (*an* ambobus
pulsi? N) : ambo N^8

141-50   15

XXVIII 10 8 TITI LIVI

9 Hannibale bellum gererent prouincia decreta. Praetores exinde sortiti sunt M. Caecilius Metellus urbanam, Q. Mamilius peregrinam, C. Seruilius Siciliam, Ti. Claudius Sardiniam.
10 Exercitus ita diuisi: consulum alteri quem C. Claudius prioris anni consul, alteri quem Q. Claudius propraetor—eae binae
11 legiones erant—habuisset exercitum: in Etruria duas uolonum legiones a C. Terentio propraetore M. Liuius pro-
12 consul, cui prorogatum in annum imperium erat, acciperet, et Q. Mamilius ut collegae iurisdictione tradita Galliam cum exercitu cui L. Porcius praetor praefuerat obtineret decretum est, iussusque populari agros Gallorum qui ad Poenos
13 sub aduentum Hasdrubalis defecissent. C. Seruilio cum Cannensibus duabus legionibus, sicut C. Mamilius tenuerat,
14 Sicilia tuenda data. Ex Sardinia uetus exercitus, cui A Hostilius praefuerat, deportatus; nouam legionem quam Ti. Claudius traiceret secum consules conscripserunt.
15 Q. Claudio ut Tarentum, C. Hostilio Tubulo ut Capuam prouinciam haberet prorogatum in annum imperium est.
16 M. Valerius proconsul, qui tuendae circa Siciliam maritimae orae praefuerat, triginta nauibus C. Seruilio praetori traditis cum cetera omni classe redire ad urbem iussus.

9 Metellus (-lius *D*) Π*N*(*hic* urbis: urbana *N*⁴)*Edd*.: *om*. *N*⁴θ, *fort. recte, sed fort. statuas* Metellus *quasi partem nominis gentilis factam esse, cf. Schulze Lat. Eigenn. p.* 293   Mamilius, *cf.* § 3: m̄. amilius *P*: m̄. aemilius (*uel* em-) Π²*N*: manlius *A*⁷θ   peregrinam *A*⁷θ: peregrina *N*⁴: pereg. π: peregrinus *AN*   10 habuisset *K.ald.Frob.*1.2: habuissent Π*NJ* (*uix cum* exercitum *probabile: cf. de* -rent *pro* -ret 27. 17. 4 *adn*.)   11 a C. *M*²*A*⁷ *in ras*. *N*¹θ: ac π (*A?*)*N*: a *P*²: ab *C*   12 Mamilius *J. H. Voss*: mamilio Π*NJ*: manlio *N*²*K*   ut Π*N.ald.Frob.*1.2: *om*. *N*² *uel N*⁴θ   Galliam *N*⁴θ*ald*.: gallia Π*N, cf.* 26. 41. 12 *adn*.   praetor *Pighius, cf.* 27. 36. 11: pro p̄r. Π*N*θ   aduentum] n. § 5   13 C. (Mamilius) *Glareanus, cf.* 27. 36. 11: p. (*uel* p̄.) Π*N*θ   14 cui A. *P* (cuia *uel* cuiā?)*CA*⁷: cui iam *RMBDAN*: cui am *R*²   Ti. *B? Sigonius, cf.* § 3: t.(*uel* titus) π*B*ʳ*N*θ   15 ut (Capuam) Π*N ald*.(*uti*)*Frob.*2: *om*. θ   haberet Π*N*θ: haberent *M*¹ *uel M*²*A*⁶, *cf.* § 10 *adn*.   16 praetori traditis *Weissenb., optime*: praeditis Π*N* (-dict-), *cf.* 27. 1. 11 *adn*.: traditis *C*³*A*⁷*N*⁴θ*ald.Frob.*1.2: redditis *M*³ *uel M*⁷   cetera *CM*³ *uel M*⁷*AN*θ: cetero π

AB VRBE CONDITA XXVIII 11 1

In ciuitate tanto discrimine belli sollicita cum omnium 11 secundorum aduersorumque causas in deos uerterent, multa prodigia nuntiabantur: Tarracinae Iouis aedem, Satrici 2 Matris Matutae de caelo tactam; Satricanos haud minus terrebant in aedem Iouis foribus ipsis duo perlapsi angues; ab Antio nuntiatum est cruentas spicas metentibus uisas esse; Caere porcus biceps et agnus mas idem feminaque 3 natus erat; et Albae duo soles uisos ferebant et nocte Fregellis lucem obortam; et bos in agro Romano locutus et 4 ara Neptuni multo manasse sudore in circo Flaminio dicebatur; et aedes Cereris Salutis Quirini de caelo tactae. Prodigia consules hostiis maioribus procurare iussi et suppli- 5 cationem unum diem habere—ea ex senatus consulto facta —: plus omnibus aut nuntiatis peregre aut uisis domi pro- 6 digiis terruit animos hominum ignis in aede Vestae exstinctus, caesaque flagro est Vestalis cuius custodia eius noctis fuerat iussu P. Licini pontificis. Id quamquam nihil por- 7 tendentibus dis ceterum neglegentia humana acciderat, tamen et hostiis maioribus procurari et supplicationem ad Vestae haberi placuit.

Priusquam proficiscerentur consules ad bellum moniti a 8

11 2 *post* Matris *om.* Π*N omnia ad* Satri- *sc. haud minus xxiii litteras, sed* -canos *in P primam incipit nouae paginae lineam quae xiv tantum litt. habet*: *supplent* $A^7N^4\theta ald.Frob.$1.2; *cf.* 26. 51. 8 *adn.*
  perlapsi Π*N* (praeI- A^6?θ: prol- *ald.Frob.*1.2. *cf.* 26. 2. 7; 27. 8. 19 *adnn.*) 3 idem feminaque A^7 *uel* $A^6\theta$ (*ordine uere Liuiano, cf. e.g.* 30. 1. 5): idemque femina Π*N.ald.Frob.*1.2: uoluit -que *delere* N^x duo π (*sed* duos oles *BD*): duos $P^4RM^1AN\theta$ ferebant Π*N.ald.*: referebant $\theta Frob.$2 obortam $C^xA^7N^4\theta$: oportat π: apertam *AN*: obortanti (*an* -tē?) *C* 4 manasse sudore Π*N.ald.*: sudore manasse $\theta Frob.$2, *fort. recte, sed rhetorico huius capitis colori conuenit ille ordo* (*et cf.* 27. 37. 5 *adn.*) 5 Prodigia (*sed* -dicita *P*: -dicia P^2) Π$^2N\theta$: haec prodigia *Luchs* 6 caesaque (*uel* ces-) Π*N*: ob quam causam caesa $A^7N^4\theta ald.Frob.$1.2
flagro $CA^7N^4\theta$: fragro πB^2: frago *BN* cuius $M^1A^7\theta$: uiis π: cuiis (*an* cuus?) C^1: uisus *A?N* eius noctis Π*N.ald.*: noctis eius $\theta Frob.$2, *cf.* 27. 37. 5 *adn.* 7 dis, *cf. c.* 28. 11 *adn.*: deis π*N*: diis $A^7\theta$: de his *D* Vestae *PSp?Frob.*2: uesta P^2RD: uestam *CMB*θ: uestem *AN* (*male silent* A^7N^4): uestae aram *ald.*
8 moniti Π*N.ald.*: admoniti $Sp?A^7\theta Frob.$2

15*

XXVIII 11 8   TITI LIVI

senatu sunt ut in agros reducendae plebis curam haberent: deum benignitate summotum bellum ab urbe Romana et Latio esse et posse sine metu in agris habitari; minime con- uenire Siciliae quam Italiae colendae maiorem curam esse.
9 Sed res haudquaquam erat populo facilis et liberis cultoribus bello absumptis et inopia seruitiorum et pecore direpto uillisque dirutis aut incensis; magna tamen pars auctoritate
10 consulum compulsa in agros remigrauit. Mouerant autem huiusce rei mentionem Placentinorum et Cremonensium legati querentes agrum suum ab accolis Gallis incursari ac uastari, magnamque partem colonorum suorum dilapsam esse, et iam infrequentes se urbes, agrum uastum ac desertum
11 habere. Mamilio praetori mandatum ut colonias ab hoste tueretur: consules ex senatus consulto edixerunt ut qui ciues Cremonenses atque Placentini essent ante certam diem in colonias reuerterentur.

Principio deinde ueris et ipsi ad bellum profecti sunt.
12 Q. Caecilius consul exercitum ab C. Nerone, L. Veturius a Q. Claudio propraetore accepit, nouisque militibus quos ipse
13 conscripserat suppleuit. In Consentinum agrum consules exercitum duxerunt, passimque depopulati, cum agmen iam graue praeda esset, in saltu angusto a Bruttiis iaculatori-
14 busque Numidis turbati sunt ita ut non praeda tantum sed

8 ab (ad *PR*, *cf.* 27. 25. 12) urbe Romana *PCRM*² *uel M*⁷*A*⁷*N*⁴θ : ad (at *M*) urbem romanam *R*²*MBDAN*   et posse sine *SpA*⁷*N*⁴θ *Frob.*2 : posse sine πald. : sine *C* (non *C*⁴ *uel C*⁵) : possessione *AN* (*sed* possessone *N* : posse sione (sic) *N*¹, *fort.* -o- *delere oblitus*) metu in agris habitari; minime *A*⁷*N*⁴θ (*sed* habitare θ) : *om.* ΠN, *oculis ab* -ine me- *ad* -inime *uersis*, *cf.* 26. 51. 8 *adn.*   9 et (liberis) *A*⁷*N*⁴θ*ald.* : *om.* ΠN, *cf.* 26. 11. 12 *adn.* (*c*)   absumptis et (*uel* aps-) ΠNθ : absumpsisset *N*² *uel N*⁹ (*non N*⁴)   consulum π*A*⁷*N*⁴ *uel N*²θ : *om. AN*   10 accolis *N*⁴θ*ald.Frob.*1.2 : aecolis *P* : incolis Π²*N*   11 edixerunt ut *A*⁷*N*⁴θ*ald.Frob.*1.2 : direxerunt Π : dixerunt *N*   12 Veturius *CBDAN*θ, *cf. c.* 10. 2 : ueterius *PRM*   13 passimque π*A*⁷*N*²θ*ald.* : passim *AN*   iaculatoribusque *A*⁷*N*²(*uel N*⁴ *cum punctis ab aliquo rescriptis*)θ*ald.Frob.*1.2 : iaculatoribus *Sp* : iugulatoribusq. (iugarat- *M* : iugalat- *B*) ΠN Numidis ΠNθ*ald.Frob.*1.2 : mundis *Sp*   14 tantum θ*ald.Frob.* 1.2 : tamen *A*⁷*N*⁴ : *om.* ΠN

armati quoque in periculo fuerint. Maior tamen tumultus quam pugna fuit, et praemissa praeda incolumes legiones in loca culta euasere. Inde in Lucanos profecti; ea sine certamine tota gens in dicionem populi Romani rediit.

Cum Hannibale nihil eo anno rei gestum est. Nam neque ipse se obtulit in tam recenti uolnere publico priuatoque neque lacessierunt quietum Romani; tantam inesse uim etsi omnia alia circa eum ruerent in uno illo duce censebant. Ac nescio an mirabilior aduersis quam secundis rebus fuerit, quippe qui cum in hostium terra per annos tredecim, tam procul ab domo, uaria fortuna bellum gereret, exercitu non suo ciuili sed mixto ex conluuione omnium gentium, quibus non lex, non mos, non lingua communis, alius habitus, alia uestis, alia arma, alii ritus, alia sacra, alii prope di essent, ita quodam uno uinculo copulauerit eos ut nulla nec inter ipsos nec aduersus ducem seditio exstiterit, cum et pecunia saepe in stipendium et commeatus in hostium agro deesset, quorum inopia priore Punico bello multa infanda inter duces militesque commissa fuerant. Post Hasdrubalis uero exercitum cum duce in quibus spes omnis reposita uictoriae fuerat deletum cedendoque in angulum Bruttium cetera Italia concessum, cui non uideatur mirabile nullum motum in castris factum? Nam ad cetera id quoque accesserat ut ne alendi

14 legiones A^xN^2 uel $N^4θ$: et legiones ΠN, cf. 27. 4. 12 adn. culta ΠNK Edd.: occulta N^2 uel N^4J 15 inde N^2 uel $N^4θ$ald.: om. ΠN

12 1 uolnere (sed uul-) $A^7N^4θ$: uoluntatere P, cf. 27. 20. 8 adn.: uoluntate $Π^2$ uel $Π^1$: luctu M^7A^x: calamitate C^4 lacessierunt $P^2?Vatθ$: lacesstiterunt P (cf. adn. praec.): lacess. (sic) C: lacesserunt RMBD(-rant)AN   tantam $C^4M^1?A^7N^4Vatθ$: tantum Π(A?)N   ruerent $P^4CR^2A^7?N^2K$: rueren PR: reuerent BD: ruerentur AN (reu-): tuerent J   2 fuerit $C^5A^7N^4θ$ Edd. (sed post mirabilior Frob.2): tulerit ΠN   3 quippe qui cum Lov. 1: quippe qui cum et Lov. 3 et 5 ald.Frob.1.2: quippe et Π(A?)N: quippe cum (eum θ) $A^1?N^2$ uel $N^4θ$ ciuili CA^7N^4 ut s. l. θald.: ciuile $π(A?)N$ 4 di, cf. c. 28. 11 adn.: dei PCR: dii $R^2MBDANθ$ uinculo CRMBDANθ: uincinculo P: icinculo P^2 (sed uincuoluit)   5 deesset Πald.: deessent NθFrob.2, fort. recte
6 cum duce A^7N^4 ut s. l. θald.: duce π: ducis A?N: ducemque C^3

XXVIII 12 7 TITI LIVI

quidem exercitus nisi ex Bruttio agro spes esset, qui ut omnis coleretur exiguus tamen tanto alendo exercitui erat;
8 tum magnam partem iuuentutis abstractam a cultu agrorum bellum occupauerat et mos uitio etiam insitus genti per
9 latrocinia militiam exercendi; nec ab domo quicquam mittebatur, de Hispania retinenda sollicitis tamquam omnia prospera in Italia essent.
10 In Hispania res quadam ex parte eandem fortunam, quadam longe disparem habebant; eandem quod proelio uicti Carthaginienses duce amisso in ultimam Hispaniae oram
11 usque ad Oceanum compulsi erant, disparem autem quod Hispania non quam Italia modo sed quam ulla pars terrarum bello reparando aptior erat locorum hominumque ingeniis.
12 Itaque ergo prima Romanis inita prouinciarum, quae quidem continentis sint, postrema omnium nostra demum aetate
13 ductu auspicioque Augusti Caesaris perdomita est. Ibi tum Hasdrubal Gisgonis, maximus clarissimusque eo bello secundum Barcinos dux, regressus ab Gadibus rebellandi spe, adiuuante Magone Hamilcaris filio dilectibus per ulteriorem Hispaniam habitis ad quinquaginta milia peditum, quattuor
14 milia et quingentos equites armauit. De equestribus copiis ferme inter auctores conuenit: peditum septuaginta milia
15 quidam adducta ad Silpiam urbem scribunt. Ibi super

8 tum Π*NSpJFrob*.2 : tamen *K* : cum *ald*. per P^x(*sed* par *rursus restituit*)A^x*ald*. : par Π*N* : inter Sp?N^4 *ab* N^6 *rescriptus* θ *Frob*.2
9 retinenda ... in Hispania (§ 10) *om*. Π*N*, *lxiii litt*. (*iii lineis*) *ob* ὁμ. *deperditis*, *cf*. 26. 51. 8 *adn*. : *supplent* N^3A^1 *uel* A^8θ*ald*. *Frob*.1.2 12 inita A^xN^4θ : initia $πB^1$(-icia)*N* : indicia *B* prouinciarum (*uel* -ti-) Π*N*.*ald*.*Frob*.1.2 : prouincia A^xN^2 *uel* N^3θ
13 Gisgonis πθ : gisgonis filius *AN*.*ald*. *De gloss. codicum AN propriis, cf. e.g.* 27. 10. 10; 27. 26. 9; 29. 5. 1; 29. 12. 15; 29. 25. 8; 30. 9. 4; 30. 17. 9 (*bis*); 30. 31. 5 maximus clarissimusque A^7θ*ald*. *Frob*.1.2 : clarissimus maximusque N^4 : maximusque Π*N*, *cf*. 26. 11. 12 *adn*. (*b*) Barcinos, *cf*. 21. 2. 4 *adn*. : barchinos (burth- *C*) Π*N*θ (brach- *K*) dilectibus $P^x C^x$ (dile≡ctibus *nunc stat in C*) : directibus π : directus *AN* : delectibus A^7? N^4 *ut s. l.* (di- *tamen primo scribens*) θ 14 conuenit Π*N*.*ald*.*Frob*.1.2 : conueniat N^4θ
Silpiam Π*N*: salapiam θ : Ilipam *Schweighaueser ad Polyb.* 11. 20. 1 (*ubi* ἡλίγγας *codd*.); *in Polybio potius quam hic contra codd. legendum est*

AB VRBE CONDITA XXVIII 12

campos patentes duo duces Poeni ea mente ne detractarent certamen consederunt.

Scipio cum ad eum fama tanti comparati exercitus perlata esset, neque Romanis legionibus tantae se parem multitudini ratus ut non in speciem saltem opponerentur barbarorum auxilia, neque in iis tamen tantum uirium ponendum ut mutando fidem, quae cladis causa fuisset patri patruoque, magnum momentum facerent, praemisso Silano ad Culcham, duodetriginta oppidis regnantem, ut equites peditesque ab eo quos se per hiemem conscripturum pollicitus erat acciperet, ipse ab Tarracone profectus protinus ab sociis qui accolunt uiam modica contrahendo auxilia Castulonem peruenit. Eo adducta ab Silano auxilia, tria milia peditum et quingenti equites. Inde ad Baeculam urbem processum cum omni exercitu ciuium, sociorum, peditum equitumque quinque et quadraginta milibus. Castra ponentes eos Mago et Masinissa cum omni equitatu adgressi sunt, turbassentque munientes ni abditi post tumulum opportune ad id positum ab Scipione equites improuiso in effusos incurrissent. Ii promptissimum quemque et proxime uallum atque in ipsos munitores primum inuectum uixdum proelio inito fuderunt: cum ceteris, qui sub signis atque ordine agminis incesserant,

---

15 detract-] *cf.* 27. 2. 5 *adn.* consederunt $B^2AN\theta Frob.$2 : considerunt παld., *cf.* 9. 37. 7 *adn.* (*ubi contra codd.* -sed- *legimus*) *et Neue-Wagener III p.* 414 *sqq.* (*in his duobus tantum locis* -sid- *in codd. nostris inuenitur*)

13 1 parem $SpFrob.$2 : fore (-em D) parem (-re N) πN^2 *uel* N^4 : parem fore $Vat\theta$; *cf.* 27. 34. 3 *adn.* ut non ΠN *Edd.* : ut θ, *sensum perperam interpretati* opponerentur (obp- B) Π$^2N\theta$: opponentur P, *cf.* 27. 1. 11 *adn.* 2 momentum Π$N^4\theta$: uel (*del.* N^2) monumentum N 3 Culcham PRM, *cf.* 33. 21. 7 *et* 8 (*ubi* culch- *Bamb.* : culc- *Mog.*) : sculcham (-cam CDA) π^2N : scolcham (-cam J : -leam K) $A^7\theta$. *Hic regulus in Polyb.* (*e.g.* 11. 20. 3) Κωλίχας *appellatur* 5 quingenti $N^4\theta ald.Frob.$1.2 (*sed post eq. ald.*) : *om.* ΠN (*cf.* 29. 28. 10 *adn.*) processum cum $Sp?Frob.$2, *cf. e.g.* 25. 21. 5 : progressus π : progressus cum $AN\theta ald.$, *non male, sed facilius pro glossemate habeas quam* processum : *delere uolebat Gron., sc. cum* ponentes *sq.* coniungens peditum $A^7\theta$ *Edd.* : *om.* ΠN

XXVIII 13 7   TITI LIVI

8 longior et diu ambigua pugna fuit. Sed cum ab stationibus primum expeditae cohortes, deinde ex opere deducti milites atque arma capere iussi plures usque et integri fessis subirent magnumque iam agmen armatorum a castris in proelium 9 rueret, terga haud dubie uertunt Poeni Numidaeque. Et primo turmatim abibant, nihil propter pauorem festinationemue confusis ordinibus; dein, postquam acrius ultimis incidebat Romanus neque sustineri impetus poterat, nihil iam ordinum memores passim qua cuique proximum fuit in 10 fugam effunduntur. Et quamquam eo proelio aliquantum et Romanis aucti et deminuti hostibus animi erant, tamen nunquam per aliquot insequentes dies ab excursionibus equitum leuisque armaturae cessatum est.

14 Vbi satis temptatae per haec leuia certamina uires sunt, prior Hasdrubal in aciem copias eduxit, deinde et Romani 2 processere; sed utraque acies pro uallo stetit instructa, et cum ab neutris pugna coepta esset, iam die ad occasum inclinante a Poeno prius, deinde ab Romano in castra copiae 3 reductae. Hoc idem per dies aliquot factum. Prior semper Poenus copias castris educebat, prior fessis stando signum receptui dabat; ab neutra parte procursum telumue missum 4 aut uox ulla orta. Mediam aciem hinc Romani illinc Carthaginienses mixti Afris, cornua socii tenebant—erant autem utrisque Hispani—; pro cornibus ante Punicam aciem ele-

---

    7 longior ΠN *Edd.*: longe $N^2θ$ 8 usque *Sp?θFrob.*2 (*sed hic* et usque): *om.* ΠN.*ald.*   subirent A^7 *uel* A^8N^x (*an* N^2?) (*sed hic* fessi) θ*ald.*: *om.* ΠN   magnumque $πN^4θ$: magnum *AN*
9 propter θ*ald.Frob.*1.2: praeter ΠN (*cf.* 27. 13. 2 *adn.*)   incidebat P^5M^2 *uel* $M^7A^7N^4$(*sed ut s. l.*, -ced- *relinquens*)θ: incidebant π (inced- *AN*)   qua cuique $A^7N^4θ$: quacumque $πB^2$ (*ex* quec*ab B incepto*)   10 et (Rom.) $A^7N^2θald.$: *om.* ΠN, *cf.* 26. 11. 12 *adn.* (*c*)   nun-(*sed* num-)quam *SpA*$^7N^x$ *uel* $N^4θald.$: *om.* ΠN per aliquot insequentes (*uel* -is) *Rhen. Frob.*2: prelio quod insequentis *SpVat*: plioquo insequentis N^x *uel* N^4: aliquot insequentis θ*ald.*: aliquotiensequentis *P*: aliquotiens (*uel* -ies) sequentis (*uel* -tes) *CRM BDAN*

    14 1 et (Rom.) ΠN.*ald.*: *om.* θ   4 utrisque ΠN: utrimque $N^1θald.Frob.$1.2

AB VRBE CONDITA XXVIII 14 4

phanti castellorum procul speciem praebebant. Iam hoc in 5
utrisque castris sermonis erat, ita ut instructi stetissent
pugnaturos; medias acies, Romanum Poenumque, quos
inter belli causa esset, pari robore animorum armorumque
concursuros. Scipio ubi hoc obstinate credi animaduertit, 6
omnia de industria in eum diem quo pugnaturus erat mutauit.
Tesseram uesperi per castra dedit ut ante lucem uiri equique 7
curati pransi essent, armatus eques frenatos instratosque
teneret equos.

Vixdum satis certa luce equitatum omnem cum leui arma- 8
tura in stationes Punicas immisit; inde confestim ipse cum
graui agmine legionum procedit, praeter opinionem destina- 9
tam suorum hostiumque Romano milite cornibus firmatis,
sociis in mediam aciem acceptis. Hasdrubal clamore equi- 10
tum excitatus ut ex tabernaculo prosiluit tumultumque ante
uallum et trepidationem suorum et procul signa legionum
fulgentia plenosque hostium campos uidit, equitatum omnem
exemplo in equites emittit; ipse cum peditum agmine castris 11
egreditur, nec ex ordine solito quicquam acie instruenda
mutat. Equitum iam diu anceps pugna erat nec ipsa per 12
se decerni poterat quia pulsis, quod prope in uicem fiebat,
in aciem peditum tutus receptus erat; sed ubi iam haud 13

4 speciem *Sp?θFrob*.2: speciem ui π: speciem sui *C*: speciem
(spic- *N*) uisu *AN*¹: speciem uisi *Drak. dubitanter, sed* ui *in P* ex -m
duplicato ortum est   5 Iam *A*⁸*?θ Edd.*: am *PR*: nam *C*: tām (*uel*
tamen) *R*²*MBDA?N*   utrisque *CRMBDANθ*: utrique *P* (*cf.*
27. 17. 12 *adn.*)   erat ita *N*² *uel N*⁴θ*ald.Frob.*1.2: ita erat ΠN (*cf. c.*
2. 15 *adn.*)   pugnaturos (-ri *A*ˣ*J*)Π(*sed* -tores *B*)*N*: dimicaturos *K*
6 hoc... credi θ: haec... credida ΠN.*ald.Frob.*1.2, *sed cum uoce*
obstinate *Praesens aptius cohaeret, et* -ta *in P pluribus modis oriri potuit*
(*cf. de* haec *pro* hoc *c.* 16. 14 *adn.*)   7 uesperi *M*⁷*B*²*A*⁷*N*⁴θ: uesteri
(-tiri *M*) π: ueteri (-re *C*: -ra *C*³) *P*²*AN* (*quod. del. cum* per *N*²)
curati π (-te *AN*), *cf.* 27. 16. 6 *adn.*: *om. Sp?θFrob.*2: cum
raptim *Aldus*: cum *Edd. ante Ald.*: curati et *Lipsius, fort. recte*
pransi essent ΠN θ *Rhen. Edd.*: pransissent *Sp?Vat*   instratosque *P* (*sed* instat-) *C*: istratosque *P*²: stratosque *RMBDANθ Edd.*
ante Gron.   10 prosiluit πθ (-liuit *M AN*)   11 acie π*NSpθFrob.*2:
aciem *R*²*BD* (ec- *R*): in acie *Med.* 1 *ald.*   12 ipsa... poterat ΠNθ
(*sed* ips. dec. pot. per se *K*)*Edd.*: *om. Sp et* (*cum* quia) *Vat, cf. c.* 2. 16
adn.   fiebat ΠNθ: fiebant *Sp?*

TITI LIVI

plus quingentos passus acies inter sese aberant, signo receptui dato Scipio patefactisque ordinibus equitatum omnem leuemque armaturam in medium acceptam diui-
14 samque in partes duas in subsidiis post cornua locat. Inde ubi incipiendae iam pugnae tempus erat, Hispanos—
15 ea media acies fuit—presso gradu incedere iubet; ipse e dextro cornu—ibi namque praeerat—nuntium ad Silanum et Marcium mittit ut cornu extenderent in sinistram partem
16 quemadmodum se tendentem ad dextram uidissent, et cum expeditis peditum equitumque prius pugnam consererent
17 cum hoste quam coire inter se mediae acies possent. Ita diductis cornibus cum ternis peditum cohortibus ternisque equitum turmis, ad hoc uelitibus, citato gradu in hostem
18 ducebant sequentibus in obliquum aliis; sinus in medio erat, qua segnius Hispanorum signa incedebant.
19 Et iam conflixerant cornua cum quod roboris in acie hostium erat, Poeni ueterani Afrique, nondum ad teli coniectum uenissent, neque in cornua ut adiuuarent pugnantes discurrere auderent ne aperirent mediam aciem uenienti ex
20 aduerso hosti. Cornua ancipiti proelio urgebantur; eques leuisque armatura ⟨ac⟩ uelites circumductis alis in latera incurrebant: cohortes a fronte urgebant ut abrumperent
15 cornua a cetera acie; et cum ab omni parte haudquaquam par pugna erat, tum quod turba Baliarium tironumque

13 quingentos Π*NSp ut uid. J* : cc *K*   sese π*SpJFrob*.2 : se *K* : sese diuise (*uel* -sae) *AN.ald., cf. c.* 12. 13 *adn*.   15 e Π*N Edd*. : *om. SpPθ*   sinistram partem Π*Nθald*. (-tra -te *SpFrob*.2)
18 qua Π*Nθ* : quia *Edd. ante Crevierium*   incedebant *C*⁵*M*⁷*BANθ* (-cid- π)   19 conflixerant (-runt *BD*) π² *uel* π¹*Nθ* : conflexerant *P* hostium] *hic* Π*N Edd*. : *ante* acie *θ* (*cf.* 27. 37. 5 *adn*.) discurrere *A*⁵*θEdd*. : discedere *A*⁵ *ut s. l*. : discernere Π*N*   ne aperirent *A*⁷*N*⁴*θ Edd*. : *om*. Π*N*   20 Cornua *PRA*⁶*?N*² *uel N*⁴ *ut s. l. θ* : cornu π²(*an P*¹*?*)*N*   ac *Madv. Em. p.* 409 : et *ald. Frob*.1.2 (*quod malit Johnson*) : *om*. Π*Nθ, probante Gron., sed cf. c.* 15. 5   alis *B*ˣ*N*¹*K* : aliis Π*NJ*   cornua a *PM*²(*M*⁷*?*)*A*⁶*J Edd*. : cornu a (*uel* cornua) π²(*an P*¹*?*)*NK*

15 1 pugna (purga *P*) erat tum π²*Nθ* : pugnae ration *C*   turba *θald.Frob*.1.2 : pugna Π*N*   Baliarium *PR, cf. c.* 46. 7 *et* 27. 18. 7 *adnn*.

AB VRBE CONDITA XXVIII 15

Hispanorum Romano Latinoque militi obiecta erat. Et 2
procedente iam die uires etiam deficere Hasdrubalis exercitum coeperant, oppressos matutino tumultu coactosque priusquam cibo corpora firmarent raptim in aciem exire; et 3
ad id sedulo diem extraxerat Scipio ut sera pugna esset;
nam ab septima demum hora peditum signa cornibus incucurrerunt; ad medias acies aliquanto serius peruenit pugna, 4
ita ut prius aestus a meridiano sole laborque standi sub armis et simul fames sitisque corpora adficerent quam manus cum hoste consererent. Itaque steterunt scutis 5
innixi. Iam super cetera elephanti etiam tumultuoso genere pugnae equitum uelitumque et leuis armaturae consternati
e cornibus in mediam aciem sese intulerant. Fessi igitur 6
corporibus animisque rettulere pedem, ordines tamen seruantes haud secus quam si imperio ducis cederet integra acies.

Sed cum eo ipso acrius ubi inclinatam sensere rem uictores 7
se undique inueherent, nec facile impetus sustineri posset quamquam retinebat obsistebatque cedentibus Hasdrubal 8
ab tergo esse colles tutumque receptum si modice se reciperent clamitans, tamen uincente metu uerecundiam cum 9

1 Latinoque $A^7N^4\theta$ *Edd.*: -que Π*N*, *cf.* 26. 11. 12 *adn.* (*b*)
2 Et π$N^2Sp\theta Frob.$2: *om.* *AN.ald.* die uires etiam A^7 et $A^8N^4\theta$ *Edd.*: *om.* Π*N* (*sc. ob* ὁμ.) 3 et (ad) N^4Vat: *om.* Π*Nθald.Frob.*
1.2 ante cornibus (Π*Nθ*) *add.* a *Madv.* 1886, *uix necess.*
incucurrerunt π*N*: incurrerunt *B.ald.*: concurrerunt $Sp?\theta Frob.$2 et (*sed* concuc-) *Riemann* 4 ita ut $Sp?A^7N^4\theta Frob.$2: ui *P*: ut P^2 $CM^7N^2ald.$: uit (*i.e.* pugnauit) *RMBDA?N* sole CA^7N^1 uel $N^4\theta ald.$: solet (*uel* sol et) π: sol *AN* 5 Itaque $A^7N^4\theta ald.Frob.$
1.2: ita Π*N* Iam *Weissenb.*: nam Π*Nθ*, *fort. recte, sc. ad* § 2 uires deficere *respiciens*; *similiter in* 27. 14. 13 *et e.g.* 22. 28. 1 *uox* nam *longius respicit*; *contra de* nam *et* iam *confusis cf.* 26. 7. 3 *adn.*
6 cederet θ*ald.Frob.*1.2: cederent Π*N*, *cf.* 27. 17. 4 *adn.* integra πθ*ald.*: integre *AN* acies Π*Nθald.*: acie *Weissenb.* (*cum* cederent) 7 sensere rem *Gron.*: senserem *P*, *cf.* 27. 1. 11 *adn.*: sensere Π²*Nθ* facile $M^1N^1A\theta ald.$: fragile π: fagile P^2: fragile facile *N* impetus Π*N.ald.Frob.*1.2: *om.* θ

TITI LIVI

proximus quisque hostem cederet, terga extemplo data, atque in fugam sese omnes effuderunt. Ac primo consistere signa in radicibus collium ac reuocare in ordines militem coeperant cunctantibus in aduersum collem erigere aciem Romanis; deinde ut inferri impigre signa uiderunt, integrata fuga in castra pauidi compelluntur. Nec procul uallo Romanus aberat; cepissetque tanto impetu castra nisi ex uehementi sole, qualis inter graues imbre nubes effulget, tanta uis aquae deiecta esset ut uix in castra sua receperint se uictores, quosdam etiam religio ceperit ulterius quicquam eo die conandi. Carthaginienses, quamquam fessos labore ac uolneribus nox imberque ad necessariam quietem uocabat, tamen quia metus et periculum cessandi non dabat tempus prima luce oppugnaturis hostibus castra, saxis undique circa ex propinquis uallibus congestis augent uallum, munimento sese quando in armis parum praesidii foret defensuri; sed transitio sociorum fuga ut tutior mora uideretur fecit. Principium defectionis ab Attene regulo Turdetanorum factum est; is cum magna popularium manu transfugit; inde

---

9 proximus $\pi A^7 N^1 \theta ald. Frob.$ 1.2 : proximi Sp : proximo AN (*qui ambo* quisque . . . primo (§ 10) *omittunt: supplent* $A^8 N^4$)
hostem $\pi A^8 N^4$: hosti M^1, Weissenb. (*ut codd. N in* 8. 32. 12), *sed cf.* 29. 7. 6 ; 35. 27. 9 ; *Tac. Ann.* 15. 15. 6   cederet $\pi A^8 N^4 \theta$: caderet *Madv.* : primus cederet *Weissenb.* : caederetur *Luchs* 1889 : *aut caderet legendum esse* (*cf. de errore e.g.* 29. 31. 11) *aut* ced(entes suos nimis urg)eret *uel sim. credit Johnson, cui in receptu omnium* (*post Hasdr. monitum ut modice se reciperent*) *mera uox* cederet *hic nimis insulsa uidetur esse*   10 consistere Π$N\theta$: constituere *Duker, uix minus dure, et Nom.* signa (*hic paene i.q.* signiferi) *uoci* reuocare *fort. adiungas*   signa N^1 uel $N^4 \theta ald.$: siuna π : sicuna AN (sig-) coeperant π (caep- C) : ceperant $DANK$: ceperat N^1 uel $N^4 J$ deinde ut $Sp? A^8 N^4 \theta Frob$ 2 : de ut inde P : inde Π$^2 N$: inde ut *ald.*
integrata θ *Edd. ante Gron.* : integra ΠN : iterata *Gron.*   11 cepissetque Π$J.ald.$: cepissentque (coep- C)π(*et aberant* P, *quod corr.* P^2) nisi $P^4 R A^7 N^2$ uel $N^4 \theta ald.$: ni se π : nisi se *Sigonius* (*cum deiecisset*)   deiecta esset $N^4 \theta ald. Frob.$ 1. 2. : deiecisset ΠN receperint Π$J.ald.$: reciperent $Sp? NK Frob.$2 (*cf. c.* 19. 15 *adn.*)
ceperit $\pi N J. ald.$: coeperit CRB : ceperat $SpFrob.$2, *non male* : cepit K 14 Attene (ath- D) $\pi A? N?$: atthenę C : attenne N^1 : tenne A^7 (-nę)θ Turdet- $\pi^2 N$, *cf.* 21. 6. 1 : turnet- P : tudit- θ factum $C^3 M^1 N^1 \theta$: factus ΠN, *cf.* 27. 17. 1 *adn.*

AB VRBE CONDITA XXVIII 15

duo munita oppida cum praesidiis tradita a praefectis
Romano; et ne latius inclinatis semel ad defectionem
animis serperet res, silentio proximae noctis Hasdrubal
castra mouet.

Scipio, ut prima luce qui in stationibus erant rettulerunt
profectos hostes, praemisso equitatu signa ferri iubet; adeoque citato agmine ducti sunt ut, si uia recta uestigia sequentes
issent, haud dubie adsecuturi fuerint: ducibus est creditum
breuius aliud esse iter ad Baetim fluuium ut transeuntes adgrederentur. Hasdrubal clauso transitu fluminis ad Oceanum flectit, et iam inde fugientium modo effusi abibant;
itaque ab legionibus Romanis aliquantum interualli fecit.
Eques leuisque armatura nunc ab tergo nunc ab lateribus
occurrendo fatigabat morabaturque, sed cum ad crebros tumultus signa consisterent et nunc equestria nunc cum uelitibus auxiliisque peditum proelia consererent, superuenerunt
legiones. Inde non iam pugna sed trucidatio uelut pecorum fieri donec ipse dux fugae auctor in proximos colles
cum sex millibus ferme semermium euasit; ceteri caesi
captique. Castra tumultuaria raptim Poeni tumulo editis-
simo communiuerunt, atque inde cum hostis nequiquam
subire iniquo adscensu conatus esset haud difficulter sese
tutati sunt. Sed obsidio in loco nudo atque inopi uix in
paucos dies tolerabilis erat; itaque transitiones ad hostem
fiebant. Postremo dux ipse nauibus accitis—nec procul

16 2 *ante* ducibus *praebent* sed *AN.ald., quod nesciunt* π*Sp?θFrob.*2
3 flectit *CM*² *uel* *M*⁷*B*²*ANθ* : plectit π   itaque ΠN:
idque *N*⁴θ*ald.Frob.*1.2, *non male*   aliquantum] *hic* ΠN.ald.: *ante*
ab θ*Frob.*2, *cf.* 27. 37. 5 *adn.*   5 sed π*Nθald.Frob.*1.2. *sc.*
'*sed mox hostes grauiora passi sunt quia*' : et *C, Madv.*   crebros
*CM*² *uel* *M*⁷*B*²*ANθ* : crebro π, *cf.* 27. 17. 12 *adn.*   6 semermium]
u. 27. 1. 15 *adn.*   ceteri caesi Π²*Nθ* : celeri caeci *P*   7 hostis
(-tiis *D*) π*N.ald.* : hostes *SpN*⁴(*ut s.l., quam del. mox ipse*)θ*Frob.*2
conatus esset ΠN.ald.: conati essent *SpθFrob.*2   8 hostem
ΠNSp*Frob.*2 : hostes θ*ald.*   dux ipse ΠN.ald. : ipse dux θ*Frob.*2,
cf. 27. 37. 5 *adn.*   accitis *Weissenborn* : accipitis *P, cf.* 27. 20.
8 *adn.*: acceptis Π²*Nθald.*

XXVIII 16 8   TITI LIVI

inde aberat mare—nocte relicto exercitu Gades perfugit.
9 Scipio fuga ducis hostium audita decem milia peditum mille
10 equites relinquit Silano ad castrorum obsidionem; ipse cum ceteris copiis septuagensimis castris, protinus causis regulorum ciuitatiumque cognoscendis ut praemia ad ueram meritorum aestimationem tribui possent, Tarraconem rediit.
11 Post profectionem eius Masinissa cum Silano clam congressus, ut ad noua consilia gentem quoque suam oboedientem
12 haberet cum paucis popularibus in Africam traiecit, non tam euidenti eo tempore subitae mutationis causa quam documento post id tempus constantissimae ad ultimam senectam
13 fidei ne tum quidem eum sine probabili causa fecisse. Mago inde remissis ab Hasdrubale nauibus Gades petit; ceteri deserti ab ducibus, pars transitione, pars fuga dissipati per proximas ciuitates sunt, nulla numero aut uiribus manus insignis.

14   Hoc maxime modo ductu atque auspicio P. Scipionis pulsi Hispania Carthaginienses sunt, quarto decimo anno post bellum initum, quinto quam P. Scipio prouinciam et exer-
15 citum accepit. Haud multo post Silanus debellatum referens
17 Tarraconem ad Scipionem rediit. L. Scipio cum multis nobilibus captiuis nuntius receptae Hispaniae Romam est
2 missus. Et cum ceteri laetitia gloriaque ingenti eam rem uolgo ferrent, unus qui gesserat, inexplebilis uirtutis ueraeque laudis, paruum instar eorum quae spe ac magnitudine animi

---

9 audita A^xN^1 *uel* $N^6\theta ald.$: indita Π(-dict- *D*)*N*   10 ciuitatiumque Π*N ut e.g. in* 2. 6. 5, *cf. Neue-Wagener I.* 409 (-tumque $BDA^x\theta$)   12 eo $N^4\theta ald.Frob.$1.2 : *om.* Π*N* : illo *Weissenb.* constantissimae ... fidei Π*N*θ : constantissima ... fide *Duker*
13 petit Π*N.ald.Frob.*1.2, *cf.* 27. 5. 9 *adn.* : petiit θ   pars fuga $A^8N^4\theta ald.$: fuga Π*N*   manus] *hic* $\pi A^7\theta$: *post* nulla *AN.ald. Frob.*1.2   14 Hoc $C^xAN\theta ald.$: haec (*uel* hęc) π (*cf. c.* 14. 6 *adn.*)
P. (Scipionis) $B^2Sp?Frob.$2 : r π (auspicior *D*) : *om. CAN* : proconsulis $A^8\theta$ *ald.*   quinto Π*N*θ : quintum N^4 (*an* N^1?)   quam π*K* : postquam *ANSp ut uid. J.ald.*   P. Scipio *Sp?Frob.*2 : recipio *P* : recipi Π²(*A?*) : recepit *C* : proconsul Scipio $Sp?A^7$ *uel* $A^8N^4\theta$: *om. ald.*

17 1 captiuis Π*NK.ald.Frob.*1.2 : captis *SpJ*   2 Et Π*N*θ*ald.* : sed *Madv.* (*quare?*)

AB VRBE CONDITA XXVIII 17

concepisset receptas Hispanias ducebat. Iam Africam magnamque Carthaginem et in suum decus nomenque uelut consummatam eius belli gloriam spectabat. Itaque praemoliendas sibi ratus iam res conciliandosque regum gentiumque animos, Syphacem primum regem statuit temptare. Masaesuliorum is rex erat. Masaesulii, gens adfinis Mauris, in regionem Hispaniae maxime qua sita Noua Carthago est spectant. Foedus ea tempestate regi cum Carthaginiensibus erat, quod haud grauius ei sanctiusque quam uolgo barbaris, quibus ex fortuna pendet fides, ratus fore, oratorem ad eum C. Laelium cum donis mittit. Quibus barbarus laetus et quia res tum prosperae ubique Romanis, Poenis in Italia aduersae in Hispania nullae iam erant, amicitiam se Romanorum accipere adnuit: firmandae eius fidem nec dare nec accipere nisi cum ipso coram duce Romano. Ita Laelius in id modo fide ab rege accepta tutum aduentum fore, ad Scipionem redit.

Magnum in omnia momentum Syphax adfectanti res Africae erat, opulentissimus eius terrae rex, bello iam expertus ipsos Carthaginienses, finibus etiam regni apte ad Hispaniam quod freto exiguo dirimuntur positis. Dignam itaque rem Scipio ratus quae, quoniam non aliter posset, magno periculo peteretur, L. Marcio Tarracone M. Silano

---

4 praemoliendas sibi (*sed ibi Edd. uet.*) ... res θ*ald.Frob.*1.2 : praemolienda sibi ... re Π*N* (-dam sibi ... rem *Gron.*)
5 Masaesuliorum] *u. adn. sq.*   Masaesulii (*sed* -li) Π*N* (masses- *DAN*) *et sic supra* (*sed* -syliorum *PRM* : -silorum *A* : -sulorum θ) *codd.*, *cf.* 29. 30. 10 *et* 29. 32. 14   6 regi cum π*A*⁸ *uel A*⁶θ : regium *N*⁴ : rei (res *AN*) cum *BDAN*   sanctiusque Π*N* (sant-) θ*ald.Frob.*1.2 : antiquiusque *N*⁴ *ut s. l.*   7 oratorem *M*⁵*A*⁷*N*⁴θ*ald.Frob.*1.2 : orationem Π*N*   8 Poenis *BSp*?θ*Frob.*2 : poenis autem π*Bˣ N ald., cf.* 27. 26. 10 *adn.*   iam Π*N*⁴*ald.Frob.*1.2 : etiam θ : tam *N*   accipere] *hic* Π*N Edd.* : *ante* Rom. θ   firmandae *P*⁴*M*⁶ *N*⁴ *ut s. l.* θ : firmandas π (-dam *AN*)   9 redit Π*N.ald., cf.* 27. 5. 9 *adn.* : rediit *Sp*?θ*Frob.*2   10 res Π*N*θ *Edd.* : rex *N*⁴? Africae erat θ*Frob.*2 : erat africae Π*N.ald., cf. c.* 2. 15 *adn.*   rex *Sp*?*A*⁷ *uel A*⁸θ*Frob.*2 : *om.* Π*N.ald.*   11 non aliter Π*N*θ*ald.Frob.*1.2 : aliter non *Vat, fort. recte*   Tarracone M. π(*sed* -nem *uel* -nē)*Sp*?θ (tara- *K*) *Frob.*2 : tarracone *Cˣ M*²*AN.ald.*

XXVIII 17 11   TITI LIVI

Carthagine Noua, quo pedibus ab Tarracone itineribus 12 magnis ierat, ad praesidium Hispaniae relictis ipse cum C. Laelio duabus quinqueremibus ab Carthagine profectus tranquillo mari plurimum remis, interdum et leni adiuuante 13 uento, in Africam traiecit. Forte ita incidit ut eo ipso tempore Hasdrubal, pulsus Hispania, septem triremibus portum inuectus, ancoris positis terrae applicaret naues 14 cum conspectae duae quinqueremes, haud cuiquam dubio quin hostium essent opprimique a pluribus priusquam portum intrarent possent, nihil aliud quam tumultum ac trepidationem simul militum ac nautarum nequiquam 15 armaque et naues expedientium fecerunt. Percussa enim ex alto uela paulo acriori uento prius in portum intulerunt 16 quinqueremes quam Poeni ancoras molirentur; nec ultra tumultum ciere quisquam in regio portu audebat. Ita in terram prior Hasdrubal, mox Scipio et Laelius egressi 18 ad regem pergunt. Magnificumque id Syphaci—nec erat aliter—uisum duorum opulentissimorum ea tempestate duces populorum uno die suam pacem amicitiamque petentes uenisse.

2 Vtrumque in hospitium inuitat, et quoniam fors eos sub uno tecto esse atque ad eosdem penates uoluisset, contrahere in conloquium dirimendarum simultatium causa est conatus, 3 Scipione abnuente aut priuatim sibi ullum cum Poeno

---

12 adiuuante Π*N.ald.* : iuuante *SpθFrob.*2   13 portum Π*Nθ* : Sigae portum *Wesenberg ex Plin.* 5. 19, *nimis docte*   14 conspectae *N*⁴θ*ald.Frob.*1.2 : consectae (-sĕc- ?*P*²) π : confecte *D* : consecutae *C*²*A* : consente *N*   haud cuiquam *A*⁷ *uel A*⁸*N*⁴θ *Edd.* : hunc cuiquam *P* : hunc (hanc *D*) quam Π²*N*   armaque] Π*N*θ, *cf.* 27. 21. 1 *adn.*   15 uela *ANθ Edd.* : ue π : *del. C*ˣ   acriori Π*N* (accr-), *cf.* 27. 18. 14 *adn.*: acriore *A*⁷ *uel A*⁶θ   16 tumultum Π*Nθ Edd.* : tumulatum *Sp*   ciere *P*ˣ : clere π(*C?*) : de re *D* : dare *B*² : clere ciere *N* : clare ciere *N*⁴ : edere *M*⁵*ald., non male* : aegere *Sp* : agere *A*⁷θ *Rhen. Frob.*2   in terram prior Π*θ* : in terra prior *Sp* : prior in terram *AN ald.* (*et in Frob.*2 *retent.*), *cf.* 29. 3. 10 *adn.*

18 2 et Π*N.ald.Frob.*1.2 : *om. Spθ, cf.* 27. 39. 12 *adn.*   in *Sp N*⁴ *ut s. l.* θ*Frob.*2 : ad Π*N.ald.*   simultatium π*C*¹*N, cf. c.* 16. 10 : simultatum *CA*⁷θ*ald.Frob.*1.2

AB VRBE CONDITA XXVIII 18

odium esse quod conloquendo finiret, aut de re publica quicquam se cum hoste agere iniussu senatus posse. Illud magno opere tendente rege, ne alter hospitum exclusus mensa uideretur, ut in animum induceret ad easdem uenire epulas haud abnuit, cenatumque simul apud regem est; eodem etiam lecto Scipio atque Hasdrubal quia ita cordi erat regi accubuerunt. Tanta autem inerat comitas Scipioni atque ad omnia naturalis ingenii dexteritas ut non Syphacem modo, barbarum insuetumque moribus Romanis, sed hostem etiam infestissimum facunde adloquendo sibi conciliarit. Mirabiliorem sibi eum congresso coram uisum prae se ferebat quam bello rebus gestis, nec dubitare quin Syphax regnumque eius iam in Romanorum essent potestate; eam artem illi uiro ad conciliandos animos esse. itaque non quo modo Hispaniae amissae sint quaerendum magis Carthaginiensibus esse quam quo modo Africam retineant cogitandum. non peregrinabundum neque circa amoenas oras uagantem tantum ducem Romanum, relicta prouincia nouae dicionis relictis exercitibus, duabus nauibus in Africam traiecisse et commisisse sese in hostilem terram,

---

3 quicquam se πM^2 *uel* M^7 *ald.* : quicquid se *MB* : se quicquam AN(*sed hi* se cum h. ag. q.)θ*Frob.*2 ; *fort.* se *ut glossema detendum, cf.* 27. 34. 3 *adn. et* (*de structura sine* se) 26. 48. 13 *adn., sed fatemur locum pronominis bene hic in P electum esse* 4 easdem C^4A^8 *uel* $A^6N^4\theta$: aedem πR^2N: eadem R 5 *ante* eodem *add.* et ΠN *ald.*: *recte ignorant Sp*θ*Frob.*2, *cf.* 26. 33. 3 *adn.* (*aliter c.* 12 8), *et de* et *insiticio cf.* 27. 4. 12 *adn.* 6 inerat π^xN: inierat *PRM* ingenii dexteritas A^7 *in marg. et* $A^6\theta$: ingenio (-ii CB^2AN) exteritas (-err- C) ΠN. De O *pro* D *cf. c.* 1. 5 *et* 27. 20. 3 *adnn.* conciliarit *Sp?Frob.*2: conciliaret (-re D) $\pi N\theta$*ald.*, *cf.* 27. 34. 4 *adn.*

7 Mirabiliorem $Sp\theta$: mirabilioremque ΠN*Edd.*; *desideratur utique nominatiuus* Hasdrubal, *difficultatemque fort. auget particula* -que; *cf.* 26. 11. 12 *adn.* (*a*) *et* § 5 *supra post* eum *add.* uirum ΠN.*ald.* : *ignorant Sp*θ*Frob.*2, *melius, nam sic hoc nomen ad* § 8 (uiro) *reseruatur* 8 iam ΠN.*ald.* : *om. Sp*θ*Frob.*2, *cf.* § 2 *et* 27 39. 12 *adn.* essent ΠN : esset θ*ald.Frob.*1.2 9 Hispaniae (*uel* -ie) amissae (misse R : amisisse N^1(-ssi N)) sint (sunt N) πR^3N^4 *ald.Frob.*1.2: hispania amissa sit θ: hispaniae amissae reciperandae sint *Wachendorf* 10 nauibus $C^4N^4\theta$: *om.* ΠN et commisisse A^8N^4(*sed post* terram, *et* et *omisso*)θ(commissis J)*Edd.* : *om.* ΠN (*sed* traiecisset *ut uid.* N: -sse N^1)

XXVIII 18 10 TITI LIVI

in potestatem regiam, in fidem inexpertam, sed potiundae
11 Africae spem adfectantem. hoc eum iam pridem uolutare in
animo, hoc palam fremere quod non quemadmodum Hanni-
12 bal in Italia sic Scipio in Africa bellum gereret. Scipio,
foedere icto cum Syphace, profectus ex Africa dubiisque
et plerumque saeuis in alto iactatus uentis die quarto
Nouae Carthaginis portum tenuit.

19 Hispaniae sicut a bello Punico quietae erant, ita quasdam
civitates propter conscientiam culpae metu magis quam fide
quietas esse apparebat, quarum maxime insignes et magni-
2 tudine et noxa Iliturgi et Castulo erant. Castulo, cum
prosperis rebus socii fuissent, post caesos cum exercitibus
Scipiones defecerat ad Poenos: Iliturgitani prodendis qui
ex illa clade ad eos perfugerant interficiendisque scelus
3 etiam defectioni addiderant. In eos populos primo aduentu
cum dubiae Hispaniae essent merito magis quam utiliter
4 saeuitum foret: tunc iam tranquillis rebus quia tempus ex-
petendae poenae uidebatur uenisse, accitum ab Tarracone
L. Marcium cum tertia parte copiarum ad Castulonem
oppugnandum mittit, ipse cum cetero exercitu quintis fere
5 ad Iliturgin castris peruenit. Clausae erant portae omniaque instructa et parata ad oppugnationem arcendam; adeo
conscientia quid se meritos scirent pro indicto eis bello
6 fuerat. Hinc et hortari milites Scipio orsus est: ipsos

10 in potestatem A^8N^4 (*hic post* regiam) $θald.Frob.$1.2 : *om.* Π*N*,
quo omisso infidam *pro* in fidem *frustra temptauit Gron.* spem
adfectantem (*uel* aff-) Π*Nθald.Frob.*1.2 : spe adsectantem *Sp*
19 1 a Π*N.ald.Frob.*1.2 : *om.* θ quietae CAN^4 *ut s. l.* θ :
quieta π*N*: qui ęta *B* Iliturgi (-gis M^7A^6)Π(*A in ras.*)*NSp?θ
Frob*.2 (*sed* -ll- *Sp?Frob.*2) : illiturgum *ald. Praebent codd.* ili- *in* §§ 2
et 4 *infra et sic e.g. in cc.* 20. 9 ; 25. 6 ; 23. 49. 5 *et* 12 ; 24. 41. 8 ; 26.
17. 4 2 defecerat *Sp?θFrob.*2 : defecerant Π*N, cf. c.* 6. 11 *adn.
et* 27. 17. 4 *adn.* scelus etiam defectioni (-nis *ANJ*) Π*Nθald.
Frob.*1.2 : *om. SpVat, cf. c.* 2. 16 *adn.* 4 tunc iam Π*N Edd.* :
tunicam *Sp* : tum iam *θRhen.* fere *VatJ* : ferre *P* : ferme Π²*N
ald.Frob.*1.2 : *om. K* Iliturgin π*A*⁷ (liturgin *A*)*N, sed* -gim *P in*
24. 41. 8 ; 26. 17. 4 : illiturgim *Frob.*2 (-gum *ald.*), *cf.* § 1 : iliturgiam
(-ium *K*) *J*

AB VRBE CONDITA XXVIII 19 6

claudendo portas indicasse Hispanos quid ut timerent meriti essent. itaque multo infestioribus animis cum eis quam cum Carthaginiensibus bellum gerendum esse ; quippe 7 cum illis prope sine ira de imperio et gloria certari, ab his perfidiae et crudelitatis et sceleris poenas expetendas. eue- 8 nisse tempus quo et nefandam commilitonum necem et in semet ipsos, si eodem fuga delati forent, instructam fraudem ulciscerentur, et in omne tempus graui documento sancirent ne quis unquam Romanum ciuem militemque in ulla fortuna opportunum iniuriae duceret.

Ab hac cohortatione ducis incitati scalas electis per mani- 9 pulos uiris diuidunt, partitoque exercitu ita ut parti alteri Laelius praeesset legatus, duobus simul locis ancipiti terrore urbem adgrediuntur. Non dux unus aut plures principes 10 oppidanos, sed suus ipsorum ex conscientia culpae metus ad defendendam impigre urbem hortatur. Et meminerant 11 et admonebant alios supplicium ex se non uictoriam peti: ubi quisque mortem oppeteret, id referre, utrum in pugna et in acie, ubi Mars communis et uictum saepe erigeret et ad-

---

6 claudendo $C^x\theta Frob.2$: claudendos πSp, cf. 26. 40. 14 adn. : claudendis (cum portis) AN.ald.Gron.   indicasse $\pi N\theta$: indicat se (esse C^4)C 7 sine ira P^4M^2 et $M^4A^7N^7Sp$ ut uid. $\theta ald.Frob.$1.2 : sincira PR : sint cura C^1 : sinc- (sint- BD)iram (eram B^2) R^2MBD : sire iram A : *quid habuerit N incertum*   8 euenisse Π^2N, cf. Plaut. Merc. 999 : seuenisse P : esse. uenisse $Sp?N^4\theta Frob.2$: esse. euenisse ald. : uenisse N^1 in semet ipsos $P^4\theta ald.Frob.$1.2 : in semet in ipsos PCR, cf. 27. 44. 1 adn. : in semet et in ipsos R^2MBD AN si $P^x?AN\theta$: sie PMB : sic CR : sic in D fraudem $N^4\theta ald.Frob.$1.2 : tradem P : stragem π^2N (stag-) : strage C (*cum* instructa)   et in (omne) $\Pi N.ald.Frob.$1.2 : et θ : ut in Luchs 1879, *mero errore typogr.*   militemque $N^4\theta$ (sc. '*non solum qui ciuis R. est sed etiam qui miles R. est*') : militemue $C^x ald.Frob.$1.2 : militem uel ΠN 9 partitoque $N^x\theta$: partito $\Pi N.ald.Frob.$1.2, cf. 26. 11. 12 adn. (c)   alteri $\Pi N\theta$: alteri ipse Scipio ald. alteri *Alan, uere sed non necess.*   10 suus $Sp?N^4$ *ut s. l.* $\theta Frob.2$: suos π, cf. 30. 36. 8 adn. : suo AN : sua $C^3ald.$: suae M^7 ex $Sp?N^4\theta$ $Frob.2$: om. $\Pi N.ald.$ 11 alios $\Pi N.ald.Frob.$1.2 : om. θ : alii alios *Lov.* 2 *et* 3 *Sigonius* '*ex uet. lib.*', *non male*   quisque C^1 *uel* $C^2A^6N^2\theta Edd.$: quidque ΠN

16*

fligeret uictorem, an postmodo cremata et diruta urbe, ante ora captarum coniugum liberorumque, inter uerbera et uincula, omnia foeda atque indigna passi exspirarent. Igitur non militaris modo aetas aut uiri tantum, sed feminae puerique super animi corporisque uires adsunt, pugnantibus tela ministrant, saxa in muros munientibus gerunt. Non libertas solum agebatur, quae uirorum fortium tantum pectora acuit, sed ultima omnibus supplicia et foeda mors ob oculos erat. Accendebantur animi et certamine laboris ac periculi atque ipso inter se conspectu. Itaque tanto ardore certamen initum est ut domitor ille totius Hispaniae exercitus ab unius oppidi iuuentute saepe repulsus a muris haud satis decoro proelio trepidaret. Id ubi uidit Scipio, ueritus ne uanis tot conatibus suorum et hostibus cresceret animus et segnior miles fieret, sibimet conandum ac partem periculi capessendam esse ratus increpita ignauia militum ferri scalas iubet et se ipsum si ceteri cunctentur escensurum minatur. Iam subierat haud mediocri periculo moenia cum clamor undique ab sollicitis uicem imperatoris militibus sublatus, scalaeque multis simul partibus erigi coeptae; et ex altera parte Laelius institit. Tum uicta oppidanorum uis deiectisque propugnatoribus occupantur muri.

12 postmodo $\pi\theta$: postmodum $AN.ald.Frob.$1.2   cremata A^6N^4 *ut s. l.* (cremata $?N^x)\theta ald.Frob.$1.2: grebata $P?$: grabata P^2CR: grauata C^2R^2MBDAN 13 super $\Pi N\theta$: supra $ald.Frob.$1.2, *fort. recte, sed cf.* (*cum Weissenb.*) *Quint.* 11. 3. 169   pugnantibus ΠN: propugnantibus $\theta ald.Frob.$1.2 (obp- N^5)   in $\Pi N.ald.$: *delet Madv., sed cf.* 37. 5. 1   14 libertas solum (-la θ) $\Pi N\theta ald. Frob.$1.2: liberata sola Sp omnibus $\theta ald.Frob.$1.2: omnium ΠN, *fort. recte quamquam ambigue*   15 trepidaret $\Pi N.ald.$: trepidarit (-dant J) $Sp\theta Frob.$2, *sed depingitur Imperfecto quod Perfecto memoratur tantum* (*cf.* 27. 34. 4 *adn.*)   16 tot $SpN^4\theta Frob.$2: *om.* $\Pi N.ald.$ (*praebent* tot *ante* suorum *Edd. ante ed. Par.* 1513) suorum et hostibus $\pi A^v?$: *om.* $SpVat, cf. c.$ 2. 16 *adn.*: suorum hostium $AN\theta$ (*sed s.* conatibus *h.* θ, *cf.* 27. 37. 5 *adn.*): suorum hostibus $ald.Frob.$1.2   ac $Sp\theta Frob.$2: ad $\Pi N.ald.$, *cf. c.* 20. 6   et se $\Pi N.ald.$: se $\theta Frob.$2   escensurum PCR (asce- R^x $MBDAN\theta$), *cf.* 27. 5. 8 *adn.*   18 institit. Tum $Sp\theta Frob.$2: instatum π: instat tum P^4 *uel* $P^5C^4AN\theta ald.$ uis $\Pi N\theta ald Frob.$1.2: exercitui Sp (exercitu Vat, *qui* uicto *pro* uicta *praebet*)   deiectisque $M^1DAN\theta$(diie- π: die- R^2 *uel* R^1: disie- $B^2)ald.Frob.$1.2: *om.* Sp

AB VRBE CONDITA XXVIII 19

Arx etiam ab ea parte qua inexpugnabilis uidebatur inter tumultum capta est: transfugae Afri, qui tum inter auxilia Romana erant, et oppidanis in ea tuenda unde periculum uidebatur uersis et Romanis subeuntibus qua adire poterant, conspexerunt editissimam urbis partem, quia rupe praealta tegebatur, neque opere ullo munitam et ab defensoribus uacuam. Leuium corporum homines et multa exercitatione pernicium, clauos secum ferreos portantes, qua per inaequaliter eminentia rupis poterant scandunt. Sicubi nimis arduum et leue saxum occurrebat, clauos per modica interualla figentes cum uelut gradus fecissent, primi insequentes extrahentes manu, postremi subleuantes eos qui prae se irent, in summum euadunt. Inde decurrunt cum clamore in urbem iam captam ab Romanis. Tum uero apparuit ab ira et ab odio urbem oppugnatam esse. Nemo capiendi uiuos, nemo patentibus ad direptionem omnibus praedae memor est; trucidant inermes iuxta atque armatos, feminas pariter ac uiros; usque ad infantium caedem ira crudelis peruenit. Ignem deinde tectis iniciunt ac diruunt quae incendio absumi nequeunt; adeo uestigia quoque urbis exstinguere ac delere memoriam hostium sedis cordi est.

Castulonem inde Scipio exercitum ducit, quam urbem non Hispani modo conuenae sed Punici etiam exercitus ex

18 qua P^x per ras. $M^1AN.ald.$: quae $\pi R^2 Sp\theta Frob.2$, uix recte: que R: q D: q^u D^x
20 1 ea tuenda $CRMBDAN\theta$: eatatuenda P: etuenda (uel fort. et tuenda) P^2: ea tutanda $Drak.$ (adn.) subeuntibus $DSp?A^7\theta Frob.2$: subeuntibus s. c. tr. πN: subeuntibus scalis moenia ald. (dett. alii alia): subeuntibus contra $Alschefski$, optime, sed fort. plura desunt
qua P^1A^7 uel $A^8\theta ald.Frob.1.2$: quam ΠN, cf. 26. 40. 11 adn.
2 partem $CR^2MBDAN\theta$: partis PR quia $Sp?Frob.2$: quae ΠN(que RN)$\theta ald.$, fort. recte praealta $\pi\theta ald.Frob.1.2$: alta AN 4 insequentes (uel -tis uel -teis, et -tis quidem rectissime sed u. Praef. § 30) $Sp?N^4\theta Frob$ 2: sequentis $\Pi N.ald.$ (-tes $N.ald.$)
prae se irent $Sp?N^4\theta Frob.2$: praeirent $\Pi N.ald.$ 6 est $\Pi N\theta ald.Frob.1.2$: om. $Sp?$ (an $Rhen.?$), non male trucidant $A^6?\theta ald.Frob.1.2$: trucidanti PM: trucidati $\pi^2 N$ ac (uiros) $C^3 AN\theta$: ad π. cf. c. 19. 16 8 conuenae $\pi A^x\theta$: conuenerant AN
ex $\Pi N.ald.$: et $Sp\theta$: e $Frob.2$, quod malim

XXVIII 20 8　　　　　　　TITI LIVI

9 dissipata passim fuga reliquiae tutabantur. Sed aduentum Scipionis praeuenerat fama cladis Iliturgitanorum terrorque
10 inde ac desperatio inuaserat; et in diuersis causis cum sibi quisque consultum sine alterius respectu uellet, primo tacita suspicio, deinde aperta discordia secessionem inter Cartha-
11 ginienses atque Hispanos fecit. His Cerdubelus propalam deditionis auctor, Himilco Punicis auxiliaribus praeerat; quos urbemque clam fide accepta Cerdubelus Romano
12 prodit. Mitior ea uictoria fuit; nec tantundem noxae admissum erat et aliquantum irae lenierat uoluntaria deditio.
21 Marcius inde in barbaros si qui nondum perdomiti erant sub ius dicionemque redigendos missus. Scipio Carthaginem ad uota soluenda dis munusque gladiatorium, quod mortis causa patris patruique parauerat, edendum rediit.
2 Gladiatorum spectaculum fuit non ex eo genere hominum ex quo lanistis comparare mos est, seruorum de catasta ac liberorum qui uenalem sanguinem habent: uoluntaria omnis
3 et gratuita opera pugnantium fuit. Nam alii missi ab regulis sunt ad specimen insitae genti uirtutis ostendendum,
4 alii ipsi professi se pugnaturos in gratiam ducis, alios aemulatio et certamen ut prouocarent prouocatique haud abnue-
5 rent traxit; quidam quas disceptando controuersias finire nequierant aut noluerant, pacto inter se ut uictorem res

---

9 cladis Π² *uel* Π¹*N*θ : clas *P*, *cf.* 27. 1. 11 *adn.*　　　　inde *Sp?θ Frob.*2 : deinde Π*N.ald.* (*sc. ex* § 10), *cf.* 27. 32. 4 *adn.*
　21 1 Marcius (*uel* -ti-) inde (deinde θ) in (ad θ) *PCR*²(*om.* in *R*)*B*θ *ald.Frob.*1.2 : inde marcius in *N*⁴ (*nisi* marcius *ut s. l. pro* inde *ponebat*) : marcius dein *Sp* : inde in *MDAN*　dis, *cf. c.* 28. 11 *adn.* : deis *PC* : diis *R*²*MB*²*AN*θ : *om. R*: dus *B*　gladiatorium π*N*θ *ald.Frob.*1.2 (-orum *SpDN*¹ *ex sq.*)　　2 Gladiatorum π*NSp* (-orium *CD*θ*ald.Frob.*1.2)　de catasta ac (*sed aut Vrs.* : ac *Madv.*) liberorum *Vrsinus, luculenter* : de causa ac liberorum (libert- *J* : libertin- *K*) *SpN*⁴θ : delectu ac libertorum *ald.Frob.*1.2 : ac liberorum *Weissenb.* : *om.* Π*N* (*sc. linea xx litt. perdita, cf.* 26. 51. 8 *adn.*) *quos sequitur Gron.,* quiue *pro* qui (Π*NSp*) *legendo*　　3 specimen *A*⁶?*N*⁴ *fort. ab N*⁶ *rescriptus* θ *Edd.* : speciem Π*N*　4 prouocatique *Sp?θFrob.*2 : prouocatiue (-uę *B*) Π*N.ald.*　　5 quidam *PC Edd.* : quidem *RMBDAN* : *om.* θ　　aut *C*ˣ*A*¹ *uel A*⁶*N*¹θ : eant *PC* : ea ut *RMBDAN*　pacto Π*NSp?θFrob.*2 : pacti *ald.* (*quos seq. Madv. frustra*)

AB VRBE CONDITA XXVIII 21 5

sequeretur, ferro decreuerunt. Neque obscuri generis ho- 6
mines sed clari inlustresque, Corbis et Orsua, patrueles
fratres, de principatu ciuitatis quam Ibem uocabant ambigentes ferro se certaturos professi sunt. Corbis maior erat 7
aetate: Orsuae pater princeps proxime fuerat a fratre maiore
post mortem eius principatu accepto. Cum uerbis discep- 8
tare Scipio uellet ac sedare iras, negatum id ambo dicere
cognatis communibus, nec alium deorum hominumue quam
Martem se iudicem habituros esse. Robore maior, minor 9
flore aetatis ferox, mortem in certamine quam ut alter
alterius imperio subiceretur praeoptantes cum dirimi ab
tanta rabie nequirent, insigne spectaculum exercitui praebuere documentumque quantum cupiditas imperii malum
inter mortales esset. Maior usu armorum et astu facile 10
stolidas uires minoris superauit. Huic gladiatorum spectaculo ludi funebres additi pro copia prouinciali et castrensi
apparatu.

Res interim nihilo minus ab legatis gerebantur. Marcius 22
superato Baete amni, quem incolae Certim appellant, duas
opulentas ciuitates sine certamine in deditionem accepit.
Astapa urbs erat Carthaginiensium semper partis; neque id 2
tam dignum ira erat quam quod extra necessitates belli

---

6 Ibem $N^1J.ald.Frob.$1.2, cf. (cum Weissenb.) Eckhart nm. p. 405:
iben K: ibam A^6: idem ΠN ambigentes $AN^1\theta$ (abig- ΠN)
7 aetate] hic ΠN Edd.: ante erat θ, cf. 27. 37. 5 adn.
8 cognatis communibus $\pi\theta$: communibus cognatis $AN(ubi$ cognatis
post dicere primo inseruit N^4 dein deleuit)ald.Frob.1.2, cf. 29. 3. 10 adn.
9 subiceretur (uel subiic-) $Sp?\theta Frob.$2: subigeretur $\Pi N.ald.$
cum $M^3?AN\theta ald.$: eum π: quod $Sp?N^4$ ut s. l. Frob.2
rabie P^xM^2 uel M^1ANSp ut uid. θ Edd. (sed ab t. r. dirimi Sp ut uid.
ald.Frob.1.2): rabis π: om. C (spatio relicto) exercitui C^xM^1A
$N^1\theta$: exercitum π (-tu $?P^2$ et sic N) 10 astu $\pi A^7?N^1\theta$: actu
AN prouinciali Duker: et prouinciali $\Pi N\theta$
22 1 Certim (-tī P) ΠN: cirten N^6: cyren θ: cirtim ald.: cirtium
Frob.2 deditionem $C^1(uix\ C^2)M^1A^7N$ uel $N^1Sp?$: deditione Π
$N?$, cf. 26. 41. 12 adn. accepit $\Pi N\theta ald.$: accipit $Sp?Frob.$2, cf.
27. 5. 9 adn. 2 erat (Carthag-) N^4 ab N^6 rescriptus $\theta ald.Frob.$
1.2: om. ΠN extra $\Pi N\theta$ Edd.: om. Sp Vat, cf. § 12; 27. 39. 12
adnn. necessitates $\Pi N\theta$: necessitatis Sp

3 praecipuum in Romanos gerebant odium. Nec urbem aut situ aut munimento tutam habebant quae ferociores iis animos faceret; sed ingenia incolarum latrocinio laeta ut excursiones in finitimum agrum sociorum populi Romani facerent impulerant et uagos milites Romanos lixasque et 4 mercatores exciperent. Magnum etiam comitatum, quia paucis parum tutum fuerat, transgredientem fines positis 5 insidiis circumuentum iniquo loco interfecerant. Ad hanc urbem oppugnandam cum admotus exercitus esset, oppidani conscientia scelerum, quia nec deditio tuta ad tam infestos uidebatur neque spes moenibus aut armis tuendae salutis erat, facinus in se ac suos foedum ac ferum consciscunt. 6 Locum in foro destinant quo pretiosissima rerum suarum congererent. Super eum cumulum coniuges ac liberos considere cum iussissent, ligna circa exstruunt fascesque 7 uirgultorum coniciunt. Quinquaginta deinde armatis iuuenibus praecipiunt ut, donec incertus euentus pugnae esset, praesidium eo loco fortunarum suarum corporumque quae 8 cariora fortunis essent seruarent; si rem inclinatam uiderent atque in eo iam esse ut urbs caperetur, scirent omnes quos euntes in proelium cernerent mortem in ipsa pugna obituros; 9 illos se per deos superos inferosque orare ut memores libertatis, quae illo die aut morte honesta aut seruitute infami finienda esset, nihil relinquerent in quod saeuire iratus 10 hostis posset; ferrum ignemque in manibus esse; amicae ac fideles potius ea quae peritura forent absumerent manus 11 quam insultarent superbo ludibrio hostes. His adhorta-

3 et mercatores Π*N.ald.* : aut mercatores *Sp?θFrob.*2 (*num ut gloss. secludendum?*) 4 interfecerant *Sp?Frob.*2 (-runt Π*Nθald., cf.* 27. 6. 2 *adn.*) 5 urbem Π*N.ald.Frob.*1.2 : *om. θ* 6 suarum Π*N.ald.Frob.*1.2 : *om. θ* congererent Π*N.ald.Frob.*1.2 : congregarent *θ* cumulum π*R*²*NFrob.*2 : tumulum *N*⁵*θald.* : culumulum *ut uid. R* exstruunt *A*⁶*?N*⁴ *uel N*²*θ Edd.* : exstrui (*uel* ext-) Π*N* 7 incertus Π*N* : certus *θ* 9 infami *N*⁴ *ab N*⁶ *rescriptus θ Edd.* : in π (*sed* in fienda *C*) : *om. P*⁴*M*²*AN* in (quod) *CM*¹*A*⁶*θ* : id π*N* 10 forent *Vat/Frob.*2 : fuerant *K* : essent Π*iN ald.*

AB VRBE CONDITA XXVIII 22

tionibus exsecratio dira adiecta si quem a proposito spes mollitiaue animi flexisset.

Inde concitato agmine patentibus portis ingenti cum tumultu erumpunt; neque erat ulla satis firma statio opposita, quia nihil minus quam ut egredi moenibus auderent timeri poterat. Perpaucae equitum turmae leuisque armatura repente e castris ad id ipsum emissa occurrit. Acrior impetu atque animis quam compositior ordine ullo pugna fuit. Itaque pulsus eques qui primus se hosti obtulerat terrorem intulit leui armaturae; pugnatumque sub ipso uallo foret, ni robur legionum perexiguo ad instruendum dato tempore aciem direxisset. Ibi quoque trepidatum parumper circa signa est cum caeci furore in uolnera ac ferrum uecordi audacia ruerent; dein uetus miles, aduersus temerarios impetus pertinax, caede primorum insequentes suppressit. Conatus paulo post ultro inferre pedem, ut neminem cedere atque obstinatos mori in uestigio quemque suo uidit, patefacta acie, quod ut facere posset multitudo armatorum facile suppeditabat, cornua hostium amplexus, in orbem pugnantes ad unum omnes occidit.

11 exsecratio (*uel* exec-) C^xM^1(an M^3?)$A^6N^4\theta$: exer|cratio P (*ubi tamen* -r- *haec ex parte erasa est et* -i- (*non* -it-) *substituta, necnon prior illa* -r- *pleniore calamo et extra lineam scripta*) : exercitatio $CRMBDA$ cum θ *Edd.* : *om.* ΠN (*sc. ante* tum- *perditum*) 12 firma Π$N.ald.Frob$.1.2 : *om. SpVat*θ, *cf.* § 2 *adn.* ut Π$N\theta$: ne *duce Weissenbornio Madv. ex* 3. 3. 2, *fort. recte, sed cf. Hor. Sat.* 1. 3. 120, *et nota verborum ordinem* egredi CA^7 *uel* $A^6\theta ald.Frob$.1.2 : egredi posset (posse M^1) πN : egredi hostes *Iac. Gron., quod probat Johnson* : egredi obsessi *Weissenb.* auderent $CM^1A N\theta$: audirent π poterat $C^xM^1N^4?\theta$: poterant ΠN, *cf.* 27. 17. 4 *adn.* ad id ipsum Π$N.ald.Frob$.1.2 : ad ipsum θ : ad id *Rhen.?* 13 ordine ullo *JFrob*.2 : ullo ordine Π$NK.ald.$ (*cf. c.* 2. 15 *adn.*) primus Π$N\theta ald.$: primum *Sp?Frob.*2 direxisset $RMBDAN\theta$: derexisset PC, *sed cf.* 27. 48. 4 *adn.* 14 uetus M^1(an M^3?)$A^7N^4\theta$: uectis πB^1N : uectus CM^1B^2 : tectis B *post* caede (*P fol.* 368 *u. b. l.* 25) sequuntur in ΠN *uoces* conscribtis (*uel* -ptis) missisque (*c.* 37. 9) . . . *usque ad* (*P fol.* 385 *u. a. l.* 8) omni imperio (29. 1. 24), *inde post* imperio *sequuntur huius loci uoces* primorum insequentis . . . *usque ad* (*P fol.* 402 *r. b. l.* 2) auxiliarium inde (*c.* 37. 9) : *error notatus est ab* $P^4M^9A^v$? *et* A^7N^1 *uel* N^x (*non* N^4) : *rectum praebent ord.* $\theta ald.Frob$.1.2 *et praebuit ut uid. Sp*

23 Atque haec tamen hostium iratorum ⟨in morem⟩ ac tum maxime dimicantium iure belli in armatos repugnantes-
2 que edebantur: foedior alia in urbe trucidatio erat cum turbam feminarum puerorumque imbellem inermem ciues sui caederent et in succensum rogum semianima pleraque inicerent corpora riuique sanguinis flammam orientem restinguerent: postremo ipsi caede miseranda suorum
3 fatigati cum armis medio incendio se iniecerunt. Iam caedi perpetratae uictores Romani superuenerunt. Ac primo conspectu tam foedae rei mirabundi parumper obsti-
4 puerunt; dein cum aurum argentumque cumulo rerum aliarum interfulgens auiditate ingenii humani rapere ex igni uellent, correpti alii flamma sunt, alii ambusti adflatu uaporis, cum receptus primis urgente ab tergo ingenti turba
5 non esset. Ita Astapa sine praeda militum ferro ignique absumpta est. Marcius ceteris eius regionis metu in deditionem acceptis uictorem exercitum Carthaginem ad Scipionem reduxit.
6 Per eos ipsos dies perfugae a Gadibus uenerunt pollicentes urbem Punicumque praesidium quod in ea urbe

23 1 in morem *Johnson, duce Rossbachio* : furore *H. J. Mueller*: ignorant ΠNθald.Frob.1.2, *sequente Drak., sed durius; ad locum emendandum* (*a*) *post* dimicantium *add.* uis et impetus *Weissenb.* (*cum* edebant), odium *Madv.* 1886 (*cum* edebat) (*b*) *post* tamen *add.* caedes ab impetu (*uel* odio) *M. Mueller* (*cum* edebatur) *duce Zingerlio qui* caedes edebatur *infra* : alia alii   iure belli in armatos repugnantesque (*uel* -tisq.) $A^7N^4θald.Frob.$1.2 : pugnantisque (-tesque N) ΠN (*xx litteris omissis, cf.* 26. 51. 8 *adn.*) *unde* pugna uisque *coniecit Gron.* (*cum* edebat)   edebantur $M^1A^7N^4ald.Frob.$1.2 : edebatur θ : edebā P : edebam $CRMBD$: edebant C^2AN (*et u. supra*)   2 inermem $SpθFrob.$2 : inermemque ΠN.*ald., fort. recte, sed cf.* 27. 16. 6 *adn.*   semianima $CA^7Nθald.Frob.$1.2 : semianimi π : semia nimia A 3 caedi $PC^xM^1θ$: caedis Π^2N (ced-)   foedae rei $N^4θ$ *Edd.*: foederi P (*cf.* 27. 1. 11 *adn.*) : foede $π^2D^xN$: fede (-do C^2) CDA obstipuerunt (*uel* ops-) $πN$ (-stup- $BDA^7θ$)   4 interfulgens N^4 *ut s. l.* θ *Edd.*: interfluens ΠN igni PCR : igne R^2 $MBDAN$θ   flamma (-ama K) sunt ΠNθ *Edd.*: flamma Sp *ut uid.*   ab tergo ingenti $Sp?N^4Frob.$2 : ingenti θ*ald.* : *om.* ΠN (*sc. ob* -gente | -genti, *cf.* § 8)   6 urbe Π$N.$*ald.* : *om.* $Sp?θFrob.$2, *fort. recte*

AB VRBE CONDITA XXVIII 23 6

esset et imperatorem praesidii cum classe prodituros. Mago 7
ibi ex fuga substiterat, nauibusque in Oceano conlectis
aliquantum auxiliorum et trans fretum ex Africa ora et
ex proximis Hispaniae locis per Hannonem praefectum coegerat. Fide accepta dataque perfugis, et Marcius eo cum 8
expeditis cohortibus et Laelius cum septem triremibus
quinqueremi una est missus ut terra marique communi
consilio rem gererent.

Scipio ipse graui morbo implicitus, grauiore tamen fama 24
cum ad id quisque quod audierat insita hominibus libidine
alendi de industria rumores adiceret aliquid, prouinciam
omnem ac maxime longinqua eius turbauit; apparuitque 2
quantam excitatura molem uera fuisset clades cum uanus
rumor tantas procellas exciuisset. Non socii in fide, non
exercitus in officio mansit. Mandonius et Indibilis, quibus 3
quia regnum sibi Hispaniae pulsis inde Carthaginiensibus
destinarant animis nihil pro spe contigerat, concitatis 4
popularibus—Lacetani autem erant—et iuuentute Celtiberorum excita agrum Suessetanum Sedetanumque sociorum
populi Romani hostiliter depopulati sunt.

Ciuilis alius furor in castris ad Sucronem ortus; octo 5
ibi milia militum erant, praesidium gentibus quae cis
Hiberum incolunt impositum. Motae autem eorum mentes 6

6 prodituros θ : *add.* esse $\Pi NEdd.$, *sed u.* 27. 38. 5 *adn.*   7 ex
Africa (africae P^4) ora $\Pi N.ald.Frob.$1.2 : africae ore (ope Sp) $Sp\theta$
8 perfugis P^4M^1 *uel* $M^2AN\theta$: periugis π Marcius $\Pi N\theta$: marcus P^1
expeditis . . . Laelius cum $A^7N^4(om.$ cum$)\theta ald.Frob.$1.2 : *om.*
ΠN *haud amplius xxxi litt. ob* cum | cum *deperditis, cf.* §§ 1 *et* 4 *et* 26.
51. 8 *adnn.*

24 1 audierat $P^xCA^5N^4\theta$: audterat (autt- R^2) PR : aut terra M :
aut erat $BDAN^1$: aut erarat N hominibus $N^4\theta$ *Edd.* : hominum
ΠN, *forte recte*   3 pro spe πR^2K : pros pe R : prope M : prospere
ANJ contigerat $\Pi NEdd.$: contingebat θ 4 Lacetani $N^4\theta$,
cf. 21. 23. 2 *et* 21. 60. 3 *adnn.* : lacelani π : laceni AN
autem erant $\Pi N\theta$: autem erant et Ilergetes *Heusinger, duce Crevierio*
(Ill.), *optime* (*cf. cc.* 27. 5 *et* 34. 4), *sed fort. uix necess. cum in c.* 26.
7 *soli Lacetani nominentur. Cf. etiam* 22. 21. 2 ; 26. 49. 11 ; *Polyb.*
10. 18. 7   excita $RMBDAN\theta$: exscita PC *uel* C^1 (-tu C?)
Suessetanum] *sic P e.g. in* 25. 34. 6 : suesit (-ssit R) annum (-anum
$PCA\theta$: antium N : antiorum ?N^x)$\Pi N\theta$ 6 autem eorum $D\theta Frob.$2 :
eorum autem $\pi N.ald.$: *malim ipse* autem *secludere, cf.* 27. 34. 3 *adn.*

sunt non tum primum cum de uita imperatoris rumores
dubii allati sunt, sed iam ante licentia ex diutino, ut fit, otio
conlecta, et nonnihil quod in hostico laxius rapto suetis
7 uiuere artiores in pace res erant. Ac primo sermones tantum
occulti serebantur: si bellum in prouincia esset, quid sese
inter pacatos facere? si debellatum iam et confecta pro-
8 uincia esset, cur in Italiam non reuehi? Flagitatum quoque stipendium procacius quam ex more et modestia militari erat, et ab custodibus probra in circumeuntes uigilias
tribunos iacta, et noctu quidam praedatum in agrum circa
pacatum ierant; postremo interdiu ac propalam sine com-
9 meatu ab signis abibant. Omnia libidine ac licentia militum,
nihil instituto aut disciplina militiae aut imperio eorum qui
10 praeerant gerebatur. Forma tamen Romanorum castrorum
constabat una ea spe quod tribunos ex contagione furoris
haud expertes seditionis defectionisque rati fore, et iura
reddere in principiis sinebant et signum ab eis petebant et
11 in stationes ac uigilias ordine ibant; et ut uim imperii
abstulerant, ita speciem dicto parentium ultro sibi ipsi im-
perantes seruabant.

12 Erupit deinde seditio, postquam reprehendere atque im-

6 primum cum ΠN: cum primum θ*ald.Frob*.1.2 rumores]
hic A^7 uel A^5: *post* dubii $C^4N^4θald.Frob$.1.2: *om.* ΠN 7 primo
sermones $M^7A^7N^4θ$ *Edd.*: primones P (*cf.* 27. 1. 11 *adn.*) *et* P^4:
primores (*uel* primo res) $Π^2N$: rumores C^4 8 ierant $CM^1B^2A^7$
θ *Edd.*: erant πN 9 aut disciplina $N^4ald.$: ac disciplina θ*Frob.*
2, *fort. recte*, *cf. Cic. De Or.* 1. 247 'non minis et ui ac metu': aut dis-
crimina (-ne C^xM^1?) ΠN 10 forma πA^7N^4 *ut s. l.* θ *Edd.*:
fortuna *AN* spe quod Π$Nθ$(*sed* una spe quod K)*ald.Frob*.1.2: re
quod *Weissenb.*, *optime* (*cf. de errore* 27. 15. 3): specie quod *Freinsheim*
(*cf.* 27. 8. 14 *adn.*). *Defendi potest lectio codd.*, *si* quod *cum participio*
rati *iunxit Liuius quasi scripsisset* quod rati sunt adeo ut sinerent: *fort.*
malis aut (*quo ipse inclinor*) quod *in* qua *mutare aut Weissenbornio*
obtemperare et (iura) $A^7N^4ald.Frob$.1.2: ut ΠN: sed θ
signum π(*om.* et sig. . . . petebant D)$Nθ$: *om. Sp* (*cf.* 27. 39. 12 *adn.*)
stationes $Sp?θald.Frob$.1.2: stationem ΠN, *cf.* 27. 40. 7 *adn.*
ordine $Sp?θFrob$.2: in ordinem ΠN.*ald.*, *uix recte*: in orbem
Madv. Em. p. 408 11 sibi ipsi *scripsimus*: ipsi C^x(*an* sibi *uoluit?*)N^4
ut s. l. θ*ald.Frob*.1.2: si im P: si $Π^2(C?)N$: sibi M^1A^5: sibimet *Gron.*

AB VRBE CONDITA XXVIII 24

probare tribunos ea quae fierent et conari obuiam ire et propalam abnuere furoris eorum se futuros socios senserunt. Fugatis itaque ex principiis ac post paulo e castris tribunis 13 ad principes seditionis gregarios milites C. Albium Calenum et C. Atrium Vmbrum delatum omnium consensu imperium est; qui nequaquam tribuniciis contenti ornamentis, insignia 14 etiam summi imperii, fasces securesque, attractare ausi; neque eis uenit in mentem suis tergis suis ceruicibus uirgas illas securesque imminere quas ad metum aliorum praeferrent. Mors Scipionis falso credita occaecabat animos, sub 15 cuius uolgatam iam famam non dubitabant totam Hispaniam arsuram bello: in eo tumultu et sociis pecunias imperari et 16 diripi propinquas urbes posse; et turbatis rebus cum omnia omnes auderent minus insignia fore quae ipsi fecissent. Cum alios subinde recentes nuntios non mortis modo sed 25 etiam funeris exspectarent, neque superueniret quisquam euanesceretque temere ortus rumor, tum primi auctores requiri coepti; et subtrahente se quoque ut credidisse potius 2 temere quam finxisse rem talem uideri posset, destituti duces iam sua ipsi insignia et pro uana imagine imperii quod gererent ueram iustamque mox in se uersuram potestatem horrebant. Stupente ita seditione cum uiuere primo, 3

12 fierent ΠNθ *Edd.*: fieri N^4 13 ex (princ.) *ald.Frob.*1.2 (*de* e castris *cf. c.* 2. 5): e K: et J: *om.* ΠN   Vmbrum C^4Sp? $A^7θFrob$.2 (-brium *ald.*): brum ΠN   14 imperii (inp- P^2CR) Π² $Nθ$: peri P neque eis (*uel* iis *uel* hiis) $N^4θald.Frob.$1.2: nequem ΠN, *cf.* 27. 40. 7 *adn.*: neque M^1, *probante Madv., sed horum hominum caecitatem depingit Liuius*   suis (ceru.) $Sp?Frob.$2: suisque ΠNθald., *sed anaphoram commendat loci color; cf. utique* 26. 11. 12 *adn.* (*a*)

15 iam $N^4θald.Frob.$1.2: mox ΠN, *fort. recte, et sic malit Johnson* (iam *ex* -tam *duplicato ortum esse ratus*)   16 diripi $A^v?N^4$ *ut s. l.* θ *Edd.*: diri P, *cf.* 27. 1. 11 *adn.* (*et in* § 14 sque P *pro* securesque): adiri Π²N, *cf. c.* 8. 4 *adn.*

25 2 subtrahente se (-tes e RB) $PRMB^1D$: subtrahentes se (*om.* se N) $CAN^1θald.$: subtrantesse Sp, *unde* subirascantes *Rhen. Frob.*2   posset πN: possent CSp *ut uid. θald.Frob.*1 2   quod ΠN *Edd.*: qui id θ: uerius fuisset quam, *sed cf. e.g.* 1. 1. 4 maiora rerum initia (*u. etiam* 1. 9. 13; 8. 7. 18; 9. 45. 5)   3 Stupente Π: stupenti θ: stupebant N: stupebati N^1 (seditioni N^1 *ut s. l.* θ)

mox etiam ualere Scipionem certi auctores adferrent, tribuni
4 militum septem ab ipso Scipione missi superuenerunt. Ad
quorum primum aduentum exasperati animi: mox ipsis
placido sermone permulcentibus notos cum quibus con-
5 gressi erant, leniti sunt. Circumeuntes enim tentoria
primo, deinde in principiis praetorioque ubi sermones inter
se serentium circulos uidissent adloquebantur, percontantes
magis quae causa irae consternationisque subitae foret quam
6 factum accusantes. Volgo stipendium non datum ad diem
iactabatur, et cum eodem tempore quo scelus Iliturgitanum exstitisset post duorum imperatorum duorumque
exercituum stragem sua uirtute defensum nomen Romanum
ac retenta prouincia esset, Iliturgitanos poenam noxae
meritam habere, suis recte factis gratiam qui exsoluat non
7 esse. Talia querentes aequa orare seque ea relaturos ad
imperatorem respondebant; laetari quod nihil tristius nec
insanabilius esset; et P. Scipionem deum benignitate et
rem publicam esse gratiae referendae.

8 Scipionem, bellis adsuetum, ad seditionum procellas
rudem, sollicitum habebat res ne aut exercitus peccando
9 aut ipse puniendo modum excederet. In praesentia, ut
coepisset, leniter agi placuit et missis circa stipendiarias

3 ab ipso Scipione missi superuenerunt *Sp?θFrob* 2 : qui ab ipso
Scipione sunt π, *et sic AN sed* sunt missi (*del.* qui N^x) : qui ab ipso
Scipione sunt missi superuenerunt (-ere N^4) $N^4 ald.$, *fort. recte*
5 enim $C^4 A^{x}\theta$: eum ΠN   praetorioque $A^7 N^4 \theta ald. Frob.$1.2: praetorio ΠN, *cf.* 26. 11. 12 *adn.* (*c*)   percontantes *K. cf.* 27. 43. 5 *adn.*
(-cunct- ΠNJ)   6 Iliturgitanum *Sp?θFrob.*2 (*hic* ill-) : iliturgitanorum ΠN.*ald.* (ill-)   duorum imperatorum ΠNθ *Edd.* : *om.*
Sp (*cf. c.* 2. 16 *adn.*), *u. c.* 28. 9 *adn.* (*et fort. c.* 9. 13)   gratiam
(*uel* -ā) π^4 : gratia *PRBD*   7 querentes (*sed* -tis) $CM^1 AN$ (-ti
sequa *AN*) : quaerentis (-tes $B^2 K$) *PRMBK* : querenti *D* : querenti-
bus *Riemann* (*cf. de* -is *et* -ib. 27. 2. 8 *adn.*)   deum $A^7 N^4$ *ut s. l. θ* :
reum *P* : rerum *CRMBDAN*   benignitate $CB^2 DAN\theta$: benig-
nite *PR*(begn-)*MB*   rem publicam $A^7 K. ald. Frob.$1.2 : rei p̄ (*uel
plene*) ΠNJ, *uix probabile nisi cum Kochio* felicitate *addas* (rem p. esse
gratiae *ref. facile uelut e.g.* 2. 9. 6 *et* 4. 43. 10 *intellegitur; si et Scipionem sic describi durius uidetur, uel* uiuere *uel aliquid amplius post*
benignitate *inserendum erit*)   8 seditionum $P^4 C^4 M^1 A^7 \theta$ (-nem
ΠN)

AB VRBE CONDITA XXVIII 25

ciuitates exactoribus stipendii spem propinquam facere; et 10
edictum subinde propositum ut ad stipendium petendum
conuenirent Carthaginem, seu carptim partes seu uniuersi
mallent. Tranquillam seditionem iam per se languescen- 11
tem repentina quies rebellantium Hispanorum fecit; redierant enim in fines omisso incepto Mandonius et Indibilis,
postquam uiuere Scipionem allatum est; nec iam erat aut 12
ciuis aut externus cum quo furorem suum consociarent.
Omnia circumspectantes [consilia] nihil reliqui habebant 13
praeter unum tutissimum a malis consiliis receptum, ut imperatoris uel iustae irae uel non desperandae clementiae
sese committerent: etiam hostibus eum ignouisse cum
quibus ferro dimicasset: suam seditionem sine uolnere, 14
sine sanguine fuisse nec ipsam atrocem nec atroci poena
dignam—ut ingenia humana sunt ad suam cuique leuandam
culpam nimio plus facunda. Illa dubitatio erat singulaene 15
cohortes an uniuersi ad stipendium petendum irent. Inclinauit sententia, quod tutius censebant, uniuersos ire.

Per eosdem dies quibus haec illi consultabant consilium 26
de iis Carthagini erat, certabaturque sententiis utrum in 2

9, 10 facere; et θ : faceret et N^4 : fecere ΠN : facere $ald.Frob.1.2$
10 propositum $ald.Frob.1.2$: positum $\Pi N\theta$ partes ΠN^x
(-tems N): per partes $Gron.$, $optime$: $si\ displicet\ Nominatiuus,\ cum$
$Riemanno\ secludas\ ut\ gloss.$ seu uniuersi $CM^1\theta$: se uniuer (-uersi
B: -uerse DAN) π 11 iam $N^4\theta\ Edd.$: $om.\ \Pi N$ quies
$P^xM^1(ipse\ se\ repingens)N$: quierce $\Pi\theta$ Mandonius $P^xC^4M^1\ ut$
$supra$: mandoinius $P\ (et\ primo\ M^1)$: mandato in ius π^2, $cf.\ c.\ 8.\ 4$
$adn.$: mandonii (-io A^x) AN: $quid\ uoluerit\ C\ incertum$
13 consilia $\Pi N\theta$: $secludere\ uolebat\ Gron.,\ optime,\ cf.\ e.g.\ 7.\ 14.\ 6$
unum tutissimum $ald.Frob.1.2$: enim autissimum Sp: non tutissimum
$\Pi N\theta$, $fort.\ recte\ sed\ sic\ potius$ unum receptum neque eum tutissimum ex-
$spectares$; $cf.\ non\ pro$ unum 30. 10. 20   clementiae sese (se $D\theta$) C
$M^1DN^4\theta$: clementia esse π (-iae $\bar{e}\ R$)   14 poena (uel pena) C
$M^1AN^1\theta$: poenam πN facunda $A^7?N^2\ uel\ N^4\theta$ (-iunda ΠN:
-ienda B): foecunda $Duker$ 15 singulaene $C^b(C?)M^1$(-c ($uocis$
nec) $pleniore\ cal.\ subter\ notata)A^7N^4\theta$: singula nec πN: singulaetne
$P^1\ ut\ uid.\ siglo^?\ supra$ -a- $addito\ et$ -c $delere\ conatus$
26 1 consilium $\Pi N\ Edd.$: concilium θ ($et\ sic$ -io in § 4)
Carthagini ΠN, $cf.\ e.g.$ 29. 4. 7; 29. 28. 4; 30. 44. 4: carthagine θ
($ut\ in$ § 4 PN^4: -ni N)

XXVIII 26 2   TITI LIVI

auctores tantum seditionis—erant autem ii numero haud plus quam quinque et triginta—animaduerteretur, an plurium supplicio uindicanda tam foedi exempli defectio magis quam 3 seditio esset. Vicit sententia lenior ut unde culpa orta esset ibi poena consisteret: ad multitudinem castigationem satis 4 esse. Consilio dimisso, ut id actum uideretur, expeditio aduersus Mandonium Indibilemque edicitur exercitui qui Carthagine erat et cibaria dierum aliquot parare iubentur. 5 Tribunis septem qui et antea Sucronem ad leniendam seditionem ierant obuiam exercitui missis quina nomina princi- 6 pum seditionis edita sunt, ut eos per idoneos homines benigno uoltu ac sermone in hospitium inuitatos sopitosque 7 uino uincirent. Haud procul iam Carthagine aberant cum ex obuiis auditum postero die omnem exercitum cum M. Silano in Lacetanos proficisci non metu modo omni qui tacitus insidebat animis liberauit eos, sed laetitiam ingentem fecit quod magis habituri solum imperatorem quam ipsi 8 futuri in potestate eius essent. Sub occasum solis urbem ingressi sunt exercitumque alterum parantem omnia ad iter 9 uiderunt. Excepti sermonibus de industria compositis —laetum opportunumque aduentum eorum imperatori esse quod sub ipsam profectionem alterius exercitus uenissent— 10 corpora curant. Ab tribunis sine ullo tumultu auctores seditionis per idoneos homines perducti in hospitia com-

---

3 culpa orta (opta *P*) esset π^2: culpa esset orta *AN.ald.*: orta culpa esset θ*Frob*.2 (*cf.* 27. 37. 5 *et* 29. 3. 10 *adnn.*)   4 ut id Π *NJ*^{1} *ut s. l. K Edd.*: ut nichil *N*^{2} *uel N*^{x}: nichil *J*   et (cib.) π *N*: de *D*: om. *N*^{2}θ dierum $A^7N^4\theta$ *Edd.*: aeorum *PC*: eorum *RMBDAN*   parare C^4 *uel* C^3M^1 (*ut credo*) *calamo iam paene effracto usus AN Edd.*: parere π: parari N^2 *uel* $N^4\theta$ 5 Sucronem Π*N Edd.*: ad sucronem (*uel* sutr-) θ principum $A^7N^4\theta$: principu *P*: principibu P^2B (-ib; *uel* -ibus *CRMBDAN*) 6 inuitatos sopitosque uino $A^7N^4\theta$ *Edd.*: inuitatosque (qui *R*) uino (uno *D*) πR^2, *cf.* 26. 11. 12 *adn.* (*b*): uinoque *AN*: uino N^2 7 iam Π*N Edd.*: om. θ M. Π*N Aldus, cf. c.* 1. 5: lelio θ: om. *Edd. ante Ald.*   modo $A^7N^4\theta$*ald.Frob*.1.2: om. Π*N, fort. recte* 9 uenissent θ*ald.Frob*.1.2: euenissent Π*N*   curant π*N*^{1} *ut s. l. Sp?θFrob*.2: curent *AN.ald.*   10 Ab π: a *AN*θ

AB VRBE CONDITA XXVIII 26

prensi ac uincti sunt. Vigilia quarta impedimenta exercitus 11 cuius simulabatur iter proficisci coepere: sub lucem signa mota, et ad portam retentum agmen custodesque circa omnes portas missi ne quis urbe egrederetur. Vocati deinde 12 ad contionem qui pridie uenerant, ferociter in forum ad tribunal imperatoris ut ultro territuri succlamationibus concurrunt. Simul et imperator in tribunal escendit et reducti 13 armati a portis inermi contioni se ab tergo circumfuderunt. Tum omnis ferocia concidit et, ut postea fatebantur, nihil 14 aeque eos terruit quam praeter spem robur et colos imperatoris, quem adfectum uisuros crediderant, uoltusque qualem ne in acie quidem aiebant meminisse. Sedit tacitus pau- 15 lisper donec nuntiatum est deductos in forum auctores seditionis et parata omnia esse. Tum silentio per praeconem 27 facto ita coepit:

'Nunquam mihi defuturam orationem qua exercitum meum adloquerer credidi, non quo uerba unquam potius 2 quam res exercuerim, sed quia prope a pueritia in castris habitus adsueram militaribus ingeniis: apud uos quemadmo- 3 dum loquar nec consilium nec oratio suppeditat, quos ne quo nomine quidem appellare debeam scio. Ciues? qui a 4 patria uestra descistis. An milites? qui imperium auspiciumque abnuistis, sacramenti religionem rupistis. Hostes?

---

11 cuius Π*Nθald.*: cui *Sp?Frob.*2, *fort. recte*   urbe π*ald.Frob.*
1.2: urbem *ANθ*, *sed cf.* 1. 29. 6 *et* 29 6. 4 *adnn.*   13 escendit *PC*(aesc-)*R*: ascendit *R²MBDAN.ald.*, *cf.* 27. 5. 8 *adn.*: conscendit *Sp?θFrob.*2   a portis *ANθ* (*ante* armati θ, *cf.* 27. 37. 5 *adn.*) *Edd.*: a portas π: ad portas *CB*   se] *hic* π: *ante* contioni *AN θald.Frob.*1.2   14 robur et *CN⁴θ*: roboret *BAN*: robore *PRˣM D*: robure *R*: rubore *M¹?*   colos π: color *B²ANθald.Frob.*1.2
adfectum π*Aˣ*: affectum *DA⁷?N⁴θ*: adsuetum *A*: ad sutum *N*
27 1 ad-(*uel* al-)loquerer credidi *A⁷?N⁴ald Frob.*1.2: adidque| reretur dedi *P*: ad id querere dedi π² *uel* π¹(*A?*)*N*: alloquerer θ: *om.* adl. ... *usque ad* quam (§ 2) *omnia D*   2 pueritia *P⁴CM¹BA Nθ*: peritia π   adsueram π*ald.*: assueueram *ANθFrob.*2
3 apud *AˣN⁴*(-ut)θ: adut π: ad *PˣC*: aut ut *D*: ad ut ad *A?N*: aput ad *N¹?*   ne quo *C²M.ald.*: neque π*N*: nec quo *N⁴ ut s. l.* θ *Frob.*2

TITI LIVI

Corpora, ora, uestitum, habitum ciuium adgnosco: facta, dicta, consilia, animos hostium uideo. Quid enim uos, nisi quod Ilergetes et Lacetani, aut optastis aliud aut sperastis? Et illi tamen Mandonium atque Indibilem, regiae nobilitatis uiros, duces furoris secuti sunt: uos auspicium et imperium ad Vmbrum Atrium et Calenum Albium detulistis. Negate uos id omnes fecisse aut factum uoluisse, milites; paucorum eum furorem atque amentiam esse libenter credam, negantibus; nec enim ea sunt commissa quae, uolgata in omnem exercitum, sine piaculis ingentibus expiari possint.

'Inuitus ea tamquam uolnera attingo; sed nisi tacta tractataque sanari non possunt. Equidem pulsis Hispania Carthaginiensibus nullum locum tota prouincia nullos homines credebam esse ubi uita inuisa esset mea; sic me non solum aduersus socios gesseram sed etiam aduersus hostes: in castris en meis—quantum opinio fefellit!—fama mortis meae non accepta solum sed etiam exspectata est. Non quod ego uulgari facinus per omnes uelim—equidem si totum exercitum meum mortem mihi optasse crederem hic statim ante oculos uestros morerer, nec me uita iuuaret inuisa ciuibus et militibus meis. Sed multitudo omnis sicut natura

---

4 adgnosco π: agnosco *BDANθ*   5 et (Lac.) *θald.Frob.*1.2: aut ΠN: ac *Drak.* (*adn.*), *aspere* (*sed* et Lac. *e.g. in c.* 34. 4) Vmbrum *N²θald.*: umbrium *P²CA*: ubrium *RMDN*: ubriu *B*: umbrium et imperium ad umbrium *P* (*cf.* 29. 1. 23 *adn.*)   6 possint ΠN*θald.Frob.*1.2: possent *Riemann, sed potius interpretandum est* 'si talia uolgata sunt (*uel* sint) . . . non possunt (*uel* possint)'
8 nullum locum tota prouincia *A⁷N⁴θald.Frob.*1.2: *om.* ΠN   inuisa *A⁷ uel A⁸N⁴θ*: *om.* ΠN   esset *A⁷N⁴θ*: esset sic ΠN (*cf.* 29. 5. 6 *adn.*)   9 en] *hic* ΠN: *ante* quantum *ald.Frob.*1.2: *om. N⁴θ*   opinio (opp- *J*) ΠNθ: me opinio *Riemann*   fama mortis *A⁷?N⁴θald.*: famam|ortis *P*: famam sortis π²: fama sortis *A? N*   exspectata *BN⁴* (exp- πNθ *ald.Frob.*1.2.): spectata *Sp*
10 Non *θald.Frob.*1.2: uero πN, *cf. fort. c.* 25. 13 *adn.*: enimuero *Aᵛ?*: uerum *C⁴, et sic* (*cum* quid *pro* quod) *Madv.* (*Em. p.* 409) *olim* meum *N⁴θald.Frob.*1.2: *om.* ΠN   statim *CM¹A⁷?N⁴θ*: statio πN   me uita *CˣANθ*: multa π*R²*: *om. R*   iuuaret *CRMBD ANθ*: tu|uaret *P*

maris per se immobilis est, [et] uenti et aurae cient; ita aut tranquillum aut procellae in uobis sunt; et causa atque origo omnis furoris penes auctores est, uos contagione insanistis; qui mihi ne hodie quidem scire uidemini quo amentiae progressi sitis, quid facinoris in me, quid in patriam parentesque ac liberos uestros, quid in deos sacramenti testes, quid aduersus auspicia sub quibus militatis, quid aduersus morem militiae disciplinamque maiorum, quid aduersus summi imperii maiestatem ausi sitis.

'De me ipso taceo—temere potius quam auide credideritis, is denique ego sim cuius imperii taedere exercitum minime mirandum sit—: patria quid de uobis meruerat, quam cum Mandonio et Indibili consociando consilia prodebatis? quid populus Romanus, cum imperium ablatum ab tribunis suffragio populi creatis ad homines priuatos detulistis, cum eo ipso non contenti si pro tribunis illos haberetis, fasces imperatorios uestri ad eos quibus seruus cui imperarent nunquam fuerat, Romanus exercitus detulistis? In praetorio tetenderunt Albius et Atrius; classicum apud eos cecinit; signum ab iis petitum est; sederunt in tribunali P. Scipionis; lictor apparuit; summoto incesserunt; fasces cum securibus praelati sunt. Lapides pluere et fulmina iaci de caelo et insuetos fetus animalia edere uos portenta esse putatis: hoc est portentum quod nullis hostiis nullis supplicationibus

11 et (uenti) π(A?): *del. Gron., optime*: ut $DA^7N^4\theta ald.Frob.1.2$, *sed sic* (ut ... cient, ita ... sunt) *par pari non opponitur*: si et N: *sed Crevier* (*sed melius esset* at)　　uenti $P^2CDA^7N^4\theta Edd$.: ueni $PRBN$ (uenientes *pro* uenti et M)　　ita aut π^2R^2Nald.: ita ut PR: aut $SpN^4\theta Frob.2$　　12 qui ΠN: quin $N^4\theta ald.Frob.1.2$ militatis ΠN: militastis $Sp?\theta Frob.2$　　13 is θEdd.: *om.* ΠN: his N^4　　imperii taedere (*uel* ted-) $A^7\theta$: imperiti tedere N^4: imperitiae dere (-ia edere AN) ΠN　　15 P. ΠN: proconsulis A^7 *uel* $A^8\theta Frob.2$: proconsulis P. *ald.*　　summoto ΠN: summoti A^xN^2 *uel* N^4 *ut s. l.* θ　　cum securibus praelati ΠN.*ald.*: et secures praelatae N^4(*qui* cum *non delet*)$\theta Frob.2$.　　16 lapides ΠNθ: lapide *Madv., sed cf. e.g.* 40. 19. 2 sanguinem　　insuetos $C^4M^1?AN\theta$ (-tus π, *cf.* 30. 36. 8 *adn.*)　　animalia $C^4M^1A^6$: animalis ΠN (-les $A^7?\theta$)

17*

XXVIII 27 16   TITI LIVI

sine sanguine eorum qui tantum ausi facinus sunt expiari possit.

28 'Atque ego, quamquam nullum scelus rationem habet, tamen, ut in re nefaria, quae mens, quod consilium uestrum
2 fuerit scire uelim. Regium quondam in praesidium missa legio interfectis per scelus principibus ciuitatis urbem opu-
3 lentam per decem annos tenuit, propter quod facinus tota legio, milia hominum quattuor, in foro Romae securi per-
4 cussi sunt. Sed illi primum non Atrium Vmbrum semilixam, nominis etiam abominandi ducem, sed D. Vibellium tribunum militum secuti sunt, nec cum Pyrrho nec cum Samnitibus aut Lucanis, hostibus populi Romani, se coniunxerunt:
5 uos cum Mandonio et Indibili et consilia communicastis et
6 arma consociaturi fuistis. Illi, sicut Campani Capuam Tuscis ueteribus cultoribus ademptam, Mamertini in Sicilia Messanam, sic Regium habituri perpetuam sedem erant, nec populum Romanum nec socios populi Romani ultro lacessi-
7 turi bello: Sucronemne uos domicilium habituri eratis? Vbi si uos decedens confecta prouincia imperator relinquerem, deum hominumque fidem implorare debebatis quod non redieritis ad coniuges liberosque uestros.

8 'Sed horum quoque memoriam, sicut patriae meique, eieceritis ex animis uestris: uiam consilii scelerati sed non

16 ausi facinus πθ : facinus ausi *AN.ald.Frob.*1.2, *cf.* 29. 3. 10 *adn.* sunt *N*⁴ *ut s. l. θald.Frob.*1.2 : sint ΠΝ
28 2 ciuitatis] *hic* ΠΝ.*ald.Frob.*1.2 : *ante* principibus θ
3 Romae ΠΝ*Sp?Frob.*2 : *om. θald.* 4 ducem *C*⁴*ANθ* : uicem π D. θald. (Decium), *cf. Polyb.* 1. 7. 7 : *om.* ΠΝ cum (Samn.) ΠΝ.*ald.* : *om. SpθFrob.*2 5 et (consilia) *SpPN*⁴*θFrob.*2 : *om.* ΠΝ.*ald.* 6 cultoribus ΠΝ.*ald.* : *om.SpVatθFrob.*2 Messanam *A*⁷*PN*⁴*θ* : messenam ΠΝ(*sed* siciliam esse nam *CRMBDAN*)*M*⁷ : mesinam *C*² Romanum θald.Frob.1.2 : *om.* ΠΝ 7 decedens *PCM*¹*A*⁷*N*⁴*θ* *Aldus*: docendos *R* : decendens *R*²*MB* (desc- *D*) : discedens *AN Edd. ante Ald., sed Scipio uocem propriam de fine imperii prouincialis de industria usurpat* debebatis ΠΝ.*ald.Frob.* 1.2 : deberetis θ redieritis (-entis *D*) ΠΝ, sc. '*rediimus*' : rediretis *M*¹*A*⁶?*N*²θ*ald.Frob.*1.2, *cf.* 27. 17. 14 *adn.* 8 eieceritis ΠΝ : eieceratis θ

AB VRBE CONDITA XXVIII 28 8

ad ultimum dementis exsequi uolo ; mene uiuo et cetero 9
incolumi exercitu, cum quo ego die uno Carthaginem cepi,
cum quo quattuor imperatores quattuor exercitus Carthaginiensium fudi, fugaui, Hispania expuli, uos octo milia
hominum, minoris certe omnes pretii quam Albius et Atrius
sunt quibus uos subiecistis, Hispaniam prouinciam populo
Romano erepturi eratis? Amolior et amoueo nomen meum ; 10
nihil ultra facile creditam mortem meam a uobis uiolatus sim :
quid ? si ego morerer, mecum exspiratura res publica, mecum 11
casurum imperium populi Romani erat? Ne istuc Iuppiter
optimus maximus sirit, urbem auspicato dis auctoribus in
aeternum conditam huic fragili et mortali corpori aequalem
esse. Flaminio, Paulo, Graccho, Postumio Albino, M. Mar- 12
cello, T. Quinctio Crispino, Cn. Fuluio, Scipionibus meis,
tot tam praeclaris imperatoribus uno bello absumptis superstes est populus Romanus, eritque mille aliis nunc ferro nunc
morbo morientibus: meo unius funere elata esset res publica?

9 uno ΠN.ald.: una θFrob.2, non recte, cf. 27. 16. 16 adn.
quattuor imperatores $A^7N^4θ$ Edd.: om. ΠN, cf. c. 25. 6 adn.
fudi $P^4CN^4θ$ Edd.: fugsi P: fugi $π^2$: om. M^1AN Hispania
A^6N^4(Isp-)θ Edd.: om. ΠN   minoris πSpθ(-res J)Frob.2: maioris
$C^4AN.ald.$: mille minores maioris N^2 ut uid.   Atrius Rhen. ex
Sp?Frob.2 (et sic codd. in c. 27. 15): actius Vat: umbrius ΠN.ald.:
umber θ   10 a $N^4θald.Frob.1.2$: om. ΠN   11 istuc πSpN⁴Frob.2:
stuc N: istud Dθald.   sirit P: sierit SpN^4: sinit $π^2$: siniat AN:
sinat $A^xθald.$ dis] cf. 4. 15. 7 adn. et Praef. Tom. I p. xxxiv: diis
ANθ: dies P: die $π^2$ (praebet di(s) P e.g. in 26. 30. 9; 30. 12. 12;
30. 13. 6; 30. 27. 12; 30. 30. 4 et 6: praebet dii(s) in 29. 17. 9 al.: saepius tamen dei(s), ut in cc. 9. 7; 11. 7; 12. 4; 32. 12; 29. 24. 7; 29.
25. 13 ; 30. 21. 9)   auctoribus $N^4θald.$: ductoribus ΠN
huic fragili ΠN.ald.: fragili huic θFrob.2, bene sed minus deictice (et cf.
27. 37. 5 adn.)   12 Flaminio, Paulo, Graccho Sp ut uid. N^4(qui fort.
Fl. Gr. P. uoluit)θFrob.2: om. ΠN(cf. 26. 51. 8 adn.): Flaminio, Paulo
Aemylio, Graccho ald.   T. (uel tito) N^4 uel $N^3θ$: p. πN: om. C
Scipionibus $C^2M^1B^2ANθ$: scipionis π, cf. 27. 2. 8 adn.
praeclaris (plecl- B: plerl- B^1: piecl- D) ΠN.ald.: claris Sp?θFrob.2
nunc morbo A^6N^2 uel $N^3θ$: om. ΠN   elata ΠNK.ald.
Frob 1.2 : elati SpJ   esset res publica (sed res p. esset) ΠN
Aldus: populi romani esset respublica Spθ Edd. ante Ald. Frob.2
(fort. r. p. supra scripserat aliquis in exemplari Spirensiano ante esset,
ut ordinem Puteani imitaretur)

TITI LIVI

13 Vos ipsi hic in Hispania patre et patruo meo duobus imperatoribus interfectis Septimum Marcium ducem uobis aduersus exsultantes recenti uictoria Poenos delegistis. Et sic loquor tamquam sine duce Hispaniae futurae fuerint:
14 M. Silanus eodem iure eodem imperio mecum in prouinciam missus, L. Scipio frater meus et C. Laelius legati, uindices
15 maiestatis imperii deessent? Vtrum exercitus exercitui, an duces ducibus, an dignitas, an causa comparari poterat? Quibus si omnibus superiores essetis, arma contra patriam contra ciues uestros ferretis? Africam Italiae, Carthaginem urbi Romanae imperare uelletis? Quam ob noxam patriae?
29 Coriolanum quondam damnatio iniusta, miserum et indignum exsilium ut iret ad oppugnandam patriam impulit; reuocauit tamen a publico parricidio priuata pietas: uos qui
2 dolor, quae ira incitauit? Stipendiumne diebus paucis imperatore aegro serius numeratum satis digna causa fuit cur patriae indiceretis bellum, cur ad Ilergetes desciscretis a populo Romano, cur nihil diuinarum humanarumue rerum inuiolatum uobis esset?

3 'Insanistis profecto, milites, nec maior in corpus meum uis
4 morbi quam in uestras mentes inuasit. Horret animus referre quid crediderint homines, quid sperauerint, quid optauerint: auferat omnia inrita obliuio, si potest: si non,
5 utcumque silentium tegat. Non negauerim tristem atrocemque uobis uisam orationem meam: quanto creditis facta ues-

---

13 ipsi *PN Edd.*: ipsis *N⁴ ut s. l. θ*   15 exercitui an *A^v?N⁴ uel N³θ Edd.*: an *N²*: iā *PC*: iam *RMBDAN*   contra (patriam) *C³ uel C⁴A⁷N⁴θ*: compinxit π (-pinexit *B?A?N*), *unde* cum Poenis contra *Gron.*   urbi *M¹θald.*: urbis Π*N, cf.* 26. 40. 14 *adn.*
29 1 uos *A⁷N⁴θald.Frob.*1.2: *om.* Π*N*   dolor quae *A⁷N⁴θald. Frob.*1.2: dolerae (-ere *RMD*: -orē *C*: -ore *AN*) uitae Π*N*: dolor aut quae *Gron., Puteani erroribus nimis obtemperans*   2 serius π*A⁷N⁴ ut s. l. θ*: seria *BDAN*   indiceretis *C⁴M²A⁷N*(-ritis)θ: incideretis Π   4 sperauerint Π*N.ald.Frob.*1.2: parauerint θ
quid optauerint Π*N*(*sed* opau-)*ald.Frob.*1.2: *om. Spθ*
si potest *A⁷N^v(N²?)θ*: est potest π*R²N*: *om. R*: esse potest *C*: si esse potest *C³*   5 meam Π*N.ald.*: *om. Sp?VatθFrob.*2
quanto *C³A⁷N² ut s. l. θ*: quanta Π*N*

tra atrociora esse quam dicta mea? Et me ea quae fecistis pati aequum censetis: uos ne dici quidem omnia aequo animo fertis? Sed ne ea quidem ipsa ultra exprobrabuntur. Vtinam tam facile uos obliuiscamini eorum quam ego obliuiscar! Itaque quod ad uniuersos uos attinet, si erroris paenitet, satis superque poenarum habeo: Albius Calenus et Atrius Vmber et ceteri nefariae seditionis auctores sanguine luent quod admiserunt. Vobis supplicii eorum spectaculum non modo non acerbum sed laetum etiam, si sana mens rediit, debet esse; de nullis enim quam de uobis infestius aut inimicius consuluerunt.'

Vix finem dicendi fecerat cum ex praeparato simul omnium rerum terror oculis auribusque est offusus. Exercitus, qui corona contionem circumdederat, gladiis ad scuta concrepuit; praeconis audita uox citantis nomina damnatorum in consilio; nudi in medium protrahebantur et simul omnis apparatus supplicii expromebatur. Deligati ad palum uirgisque caesi et securi percussi, adeo torpentibus metu qui aderant ut non modo ferocior uox aduersus atrocitatem poenae sed ne gemitus quidem exaudiretur. Tracti inde de medio omnes, purgatoque loco citati milites nominatim apud tribunos militum in uerba P. Scipionis iurarunt stipendiumque ad nomen singulis persolutum est. Hunc finem exitumque seditio militum coepta apud Sucronem habuit.

5 me ea quae fecistis pati aequum censetis $Sp?A^7\theta ald.Frob.2$ (sed om. ea $\theta ald.$): me ea (mea $RMBD$) quae fecistis $\Pi(A?)$, xviii fere litteris omissis, cf. 26. 51. 8 adn.: ea omnia quidem quae fecistis N, pro quo mee quam scitis patientie cum censetis add. in marg. N^4
fertis ΠN: feretis $A^7N^4\theta ald.Frob.1.2$: ferretis ed. Par. 1573
8 infestius $CM^1AN\theta$: infestitis π inimicius $ald.Frob.1.2$: inicius (uel -iti-) π, cf. 27. 1. 11 adn.: iniquius CAN, fort. recte, cf. Cic. Verr. II. 5. 144: immitius θ 9 rerum $\Pi NSp?Frob.2$: om. $\theta ald.$ 10 consilio πN: concilio $A\theta$, cf. 27. 35. 4 adn.

12 omnes $\Pi N\theta$: exanimes $Alan$, sed cum Polybius (11. 30. 3) addat αἰκισθέντες, conicit Johnson post lineam tracti ... medio alteram lineam e.g. ⟨trunci et inanimi⟩ uel sim. ante uocem omnes excidisse (cf. 26. 6. 16 adn.) Quam arte Liuius Polybium hic sequatur ex capite toto (11. 30) apparet   est $\Pi N.ald.$: om. $\theta Frob.2$

30 Per idem tempus ad Baetim fluuium Hanno praefectus Magonis missus a Gadibus cum parua manu Afrorum, mercede Hispanos sollicitando ad quattuor milia iuuenum 2 armauit. Castris deinde exutus ab L. Marcio, maxima parte militum inter tumultum captorum castrorum, quibusdam etiam in fuga amissis, palatos persequente equite, cum paucis ipse effugit.

3 Dum haec ad Baetim fluuium geruntur, Laelius interim freto in Oceanum euectus ad Carteiam classe accessit. Vrbs ea in ora Oceani sita est, ubi primum e faucibus angustis 4 panditur mare. Gades sine certamine per proditionem recipiendi, ultro qui eam rem pollicerentur in castra Romana uenientibus, spes, sicut ante dictum est, fuerat. Sed patefacta immatura proditio est, comprensosque omnes Mago Adher- 5 bali praetori Carthaginem deuehendos tradit. Adherbal coniuratis in quinqueremem impositis praemissaque ea, quia tardior quam triremis erat, ipse cum octo triremibus modico 6 interuallo sequitur. Iam fretum intrabat quinqueremis cum Laelius et ipse in quinqueremi ex portu Carteiae sequentibus septem triremibus euectus in Adherbalem ac triremes inuehitur, quinqueremem satis credens deprensam rapido in freto in aduersum aestum reciprocari non posse. 7 Poenus in re subita parumper incertus trepidauit utrum

30 1 Magonis Π*N*: a magone $A^6\theta ald.Frob.$ 1.2   sollicitando θ *ald.*: sollicitandos Π*N*   quattuor milia (*uel* ∞ ∞ ∞ ∞) $PCA^v?\theta$: $\overline{\text{XL}}$ *M*: $\overline{\text{XXXX}}$ *RB*: XL (*uel plene*) *DAN*   2 captorum Π*N.ald. Frob.*1.2: *om.* θ effugit Π*N*: fugit θ 3 Carteiam] *u.* § 6
4 per proditionem *Sigonius*: per ditionem *Sp*: per deditionem Π*N*θ*ald.*: proditione *Frob.*2: caritie θ: carpeiae (-ie *AN*) πN: carcheie θ: carcheie *N*² *uel N*¹ (*qui in* § 3 *cartiiam praebet*). *Recte cartei- praebent* Π*N in* § 3 *et in c.* 31. 1 (carchei- θ *utrobique*)   ac triremes $N^4\theta ald.Frob.$1.2: *om.* Π*N* (*u. adn. sq.*)   quinqueremem $C^2A^v?N^2\theta$: quinqueremes Π*N, cf.* 27. 17. 1 *adn.*   deprensam $\pi A^x N$ (-prehens- $A\theta$), *cf.* § 4 (*et* 26. 27. 7 *adn.*)   7 trepidauit Π*N ald.Frob.*1.2: trepidabat θ

AB VRBE CONDITA XXVIII 30

quinqueremem sequeretur an in hostes rostra conuerteret. Ipsa cunctatio facultatem detractandae pugnae ademit; iam enim sub ictu teli erant et undique instabant hostes. Aestus quoque arbitrium moderandi naues ademerat; neque erat nauali pugna similis, quippe ubi nihil uoluntarium, nihil artis aut consilii esset. Vna natura freti aestusque totius certaminis potens suis, alienis nauibus nequiquam remigio in contrarium tendentes inuehebat; et fugientem nauem uideres, uertice retro intortam uictoribus inlatam, et sequentem, si in contrarium tractum incidisset maris, fugientis modo sese auertentem. Iam in ipsa pugna haec cum infesta rostro peteret hostium nauem, obliqua ipsa ictum alterius rostri accipiebat: illa cum transuersa obiceretur hosti, repente intorta in proram circumagebatur. Cum inter triremes fortuna regente anceps proelium misceretur, quinqueremis Romana seu pondere tenacior seu pluribus remorum ordinibus scindentibus uertices cum facilius regeretur, duas triremes suppressit, unius, praelata impetu, lateris alterius remos detersit; ceterasque quas indepta esset mulcasset, ni cum reliquis quinque nauibus Adherbal uelis in Africam transmisisset.

Laelius uictor Carteiam reuectus. Auditis quae acta Gadibus erant—patefactam proditionem coniuratosque missos

---

7 in (hostes) $B^2N^4ald.Frob.1.2$: om. ΠN   8 detract- AN $Frob.2$ (-trect- πθald.), cf. 27. 2. 5 adn.   ademit $A^vP N^4$ ut s. l. θ : adiecit ΠN   teli $P^2CM^1B^1AN\theta$: teh P: telib RD (hic te libant): teli h MB Aestus $C^2M^1AN\theta$: aestum π (cf. 27. 40. 7 adn.): actum P^2 ut uid.   pugna (similis) $Frob.1.2$: pugnae ΠNθald.   9 Vna natura θald.: unatura P, cf 27. 1. 11 adn. : ut natura Π²N potens $CRMBDAN\theta$: pontens P et (fugientem) ΠNJ: ut $A^7N^4K.ald.Frob.1.2$ nauem ΠNθald.: om. $Frob.2$ intortam $C^2A^xN^4\theta$: in portam (-tum M^1) π: inpositum AN (imp-), qui tamen retro ante uertice praebent, nec mutat hunc ordinem N^4 uictoribus ΠN Iac. Gron.: uictricibus N^4 ut s. l. θ Edd. ad Gron.   auertentem θEdd.: aduertentem ΠN   10 infesta ΠN: infesto θald.Frob.1.2, fort. recte   obliqua π¹N: obliquam P, cf. 26. 40.   11 adn.   repente $C\theta$: repeente N^2: repetenti πN circumagebatur $A^7\theta ald.$: cir πN (i.e. circum inter): circa A: circa aiebatur N^2 (non N^4)

31 1 Carteiam] u. c. 30. 6 adn.   reuectus. Auditis] sic interpunximus. De ellipsi ('a Laelio') post auditis cf. 21. 63. 15 (ubi subauditur 'a Flaminio')

XXVIII 31 1   TITI LIVI

2 Carthaginem, spem ad inritum redactam qua uenissent—nuntiis ad L. Marcium missis nisi si terere frustra tempus sedendo ad Gades uellent redeundum ad imperatorem esse, adsentiente Marcio paucos post dies ambo Carthaginem rediere.
3 Ad quorum discessum non respirauit modo Mago cum terra marique ancipiti metu urgeretur, sed etiam audita rebellione Ilergetum spem reciperandae Hispaniae nanctus nuntios
4 Carthaginem ad senatum mittit qui simul seditionem ciuilem in castris Romanis simul defectionem sociorum in maius uerbis extollentes hortentur ut auxilia mitterent quibus traditum a patribus imperium Hispaniae repeti posset.

5 Mandonius et Indibilis in fines regressi paulisper dum quidnam de seditione statueretur scirent suspensi quieuerunt, si ciuium errori ignosceretur non diffidentes sibi quoque ig-
6 nosci posse. Postquam uolgata est atrocitas supplicii suam quoque noxam pari poena aestimatam rati, uocatis rursus ad
7 arma popularibus contractisque quae ante habuerant auxiliis, in Sedetanum agrum, ubi principio defectionis statiua habuerant, cum uiginti milibus peditum duobus milibus equitum et quingentis transcenderunt.

32 Scipio cum fide soluendi pariter omnibus noxiis innoxiisque stipendii tum uoltu ac sermone in omnes placato facile

1 spem ad inritum (*uel* irr-) redactam Π*N.ald.* : spem innum redacta *Sp* : spe in irritum redacta *N*^{x}(?*N*^{4})*θFrob.*2   2 nisi si Π*N* (*cf.* 26. 3. 3) : nisi *N*^{4}*J.ald.Frob.*1.2 : ne *K*   3 reciperandae] *u.* 29. 30. 7 *adn.*   nanctus π*N*, *cf.* 27. 28. 2 *adn.* : nactus *CDA*^{7}*N*^{4}*θ* mittit] *hic* Π*N.ald.* : *ante* ad *θFrob.*2, *cf.* 27. 37. 5 *adn.*   4 hortentur Π*N*, *cf.* 27. 17. 14 *adn. et Liui libri II ed. Cantab. App. II,* § 3 *B* (3) : hortarentur *M*^{4}?*θ*(*et sic uoluit N*^{4} -ta- *post* hor- *inserens*)*ald. Frob.*1.2   5 quieuerunt *P*^{4}?*CAN*$θ$: quieueuerunt *P* (*cf.* 27. 44. 1 *adn.*) : qui euenerunt *RMBD* (euue- *D*)   non *N*^{1}*θald.* : ne Π*N* (*u. sq.*)   posse *P*^{x}*C*^{x}*AN*$θ$*ald.* : posset π, *cf.* 29. 2. 2
6 pari Π*N*^{4}*θald.Frob.*1.2 : del. *P*^{2} : om. *N*   7 quae ante π*R*^{2}*N Sp?θFrob.*2 : quante *P*^{3} *uel P*^{4}*R* : etiam quae ante *ald.*   Sedetanum *N*^{4}*θ* (*ut in c.* 24. 4 *P*) : setanum Π*N*   peditum duobus milibus *A*^{7}*N*^{4}*θEdd.* : om. Π*N* (*cf.* 26. 51. 8 *adn.*)   transcenderunt *CMBDAN*^{4}(trasc- *N*)*θ* (transt- *PR*)

32 1 fide *Sp ut uid. θald.* : fidei Π*N* : fide sui *N*^{2}? (*quid uoluerit incertum*)   soluendi . . . stipendii tum *Sp?Frob.*2 *et* (*sine* tum) *A*^{v}? *θ* : soluendi . . . stipendi (estip- *P*) tu|um *P*^{1} : soluendi (-de *CA*) . . . stipendium Π^2*N* : soluendi . . . stipendii tum- *N*^{2} (*sed* tumultu *pro* tum uoltu) : soluendis . . . stipendiis *ald.* : soluendo . . . stipendio tum *Gron.*

AB VRBE CONDITA XXVIII 32

reconciliatis militum animis, priusquam castra ab Carthagine moueret contione aduocata multis uerbis in perfidiam rebellantium regulorum inuectus, nequaquam eodem animo se ire professus est ad uindicandum id scelus quo ciuilem errorem nuper sanauerit. tum se haud secus quam uiscera secantem sua cum gemitu et lacrimis triginta hominum capitibus expiasse octo milium seu imprudentiam seu noxam: nunc laeto et erecto animo ad caedem Ilergetum ire. non enim eos neque natos in eadem terra nec ulla secum societate iunctos esse; eam quae sola fuerit fidei atque amicitiae ipsos per scelus rupisse. in exercitu suo se, praeterquam quod omnes ciues aut socios Latinique nominis uideat, etiam eo moueri quod nemo fere sit miles qui non aut a patruo suo Cn. Scipione, qui primus Romani nominis in eam prouinciam uenerit, aut a patre consule aut a se sit ex Italia aduectus. Scipionum nomini auspiciisque omnes adsuetos, quos secum in patriam ad meritum triumphum deducere uelit, quos consulatum petenti uelut si omnium communis agatur honos adfuturos speret.

Quod ad expeditionem attineat quae instet, immemorem esse rerum suarum gestarum qui id bellum ducat. Magonis hercule sibi qui extra orbem terrarum in circumfusam Oceano insulam cum paucis perfugerit nauibus maiorem curam esse

---

3 nequaquam $C^4AN\theta Edd.$: nequam π 5 fuerit $\pi N^4\theta Frob.2$, cf. § 3 sanauerit et 27. 17. 14 adn.: fuerat $AN.ald.$ fidei atque amicitiae ΠN: fidem atque amicitiam $N^4\theta ald.Frob$ 1.2   6 non A^7 uel $A^x Aldus$: non ex Italia Π(om. ex $C)N\theta$. Cf. de uocibus praesumptis c. 37. 1 et 29. 5. 6 adnn.   a (patruo) $C^1M^1N^4\theta$: om. ΠN
a se $\Pi NAldus$: a se ipso $Edd.$ ante $Ald.$: ipso θ
7 auspiciisque $AN.ald.Frob.1.2$: auspiciis $\pi Sp\theta$, uix recte (cf. de -que deperdito 26. 11. 12 adn. (c))   8 post expeditionem add. eam Sp? $N^3\theta Frob.2$ et sic malit Johnson: ignorant ΠN attineat quae (uel -que) πN^4 ut s. l. $\theta ald.Frob.1.2$: attinet atque AN instet immemorem N^4(qui instatum tamen ut s. l. reliquit)θ: institim memorem P: instatum memorem $\Pi^2 N$: hispanie statum immemorem A^5?
qui id $\pi N\theta Frob.2$ (qui bellum id $ald.$): qui ad C: quā ad C^3: quid D N^4 circumfusam (-flusam P) . . . insulam (-la D) cum $\Pi^2 N$ $ald.Frob.1.2$: circumfusa . . . insula quo θ (et add. ut s. l. quo pro cum etiam N^4)

9 quam Ilergetum ; quippe illic et ducem Carthaginiensem et quantumcumque Punicum praesidium esse, hic latrones latronumque duces, quibus ut ad populandos finitimorum agros tectaque urenda et rapienda pecora aliqua uis sit, ita in acie ac signis conlatis nullam esse ; magis uelocitate ad 10 fugam quam armis fretos pugnaturos esse. itaque non quod ullum inde periculum aut semen maioris belli uideat, ideo se priusquam prouincia decedat opprimendos Ilergetes duxisse, 11 sed primum ne impunita tam scelerata defectio esset, deinde ne quis in prouincia simul uirtute tanta et felicitate perdo- 12 mita relictus hostis dici posset. proinde dis bene iuuantibus sequerentur, non tam ad bellum gerendum—neque enim cum pari hoste certamen esse—quam ad expetendas ab hominibus scelestis poenas.

33 Ab hac oratione dimissos ad iter se comparare in diem posterum iubet profectusque decimis castris peruenit ad Hiberum flumen. Inde superato amni die quarto in conspectu 2 hostium posuit castra. Campus ante montibus circa saeptus erat. In eam uallem Scipio cum pecora rapta pleraque ex ipsorum hostium agris propelli ad inritandam feritatem bar- 3 barorum iussisset, uelites subsidio misit, a quibus ubi per procursationem commissa pugna esset Laelium cum equitatu 4 impetum ex occulto facere iubet. Mons opportune prominens equitum insidias texit nec ulla mora pugnae facta est. Hispani in conspecta procul pecora, uelites in Hispanos 5 praeda occupatos incurrere. Primo missilibus territauere ; deinde missis leuibus telis, quae inritare magis quam de-

9 duces $\theta ald.Frob.1.2$: duces esse ΠN, *cf. fort. c.* 18. 7 *et* 27. 26. 10 *adnn.* ut $A^8N^4\theta Edd.$: *om.* ΠN 11 simul $\Pi N\partial Edd.$] *fort.* et *post* simul *excidit* posset $\Pi NK.ald.Frob.1.2$: possit J 12 dis, *cf. c.* 28. 11 *adn.* : deis πN : de his D : diis θ tam $N^4\theta$ $Edd.$: iam ΠN expetendas $\Pi N\theta$: expectandas N^5 (*certe non* N^4)
33 1 decimis $A^7N^4\theta$: decumis πN (*ut* Π *in* 27. 32. 11) : decimum D amni $\pi\theta$: amne AN : anni D 2 ipsorum $N^4\theta ald.Frob.$ 1.2 : *om.* ΠN feritatem $\Pi NSp?\theta Frob.2$: ferocitatem *ald.*
4 texit $CA^7?N^1\theta Edd.$: nexit PRM : nec sit BD : nec texit sit AN 5 missis $SpA^7N^2\theta Frob.2$: emissis $\Pi N.ald.$ leuibus A^7 $N^4\theta ald.Frob.1.2$: legibus πN^2 : legionibus CM^1B^2N : *om.* $Sp?$ telis SpA^7N^2 *uel* $N^4\theta Edd.$: uelis πN : uel D : uerlis $?P^4$

AB VRBE CONDITA   XXVIII

cernere pugnam poterant, gladios nudant et conlato pede res coepta geri est; ancepsque pedestre certamen erat ni equites superuenissent. Neque ex aduerso tantum inlati obuios obtriuere, sed circumuecti etiam quidam per infima cliui ab tergo se ut plerosque intercluderent obiecerunt, maiorque caedes fuit quam quantam edere leuia per excursiones proelia solent.

Ira magis accensa aduerso proelio barbaris est quam imminuti animi. Itaque ne perculsi uiderentur prima luce postero die in aciem processere. Non capiebat omnes copias angusta, sicut ante dictum est, ualles; duae ferme peditum partes omnis equitatus in aciem descendit: quod reliquum peditum erat obliquo constituerunt colle. Scipio pro se esse loci angustias ratus et quod in arto pugna Romano aptior quam Hispano militi futura uidebatur et quod in eum locum detracta hostium acies esset qui non omnem multitudinem eorum caperet, nouo etiam consilio adiecit animum; equitem nec se posse circumdare cornibus in tam angusto spatio, et hosti, quem cum pedite deduxisset inutilem fore. Itaque imperat Laelio ut per colles quam occultissimo itinere circumducat equites segregetque quantum possit equestrem a pedestri pugnam: ipse omnia signa

---

5 *post* conlato *om.* pede ... ancepsque *ob ὁμ.* ΠN (*fort. ii lineas*): *supplent* A^7N^4 (*sed iam* pede *ex* pedestre *emendauerat* N^2: *add.* N^4 res ... pedestre) *θald.Frob.1.2* (*sed* anceps *ald.*: ancepsque *Frob.2*), *cf.* 26. 51. 8 *adn.*   ni $P^1C\theta Frob.2$: nisi ΠN.*ald.*   6 infima cliui $A^6N^4\theta$: infime (*uel* -mae) leui π: infima et leuia AN obiecerunt πM^1(-cer M)N.*ald.*: obiecere θ(obic- J)*Frob.2*
7 perculsi $Sp?A^7?\theta Frob.2$: pulsi ΠN.*ald.*, *cf.* 27. 1. 11 *adn.*
8 ualles π: uallis $C^3M^1AN\theta$. *De Nom. forma u. sis Liui lib. II ed. Cantab. ad c.* 21. 2   omnis ΠN: et omnis $A^x\theta$ *Edd. ante Gron., sed de Asyndeto cf. c.* 40. 2 *adn.*   constituerunt ΠN(*sc.* ' barbari')*ald.*: constiterunt $M^3Sp?\theta Frob.2$, *cf. cc.* 15. 10 *et* 39. 4   9 detracta C^4M^1 *uel* $M^2AN\theta$: detrectata π   10 equitem Sp *ut uid.* $N^2\theta$ *Edd.*: equidem (*uel* aeq-) ΠN   nec se posse $Sp?N^4Frob.2$: esse posse ΠN: nec posse $A^7\theta ald.$ deduxisset P(-iset)$C\theta Frob.2$: eduxisset $RMBDAN.ald.$ 11 possit $AN\theta ald.Frob.1.2$: posset π a $P^xCB^1AN\theta$: ad π, *cf.* § 13 *et* 27. 25. 12 *adn.*: ab *Alschefski* (*fort. uix recte, nam cf. e. g.* seruus a pedibus)   pugnam πN: pugna $CM^3A^x\theta ald Frob.1.2$, *cf. c.* 39. 6 *adn.*

XXVIII 33 12   TITI LIVI

peditum in hostes uertit; quattuor cohortes in fronte statuit
13 quia latius pandere aciem non poterat. Moram pugnandi nullam fecit ut ipso certamine auerteret ab conspectu transeuntium per colles equitum ; neque ante circumductos sensere quam tumultum equestris pugnae ab tergo accepere.
14 Ita duo diuersa proelia erant; duae peditum acies, duo equitatus per longitudinem campi, quia misceri ex genere utroque proelium angustiae non patiebantur, pugnabant.
15 Hispanorum cum neque pedes equiti neque eques pediti auxilio esset, pedes fiducia equitis temere commissus campo caederetur, eques circumuentus nec peditem a fronte—iam enim stratae pedestres copiae erant—nec ab tergo equitem sustineret, et ipsi cum diu in orbem sese stantibus equis defendissent ad unum omnes caesi sunt, nec quisquam peditum equitumue superfuit qui in ualle pugnauerunt.
16 Tertia pars, quae in colle ad spectaculum magis tutum quam ad partem pugnae capessendam steterat, et locum et
17 tempus ad fugiendum habuit. Inter eos et reguli ipsi fugerunt priusquam tota circumueniretur acies inter tumultum elapsi.

34 Castra eodem die Hispanorum, praeter ceteram praedam,
2 cum tribus ferme milibus hominum capiuntur. Romani

12 in (hostes) Π$N.ald.Frob.$1.2 : ad $θ$ 13 ab (conspectu) $Gron., cf.$ 30. 9. 11 $adn.$: a $CD^xA^xN^2$ $uel N^4θ$: ad $πN$(conspectum AN), $cf.$ § 11 $adn.$ equitum (aeq- D) Π$Nθ$ (-tatum N^2)   neque ante Π$N.ald.$: nec ante $θFrob.$2   sensere $P^4N^2θald.Frob.$1.2 : censere P: cernere Π^2N acciperet (accep- R) R^2M accepere $PCN^2θ$: $BDAN$ 14 diuersa $N^4θald.Frob.$1.2, $hic proprie, nam$ per long. campi ($i.e. per ima uallis$) $pedites equitesque Hispani in diuersa pugnabant$: $om.$ ΠN 15 pedes $P^xθald.Frob.$1.2 : pedites ΠN neque eques P^2CM^2 uel M^7A^6 (qui acies $post$ Hispanorum $add.$) $N^4ald.$: nec eques $Frob.$2 : neque acies $RMBDAN$: neques $P, cf.$ 27. 1. 11 $adn.$
16 capessendam C^2AN $Edd.$: cap-(comp-J)escendam $θ$: capessendae $π$ (sed -da est et erat $RMBD$: -dae steterat M^2)
17 reguli $CM^3B^2ANθ$: reculi (ret- D) $π$ fugerunt $πNθ$ (-gierunt K) : fuerunt $F. Leo, frustra$

34 1 ceteram $Sp?θ$: am P : reliquam Π$^2N.ald.$ ($sed scripserat$ reliqua $supra$ am P^2, a- $Puteani non deleto$)

AB VRBE CONDITA XXVIII 34

sociique ad mille et ducenti in eo proelio ceciderunt;
uolnerata amplius tria milia hominum. Minus cruenta
uictoria fuisset si patentiore campo et ad fugam capessendam facili foret pugnatum.

Indibilis abiectis belli consiliis nihil tutius in adflictis 3
rebus experta fide et clementia Scipionis ratus, Mandonium
fratrem ad eum mittit; qui aduolutus genibus fatalem 4
rabiem temporis eius accusat cum uelut contagione quadam
pestifera non Ilergetes modo et Lacetani sed castra quoque
Romana insanierint. suam quidem et fratris et reliquorum 5
popularium eam condicionem esse ut aut, si ita uideatur,
reddant spiritum P. Scipioni ab eodem illo acceptum, aut
seruati bis uni debitam uitam pro eo in perpetuum de-
uoueant. antea in causa sua fiduciam sibi fuisse nondum 6
experta clementia eius: nunc contra nullam in causa,
omnem in misericordia uictoris spem positam habere.
Mos uetustus erat Romanis, cum quo nec foedere nec 7
aequis legibus iungeretur amicitia, non prius imperio in eum
tamquam pacatum uti quam omnia diuina humanaque
dedidisset, obsides accepti, arma adempta, praesidia urbibus
imposita forent. Scipio multis inuectus in praesentem 8
Mandonium absentemque Indibilem uerbis, illos quidem

2 et ducenti in *scripsimus ut monuerat Walters*: ducenti in *C*:
ducentii π (*R? et R² in ras.*): ducenti P^xM^1*uel* M^4AN: et ducentos θ, *sed de Nominatiuo cf.* 22. 41. 2 *adn. et e.g.* 26 10. 5; 27.
12. 16; 28. 36. 13; 29. 21. 12; 29. 36. 5   tria milia (*uel*
$\infty \infty \infty$) $PCA^x\theta$: xxx $RMBDAN$ 2 facili θ*ald.*: facile ΠN
          pugnatum $A^7N^4\theta$: purgatum $\Pi(A?)N$ 3 in Π^1 *uel* Π^2N
ald.: *om. PSpθFrob.*2, *cf.* 26. 13. 7 *adn.*   4 aduolutus C^2M^3A
$N\theta$: aduolutum π, *cf.* 27. 40. 7 *adn.*   quoque $\Pi N.ald.Frob.$1.2:
om. Sp?θ   5 eodem $\pi A^5?\theta$: *om. AN*   bis uni $A^5?N^4\theta$*ald.*
*Frob.*1.2: bus uni (*sed* seruatibus) *Sp*: bisunt (*ut uid.*) *P*: *om.* Π^2N
          debitam uitam $\Pi N.ald.Frob.$1.2: deuitam *Sp*: debitam *J*:
debitum *K Rhen.*   6 positam $\Pi N.ald.$: repositam $Sp?N^4\theta$
*Frob.*2   7 foedere $P^4A\theta$*ald.Frob.*1.2: toedere πN: fededere N^5
(*sed* federe *uoluit*)   iungeretur $\Pi NSp\theta$ (-rentur *Vat ald.*)
dedidisset *ald.Frob.*1.2: dedisset $\Pi N\theta$

XXVIII 34. 8 TITI LIVI

merito perisse ipsorum maleficio ait, uicturos suo atque
9 populi Romani beneficio. ceterum se neque arma iis adempturum ⟨neque obsides imperaturum⟩—quippe ea pignera
timentium rebellionem esse: se libera arma relinquere,
solutos animos—neque [se] in obsides innoxios sed in ipsos,
10 si defecerint, saeuiturum, nec ab inermi sed ab armato hoste
poenas expetiturum. utramque fortunam expertis permittere
sese utrum propitios an iratos habere Romanos mallent.
11 Ita dimissus Mandonius pecunia tantummodo imperata ex
12 qua stipendium militi praestari posset. Ipse Marcio in
ulteriorem Hispaniam praemisso, Silano Tarraconem remisso
paucos moratus dies dum imperatam pecuniam Ilergetes
pernumerarent, cum expeditis Marcium iam adpropinquan-
tem Oceano adsequitur.

35 Incohata res iam ante de Masinissa aliis atque aliis de
causis dilata erat, quod Numida cum ipso utique congredi

8 ipsorum $\pi B^2 N\theta$: suo ipsorum *Duker, non necess.* om. *C* ait
. . . beneficio : om. *B* ipsorum . . . beneficio: *supplet* B^2 suo
atque (ac *K*) $A^7 N^4 \theta Edd.$: suumque πB^2 : suomque P^2? ('suoque P^4'
teste Luchsio): suoque *A?N* 9 *post* ceterum om. Π*N* se . . .
adempturum, *cf.* 26. 51. 8 *adn.* : *supplent* $A^7 N^4 \theta ald. Frob.$1.2
neque obsides imperaturum *Weissenb., xxiii litt. supplens, cf.* 26. 6.
16 *adn.*: om. Π$N\theta Edd.$ uet. pignera Π*NK* (-nora *J*), *u.*
2. 1. 5 *adn.* se (sed *K*) libera Sp? $A^7 N^4 \theta Frob.$2 : tiberim Π*N*(*de* se
u. infra) : libet C^3 : se libere *ald.* solutos animos $A^7 N^4 \theta$: so-
lutus (*cf.* 30. 36. 8) enimos (enim hos *A?N*) Π*N*: solutos enim omnes
animos A^5? : solutos C^2 : solutosque metu animos *ald.Frob.*1.2
neque se Π*N*θ : se *seclusimus, ut ex praec. clausula in marg. delapsum
tum loco non suo restitutum* (*cf.* 27. 2. 6 *adn.*). *Cf. etiam* (*de* se) 27. 38
5 *adn.* 10 ab inermi $A^6 N^4 \theta$: inermis π : inermi *AN* ab
(armato) Π²$N\theta$: om. *P* expetiturum. utramque fortunam expertis $A^7 N^4 \theta ald. Frob.$1.2 : expertis π, *cf.* § 12 : expeti *AN*
mallent Π*N*θ : malint *C. F. W. Müller, quod et ipse praetulissem (cf.
27. 17. 14 adn.), nisi licuisset interpretari* '*experti utrumque, utrum
maletis?*' 11 stipendium $A^7 N^4 \theta ald. Frob.$1.2 : praesidium Π*N*:
residuum *Gron. dubitanter, sed corruptela orta est a* prae- (*ex uoce*
praestari) *praesumpto, cf.* 29. 5. 6 *adn.* 12 Silano Tarraconem
remisso A^6?$N^4 \theta$ (*uariante orthogr.*): om. Π*N*, *cf.* §§ 9 *et* 10 *et* 26. 51. 8
adnn.

35 1 Incohata *PRJ, cf. e.g.* 2. 48. 1 *et* 30. 16. 1 *et Mon. Anc.* § 20 :
incoata *C* : inchoata $C^2 R^2 MBDANK$ (*ut* π *in* 29. 23. 3)

Scipione uolebat atque eius dextra fidem sancire ; ea tum itineris tam longi ac tam deuii causa Scipioni fuit. Masinissa cum Gadibus esset, certior aduentare eum a Marcio factus, causando corrumpi equos inclusos in insula penuriamque omnium rerum et facere ceteris et ipsos sentire, ad hoc equitem marcescere desidia, ⟨Magonem⟩ perpulit ut se traicere in continentem ad depopulandos proximos Hispaniae agros pateretur. Transgressus tres principes Numidarum praemittit ad tempus locumque conloquio statuendum. Duos pro obsidibus retineri ab Scipione iubet: remisso tertio qui quo iussus erat adduceret Masinissam, cum paucis in conloquium uenerunt. Ceperat iam ante Numidam ex fama rerum gestarum admiratio uiri, substitueratque animo speciem quoque corporis amplam ac magnificam ; ceterum maior praesentis ueneratio cepit, et praeterquam quod suapte natura multa maiestas inerat, adornabat promissa caesaries habitusque corporis non cultus munditiis sed uirilis uere ac militaris, et aetas erat in medio uirium robore, quod plenius nitidiusque ex morbo uelut renouatus flos iuuentae faciebat.

Prope attonitus ipso congressu Numida gratias de fratris filio remisso agit. Ex eo tempore adfirmat eam se quaesisse

XXVIII 35 8   TITI LIVI

occasionem quam tandem oblatam deum immortalium
9 beneficio non omiserit. cupere se illi populoque Romano
operam nauare ita ut nemo unus externus magis enixe
10 adiuuerit rem Romanam. id se, etiamsi iam pridem uellet,
minus praestare in Hispania terra aliena atque ignota
potuisse; in qua autem genitus educatusque in spem
11 paterni regni esset, facile praestaturum. si quidem eundem
Scipionem ducem in Africam Romani mittant, satis sperare
12 perbreuis aeui Carthaginem esse. Laetus eum Scipio uidit
audiuitque cum caput rerum in omni hostium equitatu Masinissam fuisse sciret, et ipse iuuenis specimen animi prae se
ferret. Fide data acceptaque profectus retro Tarraconem
13 est. Masinissa permissu Romanorum ne sine causa traiecisse
in continentem uideretur populatus proximos agros, Gades
rediit.

36 Magoni desperatis in Hispania rebus, in quarum spem
seditio primum militaris, deinde defectio Indibilis animos
eius sustulerant, paranti traicere in Africam nuntiatum ab
Carthagine est iubere senatum ut classem quam Gadibus
2 haberet in Italiam traiceret; conducta ibi Gallorum ac
Ligurum quanta maxima posset iuuentute coniungeret se
Hannibali neu senescere bellum maximo impetu maiore
3 fortuna coeptum sineret. Ad eam rem et a Carthagine
pecunia Magoni aduecta est, et ipse quantam potuit a

---

   8 quam ΠN *Edd.*: *om.* θ   10 terra] *hic* θ*Frob.*2 *et* N^4 (*qui alt.*
terra *non delet*): *post* ignota ΠN potuisse $P^4C^4M^3(M^7?)A^7N^4$
θ: posuisse ΠN genitus $P^4C^4M^7A$θ *et sic uoluit* N^4 (geninitus
praebens): generisnitus N: generis π   11 mittant *hic* π(-unt
D)θ: *ante* Romani $AN.ald.Frob.$1.2, *cf.* § 2   13 continentem
$C^2M^3(M^7?)A^7N^2(N^3?)$θ: contionemtem *PCR*: contionantem R^2M
(-natem $BDAN$)   uideretur C^2M^1ANθ: uiuidetur P: uidetur π²

   36 1 spem Π²Nθ: spom P iubere C^2M^2 *uel* $M^1B^2A^7N^2$θ:
iure P, *cf.* 27. 1. 11 *adn.*: iuuere π² *uel* π¹N: iuuere D 2 se
A^7 *uel* A^6θ*ald.Frob.*1.2: *om.* ΠN neu θ*ald.Frob.*1.2: neo P:
ne Π²N

AB VRBE CONDITA   XXVIII **36** 3

Gaditanis exegit, non aerario modo eorum sed etiam templis spoliatis et priuatim omnibus coactis aurum argentumque in publicum conferre.

Cum praeterueheretur Hispaniae oram, haud procul 4 Carthagine Noua expositis in terram militibus proximos depopulatur agros; inde ad urbem classem adpulit. Ibi 5 cum interdiu milites in nauibus tenuisset, nocte in litus expositos ad partem eam muri qua capta Carthago ab Romanis fuerat ducit, nec praesidio satis ualido urbem teneri ratus et aliquos oppidanorum ad spem nouandi res aliquid moturos. Ceterum nuntii ex agris trepidi simul 6 populationem agrestiumque fugam et hostium aduentum attulerant, et uisa interdiu classis erat, nec sine causa elec- 7 tam ante urbem stationem apparebat; itaque instructi armatique intra portam ad stagnum ac mare uersam continebantur. Vbi effusi hostes, mixta inter milites naualis 8 turba, ad muros tumultu maiore quam ui subierunt, patefacta repente porta Romani cum clamore erumpunt, turba- 9 tosque hostes et ad primum incursum coniectumque telorum auersos usque ad litus cum multa caede persequuntur; nec 10 nisi naues litori adpulsae trepidos accepissent superfuisset fugae aut pugnae quisquam. In ipsis quoque trepidatum 11 nauibus est dum ne hostes cum suis simul inrumperent trahunt scalas, orasque et ancoras ne in moliendo mora esset praecidunt; multique adnantes nauibus, incerto prae tene- 12

3 exegit C^2M^1 *uel* $M^2B^2AN\theta$(exeḡ- K)*ald.Frob.*1.2: exigit π, *fort. recte, cf.* 27. 5. 9 *adn., sed nondum exemplum inuenimus ubi haec duo tempora per* et ... et *coniungantur*   eorum $\pi N\theta$: *om.* M
4 proximos $CM^3B^2AN\theta$: proximus π, *cf.* 30. 36. 8 *adn.*   depopulatur πN (-tus $BD\theta ald.Frob.$1.2), *cf.* 27. 5. 9 *adn.*   5 interdiu $N^4\theta$ *Edd.*: in diu P: diu Π^2N ab $CM^3BD\theta$ (*cf. e.g.* 30. 34. 1; 30. 42. 13): a AN: ob PRM 7 electam (-um D) $\pi Sp Frob.$2: erectam Vat *ald.*: eiectam θ: electa AN 8 hostes $\Pi N\theta$ *Edd.*: et hostes Vat turba $\Pi N Aldus$: turma θ *Edd. ante Ald.*
9 auersos $A^7N^2(N^3?)K$: aduersos (-us M) ΠNJ persequuntur CM^1BAN(-sec- AN)θ: persequentur π 11 orasque ΠN *Edd.*: pontesque $A^7\theta$ ne $M^7(M^3?)A^7\theta$: de $\Pi(A?)N$ 12 incerto PCR^2M: incertos RM^1(*pleniore cal., cf.* 1. 41. 4 *adn.*)$BDAN$: incerti θ

XXVIII 36 12   TITI LIVI

13 bris quid aut peterent aut uitarent, foede interierunt. Postero die cum classis inde retro ad Oceanum unde uenerat fugisset, ad octingenti homines caesi inter murum litusque et ad duo milia armorum inuenta.

37 Mago cum Gades repetisset, exclusus inde ad Cimbios —haud procul a Gadibus is locus abest—classe adpulsa, mittendis legatis querendoque quod portae sibi socio atque 2 amico clausae forent, purgantibus iis multitudinis concursu factum infestae ob direpta quaedam ab conscendentibus naues militibus, ad conloquium sufetes eorum, qui summus Poenis est magistratus, cum quaestore elicuit, laceratosque 3 uerberibus cruci adfigi iussit. Inde nauibus ad Pityusam insulam centum milia ferme a continenti—Poeni tum eam 4 incolebant—traiecit. Itaque classis bona cum pace accepta est, nec commeatus modo benigne praebiti sed in supplementum classis iuuentus armaque data; quorum fiducia Poenus in Baliares insulas—quinquaginta inde milia absunt —tramisit.

5 Duae sunt Baliares insulae, maior altera atque opulentior

12 uitarent $C^2N^x\theta$ *Edd.*: inuitarent (*sed* muta- *C*) ΠN (*scil.* inpraesumpto)   13 octingenti (*plene*) ΠN, *cf. c.* 34. 2 *adn.*: dccc θ: octingentos A^5? homines ... inuenta] *om. D* armorum $SpN^4\theta Frob$.2: armatorum $\pi N.ald.$

37 1 repetisset (-iset *PRMD*) πN^4 *ut s. l.* $\theta ald.Frob$.1.2: recepisset AN ad θ *Edd.*: classe ad ΠN (*sc.* classe ad-(pulsa) *praesumpto cf.* 29. 5. 6 *adn.*)   Cimbios *PRA* (*ut uid.*): cimbros π^2R^2: umbros D: ambros N: cimbim $\theta ald.Frob$ 1.2.   a $\Pi N.ald.$: *om. Sp?θ Frob.2, pari iure*   forent C^2 *uel* $C^4AN^2\theta$: foret π: floret N
2 iis *PCRK.ald.*: his R^2MBDAN: *om. Sp?*: hiis J ab conscendentibus $C^2A^7N^4J$: abscondentibus ΠN: ad conscendendum K sufetes (-ff- A^xK) $A^xN^4\theta$, *cf.* 30. 7. 5 (*P*): superstes ΠN iussit $P^4CB^2AN\theta$: tussit π: ssit B (*sed* adfixissit)
3 Pityusam *Sabellicus ex Plin.* 4. 56: pityusam (pytis- *CAN*: pitiss- *B*: pitiss- *D*) ΠN: pitusam J: pitusque K continenti $?P^4CM^7B^2AN^4\theta$: contenti πN (-tinti): *fort.* contdenti P^4 traiecit. Itaque $A^6N^4\theta$ *Edd.*: tracititaque P: praecipitate π^2R^2(-cipitae R)N (-tata C^4M^7); *cf. c.* 8. 4 *adn.*   4 classis (iuuentus) $A^v\theta$: classi (lassi P) Π^1N, *cf.* 27. 17. 12 *adn.*   tramisit π (transm- *DANJ*), *cf.* 27. 5. 9 *adn.*: transmittit K 5 insulae $\Pi N.ald.$: *om. Sp?θ Frob.*2

AB VRBE CONDITA XXVIII 37

armis uirisque; et portum habet, ubi commode hibernaturum se—et iam extremum autumni erat—censebat. Ceterum haud secus quam si Romani eam insulam incolerent hostiliter classi occursum est. Fundis ut nunc plurimum, ita tum solo eo telo utebantur, nec quisquam alterius gentis unus tantum ea arte quantum inter omnes alios Baliares excellunt. Itaque tanta uis lapidum creberrimae grandinis modo in propinquantem iam terrae classem effusa est ut intrare portum non ausi auerterent in altum naues. In minorem inde Baliarium insulam traiecerunt, fertilem agro, uiris armis haud aeque ualidam. Itaque egressi nauibus super portum loco munito castra locant; ac sine certamine urbe agroque potiti, duobus milibus auxiliarium inde conscriptis missisque Carthaginem, ad hibernandum naues subduxerunt. Post Magonis ab Oceani ora discessum Gaditani Romanis deduntur.

Haec in Hispania P. Scipionis ductu auspicioque gesta. Ipse L. Lentulo et L. Manlio Acidino propraetoribus prouincia tradita decem nauibus Romam rediit, et senatu extra urbem dato in aede Bellonae quas res in Hispania gessisset disseruit, quotiens signis conlatis dimicasset, quot oppida ex hostibus ui cepisset, quas gentes in dicionem populi Romani redegisset; aduersus quattuor se imperatores,

---

5 censebat $Sp?N^4\theta Frob.2$: credebat ΠN, cf. 27. 26. 1 adn.
6 incolerent P^4CM^1 uel $M^3AN\theta$: incolent π, cf. 27. 1. 11 adn.
quisquam $C^4M^3BA^7\theta$: quicquam πB^1N omnes alios θ Edd.
ante Ald. : alios omnes ΠN Aldus, fort. recte sed minus clare (et cf. c. 2. 15 adn.) : alias omnes Gron.   8 Baliarium] u. c. 46. 7 adn.
9 locant A^6 uel $A^7N^4\theta ald.Frob.1.2$: om. ΠN post inde (P fol. 402 r. b. l. 2) sequuntur in ΠN uoces externo soluta in (29. 1. 24) ... usque ad fin. codicum. Voces conscriptis (uel -bt-) missisque ... usque ad omni imperio (29. 1. 24) transponunt post caede (28. 22. 14)P (fol. 368 u. b. l. 25)C(fol. 103 u. a.)R(fol. 210 r.)M(fol. 98 r. a.)B(fol. 83 u. a.)D(fol. 184 u. b.)A(fol. 194 u.)N(fol. 124 r.). Vide adn. ad c. 22. 14

38 1 Manlio θ, cf. 26. 23. 1 : manilio ΠN (mam-)   propraetoribus prouincia optime Walters ex C^2 uel C^3: pro prouincia π: prouincia $P^4MAN\theta$ Edd.   2 quot $C^3M^2B^1AN\theta$: quod π

XXVIII 38 3   TITI LIVI

quattuor uictores exercitus in Hispaniam isse; neminem
4 Carthaginiensem in iis terris reliquisse. Ob has res gestas
magis temptata est triumphi spes quam petita pertinaciter,
quia neminem ad eam diem triumphasse qui sine magis-
5 tratu res gessisset constabat. Senatu misso urbem est
ingressus, argentique prae se in aerarium tulit quattuordecim
milia pondo trecenta quadraginta duo et signati argenti
6 magnum numerum. Comitia inde creandis consulibus
habuit L. Veturius Philo, centuriaeque omnes ingenti fauore
P. Cornelium Scipionem consulem dixerunt; collega additur
7 ei P. Licinius Crassus pontifex maximus. Ceterum comitia
maiore quam ulla per id bellum celebrata frequentia prodi-
8 tum memoriae est. Conuenerant undique non suffragandi
modo sed etiam spectandi causa P. Scipionis, concurre-
bantque et domum frequentes et in Capitolium ad immo-
lantem eum cum centum bubus uotis in Hispania Ioui
9 sacrificaret; spondebantque animis, sicut C. Lutatius
superius bellum Punicum finisset, ita id quod instaret
10 P. Cornelium finiturum, atque uti Hispania omni Poenos
expulisset, sic Italia pulsurum esse; Africamque ei perinde

3 quattuor uictores (-ore P) Π^2 uel $\Pi^1 N$, cf. c. 28. 9: uictores θ
in Hispaniam isse $\Pi N\theta$ (sed -nia|misse P: -ia misse C: corr. C^1)
neminem $P^4C^4M^2(M^7?)AN^2$ (-enem N)θ: nemini π in iis PC:
initis $RMBDA?N$: in his $A^7N^4\theta$ (hiis J)   terris $P^xA^7N^4\theta$:
terroris PC: terroribus $RMBDA?N$ 4 petita $\Pi N\theta$: petitus
Duker, non male, sed cf. (si necesse uidetur) c. 25. 2   5 quattuordecim N^2 (-cem) Med. 3: decemquattuor ΠN, cf. 26. 49. 3 adn.
pondo N^4 ab N^7 confirmatus θ Edd.: om. ΠN trecenta (uel ccc)
$A\theta$: trecentum πN XLII (uel plene) $CBAJ$: LXII K: quadringenta duo π 6 P. Cornelium Scipionem θ (sed om. Scipionem J): p. scipionem $\Pi N.ald.Frob.1.2$, fort. recte   7 Ceterum
(caet- C) $\Pi N.ald.$: cetera N^x uel N^4 ut s. l. θ 8 P. Scipionis
ΠN: p. cornelii J: p. cornelii scipionis K et domum A^7N^2
uel N^4 ut s. l. θald.: idomu P: edomu P^1: domum CRM: domu
(-mi B) B^xD: domo AN frequentes $N^1\theta$ald.Frob.1.2: frequenter ΠN bubus AN: bubos π: bobus $BD\theta$ 9 spondebantque $\Pi N.ald.$: despondebantque $Sp?(an sine$ -que $?)\theta Frob.2$, per se
sat Liuianum, si modo aliud exemplum clausulae ex hoc uerbo pendentis
reperiatur   animis $Sp?N^2\theta Frob$ 2: animi $\Pi N.ald.$ 10 uti
Alschefski: ut in π: ut $P^4C^2\theta ald.Frob.1.2$, fort. recte

AB VRBE CONDITA   XXVIII 38

ac debellatum in Italia foret prouinciam destinabant.
Praetoria inde comitia habita.   Creati duo qui tum aediles 11
plebis erant, Sp. Lucretius et Cn. Octauius, et ex priuatis
Cn. Seruilius Caepio et L. Æmilius Papus.

Quarto decimo anno Punici belli P. Cornelius Scipio et 12
P. Licinius Crassus ut consulatum inierunt, nominatae consulibus prouinciae sunt, Sicilia Scipioni extra sortem, concedente collega quia cura sacrorum pontificem maximum in
Italia retinebat, Bruttii Crasso.   Tum praetoriae prouinciae 13
in sortem coniectae. Vrbana Cn. Seruilio obtigit, Ariminum
—ita Galliam appellabant—Sp. Lucretio, Sicilia L. Aemilio,
Cn. Octauio Sardinia.

Senatus in Capitolio habitus.   Ibi referente P. Scipione 14
senatus consultum factum est ut quos ludos inter seditionem militarem in Hispania uouisset, ex ea pecunia quam
ipse in aerarium detulisset faceret.

Tum Saguntinorum legatos in senatum introduxit. Ex 39
eis maximus natu : 'Etsi nihil ultra malorum est, patres
conscripti, quam quod passi sumus ut ad ultimum fidem
uobis praestaremus, tamen ea uestra merita imperatorumque
uestrorum erga nos fuerunt ut nos cladium nostrarum non
paeniteat.   Bellum propter nos suscepistis ; susceptum 2
quartum decimum annum tam pertinaciter geritis ut saepe
ad ultimum discrimen et ipsi ueneritis et populum Carthaginiensem adduxeritis.   Cum in Italia tam atrox bellum et 3
Hannibalem hostem haberetis, consulem cum exercitu in

11 et Cn. A^7 uel $A^8N^4\theta$ Edd. : cn. ΠN, post quod om. Octauius...
Cn. ΠN, sc. xxii litteras ob ὅμ. (cf. 26. 51. 8 adn.) : supplent A^7 uel A^8
$N^4\theta$ Edd.   12 P. (Licinius) θald.Frob.1.2 : l. Π : luicius N (luc-
N^x)   ut ΠN.ald. : om. $Sp?N^4\theta$ cura] hic θFrob.2 : post
sacrorum ΠN.ald., fort. recte   14 uouisset P^4C^1 uel $C^2M^1B^xA$
$N\theta$: uoluisset π

39 1 uestra ΠN.ald.Frob.1.2 : om. θ   imperatorumque ΠN
Edd. : imperatorum θ   ut (nos) $CM^7AN\theta$: om. π   2 sus-
ceptum πSp?Frob.2 : susceptumque AN.ald.   3 tam ΠN.ald.
Frob.1.2 : om. θ   consulem ΠN : consules θald.Frob.1.2

XXVIII 39 3   TITI LIVI

Hispaniam uelut ad conciliandas reliquias naufragii nostri
4 misistis. P. et Cn. Cornelii ex quo in prouinciam uenerunt
nullo tempore destiterunt quae nobis secunda quaeque
5 aduersa hostibus nostris essent facere. Iam omnium primum oppidum nobis restituerunt; per omnem Hispaniam
ciues nostros uenum datos, dimissis qui conquirerent, ex ser-
6 uitute in libertatem restituerunt. Cum iam prope esset ut
optabilem ex miserrima fortunam haberemus, P. et Cn. Cornelii imperatores uestri luctuosius nobis prope quam uobis
perierunt.

7 'Tum uero ad hoc retracti ex distantibus locis in sedem
antiquam uidebamur ut iterum periremus et alterum exci-
8 dium patriae uideremus—nec ad perniciem nostram Carthaginiensi utique aut duce aut exercitu opus esse: ab Turdulis
nos ueterrimis hostibus, qui prioris quoque excidii causa
9 nobis fuerant, exstingui posse—cum ex insperato repente
misistis nobis hunc P. Scipionem, quem fortunatissimi
omnium Saguntinorum uidemur quia consulem declaratum
uidemus ac uidisse nos ciuibus nostris renuntiaturi sumus,
10 spem, opem, salutem nostram; qui cum plurimas hostium
uestrorum cepisset in Hispania urbes, ubique ex captorum

---

3 uelut (-ud D)ΠNSp *Edd.*: *om.* θ   ad $SpC^4DA^7N^4θ$ *Edd.*:
om. πN conciliandas SpN^4 *ut s. l.* θ: colligendas Π$N.ald.$
$Frob.$1.2, *sed* conciliare *uox sermonis familiaris* (*cf. e.g.* Lucr. 1.611; Plin.
17.211) *huic personae aptissima*   4 destiterunt $P^xANθ$: destiterunt π, *cf. c.* 33. 8 *adn.*   5 ex Π$N.ald.Frob.$1.2: de θ   6 fortunam A^7 *uel* $A^1N^{x}θald.Frob.$1.2: fortuna Π(A?)N, *cf. c.* 33. 11 *adn.* (pugnam)   prope (quam) A^7N^4 *ut s. l.* (*sed fort.* quoque prope *uoluit*)
θ*ald.Frob.*1.2: quoque ΠN 7 uidebamur P^4CA^7 *ut s. l.* $N^2(N^4?)θ$:
uidebatur πN 8 Turdulis nos *Gron. ex Varr. R. R.* 2. 10. 4:
turoilis nos ΠN (*sed utrum* turd- *an* turo- *uoluerint PCN nobis incertum est*): turdeli nos N^2: turdelinis $A^7θ$: turditanis $A^xald.Frob.$
1.2   fuerant θ*ald.Frob.*1.2: fuerunt (*uel* fuer̄) ΠN, *cf.* 27. 6. 2
adn.   9 insperato $CANθ$ *Edd.*: sperato π, *cf.* 26. 13. 7 *adn.*
nobis Π$Nθ$ (*perperam lectionem Put.* 'nobilis' *citat Luchs*)
P. Scipionem Π$N.ald.Frob$ 1.2: p. cornelium scipionem $A^7θ$,
cf. c. 38. 6 *et* 8 *adnn., sed in his libris* (*nisi ex publicis documentis*) P.
Scipio (*uel* P. Cornelius) *paene semper Africanum denotat*   uidemus Π$N.ald.$: uidimus $Sp?θFrob.$2   opem, salutem $Sp?θFrob.$2:
opem salutemque $N^4ald.$: omnem salutemque ΠN

AB VRBE CONDITA XXVIII 39

numero excretos Saguntinos in patriam remisit; postremo Turdetaniam, adeo infestam nobis ut illa gente incolumi stare Saguntum non posset, ita bello adflixit ut non modo nobis sed—absit uerbo inuidia—ne posteris quidem timenda nostris esset. Deletam urbem cernimus eorum quorum in gratiam Saguntum deleuerat Hannibal; uectigal ex agro eorum capimus quod nobis non fructu iucundius est quam ultione. Ob haec, quibus maiora nec sperare nec optare ab dis immortalibus poteramus, gratias actum nos decem legatos Saguntinus senatus populusque ad uos misit; simul gratulatum quod ita res hos annos in Hispania atque Italia gessistis ut Hispaniam non Hibero amne tenus sed qua terrarum ultimas finit Oceanus domitam armis habeatis, Italiae nisi quatenus uallum castrorum cingit nihil reliqueritis Poeno. Ioui optimo maximo, praesidi Capitolinae arcis, non grates tantum ob haec agere iussi sumus sed donum hoc etiam, si uos permitteretis, coronam auream in Capitolium uictoriae ergo ferre. Id uti permittatis quaesumus, utique, si uobis ita uidetur, quae nobis imperatores uestri

---

10 excretos Π*N, sc. figuram sat humilem et fort. personae (cf.* § 3) *aptam, cf.* 9. 46. 14: excerptos A^7 *ut s. l.* $N^4 θ ald. Frob.$1.2
11 Turdetaniam π*Nθ* (-nam P^2 *uel* $P^1 CR$)   sed] *hic add. Ussing*: *ante ne* $A^x K$ *Ed. Mog.* 1518 *Aldus: ignorant* Π*NJ*   12 quorum $A^7 N^4 θ Edd.$: *om.* Π*N*   ex agro Π*N Edd.*: ex agris θ
capimus $C^4 M^7 B^2 A^6 θ$: capibus π (*sed* -b- *in P inusitata est forma*): campisque AN: campisque capimus N^4 non $θ Frob.$2: non tam π$N^2 ald.$ (*sc. ex uaria lect.* tam iucundum *ortum*): notam N est Π*N Edd.*: *om.* θ   13 nec ... nec Π*N.ald.*: neque ... neque $θ Frob.$2   Saguntinus $P^4 C^4 A^7 N^x$ *ut s. l.* θ (-nos Π*N*) populusque $P^4 C^4 M^2 AN$: populosque π, *cf. praec. et* 30. 36. 8 *adn.*   14 hos Π*N*: per hos $A^x N^4$ *ut s. l.* θ*ald.Frob.*1.2, *fort. recte nisi locutio sine praep. aliud uolgaris sermonis indicium est (u.* §§ 3 *et* 10)   *post* in *om.* Hispania ... ut N: *supplet* N^4 *in marg.*
Italia π*Sp?θFrob.*2: in italia $BAN^4 ald.$ ut $N^4 θ$: utin Π: uti *Alschefski, cf. c.* 38. 10 (*sed hic* utin *ex in repetito ortum*) ultimas finit Π*N.ald.*: ultimus finis *Sp?Frob.*2, *nimis scite*: ultimus finit K: non ultimas finit J armis $Π^1 Nθ$: arinamis P, *cf.* 27. 20. 8 *adn.*   16 ita uidetur] *hinc usque ad* quid periculi (*c.* 41. 12) *exstat illud folium cod. Spirensis quod S uocamus (Luchsius M) u. Praef.* § 90   uidetur $Sθ Frob.$2: uideretur Π*N.ald.*
nobis (imp.) $C^3 ANSθ Edd.$: uobis π   uestri *RSK* (ūri *CMBDAN*): uostri P (*quod Liuio cum Luchsio iuxta sq.* uestra *tribuere absurdum est*): *om. J*

commoda tribuerunt, ea rata atque perpetua auctoritate uestra faciatis.'

17 Senatus legatis Saguntinis respondit et dirutum et restitutum Saguntum fidei socialis utrimque seruatae documentum 18 omnibus gentibus fore; suos imperatores recte et ordine et ex uoluntate senatus fecisse quod Saguntum restituerint ciuesque Saguntinos seruitio exemerint; quaeque alia eis benigne fecerint, ea senatum ita uoluisse fieri; donum per- 19 mittere ut in Capitolio ponerent. Locus inde lautiaque legatis praeberi iussa et muneris ergo in singulos dari ne 20 minus dena milia aeris. Legationes deinde ceterae in sena- 21 tum introductae auditaeque; et petentibus Saguntinis ut quatenus tuto possent Italiam spectatum irent, duces dati litteraeque per oppida missae ut Hispanos comiter accipe- 22 rent. Tum de re publica, de exercitibus scribendis, de prouinciis relatum.

40 Cum Africam nouam prouinciam extra sortem P. Scipioni destinari homines fama ferrent, et ipse nulla iam modica gloria contentus non ad gerendum modo bellum sed ad 2 finiendum diceret se consulem declaratum, neque id aliter fieri posse quam si ipse in Africam exercitum transportasset,

16 uestra $P^xCM^2AN\theta$: uestrae (*uel* ūrę) π : urā S 17 restitutum π$R^2NS\theta$ (dest- R)   18 ciuesque Π$N\theta$ (-uisque S *sed u. Praef.* § 30)   alia eis Π$N.ald.Frob.$1.2 : alia aliis S (*ubi aliquid inter duas uoces erasum est*) θ   Capitolio Π$N\theta$ *Edd.* (-ia S)   19 lautiaque Π$NS.ald Frob.$1.2 : lautitiaque $A^6\theta$ (-ici-) praeberi (*uel* preb-)π(-bueri D)NK *Edd.* : praebere SJ ergo in singulos $SA^7N^4\theta$ *Edd.* : *om.* ΠN (*cf.* 26. 51. 8 *adn.*)   dari π $SA^7N^4\theta$ *Edd.* : *om. AN*   dena milia ΠN: decemilia S : decem milia $N^4\theta$: denis milibus A^x 20 in senatum introductae (*uel* -te) $SN^4\theta$ *Edd.* : *om.* ΠN, *cf.* 26. 51. 8 *adn.*   21 Saguntinis ΠN θ : sanguinis S comiter $P^4C^3M^1$ *ut uid.* $A^xSN^4\theta$: cum iter Π (A?)N 22 de re p. de SA^7N^4 *marg.* θ*ald.Frob.*1.2 : deferde P : deferre Π^2N (*sed* ferre *ab* N^4 *uel* N^3 *deletum est*)   scribendis Π$N\theta$ (-tis S, *cf. c.* 44. 5; 29. 29. 6; 1. 41. 1 *adnn.*)

40 1 *post* declaratum *add.* esse Π$N.ald.Frob.$1.2 : *ignorant* $SN^4\theta$ 2 id aliter $SSp\theta$: aliter id Π$N.ald.$: aliter *Frob.*2 (*sed id post* finiri)   fieri Π$N.ald.$: finiri $SSp\theta Frob.$2   transportasset $SSpJFrob.$2 : transportaret Π$NK.ald.$

AB VRBE CONDITA   XXVIII 40 2

et acturum se id per populum aperte ferret si senatus ad-
uersaretur,—id consilium haudquaquam primoribus patrum
cum placeret, ceteri per metum aut ambitionem mussarent,
Q. Fabius Maximus rogatus sententiam: 'Scio multis ues- 3
trum uideri, patres conscripti, rem actam hodierno die agi
et frustra habiturum orationem qui tamquam de integra re
de Africa prouincia sententiam dixerit. Ego autem primum 4
illud ignoro quemadmodum iam certa prouincia Africa consulis, uiri fortis ac strenui, sit, quam nec senatus censuit in
hunc annum prouinciam esse nec populus iussit. Deinde, 5
si est, consulem peccare arbitror qui de re transacta simu-
lando se referre senatum ludibrio habet, non senatorem qui
de quo consulitur suo loco dicit sententiam. Atque ego 6
certum habeo dissentienti mihi ab ista festinatione in Africam traiciendi duarum rerum subeundam opinionem esse,
unius, insitae ingenio meo cunctationis, quam metum pigri- 7
tiamque homines adulescentes sane appellent, dum ne
paeniteat adhuc aliorum speciosiora primo adspectu consilia
semper uisa, mea usu meliora; alterius, obtractationis atque 8
inuidiae aduersus crescentem in dies gloriam fortissimi consulis. A qua suspicione si me neque uita acta et mores 9

---

2 et (acturum) *SθaldFrob*.1.2 : *om.* ∏N (*sed* acturumque *D*)
aperte ∏Nθ : aferte *S*   cum placeret π*A*ˣθ : placeret *Sp ut uid.*
(*sed ut uid. praebuit* cum placeret *S*) *Frob*.2 : complaceret *AN* : conscriptorum placeret *ald.* (*sed* idque consilium *ald.Frob*.1.2)
ceteri π*S*θ : ceterique *C²AN.ald.Frob*.1.2 : et ceteri *Madv., sed de
Asyndeto Aduersatiuo cf. e.g. c.* 33. 8; 29. 21. 9; 21. 10. 7; 24. 19. 10
     mussarent ∏Nθ : *om. S*   3 de (Africa) ∏Nθ *Edd.* : *om.
SN*⁴   4 iam certa *SθFrob*.2 : certa iam ∏*N.ald., pari iure*
prouincia *P*⁴*CM*ˣ*DANS*θ : prouinciam π (*cf.* 26. 40. 11 *adn.*)
strenui sit π*M*²(*M*⁷?)*NS*θ : strenuis id *RMB*   5 si est ∏*NS
Edd.* : sicut θ   referre (-ere *P*) ∏*NS*θ   senatorem *SSp?
Frob*.2 : senatorem modo ∏*N.ald., sed uoci* consulem *non uoci* senatum
opponitur senatorem : senator et θ (*nam pro* non *et* quidem *pro* qui de
praebentes)   6 opinionem ∏*Nθald*. : opinationem *SSp*(*errore ab
festin. supra orto*)*Frob*.2   7 adulescentes (*uel* adol-) sane π*SA*⁷
*N*⁴θ (*sed* -lisc- *R²M*³ : -litc- *M* : -lest- *R*) : *om. AN* (*praebet* adul- *P
hic et in* § 12)   dum ne *CˣD Gron.* (*sc.* illos *uel* uos) : dum me ∏
N : dum me non *SA*⁷*N*⁴*ald.Frob*.1.2 (*sc.* uelint me paenitere)
8 crescentem ∏*N*θ *Edd.* : crescentes *S*   consulis *A*⁶*NS*θ : cos
*M*⁴*D* : cons *A* : eos π (*cf. c.* 9. 4 *adn. et* 30. 23. 3) : *del. Cˣ* (*C*¹?)

XXVIII 40 9   TITI LIVI

mei neque dictatura cum quinque consulatibus tantumque gloriae belli domique partae uindicat ut propius fastidium eius sim quam desiderium, aetas saltem liberet. Quae enim mihi aemulatio cum eo esse potest qui ne filio quidem meo
10 aequalis sit? Me dictatorem cum uigerem adhuc uiribus et in cursu maximarum rerum essem recusantem nemo aut in senatu aut apud populum audiuit quo minus insectanti me magistro equitum, quod fando nunquam ante auditum erat,
11 imperium mecum aequaretur; rebus quam uerbis adsequi malui ut qui aliquorum iudicio mihi comparatus erat sua
12 mox confessione me sibi praeferret; nedum ego perfunctus honoribus certamina mihi atque aemulationem cum adules-
13 cente florentissimo proponam; uidelicet ut mihi iam uiuendo non solum rebus gerendis fesso, si huic negata fuerit, Africa prouincia decernatur. Cum ea gloria quae parta est
14 uiuendum atque moriendum est. Vincere ego prohibui Hannibalem ut a uobis quorum uigent nunc uires etiam uinci posset.

41   'Illud te mihi ignoscere, P. Corneli, aequum erit, si cum in me ipso nunquam pluris famam hominum quam

9 consulatibus $P^4CM^2DN^2SA^7\theta$ (-aribus πN)   partae (*uel* -te) $\Pi NS\theta Aldus$: partum *Edd. ante Ald.*   fastidium C^2M^3 et $M^5DA^1SN^4\theta$ (-ius πN, *cf.* 27. 17. 1 *adn.*)   sim $\pi M^7?S$ *Edd.*: im M: sit D: si in N^2 (*qui fort.* sim *uoluit*): si N: *om.* θ liberet $\Pi N\theta ald.$: liberat $SSpFrob.2$ Quae $S\theta ald.Frob.1.2$: que AN: quem π aemulatio (*uel* em-) SA^7N^4 *ut s. l.* θ: aet|melatio P: aet (et $MBAN$: aut C^4) mea ratio π^2N: ratio D 10 essem $AS\theta$ *Edd.*: esse πN (*cf.* 26. 41. 12 *adn.*)   apud (*uel* -ut) $\Pi ald.$: *om.* N: ad $SSpN^4\theta Frob.2$, *pari iure*   insectanti *ald.Frob.*1.2: insectante θ: inspectante ΠNS quod $C^4M^7DSA^7N^4\theta$: quo ΠN auditus $\Pi N\theta$: auditus S, *cf.* 27. 29. 3. 11 (Sp) *adnn.*   mecum ΠNS: meum θ 11 aliquorum $SN^4\theta Frob.2$: aliorum $\Pi N.ald.$ 12 aemulationem (*uel* em-) $CDAN.ald.$ (-nes $SA^7\theta Frob.2$: -ne π)   13 iam uiuendo $\Pi N^2ald.Frob.1.2$: uiuendo iam θ: uidendo iam S: iam uidendo N et N^4 negata $C^3DSA^7\theta$: negotia πN parta πA^7K *Edd.*: parca $A?N?$: parata SJ, *cf. c.* 41. 6 *adn.*   14 ego $PCDA^7K$: ergo $RMBANSJ$

41 1 ignoscere ΠNK *Edd.*: cognoscere SA^7N^4 *ut s. l.* J aequum (eq- CN) $\Pi N\theta$: ecum S

AB VRBE CONDITA XXVIII 41

rem publicam fecerim, ne tuam quidem gloriam bono publico praeponam. Quamquam si aut bellum nullum in Italia aut 2 is hostis esset ex quo uicto nihil gloriae quaereretur, qui te in Italia retineret, etsi id bono publico faceret, simul cum bello materiam gloriae tuae isse ereptum uideri posset. Cum uero Hannibal hostis incolumi exercitu quartum deci- 3 mum annum Italiam obsideat, paenitebit te, P. Corneli, gloriae tuae si hostem eum qui tot funerum tot cladium nobis causa fuit tu consul Italia expuleris et, sicut penes C. Lutatium prioris Punici perpetrati belli titulus fuit, ita penes te huius fuerit? Nisi aut Hamilcar Hannibali dux est prae- 4 ferendus aut illud bellum huic, aut uictoria illa maior clariorque quam haec—modo contingat ut te consule uincamus —futura est? A Drepanis aut Eryce detraxisse Hamilcarem 5 quam Italia expulisse Poenos atque Hannibalem malis? Ne tu quidem, etsi magis partam quam speratam gloriam 6 amplecteris, Hispania potius quam Italia bello liberata gloriatus fueris.

'Nondum is est Hannibal, quem non magis timuisse 7 uideatur quam contempsisse qui aliud bellum maluerit. Quin igitur ad hoc accingeris nec per istos circuitus, ut 8

1 rem p̄ Π*N Edd.* : re (rem θ) imperatorum *S*θ   tuam *C*³*SA*⁷*N*⁴θ *Edd.*: uam π: uanam *B*²*AN*   bono publico praeponam (prop- *SN*⁴) *SA*⁷*N*⁴θ*ald.Frob.*1.2 : om. Π*N, fort. linea haud amplius xx litt. perdita, cf.* 26. 51. 8 *adn.* (*in P spat. iii litt. relictum est*)
2 is *PCR*²*MN*¹*A*θ : his *DNS*: om. *R*   faceret *SA*⁷*N*⁴θ: feceres (fac- *M*¹ uel *M*²*DAN*) Π*N*   isse Π*NS ed. Rom.* 1472: ire *A*⁷θ*ald.Frob.*1.2   3 incolumi *CMDSA*⁷*N*⁴ uel *N*ˣθ *et sic fort. P*⁴: incolum π: incolum̄ *N*   exercitu *P*¹ uel *P*²*CM*¹ uel *M*²*DS A*⁷*N*¹ : exercitum π*N*   P. Π*N Edd.* : om. *S*θ   si Π*N.ald. Frob.*1.2: nisi *S*θ (*et coeperat aliquis* n- *in N scribere, quod postea deletum est*): ni *A*⁷   cladium *CM*¹*DSA*⁷*N*⁴θ: gladium π*N*   Italia *C*³*M*¹*SA*⁷*N*²θ (-iae Π*N*)   expuleris *PC*³(*C?*)*RMN*²*SA*⁷θ: exposueris *BDA?N*   praeferendus *CBANS*θ (-undus *PM*: -eundus *RD*)   5 A Π(*C?*)*N*: ab *N*¹*SA*⁷θ   Eryce *A*ˣθ: eryci (ar- *R*) π*R*² : erici *B*(aer-)*ANS*   6 partam *S*θ : paratam Π*N, cf. c.* 40. 13   amplecteris Π*NS Aldus* (-aris *ed. Rom.* 1472)
7 is est Π*N Edd.* : isset *SN*⁴ *ut s. l* (*nisi* is isset *ut s. l. uoluit*)   aliud Π*N*θ: alium *S*   8 hoc Π*NS Edd.*: hec θ   accingeris Π*N*θ *Edd.*: haec ingeris *SN*⁴ *ut s. l.*   circuitus *F*⁴ *ANS*θ (circumi- π, *sed cf.* 27. 15. 13 *adn.*)

cum in Africam traieceris secuturum te illuc Hannibalem speres, potius quam recto hinc itinere, ubi Hannibal est, eo bellum intendis? Egregiam istam palmam belli Punici 9 patrati petis? Hoc et natura prius est, tua cum defenderis aliena ire oppugnatum. Pax ante in Italia quam bellum in Africa sit, et nobis prius decedat timor quam ultro 10 aliis inferatur. Si utrumque tuo ductu auspicioque fieri potest, Hannibale hic uicto, illic Carthaginem expugna : si alterautra uictoria nouis consulibus relinquenda est, prior 11 cum maior clariorque tum causa etiam insequentis fuerit. Nam nunc quidem, praeterquam quod et in Italia et in Africa duos diuersos exercitus alere aerarium non potest, praeter- 12 quam quod unde classes tueamur unde commeatibus sufficiamus praebendis nihil reliqui est, quid? periculi tandem quantum adeatur quem fallit? P. Licinius in Italia, P. 13 Scipio bellum in Africa geret. Quid? si—quod omnes di omen auertant et dicere etiam reformidat animus, sed quae acciderunt accidere possunt—uictor Hannibal ire ad urbem perget, tum demum te consulem ex Africa, sicut Q. Fuluium 14 a Capua, arcessemus ? Quid? quod in Africa quoque Mars communis belli erit? Domus tibi tua, pater patruusque 15 intra triginta dies cum exercitibus caesi documento sint, ubi

8 secuturum Π*Nθ* : secutum *S* (*cum* traiceris)   intendis?] *sic cum Drak. interpunximus* : intendis π*NSθ* : intendas *D*, *Crevier* : intendis, si *Halm* (*Madv.* 1886) *non necess.* : intendens *olim Madv. Em. p.* 411   patrati *SSpFrob.*2 : parati (-ari *B*) π*B*²*N* : peracti *A*⁸*θ ald.*   9 in Italia Π*Nθ* : inita *S*   quam *SA*⁸*N*⁴*θ Edd.* : *om.* Π*N*   10 uicto *CM*³*DANSθ* : uictu π   alterautra *P*⁴ : alterutra *CSA*⁷*N*⁴*θ* : altera ultra π*N*   nouis *A*⁷*N*ˣ(*postea deletum*)*θ Rhen. Frob.*2 : nobis Π*NSSp?ald.*   consulibus *SA*⁷?*N*ˣ*θ* : consuli Π*N*   11 nunc *BDSA*⁷*N*⁴*θ* : num π(*A?*) : nō *N* diuersos *MBDANSθ* (-sus *PR*, *cf.* 30. 36. 8 *adn.* : -sius *C*) alere *P*⁴*C*⁴*M*³*DANSθ* : alterae (*uel* -re) π   12 praebendis] *hic* Π *N.ald.* : *ante* sufficiamus *SθFrob.*2   periculi] *hunc finem habet S, cf. c.* 39. 16 *adn.*   13 quod π*A*ˣ*N*⁴ *Edd.* : ut quod *A*⁷?*θ* : *om. AN*   uictor *SpN*⁴*KFrob.*2 : et uictor Π*N.ald.*, *cf.* 27. 4. 12 *adn.* : auctor *J*   perget π*Nθ* : pergeret *M* : pergat *Sp ut uid. ald. Frob.*1.2   arcessemus Π*N* (accers- *θ*), *cf.* 29. 1. 20 *adn.* 14 Mars Π*Nθ Edd.* : res *Vat*

AB VRBE CONDITA XXVIII 41

per aliquot annos maximis rebus terra marique gerendis amplissimum nomen apud exteras gentes populi Romani uestraeque familiae fecerant. Dies me deficiat si reges imperatoresque temere in hostium terram transgressos cum maximis cladibus suis exercituumque suorum enumerare uelim. Athenienses, prudentissima ciuitas, bello domi relicto, auctore aeque impigro ac nobili iuuene, magna classe in Siciliam tramissa, una pugna nauali florentem rem publicam suam in perpetuum adflixerunt.

'Externa et nimis antiqua repeto. Africa eadem ista et M. Atilius, insigne utriusque fortunae exemplum, nobis documento sint. Ne tibi, P. Corneli, cum ex alto Africam conspexeris, ludus et iocus fuisse Hispaniae tuae uidebuntur. Quid enim simile? Pacato mari praeter oram Italiae Galliaeque uectus Emporias in urbem sociorum classem adpulisti; expositos milites per tutissima omnia ad socios et amicos populi Romani Tarraconem duxisti; ab Tarracone deinde iter per praesidia Romana; circa Hiberum exercitus patris patruique tui post amissos imperatores ferociores calamitate ipsa facti, et dux tumultuarius quidem ille L. Marcius et militari suffragio ad tempus lectus, ceterum si

---

15 aliquot $C^4A^7N^4$ *ut s. l.* (*qui et* aliquos *ut tert. lect. fort. dabat*) θ : quod aliquod (*uel* -ot) π : q̄d N : aliquod N^2 fecerant N^4θ*ald. Frob.*1.2 : fecerint (-im *B*) Π*N, uix recte nisi* ibi *post* exercitib. *inseres* (*cf. de* -rint *et* -runt 26. 34. 5) 16 deficiet *Sp?Frob.*2 : deficiet BANθ*ald.* terram Π*N* : terras A^7θ*ald.Frob.*1.2 17 iuuene CM^xNθ : iuuenem π tramissa *P, cf.* 27. 5. 9 *adn.* (transm- *CR MBDAN*θ) nauali] *hic* πθ*Frob.*2 : *post* una *AN.ald., cf.* 29. 3. 10 *adn.*

42 1 repeto C^2M^2BDANθ : reperto π insigne M^xANθ : insignem π, *cf.* 26. 40. 11 *adn.* 2 iocus P^xBAθ : locus PCR^2D : lucus M : locutus R? 3 praeter *Vat ald.Frob.*1.2 : per Π*N*θ Emporias *ed. Mog.* 1518 : emporis (-iis $C^2M^1BDA^7N^1$θ *Edd. ante Mog.*) π*N* adpulisti] adappulisti π, *testimonium et Liu. scripturae et formae Put. temporibus usitatae* (appul- M^3ANθ) ; *de dittogr. cf.* 27. 34. 5 *adn.* expositos Π*N Aldus Frob.*1.2 : et expositos N^4θ *Edd. ante Ald.* omnia N^4θ *Edd.* : *om.* Π*N* 4 iter per Π*N et N^4 se ipse corrigens* : inter A^7θ : inter per N^4 *primo ante* calamitate *add. et* Π*N* (*u. sq., et cf.* 27. 4. 12 *adn.*) : *delet* N^2 : *om.* θ : ex *Madv.* 1863 facti et A^7N^4θ*Frob.*2 : det *P* : *om.* Π²*N* : facti *ald.* : et *Madv.* 1863 5 lectus Π*N*θ*ald.* : electus *Frob.*2

XXVIII 42 5   TITI LIVI

nobilitas ac iusti honores adornarent, claris imperatoribus qualibet arte belli par ; oppugnata per summum otium Carthago nullo trium Punicorum exercituum socios defen-
6 dente ; cetera—neque ea eleuo—nullo tamen modo Africo bello comparanda, ubi non portus ullus classi nostrae apertus, non ager pacatus, non ciuitas socia, non rex amicus,
7 non consistendi usquam locus, non procedendi ; quacumque circumspexeris hostilia omnia atque infesta.

'An Syphaci Numidisque credis ? Satis sit semel creditum ; non semper temeritas est felix, et fraus fidem in paruis sibi praestruit ut, cum operae pretium sit, cum mercede
8 magna fallat. Non hostis patrem patruumque tuum armis prius quam Celtiberi socii fraude circumuenerunt ; nec tibi ipsi a Magone et Hasdrubale hostium ducibus quantum ab
9 Indibili et Mandonio in fidem acceptis periculi fuit. Numidis tu credere potes, defectionem militum tuorum expertus ? Et Syphax et Masinissa se quam Carthaginienses malunt potentissimos in Africa esse, Carthaginienses quam
10 quemquam alium. Nunc illos aemulatio inter sese et omnes causae certaminum acuunt quia procul externus metus est : ostende Romana arma et exercitum alienigenam ; iam uelut
11 ad commune restinguendum incendium concurrent. Aliter iidem illi Carthaginienses Hispaniam defenderunt, aliter moenia patriae, templa deum, aras et focos defendent cum

   5 par $C^4M^3BAN\theta$: pars π, cf. 26. 40. 14 *adn.*   otium Π*N Edd.* : odium A^6 *ut s. l.* $N^3(non\ N^4)\theta$ 6 neque ea eleuo $A^7N^4\theta$ *ald.Frob.*1.2 : nequae eleuo *PCR?* : neq. esse (*uel* e ę) leuo R^2MBN : neq. eleuo C^xD : neq. ac leuo $A?$: neque eleuo neque detracto *Madv. Em. p.* 412, *non necess.*   consistendi usquam locus non A^7N^4 (*quem perperam citat Luchs*)θ *Edd.* : om. Π*N ob ὅμ.*   8 Indibili $M\theta$ (-le πM^1N)   fidem $A^7\theta$: fide Π($A?$)N 9 potentissimos $A^7\theta$(*sed pot.* malunt *hi*)*Frob.*2 : potentis (*uel* -tes) Π(A *et* A^v)*N.ald.* in Africa esse (sese C) Carthaginienses Π*N Edd.* : te quam Carthaginienses nolunt (uolunt J) in Africa esse $A^7\theta$ quam quemquam alium ΠA^v : quamquam alium N : quemquam alium A : quamquam (*uel* quemquam) alia $A^7\theta$ 10 sese $A^7N^4\theta$*ald.Frob.*1.2 : se Π*N*   iam $A^7N^4\theta$*ald.Frob.*1.2 : *om.* Π*N*   11 templa Π*N.ald. Frob.*1 2 : et templa θ

AB VRBE CONDITA XXVIII 42

euntes in proelium pauida prosequetur coniunx et parui liberi occursabunt.

'Quid porro, si satis confisi Carthaginienses consensu 12 Africae, fide sociorum regum, moenibus suis, cum tuo exercitusque tui praesidio nudatam Italiam uiderint, ultro ipsi nouum exercitum in Italiam aut ex Africa miserint, aut Magonem, quem a Baliaribus classe transmissa iam praeter 13 oram Ligurum Alpinorum uectari constat, Hannibali se coniungere iusserint? Nempe in eodem terrore erimus in 14 quo nuper fuimus cum Hasdrubal in Italiam transcendit, quem tu, qui non solum Carthaginem sed omnem Africam exercitu tuo es clausurus, e manibus tuis in Italiam emisisti. Victum a te dices; eo quidem minus uellem—et id tua non 15 rei publicae solum causa—iter datum uicto in Italiam esse. Patere nos omnia quae prospera tibi ac populi Romani imperio euenere tuo consilio adsignare, aduersa casibus incertis belli et fortunae relegare: quo melior fortiorque es, 16 eo magis talem praesidem sibi patria tua atque uniuersa Italia retinet. Non potes ne ipse quidem dissimulare, ubi Hannibal sit, ibi caput atque arcem huius belli esse, quippe qui prae te feras eam tibi causam traiciendi in Africam esse ut Hannibalem eo trahas. Siue igitur hic siue illic, cum 17 Hannibale est tibi futura res.

11 prosequetur CA^7 *uel* $A^4\theta$: prosequitur πN 13 Alpinorum A^7N^4 *ab* N^x *rescriptus* θ (altin- ΠN)   14 quem tu $A^7N^4\theta ald.$ *Frob.*1.2: *om.* ΠN es clausurus A^7N^4 *ab* N^x *rescriptus* θ: exclausurus (-clus- PCB^x) $\pi^1 N$: y exclusurus D (y *a* D^1 *eras.*): elusus D^x 15 ac Sp *ut uid.* $A^7\theta Frob.2$: ae πN (*fort. in atque ab* N^4 *mutatum*): a A: aete D: et $C^2 ald.$ populi Romani $A^7 ald.$: p̄. r̄. (*uel* p. r.) ΠN: reipublicae in SpA^7 *in marg. ut s. l.* θ(*om. in* K) *Frob.*2   relegare $SpA^7\theta$, *cf. Quint.* 6. *proem.* 13 *et Tib.* 4. 6. 5: legare $\Pi N.ald.Frob.$1.2: delegare *Gron., cf. e.g.* 21. 46. 10 *et Cic. Font.* § 18   16 tua $A^7N^4\theta$: *om.* $\Pi N.ald.Frob.$1.2   prae te $MA N^4$: te prae te π: *om.* $A^7\theta$: praeter te N traiciendi in Africam $A^7N^4\theta ald.Frob.$1.2: *om.* ΠN *sc. lineam xix litt., cf.* 26. 51. 8 *adn.*   17 igitur hic C^4 *uel* $C^1?M^8 A N\theta$: hic igitur D: igitur π: *sed supra* ig- *add.* P^1 *ut uid.* hic (*cum effusionibus calami et supra et infra syllabam* -it-)

TITI LIVI

'Vtrum tandem ergo firmior eris in Africa solus an hic tuo collegaeque exercitu coniuncto? Ne Claudius quidem et Liuius consules tam recenti exemplo quantum id intersit 18 documento sunt? Quid? Hannibalem utrum tandem extremus angulus agri Bruttii, frustra iam diu poscentem ab domo auxilia, an propinqua Carthago et tota socia Africa 19 potentiorem armis uirisque faciet? Quod istud consilium est, ibi malle decernere ubi tuae dimidio minores copiae sint, hostium multo maiores, quam ubi duobus exercitibus aduersus unum tot proeliis et tam diuturna ac graui militia 20 fessum pugnandum sit? Quam compar consilium tuum parentis tui consilio sit reputa. Ille consul profectus in Hispaniam, ut Hannibali ab Alpibus descenderet occurreret in Italiam ex prouincia rediit: tu cum Hannibal in Italia sit relinquere Italiam paras, non quia rei publicae utile sed 21 quia tibi id amplum et gloriosum censes esse—sicut cum prouincia et exercitu relicto sine lege sine senatus consulto duabus nauibus populi Romani imperator fortunam publicam et maiestatem imperii, quae tum in tuo capite periclitabantur, 22 commisisti. Ego, patres conscripti, P. Cornelium rei pub-

17 hic tuo C^1 uel $C^3M^4DSp?\theta Frob.2$: istic tuo A^7 in ras. ald.: his tuo π: histinc tuto N: istinc N^4: istinc tui N^6 post collegaeque add. tui $CM^4DA^vN^6ald.$(fort. recte), tut PR, tute (uel tutę) MBA N: ignorant $Sp?N^4\theta Frob.2$. Supra tut in P utrum sint litterae emendationis alicuius an plures effusiones calami incerti nobis non liquet
18 Africa M^8(Aff-)$A^7N^4\theta$: om. ΠN 19 istud Π$N\theta ald.$: istuc $Sp?Frob.2$ dimidio minores CA^7N^6(qui correcturam aliquam exsculpsit)$\theta Edd.$: dimidiom|ninores P: dimidie (sed -di R: -didiae R^1: -diae M) omnino res (sed om. res M) $RMBDAN$: dimidiae minores M^2 et tam M^3 uel $M^5A^7N^4\theta$: etiam ΠN ac $Sp?$ $Frob.2$: et Π$N.ald.$: om. θ 20 tuum A^7(tum non delens)$N^4\theta$: tum π$N?$: tu $N?$: tui DN^6 tui C^4N^4K: tuo J: uti ΠN occurreret $DA^7N^4\theta$: occurrebat πN sit C^4 uel $C^2DAN\theta$: ut πN relinquere Italiam (sed r. in italiam $PCRMB$, cf. § 22 adn.) Π$N\theta ald.$ $Frob.1.2$: alio $SpVat$, unde alio properas coniecit Rhen. (pro rel. It. paras) utile scripsimus, id a P praesumptum esse rati (cf. 29. 5. 6 adn.): id utile Π$N\theta Edd.$ tibi id $A^7N^4\theta Edd.$ plerique ante Ald.: tibi Π$NAldus$ (u. adn. praec.) censes (ceses D) esse $CM^7D^xN^1$ uel $N^2\theta$: censesse PR, cf. 27. 1. 11 adn.: censisse R^2MBDAN
21 cum ΠN: om. $N^2\theta$ 22 patres conscripti (i.e. p. c.) $A^7\theta ald.$ (sed post cornelium ald.): ignorant Π$NSpFrob.2$ (sc. ante p. cornelium perditum)

AB VRBE CONDITA XXVIII 42

licae nobisque, non sibi ipsi priuatim creatum consulem existimo, exercitusque ad custodiam urbis atque Italiae scriptos esse, non quos regio more per superbiam consules quo terrarum uelint traiciant.'

Cum oratione ad tempus parata Fabius, tum auctoritate 43 et inueteratae prudentiae fama magnam partem senatus et seniores maxime ⟨cum⟩ mouisset, pluresque consilium senis quam animum adulescentia ferocem laudarent, Scipio ita 2 locutus fertur: ' Et ipse Q. Fabius principio orationis, patres conscripti, commemorauit in sententia sua posse obtractationem suspectam esse; cuius ego rei non tam ipse ausim 3 tantum uirum insimulare quam ea suspicio, uitio orationis an rei, haud sane purgata est. Sic enim honores suos et 4 famam rerum gestarum extulit uerbis ad exstinguendum inuidiae crimen tamquam mihi ab infimo quoque periculum sit ne mecum aemuletur, et non ab eo qui, quia super ceteros excellat, quo me quoque niti non dissimulo, me sibi aequari nolit. Sic senem se perfunctumque et me infra 5 aetatem filii etiam sui posuit tamquam non longius quam quantum uitae humanae spatium est cupiditas gloriae extendatur maximaque pars eius in memoriam ac posteritatem promineat. Maximo cuique id accidere animo certum habeo 6 ut se non cum praesentibus modo sed cum omnis aeui claris uiris comparent. Equidem haud dissimulo me tuas, Q. Fabi, 7

22 urbis $A^7N^4\theta$: ubis P: nobis Π^2N Italiae C et C^xM^3DA $N\theta$: in italiae πC^2, cf. § 20 et 27. 8. 7 adnn.

43 1 tum πA^7N^4 ut s. l.: cum AN et N^4 ab ipso correctus θ inueteratae (uel -te) ΠN (-ta θald.Frob.1.2) ⟨cum⟩ hic add. Weissenb., ante magnam Madv.: ignorant $\Pi N\theta$ adulescentia (uel adol-) M^1 ut s. l. $N^4\theta$ald.Frob.1.2: adulescentiae (uel adol-) ΠN (-centis A^6) 2 suspectam $P^5MB^2AN\theta$ (-ta π, cf. 26. 41. 12 adn.)
3 ausim $P^5CM^1DA^7?N^1?\theta$: ausi $\pi N?$, u. adn. praec. 4 quo me $A^7N^4\theta Edd$: om. ΠN (ob. ὁμ.) 5 perfunctumque ΠN] om. que N^4 uel $N^2\theta$; malis fort. addere honoribus (an aetate?), quod tamen fort. satis subauditur (u. e.g. honores § 4) 6 animo certum habeo DN^x(fort. N^4)θEdd.: animo certum habeo certum π, cf. 27. 44. 1 adn. (cert. an. hab. AN, cf. 29. 3. 10 adn.) comparent P: comparet π^2 uel $\pi^1N\theta$ald.Frob.1.2, fort. recte: compararet C

laudes non adsequi solum uelle sed—bona uenia tua dixe-
8 rim—, si possim, etiam exsuperare. Illud nec tibi in me nec
mihi in minoribus natu animi sit ut nolimus quemquam
nostri similem euadere ciuem ; id enim non eorum modo
quibus inuiderimus sed rei publicae et paene omnis generis
humani detrimentum est.
9 'Commemorauit quantum essem periculi aditurus si in
Africam traicerem, ut meam quoque, non solum rei publicae
10 et exercitus uicem uideretur sollicitus. Vnde haec repente
cura de me exorta ? Cum pater patruusque meus interfecti,
cum duo exercitus eorum prope occidione occisi essent, cum
amissae Hispaniae, cum quattuor exercitus Poenorum quat-
11 tuorque duces omnia metu armisque tenerent, cum quaesitus
ad id bellum imperator nemo se ostenderet praeter me,
nemo profiteri nomen ausus esset, cum mihi quattuor et
uiginti annos nato detulisset imperium populus Romanus,
12 quid ita tum nemo aetatem meam, uim hostium, difficultatem
belli, patris patruique recentem cladem commemorabat ?
Vtrum maior aliqua nunc in Africa calamitas accepta est
13 quam tunc in Hispania erat ? an maiores nunc sunt exercitus in Africa et duces plures melioresque quam tunc in
Hispania fuerunt ? an aetas mea tunc maturior bello geren-
14 do fuit quam nunc est ? an cum Carthaginiensi hoste in
Hispania quam in Africa bellum geri aptius est ? Facile est

7 uenia $A^7N^4\theta$: *om.* ΠN   8 Illud ΠNEdd. : *om.* Spθ
nec tibi ΠNSp *ut uid.* θ : neu tibi *Ussing*   nec mihi BDθald.
Frob.1.2 : neu mihi πB¹NSp *ut uid., uix recte*   inuiderimus ΠN
ald.Frob.1.2 : inuidebimus Spθ generis Π⁴Nθ : geris P   est Spθ :
st P: sit Π² *uel* Π¹(*pleniore cal. in* M, *cf.* 27. 2. 10 *adn.*)ald.Frob.1.2,
cf. c. 44. 4 *adn.*   9 periculi ΠN.ald.Frob.1.2 : periculum θ
traicerem PCSpθFrob.2 : traicerent RMBD (*sed* ui *pro* ut RM) :
traicere (-rem AN) uelim (uolim A) A⁶ *et* A⁷N⁴ald.
9–10 sollicitus. Vnde ΠNEdd. : ualde sollicitus J : ualde sollicitus.
Vnde A⁷K   10 cura de me ΠN : de me cura θEdd. *ante Gron.*
    11 quaesitus M²DANθ : quaestus PR : questus CMB
om. se . . . nemo C   nomen A⁷N⁴θ : *om.* ΠN   mihi ΠN⁴θ
Edd. : *om.* AN   12 tum (nemo) ΠNEdd. : tunc θ 13 tunc
(maturior) ΠNEdd. : tum θ 14 Carthaginiensi] -si DANθ :
-se π, *cf.* 27. 4. 15 *adn.*

AB VRBE CONDITA XXVIII 43

post fusos fugatosque quattuor exercitus Punicos, post tot urbes ui captas aut metu subactas in dicionem, post perdomita omnia usque ad Oceanum, tot regulos, tot saeuas gentes, post receptam totam Hispaniam ita ut uestigium belli nullum reliquum sit, eleuare meas res gestas, tam hercule quam, si uictor ex Africa redierim, ea ipsa eleuare quae nunc retinendi mei causa ut terribilia eadem uideantur uerbis extolluntur.

'Negat aditum esse in Africam, negat ullos patere portus. M. Atilium captum in Africa commemorat, tamquam M. Atilius primo accessu ad Africam offenderit, neque recordatur illi ipsi tam infelici imperatori patuisse tamen portus Africae, et res egregie primo anno gessisse et quantum ad Carthaginienses duces attinet inuictum ad ultimum permansisse. Nihil igitur me isto exemplo terrueris. Si hoc bello non priore, si nuper et non annis ante quadraginta ista ita clades accepta foret, qui ego minus in Africam Regulo capto quam Scipionibus occisis in Hispaniam traicerem? Nec felicius Xanthippum Lacedaemonium Carthagini quam me patriae meae sinerem natum esse, cresceretque mihi ex eo ipso fiducia quod possit in hominis unius uirtute tantum momenti esse. At etiam Athenienses audiendi sunt temere in Siciliam omisso domi bello transgressi. Cur ergo, quoniam Graecas fabulas enarrare uacat, non Agathoclem potius, Syracusanum regem, cum diu Sicilia Punico bello ureretur,

---

14 post fusos $C^4DA^7N^4\theta$: fusos πN tot $CA^7N^4\theta Edd.$: et πN 15 belli nullum $\Pi N.ald.$: nullum belli $\theta Frob.2$, *pari iure* (*sed cf.* 27. 37. 5 *adn.*)   17 res egregie (*sed* -iae P) $P\theta$: res egregias $\pi^2 Aldus$: res gestas ab eo egregias AN *Edd. ante Ald.* (*qui om.* gessisse, *u. adn. sq.*): res gestas egregias *Gron.*   gessisse $\pi A^7 N^4\theta Aldus$: *om.* AN, *quos sequitur Gron.*   18 isto $\pi^1 N\theta$: istota P, *unde* isto tu *Gron., sed error ex dittogr.* ortus est
quadraginta (*uel* xxxx *uel* xl) $\pi N\theta$: xxx C: l. *Perizonius, fort. recte, cf.* 29. 28. 5   ista ita $N^4 Vat$: ista $\Pi N\theta$ *Edd., et sic malit Johnson* qui $\pi NSp?Frob.2$: quin C^1 *uel* $C^3DAN\theta ald.$ traicerem $\Pi^2 N\theta$: traieci traicerem P 19 ex eo $\Pi N.ald.Frob.1.2$: ex θ ipso *ald.Frob.1.2*: ipsa $\Pi N\theta$ possit $\Pi N.ald.Frob.1.2$: posset θ 20 At π *Edd.*: ac BDN: *om.* θ 21 enarrare ΠN *ald.*: narrare $\theta Frob.2$ bello $\pi A^7 N^2$ *uel* N^4 *rescriptus* θ: *om.* AN

transgressum in hanc eandem Africam auertisse eo bellum unde uenerat refers?

44 'Sed quid, ultro metum inferre hosti et ab se remoto periculo alium in discrimen adducere quale sit, ueteribus externisque exemplis admonere opus est? Maius praesentiusue ullum exemplum esse quam Hannibal potest? Multum interest alienos populere fines an tuos uri exscindi uideas; plus animi est inferenti periculum quam propulsanti. Ad hoc maior ignotarum rerum est terror: bona malaque hostium ex propinquo ingressus fines adspicias. Non sperauerat Hannibal fore ut tot in Italia populi ad se deficerent: defecerunt post Cannensem cladem: quanto minus quicquam in Africa Carthaginiensibus firmum aut stabile est infidis sociis, grauibus ac superbis dominis! Ad hoc nos, etiam deserti ab sociis, uiribus nostris milite Romano stetimus: Carthaginiensi nihil ciuilis roboris est: mercede paratos milites habent, Afros Numidasque, leuissima fidei mutandae ingenia. Hic modo nihil morae sit, una et traiecisse me audietis et ardere bello Africam et molientem hinc Hannibalem et obsideri Carthaginem. Laetiores et frequentiores

---

44 2 Maius ... potest? A^7 uel $A^8N^4\theta$: om. ΠN, cf. 26. 51. 8 adn.   populere ald.: populare πN (-ri $C^3D\theta$)   exscindi (sed exc-) π (sed e- in ras. P): et exscindi θ: excindique $C^2DAN.ald.$ Frob.1.2, sed u. 27. 16. 6 adn.   propulsanti $Π^2N\theta$: procusanti P ut uid. (non ut refert Luchs)   3 Ad hoc DN^4 ut s. l. Edd.: adhuc πN: ad hec θ   ingressus $A^7(A^8?)N^4\theta$: egressus (exg- PRMB) π: om. AN   4 populi ad se Sp ut uid. A^7(a se)$N^4\theta$ Edd.: dse P: ad se Π²: a se AN   deficerent: defecerunt Sp ut uid. A^7J Frob.2: deficerent πM²(dif-)N: defecerunt P^1 uel P^2(-fic-)R^2MB: deficerent, quot defecerunt K.ald.   stabile $CM^2B^xAN\theta$: stabilem π, cf. 26. 40. 11 adn.   est $\theta Frob.2$: sit ΠNJ ut s. l. Aldus, cf. c. 43. 8: om. Edd. ante Ald.   5 Ad hoc ΠN: ad hec θald.Frob.1.2 nos ΠN Edd.: om. θ   deserti ΠNJ ut s. l. Edd.: non dissentientes θ   mutandae (uel -de) A^7N^2 uel $N^4\theta$: mutante (-tae P) π (nut- D), cf. c. 39. 22 adn.: mutate AN: mutantes M^3 6 et molientem hinc Hannibalem et ΠNθald.: temptabant et moliente hine H—e Madv., et moliri tandem hinc H—em et Friedersdorff (et ... H—em delebat Luchs 1879), *frustra, nam monet Johnson discedentis hostis ipsum tumultum uelut ad aures patrum venturum repraesentari Participio, Infinitiuo id tantum quod narraturi sint alii*

AB VRBE CONDITA XXVIII 44 6

ex Africa exspectate nuntios quam ex Hispania accipiebatis.
Has mihi spes subicit fortuna populi Romani, di foederis ab 7
hoste uiolati testes, Syphax et Masinissa reges quorum ego
fidei ita innitar ut bene tutus a perfidia sim.

'Multa quae nunc ex interuallo non apparent bellum 8
aperiet: id est uiri et ducis, non deesse fortunae praebenti se
et oblata casu flectere ad consilium. Habebo, Q. Fabi, 9
parem quem das Hannibalem; sed illum ego potius traham
quam ille me retineat. In sua terra cogam pugnare eum, et
Carthago potius praemium uictoriae erit quam semiruta
Bruttiorum castella. Ne quid interim dum traicio, dum 10
expono exercitum in Africa, dum castra ad Carthaginem
promoueo, res publica hic detrimenti capiat, quod tu,
Q. Fabi, cum uictor tota uolitaret Italia Hannibal potuisti
praestare, hoc uide ne contumeliosum sit concusso iam et 11
paene fracto Hannibale negare posse P. Licinium consulem,
uirum fortissimum, praestare, qui ne a sacris absit pontifex
maximus ideo in sortem tam longinquae prouinciae non
uenit. Si hercules nihilo maturius hoc quo ego censeo 12
modo perficeretur bellum, tamen ad dignitatem populi

6 exspectate (*uel* exp-) π(-ante D)$N\theta$: ex-(es- N^7)pectare CN^7
7 fidei ita Sp *ut uid*. A^7N^2 *uel* $N^3\theta$: fidei ita (ita *ut* D) perfidei (-dia P: -dēs C^2: -dię D: -di AN) ita (*om.* ita D) Π^1N, *cf.* 29.
5. 6 *adn.* a perfidia (-diis N^4) sim $CA^7N^4\theta ald.Frob.$1.2: perfidia sim Sp: a perfidia sin PR (-ias in): a perfidiis (*uel* -dis) in R^2MBDA: a perfidiis N innitar PB^2ANSp *ut uid*. θ (-tor D: -ta π^2, *sed* inita C) 8 id ΠN: et id $A^7N^4\theta ald.Frob.$1.2 oblata A^7N^4 *ut s. l.* θ (abl- ΠN) flectere $B^xA^7N^4$(*uel* confl-) *ut s. l.* θ: plectere Π: conplectere N 9 potius (praemium) N^4 *uel* $N^3\theta$ *Edd.*: *om.* ΠN uictoriae $CBDAN\theta$: uictoria PRM (-ori M^1 *uel* M^3) 10 promoueo, r. p. DA^7(*sed* p. R.)$N^2\theta$: promoueresp̄ π: promouero C (*add.* res publica aliquid C^4): promouere .p̄. p̄ AN Hannibal $\pi N\theta$: hannibali P^2 *uel* P^1C 11 *om.* praestare ... fortissimum D concusso πN *Aldus*: contuso θ *Edd. ante Ald.* paene P^5M^2 *uel* $M^7A^7N^4\theta$: pagine πN (*sed in* P *nescio quid supra* -ag- *scriptum nunc erasum est*): gine C, *spat. ii litt. ante* g-relicto uenit $\Pi N\theta ald.$: ueniat Sp?$Frob.$2 12 hercules π: hercule $P^4M^3A^6$(erc- A)$N\theta ald.Frob.$1.2: *delet* M^7

Romani famamque apud reges gentesque externas pertinebat, non ad defendendam modo Italiam sed ad inferenda etiam Africae arma uideri nobis animum esse, nec hoc credi 13 uolgarique quod Hannibal ausus sit neminem ducem Romanum audere, et priore Punico bello tum cum de Sicilia certaretur totiens Africam ab nostris exercitibusque et classibus oppugnatam, nunc cum de Italia certetur Africam 14 pacatam esse. Requiescat aliquando uexata tam diu Italia: 15 uratur euasteturque in uicem Africa. Castra Romana potius Carthaginis portis immineant quam nos iterum uallum hostium ex moenibus nostris uideamus. Africa sit reliqui belli sedes; illuc terror fugaque, populatio agrorum, defectio sociorum, ceterae belli clades, quae in nos per quattuordecim annos ingruerunt, uertantur.

16 'Quae ad rem publicam pertinent et bellum quod instat 17 et prouincias de quibus agitur dixisse satis est: illa longa oratio nec ad uos pertinens sit, si quemadmodum Q. Fabius meas res gestas in Hispania eleuauit sic ego contra gloriam 18 eius eludere et meam uerbis extollere uelim. Neutrum faciam, patres conscripti, et si nulla alia re, modestia certe et temperando linguae adulescens senem uicero. Ita et uixi et gessi res ut tacitus ea opinione quam uestra sponte conceptam animis haberetis facile contentus essem.'

12 externas C^4M^3ANJ: exteras DK: externis π 13 tum cum πN $Edd.$: tum D: cum θ certaretur ΠN $Edd.$: certabatur θ ab π: a $AN.ald.$: om. $Sp?\theta Frob.2$ exercitibusque π ($cf.$ 27.21.1 $adn.$): om. -que Sp ut $uid.$ $AN\theta ald.Frob.$1.2   nunc cum $A^7N^4\theta ald.Frob.$1.2: nunc πN: nunc autem (?) cum M^7: om. D certetur $\pi N.ald.$: certatur $Sp?\theta Frob.2$: certaretur M pacatam $M^x(M^?)$ $DA^7N^4\theta$: paratam πN (patam N)   14 tam $\Pi N.ald.$: om. $Sp\theta Frob.2$ euasteturque $\Pi N.ald.$: populeturque $SpA^7\theta Frob.2$, $mire$
15 potius $C^2DAN\theta$: potius quam π reliqui $\Pi N.ald.$ $Frob.$1.2: reliqua θ ceterae (uel -re) ΠNK: cetera J uertantur $DA^6\theta$: uersantur π (-sent- M^1 uel M^2AN)   16 pertinent M^2 uel $M^7\theta$: pertinet ΠN et bellum ΠN $Edd.$: bellum θ
17 sit, si ΠN $Edd.$: sit J: si K ego ΠN: et ego $\theta ald.$ $Frob.$1.2, non $male$ 18 nulla $C^2A^6N^4\theta$: ulla ΠN et temperando ΠN: attemperando $N^4\theta$: et temperamento $ald.$ $Frob.$1.2   gessi res $\pi\theta$: res gessi $AN.ald.Frob.$1.2, $cf.$ 29. 3. 10 $adn.$

AB VRBE CONDITA   XXVIII 45

Minus aequis animis auditus est Scipio quia uolgatum 45
erat si apud senatum non obtinuisset ut prouincia Africa
sibi decerneretur, ad populum extemplo laturum. Itaque 2
Q. Fuluius, qui consul quater et censor fuerat, postulauit
a consule ut palam in senatu diceret permitteretne patribus
ut de prouinciis decernerent staturusque eo esset quod censuissent an ad populum laturus. Cum Scipio respondisset 3
se quod e re publica esset facturum, tum Fuluius: ' Non 4
ego ignarus quid responsurus facturusue esses quaesiui,
quippe cum prae te feras temptare te magis quam consulere
senatum et ni prouinciam tibi quam uolueris extemplo
decernamus paratam rogationem habeas. Itaque a uobis, 5
tribuni plebis, postulo' inquit 'ut sententiam mihi ideo non
dicenti quod, etsi in meam sententiam discedatur, non sit
ratum habiturus consul auxilio sitis.'   Inde altercatio orta 6
cum consul negaret aequum esse tribunos intercedere quo
minus suo quisque loco rogatus sententiam diceret. Tri- 7
buni ita decreuerunt: 'Si consul senatui de prouinciis
permittit, stari eo quod senatus censuerit placet, nec de ea
re ferri ad populum patiemur; si non permittit, qui de ea re
sententiam recusabit dicere auxilio erimus.'

Consul diem ad conloquendum cum collega petit; postero 8
die permissum senatui est. Prouinciae ita decretae: alteri

---

45 2 Q. *(uel* quintus) $M^8A^7N^2$ *uel* N^4 *rescriptus* θ: *om.* ΠN
et censor A^7 *uel* $A^8N^4\theta ald.Frob.$1.2: *om.* ΠN   3 e πA^7NK: *om.*
CA: de N^7J esset ΠN.*ald.Frob.*1.2: credidisset $N^4\theta$ (*unde
fort.* esse credidisset *conicere in promptu est, sed nihil mutandum*):
censuisset *Vat, cf.* § 8   4 te magis π (*et add.* te *etiam post* consulere RM): magis $AN\theta ald.Frob.$1.2   extemplo (extim- D) π^4
$N\theta$: exemplo PMB 5 ideo *ald.Frob.*1.2: de eo ΠNθ
dicenti A^7N^4 *ut s. l. rescriptus* θ: dicendo ΠN   etsi *Gron.*: est
ΠN: si $A^6N^4\theta$ *Edd. ante Gron.*   6 *ante* rogatus *add.* senator
A^6N^4 *rescriptus* $\theta ald.Frob.$1.2: *ignorant* ΠN   7 senatui A^7N^4
rescriptus θ: atu ui π (*i.e.* consulatu ui): atui $P^2?AN$: *om.* C^xD
censuerit A^x *ald.Frob.*1.2: censuerit ferri ΠNθ (*de uoce praesumpta cf.*
29. 5. 6 *adn.*)   placet A^x*ald.Frob.*1.2: placeat ΠNθ recusabit
$A^7?\theta$ *Edd.*: recusauit ΠN, *cf. e.g.* 27. 20. 3 (belli) *adn.*   8 petit
ΠN, *cf.* 27. 5. 9 *adn.*: petiit $N^4\theta ald.Frob.$1.2   decretae $M^2A^7?$
$N^2\theta$ *Edd.*: creditae ΠN

XXVIII 45 8 TITI LIVI

consuli Sicilia et triginta rostratae naues quas C. Seruilius superiore anno habuisset; permissumque ut in Africam, si
9 id e re publica esse censeret, traiceret; alteri Bruttii et bellum cum Hannibale, cum eo exercitu quem ††. L. Veturius et Q. Caecilius sortirentur inter se compararentue uter in Bruttiis duabus legionibus quas consul reliquisset
10 rem gereret, imperiumque in annum prorogaretur cui ea prouincia euenisset. Et ceteris †praeter consules praetoresque qui exercitibus prouinciisque praefuturi † erant pro-
11 rogata imperia. Q. Caecilio sorti euenit ut cum consule in Bruttiis aduersus Hannibalem bellum gereret.

12 Ludi deinde Scipionis magna frequentia et fauore spectantium celebrati. Legati Delphos ad donum ex praeda Hasdrubalis portandum missi M. Pomponius Matho et Q. Catius. Tulerunt coronam auream ducentum pondo et simulacra spoliorum ex mille pondo argenti facta.

13 Scipio cum ut dilectum haberet neque impetrasset neque magnopere tetendisset, ut uoluntarios ducere sibi milites
14 liceret tenuit et, quia impensae negauerat rei publicae

9 quem†† ΠΝθ] *hic lacunam notauit Sigonius*, quem ⟨L. Veturius aut Q. Caecilius habuit et ut⟩ *temptans*: quem ⟨mallet ex duobus quos consules habuissent⟩ *Weissenb.* (*cf.* 36. 1. 9): quem ⟨mallet ex duobus qui ibi essent⟩ *Madv.*: quem ⟨mallet⟩ *conicias* (mallet *post* -m *et ante* l. uet- *excidisse ratus*), *uix satis clare*: *lacunam hic esse negauit Gron.*, *qui* (*i*) *ante* sort. *add.* hi et (*ii*) *scrips. aut* Q. *pro et* Q. (*iii*) *interpunxit post* Caec. (*subaudiendo* habuisset), *dure. Cf. de re cc.* 10. 10; 11. 12; 46. 2   compararentue] -ue *Med.* 3, *ald.Frob.*1.2 : ut πN : *om.* Dθ : -que C⁴   10 †praeter consules praetoresque ΠNθald.: praetoribus consulibusque *Frob.*2: propraetoribus proconsulibusque *Pighius*. *In loco difficili difficillimum nobis uidetur* praefuturi, *quod cum* prorogata *coniunctum siue referas ad* ceteris *siue ad* consules praetoresque *nequimus intellegere; haud scimus an* praeter . . . praetoresque *ut glossema uoci* ceteris *additum delendum sit et* praefuerant *scribendum; suspicamur tamen alteram aliquam lacunam. Coniecturam suam* (*Em. p.* 414 *sq.*) *retraxit Madv.* (1886), *nec felicior Luchs*
11 sorti πθ (*ut e.g.* 29. 20. 4): sorte BAN : *om.* C
12 missi CˣDANθ *Edd.*: missis π, *cf.* 26. 40. 14 *adn.*: missi sunt M et Q. *K.ald.Frob.*1.2 (*cf.* 27. 43. 12) : atque ΠN: et que P¹ *uel* P² : at Q. A⁷ : et quartus J   spoliorum SpDA⁷N⁴ *rescriptus* θ (-iarum π : -arum N)   ex mille SpFrob.2: et ∞ PC: et x RM BANθald.: ex. x. D   facta SpDJFrob.2: facti ΠNK.ald.
14 quia πA⁷N⁴ *Edd.*: *om.* AN

AB VRBE CONDITA XXVIII 45

futuram classem, ut quae ab sociis darentur ad nouas fabricandas naues acciperet. Etruriae primum populi pro suis quisque facultatibus consulem adiuturos polliciti : Caerites frumentum sociis naualibus commeatumque omnis generis, Populonenses ferrum, Tarquinienses lintea in uela, Volaterrani interamenta nauium et frumentum, Arretini tria milia scutorum, galeas totidem, pila gaesa hastas longas, milium quinquaginta summam pari cuiusque generis numero expleturos, secures rutra falces alueolos molas quantum in quadraginta longas naues opus esset, tritici centum uiginti milia modium et in uiaticum decurionibus remigibusque conlaturos ; Perusini Clusini Rusellani abietem in fabricandas naues et frumenti magnum numerum ; abiete ⟨et⟩ ex publicis siluis est usus. Vmbriae populi et praeter hos Nursini et Reatini et Amiternini Sabinusque omnis ager milites polliciti. Marsi Paeligni Marrucinique multi uoluntarii nomina in classem dederunt. Camertes cum aequo foedere cum Romanis essent cohortem armatam sescentorum hominum miserunt. Triginta nauium carinae, uiginti

---

14 ut quae A^7 uel A^6 (que) $N^x(N^3?)\theta$: ui (iii C) quae (que A) ⊓N quisque ⊓$N\theta$: quosque *I. H. Voss, male* adiuturos M^3 $A^7N^4\theta$ (adit- ⊓N) polliciti $C^4M^7?A^7N^7\theta$ (-te ⊓N^1 : -tos N)
15 Caerites (*uel* cer-) $\pi N\theta$: *om. C spatio relicto* : daturique C^4 Populonenses ⊓$N\theta$, *recte, cf. It. Dial. p.* 390 (-niens- *Edd. perperam*) Volaterrani ⊓N (uolterr- N^1 : uoltern- θ), *cf. e.g.* 10. 12. 4 *et It. Dial. l.c.* interamenta . . . Arretini] *om. C* interamenta $\pi N\theta$ *Edd. ante Gron.* (*uocab. alibi ignotum*) : inceramenta *Gron., feliciter, Iuu.* 10.55 *et Ou. Her.* 5. 42 *conferens* : ferramenta *det. unus, non male* 16 tria milia] ∞ ∞ ∞ PC : xxx $RMBD$ AN : iiii milia θ : triginta milia *Edd. ante Gron.* ⊓$N.ald.Frob.$1.2 : quadraginta $Sp\theta$ summam ⊓NSp *ut uid. Edd.* : summa N^4(-m *delendo*)N^6(-m *exsculpendo*)θ 17 rutra A^7N^4J K^1 : rubra ⊓NK molas $\pi N\theta$: naues M centum uiginti $SpFrob.2$: centum et uiginti (*uel* c et xx) ⊓$N.ald.$: cxx J : cxxx K
18 Rusellani] -s- θ, *cf.* 10. 4. 5 : -ss- ⊓N abietem $Sp\theta$ $Frob.2$: abietes ⊓$N.ald.$, *cf.* 27. 17. 1 *adn.* ⟨et⟩ ex *Walters* : ex ⊓ $N\theta$ *Edd.* 19 et praeter hos Nursini ⊓$N.ald.$: nursinique $Sp\theta Frob.2$ omnis ager $\pi\theta Frob.2$: ager omnis $AN.ald.$ (*cf.* 29. 3. 10 *adn.*) 20 Camertes $A^x(A^7?)ald.Frob.$1.2, *cf.* 9. 36. 7 : cameries πN (-ites N^4 : -ates θ)

TITI LIVI

quinqueremes decem quadriremes, cum essent positae ipse ita institit operi ut die quadragensimo quinto quam ex siluis detracta materia erat naues instructae armataeque in aquam deductae sint.

46 Profectus in Siciliam est triginta nauibus longis, uolun- 2 tariorum septem ferme milibus in naues impositis. Et P. Licinius in Bruttios ad duos exercitus consulares uenit. Ex iis eum sibi sumpsit quem L. Veturius consul habuerat: 3 Metello ut quibus praefuisset legionibus iis praeesset, facilius cum adsuetis imperio rem gesturum ratus, permisit. Et 4 praetores diuersi in prouincias profecti. Et quia pecunia ad bellum deerat, agri Campani regionem a fossa Graeca ad 5 mare uersam uendere quaestores iussi, indicio quoque permisso qui ager ciuis Campani fuisset, uti is publicus populi Romani esset; indici praemium constitutum, quantae pecu- 6 niae ager indicatus esset pars decima. Et Cn. Seruilio praetori urbano negotium datum ut Campani ciues, ubi cuique ex senatus consulto liceret habitare, ibi habitarent, animaduerteretque in eos qui alibi habitarent.

7 Eadem aestate Mago Hamilcaris filius ex minore Baliarium insula, ubi hibernarat, iuuentute lecta in classem imposita in Italiam triginta ferme rostratis nauibus et multis

---

21 quinqueremes . . . quadriremes Π$N\theta$: *simplicius erat . . . ium . . . ium*   institit Π$N\vartheta$ (instituit *scribere uoluit P[2], sed* -u- *post erasum est*)   quam A^7 *uel* A^8N^4 *rescriptus* θ : cum ΠN sint θ*ald.Frob*.1.2 : sunt P, *cf*. 27. 1. 13 *adn.* : *om.* Π^2N
46 1 uoluntariorum $CA^x\theta$ (-lumpt- PA : -lupt- C^2RMBDN, *cf*. 29. 1. 1 *adn.*)   septem (*uel* VII) ΠN: LIII $A^8\theta$ 3 praefuisset $C^2M^2A^8N^4\theta$: praefuisse ΠN legionibus iis (*uel* his *uel* IS) praeesset A^7N^4(*sed hic ut uid. post* facilius)θ*ald.Frob*.1.2 : *om.* ΠN, *cf*. 26. 51. 8 *adn.*   4 a (fossa) $A^6\theta$*ald.Frob*.1.2 : ac A^7N^4 *uel* N^3 : *om.* ΠN uersam ΠN *Edd.* : *del.* N^4 : egressam $N^x\theta$ 5 indicio $AK.ald.Frob$.1.2 : iudicio (-itio R) πNJ uti is PC (ut iis) R : ut his R^2MBDN : ut is $AN^1\theta$ indicatus (-duc- D) $\pi A^6N^4\theta$*ald. Frob*.1.2 : indictus AN : iudicatus$V$, *non male*   6 Cn. ΠN *Edd.* : p. θ (*cf. sis* § 12 *et* 30. 1. 7 *adnn.*)   ubi cuique ΠN.*ald.* : ubicunque (*uel* -cūq-) $Sp N^4\theta$ habitare, ibi Π$N.ald.$: *om.* $Sp\theta Frob$.2 animaduerteret . . . habitarent] *om. N* : *add. in marg.* N^4 (*qui* i sicilia *add. ut s. l. supra* liceret)   alibi Π$^2N^4\theta$: alibet P 7 Baliarium] *sic P in c*. 37. 8 : baliarum ΠN (bale- $C\theta$, *sed u*. 27. 18. 7 *adn.*)

onerariis duodecim milia peditum duo ferme equitum 8
traiecit, Genuamque nullis praesidiis maritimam oram tutantibus repentino aduentu cepit. Inde ad oram Ligurum
Alpinorum, si quos ibi motus facere posset, classem adpulit.
Ingauni—Ligurum ea gens est—bellum ea tempestate gere- 9
bant cum Epanteriis Montanis. Igitur Poenus Sauone 10
oppido Alpino praeda deposita et decem longis nauibus in
statione ad praesidium relictis, ceteris Carthaginem missis
ad tuendam maritimam oram quia fama erat Scipionem 11
traiecturum, ipse societate cum Ingaunis quorum gratiam
malebat composita Montanos instituit oppugnare. Et crescebat exercitus in dies ad famam nominis eius Gallis undique
confluentibus. Ea ⟨res⟩ litteris cognita Sp. Lucreti, ne 12
frustra Hasdrubale cum exercitu deleto biennio ante forent
laetati si par aliud inde bellum duce tantum mutato oreretur, curam ingentem accendit patribus. Itaque et M. Liuium 13
proconsulem ex Etruria uolonum exercitum admouere Ariminum iusserunt, et Cn. Seruilio praetori negotium datum ut,
si e re publica censeret esse, duas urbanas legiones imperio
cui uideretur dato ex urbe duci iuberet. M. Valerius
Laeuinus Arretium eas legiones duxit.

Iisdem diebus naues onerariae Poenorum ad octoginta 14
circa Sardiniam ab Cn. Octauio, qui prouinciae praeerat, captae; eas Coelius frumento misso ad Hannibalem

7 duodecim (uel XII) ΠN Edd.: XI A⁸θ   9 Ingauni A⁷N⁴θ:
ingaunis ΠN (cf. 26. 40. 14 adn.)   10 Sauone A⁷θ Edd.: auone
ΠN (aui- C⁴)   11 traiecturum ΠN: traiecturum esse Sp ut uid.
A⁷θald.(sed eo tr. esse)Frob.2, cf. 27. 38. 5 adn.   Montanos C³
M² uel M⁷AN⁰, cf. 27. 17. 12 adn.   instituit ΠN
ald.: institit Sp?A⁷ uel A⁸θ (cf. c. 45. 21 adn.)   12 Ea res Rhen.:
ea ΠNSpθald.Frob.1.2, fort. recte (cum accendere infra)   Sp. πN:
p. CRθ, cf. § 6 adn.   Hasdrubale ANSp ut uid. θ Edd. (-li π)
oreretur π (orir- P⁴M²B²ANθ), cf. 27. 22. 13 adn.
accendit ΠNSpθFrob.2: accendere Vat (-der) ald., fort. recte
13 Liuium A⁸θ: liui (A?)Π: liuio N   duas N⁴θ Edd. ante
Gron.: om ΠN, cf. 29. 28. 10 adn.   imperio cui θ Gron.: cui
imperio ΠN Edd. ante Gron.   14 LXXX ΠN Edd.: XXX θ
captae M⁷ uel M²A⁸N⁴θ Edd.: captas ΠN

commeatuque onustas, Valerius praedam Etruscam Ligurumque et Montanorum captiuos Carthaginem portantes captas tradit. In Bruttiis nihil ferme anno eo memorabile gestum. Pestilentia incesserat pari clade in Romanos Poenosque, nisi quod Punicum exercitum super morbum etiam fames adfecit. Propter Iunonis Laciniae templum aestatem Hannibal egit, ibique aram condidit dedicauitque cum ingenti rerum ab se gestarum titulo Punicis Graecisque litteris insculpto.

14 et (Mont.) ΠNθald. : *om. Frob.*2 portantes captas *Sp?A*[7] (per p-)*N*[4] *rescriptus θFrob.*2 : per (por- *P*) portantis (*uel* -tes) π²*N* (-ndis *D*) 15 gestum π*N Edd.* : gestam *D* : actum θ quod *CM*³ *N*¹θ : quo π*N* 16 Propter *N*⁴θ *Edd.* : pro Π*N* : prope *A*[x] Laciniae *C*²*M*²*AN*θ (lic- *K*) : lacinia π : lasciuia *D* aestatem *A*[7]*?* *uel AN*θ : aestate Π(*A?*) ab se *N*⁴ *rescriptus* θ : *om.* Π*N* insculpto *CM*³*DAN*θ : isculipto (inc- *P*) *P*²*R* (-col-) : insculipto *R*²*M B* *Adscribit P*² recognobi *post* isculipto

Subscriptiones : titi liui ab urbe condita liber xxviii explicit incipit liber xxviiii feliciter *P et sim. ceteri*

T. LIVI
AB VRBE CONDITA

LIBER XXIX

Scipio postquam in Siciliam uenit, uoluntarios milites 1
ordinauit centuriauitque. Ex iis trecentos iuuenes, florentes 2
aetate et uirium robore insignes, inermes circa se habebat,
ignorantes quem ad usum neque centuriati neque armati
seruarentur. Tum ex totius Siciliae iuniorum numero prin- 3
cipes genere et fortuna trecentos equites qui secum in Africam traicerent legit, diemque iis qua equis armisque instructi
atque ornati adessent edixit. Grauis ea militia, procul domo, 4
terra marique multos labores magna pericula allatura uidebatur; neque ipsos modo sed parentes cognatosque eorum
ea cura angebat. Vbi dies quae dicta erat aduenit, arma 5
equosque ostenderunt. Tum Scipio renuntiari sibi dixit
quosdam equites Siculorum tamquam grauem et duram hor-
rere eam militam: si qui ita animati essent, malle eos sibi 6
iam tum fateri quam postmodo querentes segnes atque in-
utiles milites rei publicae esse; expromerent quid sentirent;

---

1 1 uoluntarios DA^1 *uel* $A^7H\theta$: uoluptarios (uoluet- C^1 : uoluptu-
M) πN, *cf.* 28. 46. 1 *adn.*   2 iis PCR : his $R^2MBDANHK$:
hiis J, *cf.* § 7   et $\Pi NH.ald.Frob.$1.2 : *om.* θ insignes, inermes *scripsimus* (*fort. ab* N^4 *confirmati qui* inermis *non delet*), *cf. c.*
7. 7 *adn.* : insignes (*uel* -is) $Sp A^7N^4$ *ut s. l.* $\theta Frob.$2 : inermis ΠNH
(inh- $CBAN$)*ald. Gron.*   4 angebat $\Pi^2NH\theta$: agebat P
5 dicta ΠNH : edicta $\theta ald.Frob.$1.2   arma $\pi B^2NSp?H\theta Frob.$2 :
arm$\underset{\,}{\text{e}}$ B : et arma *ald.*, *non male* (*sine puncto post* ostenderunt)
dixit $\pi B^2NH.ald.Frob.$1.2 : *om.* θ : iussit (*sed ante* sibi) B
6 qui ita $\theta ald.Frob.$1.2 : quita P (*cf.* 27. 1. 11 *adn.*) : Π^2NH
sibi iam $Sp?A^7N^4$ *ut s. l. Frob.*2 : sibi $\theta ald.$: si iam π : se iam $DA?N$
H : si C^2 : se A^x tum ΠNH : tunc Sp *ut uid.* $\theta ald.Frob.$1.2 *et
sic* θ *in* § 5 (*cf. c.* 11. 6)   fateri ΠNSp *ut uid.* H : pateri J (-re
A^x *ut s. l. K*)

XXIX 1 6 TITI LIVI

7 cum bona uenia se auditurum. Vbi ex iis unus ausus est dicere se prorsus, si sibi utrum uellet liberum esset, nolle 8 militare, tum Scipio ei : 'Quoniam igitur, adulescens, quid sentires non dissimulasti, uicarium tibi expediam cui tu arma equumque et cetera instrumenta militiae tradas et tecum hinc extemplo domum ducas exerceas docendum cures equo 9 armisque.' Laeto condicionem accipienti unum ex trecentis quos inermes habebat tradit. Vbi hoc modo exauctoratum equitem cum gratia imperatoris ceteri uiderunt, se quisque 10 excusare et uicarium accipere. Ita trecentis Siculis Romani equites substituti sine publica impensa. Docendorum atque exercendorum curam Siculi habuerunt, quia edictum im- 11 peratoris erat ipsum militaturum qui ita non fecisset. Egregiam hanc alam equitum euasisse ferunt multisque proeliis rem publicam adiuuisse.

12 Legiones inde cum inspiceret, plurimorum stipendiorum ex iis milites delegit, maxime qui sub duce Marcello milita- 13 uerant, quos cum optima disciplina institutos credebat tum etiam ab longa Syracusarum obsidione peritissimos esse urbium oppugnandarum ; nihil enim paruum sed Carthaginis

7 iis C : its P : is P^2R : his $R^2MBDAN^1(om.\ N)H\theta$ (hiis J) uellet $Sp?\theta Frob.2$, cf. ed. Cantab. Liui libri II App. II B (1) cum p. 195 (de 2. 57. 3) : uelit ΠΝΗ.   Cf. 27. 17. 14 adn.   liberum ΠΝΗΚ: liberum diceret J 8 ei $A^7N^4\theta ald.Frob.$1.2 : et ΠΝ(quod del. $N^2)H$ expediam $P^4A^7N^4H\theta ald.Frob.$1.2 : expeditiam ΠΝ, cf. 27. 20. 8 adn.   hinc ΠΝΗθald.Frob.1.2 : ex N^4 ut s. l. extemplo P^4CM^2 uel M^1A^7 uel A^8H Edd. : exemplo πN 9 Laeto ΠΝ.ald.Frob.1.2 : cui laeto $N^4H\theta$ 10 Siculis (Rom.) $M^1A^7N^4H$: siculi Π$(M?)N$ atque exercendorum A^7N^4H(ac ex-)θald.Frob.1.2 : om. ΠΝ, linea haud amplius xvii litt. perdita, cf. § 11 et 26. 51. 8 adn.   11 egregiam M^1 uel $M^2A^7H\theta$: egreciam MN^4: egraeciam PR : e graecia (uel grecia) $CBDAN$ multisque proeliis remp̄. A^8N^4(hic post adiuuisse)$H\theta$ald.Frob.1.2 : om. ΠΝ sc. lineam fort. xviii litt., cf. § 10 et 26. 51. 8 adn.   12 inspiceret ΠΝΗ.ald.Frob.1.2 : aspiceret θ 13 quos $C^4ANH\theta$ald.Frob.1.2 : quod $\pi(C?)$ credebat Π$^2NH\theta$: credebant $PVat$, cf. 27. 17. 4 adn.   tum $CMB^2ANH\theta$: tu π : tu^1 P^x paruum PCA^8N^4 (ut s. l.?)$H\theta$ Edd. : eum R : reum R^2MBD : rerum B^2AN ; primo aliud aliquid scripserat P quod ipse erasit, -ruu- supra rasuram addens

AB VRBE CONDITA XXIX 1 13

iam excidia agitabat animo. Inde exercitum per oppida 14
dispertit; frumentum Siculorum ciuitatibus imperat, ex Italia
aduecto parcit; ueteres naues reficit et cum iis C. Laelium
in Africam praedatum mittit; nouas Panhormi subducit,
quia ex uiridi materia raptim factae erant, ut in sicco
hibernarent.

Praeparatis omnibus ad bellum Syracusas, nondum ex 15
magnis belli motibus satis tranquillas, uenit. Graeci res a 16
quibusdam Italici generis eadem ui qua per bellum ceperant
retinentibus, concessas sibi ab senatu repetebant. Omnium 17
primum ratus tueri publicam fidem, partim edicto, partim
iudiciis etiam in pertinaces ad obtinendam iniuriam redditis
suas res Syracusanis restituit. Non ipsis tantum ea res sed 18
omnibus Siciliae populis grata fuit, eoque enixius ad bellum
adiuuerunt.

Eadem aestate in Hispania coortum ingens bellum con- 19
ciente Ilergete Indibili nulla alia de causa quam per admira-
tionem Scipionis contemptu imperatorum aliorum orto: eum 20
superesse unum ducem Romanis ceteris ab Hannibale interfectis [rebantur]; eo nec in Hispaniam caesis Scipionibus
alium quem mitterent habuisse, et postquam in Italia grauius

---

13 excidia Π*NH*θ, *cf. e.g. Verg. Aen.* 2. 643: excidium *Wesenberg, frustra*   14 dispertit (exp- *R*) π*R²NJ*: dispartit *HK*
Panhormi Π*H* (*sed in* 24. 36. 5 panormi *P, minus bene*): panormi
(-mis *J*) *N*θ   17 edicto *Pˣ M¹(M³?)A⁷*θ *Edd.*: eo dicto π*NH*:
om. *C*   in Π*NH.ald.Frob.*1.2: *om.* θ *et del. N¹ uel N² sed punctum rursus exsculpsit Nˣ*   redditis Π*NH.ald.Frob.*1.2: *om.* θ
18 ad (ab *B*) bellum Π*ald.*: *om. N*: bellum *N²*θ*Frob.*2, *fort.
recte, sed facile est* Scipionem *subaudire*   adiuuerunt *ANH*: adiu-
uarunt π: adiuuatur (-uetur *J*) θ   19 aestate (aet- *P*) Π²*NH*θ
conciente Π*NSpH.ald.Frob.*1.2: continente θ   Ilergete
*SpA⁸N⁴*θ*Frob.*2: *om.* Π*N* (*quos seq. Madv.* 1872): illergetes *ald.*
contemptu ... orto Π*NH Edd.*: contemptum ... ortum θ
20 eum Π*NH*θ *Edd.*: et *N⁴ ut s. l. Vat*   interfectis
Duker (*recte* rebantur *secludens*): interfectis rebantur *PCRM¹ uel M²
A⁷N⁴H*θ: interficiebantur *R²MBDAN*: interfectis rebatur *Gron.* (*cf.*
§ 25), *sed* rebantur *gloss. uidetur esse antiquitus in contextum insertum*
nec Π*NH*: neque *A⁷*θ   Hispaniam θ*ald.Frob.*1.2:
hispania Π*NH*

XXIX 1 20 TITI LIVI

bellum urgeret, aduersus Hannibalem eum arcessitum.
21 praeterquam quod nomina tantum ducum in Hispania Romani habeant, exercitum quoque inde ueterem deductum;
22 trepida omnia et inconditam turbam tironum esse. nunquam
23 talem occasionem liberandae Hispaniae fore. seruitum ad eam diem aut Carthaginiensibus aut Romanis, nec in uicem
24 his aut illis sed interdum utrisque simul. pulsos ab Romanis Carthaginienses: ab Hispanis, si consentirent, pelli Romanos posse, ut ab omni externo imperio soluta in perpetuum
25 Hispania in patrios rediret mores ritusque. Haec taliaque dicendo non populares modo sed Ausetanos quoque, uicinam gentem, concitat et alios finitimos sibi atque illis
26 populos. Itaque intra paucos dies triginta milia peditum quattuor ferme equitum in Sedetanum agrum, quo edictum erat, conuenerunt.

2 Romani quoque imperatores L. Lentulus et L. Manlius
2 Acidinus, ne gliscerent prima neglegendo bellum, iunctis et ipsi

20 urgeret $CM^1DANH\theta$ (urget J): urgueret π arcessitum (arcers- D) πNH, cf. 26. 22. 2 adn.: accersitum $C\theta$ 21 habeant *Weissenb.*, cf. 27. 17. 14 adn.: habebant $\Pi NH^2ald.$: haberent $SpH\theta$ *Frob.*2 22 omnia et Sp ut uid. $A^7\theta ald.Frob.$1.2 (sc. *Anglice* 'nothing but confusion and a crowd of raw recruits'): omnia ut ΠNH: omnia ut apud *Koch*, sed si ut *tutandum est, optime conicit* incondita in turba *Gron.* (in inc. turba *Madv. olim*) 23 eam $CM^2B^xANH\theta$ (cf. 27. 16. 16 adn.): ea π his M^1 uel $M^3ANH\theta$ (hiis J): has π, sed nec in uicem has aut *bis scripsit P, del. priorem scripturam* P^2. *De repetitionibus Puteani*, cf. e.g. 26. 21. 13; 26. 29. 8; 26. 30. 10; 27. 13. 9; 27. 30. 4; 28. 9. 12, 13; 29. 12. 3; 29. 17. 11; 29. 21. 10; 29. 24. 8; 29. 26. 8; 29. 37. 10; 30. 28. 11. (*De rep. breuioribus cf.* 27. 44. 1 adn.) utrisque $M^2(M^7?)ANH\theta$ (-umq. J): utrique π
24 externo imperio $A^7\theta Frob.$2: imperio externo (*om.* externo C) $\pi C^4NH.ald., qui ordo usitatior est sed minore ui sententiam imperatoris indigenae inlustrat (cf. de P* 28. 2. 15 adn.) *post* imperio *sequuntur in* ΠN uoces *primorum* (28. 22. 14) *usque ad* auxiliarium *inde* (28. 37. 9), *post quas tandem sequuntur uoces* externo soluta (*P. fol.* 402 r. b. l. 2), *u.* 28. 22. 14 adn.: errorem ordinis notauerunt $P^4C^xM^{10}$(*perperam post* posse *inculcationis siglum notans*)A^7N^2: *rectum praebent ord.* $H\theta$ rediret $P^4C\theta$ *Edd.*: redire πNH 25 taliaque $A^7\theta$ *Edd.*: aliaque (-quae $PCRD$) ΠN 26 Itaque intra paucos $\pi N^4\theta$ *Edd.*: inter paucos N: intra (inter H) paucos itaque AH quattuor ΠNH *Edd.*: quattuor milia θ

2 1 prima $Sp?\theta Frob.$2: primo $\Pi NH.ald.$ 2 et ipsi $N^4\theta ald.$ *Frob.*1.2: ipsi ΠN, cf. 26. 11. 12 adn. (c): ipsis H: ipsi tamen C^4

AB VRBE CONDITA XXIX 2 2

exercitibus per agrum Ausetanum hostico tamquam pacato clementer ductis militibus ad sedem hostium peruenere et trium milium spatio procul a castris eorum posuerunt castra. Primo per legatos nequiquam temptatum ut discederetur ab 3 armis; dein cum in pabulatores Romanos impetus repente ab equitibus Hispanis factus esset, summisso ab statione Romana equitatu equestre proelium fuit haud sane memorando in partem ullam euentu. Sole oriente postero die 4 armati instructique omnes mille ferme passus procul a castris Romanis aciem ostendere. Medii Ausetani erant; cornua 5 dextrum Ilergetes, laeuum ignobiles tenebant Hispani populi; inter cornua et mediam aciem interualla patentia satis late fecerant qua equitatum, ubi tempus esset, emitterent. Et 6 Romani more suo exercitum cum instruxissent, id modo hostium imitati sunt ut inter legiones et ipsi patentes equiti relinquerent uias. Ceterum Lentulus ei parti usum equitis 7 fore ratus quae prior in dehiscentem interuallis hostium aciem equites emisisset, Ser. Cornelio tribuno militum im- 8 perat equites per patentes in hostium acie uias permittere

---

2 exercitibus $C^2A^7?N^4\theta$ *Edd.*: exercitus Π*NH*   Ausetanum $PCM^3DA^7?\theta$ (aux- *RMBANH*)   hostico Π*NH*θ*Aldus* (*cf.* 26. 11. 11 agro uenisse): in hostico *ed. Par.* 1513   peruenere et M^3A^8, *Weissenbornium confirmantes*: peruenret PR: peruenret R^2M $BDAN$: peruenere $N^4H\theta ald.Frob.$1.2, *fort.* (*cum eorum inf.*) *minus bene, quamquam de* -ret *et* -re (*uel* -set *et* -se) *confusis cf. e.g.* 26. 24. 3; 27. 10. 4; 27. 44. 9; 29. 1. 24; 29. 22. 5; 30. 19. 2: peruenerunt C
    posuerunt Π*NH Edd.*: posuerant θ 3 per legatos $P^4CM^3A^7$ $N^1H\theta$: perlatos (-lut- *A*) πA^1N, *cf. c.* 26. 7 *et* 27. 1. 11 *adnn.*
summisso] summ- Π*NH*θ: subm- *X*, *cf.* 26. 44. 4 *adn.*   Romana $P\theta F$ (*quem perperam citat Luchs*): romano π²*NH*   equestre proelium Π*NHK.ald.*: proelium equestre *JFrob.*2, *fort. recte, cf. c.* 1. 24 *adn.*   4 procul $C^xA^7(A^8?)N^4H\theta$ *Edd.*: pro sua Π*N*
5 cornua (dextrum) π$Sp?A^7\theta Frob.$2: cornu $M^1ANH.ald.$
fecerant *Gron. praecedente Lov.* 4 (*post* erant *et* tenebant *paene necess.*): fecerunt Π*NH*θ, *cf.* 27. 6. 2 *adn.*   equitatum Π*NH Edd.*: equitem θ 6 instruxissent $ANH\theta$ *Edd.*: struxissent PC: extruxissent R(est-)*MBD*   7 interuallis A^7N^4(*ut s. l.?*)*J* (-li Π*NH*, *cf.* 27. 17. 12 *adn.*: -lum C^4K)   8 acie uias $Sp\theta Frob.$2: aciesui π: acies uias *ANH*: aciem uias *ald.*   permittere Π*NH*(-mict-) θ: immittere *Rhen.*

20*

XXIX 2 8 TITI LIVI

9 equos iubeat. Ipse coepta parum prospere pedestri pugna tantum moratus dum cedenti duodecimae legioni, quae in laeuo cornu aduersus Ilergetes locata erat, tertiam decimam legionem ex subsidiis in primam aciem firmamentum ducit,
10 postquam aequata ibi pugna est, ad L. Manlium inter prima signa hortantem ac subsidia quibus res postulabat locis
11 inducentem uenit; indicat tuta ab laeuo cornu esse; iam missum ab se Cornelium procella equestri hostes circumfusurum.

12 Vix haec dicta dederat cum Romani equites in medios inuecti hostes simul pedestres acies turbarunt, simul equiti-
13 bus Hispanorum uiam immittendi equos clauserunt. Itaque omissa pugna equestri ad pedes Hispani descenderunt. Romani imperatores ut turbatos hostium ordines et trepidationem pauoremque et fluctuantia uiderunt signa, hortantur orant milites ut perculsos inuadant neu restitui aciem
14 patiantur. Non sustinuissent tam infestum impetum barbari, ni regulus ipse Indibilis cum equitibus ad pedes degressis
15 ante prima signa peditum se obiecisset. Ibi aliquamdiu atrox pugna stetit; tandem postquam ii qui circa regem

9 parum Π*NH* : parumper *A*[7](*sed propere pro* prosp.)*N*[4] *ut s. l.* θ
locata *SpθθFrob*.2 : roga *P* : prona Π[2]*NH* : locata prona *ald*.,
mire ex subsidiis Π*NH.ald.Frob*.1.2 : *om. Spθ* 10 locis
M[3](*an M*[9]?)*A*[7](*A*[8]?)*N*[4]*H*θ : locus Π*N* : locusque *C*[4] indicat Π
NSp?HθFrob.2 : indicatque *A*[v]?*ald*. 11 iam ... circumfusurum]
om. K iam missum *A*[8]*N*[4]*HJ.ald.Frob*.1.2 (*sed post* se *N*[4]) : iam
missum esse π : *om. AN* ab (se) *PCM* (*cf*. 27. 2. 9 *adn*.) : a *N*
J : ad *N*[4] *ut s. l.* Cornelium *Madv*. : cornelium seruium Π(*sed*
cornil- *BD*)*NSpHJ* : Ser. Cornelium *Frob*. 2, *fort. recte* : Sex. Cornelium (*et sic* (-io) *in* § 8) *ald*. 12 turbarunt *A*[7](*A*[8]?)*N*[4]*HFrob*.2
(-auerunt *ald*.) : turbauit Π*N* : turbare θ immittendi (*uel* inm-)
Π*NH* (-mict-) : mittendi θ 13 Itaque ... descenderunt] *om.
B* : *add. B*[2] omissa π*B*[2]*N*[7](*N*[1]?)*Hθald Frob*.1.2 : com-(cum
Vat)missa *SpVat* pedes *SpN*[4] ab *N*[7] *rescriptus* θ : pedestrem
π*B*[2]*NH.ald.Frob*.1.2 Hispani descenderunt π*B*[2]*NH*θ (-nie iesc-
Sp) inuadant *A*[7](*A*[8]?)*N*[4]*H*θ *Edd*. : *om.* Π*N* neu Π*NH
ald.Frob*.1.2 : nec *A*[7](*A*[8]?)*N*[4]θ : ne *C*[x] restitui aciem *P*[4]*M*[7]*A*[7]
N[4]*H*θ : resutui (-tin *AN*) acie Π*N* 14 tam *AN*[x](*praecedente
N*[4])θ : tamen π*NH* Indibilis] -ib- *BA*[7]θ, *ut P e.g. in c.* 1. 19 :
-eb- π*N*; *cf*. 26. 49. 11 *adn*. degressis π*NSp?Frob*.2 (digr- *B*[2]
ald.) : digressus (de- *C*[2]) *CH* : digressi *N*[2]θ 15 Ibi Π*H*θ *Edd*. :
om. N : id *N*[4] aliquamdiu ... stetit] *om. N* : *supplent* Π*N*[4]*H*θ

AB VRBE CONDITA XXIX 2

seminecem restantem deinde pilo terrae adfixum pugnabant obruti telis occubuerunt, tum fuga passim coepta. Plures caesi, quia equos conscendendi equitibus spatium non fuerat, et quia perculsis acriter institerunt Romani; nec ante abscessum est quam castris quoque exuerunt hostem. Tredecim milia Hispanorum caesa eo die, mille octingenti ferme capti: Romanorum sociorumque paulo amplius ducenti, maxime in laeuo cornu, ceciderunt. Pulsi castris Hispani aut qui ex proelio effugerant, sparsi primo per agros, deinde in suas quisque ciuitates redierunt.

Tum a Mandonio euocati in concilium conquestique ibi clades suas increpitis auctoribus belli legatos mittendos ad arma tradenda deditionemque faciendam censuere. Quibus culpam in auctorem belli Indibilem ceterosque principes quorum plerique in acie cecidissent conferentibus tradentibusque arma et dedentibus sese, responsum est in deditionem ita accipi eos si Mandonium ceterosque belli concitores tradidissent uiuos; si minus, exercitum se in agrum Ilergetum Ausetanorumque et deinceps aliorum populorum inducturos. Haec dicta legatis renuntiataque in concilium. Ibi Mandonius ceterique principes comprehensi et traditi ad supplicium. Hispaniae populis reddita pax; stipendium eius anni duplex et frumentum sex mensum imperatum sagaque

---

16 Plures $\pi\theta Frob.2$: pluresque *ANH.ald.*   caesi (*uel* cesi) $\Pi^2 NH\theta$: caei *P*   quia (equos) *CM³ANHθ Edd.* (*fort.* et quia *malis*): qui π conscendendi πNH: conscendi θ: concendi *C* equitibus $\Pi NHFrob.2$: ab equitib. $\theta ald.$ 17 tredecim $A^7\theta$: decem tria ΠNH, *cf.* 26. 49. 3 *adn.*: xxx^{ta} N^4 *ut s. l.* (*postquam* deci (*ante* milia) *ab N^2 temptatum est*)   mille $P(\infty)A^8\theta$: *om.* $\Pi^x NH$ *ald.Frob.*1.2   octingenti (*sed* dccc) $\Pi NH Edd.$: et quingenti θ sociorumque $C^4 N^4 Edd.$: sociorum ΠN, *cf.* 26. 11. 12 *adn.* (*c*)

3 1 concilium θ *Edd. et sic in* § 4 *Put.*: consilium ΠNH, *cf.* 27. 35. 4 *adn.*   conquestique $\Pi N Edd.$: conquesti *H*: contestatiq. θ: contestatiq. conquestiq. A^8 3 si minus $\Pi^2 NH.ald.$, *cf. c.* 12. 7: sin minus $\theta Frob.2$: simus *P*   se CM^2 *uel* $M^3 B^2 ANH\theta$: si π inducturos $N^4\theta$, *cf. e.g.* 21. 5. 3: ducturos $\Pi NH.ald.Frob.$1.2 (*cf.* 26. 13. 7 *adn.*)   5 eius $\pi A^7 N^2 H\theta$: eis *AN*   mensum π, *cf.* 9. 33. 6 *adn. et* 23. 21. 5: mensium $DH\theta$ (-uum $A^1 N$)

et togae exercitui, et obsides ab triginta ferme populis accepti.

6 Ita Hispaniae rebellantis tumultu haud magno motu intra paucos dies concito et compresso, in Africam omnis terror 7 uersus. C. Laelius nocte ad Hipponem Regium cum accessisset, luce prima ad populandum agrum sub signis milites 8 sociosque in auxilium nauales duxit. Omnibus pacis modo incuriose agentibus magna clades inlata; nuntiique trepidi Carthaginem terrore ingenti compleuere classem Romanam Scipionemque imperatorem—et fama fuerat iam in Siciliam 9 transgressum—aduenisse. Nec quot naues uidissent nec quanta manus agros popularetur satis gnari omnia in maius metu augente accipiebant. Itaque primo terror pauorque, 10 dein maestitia animos incessit: tantum fortunam mutasse ut qui modo ipsi exercitum ante moenia Romana habuissent uictores stratisque tot hostium exercitibus omnes Italiae 11 populos aut ui aut uoluntate in deditionem accepissent, ii uerso Marte Africae populationes et obsidionem Carthaginis uisuri forent, nequaquam pari ad patienda ea robore ac

---

7 in auxilium nauales (*uel* -lis) $A^8\theta$(*sed* nau. in aux. $A^8\theta$)N^4, *sc.* '*ut subsidia*': nauales (*uel* -lis) Π*NH.ald.Frob.*1.2, *quod malit Johnson*
8 incuriose $C^x A^8 N^4 \theta$ *Edd.*: incurius e (*sed* -rius ea gent-) π: incurius M: incuria se ANH transgressum ΠN^x(*fort.* N^4 *rescriptus*)$H\theta$: transgressa N 9 Nec quot $CM^3\theta ald.Frob.$1.2: ne quod π: ne quot ANH, *sed erasit aliquid supra* -e *scriptum* N^x
dein Π(daein P)$NH.ald.$ (*hic recte; aliter (de re mutata) e.g.* 27. 32. 4): deinde $\theta Frob.$2   10 qui Π$NH\theta$: quo N^7 *uel* N^1 *uel* N^2
moenia (*uel* men-) $CM^3(M^7?)B^x AN\theta$: moniam PM: meoniam P^2 (-ia P^4): moeniam RBD (men-)   stratisque tot $P^4 CM^3 ald.$: stratique tot π (*cf.* 27. 17. 12 *adn.*): stratis tot $\theta Frob.$2 (*cf.* 26. 11. 12 *adn.* (c)): totque stratis $ANHW$. *Cf. de uariatione ordinis ab codd.* AN *profecta e.g. cc.* 6. 13; 14. 13; 20. 1 *et in lib.* 27 *cc.* 1. 3; 5. 1; 5. 4; 9. 10; 10. 12; *in lib.* 28 *cc.* 8. 13; 9. 10; 17. 16; 21. 8; 26. 3; 27. 16; 35. 2, 11; 41. 17; 44. 18; *in lib.* 30 *cc.* 8. 3; 17. 12; 18. 4; 23. 3; 25. 1; 27. 2; 33. 9; 36. 1; *cf. etiam* 26. 5. 17 *adn. de ord. codd.* $AN\theta$)
    aut ui $P^4 CM^3 ?B^2 AN$(*sed* uim N)H *Edd.*: aut uia π: ui θ
11 uerso Marte (-tę BD) Π$NH\theta ald.Frob.$1.2: uersos arte Sp, *cf.* 28. 40. 10 *adn.* (*et de* -s *pro* -m *in* P *cf.* 27. 17. 1 *adn.*): uersa sorte *Rhen., frustra*   uisuri P^4 *uel* $P^5 M^3 (M^7?) B^2 ANH\theta$: uri π   nequaquam $H\theta ald.Frob.$1.2: nequiquam (-icq- D) ΠN patienda ea $A^7 N^4 H\theta$ *Edd*: parienda ex ΠN (*cf. de* -x- *et* -a- 26. 37. 3 *adn.*)

AB VRBE CONDITA XXIX 3

Romani fuissent. illis Romanam plebem, illis Latium iuuentutem praebuisse maiorem semper frequentioremque pro tot caesis exercitibus subolescentem: suam plebem imbellem in urbe, imbellem in agris esse; mercede parari auxilia ex Afris, gente ad omnem auram spei mobili atque infida. iam reges, Syphacem post conloquium cum Scipione alienatum, Masinissam aperta defectione infestissimum hostem. nihil usquam spei, nihil auxilii esse. nec Magonem ex Gallia mouere tumultus quicquam nec coniungere sese Hannibali, et Hannibalem ipsum iam et fama senescere et uiribus.

In haec deflenda prolapsos ab recenti nuntio animos rursus terror instans reuocauit ad consultandum quonam modo obuiam praesentibus periculis iretur. Dilectus raptim in urbe agrisque haberi placet; mittere ad conducenda Afrorum auxilia; munire urbem, frumentum conuehere, tela arma parare; instruere naues ac mittere ad Hipponem aduersus Romanam classem. Iam haec agentibus nuntius tandem uenit Laelium non Scipionem, copiasque quantae ad incur-

12 subolescentem $DSpA^7\theta$ $Edd.$: subolescentum (subul- P) π^2: suboles (·em C^4A^x: ·ens H) ceterum $C^4A?NH$ 13 suam P^4C $M^3A^8?N^2?H\theta$: sua ΠN (cf. 26. 41. 12 adn.)   im-(sed in-)bellem (·lli C) in urbe, im-(sed in-)bellem $C^1A^v?(sed$ in urbe inb. inb.)N^4 $Edd.$: in bellum in ($om.$ in N) urbe inbellem πNH (imb- bis H): in urbe inbellem D et (sed inb. in urbe) C^2: inbellem (ib- K) θ; de forma imb- cf. Praef. § 30   in agris $A^7N^4H\theta$ $Edd.$: $om.$ ΠN parari ΠNH: parare θ Afris $A^7N^2\theta$ $Edd.$: agris πNH: agresti D gente ... mobili ... infida ΠNH $Edd.$: gentem ... mobilem (·lis θ) ... infidam (·da J) $N^x\theta$ 14 reges $SpJFrob.2$: rege PR: regem $\pi^4NHK.ald.$ 15 quicquam $\Pi A^7N^x\theta$ (quisq- ANH) nec coniungere] *hinc usque ad uoces* Puteolis (30. 21. 11) *codicibus Spirensi cognatis constantius consentit* H (*i.e. ex fol.* 181 $r.$ *ad* 204 $u.$); $u.$ Praef. § 94   sese $\Pi N.ald.$: se $H\theta Frob.2$ et fama ΠN $Edd.$: fama $H\theta$

4 1 animos $\Pi N\theta$: animo H quonam $CM^3(M^7?)ANH\theta$: quoniam π 2 dilectus π: delectus $C^4ANH\theta ald.Frob.1.2$, cf. c. 5. 8   munire Π^2N: munere P: muniri N^7 (uel N^1) ut s. l. $N\theta$ parare] ·re $\Pi N\theta$: ·rent H instruere naues $\Pi N\theta$: instarent H ac mittere $C^4M^3(M^7?)BH\theta Frob.2$: amittere π: et mittere A $N.ald.$: mittere M^2F

XXIX 4 3   TITI LIVI

siones agrorum satis sint transuectas ; summae belli molem
4 adhuc in Sicilia esse. Ita respiratum mittique ad Syphacem
legationes aliosque regulos firmandae societatis causa coeptae. Ad Philippum quoque missi qui ducenta argenti talenta
5 pollicerentur ut in Siciliam aut in Italiam traiceret. Missi et
ad suos imperatores in Italiam ut omni terrore Scipionem
6 retinerent; ad Magonem non legati modo sed uiginti quinque longae naues, sex milia peditum, octingenti equites,
septem elephanti, ad hoc magna pecunia ad conducenda
auxilia quibus fretus propius urbem Romanam exercitum
admoueret coniungeretque se Hannibali.

7   Haec Carthagini parabant agitabantque, cum ad Laelium
praedas ingentes ex agro inermi ac nudo praesidiis agentem
Masinissa fama Romanae classis excitus cum equitibus
8 paucis uenit. Is segniter rem agi ab Scipione questus, quod
non exercitum iam in Africam traiecisset perculsis Cartha-

---

3 transuectas] -tas π²Nθ : -tus *PRH*   summae *P* : summam
Π² *uel* Π¹*ald.Frob.*1.2 : summi *Hθ*   molem Π² *uel* Π¹*Hθ Edd.* :
molum *P*   4 legationes] *hic* ΠN⁷ *uel* N¹(-onem *N*)*ald.Frob.*1.2 :
ante ad Syph. *Hθ* (*cf.* 27. 37. 5 *adn.*). *Ordinem Puteani accepimus
uocibus* ad Syph. *pondus additum rati opposito leuiore clausulae membro*
(*de ordine intertexto cf.* 22. 8. 7 *adn.*)   coeptae Π(*A?*) *Edd.* :
cepta *NH* : ceptum *A*⁵*? in ras. θ*   in (Ital.) Π*NK.ald.* : *om. HJ
Frob.*2. *cf.* § 5 *adn.*   5 missi (misi *P*) et Π² *uel* Π¹*NH.ald.Frob.*
1.2 : missi *θ*   suos *P*⁴*M*³*N*²(*N*⁷*?*)*Hθ* : uos π : duos *CB*²*AN*
in *N*⁴*Hθald.Frob.*1.2 : *om.* Π*N, cf.* § 4 *et* 26. 13. 7 *adn.*
6 longae naues (naue *M*) π*M*³ : naues longae *ANHθald.Frob.*1.2 (*cf.*
26. 5. 17 *adn.*)   octingenti Π*N Edd.* : quingenti *Hθ*
septem *Sp?HθFrob.*2 : et septem Π*N.ald.*   ad hoc Π.*SpFrob.*2 : ad
haec *Vat.ald.*   7 Carthagini] -ni *P*³(*sed* -e *mox restaurata*)*R*ˣ*N*⁴
(*N*ˣ*?*)*Hθ, cf.* 28. 26. 1 *adn.* : -ne Π*P*⁴*NSp ut uid.*   cum ad *SpN*⁴
*HθFrob.*2 : at *PR* : ad *CMBDAN.ald., quod* (*i.e.* Ad) *multo melius credit
Johnson* (*cf. c.* 6. 2 quia *a Sp additum*) : tum ad *A*⁷   Masinissa
*P*⁴*?CM*²(*M*¹*?*)*AN*¹(mari- *N*)*Sp ut uid. H*(mass-)*θ* : masinissam π
Romanae Π*NSp ut uid. Edd.* : ne *HK* : ue *J*   excitus Π*NSp ut
uid. H* : excitatus *θ*   8 ab (a *K sed cf. e.g.* 27. 2. 9) Scipione *M*²
*uel M*¹*ANθ* : ad scipione *PR* : ab scipionem *C* : ad scipionem *R*²*MB
DH*   questus (quaes- *PRM*) Π*NHθald.Frob.*1.2 : questus est
Madv. Em. p. 416, *non necess.*   non *C*²*M*³*N*² : tam (iam *A*) non
Π*N* (*cf.* 26. 6. 4 *adn.*) : non iam *Hθald.Frob.*1.2. *Vide adn. sq.*
exercitum iam in Africam Π*N et sic* (*sine* iam *in hoc loco*)*H*(in Afr. ex.)
*θald.Frob.*1.2 (iam ex. in Afr. *P*ˣ *ut uid.*), *u. supra*   perculsis
(-cussis *D*)Π*NK Edd.* : periculis *A*⁷ *ut s. l. HJ*

AB VRBE CONDITA XXIX 4 8

giniensibus, Syphace impedito finitimis bellis; quem certum habere, si spatium ad sua ut uelit componenda detur, nihil sincera fide cum Romanis acturum. hortaretur stimularet 9 Scipionem ne cessaret; se, quamquam regno pulsus esset, cum haud contemnendis copiis adfuturum peditum equitumque. nec ipsi Laelio morandum in Africa esse; classem credere profectam a Carthagine cum qua absente Scipione non satis tutum esset contrahi certamen. Ab hoc ser- 5 mone dimisso Masinissa Laelius postero die naues praeda onustas ab Hippone soluit, reuectusque in Siciliam mandata Masinissae Scipioni exposuit.

Iisdem ferme diebus naues quae ab Carthagine ad Ma- 2 gonem missae erant inter Albingaunos Ligures Genuamque accesserunt. In iis locis tum forte Mago tenebat classem; 3 qui legatorum auditis uerbis iubentium exercitus quam maximos comparare, extemplo Gallorum et Ligurum—namque utriusque gentis ingens ibi multitudo erat—concilium habuit; et missum se ad eos uindicandos in libertatem ait 4 et, ut ipsi cernant, mitti sibi ab domo praesidia; sed quantis uiribus quanto exercitu id bellum geratur, in eorum potes-

---

8 finitimis $C^2M^8ANH\theta$ (-me J) : finiti|umis P, cf. (de dittographia) 27. 34. 5 adn. : finiti u̅mis P^2 (quid uoluerit incertum est): finitimum (-mim C) is (his BD) $CRMBD$ certum $C^2H\theta$ Edd. : incertum ΠN (sc. in- ex -m orto) habere ΠN: haberet $A^7N^4H\theta ald.Frob.1.$ 2, cf. § 9 (esset) : haerere Gron. (qui incertum retinet) 9 stimularet HK: estimularet (etim- PR) P^2 uel P^3R^2BD: simularet M: ac (et C, fort. recte) stimularet $CAN.ald.Frob.1.2$: stimularetque J Scipionem $CANH\theta$ Edd. : a scipione π contemnendis] -temn- uel -tempn- $CDA^7H\theta$: -ten- πN: -tepn- A^xN^3 a Carthagine π B^x(-em B)ald.Frob.1.2 (sed in c. 5. 2 ab C. P): ad carthaginem D: carthagine $H\theta$ esset N^4 ut s. l. $H\theta ald.Frob.1.2$: esse ΠN, cf. § 8 (habere)

5 1 mandata Masinissae πH(mass-)$\theta Frob.2$: masinisse (-sae ald.) mandata $N^4ald.$; ipse malim masinissae deletum, cf. 27. 34. 3 adn. : masinisse uerba AN (cf. 28. 12. 13 adn.) 2 Iisdem (sed eisd-) $\Pi^?NH$ (isd-) : eidem P: his-(hiis- J)dem θ Albingaunos] albing- $A^7N^4ald.Frob.1.2$ (cf. 28. 46. 9 Ingauni) : albino- P: albinoc- Π^2N (sed -nes C) : albig- Sp ut uid. θ (sed mox Ligures Genuamque PSp Frob.2 : Ligures Alpinos Genuam ald.) 3 et Ligurum $A^7(A^8?)$ $N^4H\theta$ Edd. : om. ΠN 4 se ΠN Edd. : om. $H\theta$ id Π Edd. : ad N: om.$N^2H\theta$ geratur $\Pi NH\theta ald.$: gereretur Frob.2, cf. 27. 17. 14 adn.

TITI LIVI

5 tate esse. duos exercitus Romanos, unum in Gallia, alterum in Etruria esse; satis scire Sp. Lucretium se cum M. Liuio iuncturum; multa milia armanda esse ut duobus ducibus 6 duobus exercitibus Romanis resistatur. Galli summam ad id suam uoluntatem esse dicere; sed cum una castra Romana intra fines, altera in finitima terra Etruria prope in conspectu habeant, si palam fiat auxiliis adiutum ab sese Poenum, extemplo infestos utrimque exercitus in agrum suum incursuros. ea ab Gallis desideraret quibus occulte 7 adiuuari posset: Liguribus, quod procul agro urbibusque eorum castra Romana sint, libera consilia esse; illos armare iuuentutem et capessere pro parte bellum aequum esse. 8 Ligures haud abnuere: tempus modo duorum mensum petere ad dilectus habendos. Interim Mago milites Gallos dimissis clam per agros eorum mercede conducere; commeatus quoque omnis generis occulte ad eum a Gallicis 9 populis mittebantur. M. Liuius exercitum uolonum ex Etruria in Galliam traducit, iunctusque Lucretio, si se Mago ex Liguribus propius urbem moueat, obuiam ire parat, si

5 M. Π$N\theta$, *et sic H qui forma litterae inusitata usus est* (*cf. c.* 6. 9) armanda $P^4CM^x(M^1?)B^xANH\theta$ *Edd.*: armandam π, *cf.* 26. 40. 11 *adn.* duobus exercitibus $N^4H\theta$ *Edd.* (*cf. e.g.* 28. 25. 6): exercitibus π (*sc.* duobus *ob* ὁμ. *omisso*): exercitibusque C^4AN: et exercitibus M^3 6 uoluntatem $C^4M^2(M^7?)A^7N^4H\theta$: uolum π, *cf.* 27. 1. 11 *adn.*: uolum mī $A?N$ fines (*uel* -nis) $P^4M^3 D^xA^7N^4$ *uel* $N^3H\theta$: infinis (-nes AN) ΠN, *sc.* in (finitima) *praesumpto, cf.* 24. 3. 3 *adn. et* 26. 3. 4; 26. 5. 5 *et* 13; 26. 40. 2 (?); 27. 16. 6; 28. 32. 6; 28. 34. 11; 28. 42. 20; 28. 44. 7; 28. 45. 7; 29. 21. 10; 30. 5. 7; 30. 39. 1; 30. 42. 17 ab sese ΠN *Aldus*: ab (a $H\theta$) se esse $A^7N^4H\theta$: ab sese esse *Edd. ante Ald.* ab (Gallis) πNK *Edd.*: a HJ: ad BD (*cf. c.* 6. 2 *adn.*) posset ΠNK: posse H: *om. J* 7 consilia Π$N\theta$: concilia N^2H (*cf.* 27. 35. 4 *adn.*) 8 mensum πN, *cf. c.* 3. 5 *adn.*: mensium C^4M^1 *ut s. l.* $A^7BDH\theta$ dilectus] di- π: de- $ANH\theta$, *cf. c.* 4. 2 Gallos π$NH\theta$ (*recte a Madvigio defensum*): gallis *C.ald.Frob.*1.2 dimissis ΠNH: dimissos $A^5?\theta$ Gallicis $N^4H\theta$: gallis ΠN, *fort. recte* 9 M. Π$N\theta$: miles H (*u. c.* 6. 1) traducit Π$N.ald.Frob.$1.2: traiecit $N^4H\theta$, *fort. recte, nam uox* traicere *cum* (*nisi de mari aut flumine*) *colorem cotidiani sermonis habere uideatur* (*cf.* 7. 30. 12 *et D. Brutum ap. Cic. Fam.* 11. 9. 2), *hic apta putari possit ad uile uolonum agmen*

AB VRBE CONDITA XXIX 5 9

Poenus sub angulo Alpium quietus se contineat, et ipse in eadem statione circa Ariminum Italiae praesidio futurus.

Post reditum ex Africa C. Laeli et Scipione stimulato **6** Masinissae adhortationibus et militibus praedam ex hostium terra cernentibus tota classe efferri accensis ad traiciendum quam primum, interuenit maiori minor cogitatio Locros urbem recipiendi, quae sub defectionem Italiae desciuerat et ipsa ad Poenos. Spes autem adfectandae eius rei ex 2 minima re adfulsit. Latrociniis magis quam iusto bello in Bruttiis gerebantur res, principio ab Numidis facto et Bruttiis non societate magis Punica quam suopte ingenio congruentibus in eum morem ; postremo Romani quoque milites iam 3 contagione quadam rapto gaudentes, quantum per duces licebat, excursiones in hostium agros facere. Ab iis egressi 4 quidam urbe Locrenses circumuenti Regiumque abstracti fuerant. In eo captiuorum numero fabri quidam fuere, adsueti forte apud Poenos mercede opus in arce Locrorum facere. Hi cogniti ab Locrensium principibus qui pulsi ab 5 aduersa factione, quae Hannibali Locros tradiderat, Regium se contulerant, cum cetera percontantibus, ut mos est qui 6

9 statione $N^4H\theta Frob.2$: regione $\Pi N.ald.$
6 1 C. (*uel* C̄.) $\Pi N\theta$: consuli H (*u. c.* 5. 9) et Scipione $C^4H\theta ald.Frob.$1.2: scipione AN: ut scipionis (-ni M^3) π maiori $P^4A^8H\theta$: maior ΠN: maiorē C^4N^x (N^4?) *sed* ē *postea ab* N^x *erasum*
2 eius $\Pi N\theta$: enim H Latrociniis ΠN: quia latrociniis Sp? N^4 *ut s. l. H*: quod latrociniis (*sed* -nii θ) $\theta ald.Frob.$1.2 gerebantur ΠNSp *ut uid. ald.Frob.*1.2: gerebatur $H\theta$ ab (Numidis) $\pi ald.Frob.$1.2: a $AN\theta$: ad BD (*cf. c.* 5. 6): *om.* SpN^4 *uel* N^2H facto et Bruttiis Π(e *pro et* D)$N\theta$ *Edd.*: *om.* $SpN^4(N^2?)H$, xv *litt.* ob -is|-is *perditis, cf.* 28. 2. 16 *adn.* congruentibus $\Pi N.ald.$: promptis $SpN^4H\theta Frob.2$ (*hoc, quod merum glossema Spirensianum Johnsonio uidetur esse, ipse post* Punica *addere malim*) 3 milites iam A^7N^4 *ald.Frob.*1.2: iam ΠN: milites $H\theta$ 4 urbe $A^7N^4H\theta ald.Frob.$1.2: urbem $\Pi N, cf.$ 28. 26. 11 *adn.* Locrenses $M^3DAN\theta$: locresses π: loquentes H forte $A^7(erasum)N^4H\theta ald.Frob.$1.2: *om.* ΠN Locrorum] locr- CM^3B^2AN: logr- π^2: logl- P: log-D: lucr- H 5 qui $\pi ald.$: *om.* AN (*sed* pulsis *praebent*): qui exsulabant (*uel* exul- *uel* exol-) Regii (*uel* rhe-) $SpA^7N^4H\theta Frob.$2 (*quod post* principib. pulsis *inserere ut s. l. uolebant* A^7N^4)
Regium se contulerant $\Pi N.ald.$: *om.* $SpH\theta Frob.$2 (*silent* A^7N^4): *interpunxit Frob.*2 *post* tradiderat 6 qui $\Pi N\theta$: quia N^4H: iis qui *ald.Frob.*1.2

diu absunt, quae domi agerentur exposuissent, spem fecerunt si redempti ac remissi forent arcem se iis tradituros; ibi se habitare fidemque sibi rerum omnium inter Carthaginienses 7 esse. Itaque, ut qui simul desiderio patriae angerentur simul cupiditate inimicos ulciscendi arderent, redemptis 8 extemplo iis remissisque cum ordinem agendae rei composuissent signaque quae procul edita obseruarent, ipsi ad Scipionem Syracusas profecti, apud quem pars exsulum erat, referentes ibi promissa captiuorum cum spem ab effectu 9 haud abhorrentem consuli fecissent, tribuni militum cum iis M. Sergius et P. Matienus missi iussique ab Regio tria milia militum Locros ducere; et Q. Pleminio propraetori scriptum ut rei agendae adesset.

10 Profecti ab Regio, scalas ad editam altitudinem arcis fabricatas portantes, media ferme nocte ex eo loco unde 11 conuenerat signum dedere proditoribus arcis; qui parati intentique et ipsi scalas ad id ipsum factas cum demisissent pluribusque simul locis scandentes accepissent, priusquam clamor oreretur in uigiles Poenorum, ut in nullo tali metu 12 sopitos, impetus est factus. Quorum gemitus primo morientium exauditus, deinde subita consternatio ex somno et tumultus cum causa ignoraretur, postremo certior res aliis 13 excitantibus alios. Iamque ad arma pro se quisque uocabat: hostes in arce esse et caedi uigiles; oppressique forent

6 esse Π*N*θ *Edd.*: *om.* *H*   7 desiderio ... simul] *om. H*: *praebent* ΠN*θ Edd.*   8 signaque quae *X ut uid. Frob.*2: signaque ΠN: signa quoque quae (que θ) θ*ald.*   referentes ibi ΠN *Frob.*2 (-nte sibi *HJ*): referentes sibi *KX.ald.*   9 M.] Π*N*θ *Edd. et* (*sed quasi* or *scriptum*) *H* (*cf. c.* 5. 5)   Matienus] *u. c.* 9. 2 *adn.*   iussique Π*N.ald.Frob.*1.2 : iussi *H*θ   tria milia (*uel* -ll-·) ΠN θ(iii): tria *H*   et Q. (*uel* quinto) *M*³*B*²*A*⁷θ : et que (*uel* quae) π : et *C*: atque *A?N*   adesset ΠNθ : esset *H*   10 editam *SpA*⁷ *N*² *uel N*⁴ *rescriptus H*(-ita)θ*Frob.*2: deditam ΠN: dictam *ald.*   conuenerat πN *Edd.* (-rant *C H*θ)   11 demisissent ΠN *Edd.* : redemissent *H*θ   oreretur π*H, cf.* 27. 22. 13 *adn.*: oriretur : *P*⁴*C*ˣ*MBAN*θ   12 deinde subita *JFrob.*2: deindubita *P*: dein subita π²*R*²*HK.ald.*   13 ad arma] *hic* πN*Sp?H*(ad *om.*)θ*Frob.*2: *post* quisque *AN.ald.* (*cf. c.* 3. 10 *adn.*)

Romani nequaquam numero pares, ni clamor ab iis qui extra arcem erant sublatus incertum unde accidisset omnia uana augente nocturno tumultu fecisset. Itaque uelut plena 14 iam hostium arce territi Poeni omisso certamine in alteram arcem—duae sunt haud multum inter se distantes—confugiunt. Oppidani urbem habebant, uictoribus praemium in 15 medio positam ; ex arcibus duabus proeliis cottidie leuibus certabatur. Q. Pleminius Romano, Hamilcar Punico praesidio praeerat. Arcessentes ex propinquis locis subsidia copias augebant: ipse postremo ueniebat Hannibal, nec 17 sustinuissent Romani nisi Locrensium multitudo, exacerbata superbia atque auaritia Poenorum, ad Romanos inclinasset.

Scipioni ut nuntiatum est in maiore discrimine Locris rem **7** uerti ipsumque Hannibalem aduentare, ne praesidio etiam 2 periclitaretur haud facili inde receptu, et ipse a Messana L. Scipione fratre in praesidio ibi relicto cum primum aestu fretum inclinatum est † naues mari secundo misit. Et 3 Hannibal a Buloto amni—haud procul is ab urbe Locris

13 arcem $\pi A^8 N^4 H\theta$ *Edd.* : urbem *AN*   nocturno ΠNH *ald.Frob.*1.2 : *om.* θ 14 iam N^4 *ut s. l. H*θ*ald.Frob.*1.2 : nam P (*cf.* 26. 7. 3 *adn.*) : *om.* $\Pi^2 N$ arce (territi) $\Pi NK.ald.$ *Frob.*1.2 : acie N^4 *ut s. l. HJ*   15 habebant $C^x ANH\theta$: habebantur π (*sed* -ntu M)   praemium (*uel* prem-) $\Pi N\theta$: premio H^1 : premio posit H positam $\Pi N\theta ald.Frob.$1.2 : positum N^4 *ut s. l., non male* : habito H : posito H^2 cottidie] cott- *PCR, cf.* 3. 36. 2 *adn.* : cot- *MBDANJ* : quot- *HK*   16 Pleminius πM^2 $N\theta$: plenius M (*cf. c.* 8. 7) : plemenius H praeerat (*uel* pre-) ΠN : praeerat (*uel* pre-) et *H*θ*ald.Frob.*1.2   17 ueniebat (-isbat P) $\Pi^2 NH\theta$ nisi $\Pi N\theta$: si H inclinasset πNH(-sent)θ : misisset C, *mire*

7 1 Scipioni $\Pi N.ald.Frob.$1.2 : scipio $A^x H\theta$ *Sigonius e* '*uet. lib.*' *Luchs* 1879   2 praesidio (etiam) ΠN^1 (peis- *N*), *cf. e.g.* 38. 25. 7 ; 40. 15. 12 : praesidium $C^4 M^1 (M^8?) A^7? \theta ald.Frob.$1.2   a ΠN *Edd.* : *om.* $N^4 H\theta$ fretum (*uel* frae-) $\Pi^2 NH\theta$: praetum P naues *CMBDAN*θ : nabes P^2 *uel* $P^1 R$: nalles P : *numerum nauium* (*uelut* x) *excidisse recte suspicatur Weissenb., cf. c.* 28. 10 *et* 26. 51. 2 *adnn.*   misit $\Pi NH\theta ald.Frob.$1.2 (*i.e. i.q.* '*soluit*' *ut in* 37. 12. 11 ; 44. 31. 12 (dem-)) : transmisit (*uel* comm-) *Sigonius* : demisit *Otto* 3 Et *H*θ*ald.Frob.*1.2 : *om.* ΠN (*sed spat. iii litt. ante* Hann. *in M relictum est*)   Buloto πN (*flumen non alibi nominatum*) : bultro D (*sed* ab ultro) : buthroto $A^7 HJ$, *ald.Frob.*1.2 : buteotro K

XXIX 7 3 TITI LIVI

abest—nuntio praemisso ut sui luce prima summa ui proelium cum Romanis ac Locrensibus consererent dum ipse
auersis omnibus in eum tumultum ab tergo urbem incautam
4 adgrederetur, ubi luce coeptam inuenit pugnam, ipse nec in
arcem se includere, turba locum artum impediturus, uoluit,
5 neque scalas quibus scanderet muros attulerat. Sarcinis in
aceruum coniectis cum haud procul muris ad terrorem
hostium aciem ostendisset, cum equitibus Numidis circumequitabat urbem, dum scalae quaeque alia ad oppugnandum
opus erant parantur, ad uisendum qua maxime parte adgre-
6 deretur: progressus ad murum scorpione icto qui proximus
eum forte steterat, territus inde tam periculoso casu receptui
canere cum iussisset, castra procul ab ictu teli communit.
7 Classis Romana a Messana Locros aliquot horis multo die
superante accessit; expositi omnes e nauibus et ante occasum
solis urbem ingressi sunt.
8 Postero die coepta ex arce a Poenis pugna, et Hannibal
iam scalis aliisque omnibus ad oppugnationem paratis subibat muros cum repente in eum nihil minus quam tale quic-
9 quam timentem patefacta porta erumpunt Romani. Ad
ducentos, improuidos cum inuasissent, occidunt: ceteros

---

3 summa P^4CM^1 *uel* $M^2B^2ANH\theta$: summo π   4 impediturus
$N^4H\theta$ *Edd.* : impetiturus (*uel* inp-) Π : impeturus N scanderet
(sean- P) Π^2 *uel* $\Pi^1N.ald.$: scanderent $H\theta Frob.2$ attulerat (*uel*
adt-) Π$N.ald.$: attulerant $H\theta Frob.2$ 5 ostendisset $\pi A^{x}\theta$ *Edd.* :
ostendissent ANH circumequitabat $H\theta ald.Frob.1.2$: circum-
equitib.|at P: circumequitat (*uel* aeq-) π^2R^2 *in ras.* ($R?$)
oppugnandum] opp- Π$N\theta$ *Edd.* : exp- H 6 icto πH *Gron.* :
ictus $AN\theta$ *Edd. ante Gron.* (*mire*)   communit ΠN, *cf.* 27. 5. 9
adn. : communiit N^4 *ut s. l.* $H\theta ald.Frob.1.2$ 7 a (Mess.) ΠN:
ab θ : ad H aliquot horis multo die *scripsi* (multo die *iam
Weissenb. dubitanter*) : aliquod (-quot C: -quod′ D) horis dici (diei
P^1CAN): die C^x) ΠN: multa die A^7HV^1(m. locros die V)$\theta ald.Frob.$
1.2: aliquot horis die *Gron., quod malit Johnson* (*cf. e.g. Sal. Iug.*
97. 3). *De falsa apud edd. uel scribas dittographiae suspicione cf. e.g.*
26. 36. 11; 26. 51. 2 (*init.*); 27. 5. 6; 29. 1. 2; 29. 17. 2; 30. 30. 17
e π$B^x ald.$: de B: *om.* $H\theta Frob.2$ 8 oppugnationem
$M^7(M^2?)A^7N^4H$(-gnagnat-)θ *Edd.* : oppugnationib. em PR, *cf.* (*de
dittogr.*) 27. 34. 5 *adn.* : oppugnationib. in (*uel* im-) π^2R^2N (*sed impera-
tis D*)

AB VRBE CONDITA XXIX 7

Hannibal, ut consulem adesse sensit, in castra recipit, nuntioque misso ad eos qui in arce erant ut sibimet ipsi consulerent nocte motis castris abiit. Et qui in arce erant igni iniecto tectis quae tenebant ut is tumultus hostem moraretur, agmen suorum fugae simili cursu ante noctem adsecuti sunt.

Scipio ut et arcem relictam ab hostibus et uacua uidit **8** castra, uocatos ad contionem Locrenses grauiter ob defectionem incusauit; de auctoribus supplicium sumpsit bonaque **2** eorum alterius factionis principibus ob egregiam fidem aduersus Romanos concessit. Publice nec dare nec eripere se **3** quicquam Locrensibus dixit; Romam mitterent legatos; quam senatus aequum censuisset, eam fortunam habituros. illud satis scire, etsi male de populo Romano meriti essent, **4** in meliore statu sub iratis Romanis futuros quam sub amicis Carthaginiensibus fuerint. Ipse Pleminio legato praesi- **5** dioque quod arcem ceperat ad tuendam urbem relicto, cum quibus uenerat copiis Messanam traiecit.

Ita superbe et crudeliter habiti Locrenses ab Carthagini- **6** ensibus post defectionem ab Romanis fuerant ut modicas iniurias non aequo modo animo pati sed prope libenti possent; uerum enimuero tantum Pleminius Hamilcarem prae- **7** sidii praefectum, tantum praesidiarii milites Romani Poenos scelere atque auaritia superauerunt ut non armis sed uitiis

---

9 adesse ∏*N Edd.* : esse *Hθ*   recipit ∏*NFrob.*2, *cf.* § 6 *et* 27.
5. 9 *adn.* : recepit *B²N⁴Hθald.*   arce ∏¹*Nθ* : arce sensit *P*
ipsi ∏*Nθ Gron.* : ipsis *H.ald.Frob.*1.2, *cf.* 27. 3. 2 *adn.*
10 cursu *A⁷N⁴Hθ Edd.* : curu π(*A?*)*N* : cur *M?* : *del. M³*

8 2 principibus π*B¹* (-cibibus *B*) : principiis *H*   3 eripere ∏
Nθ Edd. : accipere *H*   5 ceperat ∏*Nθ Edd.* : acceperat *H*
6 et crudeliter ∏*N.ald.* : crudeliterque *HθFrob.*2   animo *C⁴A*
NHθ Edd. : animi π   libenti *Sp ut uid. M³A⁷Hθ et (sed* lub-,
fort. recte in antithesi antiquitus usitata, cf. Cic. ad Att. 2. 4. 2) π*N*:
iubenti *D* : libenti uideri *ald. et sic Frob.*2   7 Pleminius *C⁴M¹A*
NH(plom-)*θ* : plenius π (*cf. c.* 6. 16)   praesidiarii *C⁴θ* : praesidiari (*uel* pres-) π(*perperam citat P Luchs*)*NH* : praesidii *M¹* (-ia *M*)
scelere ∏*Nθ* : *om. H*   superauerunt ∏*N.ald.Frob.*1.2 :
superarunt *Hθ*   uitiis (-ci- *BD*) ∏*Nθ* : diuitiis *H*

8 uideretur certari. Nihil omnium quae inopi inuisas opes potentioris faciunt praetermissum in oppidanos est ab duce aut a militibus; in corpora ipsorum, in liberos, in coniuges 9 infandae contumeliae editae. Iam auaritia ne sacrorum quidem spoliatione abstinuit; nec alia modo templa uiolata sed Proserpinae etiam intacti omni aetate thesauri, praeterquam quod a Pyrrho, qui cum magno piaculo sacrilegii sui 10 manubias rettulit, spoliati dicebantur. Ergo sicut ante regiae naues laceratae naufragiis nihil in terram integri praeter 11 sacram pecuniam deae quam asportabant extulerant, tum quoque alio genere cladis eadem illa pecunia omnibus contactis ea uiolatione templi furorem obiecit atque inter se ducem in ducem, militem in militem rabie hostili uertit.

9 Summae rei Pleminius praeerat; militum pars sub eo 2 quam ipse ab Regio adduxerat, pars sub tribunis erat. Rapto poculo argenteo ex oppidani domo Plemini miles fugiens sequentibus quorum erat, obuius forte Sergio et Matieno 3 tribunis militum fuit; cui cum iussu tribunorum ademptum poculum esset, iurgium inde et clamor, pugna postremo orta

---

8 potentioris θ*ald.Frob.*1.2 : potentiores Π*NH* (-rum *C*⁴) : potentis *N*ˣ?   ab duce aut ΠNθ : abducebant *H*   a (militib.) π*N. ald.Frob.*1.2 : om. *DHθ*   9 Iam *Sp?*(*an Rhen ?*)*A*⁶*Hθ* (*sc.* '*iam uero*' *cf. e.g.* 9. 19. 9 *et Verg. G.* 2. 57) : nam Π*N.ald.Frob.*1.2 (*sc.* '*nam de auaritia quid dicam?*', *pari iure* (*cf. c.* 6. 14 ; 26. 7. 3 *adnn.*)
ne sacrorum Π*N*θ : nec agrorum *H*   aetate π²*N.ald.Frob.*1.2 : ae *P* : aeuo (*uel* euo) *N*³(*uix N*⁴)*Hθ*   thesauri *R*²*MBDAN*θ (tes- *K*) *cf. c.* 18. 4 *adn.* : thensauri (hen- *C* : ten- *C*⁴) *PCR*   10 asportabant (-bat π*N?*) *CA*⁷*N*¹?*ald.* (*sc.* '*primo incepto*') : asportauerant *Sp? HθFrob.*2   extulerant (-rat π*N*) *CM*²*A*⁷*N*² *uel N*⁴*Hθald.* : extulerunt *Sp?Frob.*2   11 contactis] -tact- π*N*θ : -tract- *DH*
ea uiolatione *P*⁴*CA*⁸*N*⁴ *rescriptus Hθ* : ea utolatione *PR* : e adulatione (*sed* -acti se ad.)*R*²*MBD* : adulationem *AN*   hostili *C*⁴*A*⁷*N*⁴ *rescriptus Hθald.Frob.*1.2 : hoste Π*N*

9 1 ab (Regio) Π*N*θ : sub *H*   adduxerat *CA*ˣ*NK.ald.Frob.*1.2 : abduxerat π*SpHJ*   2 oppidani domo Π*N*θ : oppidanis modo *H*   Plemini Π*NH* (-meni) : pleminii *A*⁶θ   miles fugiens (fyg- *P* : frug- *R*) π²*R*² : milites fugiens (-entes *A*¹?) *H*   Matieno θ(mac- *K*)*H*(-ne)*ald.Frob.*1.2 (*et* mat- Π *in* 6. 9) : metieno Π*N* (-nus *M*¹ *uel M*² *ubi* Sergius *supra ab M scriptum est*)

AB VRBE CONDITA XXIX 9

inter Plemini milites tribunorumque, ut suis quisque opportunus aduenerat multitudine simul ac tumultu crescente. Victi Plemini milites cum ad Pleminium cruorem ac uolnera 4 ostentantes non sine uociferatione atque indignatione concurrissent probra in eum ipsum iactata in iurgiis referentes, accensus ira domo sese proripuit uocatosque tribunos nudari ac uirgas expediri iubet. Dum spoliandis iis—repugnabant 5 enim militumque fidem implorabant—tempus teritur, repente milites feroces recenti uictoria ex omnibus locis, uelut aduersus hostes ad arma conclamatum esset, concurrerunt; et cum uiolata iam uirgis corpora tribunorum uidissent, tum 6 uero in multo impotentiorem subito rabiem accensi sine respectu non maiestatis modo sed etiam humanitatis, in legatum impetum lictoribus prius indignum in modum mulcatis faciunt. Tum ipsum ab suis interceptum et seclu- 7 sum hostiliter lacerant et prope exsanguem naso auribusque mutilatis relinquunt.

His Messanam nuntiatis Scipio post paucos dies Locros 8 hexere aduectus cum causam Plemini et tribunorum audisset, Pleminio noxa liberato relictoque in eiusdem loci praesidio, tribunis sontibus iudicatis et in uincla coniectis ut Romam ad senatum mitterentur, Messanam atque inde Syracusas rediit. Pleminius impotens irae, neglectam ab Scipione 9

3 Plemini milites ... Victi (§ 4)] *om.* H   4 milites *CMBAN Hθ*: lites *PRD*   domo ΠNHθ, *cf. e.g. Caes. B.C.* 2. 11. 4: e domo *Wesenberg*   5 repugnabant ΠB²(-nando B)NHθ (*perperam a Luchsio citata est lectio Puteani, ubi* -abant *a P ipsissimo profectum est*)   fidem *Sp?HθFrob*.2 : *om.* π (*unde* militemque *pro* -tumque *coniecit Gron.*): auxilium (*sed post* implorabant) M²(M⁷?)N.*ald.*
6 impetum *CM*³(*M*⁷?)*A*⁸*N*²*Hθ* : imputum π: imperatum *AN* in modum ΠNθ : *om.* H   mulcatis] mulc- *C²DH* : mult- *N*⁴ : mulg- πN: mulct- *M*²(mulctis)*A*⁸(muletagatis *A*)θ   7 Tum *ald. Frob.*1.2 : tunc ΠNHθ   naso ΠN *Edd.* : *om.* Hθ   8 hexere *Madv.* (*ut Val. Max.* 1. 8, *Ext.* 11) : hexerce π(C?)N (*an* hexetre N?) : exerce M: exercere D: hexeri *SpJ*(ex-)*Frob.*2, *fort. recte*: *om.* H (*spat. v uel vi litt. relicto*)*ald.* : cum exercitu A^x   uincla πN, *cf.* 4. 26. 9 *adn.*; *et sic* P *fere semper* (*e.g. cc.* 18. 14; 19. 2; 22. 9 *al.*) : uincula *ANθ*   rediit ΠN.*ald.* : redit HθFrob.2 (*cf.* 27. 5. 9 *adn.*), *pari iure*   9 ab (Scip.) ΠN: a Hθ

TITI LIVI

et nimis leuiter latam suam iniuriam ratus nec quemquam
aestimare alium eam litem posse nisi qui atrocitatem eius
patiendo sensisset, tribunos attrahi ad se iussit, laceratosque
omnibus quae pati corpus ullum potest suppliciis interfecit,
nec satiatus uiuorum poena insepultos proiecit. Simili
crudelitate et in Locrensium principes est usus quos ad
conquerendas iniurias ad P. Scipionem profectos audiuit;
et quae antea per libidinem atque auaritiam foeda exempla
in socios ediderat, tunc ab ira multiplicia edere, infamiae
atque inuidiae non sibi modo sed etiam imperatori esse.

10 Iam comitiorum appetebat tempus cum a P. Licinio consule litterae Romam allatae se exercitumque suum graui
morbo adflictari, nec sisti potuisse ni eadem uis mali aut
grauior etiam in hostes ingruisset; itaque quoniam ipse
uenire ad comitia non posset, si ita patribus uideretur, se
Q. Caecilium Metellum dictatorem comitiorum causa dicturum. exercitum Q. Caecili dimitti e re publica esse;
[nam] neque usum eius ullum in praesentia esse, cum Hannibal iam in hiberna suos receperit, et tanta incesserit in ea

---

9 quemquam (*uel* quenq-) Π*NK Edd.*: quicquam N^4 *ut s. l. H*: quamquam *J*   eam litem Π*N*(*ubi nescioquid ab* N^4 *mutatum est*) *K*: ea militem N^6HJ 9–10 posse nisi qui atrocitatem A^7N^4 (*partim rescriptus*)*Hθ Edd.*: *om.* Π*N, fort. linea xxii litt. ob* -tē | -tē *perdita, cf.* 26. 51. 8 *adn.*   10 se Π*N.ald.*: sese *HθFrob.*2
suppliciis $PN^4Hθ$ *Edd.*: *om.* $Π^2N$ 11 conquerendas $C^2M^2(M^7?)$ $Hθ$: conquirendas Π*N*   P. Π*N.ald.*: *om. HθFrob.*2
12 et quae π*NSp?HθFrob.*2: equi *A*: et qui A^x*ald.*   libidinem] lib- *CBDNSp ut uid. Hθ*: lub- *PRM*   atque (auar.) Π*NSp ut uid.* θ (et q̄ *K*): atque per *H*   ab ira $M^3(M^7?)A^7N^4$ *rescriptus Hθ*: ab iba π: abibat *C?*: ab illa *AN*: aiebat C^4 multiplicia edere (-ciae dere *R*): -ci edere *D*) $πR^2A^7Hθ$: multiplici edere (cede A^x) *CAN*   esse $ΠN^1Hθ$: esset A^xN

10 1 a $M^2(M^7?)N^2(N^3?)Hθ$ *ald.Frob.*1.2: *om.* Π*N* (P. Licinii consulis *Gron.*)   adflictari (*uel* aff-) $A^xN^2(uix N^4)Hθ$ *Edd.*: adfectari (*uel* aff-) Π*N*   sisti Π*N.ald.*: subsisti $Sp?A^7N^4HθFrob.*2
eadem $A^7N^2Hθ$: adeam Π(*A?*)*N*   2 posset $πN^2Hθald.Frob.$1.2: potuisset *AN*   exercitum Q. (*uel* quinti) $Sp?A^7N^2$ *uel* $N^4HθFrob.*2: exercitumque π*N*: exercitum *A*: exercitumque Q. *ald.*
3 nam Π*Nθ*, *quod probat Johnson, Anacoluthon adesse ratus*: *ipse seclusi*   tanta (tamnta *P*) incesserit...uis $Π^1NHθald.$: tantam incessisse...uim *Frob.*2, *Anacoluthon euitans*

AB VRBE CONDITA XXIX 10 3

castra uis morbi ut nisi mature dimittantur nemo omnium superfuturus uideatur. Ea consuli a patribus facienda ut e re publica fideque sua duceret permissa.

Ciuitatem eo tempore repens religio inuaserat inuento 4 carmine in libris Sibyllinis propter crebrius eo anno de caelo lapidatum inspectis, quandoque hostis alienigena terrae 5 Italiae bellum intulisset eum pelli Italia uincique posse si mater Idaea a Pessinunte Romam aduecta foret. Id carmen 6 ab decemuiris inuentum eo magis patres mouit quod et legati qui donum Delphos portauerant referebant et sacrificantibus ipsis Pythio Apollini omnia laeta fuisse et responsum oraculo editum maiorem multo uictoriam quam cuius ex spoliis dona portarent adesse populo Romano. In eiusdem 7 spei summam conferebant P. Scipionis uelut praesagientem animum de fine belli quod depoposcisset prouinciam Africam. Itaque quo maturius fatis ominibus oraculisque 8

3 consuli (*uel* cōs) a ΠNθ : consilia $A^8?N^6?H$ duceret A^7 ($A^8?)N^4H^1$(dic- H)θ *Edd.* : deret *P*, *cf.* 27. 1. 11 *adn.* : daret Π²N (suadaeret *pro* sua daret M^3) 4 tempore repens A^7N^2 *uel* $N^1Hθ$ *Edd.* : temporegens π : tempore ingens M^2AN Sibyllinis] sybi-πJ: sibi- *DANK* anno de RM^2AN : anno e *PCH*(*sed* anno lapidatum e $H)A^x$: annde P^2 *uel* P^3 : an de *MBD* 5 uincique Π Nθ: duci uincique N^1 *uel* N^2H mater Idaea a $Sp?A^7$(*sed* ydea a)N^4(matris *in* mater *iam mutauerat* N^1 *uel* N^2)H(*sed uocibus perperam diuisis . . . ida ea apes sin . . . N^4H)θ*Frob.*2 : mater idaea π (*uocibus aliter aliis ab aliis diuisis*) : matris *AN* : matris idaeae *ald.* : *om. D* si mater . . . pessinunte (*spatio xxiii fere litt. relicto*) Pessinunte *AN*(-tes)*J.ald.Frob.*1.2 (*hi quinque* pesi-) *et* pess- *P in c.* 11. 7 : -pis sinunt e (et *CH*) *PCH* (-pes, *u. praec.*): pissinum e *RMB* : pesimonte *K*. Hunc locum frustra emendabat $P^2(?)$ qui uoces a pessinunt- *mutabat in* a scipione signum, *cetera integra relinquens et multum de conamine suo dubitans* Romam $Sp?θFrob.$2 : numen romam *A.ald.* : auri romam *N* : romanam π aduecta foret π : aduecta esset $Sp?θFrob.$2 : aduectasset N^4 : aduectum foret *AN.ald.* (*cf. supra*) 6 decemuiris $CB^2A^7N^4Hθ$: ducemuiris π : ducentis uiris *AN* omnia laeta *Johnson* : omnia laeta exta A^8(*sed sine* omnia) $N^4Hθald.Frob.$1.2 : laeta Π*N*: litauisse *Gron.* (*pro* laeta fuisse) oraculo Π*N*θ : oraculum N^4 *ut s. l. H* editum C^4A^7 *uel* A^8HK *Edd.* : edictum Π*NJ* 8 fatis Π*NHJ.ald.* : factis SpN^4K : faustis *Rhen.* ominibus *Rhen.* : omnibus Π*NSpHθald.*

21*

portendentis sese uictoriae compotes fierent, id cogitare atque agitare quae ratio transportandae Romam deae esset.

11 Nullasdum in Asia socias ciuitates habebat populus Romanus; tamen memores Aesculapium quoque ex Graecia quondam hauddum ullo foedere sociata ualetudinis populi 2 causa arcessitum, tunc iam cum Attalo rege propter commune aduersus Philippum bellum coeptam amicitiam esse 3 —facturum eum quae posset populi Romani causa—, legatos ad eum decernunt M. Valerium Laeuinum qui bis consul fuerat ac res in Graecia gesserat, M. Caecilium Metellum praetorium, Ser. Sulpicium Galbam aedilicium, duos quaestorios Cn. Tremelium Flaccum et M. Valerium Faltonem. 4 Iis quinque naues quinqueremes ut ex dignitate populi Romani adirent eas terras ad quas concilianda maiestas 5 nomini Romano esset decernunt. Legati Asiam petentes protinus Delphos cum escendissent, oraculum adierunt

8 portendentis sese *ald.Frob.*1.2: portendenti sese ΠNHθ: portensese ?P[1]: *om. Sp, qui* oraculisque portande Romam *praebuit, fort. iii uel iv lineis post* port- *ob ὁμ. perditis, cf.* 28. 2. 16 *adn.* atque agitare N[4]Hθ (*cf.* agere atque cog. 2. 55. 2 *et* 24. 45. 5) *Edd. ante Ald.: om.* ΠN *Aldus Frob.*1.2
11 1 Nullasdum *SpA*[7](*A*[8]?)*N*[4](*N*[3]?)*H*: nulladum ΠN: nullas tum (tamen *J*) *C*[4]θ*ald.Frob.*1.2   populus Romanus] p̄ r̄ πNθ *Edd.*: populum romanum *SpH*: *om. M*   Aesculapium *FW*: aescolapium (*uel* esc-) ΠNH (hosc-)   foedere (*uel* fed-) *CB*[2]*ANH*θ: fudere π   ualetudinis] -let- *PR*: -lit- *CR*[2]*MBDANH*θ arcessitum] arcess- πN: accers- *C*θ, *cf.* 26. 22. 2 *adn.*   2 cum *C*[4]*ANH*θ: *om.* π   coeptam (*uel* cept-) *A*[8]*N*[4]*N*θ: coeptum ΠN *ante* facturum (ΠNθ) *add.* sperantes *Leo, quod et ipse malim; quoniam uero Liuiana haec esse Johnsonio uideantur, nihil mutauimus, per puncta* (— —) *difficultatem tantum indicantes*   posset ΠN *ald.* (*cf.* 27. 17. 14 *adn.*): possit *H*θ*Frob.*2   3 qui bis *C*[4]*M*[9]*B*[2]*A*θ: qui uis π: quibus *NH*   M. (Caecilium) *N*[x]*H* (*sed* ∞ *uel* co *pro* m), *cf.* 28. 10. 9: *om.* ΠN   Metellum ... Sulpicium *N*[4]*H*θ, *et sic* (*sed om.* Ser.) *ald.Frob.*1.2: *om.* ΠN, *fort. ii lineis ob ὁμ. perditis, cf.* 26. 51. 8 *adn.*   aedilicium *P*[1]*CR*[x]θ: aedilicium galbam π: *om. DAN*   quaestorios *HJFrob.*2: quaestores ΠN*K.ald.*
Tremelium ΠN *et sic P in* 30. 27. 8 *et C in* 30. 41. 2 (-ll- *P in* 30. 26. 11), *cf. e.g.* -l- *in C.I.L.* IX. *p.* 665: tremellium *H*θ   Faltonem *Sigonius, cf. e.g. C.I.L.* I[2]. 1, *p.* 138: falconem (flac- *C*: falci- *N*[2]*H*) ΠNHθ   4 Iis *PCRH*: his *C*[4]*R*[2]*MBDANK*: hiis *J*   ut π[2] *et P*[x]*M*[3]*NH*θ: et ut *P, cf.* 27. 4. 12 *adn.*: es ut *M*   5 escendissent] esc- πN, *cf.* 27. 5. 8 *adn.*: exc- *Frob.*2: ad-(*uel* a-)sc- *MB*[2]*D*θ: desc- *AN*[2]*ald.*: ess- *H*

AB VRBE CONDITA XXIX 11 5

consulentes ad quod negotium domo missi essent perficiendi eius quam sibi spem populoque Romano portenderet. Re- 6 sponsum esse ferunt per Attalum regem compotes eius fore quod peterent: cum Romam deam deuexissent, tum curarent ut eam qui uir optimus Romae esset hospitio exciperet. Pergamum ad regem uenerunt. Is legatos comiter acceptos 7 Pessinuntem in Phrygiam deduxit sacrumque iis lapidem quam matrem deum esse incolae dicebant tradidit ac deportare Romam iussit. Praemissus ab legatis M. Valerius 8 Falto nuntiauit deam apportari; quaerendum uirum optimum in ciuitate esse qui eam rite hospitio acciperet.

Q. Caecilius Metellus dictator ab consule in Bruttiis comi- 9 tiorum causa dictus exercitusque eius dimissus, magister equitum L. Veturius Philo. Comitia per dictatorem habita. 10 Consules facti M. Cornelius Cethegus P. Sempronius Tuditanus absens cum prouinciam Graeciam haberet. Praetores 11 inde creati Ti. Claudius Nero M. Marcius Ralla L. Scribonius Libo M. Pomponius Matho. Comitiis peractis dictator sese magistratu abdicauit.

Ludi Romani ter, plebeii septiens instaurati. Curules 12 erant aediles Cn. et L. Cornelii Lentuli. Lucius Hispaniam prouinciam habebat; absens creatus absens eum honorem gessit. Ti. Claudius Asellus et M. Iunius Pennus plebeii 13

---

5 consulentes $CM^3(M^7?)N^2$ uel N^4 ut s. l. θ: consulente (-leme B: -lunt B^2) πN: consulentibus A^vW 6 tum Π$N.ald.Frob.$1.2: tunc $Hθ, cf. c.$ 1. 6 adn.   Romae (esset) $C^2M^2A^xN^2$: roma π: rama N?   exciperet πN: reciperet B: acciperet $θald.Frob.$1.2: om. H 7 Pessinuntem Π$NJ, cf. c.$ 10. 5: pesimontem K: pessinionem H quam πN^4J: quem $ANK.ald.Frob.$1.2
8 praemissus (-sis CH) π$C^4θald.$: remissus $Rhen. ex Sp? cf. c.$ 14. 5   Falto] $cf.$ § 3: falco Π$Nθ$: falcto H uirum optimum Π $N.ald.Frob.$1.2: optimum uirum $Hθ, cf.$ 27. 37. 5 adn.
10 habita] hic $Hθald.Frob.$1.2: ante per ΠN (cf. 28. 2. 15 adn.) Tuditanus Π$Nθ$ (rudi- H), cf. 27. 36. 6   11 Ti. K, Sigonium confirmans, cf. e.g. c. 13. 2 (Put.): t. (uel titus) $N^4Hθald.Frob.$1.2: om. Π N Ralla $F, cf.$ 30. 38. 4: rella πN: bella C: hala A^x: raia N^4 $Hθ$ peractis Π$N.ald.$ (sc. 'celeriter factis'): perfectis $HθFrob.$2, fort. recte (quod Gron. ex Epit. 47 citat Pighio non Liuio debetur)
13 Ti. Sigonius, cf. 27. 41. 7 (Put.): t. ΠN: l. A^THθ
Asellus $Vat, cf. ibid.$: asellius $Hθ$ (-llus K): asilus π (ass- C) N Pennus JX Sigonius, cf. 30. 40. 5: penus ΠNK

XXIX 11 13   TITI LIVI

aediles fuerunt. Aedem Virtutis eo anno ad portam Capenam M. Marcellus dedicauit septimo decimo anno postquam a patre eius primo consulatu uota in Gallia ad Clastidium 14 fuerat. Et flamen Martialis eo anno est mortuus M. Aemilius Regillus.

12 Neglectae eo biennio res in Graecia erant. Itaque Philippus Aetolos desertos ab Romanis, cui uni fidebant auxilio, quibus uoluit condicionibus ad petendam et paciscendam 2 subegit pacem. Quod nisi omni ui perficere maturasset, bellantem eum cum Aetolis P. Sempronius proconsul, successor imperii missus Sulpicio cum decem milibus peditum et mille equitibus et triginta quinque rostratis nauibus, haud paruum momentum ad opem ferendam sociis, oppres- 3 sisset. Vixdum pace facta nuntius regi uenit Romanos Dyrrachium uenisse Parthinosque et propinquas alias gentes motas esse ad spem nouandi res Dimallumque oppugnari. 4 Eo se auerterant Romani ab Aetolorum quo missi erant auxilio, irati quod sine auctoritate sua aduersus foedus cum 5 rege pacem fecissent. Ea cum audisset Philippus ne qui

13 M. Marcellus θ*XF*: marcellus Π*N*: om. *W*: miles marcellus *H* in Gallia *A*⁷ *uel A*⁸*N*⁴*HθXW*: in calli π(*C*)?*N*: calli *M*?: Galli *M uel M*¹: in castris *C*⁴
12 1 Romanis *Sp*?*A*⁷*HθFrob*.2: romano Π*N.ald.*   uni π*A*ˣ*N Sp ut uid.*: unū *A*?: uno *Hθ*   subegit Π*N ald.Frob.*1.2: subiecit *A*⁷(*A*⁸?)*Hθ*   2 eum Π*N*: om. *Hθ*   decem milibus peditum et mille equitibus *A*⁸*Hθ*, et *N*⁴ *qui cum siglum suum inserendi non ut solet scripserit, has uoces ut s. l. tantum pro* xxxv *rostratis addidisse credi potest; quod tamen uix credo, nam siglum illud saepe omittit si litterae inserendae aequaliter supra uocum interuallum stant*: dem militibus *P, cf.* § 4 *adn.*: dem milibus *P*²*CR*: decem milibus *C*⁴*MBAN*: de militibus *D*   et (xxxv) Π*N.ald.*: om. *HθFrob.*2
3 Dyrrachium] dyrrach- *A*⁸ (*ut Bamb. in* 31. 27. 1): dyrrhac- (-rrac-*P*)π: dirach- θ: dirrac- *N*   Parthinosque Π(-thyn-*B*)*NSp*?*HFrob.*2: parthenosque *ald.*: parchinosque θ (barch- *K*); *sed in* § 13 -thini Π*N J*, -thinum *K*   alias gentes *AN.ald.Frob.*1.2: gentis alias motis alias *P, cf. c.* 1. 23 *adn.*: gentis alias π²*R*²: gentes alias *Hθ*   oppugnari *Sp*?*A*⁸*N*² *uel N*⁴ *ut s. l. HFrob.*2: om. *HθNθ ald., cf.* 27. 4. 13 *adn.*   4 eo se auerterant ... missi erant *A*⁸*N*⁴ *Hθald.Frob.*1.2: eos uerterant Π*N*, xxx *litt. fort. ii lineis ob* ὁμ. *perditis* (*cf.* 26. 51. 8 *adn.*)

AB VRBE CONDITA XXIX 12 5

motus maior in finitimis gentibus populisque oreretur magnis itineribus Apolloniam contendit, quo Sempronius se receperat misso Laetorio legato cum parte copiarum et quindecim nauibus in Aetoliam ad uisendas res pacemque si posset turbandam. Philippus agros Apolloniatium uastauit 6 et ad urbem admotis copiis potestatem pugnae Romano fecit; quem postquam quietum muros tantummodo tueri uidit, nec satis fidens uiribus ut urbem oppugnaret et cum 7 Romanis quoque, sicut cum Aetolis, cupiens pacem si posset, si minus, indutias facere, nihil ultra inritatis nouo certamine odiis in regnum se recepit.

Per idem tempus taedio diutini belli Epirotae temptata 8 prius Romanorum uoluntate legatos de pace communi ad Philippum misere, satis confidere conuenturam eam adfir- 9 mantes si ad conloquium cum P. Sempronio imperatore Romano uenisset. Facile impetratum—neque enim ne 10 ipsius quidem regis abhorrebat animus—ut in Epirum transiret. Phoenice urbs est Epiri; ibi prius conlocutus rex 11 cum Aeropo et Derda et Philippo, Epirotarum praetoribus,

---

5 populisque ... itineribus $A^8N^4H\theta ald.Frob.$1.2: *om.* π *omnia, xxxii litt. (fort. ii lineis) ob* -ibus|-ibus *perditis, cf.* § 4 *et* 26. 51. 8 *adn.*: esset AN oreretur N^4H, *cf. c.* 6. 11 *et* 27. 22. 13 *adn.*: oriretur $A^8J.ald.Frob.$1.2: fieret K quindecim ΠN *Edd.*: xxv A^8N^4 *ut s. l.* $H\theta$ turbandam Π$^2N.ald.Frob.$1.2: turbamdam P: seruandam A^8 *ut uid.* $N^4H\theta$. *Alia exempla glossematorum in codd. Spirensianis insertorum uel deprauationum de industria factarum inuenias ad cc.* 6. 2; 6. 5; 17. 17; 22. 8; 23. 4; 23. 10; 27. 9; 36. 6; 28. 9. 1; 28. 11. 6; 30. 12. 6; 30. 30. 27 *al.*   6 Apolloniatium (app. D H) $CRDH\theta$ (*sed in* 24. 40. 15 *Nom. Graecus* -atae): apolliniatium (-natium M^3) πN (ur)bem ... Romano *in Ta olim exstabant cf. Praef.* 95   7 et cum $Sp?A^7H\theta Frob.$2: cum Π$N.ald.$ si minus Π$N\theta ald.$, *cf. c.* 3. 3: sin minus $SpFrob.$2: in minus H
8 Epirotae CA^8N^4 *et in marg. et in contextu*, $H\theta$ (epyr- J): epiroe P: epikoe $RMBDAN$ 10 abhorrebat CB^2ANSp *ut uid. ald.*: adhorrebat PM^3 (*cf.* 27. 25. 12 *adn.*) *et* (*sed* -ant) $RMBD$: horrebat $H\theta$
11 Phoenice (*uel* phen-) $N^4H\theta Frob.$1, *cf. Polyb.* 2. 6: poen- (*uel* pen-)ice (*uel* -cę) Π$N.ald.$ est $A^8N^4H\theta$ *Edd.*: *om.* ΠN
Aeropo (*uel* er-) $A^8N^2H\theta$, *cf.* 27. 32. 9: afropo πN (-ro. po A N): apofro B: aofropo B^2 Derda $SpA^8N^4H\theta Frob.$2: darda Π$N.ald.$ praetoribus A^8N^4 *ut s. l.* $H\theta$: praetore ΠN

12 postea cum P. Sempronio congreditur. Adfuit conloquio Amynander Athamanum rex, et magistratus alii Epirotarum et Acarnanum. Primus Philippus praetor uerba fecit et petit simul ab rege et ab imperatore Romano ut finem belli
13 facerent darentque eam Epirotis ueniam. P. Sempronius condiciones pacis dixit ut Parthini et Dimallum et Bargullum et Eugenium Romanorum essent, Atintania, si missis Romam legatis ab senatu impetrasset, ut Macedoniae acce-
14 deret. In eas condiciones cum pax conueniret, ab rege foederi adscripti Prusia Bithyniae rex, Achaei Boeoti Thessali Acarnanes Epirotae : ab Romanis Ilienses, Attalus rex, Pleuratus, Nabis Lacedaemoniorum tyrannus, Elei Messenii
15 Athenienses. Haec conscripta consignataque sunt, et in duos menses indutiae factae donec Romam mitterentur legati
16 ut populus in has condiciones pacem iuberet; iusseruntque

12 Adfuit $P^xC^4M^3B^2AN$: adfluit π : affuit $H\theta$ *post* con-(*uel* col-)loquio ($\Pi NH\theta$) *add.* et $N^4\theta ald.Frob.1.2$ petit $\Pi NH\theta$, *cf.* 27. 5. 9 *adn.*: petiit *ald.Frob.1.2* 13 Parthini] *u.* § 3 Bargullum] *sic* (*sed* balg- *B*) ΠN: -gill- N^2 *uel* N^4 *ut s. l. Hθ* et (Eug.) ΠN *Edd.*: *om. Hθ* (*sed* eugeniumque K) Atintania si πN, *sed* at (ad N^4) intani asimissis (-nias missis N^4 et N^x) AN: ad intantias $HVat$: atintanas *ald.Frob.1.2*: adiuta si (sis J) θ: adiutari J^1: *om.* atin- ... missis D (*spat. xviii litt. relicto*) ab senatu impetrasset $A^{x\theta}$: ab (ad B^2) senatum patrasset (pet- P)$\Pi^2 N$: ab senatu impetrasse $N^4 HFrob.2$ (ad senatum impetrasse *ald.*), *sed Inf. ob si perditum in contextum emersit* ut (Mac.) $\Pi N\theta$ *Edd.*: *del. Gron.*, *sed cf. e.g.* 5. 21. 15 Macedoniae accederet *Alschefski*: macedoniae (*uel* -ie) cederet (cę- *M*) ΠN: macedonia cederet (-tur *H*) $A^7(A^8?)N^4$ *ut s. l. Hθald.* (atintanas *uel* sim. *supra praebentes*): macedoni accederent (-ret *Gron. fort. recte*) *Frob.2 Gron.*

14 eas ΠN *Edd.*: has $H\theta$ foederi (*uel* fed-) Π(-ris M^3)N *Edd.*: federe $A^8 N^4$ *ut s. l. Hθ* Prusia $P^4 ANH\theta(J?)$: prusia a π: prusias C^4 Boeoti $A^x N^4?$(*sed* boet- N^2 *uel* N^5 *nec liquet utrum hoc uoluerit* N^4 *necne*)*Frob.2*: baeo (*uel* beo) ΠN: boeti (*uel* -tii) $A^7 H$ θ: boeotii *ald.* Thessali Acarnanes $A^8 N^4 H\theta$ (*multa cum formae uarietate*): *om.* ΠN, *fort. linea xix litt.* (*cum* -ti *supra*) *perdita* (*cf.* 26. 51. 8 *adn.*) Nabis ΠN *Edd.*: nauis H: *om.* $A^8 N^4\theta$ Messenii $A^8 N^4?H\theta$: messe π: esse $A?N$ 15 Haec conscripta $SpN^2 H\theta Frob.2$: hoc conscripta π: hoc conscripta modo AN (*cf.* 28. 12. 13 *adn.*): haec conscripta modo *ald.* Romam $A^7 N^1$ *uel* N^4 (*rescriptus*) *ut s. l. Hθ*: romae ΠN iuberet $A^{x\theta}$ *Edd.*: *om.* ΠN: iuberent H (*et* N^4 *ut s. l. pro* iusserunt- § 16)

AB VRBE CONDITA XXIX 12 16

omnes tribus, quia uerso in Africam bello omnibus aliis in praesentia leuari bellis uolebant. P. Sempronius pace facta ad consulatum Romam decessit.

M. Cornelio P. Sempronio consulibus—quintus decimus 13 is annus belli Punici erat—prouinciae Cornelio Etruria cum uetere exercitu, Sempronio Bruttii ut nouas scriberet legiones decretae: praetoribus M. Marcio urbana, L. Scribonio 2 Liboni peregrina et eidem Gallia, M. Pomponio Mathoni Sicilia, Ti. Claudio Neroni Sardinia euenit. P. Scipioni 3 cum eo exercitu, cum ea classe quam habebat, prorogatum in annum imperium est; item P. Licinio ut Bruttios duabus legionibus obtineret quoad eum in prouincia cum imperio morari consuli e re publica uisum esset. Et M. Liuio et Sp. 4 Lucretio cum binis legionibus quibus aduersus Magonem Galliae praesidio fuissent prorogatum imperium est, et Cn. 5 Octauio ut cum Sardiniam legionemque Ti. Claudio tradidisset ipse nauibus longis quadraginta maritimam oram, quibus finibus senatus censuisset, tutaretur. M. Pomponio 6 praetori in Sicilia Cannensis exercitus duae legiones decretae; T. Quinctius Tarentum, C. Hostilius Tubulus Capuam pro praetoribus, sicut priore anno, cum uetere uterque praesidio obtinerent. De Hispaniae imperio, quos 7 in eam prouinciam duos pro consulibus mitti placeret latum

---

16 bellis (-lo *H*) uolebant *HθFrob*.2: uolebant bellis Π*N.ald*. (*cf. c.* 13. 1 *et* 28. 2. 15 *adn*.)   P. π*Sp?A*⁸*HθFrob*.2: *om. AN.ald*.

13 1 M. Cornelio] *hic HθFrob*.2: *post* p. sempronio Π*N.ald. sed ordinem consulum huius anni dat c.* 11. 10. *De ord. Put. corrupto, cf.* 28. 2. 15 *adn*.   consulibus *A*⁷θ: *om.* Π*N*: cō *N*²(*N*⁴?): consule *H*   belli Punici πθ: punici belli *ANH.ald.Frob*.1.2
2 peregrina θ (-nae *uel* -ne Π*N*)   Ti. Π*N* (*cf. c.* 11. 11 *adn*.): titi *N*² (*sed* ti *uoluit*): t. (*uel* tito) *Hθald.Frob*.1.2   3 P.(Scip.) Π*A*ˣ*N*: proconsuli *SpHθ*   imperium est *Ta*²Π*N*θ: *om. ut uid. Ta*
5 Cn. (*uel* cn.) Π*N* (*cf.* 28. 38. 13): t. (*uel* gaio) θ: consule *H*
6 decretae (*uel* -te); T. (*uel* titus)*P*(decreta|et)*A*⁸*Hθ Edd.*: decretae et Π²*N*   Quinctius (*sed* -int-) Π*Hθ*: quintus *N*   cum *A*⁸*N*⁴*Hθ*: tum Π*N*   uterque *A*⁸*N*⁴*Hθ*: *om.* Π*N*   7 quos π *Sp?HFrob*.2: quod *ANθald.*   pro consulibus mitti *W*: pro cō praemitti *N*⁴: proconsules mitti *Sp ut uid. A*⁸θ*ald.*: promitti Π: praemitti *N*: mitti *C*ˣ

XXIX 13 7   TITI LIVI

ad populum est. Omnes tribus eosdem L. Cornelium Lentulum et L. Manlium Acidinum pro consulibus, sicut priore anno tenuissent, obtinere eas prouincias iusserunt. 8 Consules dilectum habere instituerunt et ad nouas scribendas in Bruttios legiones et in ceterorum—ita enim iussi ab senatu erant—exercituum supplementum.

14   Quamquam nondum aperte Africa prouincia decreta erat occultantibus id, credo, patribus ne praesciscerent Carthaginienses, tamen in eam spem erecta ciuitas erat in Africa eo 2 anno bellatum iri finemque bello Punico adesse. Impleuerat ea res superstitionum animos, pronique et ad nuntianda et 3 ad credenda prodigia erant; eo plura uolgabantur: duos soles uisos, et nocte interluxisse, et facem Setiae ab ortu solis ad occidentem porrigi uisam: Tarracinae portam, Anagniae et portam et multis locis murum de caelo tactum: in aede Iunonis Sospitae Lanuui cum horrendo fragore 4 strepitum editum.   Eorum procurandorum causa diem unum supplicatio fuit, et nouendiale sacrum quod de caelo 5 lapidatum esset factum.   Eo accessit consultatio de matre

7 L. Cornelium Lentulum et L.] *om.* C   pro consulibus (sicut)] pro cō N^4 : pro cos πB^1 : pro quos BDN (*cf.* 28. 9. 4): pro consules A^8HJ 8 instituerunt $\Pi NH\theta$, *cf.* 28. 46. 11 : institerunt *Cobet*   et in $\Pi N.ald.$: et $N^4?H\theta Frob.2$ exercituum] -tuum $C^4M^2A^8\theta$: -tum ΠNH supplementum (supplexm- π) P^1CM^1A $N\theta$ *Edd.*: suppleuerunt N^4H

14 1 praesciscerent $A^8N^4H\theta$ *Edd.*: praescriberent ΠN iri A^8N^4 *ut s. l.* $H\theta$: ire πN (*cf.* 27. 4. 13 *adn.*): ora $C?$: irae C^4 2 superstitionum] -num πR^1N(*cf. e.g.* 26. 19. 2) : -nem RN^5J: -ne A^8 $K.ald.Frob.1.2$ et ad credenda $A^8\theta$ (*sed om.* et *ante* ad nunt- θ): ad crescenda πB^1N (et ad cr. BAN) : *om.* $HVat$ 3 eo ΠN: ea $A^8N^2H\theta ald.Frob.1.2$ nocte ΠN *Edd.*: noctem $A^8\theta$ Setiae (*uel* -ie) $Sp?\theta Frob.2$: steliae π: stellie BAN: stelle (*uel* -lae) $CB^xA^8N^2$: septies Vat: stellae septies *ald.*   ad (occid.) ΠN *ald.*: in $Sp H\theta Frob.2$ Anagniae N^4H, *cf. It. Dial.* 278 A: anac-(anec- P: anc- RM)niae π^2: anniae B: *om.* D: ananiae AN: et (*om.* et J) anagine θ et portam ΠN *Edd.*: portam θ: *om.* C^4 N^4H Sospitae (*uel* -te: -ta N^2) Lanuui (*sed* -uii) cum ΠN (*sed* t- *pro* l- $MBDAN$), *et sic uoluit* N^4 *qui* elanu *pro* tanu *add. post* sospita *ab* N^2 *profectum*: *alia alii*   editum $C^xA^8N^4$ *ab* N^5 *rescriptus* H K: e-(et $BDAN$)dictum ΠNJ 4 procurandorum] -cur- P^x $C^2M^1(M^3?)A^7N^2H\theta$: -curs- ΠN quod $C^4A^7?N^2H\theta$: quos ΠN

AB VRBE CONDITA XXIX 14 5

Idaea accipienda, quam, praeterquam quod M. Valerius unus ex legatis praegressus actutum in Italia fore nuntiauerat, recens nuntius aderat Tarracinae iam esse. Haud paruae 6 rei iudicium senatum tenebat qui uir optimus in ciuitate esset; ueram certe uictoriam eius rei sibi quisque mallet 7 quam ulla imperia honoresue suffragio seu patrum seu plebis delatos. P. Scipionem Cn. filium eius qui in Hispania 8 ceciderat, adulescentem nondum quaestorium, iudicauerunt in tota ciuitate uirum bonorum optimum esse.—Id quibus 9 uirtutibus inducti ita iudicarint, sicut traditum a proximis memoriae temporum illorum scriptoribus libens posteris traderem, ita meas opiniones coniectando rem uetustate obrutam non interponam. P. Cornelius cum omnibus 10 matronis Ostiam obuiam ire deae iussus; isque eam de naue acciperet et in terram elatam traderet ferendam matronis. Postquam nauis ad ostium amnis Tiberini accessit, 11 sicut erat iussus, in salum naue euectus ab sacerdotibus

---

5 quam Π$N.ald.Frob.$1.2 : $om.$ $N^4H\theta$ praegressus Π$N.ald.$: regressus $Sp?H\theta Frob.$2, $cf. c.$ 11. 8 recens $A^8N^1H\theta$: regens N : reges Π (-is M^3 uel M^7) 7 quisque (-quam J) mallet quam Π$NH\theta ald.Frob.$1.2 : quisque Sp ($unde frustra$ cupias pro sibi quisque $Rhen.$) seu (patrum) C^xM^3Sp ut $uid.$ $A^8N^2H\theta$: set πN : sed C
8 $ante$ P. Scipionem $add.$ patres conscripti $ald.$ ($cf.$ 28. 42. 22): $ignorant$ Π$NSp\theta Frob.$2 Cn. filium (uel f.) Π$Aldus$: filium $N\theta$ $Edd.$ $ante$ $Ald.$ bonorum $Gron.$ ex $C.I.L.$ $I^1.$ 32 : bonum (uel -nū) ΠN, $fort. recte ut Gen. Plur.$: $del.$ N^2 et N^4 et $om.$ $H\theta$ $Edd.$ $ante$ $Gron.$
9 iudicarint π : iudicauerint R(-runt)$ANH\theta ald.Frob.$1.2 traditum a proximis (primis $A^8H\theta$) memoriae Π$NH\theta ald.$: proditum memoriae a primis Sp ut $uid.$ $Frob.$2 ($cf.$ $c.$ 12. 5 $adn.$) traderem (-ditorem B) πB^2N $ald.$: tradiderim $SpA^8N^5H\theta Frob.$2, sed traditum hic est $i.$ $q.$ 'si $traditum$ $esset$' ita meas Π$NSp\theta Frob.$2 : ita eas $ald.$: iam eas N^5H 10 Ostiam $ald.Frob.$1.2, $cf.$ 26. 19. 11 $adn.$: hostiam ΠNJ : $om.$ HK obuiam ire deae iussus $H\theta Frob.$2 : ire iussus obuiam deae (sed de eisque D) Π$N.ald.$: $del.$ deae N^4, $uix recte$ ($nisi fort.$ deam pro eam $legendum$ est; $cf.$ de $ordine$ $uariato$ $gloss.$ $indicante$ 27. 34. 3 $adn.$) acciperet $N^5?HFrob.$2 : accipere Π$N\theta ald.$
traderet $VatFrob.$2 : tradere Π$NH\theta ald.$ ferendam C^4M^7 uel M^3 ($qui casu del. etiam$ m- $in uoce$ matronis) $Frob.$2 : referendam $A^8N^5H\theta ald.$: ferenda (-dam MA et A^vN) cum πN 11 accessit Π$N.ald.$: accessisset $A^8H\theta Frob.$2

12 deam accepit extulitque in terram. Matronae primores ciuitatis, inter quas unius Claudiae Quintae insigne est nomen, accepere; cui dubia, ut traditur, antea fama clariorem ad posteros tam religioso ministerio pudicitiam fecit. 13 Eae per manus, succedentes deinde aliae aliis, omni obuiam effusa ciuitate, turibulis ante ianuas positis qua praeferebatur atque accenso ture precantibus ut uolens propitiaque 14 urbem Romanam iniret, in aedem Victoriae quae est in Palatio pertulere deam pridie idus Apriles; isque dies festus fuit. Populus frequens dona deae in Palatium tulit, lectisterniumque et ludi fuere, Megalesia appellata.

15 Cum de supplemento legionum quae in prouinciis erant ageretur, tempus esse a quibusdam senatoribus subiectum est quae dubiis in rebus utcumque tolerata essent, ea dempto 2 iam tandem deum benignitate metu non ultra pati. Erectis exspectatione patribus subiecerunt colonias Latinas duodecim quae Q. Fabio et Q. Fuluio consulibus abnuissent milites dare, eas annum iam ferme sextum uacationem mili3 tiae quasi honoris et beneficii causa habere cum interim

12 antea Π*N.ald.* : ante *HθFrob*.2 clariorem A^8N^2HK : clamorem Π*N* : clarior est *J* 13 deinde Π*N.ald.* : om. *Hθ* : deinceps *Frob*.1.2, sed per manus *participii munere fungitur, sc. 'postquam primae quaeque acceperunt'* obuiam effusa ciuitate $\pi H\theta$: effusa ciuitate obuiam *AN.ald.*, cf. c. 3. 10 *adn.* ianuas Π*N.ald. Frob*.1.2 : ianuam $N^4H\theta$ precantibus Π*NHθ* : precantes *Ussing, pessime, nam precabantur ture accenso non matronae in pompa sed spectantes e domibus* 14 idus Π*NHθald.Frob*.1.2 : nonas *Pighius, respiciens tempus posterius (cf. e.g. Ouid. Fast.* 4. 179) *quod Liuius de industria per* fuit ... fuere *excludit* in Palatium $A^8N^4H\theta Frob.2$: in palatio *ald.* : om. Π*N* Megalesia (*sed* -siia) *P* : megalensia $A^8H\theta$: megalesi CN^4 : megalesiiam (*an* -suam *N?*) *RMBDA*(appellati *A*)*N*

15 1–2 pati. Erectis $C^4N^4H\theta$: patiere ut is (his *N*) Π*N* : pati. exceptis A^8 : pati ereptis A^v? 2 quae Q. $B^2AN\theta$ *Edd.* : quae que (*uel* quęq;) π : quęquę *B* : quae ea Q. N^4 (*non* qua *ut ait Luchs*) : qua ea *H* Fabio ... annum] om. *C* : add. annum C^4 uacationem CMN^2(uoc- *N*)*Hθ* : uacatione $PRDA^8$ (uoc- *BA*) quasi P^4 *uel* $P^5M^xA^8N^4$ *uel* $N^2H\theta$: quas Π*N* : del. C^2 causa habere (-rent C^2) $CA^8N^2H\theta$: causamabere (-m habere *MBDAN*)πN

AB VRBE CONDITA XXIX 15 3

boni obedientesque socii pro fide atque obsequio in populum Romanum continuis omnium annorum dilectibus exhausti essent. Sub hanc uocem non memoria magis patribus 4 renouata rei prope iam oblitteratae quam ira inritata est. Itaque nihil prius referre consules passi, decreuerunt ut con- 5 sules magistratus denosque principes Nepete Sutrio Ardea Calibus Alba Carseolis Sora Suessa Setia Circeiis Narnia Interamna—hae namque coloniae in ea causa erant—Romam excirent; iis imperarent, quantum quaeque earum 6 coloniarum militum plurimum dedisset populo Romano ex quo hostes in Italia essent, duplicatum eius summae numerum peditum daret et equites centenos uicenos ; si qua eum 7 numerum equitum explere non posset pro equite uno tres pedites liceret dare ; pedites equitesque quam locupletissimi legerentur mittenrenturque ubicumque extra Italiam supplemento opus esset. si qui ex iis recusarent, retineri eius 8 coloniae magistratus legatosque placere neque si postularent senatum dari priusquam imperata fecissent. stipendium 9 praeterea iis coloniis in milia aeris asses singulos imperari exigique quotannis, censumque in iis coloniis agi ex formula ab Romanis censoribus data ; dari autem placere eandem 10 quam populo Romano ; deferrique Romam ab iuratis censoribus coloniarum priusquam magistratu abirent.

3 fide $M^3(M^7?)ANH\theta$: fid C : fite π in populum Romanum (*sed* p̄. r̄.) π : in ppl'o r. D : impr̄ BAN : imperii (impr̄ N^4) romani $A^8N^4\theta ald.Frob.$1.2   4 oblitteratae (*uel* -ite-) $M^3A^8N^4H\theta$ (iam *om.* $H\theta$) : oblit-(*uel* -itt-)erata ΠN quam ira inri-(*uel* irri-)tata est $A^8N^4H\theta Frob.$2 *et* (*sed* est *ante* quam) *ald.* : est ΠN (*linea ut uid. ob* -ata|-ata *omissa, cf.* 26. 51. 8 *adn.*) : *del.* est M^3 5 Sutrio πN, *cf.* 27. 9. 7 : sutro $N^2H\theta$: -sultro D Sora $A^8N^4H\theta ald.Frob.$1.2, *cf. ibid.* : *om.* ΠN Suessa $A^8N^4H\theta$ (-sae *uel* -se ΠN) Circeiis (*sed* -caeis) *ald.Frob.*1.2, *cf. ibid.* : circis A^8N^4 : cereis θ : cerei πN (*sed* -cere in arma D : -cere in arnia N : -cere narnia N^2)   6 ex $\Pi N\theta$ *Edd.* : et ex N^4 : ec ex H daret ΠN : dare $A^8N^4H\theta$ 8 retineri $A^8H\theta$: retinerent (-re ut A) ΠN : retinere C^2M^2 9 asses N^4 *Edd.* : asse PN imperari $\Pi N\theta$ *Edd.* : imperare N^2 *uel* N^4 *ut s. l.* H in iis PCR : in his R^2MBDAN H : *om.* θ (qui in . . . formula *om.* omnia : *praebent* $\Pi NH.ald.$ *Frob.*1.2)

TITI LIVI

11 Ex hoc senatus consulto accitis Romam magistratibus primoribusque earum coloniarum consules cum milites stipendiumque imperassent, alii aliis magis recusare ac recla-
12 mare: negare tantum militum effici posse: uix si simplum
13 ex formula imperetur enisuros: orare atque obsecrare ut sibi senatum adire ac deprecari liceret: nihil se quare perire merito deberent admisisse; sed si pereundum etiam foret, neque suum delictum neque iram populi Romani ut plus
14 militum darent quam haberent posse efficere. Consules obstinati legatos manere Romae iubent, magistratus ire domum ad dilectus habendos: nisi summa militum quae imperata esset Romam adducta neminem iis senatum da-
15 turum. Ita praecisa spe senatum adeundi deprecandique dilectus in iis duodecim coloniis per longam uacationem numero iuniorum aucto haud difficulter est perfectus.

16 Altera item res prope aeque longo neglecta silentio relata a M. Valerio Laeuino est qui priuatis conlatas pecunias se
2 ac M. Claudio consulibus reddi tandem aequum esse dixit; nec mirari quemquam debere in publica obligata fide suam praecipuam curam esse; nam praeterquam quod aliquid

---

11 senatus consulto (sed s̄. c̄.) Π$N\theta$ (plene K): sociis N^4 ut s. l. H, cf. c. 36. 11 et 30. 26. 12 cum $M^3 A^x N^4$? ut s. l.: tum πN: tam C (add. cum ante impetr. C^4) milites $ANH\theta$ Edd.: militem π N, uix recte in tali formula (cf. potius 27. 40. 7 adn.) imperassent] -per- $M^3 A^8 N^1$ ut s. l. $H^1 \theta$: -petr- π (-set D)N reclamare ΠN Edd.: clamare $H\theta$ 12 enisuros] enis- ΠN: enix- $H\theta$
13 deprecari (uel -praec-) $M^2 B^2 N^1$ ut s. l. $H\theta$: depraecare (uel -prec-) ΠN (cf. 27. 4. 13 adn.) delictum Π$NSp?KFrob$.2: delectum (dil- $N^2 HJ.ald$.) 14 Consules ob-(op- P)stinati (-sten- D) ΠN Edd.: obstinati consules θ, cf. 27. 37. 5 adn.: obstinati H domum ΠN: domos $A^8 H\theta ald.Frob$.1.2 dilectus π: delectus (hic et in § 15) $ANH\theta$ 15 uacationem ΠN(uoc-)θ: uagationem $N^2 H$ aucto $\pi C^2 N \theta$ Edd.: aucte C: acto D: auctorum N^5 uel $N^6 H$

16 1 aeque longo $A^8 H\theta ald.Frob$.1.2: aequo (equo N) longe ΠN se ac M. $\pi C^x N$: se ac me C?: se a. m̄. D: se a A^8: se auctore A^v: a m. θ: a milite H consulibus (sed cōs uel coñs) ΠN: consule $A^8 H\theta$ aequum (uel eq-) CN^4(sed supra -q- add. o N^6)θ: aemo (emo AN) equum (aequm M^2 et MBD) πN; fort. ex (tand-)em repetito et dittographia formarum aequum et aequom (cf. 27. 34. 5 adn.) corruptela orta est

proprie ad consulem eius anni quo conlatae pecuniae essent pertineret, etiam se auctorem ita conferendi fuisse inopi aerario nec plebe ad tributum sufficiente. Grata ea 3 patribus admonitio fuit ; iussisque referre consulibus decreuerunt ut tribus pensionibus ea pecunia solueretur ; primam praesentem ii qui tum essent, duas tertii et quinti consules numerarent.

Omnes deinde alias curas una occupauit postquam Lo- 4 crensium clades, quae ignoratae ad eam diem fuerant, legatorum aduentu uolgatae sunt ; nec tam Plemini scelus quam 5 Scipionis in eo aut ambitio aut neglegentia iras hominum inritauit. Decem legati Locrensium obsiti squalore et sordi- 6 bus in comitio sedentibus consulibus uelamenta supplicum, ramos oleae, ut Graecis mos est, porgentes ante tribunal cum flebili uociferatione humi procubuerunt. Quaerentibus 7 consulibus Locrenses se dixerunt esse, ea passos a Q. Pleminio legato Romanisque militibus quae pati ne Carthaginienses quidem uelit populus Romanus; orare uti sibi patres adeundi deplorandique aerumnas suas potestatem facerent.

Senatu dato, maximus natu ex iis : 'Scio, quanti aesti- 17 mentur nostrae apud uos querellae, patres conscripti, plurimum in eo momenti esse si probe sciatis et quomodo proditi Locri Hannibali sint et quomodo pulso Hannibalis praesidio

---

2 ita ΠN.ald.Frob.1.2 : om. Hθ   inopi aerario θFrob.2 : inopiae (-ia P : -ie MDAN) aer-(er- AN)ariae (-ie D : -ii AN) πN : in inopia aerarii A^v(sed sine in)ald.: inopie ratio H   4 ignoratae (uel -te) π : ig-(ing- J)note ANHθald.Frob.1.2 (-tae)   ad eam diem ΠNθ (cf. 27. 16. 16 adn.) : in eadem die H   5 inritauit (uel irr-) A⁸H θ Edd. : inuitauit π : mutauit A et sic uoluit N   6 supplicum M¹ uel M³B²A¹?N¹HK : supplicium ΠNJ   porgentes π, cf. e.g. Verg. Aen. 8. 274 (forma antiqua formulae apta : contra in c. 14. 3 (extra formulam) porrig- cum P legimus) : porrigentes BD(pori-)AN θ (cf. 30. 21. 7)   7 orare N²Hθ Frob.2 : rogare (-ate R) πR¹N ald., cf. e.g. c. 17. 6 adn.   uti ΠN.ald.Frob.1.2 : ut Hθ

17 1 natu ex iis (his C²R²MBDAN) ΠN: naturis H   aestimentur ΠN.ald.Frob.1.2 : existimentur Bθ (sed exst- J : ext- K) : extimantur H (et in § 7 aest- ΠN : ext- Hθ)   proditi . . . quomodo] om. D   Hannibali CM¹ uel M³BANθ : hannibalis PRM : om. Hannibali sint et quomodo pulso HVat (praebent ΠNθ Edd.)

2 restituti in dicionem uestram ; quippe si et culpa defectionis procul a publico consilio absit, et reditum in uestram dicionem appareat non uoluntate solum sed ope etiam ac uirtute nostra, magis indignemini bonis ac fidelibus sociis tam indignas tam atroces iniurias ab legato uestro militibusque
3 fieri. Sed ego causam utriusque defectionis nostrae in aliud tempus differendam arbitror esse duarum rerum gratia ;
4 unius ut coram P. Scipione, qui Locros recepit ⟨et⟩ omnium nobis recte perperamque factorum est testis, agatur ; alterius quod qualescumque sumus tamen haec quae passi sumus
5 pati non debuimus. Non possumus dissimulare, patres conscripti, nos cum praesidium Punicum in arce nostra haberemus, multa foeda et indigna et a praefecto praesidii Hamilcare et ab Numidis Afrisque passos esse ; sed quid
6 illa sunt, conlata cum iis quae hodie patimur? Cum bona uenia, quaeso, audiatis, patres conscripti, id quod inuitus eloquar. In discrimine est nunc humanum omne genus, utrum uos an Carthaginienses principes orbis terrarum

1 restituti πNK: restitut D: et restituti HJ 2 quippe si et $A^8N^4H\theta ald.Frob.$1.2: quippets P: quippe si πN: quippe M (*cum* si *post* culpa)   ope etiam ac $HFrob.$2: etiam ope ac $NK.ald.$: etiam ope et Π: opere etiam ac JX; *fort.* etiam *delendum* (*cf.* 27. 34. 3 *adn.*)   tam indignas tam atroces *Johnson* (*cf. c.* 7. 7 *adn.*): tam indignas ΠN: tam atroces Sp *ut uid.* A^8 *ut s. l.* N^4 *ut s. l.* $H\theta$: tam atroces atque indignas *ald.Frob.*1.2   3 esse duarum $N^4H\theta$ *Edd.*: sed aurum π: sed (set N) harum C^2AN: sed duarum A^8 gratia $CA^8N^2H\theta$: gratiam πN, *cf.* 26. 40. 11 *adn.*   4 ut (coram) $A^8N^4H\theta ald.Frob.$1.2: et πB^1N: *om.* B et *Alschefski*: *om.* Π $NSpH$: quique $A^8\theta ald.Frob.$1.2   est testis, agatur A^8N^4 *fort. ut s. l.* $H\theta ald.Frob.$1.2: est testigatur ΠN: teste, agatur *Rhen.*: testis, agatur *Drak.*, *non male* (*hi ambo sine et supra*)   tamen haec quae passi sumus A^8N^4 *uel* N^3 *in marg.* $H\theta ald.Frob.$1.2: *om.* ΠN, *haud amplius xxiii litteris ob* ὁμ. *perditis*, *cf.* 26. 51. 8 *adn.*   5 et indigna et ΠN: indigna et $SpH\theta Frob.$2: et indigna *Med.* 3 *ald.* esse ; sed $AN(\text{set})H\theta ald.Frob.$1.2: essed PR (*cf. c.* 19. 1): esset MB D: esse CM^2B^2 6 patres conscripti (*sed* p. c.) $\pi N^4H\theta$ (*plene* J) *Edd.*: *om.* AN eloquar $N^4H\theta ald.Frob.$1.2: dicam ΠN, *cf. e.g. c.* 16. 7 *adn.*   discrimine est nunc (nunc est K: non est J) Π $N\theta Edd.$: crimine nunc (*om.* nunc H) est N^4H omne πSp?N^4 $HJFrob.$2: *om.* $ANK.ald.$ (utrumque N: ut utrum N^4)   orbis $A^8N^4H\theta$: *om.* ΠN

AB VRBE CONDITA XXIX 17 6

uideat. Si ex iis quae Locrenses aut ab illis passi sumus 7 aut a uestro praesidio nunc cum maxime patimur aesti mandum Romanum ac Punicum imperium sit, nemo non illos sibi quam uos dominos praeoptet. Et tamen uidete 8 quemadmodum in uos Locrenses animati sint. Cum a Carthaginiensibus iniurias tanto minores acciperemus, ad uestrum imperatorem confugimus: cum a uestro praesidio plus quam hostilia patiamur, nusquam alio quam ad uos querellas detulimus. Aut uos respicietis perditas res nostras, 9 patres conscripti, aut ne ab dis quidem immortalibus quod precemur quicquam superest.

'Q. Pleminius legatus missus est cum praesidio ad reci- 10 piendos a Carthaginiensibus Locros et cum eodem ibi relictus est praesidio. In hoc legato uestro—dant enim animum 11 ad loquendum libere ultimae miseriae—nec hominis quicquam est, patres conscripti, praeter figuram et speciem neque Romani ciuis praeter habitum uestitumque et sonum Latinae linguae; pestis ac belua immanis, quales fretum 12 quondam quo ab Sicilia diuidimur ad perniciem nauigantium circumsedisse fabulae ferunt. Ac si scelus libidinemque 13 et auaritiam solus ipse exercere in socios uestros satis habe-

6 uideat Π$B^2N\theta$ *Edd.*: uideant *BH*: uideantur N^4 *ut uid.*
8 Et Π*N Edd.* : *om. H*θ   sint Π*NJ*: sunt *HK*   tanto B^2
$A^8H\theta$: manto Π(*C?*)*N*: multo $C^4M^7N^2$ *Edd. ante Gron.*: tam multo
A^v patiamur Π*N*θ *Edd.*: patimur $N^5?(uix\ N^4)H$ 9 respicietis $A^8K.ald.Frob.$1.2 : respecietis *PC*: recipietis *RMBDAN*: respicitis $A^8(a\ se\ ipse\ correctus)N^4HJ$ dis] *cf.* 28. 28. 11 : diis Π
*N*Hθ precemur $A^8N^4H\theta$: praemur *P*: prae-(*uel* pre-)mimur
Π^2N 10 Q. $M^7AN\theta$ (*plene J*) : quae π : quae *MB* : quartus *H*
       recipiendos Π*N.ald., cf. e.g.* 6. 29. 7 : recuperandos SpA^8N^4,
qui -cup- *pro* -cip- *ut s. l. tantum offert sed puncta add. subter* -ie- (*in
uoce* recipiendos)*H*(-das)$\theta Frob$.2   ibi $M^7A^8N^4H\theta$: -um Π*N, cf.* 27. 40. 7 *adn.*
C^1 *uel* C^2 relictus] -us $M^7A^8N^4\theta$: *om.* Π*N, cf.* 27. 40. 7 *adn.*
       11 nec Π*NK*: ne N^2HJ praeter (figuram) $C^4M^7A^8N^4$
$H\theta$: prae Π*N, sed post* ciuis *scripsit P iterum* praeter figuram et speciem neque Romani ciuis (*cf.* 23 *adn.*) *et del.* P^2 *uoces* neque
. . . speciem   uestitumque Π(*sed* uestitum habitumq. *D*)*N.ald.* :
*om. SpH*θ*Frob.*2   13 libidinemque Π*N.ald.* : *om.* que *Sp?H*θ
*Frob.*2   exercere] -re Π*N* : -ret N^2 *uel* $N^5\theta$: -retur *H*

ret, unam profundam quidem uoraginem tamen patientia
14 nostra expleremus: nunc omnes centuriones militesque
uestros—adeo in promiscuo licentiam atque improbitatem
15 esse uoluit—Pleminios fecit; omnes rapiunt, spoliant, uer-
berant, uolnerant, occidunt; constuprant matronas, uirgines,
16 ingenuos raptos ex complexu parentium. Cottidie capitur
urbs nostra, cottidie diripitur; dies noctesque omnia passim
mulierum puerorumque qui rapiuntur atque asportantur
17 ploratibus sonant. Miretur qui sciat, quomodo aut nos ad
patiendum sufficiamus aut illos qui faciunt nondum tanta-
rum iniuriarum satietas ceperit. Neque ego exsequi possum
nec uobis operae est audire singula quae passi sumus: com-
18 muniter omnia amplectar. Nego domum ullam Locris,
nego quemquam hominem expertem iniuriae esse; nego
ullum genus sceleris, libidinis, auaritiae superesse quod in
19 ullo qui pati potuerit praetermissum sit. Vix ratio iniri
potest uter casus ciuitati sit detestabilior, cum hostes bello
urbem cepere an cum exitiabilis tyrannus ui atque armis
20 oppressit. Omnia quae captae urbes patiuntur passi sumus
et cum maxime patimur, patres conscripti; omnia quae
crudelissimi atque importunissimi tyranni scelera in oppressos ciues edunt Pleminius in nos liberosque nostros et
coniuges edidit.

18 'Vnum est de quo nominatim et nos queri religio infixa

13 expleremus (-plor- *B*) Π*NH*: expleret (-retur *K*) *N*⁴ *ut s. l.* θ
15 uirgines, ingenuos *SpA*⁸*N*⁴θ*Frob.*2: fuit (fiunt *AN*) uirgines incensuos (incestant *C*⁴) Π(*C?*)*N*: fiunt in uirgines ingenuas
ald. (*cum* raptus)   parentium] -ium π*J*: -um *MBNSp ut uid.*
*A*⁸*H*: -um pueros *K*   17 sciat Π*N.ald.Frob.*1.2: nesciat *Aˣ N*⁵
*uel N*⁴ *rescriptus Hθ* (*non male*)   operae *PCFrob.*2: opera *RM*
*BDAN*θ: opus *ald.*   singula *CA*⁸*N*⁴θ *Edd.*: : singuli Π*N*
18 expertem (-temm *P*²) Π²*NH*θ: expem *P*, *cf.* 27. 1. 11 *adn.*
19 ciuitati *Forchhammer*: ciuitatis Π*NH*θ (*sc.* s- *duplicato*)
armis *C*⁴*M*⁷*A*⁸*N*⁴*H*θ: amissis (*C?*)Π*N* (oppressit a. *M*: a. oppressit *M*¹
*uel M*³): animis *B*²   20 scelera *M*¹ *uel M*³*BN*⁴*H*θ: scelerat
(-ate *C*: -ataq. *AN*): -ata *A*⁸) π*N* (tyrannit celerat *D*)   ciues
(*uel* -is) edunt *A*⁸*N*⁴*H*θ: ui (uuis *P*) edunt (edidit *C*) *P*²*C*: uidunt
(-ent *B*: -erunt *D*: -entur *AN*) *RMBDAN*

animis cogat et uos audire et exsoluere rem publicam uestram religione, si ita uobis uidebitur, uelimus, patres conscripti ; uidimus enim cum quanta caerimonia non uestros 2
solum colatis deos sed etiam externos accipiatis. Fanum 3
est apud nos Proserpinae, de cuius sanctitate templi credo
aliquam famam ad uos peruenisse Pyrrhi bello, qui cum ex 4
Sicilia rediens Locros classe praeterueheretur, inter alia
foeda quae propter fidem erga uos in ciuitatem nostram
facinora edidit, thesauros quoque Proserpinae intactos ad
eam diem spoliauit atque ita pecunia in naues imposita ipse
terra est profectus. Quid ergo euenit, patres conscripti ? 5
Classis postero die foedissima tempestate lacerata omnesque
naues quae sacram pecuniam habuerunt in litora nostra
eiectae sunt; qua tanta clade edoctus tandem deos esse, 6
superbissimus rex pecuniam omnem conquisitam in thesauros Proserpinae referri iussit. Nec tamen illi unquam postea prosperi quicquam euenit, pulsusque Italia ignobili atque
inhonesta morte temere nocte ingressus Argos occubuit.
Haec cum audisset legatus uester tribunique militum et 7
mille alia quae non augendae religionis causa sed praesenti deae numine saepe comperta nobis maioribusque nostris referebantur, ausi sunt nihilominus sacrilegas admouere 8

18 1 animis $M^2(M^7?)A^8N^1$ *ut s. l. Hθ* : animos ΠΝ exsoluere $πC^4$(exol- $C)N.ald.Frob.1.2$: soluere $SpHθ$ 2 uidimus Π
$NHθ$: uidemus *Madv. Em. p.* 419, *frustra* 4 classe $π^2Nθ Edd.$:
clas P : classem C : classes N^1 *ut s. l. H* (praeterueherent H)
thesauros] thes- C(tes-)$RMBDANHθ$ *et sic in* §§ 6, 8, 15, 17 : thens-
P *et sic in* §§ 8, 17 (tens- P^2) *et (e.g.) in c.* 8. 9 *et* 19. 7 (*contra* thes- P
in §§ 6, 15 *infra*) ad eam diem ΠNθ *Edd.* (*u.* 27. 16. 16 *adn.*) :
eadem die N^4H (*cf. c.* 16. 4) 6 qua ΠNSpθald.Frob.1.2 : qui
$N^1(uix\ N^4)H$ conquisitam ΠNθald. (*cf. cc.* 19. 7 *et* 21. 4) : inquisitam $SpHθFrob.2$ Argos $C^2B^2ANH^2K$: argus π (*cf.* 30.
36. 8 *adn.*): argios M^1 : agros HJ 7 praesenti ΠΝ : prae-(*uel*
pre-)sentis N^4 *ut s. l. Hθald.Frob.1.2* numine $C^xA^8N^4$ *ut s. l.
Hθ Edd.* : numini π($C?)N$: numidis D saepe comperta (compata *primo* A^8) $A^8N^4Hθald.Frob.1.2$: sae (se $C?B^2AN$: hae D) conferta ΠΝ : saepe comperto *a Koch* (*sed uoces* non . . . causa *pendent
non ex* comperta *sed ex* referebantur *et per uocem* sed *cum* comperta
iunguntur) maioribusque $A^8N^4Hθ Edd.$: que ΠΝ, *cf.* 26. 11. 12
adn. (*b*) referebantur (-rab- RMD) ΠNθ *Edd.* : referebant N^4H

manus intactis illis thesauris et nefanda praeda se ipsos ac
9 domos contaminare suas et milites uestros. Quibus per uos
fidemque uestram, patres conscripti, priusquam eorum
scelus expietis neque in Italia neque in Africa quicquam rei
gesseritis, ne quod piaculi commiserunt non suo solum
sanguine sed etiam publica clade luant.

10 'Quamquam ne nunc quidem, patres conscripti, aut in
ducibus aut in militibus uestris cessat ira deae. Aliquotiens
iam inter se signis conlatis concurrerunt. Dux alterius
partis Pleminius, alterius duo tribuni militum erant. Non
acrius cum Carthaginiensibus quam inter se ipsi ferro dimi-
11 cauerunt, praebuissentque occasionem furore suo Locros
recipiendi Hannibali nisi accitus ab nobis Scipio inter-
12 uenisset. At hercule milites contactos sacrilegio furor
agitat, in ducibus ipsis puniendis nullum deae numen apparuit. Immo ibi praesens maxime fuit. Virgis caesi
13 tribuni ab legato sunt: legatus deinde insidiis tribunorum
interceptus, praeterquam quod toto corpore laceratus, naso
14 quoque auribusque decisis exsanguis est relictus; recreatus
dein legatus ex uolneribus tribunos militum in uincla coniec-
tos, dein uerberatos seruilibus omnibus suppliciis cruciando
occidit, mortuos deinde prohibuit sepeliri.

9 fidemque $\Pi NH\theta$: fidem *Gron., optime (cf. e.g.* per te deos oro),
sed cf. 40. 9. 7 (*et fort. Sall. Iug.* 14. 25); *si hic et in loc. cit. sana lectio
est, locutio antiqua Liui saltem aetate iam male comprehensa fuisse
uideatur*   eorum ... quicquam rei $A^8N^3H\theta$ *Edd.*: eo ΠN,
litteris non amplius liv perditis (fort. iii lineis), cf. 26. 51. 8 *adn.*
10 in ducibus M^7(aut aut in d.)$A^v\theta$ *Edd.*: audacibus π: in audacibus
(-tib- N) AN: *om. H (alt.* aut *omittens)*   cessat $A^vH\theta$ *Edd.*:
cesserat ΠN: cessit N^2: cesset ?A^8 concurrerunt] -curr- MB
$DANH\theta$: -cucurr- PCR, *sed cf.* 8. 7. 9 *adn. et Neue-Wagener III
p.* 353   cum C^4 *uel* C^5M^1(*non* M^7)$N^2H\theta$: *om.* π: a AN
12 contactos $C^xM^1BN^1$?$H\theta$ *et sic uoluit* A^8 (-tactactos *praebens*): con-
tractos π: contratactos (-ctact- A) AN furor $\pi A^8N^1H\theta$: furoris
AN 14 dein ... dein π: deinde ... deinde (dein M) MAN;
cf. c. 3. 9 *adn.*   uincla πN, *cf. c.* 9. 8 *adn.*: uincula $AH\theta$
seruilibus *Rhen. dubitanter sed recte* (*u. adn. sq.*): seruilibusque $\Pi N\theta$
*ald.Frob.*1.2, *cf.* 26. 11. 12 *adn.* (*a*)   cruciando $SpFrob.$2: cruci-
andos $HVat$ (-atos θ): trucidados cruciando $\Pi N.ald.$ (*sc. corruptela
post* -que *additum orta*): cruciatos trucidando *Gron., bene si repetitio*
(tru)cid- : (oc)cid- *toleratur*

AB VRBE CONDITA   XXIX 18

'Has dea poenas a templi sui spoliatoribus habet, nec ante desinet omnibus eos agitare furiis quam reposita sacra pecunia in thesauris fuerit. Maiores quondam nostri graui Crotoniensium bello, quia extra urbem templum est, transferre in urbem eam pecuniam uoluerunt; noctu audita ex delubro uox est: abstinerent manus, deam sua defensuram. Quia mouendi inde thesauros religio incussa erat, muro circumdari templum uoluerunt; ad aliquantum iam altitudinis excitata erant moenia cum subito conlapsa ruina sunt. Sed et nunc et tunc et saepe alias dea suam sedem suumque templum aut tutata est aut a uiolatoribus grauia piacula exegit: nostras iniurias nec potest nec possit alius ulcisci quam uos, patres conscripti. Ad uos uestramque fidem supplices confugimus. Nihil nostra interest utrum sub illo legato sub illo praesidio Locros esse sinatis an irato Hannibali et Poenis ad supplicium dedatis. Non postulamus ut extemplo nobis, ut de absente, ut indicta causa credatis: ueniat, coram ipse audiat, ipse diluat. Si quicquam sceleris quod homo in homines edere potest in nos praetermisit, non recusamus quin et nos omnia eadem iterum si pati possumus patiamur et ille omni diuino humanoque liberetur scelere.'

Haec cum ab legatis dicta essent quaesissetque ab iis

15 nec ante $A^8N^4H\theta$ *Edd.*: *om.* ΠN: non C^4 eos $C^4ANH\theta$: eo π (*cf.* 27. 17. 12 *adn.*): eas M^7?   pecunia in $A^8N^4H\theta$: in (*om.* in C^2N^2?) pecunia si (sit D) ΠN   thesauris] *u.* § 4 *adn.*
16 Crotoniensium] -niens- $B^1Frob.$2, *cf. c.* 36. 4 *et Plin. N. H.* 3. 72 (*It. Dial. p.* 6): -nens- ΠN^4(cort- N: cot- N^1)$H\theta$ noctu π: nocte BAN^4(-ta N)$H\theta ald.Frob.$1.2   uox est $A^8N^4H\theta$ *Edd.*: uox ΠN   *post* sua *add.* templa πB^1(-lum B)$NH\theta$: *seclusit Madv. rectissime* (*et praecipue offendit Pluralis*)   17 circumdari ΠN: circum-(*uel* -un-)dare $A^8H\theta ald.Frob.$1.2   ad A^8N^4 *rescriptus H* $\theta ald.Frob.$1.2: *om.* ΠN: in *Madv. olim*   18 et (etiam H) nunc et tunc $N^4H\theta ald.Frob.$1.2: et (etiam N) nunc ΠN *et* A^x: nunc et tunc θ: tunc et nunc A^8 19 nostra ΠA$^8N^4H\theta$: nunc AN interest ΠN *Edd.*: interest p. c. $H\theta$, *fort. recte*   Non postulamus ... scelere (*ad fin. capitis*)] *om.* C ut indicta $Sp?HFrob.$2: indicta $\theta ald.$: uindicta (-tae B^2: -te AN) πN: ut indicata N^4 *ut s. l.*
20 homines (-em A^v) edere πNH(*sed* -ne sed- *RMBDA?NH*) *ald.Frob.*1.2: hominem (-ne N^4) seuire $A^8N^4\theta$

XXIX 19 1   TITI LIVI

Q. Fabius detulissentne eas querellas ad P. Scipionem, responderunt missos legatos esse sed eum belli apparatu occupatum esse et in Africam aut iam traiecisse aut intra
2 paucos dies traiecturum ; et legati gratia quanta esset apud imperatorem expertos esse cum inter eum et tribunos cognita causa tribunos in uincla coniecerit, legatum aeque sontem aut magis etiam in ea potestate reliquerit.
3 Iussis excedere templo legatis, non Pleminius modo sed etiam Scipio principum orationibus lacerari. Ante omnes
4 Q. Fabius natum eum ad corrumpendam disciplinam militarem arguere: sic et in Hispania plus prope per seditionem militum quam bello amissum ; externo et regio more et indulgere licentiae militum et saeuire in eos. Sen-
5 tentiam deinde aeque trucem orationi adiecit: Pleminium legatum uinctum Romam deportari placere et ex uinculis causam dicere ac, si uera forent quae Locrenses quererentur,
6 in carcere necari bonaque eius publicari: P. Scipionem quod de prouincia decessisset iniussu senatus reuocari, agique cum tribunis plebis ut de imperio eius abrogando ferrent ad populum: Locrensibus coram senatum respondere

19 1 Q. (*uel* quintus) $C^1AN\theta$: *om. C*: que π (*sed* absque *pro* ab iis Q. *D*), *cf. c.* 15. 2: quę *M*: quam *H*   esse et in $H\theta ald.Frob.$1.2: esset in π: esse in P^1 *uel* $P^2CM^1B^2AN$: et in *Med.* 2, *fort. recte*
2 gratia quanta (-tā *C*: -tum *B*) $\pi B^1 N\theta$ *Aldus*: quanta gratia *H*: gratiam quanta *Edd. ante Ald.*   cognita causa tribunos A^8 $N^4H\theta$ *Edd.*: *om.* ΠN, *linea* xx *litt. ob* ὁμ. *perdita, cf.* 26. 51. 8 *adn.*
uincla] *u. c.* 9. 8 *adn.*   reliquerit $CM^1B^2A^8N^2\theta$: relinquerit πN: liquerit *H*   3 templo π (*sc.* 'e curia'): e templo $Sp?HFrob.$2 (*cum forma praepositionis praua ante* t-): extemplo $B?A$ *K*: ex templo $A^8NJ.ald.$ lacerari ΠNH: lacerati θ   eum ΠN.ald.: *om.* $Sp?H\theta Frob.$2 (*cf. c.* 20. 3)   4 prope per $Sp?N^4H$ *Frob.*2: proter *PCR*: propter *MBDAN*: prope $\theta ald.$ (*sed cum* seditione *K.ald.*)   quam bello ... militum] *om. B*: *supplet* B^2
indulgere] -re $H\theta ald.Frob.$1.2: -ri πB^2N, *cf.* 27. 4. 13 *adn.*
aeque πN(eque)*ald.*: aquae *C* (aeq- C^4): *om.* $Sp?H\theta$ *Frob.* 2   5 quererentur $C^4BAN\theta$ *et* (*sed* quaer-) π: fererent SpH (-ntur), *unde* assererent *Rhen.*   publicari] -ri B^xN^1 *ut s. l.* $H\theta$: -rei π: -re P^1 *uel* P^2CM^2DAN (*cf.* § 4 *et* 27. 4. 13 *adn.*)
6 decessisset (-iset *N*) ΠNθ*ald.*, *recte*: decessit $SpHVat$: decesserit *Frob.* 2   iniussu $C^xM^3B^2$(-usu *B*)$AN^2\theta$: iniussus πNH

AB VRBE CONDITA XXIX 19 6

quas iniurias sibi factas quererentur eas neque senatum neque populum Romanum factas uelle; uiros bonos soci- 7 osque et amicos eos appellari; liberos coniuges quaeque alia erepta essent restitui : pecuniam quanta ex thesauris Proserpinae sublata esset conquiri duplamque pecuniam in thesauros reponi, et sacrum piaculare fieri ita ut prius ad 8 collegium pontificum referretur, quod sacri thesauri moti aperti uiolati essent, quae piacula, quibus dis, quibus hostiis fieri placeret : milites qui Locris essent omnes in Siciliam 9 transportari : quattuor cohortes sociorum Latini nominis in praesidium Locros adduci.

Perrogari eo die sententiae accensis studiis pro Scipione 10 et aduersus Scipionem non potuere. Praeter Plemini faci- 11 nus Locrensiumque cladem ipsius etiam imperatoris non Romanus modo sed ne militaris quidem cultus iactabatur : cum pallio crepidisque inambulare in gymnasio ; libellis 12 eum palaestraeque operam dare ; aeque [segniter] molliter cohortem totam Syracusarum amoenitate frui ; Carthaginem 13 atque Hannibalem excidisse de memoria ; exercitum omnem licentia corruptum, qualis Sucrone in Hispania fuerit, qualis nunc Locris, sociis magis quam hosti metuendum.

6 quas (quam πC^1: quas CM^2B^x) iniurias sibi $\pi HFrob.2$: quas sibi iniurias $AN\theta ald.$ (*cf.* 26. 5. 17 *adn.*) eas $\Pi N\theta ald.$: *om. Sp? HFrob.*2 Romanum (*uel* r.) $B^1ald.Frob.$1.2 : *om.* $\Pi NH\theta$, *sed in sen. consulto necesse est* factas uelle $\pi\theta Frob.$2 : uelle factas $AN\ ald.$ (*cf. c.* 3. 10 *adn.*) 7 liberos $A^8N^4H\theta$: *om.* ΠN pecuniam $\pi N^2\theta$: pecunia MHN thesauris] *u. c.* 18. 4 *adn.* Proserpinae] -pinae $C^2M^2B^2DAN(\text{-ne})H\theta$: -uinae π : -pina C
8 et sacrum ... ita $\Pi N\theta ald.Frob.$1.2 : *om. SpHVat, xxv uel xxiv litt. perditis, cf.* 28. 2. 16 *adn.* ut prius $C^4M^2A^8H\theta$: utrius πB^x : utriusque BA : ut utriusque N moti aperti Sp ut *uid.* $A^8N^4H\theta\ ald.Frob.$1.2 (*cf. c.* 20. 10) : moti ΠN uiolati $\Pi NSp?H\theta$ (*et sic melius in sen. consulto*) : uiolatique $C^4N^4ald.Frob.$1.2 9 qui $\Pi^2NH\theta$: quiqui P, *quod probat Gron.* 10 et aduersus Scipionem $\Pi N.ald.Frob.$1.2 : *om. SpH*θ, *xix litt. ob ὁμ. perditis, cf.* § 8 *et* 28. 2. 16 *adn.* 12 eum $\Pi NH\theta$: etiam $Sp?Frob.$2 : etiam eum *ald.*
segniter molliter ΠNH, *fort. recte* (*cf.* 27. 16. 6 *adn.*) : segniter molliter-que $A^v\theta ald.Frob.$1.2, *fort. recte* (*cf.* 26. 11. 12 *adn.* (*c*)) : *maluimus* segniter *secludere* (*cf.* 27. 34. 5 *adn.*) 13 metuendum $PCRB?A^8\ H\theta$: metuendus $\pi^2R^1N.ald.Frob.$1.2

XXIX 20 1   TITI LIVI

20 Haec quamquam partim uera partim mixta eoque similia ueris iactabantur, tamen uicit Q. Metelli sententia qui de 2 ceteris Maximo adsensus de Scipionis causa dissensit: qui enim conuenire quem modo ciuitas iuuenem admodum unum reciperandae Hispaniae delegerit ducem, quem recepta ab hostibus Hispania ad imponendum Punico bello finem creauerit consulem, spe destinauerit Hannibalem ex Italia 3 retracturum, Africam subacturum, eum repente, tamquam Q. Pleminium, indicta causa prope damnatum ex prouincia reuocari, cum ea quae in se nefarie facta Locrenses quererentur ne praesente quidem Scipione facta dicerent, neque aliud quam patientia aut pudor quod legato pepercisset in- 4 simulari posset? Sibi placere M. Pomponium praetorem, cui Sicilia prouincia sorti euenisset, triduo proximo in prouinciam proficisci: consules decem legatos quos iis uideretur ex senatu legere quos cum praetore mitterent, et duos tri- 5 bunos plebei atque aedilem; cum eo consilio praetorem cognoscere; si ea quae Locrenses facta quererentur iussu aut uoluntate P. Scipionis facta essent, ut eum de prouincia 6 decedere iuberent; si P. Scipio iam in Africam traiecisset, tribuni plebis atque aedilis cum duobus legatis quos maxime

---

20 1 tamen (tum *J*) uicit π*B*¹*Hθ* : uicit tamen *AN.ald.Frob*.1.2, *cf. c.* 3. 10 *adn.*   2 unum *Sp ut uid. A*⁸*N*⁴*Hθ* : *om.* Π*N* delegerit *Sp ut uid. A*⁸*Hθ* : delegarit Π*N*   bello *M*² *uel M*⁷*Sp ut uid. A*⁸*N*⁴*Hθ* : *om.* Π*N*   Hannibalem ex Italia retracturum Africam subacturum *Sp?HθFrob.*2 (*af. sub. h. ex italia* (' -la *P' Luchs, falso*) detracturum Π*N*): *siglum pro* -rum *clarius facere uoluit N*⁴ ; *de ordine in P confuso cf.* 28. 2. 15 *adn.* (*et* 27. 2. 6 *adn.*)   3 eum *Sp ut uid. A*⁸*N*⁴*Hθald.* : *om.* Π*N* (*cf. c.* 19. 3)   damnatum (dampn- *J*: dampr- *H*) *Sp ut uid. A*⁸?*N*⁴ *rescriptus Hθ* : damnaturum (-torum *P*) Π¹*N*   posset Π*N.ald.* : possit *M*²(*M*⁷?)*HθFrob.*2, *uix recte post* quererentur *et* dicerent, *nisi fort. in O. R. fuisse statuis* 'querebantur ... dicerent ... pepercit ... possit' (*quod uix probandum est*), *cf.* 27. 17. 14 *adn.*   4 M. *P*: *om. N* : *add. in marg.* libūtū *N*⁴, *sed utrum hoc loco praenomen aliquod in exemplari suo corruptum inserere an* liberum *tum* ante *aliud* (§ 3 *supra*) *addere uoluerit non liquet*   euenisset *Hθ Edd.* : uenisset Π*N*   consules Π*N et N*⁴ -es *restituens θ* : consul *HN*²   et (duos) Π*N Edd.* : *om. Hθ* plebei (ble- *N*) Π*N, cf. Prisc.* 7. 19. 93: pl' *K* : plebis *A*⁸*J* : bleb' *N*³   6 aedilis *B*²*A*ʳ*θ* : ediles *A*⁸?*H* : aedilem Π*N* (ed-), *cf.* 27. 40. 7 *adn.*

AB VRBE CONDITA XXIX 20 6

idoneos praetor censuisset in Africam proficiscerentur, tribuni atque aedilis qui reducerent inde Scipionem, legati qui exercitui praeessent donec nouus imperator ad eum exercitum uenisset: si M. Pomponius et decem legati comperissent neque iussu neque uoluntate P. Scipionis ea facta esse, ut ad exercitum Scipio maneret bellumque ut proposuisset gereret. Hoc facto senatus consulto, cum tribunis plebis actum est aut compararent inter se aut sorte legerent qui duo cum praetore ac legatis irent: ad collegium pontificum relatum de expiandis quae Locris in templo Proserpinae tacta ac uiolata elataque inde essent.

Tribuni plebis cum praetore et decem legatis profecti M. Claudius Marcellus et M. Cincius Alimentus; aedilis plebis datus est quem, si aut in Sicilia praetori dicto audiens non esset Scipio aut iam in Africam traiecisset, prendere tribuni iuberent, ac iure sacrosanctae potestatis reducerent. Prius Locros ire quam Messanam consilium erat.

Ceterum duplex fama est quod ad Pleminium attinet. Alii auditis quae Romae acta essent in exsilium Neapolim euntem forte in Q. Metellum unum ex legatis incidisse et

---

7 aedilis ΠC⁴(-lem C)Nθ : ediles M²B²N⁴ ut s. l. H legati qui ΠN: legatique N⁴Hθ 8 si M. πB²A⁸N¹θ : si B: sin AN: sin M. ald.Frob.1.2, cf. c. 3. 3 ad exercitum M¹(M²?)A⁸Hθ : de exercitum π: exercitum C: de exercitu BˣAN: in exercitu N⁴ ald.Frob.1.2 : cum exercitu C⁴ : omni exercitu Aᵛ 9 actum est A⁸Hθald.Frob.1.2 : factum esset (est N⁴) ΠN aut (comp.) πSp?N⁴H Frob.2 : ut M² (M⁷?) ut s. l. ANθald. inter se aut sorte legerent A⁸N⁴Hθald.Frob.1.2 : om. ΠN, xxiii litt. ob -rent|-rent perditis, cf. 26. 51. 8 adn. 10 collegium A⁸N⁴ ut s. l. Hθ : concilium ΠN post relatum add. et πN: recte om. CN⁴Hθald.Frob.1.2: scripsit est pro et Alschefski (et sic M² uel M⁷ Lov. 5), sed de et insiticio cf. 27. 4. 12 adn. ac uiolata elataque A⁸N⁴Hθald.Frob.1.2 (sed sine ac A⁸ Edd.) : uiolataque ΠN, cf. 26. 11. 12 adn.(b) inde essent ΠNθ: indecenter H, more suo 11 datus est quem A⁸N⁴Hθ Edd. : datusque (-quae C) ΠN traiecisset ΠN.ald. Frob.1.2 : transisset Hθ Locros C⁴M³θ : locrens πN : locrenses B : locris N¹H (cf. c. 21. 4)
21 1 attinet A⁸N¹H(act-)θ : attinent ΠN Romae CB¹A⁸N² ut s. l. Hθ : roma πN Q. C¹M³B²A⁸N⁴Hθ : quem π: que Pˣ : quae C : q̄ m̄ A? : om. N

TITI LIVI

2 ab eo Regium ui retractum tradunt: alii ab ipso Scipione legatum cum triginta nobilissimis equitum missum qui Q. Pleminium in catenas et cum eo seditionis principes coni-
3 cerent. Ii omnes seu ante Scipionis seu tum praetoris iussu traditi in custodiam Reginis sunt.

4 Praetor legatique Locros profecti primam, sicuti mandatum erat, religionis curam habuere; omnem enim sacram pecuniam quaeque apud Pleminium quaeque apud milites erat conquisitam, cum ea quam ipsi secum attulerant, in
5 thesauris reposuerunt ac piaculare sacrum fecerunt. Tum uocatos ad contionem milites praetor signa extra urbem efferre iubet castraque in campo locat cum graui edicto si quis miles aut in urbe restitisset aut secum extulisset quod suum non esset: Locrensibus se permittere ut quod sui quisque cognosset prenderet, si quid non compareret re-
6 peteret; ante omnia libera corpora placere sine mora Locrensibus restitui; non leui defuncturum poena qui non
7 restituisset. Locrensium deinde contionem habuit atque

1 ui retractum $PRMA^8\theta$: iure C: iure tractum C^2BDANH
2 qui Q. N^3 uel N^6 ut uid. ald.Frob.1.2: qui Π: q. $A^8NH\theta$: Q. N^2
conicerent ΠN: coniectos $A^8\theta$: coirent H 3 traditi $\pi A^8\theta$: om. AN: tradit N^2 (non N^4): tradit. i H sunt $A^8H\theta$ ald.Frob.1.2: om. ΠN 4 Praetor ΠN Edd.: pretores $A^8N^4H\theta$ (cf. c. 20. 4 adn.) Locros $C^2M^2B^2A^8N^1\theta$ (-is ΠN) primam M^1 ald.Frob.1.2: p. r. primam ΠN: primum $A^8H\theta$ Pleminium quaeque (-quae N^4) apud $A^8N^4\theta$ Edd.: om. ΠN, haud amplius xx litt. ob δμ. perditis, cf. 26. 51. 8 adn. cum ea quam $A^8N^3(N^4?)$ $H\theta$ Edd.: om. ΠN 5 ad (contionem) $\Pi N.ald.$ (cf. e.g. 28. 26. 12): in $SpH\theta Frob.2$ (cf. e.g. 24. 28. 1) in campo . . . quisque] om. D secum $\pi R^2N\theta$: om. RH quod suum non esset $A^8N^4H\theta ald.Frob.1.2$: om. ΠN, xvi litt. ob -sset|-sset deperditis, cf. 26. 51. 8 adn. sui (-is C?) quisque $\pi C^1 N$: suum quisque A^8?$\theta ald.$ $Frob.1.2$: quisque suum H cognosset $\pi B^1 N$: cognoscet BDA N: cognosceret A^8N^3 uel $N^4H\theta ald.Frob.1.2$, pari iure prenderet $\Pi N\theta$: prehenderet H, cf. 26. 27. 7 adn. si quid non . . . repeter[et] Ta^2 in marg. (u. sqq.): om. ut uid. Ta compareret $C^4B^2N^4$ ut s. l. $H\theta$ Edd.: compararet (-rararet P) ΠN: compraehenderet Ta^2 repeteret $Ta^2 A^8N^3$ uel $N^4H\theta$ Edd.: unde ΠN (del. N^1), unde repetundum Gron. 6 corpora $A^8N^4H\theta$: om. Π N placere sine mora $Sp?A^8H\theta Frob.2$: placeres in eo mora π: pace res sine omni mora AN: placere sine omni mora $N^1 ald.$
restitui [non] leui defun[ctu]rum poen[a qui] non resti[tuiss]et lucren[sium] scripsit Ta^2 in marg. partim desecto (cum nota omissionis praefixa)

AB VRBE CONDITA XXIX

iis libertatem legesque suas populum Romanum senatumque restituere dixit; si qui Pleminium aliumue quem accusare uellet, Regium se sequeretur: si de P. Scipione publice queri uellent ea quae Locris nefarie in deos hominesque facta essent iussu aut uoluntate P. Scipionis facta esse, legatos mitterent Messanam; ibi se cum consilio cogniturum. Locrenses praetori legatisque, senatui ac populo Romano gratias egerunt: se ad Pleminium accusandum ituros: Scipionem, quamquam parum iniuriis ciuitatis suae doluerit, eum esse uirum quem amicum sibi quam inimicum malint esse; pro certo se habere neque iussu neque uoluntate P. Scipionis tot tam nefanda commissa, sed aut Pleminio nimium [aut] sibi parum creditum, aut natura insitum quibusdam esse ut magis peccari nolint quam satis animi ad uindicanda peccata habeant. Et praetori et consilio haud mediocre onus demptum erat de Scipione cognoscendi. Pleminium et ad duo et triginta homines cum eo damnauerunt atque in catenis Romam miserunt. Ipsi ad Scipionem profecti sunt ut ea quoque quae uolgata sermonibus erant de cultu ac desidia imperatoris solutaque disciplina militiae comperta oculis referrent Romam.

7 si qui πSp?HFrob.2 : si quid D : si quis C⁴ANθald. De qui et quis post si ut pronominibus adhibitis cf. Neue-Wagener II, p. 439
aliumue quem Sp?A⁸HθFrob.2 : aliumque aliumue ΠN : aliumue C² N²ald. se ΠN.ald. : om. HθFrob.2 · 8 esse (legatos) N¹?Hθ Edd. : essent ΠN 9 legatisque PˣM²ANHθ : legatusque π ante senatui add. et Hθald.Frob.1.2 : recte ignorant ΠN, cf. 28. 40. 2 (ceteri) adn. 10 malint Sp?N² uel N⁴ ut s. l. (sed mall-) Hθ : mallent ΠN.ald. sed aut CM² : sed haud ΠN¹V : sed commissa sed haud P, cf. c. 1. 23 adn. : sed N¹? : sed quia N⁴Hθ sibi Forchhammer : aut sibi ΠNHθ, uix recte 11 aut (natura) ΠNHθald. : aut ut N² : ut ut Nˣ : om. Frob.2 (nouam sent. ab nat. incipiens) habeant P⁴ uel P⁵CM⁵B²D.A⁸Hθ : li abeant PRM : libeant BAN 12 duo πHθ, cf. 26. 13. 7 adn. : duos Sp? ANHˣ (pro ad duo et praeb. alios ald.) 13 sunt ut N⁴Hθ : sunt A⁸ : om. ΠN et Aᵛ? : ut C⁴ solutaque CMBˣAᵛ?H(-lit-)θ : soluta quae π : soluta AN disciplina (-am π: -aq. AN) militiae πCˣMˣBAˣNˣ : militie disciplina Hθald.Frob 1.2, fort. recte, nisi uox militiae uoci imperatoris opposita stat, sicut illa, in fine clausulae (cf. etiam 27. 37. 5 adn.) referrent (-erent RMBAN)PCM²(M⁷?) B²D.ald. : perferrent Sp?Hθ (praef- J), fort. recte

22

Venientibus iis Syracusas Scipio res, non uerba ad purgandum sese parauit. Exercitum omnem eo conuenire, classem expediri iussit, tamquam dimicandum eo die terra marique cum Carthaginiensibus esset. Quo die uenerunt hospitio comiter acceptis, postero die terrestrem naualemque exercitum, non instructos modo sed hos decurrentes, classem in portu simulacrum et ipsam edentem naualis pugnae ostendit; tum circa armamentaria et horrea bellique alium apparatum uisendum praetor legatique ducti. Tantaque admiratio singularum uniuersarumque rerum incussa ut satis crederent aut illo duce atque exercitu uinci Carthaginiensem populum aut alio nullo posse, iuberentque quod di bene uerterent traicere et spei conceptae quo die illum omnes centuriae priorem consulem dixissent primo quoque tempore compotem populum Romanum facere ; adeoque laetis inde animis profecti sunt, tamquam uictoriam non belli magnificum apparatum nuntiaturi Romam essent.

22 1 iis $P^4CM^xB^2H$: is AN : hiis C^4J : his N^2K : siis π : om. D purgandum $\Pi N\theta$, *sed inter* -d- *et* -u- *nescioquid litterae* -s- *antiquae formae* (ſ) *simile scripsit* P^1 *uel* P^2 : oppugnandum H sese parauit (repar- MBD) π^1 uel $\pi^2Sp?HFrob.2$: sese pariut P : se prae-(*uel* pre-)parauit $AN\theta ald$. 2 uenerunt $C^xM^3ANH\theta$: euenerunt π comiter acceptis Ta^2 *ut uid*. (*sed* -ceptis *oblitterato*) ΠN : comiter accepti $N^2?H\theta ald.Frob.1.2$ exercitum ΠNHK : exercitus $A^v ald.$(*sed hic cum* M naualcsq.)*Frob.*1.2, *fort. recte*: excitum J modo $M^3A^8N^2?H\theta$: domo (-os D) ΠN 3 armamentaria C^4A N: armenta aria π: armamenta N^4HK: armentaria CMB^x: ornamenta J horrea bellique alium (aliumque belli *ald.Frob.*1.2) apparatum $C^2A^8N^4HJ$ *Edd.uet.*: alia horrea bellique apparatum K: horratum (del. h- M^1) $\Pi(A?)$, *linea fort. xx litt. perdita, cf.* 26. 51. 8 *adn.* : hostea N: horrea ad belli apparatum *Madv.* (*olim*) *Em. p.* 420: horrea ad * * * aliumque belli apparatum *Weissenb.*, *non male*: *nos, si quid mutandum,* ad *ante* arm. *addere malimus, ut aduerbio* circa *secunda pars operae legatorum primae illi parti opponatur qua spectando tantum ex uno loco defuncti erant* 4 uniuersarumque $A^8N^1H\theta$ *Edd.* : que π, *cf.* 26. 11. 12 *adn.*(*b*). : om. M^1AN alio nullo $\Pi N.ald.$: nullo alio $H\theta Frob.2$ (*ordo usitatior ideoque minus habet ponderis*), *cf.* 27. 37. 5 *adn.* 5 traicere . . . facere MK, *Gronouium confirmantes*: traicere (-rent N: -ret *Rhen. Frob.2*) . . . faceret (-rent $A^8N^2?HJ$) $\pi NHJ.ald.Frob.1.2$ (*cf. c.* 2. 2 *adn.*) 6 nuntiaturi $\Pi^1N\theta$: nuntiari P (*cf.* 27. 1. 11 *adn.*) Romam $P^4?DANH\theta$: roma $PRM\cdot$ romae CM^1B

AB VRBE CONDITA XXIX 22

Pleminius quique in eadem causa erant postquam Romam 7 est uentum extemplo in carcerem conditi. Ac primo producti ad populum ab tribunis apud praeoccupatos Locrensium clade animos nullum misericordiae locum habuerunt: postea cum saepius producerentur, iam senescente inuidia 8 molliebantur irae; et ipsa deformitas Plemini memoriaque absentis Scipionis fauorem ad uolgum conciliabat. Mortuus 9 tamen prius in uinclis est quam iudicium de eo populi perficeretur.

Hunc Pleminium Clodius Licinus in libro tertio rerum 10 Romanarum refert ludis uotiuis quos Romae Africanus iterum consul faciebat conatum per quosdam quos pretio corruperat aliquot locis urbem incendere ut effringendi carceris fugiendique haberet occasionem; patefacto dein scelere delegatum in Tullianum ex senatus consulto.

De Scipione nusquam nisi in senatu actum, ubi omnes 11

8 molliebantur irae Π*N.ald.*: molliebatur (moli- *HJ*) ira *Sp?Hθ Frob.*2 fauorem *Sp*(fab-)*A⁸N⁴HθFrob.*2: fatiorem *P*: faciliiorem *P²C* (-lior-): facillionis *RMBDAN*: fac *N²*: facilius eos *Aᵛald*.
9 populi Π*Nald.*: om. *Sp?HθFrob.*2 10 Hunc ... senatus consulto] totum om. *VatH*: praebent Π*Nθ*. *Haec omnia minimis sane de causis impugnauerunt Luchs 1879 et alii. Prorsus eadem loco suo aliis uerbis in 34. 44. 6 narrat Liuius sine Licini mentione; nec credere possumus quemquam alium stilum Liuianum tam accurate imitari potuisse (de uoce* delegatum *cf. inf.*); *ne longi simus, sat erit affirmare unam quamque uocem huius narrationis in eo ordine positam esse quem Liuius se amasse sescenties demonstrat (fort. scriba archetypi codd. VatH sigla in exemplari suo aliqua interpretatus est uelut notam delendi*) Licinus *A. Augustinus*: licinius Π*Nθ*; -nus *recte si idem fuit quem commemorat Suet. de Gram.* 20 *et C.I.L.* I². 1. 473; *etiam si idem fuit, nihil obstat quin credamus (cf. adn. praec.) eum res Rom. scripsisse prius quam Liuius hanc adnotationem—praecipue si eam noster (ut* 4. 20. 5–11 *al., cf. John Rylands Lib. Bulletin, vol. x, p.* 328) *contextui posterius ipse adsuit* quos *A⁸θ*: quod Π*N* effringendi *Weissenb.*: fringendi *P* (*u.* effecerunt § 14 *inf.*): frangendi Π²*Nθ*: refringendi *Luchs* (*ex* 34. 44. 7) delegatum Π*Nθ* (-lig-)*ald.Frob.*1.2: deiectum *Madv., cf.* 30. 5. 4 (colleg- *pro* conic-*P*) *sed uocem* delegatum *fort.* (*quod iam suspicatus erat Duker) defendas ut ex Licino citatam coniciendoque eum ex usu aliquo serm. fam. (cf. Tac. Dial.* 29) *sic pro* 'translatum' *scripsisse; in tali re solet locutio uolgaris per euphemismum tolerari (e.g. anglice* 'to execute' *pro* 'to execute death upon'); *cf. etiam Tert. anim.* 35. *Fort.* relegatum *malis conicere*

legatique et tribuni classem exercitum ducemque uerbis extollentes effecerunt ut senatus censeret primo quoque tempore in Africam traiciendum Scipionique permitteretur 12 ut ex iis exercitibus qui in Sicilia essent ipse eligeret quos in Africam secum traiceret, quos prouinciae relinqueret praesidio.

23 Dum haec apud Romanos geruntur, Carthaginienses quoque cum speculis per omnia promunturia positis percontantes pauentesque ad singulos nuntios sollicitam hiemem egissent, 2 haud paruum et ipsi tuendae Africae momentum adiecerunt societatem Syphacis regis, cuius maxime fiducia traiecturum 3 in Africam Romanum crediderant. Erat Hasdrubali Gisgonis filio non hospitium modo cum rege, de quo ante dictum est cum ex Hispania forte in idem tempus Scipio atque Hasdrubal conuenerunt, sed mentio quoque incohata 4 adfinitatis ut rex duceret filiam Hasdrubalis. Ad eam rem consummandam tempusque nuptiis statuendum—iam enim et nubilis erat uirgo—profectus Hasdrubal ut accensum cupiditate—et sunt ante omnes barbaros Numidae effusi in uenerem—sensit, uirginem a Carthagine arcessit maturatque 5 nuptias; et inter aliam gratulationem ut publicum quoque

11 *post* classem *add.* eam Π²N(meam P)*ald.*: *om. Sp?N²HθFrob.*2
effecerunt A⁸Hθ *Edd.*: fecerunt ΠN   12 eligeret P⁴ *uel* P³Sp?Frob.2: liceret ΠNHθ (*cum* ipsi M¹ *uel* M²ANθ): legeret *ald.*
praesidio A⁸N⁴ *punctis rescriptis* Hθ: quos praesidio ΠN (*cf.* 27. 44. 1 *adn.*)

23 1 geruntur Sp?B²A⁸HθFrob.2: gerentur π: gererentur CM³?A N.*ald.*   promunturia] -tur- π (*et in cc.* 27. 8 *et* 12; 35. 13; 30. 24. 8): -tor- ANHθ   percontantes] -cunct- ΠNHθ, *cf.* 27. 43. 5 *adn.*   2 crediderant] -rant Ta²(*om.* Romanum crediderant Ta ut uid.: *add.* Ta²)Hθ: -runt ΠNθ*ald.Frob.*1.2   3 Hasdrubali Π NJ *Edd.* (cisg- π: gisg- CM¹?B²DANθ): hasdrubalis A⁸N⁴ *ut s. l.* HK   incohata] -ta ΠN: -te N⁴ *ut s. l.* Hθ; *u. etiam* 28. 35. 1 *adn.*
4 consummandam (-uma- CN) ΠN.*ald.* (*cf. e.g.* 28. 17. 3): confirmandam Sp?HθFrob.2   enim et ΠN.*ald.*: enim Sp?Hθ Frob.2, *fort. recte* (*de* et *in* P *addito cf.* 27. 4. 12 *adn.*)   barbaros Numidae A⁸Hθ *Edd.* (numidae barb. ΠN, *cf.* 28. 2. 15 *adn.*)
uenerem CM¹B²A⁸N¹Hθ: ueterem πN   arcessit, *cf.* 26. 22. 2 *adn.*: accessit (-ensit RMD) πN: accersit C²M⁷Aᵛ?Hθ

AB VRBE CONDITA XXIX

foedus priuato adiceretur societas inter populum Carthaginiensem regemque, data ultro citroque fide eosdem amicos inimicosque habituros, iure iurando adfirmatur.

Ceterum Hasdrubal, memor et cum Scipione initae regi 6 societatis et quam uana et mutabilia barbarorum ingenia essent, ueritus ne, si traiecisset in Africam Scipio, paruum 7 uinculum eae nuptiae essent, dum accensum recenti amore Numidam habet perpellit blanditiis quoque puellae adhibitis ut legatos in Siciliam ad Scipionem mittat per quos moneat eum ne prioribus suis promissis fretus in Africam traiciat; se et nuptiis ciuis Carthaginiensis, filiae Hasdrubalis quem 8 uiderit apud se in hospitio, et publico etiam foedere cum populo Carthaginiensi iunctum optare primum ut procul ab 9 Africa, sicut adhuc fecerint, bellum Romani cum Carthaginiensibus gerant, ne sibi interesse certaminibus eorum armaque aut haec aut illa abnuentem alteram societatem sequi necesse sit: si non abstineat Africa Scipio et Cartha- 10 gini exercitum admoueat, sibi necessarium fore et pro terra Africa in qua et ipse sit genitus et pro patria coniugis suae proque parente ac penatibus dimicare.

Cum his mandatis ab rege legati ad Scipionem missi **24** Syracusis eum conuenerunt. Scipio quamquam magno mo- 2 mento rerum in Africa gerendarum magnaque spe destitutus erat, legatis propere priusquam res uolgaretur remissis in Africam litteras dat ad regem quibus etiam atque etiam 3

---

5 Carthaginiensem] -sem $C^1H\theta$: -sum C: -sium ΠN ultro C(-o *pleniore cal.*, *cf.* 27. 2. 10 *adn.*)$B^2AN\theta$: ultra π 6 initae regi CM^1B^2ANSp?$\theta Frob$.2 : inita (-ta *in ras. in P*) regi (-is D) π: initae regiae *Vat.ald.* si $P^xCM^3BAN\theta$: sit π 7 paruum $\Pi N.ald.Frob.$1.2 : paruulum $SpH\theta$, *cf. c.* 29. 5 recenti . . . adhibitis P^xCM^1 et M^2(*uel* M^7)$ANH\theta$: regenti . . . adhanbitis π 9 optare ΠN: ortari (*uel* hor-) A^8H(-re)θ 10 pro terra Africa $\Pi(A?)N$: propter africam A^8?$N^4H\theta$ patria $P^xCM^2(M^7?)AN\theta$ (-iam π) patria coniugis . . . Cum his (*c.* 24. 1) *om.* H

24 1 his $CR^3MBDANK$ *Edd.*: iis PR: hiis J 2 Scipio quamquam $A^8N^2H\theta$ *Edd.*: scipionis am (tam- P^2) quam P: scipioni (scipio AN) tamquam $CRMBDAN$ propere $A^8N^2H\theta$ *Edd.*: prope πN: quoque D 3 atque etiam ΠN *Edd.*: *om.* $H\theta$

monet eum ne iura hospitii secum neu cum populo Romano initae societatis neu fas fidem dexteras deos testes atque arbitros conuentorum fallat. Ceterum quando neque celari aduentus Numidarum poterat—uagati enim in urbe obuersatique praetorio erant—et, si sileretur quid petentes uenissent, periculum erat ne uera eo ipso quod celarentur sua sponte magis emanarent, timorque in exercitum incederet ne simul cum rege et Carthaginiensibus foret bellandum, auertit a uero falsis praeoccupando mentes hominum, et uocatis ad contionem militibus non ultra esse cunctandum ait; instare ut in Africam quam primum traiciat socios reges. Masinissam prius ipsum ad C. Laelium uenisse querentem quod cunctando tempus tereretur: nunc Syphacem mittere legatos idem admirantem quae tam diuturnae morae sit causa postulantemque ut aut traiciatur tandem in Africam exercitus aut, si mutata consilia sint, certior fiat ut et ipse sibi ac regno suo possit consulere. itaque satis iam omnibus instructis apparatisque et re iam non ultra recipiente cunctationem, in animo sibi esse Lilybaeum classe

3 initae (-te NK) $C^4AN\theta$: inita π, cf. c. 23. 6 adn. neu fas P $A^8Edd.$: ne fas Π^2 uel Π^1N: neu $N^4H\theta$ dexteras ΠN: dextras $H\theta$ (pari iure cf. e.g. 21. 43. 4; 22. 29. 11) 4 uagati $P^4M^7A^8H$ θ: uacati (uoc- B^2D) ΠN praetorio $A^8N^4H\theta$: pretio ΠN, cf. 27. 1. 11 adn. sileretur $M^7ANH\theta$: siletur π ipso quod ald.Frob.1.2: ipso quo $\Pi NH\theta$ in exercitum incederet Gron., cf. c. 10. 3 et 28. 46. 15: in exercitu incederet (incid- P^4 uel P^3M^7): in (om. in $H\theta$) exercitum incideret $H\theta$ald.Frob.1.2 (sed fortuiti casus notio hic aliena est), cf. 27. 15. 16 adn.: in exercitu insideret Madv. Em. p. 421, fort. recte (u. e.g. 28. 26. 7): fort. in delendum (cf. 28. 3. 10) 5 ait P^3 uel $P^4CM^4A^8N^4H\theta$: apt P: at RM: ad $BDAN$: del. B^2 prius ipsum $N^4H\theta Frob.2$: ipsum (ipsius N? uel N^2: ipsium N?) prius $\Pi N.ald.$ (cf. 28. 2. 15 adn.) ad C. K: ad ΠN ald.Frob.1.2: ad consulem HJ 6 quae tam . . . postulantemque $A^8N^4H\theta$ Edd.: que ΠN, ii lineis ut uid. ob ὁμ. perditis, cf. 26. 51. 8 adn. ut aut ΠN: ut $H\theta$ ipse $A^8N^4H\theta$: om. ΠN suo possit P^4, cf. 27. 17. 14 adn.: suo posset $\Pi N.ald.$: possit $Sp?H\theta$ Frob.2 7 instructis apparatisque $N^4H\theta$ald.Frob.1.2 et (sed paratisque) Weissenb.: instructisque ΠN, cf. 26. 11. 12 adn. (b): instructis Gron.: comparatis instructisque $A^v?$ (ita paratis iam omnibus instructisque Iac. Gron., codicem D paene secutus qui ratis pro satis praebet)

AB VRBE CONDITA XXIX 24 7

traducta eodemque omnibus peditum equitumque copiis contractis quae prima dies cursum nauibus daret dis bene iuuantibus in Africam traicere.   Litteras ad M. Pomponium 8 mittit ut, si ei uideretur, Lilybaeum ueniret ut communiter consulerent quas potissimum legiones et quantum militum numerum in Africam traiceret.   Item circum oram omnem 9 maritimam misit ut naues onerariae comprensae Lilybaeum omnes contraherentur.

Quicquid militum nauiumque in Sicilia erat cum Lily- 10 baeum conuenisset et nec urbs multitudinem hominum neque portus naues caperet, tantus omnibus ardor erat in Africam 11 traiciendi ut non ad bellum duci uiderentur sed ad certa uictoriae praemia.   Praecipue qui superabant ex Cannensi exercitu milites illo non alio duce credebant nauata rei publicae opera finire se militiam ignominiosam posse.   Et 12 Scipio minime id genus militum aspernabatur, ut qui neque ad Cannas ignauia eorum cladem acceptam sciret neque ullos aeque ueteres milites in exercitu Romano esse expertosque non uariis proeliis modo sed urbibus etiam oppugnandis.   Quinta et sexta Cannenses erant legiones.   Eas se 13 traiecturum in Africam cum dixisset, singulos milites inspexit, relictisque quos non idoneos credebat in locum eorum subiecit quos secum ex Italia adduxerat, suppleuitque ita eas 14

7 dis, *cf.* 28. 28. 11 *adn.*: deis πN: diis Hθ: de his CD   8 mittit . . . Lilybaeum] *has vi uoces bis scripsit* P (*cf. c.* 1. 23) *sed et pro ei praebet in primo temptamine: quod in altero scripsit* P *del.* P¹
potissimum legiones et ΠN² *uel* N⁴(potess- N)*ald.*(leg. pot. et): legiones potissimum *Sp?HθFrob.*2 (*sine et nimis rhetorice*), *cf.* 27. 37. 5 *adn.*   9 omnem *SpA⁸Hθ*(marit. omn. HK)*Frob.*2: *om.* ΠN *ald.*   comprensae C⁴M²(M⁷?): comprehense A⁸N⁴Hθ: compressae (*uel* -se) ΠN   10 nauiumque A⁸N⁴HK *Edd.*: nauium J: quae P, *cf.* 26. 11. 12 *adn.* (b): *om.* ΠN   conuenisset ΠNθ *ald.* (-ent HFrob.2)   12 ignauia MˣN² *uel* N⁴θ: ignauiae ΠN   ullos ΠNHθ: ullo *Duker, bene, sed longius distat* exercitu   aeque ueteres milites ΠθAldus: milites aeque (*uel* eq-) ueteres AN *Edd. ante Ald.*: equites ueteres militesque N⁴ (-q- *deleuerat* N² *in uoce* eque)   expertosque A⁸N⁴Hθ: inexpertosque ΠN (-tesq M⁷)   sed SpHθFrob.2: et π, *cf.* 26. 29. 3 *adn.*: sed (set N: et A) in AN.*ald.*   14 eas ΠN *Edd.*: has Hθ

legiones ut singulae sena milia et ducenos pedites, trecenos haberent equites. Sociorum item Latini nominis pedites equitesque de exercitu Cannensi legit.

25 Quantum militum in Africam transportatum sit non paruo 2 numero inter auctores discrepat. Alibi decem milia peditum duo milia et ducentos equites, alibi sedecim milia peditum mille et sescentos equites, alibi parte plus dimidia rem auctam, quinque et triginta milia peditum equitumque in naues 3 imposita ⟨inuenio⟩. Quidam non adiecere numerum, inter quos me ipse in re dubia poni malim. Coelius ut abstinet 4 numero, ita ad immensum multitudinis speciem auget: uolucres ad terram delapsas clamore militum ait tantamque multitudinem conscendisse naues ut nemo mortalium aut in Italia aut in Sicilia relinqui uideretur.

5 Milites ut naues ordine ac sine tumultu conscenderent ipse eam sibi curam sumpsit: nauticos C. Laelius, qui classis praefectus erat, in nauibus ante conscendere coactos conti6 nuit: commeatus imponendi M. Pomponio praetori cura data: quinque et quadraginta dierum cibaria, e quibus quin7 decim dierum cocta, imposita. Vt omnes iam in nauibus erant, scaphas circummisit ut ex omnibus nauibus gubernatoresque et magistri nauium et bini milites in forum con8 uenirent ad imperia accipienda. Postquam conuenerunt,

14 ducenos π*NJ* (-ntos *D*): cc^{tes} *H*: cc^{tos} *K*   trecenos *Glareanus*: tricenos Π*N*: trecentos *P*⁵: ccc *Hθ*
25 1 paruo Π*NHθ*: par *Sp* (pari *Rhen.*)   2 Alibi Π*Nθ*: alii *N*¹(*non N*⁴)*H*(*et alii parte inf. H*)   sedecim ... alibi] *om. D*   sescentos] *dc* π*N Edd.*: quingenti (*uel* -tos) *A*⁸*Hθ*   inuenio *ed. Mog.* 1518 (*quod fort. post* auctam *malis*): nesciunt Π*Nθ*
3 malim (-li *RMBD*) π*M*⁷*Sp?Hθ Frob.*2: malui *N.ald.*
Coelius *P, cf.* 27. 27. 13 *adn.*   ad (imm.) Π*NHθ*: in *Madv. olim Em. p.* 421   4 ait tantamque *A*⁸*Hθ*: aitque (atque *CAN*: ait atque *N*⁴) tantam Π*N*   5 naues Π*N*: in naues *Hθald.Frob.*1.2   conscenderent] -rent π*NK*: -re *D*: -runt *Hθ*   in nauibus Π*N*: nauibus *Sp?Frob.*2: et nauibus *N*⁴*H*: in naues *A*⁴ *ut uid. θald.*
6 cura data *PSp?HθFrob.*2: cura dat π²: curam dat *M*⁷*BAN.ald.*
v et xl Π*N* (*sed plene hi in* § 9) *ald.*: xxxv *SpA*⁸ *ut s. l. Hθ Frob.*2. (*sed in* § 9 xlv *Sp*(*plene?*)(*Hθ*)   omnibus *A*⁸*N*⁴*Hθ Edd.*: *om.* Π*N*   conuenirent *M*⁷*A*⁸*N*⁴*Hθ*: conuenerunt Π*N*

AB VRBE CONDITA   XXIX 25 8

primum ab iis quaesiuit si aquam hominibus iumentisque in totidem dies quot frumentum imposuissent. Vbi responde- 9 runt aquam dierum quinque et quadraginta in nauibus esse, tum edixit militibus ut silentium quieti nautis sine certamine ad ministeria exsequenda bene oboedientes praestarent. cum uiginti rostratis se ac L. Scipionem ab dextro cornu, ab 10 laeuo totidem rostratas et C. Laelium praefectum classis cum M. Porcio Catone—quaestor is tum erat—onerariis futurum praesidio. lumina in nauibus singula rostratae, bina onerariae 11 haberent: in praetoria naue insigne nocturnum trium luminum fore. Emporia ut peterent gubernatoribus edixit.— 12 Fertilissimus ager eoque abundans omnium copia rerum est regio, et imbelles—quod plerumque in uberi agro euenit —barbari sunt priusque quam ab Carthagine subueniretur opprimi uidebantur posse.—Iis editis imperiis redire ad 13 naues iussi et postero die dis bene iuuantibus signo dato soluere naues.

Multae classes Romanae e Sicilia atque ipso illo portu 26 profectae erant; ceterum non eo bello solum—nec id mirum; praedatum enim tantummodo pleraeque classes

---

8 aquam $C^xM^2ANSp\theta$: aliquam π   in π$SpHFrob$ 2: necessariam in $AN\theta ald.$, cf. 28. 12. 13 adn.   quot θ Edd.: quod ΠN H: quo C^4 (post imposuissent add. haberent $A^v?$)   9 responderunt π$H\theta$: responsum est $AN.ald.Frob.$1.2 (stilo certe Liuiano) v et xl] u. § 6   10 rostratis se ΠNθ: rostris se $HVat$
    ac L. $A^8N^4H\theta$: ab l. ΠN (ab praesumpto, cf. c. 5. 6 adn.)   ab laeuo (uel leuo) $A^v?N^4H\theta$: aeuum π: laeuum $P^2CM^2B^2AN$ praesidio ΠN Edd.: praesidium $A^8N^1H\theta$ 11 onerariae $C^4M^7A^8H$(hon-)θ Edd.: : oneratae (uel -te) Π(hon- D)N haberent M^7A^8N uel $N^1\theta$: habent ΠN?   in (praet.) ΠNθ: et N^4 H   praetoria] -ria πA^8N^4 ut s. l. $H\theta$: -riae P^1 uel P^2AN naue $C^xM^2A^8N^1H\theta$: naues ΠN (insigne ante nau. AN: corr. A^8N^4)
    12 Emporia ut ΠNθ: tempori aut N^1H omnium $Sp?$ $H\theta Frob.$2: omnia π: omni $C^xB^2A^5?N.ald.$ priusque ΠN$Sp?Frob.$ 2: prius N^2HK: prius quoque $A^x ald.$: prius quod $J?$ ab (Cart.) $R?H$: om. πR^xN: a $A^8N^4\theta$ (Carthaginem M^7)   subueniretur| subu- $A^8N^4H\theta$: cur u- π: conu- CAN: u- M^7 uidebantur A^8 $N^4H\theta$: uideantur (-entur $C^1?$) ΠN   13 Iis PR: his $CMDHK$: hiis $BANJ$ editis $CB^1?A^8N^4J$: ediis (edictis AN) editis (ędęd- D) πN (cf. 27. 34. 5 adn.): edictis B^2K dis] cf. 28. 28. 11 adn.

23*

TITI LIVI

ierant—sed ne priore quidem ulla profectio tanti spectaculi
2 fuit; quamquam, si magnitudine classis aestimares, et bini
consules cum binis exercitibus ante traiecerant et prope
totidem rostratae in illis classibus fuerant quot onerariis
3 Scipio tum traiciebat; nam praeter quadraginta longas naues
4 quadringentis ferme onerariis exercitum trauexit. Sed et
bellum bello secundum priore ut atrocius Romanis uideretur,
cum quod in Italia bellabatur tum ingentes strages tot exer-
5 cituum simul caesis ducibus effecerant, et Scipio dux partim
factis fortibus partim suapte fortuna quadam †ingenti† ad in-
6 crementa gloriae celebratus conuerterat animos, simul et
mens ipsa traiciendi, nulli ante eo bello duci temptata,
quod ad Hannibalem detrahendum ex Italia transferendum-
que et finiendum in Africa bellum se transire uolgauerat.
7 Concurrerat ad spectaculum in portum omnis turba non
habitantium modo Lilybaei sed legationum omnium ex Sicilia
quae et ad prosequendum Scipionem officii causa conuene-

26 1 priore Π*N Edd.* : prior $C^x A^8 N^2 H\theta$ 2 classis Π*N.ald.*
(*sc. gen. sing.*) : classes $Sp?A^8H\theta Frob.2$ (*nescientes* profectionem *sub-audiri*)   aestimares, et *Sp ut uid.* A^8(si *inseq. non delens*)$N^4H\theta$ (*sed*
extim- $H\theta$) : es-(*uel* aes-)timaret (-es *C*) sed si πC^4 3 trauexit
πN : transuexit $CM^2B D\theta ald.Frob.$ 1.2   4 priore $A^8H\theta$: priori
Π*N, pari iure* (*cf.* 27. 18. 14 *adn.*) *sed post* priore (§ 1) *fort. minus probabile*   cum quod A^5H *Edd.* : tum quod θ : cum quo Π*N*
tum Π*N* : cum N^1 *ut s. l.* : tum quod $A^v\theta$ 5 partim (suapte)
Π*NSp ut uid. ald.* : *om.* $H\theta$ ingenti ad Π*NSp?H*θ*Frob.*2 : ingentis ad *ald.* (*Gron.*) : indulgenti ad *Heerwagen* : ingens iam ad
Weissenb. : in ingentia *Madv.* : ingenita ad *Giers* : *post* gloriae *add.*
re *Harant,* momento *M. Mueller* (*bene, si causa erroris pateret*), *unde*
libratu (*uocab. rarissimum*) *ante* celebratus *excidisse coniict Thoresby
Jones* : *nos si quid excidit coniciebamus post* quadam *tale fuisse quale*
⟨ingens, fauore uolgi quoque⟩ ingenti (*certe* suā fortunā ingens *Liuianum nobis uidetur esse*)   6 temptata, quod ad Hannibalem A^8N^4
in marg. $H\theta ald.Frob.$ 1.2 : *om.* Π*N, sc. xxiv uel* (*cum sq.*) *xxvi litteras,
cf.* 26. 51. 8 *adn.*   *Nobis tamen* 'temptare mentem faciendi' *uix Latinum uidebatur; fort. in ii lineis a P omissis stetisse conicias* temptatae
rei et quod ad H. de- *et in exemplari Spirensiano* -tae rei et *in* -ta
corruptum esse   detrahendum $N^4H\theta$ *Edd.* : trahendum Π*N*
Italia $M^2 A^8 N^2 H\theta$ *Edd.* : sicilia Π*N*   uolgauerat (*sed* uul-) $H\theta$
(garat *K*) *Edd.* : uulgatera *P* : uulgata (-tum *N*) erat $\Pi^2 A^x$
7 legationum $A^8H\theta$: lat- (nat- CM^3)ionum π, *cf. c.* 2. 3 *et* 27. 1. 11
adnn. : latinorum AN et ad (pros.) $Sp?H\theta Frob.2$: ad $\pi C^4 N.ald.$:
om. C

AB VRBE CONDITA XXIX 26

rant et praetorem prouinciae M. Pomponium secutae fuerant; ad hoc legiones quae in Sicilia relinquebantur ad 8 prosequendos commilitones processerant; nec classis modo prospectantibus e terra, sed terra etiam omnis circa referta turba spectaculo nauigantibus erat.

Vbi inluxit, Scipio e praetoria naue silentio per praeconem 27 facto 'Diui diuaeque' inquit 'qui maria terrasque colitis, 2 uos precor quaesoque uti quae in meo imperio gesta sunt geruntur postque gerentur, ea mihi populo plebique Romanae sociis nominique Latino qui populi Romani quique meam sectam imperium auspiciumque terra mari amnibusque sequuntur bene uerruncent, eaque uos omnia bene 3 iuuetis, bonis auctibus auxitis; saluos incolumesque uictis perduellibus uictores spoliis decoratos praeda onustos triumphantesque mecum domos reduces sistatis; inimicorum hostiumque ulciscendorum copiam faxitis; quaeque populus 4 Carthaginiensis in ciuitatem nostram facere molitus est, ea ut

---

8 quae $P^4A^8N^4(N^2?)H\theta$: quae(*uel* -que)in hoc legationes quae ΠN, *cf. c.* 1. 23 *adn.* sed terra $\Pi^1 N\theta$ (*om.* e terra θ) : sed tamen terra P : sed ora *Madv.Em. p.* 422 nauigantibus . . . silentio (*c.* 27. 1)A^8 $N^4H\theta$: *om.* ΠN, *fort. iii lineis ob ὁμ. deperditis, cf.* 26. 51. 8 *adn.*

27 2 diui diuaeque $SpA^8\theta Frob.2$: dii deeque (dęq. C) C^2M^4AN *ald.* (*uel* deaeq.): diuidaeque π, *cf.* 27. 1. 11 *adn.* qui] *hic SpH* $\theta Frob.2$: *ante* colitis M^3(-que $M)AN.ald.$: *om.* π uti $\Pi N.ald.$: *om.* $SpH\theta Frob.2, non male* gesta $\Pi N.ald.Frob.1.2$: acta $SpH\theta$ *ante* geruntur *add.* et $AN.ald.$: *nesciunt* $\pi H\theta Frob.2$ postque gerentur A^4H(-unt-)θ *Edd.* : *om.* ΠN, *clausulam heroicam destruentes* (*et plures in* §§ 2 *et* 3 *latent uersus*) qui (pop.) $\Pi N H\theta$: *malit* quique *Johnson* mari amnibusque $\pi N H\theta$: *om.* D (*cum* terra) : marique *Held. Madv. Luchs alii, qui uel* omnibusque *uel* omnibus *post* Latino *uel post* sequuntur *inserebant, colorem antiquum neglegentes* : *pro* amnibus *recte citat Weissenb. formulam sim. ap. Polyb.* 7. 9. 2 (*cf. etiam Verg. Aen.* 12. 181) sequuntur DHK (sec- πNJ) uerruncent, eaque PSp(*sed bis* bene uerruncent *scripsit Sp*)$HFrob.2$: uerrun- (-rim- D)que π^2 : ueretant. rantque A : uertant quę (que N) CN : uertant eaq. $N^4ald.$: uertunto (-do K) eaque $A^8\theta$

3 auctibus $Frob.2$: auctoribus $\Pi NH\theta$ *Edd. ante Mog.* (*cf.* 27. 20. 8 *adn.*): auibus *ed. Mog.* 1518 auxitis $\Pi N H A^v Frob.2$ (*cf.* fax- *in sq. et de forma antiqua in formulis seruata* 26. 33. 14) : adsitis (*uel* ass-) $A^8\theta ald.$ praeda onustos (hon- AN) ΠN *Edd.* : *om.* $SpH\theta$

4 ea ut $A^8N^4H\theta$: aut π : ut C^xBAN

mihi populoque Romano in ciuitatem Carthaginiensium exempla edendi facultatem detis.'

5 Secundum has preces cruda exta caesa uictima, uti mos est, in mare proiecit tubaque signum dedit proficiscendi.
6 Vento secundo uehementi satis prouecti celeriter e conspectu terrae ablati sunt; et a meridie nebula occepit ita uix ut concursus nauium inter se uitarent; lenior uentus in alto
7 factus. Noctem insequentem eadem caligo obtinuit: sole orto est discussa, et addita uis uento. Iam terram cernebant.
8 Haud ita multo post gubernator Scipioni ait non plus quinque milia passuum Africam abesse; Mercuri promunturium se cernere; si iubeat eo dirigi, iam in portu fore omnem
9 classem. Scipio, ut in conspectu terra fuit, precatus deos uti bono rei publicae suoque Africam uiderit, dare uela et alium
10 infra nauibus accessum petere iubet. Vento eodem ferebantur; ceterum nebula sub idem ferme tempus quo pridie exorta conspectum terrae ademit et uentus premente nebula
11 cecidit. Nox deinde incertiora omnia fecit; itaque ancoras ne aut inter se concurrerent naues aut terrae inferrentur
12 iecere. Vbi inluxit, uentus idem coortus nebula disiecta aperuit omnia Africae litora. Scipio quod esset proximum

5 exta (esta *J*) caesa uictima *θald.Frob.*1.2 : exta cesam uictimam A^8N^4H: extam (-tram *P*): -ta CB^2A) uictimam (-ma *A*) $\pi R^2(R?)N$ (*sed* crudaxtam *M*) est ΠNθald.: *om. SpHFrob.*2 proiecit ΠNSpHθFrob.2 : porricit *ald.* 6 prouecti *recte Weissenb.*: profecti ΠNHθ e ΠNθald. (*cf. de forma* 28. 2. 5) : *om. Sp?H Frob.*2 occepit (ecc- P^1?) $PR Sp\theta$ (*cf. e.g. Tac. Ann.* 12. 12. 5) : accepit *C*: cepit *MAN* (nebulae *MAN*: -la $M^2A^5N^1$) : excepit *B*: ecce pio *D*: occeperat *ald.*: exstitit (*om.* ita) *Gron.* uix ut Π *N*: ut uix *HK.ald.Frob.*1.2: uix N^2J 7 discussa CA^8N^4 *ut uid. Hθ*: diseussa *P*: dies fussa P^2: dies ussa *RMDAN*: dies ipsa (-se B^2)*B* 8 post *PCM*^{1} *uel* $M^2SpH\theta Frob.$2 : titu (-us *AN*) post *RMBDAN*: post titus N^4: post T. Posthumius *ald.* (titu *ex* ita *repetito ortum est*) 9 deos $A^8N^4H\theta$: *om.* ΠN uiderit ΠN *Edd.*: uideret $A^8H\theta$ (*perperam, nam iam uiderat*) alium ΠNθ: altum N^2H 10 ademit $P^4CM^2(M^7?)H\theta$: aduenit (-emit *A*) π *N*: adiuit ?M^2 11 inter se ... aut terrae $A^8N^4H\theta$ (*sed om. hoc aut A^8*): interrae π, *sc. xxv litt. ob* -ter|ter- *perditis, cf.* 26. 51. 8 *adn.*: in terra P^4CM^1: in terra hec *AN* (hec *fort. ex* ' hic defit' *siglo ortum est*)

AB VRBE CONDITA XXIX 27

promuntorium percontatus cum Pulchri promunturium id uocari audisset, 'Placet omen;' inquit 'huc dirigite naues.' Eo classis decurrit, copiaeque omnes in terram expositae sunt.

Prosperam nauigationem sine terrore ac tumultu fuisse permultis Graecis Latinisque auctoribus credidi. Coelius unus praeterquam quod non mersas fluctibus naues ceteros omnes caelestes maritimosque terrores, postremo abreptam tempestate ab Africa classem ad insulam Aegimurum, inde aegre correctum cursum exponit, et prope obrutis nauibus iniussu imperatoris scaphis, haud secus quam naufragos, milites sine armis cum ingenti tumultu in terram euasisse.

Expositis copiis Romani castra in proximis tumulis metantur. Iam non in maritimos modo agros conspectu primum classis dein tumultu egredientium in terram pauor terrorque peruenerat, sed in ipsas urbes; neque enim hominum modo turba mulierum puerorumque agminibus immixta omnes passim compleuerat uias, sed pecora quoque prae se agrestes agebant, ut relinqui subito Africam diceres. Vrbibus uero ipsis maiorem quam quem secum attulerant terrorem inferebant; praecipue Carthagini prope ut captae tumultus fuit. Nam post M. Atilium Regulum et L. Manlium consules, annis prope quinquaginta, nullum Romanum exercitum

---

12 id $M^1N^2H\theta$: ad πN (om. id uocari D) huc M^1K : hoc ΠNHJ dirigite Π$N\theta$ $Edd.$: *malim* der- (*cf.* 27. 48. 4 *adn.*), *sed nihil mutamus* 13 copiaeque ΠN^4(-ieq. N)*ald.* : copiae $H\theta$ $Frob.$2 14 Coelius (*uel* cael-, *sed cf.* 27. 27. 13 *adn.*) unus M^3A^8 $H\theta$: caecilius (*uel* cec-) ΠN, *et add.* unus N^1 (*non* N^4) non N^4 $H\theta$ $Edd.$: *om.* ΠN, *cf.* 27. 28. 6 *adn.* naues ΠN $Edd.$: *om.* $H\theta$ correctum $SpFrob.$2 : correptum Π$N\theta ald.$

28 1 metantur. Iam M^2 *uel* M^7A^8(*hic* uiam *non del.*)$N^4\theta$: metant etiam C : metant (-unt DA) uiam π : metuntur (-antur N^1). Viam N 2 peruenerat Π$N.ald.Frob.$1.2 : euenerat $H\theta$ 3 modo] hic ΠN $Edd.$: *post* enim $H\theta$ (*cf.* 27. 37. 5 *adn.*) quoque Π$NH\theta$: quoque quae *Weissenb.*, *non necess.* relinqui A^8N *ipse* $H\theta$: reliqui Π diceres $C^4A^8N^4H\theta$: dicere π : discedere (-res N) AN (*bis hic de N errauit Luchs*) 4 Carthagini M^1 *uel* $M^2A^8N^1H\theta$ *ald.Frob.*1.2 (*cf. de forma* 28. 26. 1 *adn.*) : carthaginis ΠM^xN 5 Regulum et L. Manlium A^8N^4(lelium *pro* l. *hic*) $H\theta$ $Edd.$: *om.* ΠN *litt. haud minus xvi ob* ὁμ. *perditis, cf.* 26. 51. 8 *adn.* consules] -les $CRMBDH\theta$: -lēs P : -lē $P^2C^2M^2AN$

uiderant praeter praedatorias classes quibus escensiones in
6 agros maritimos factae erant, raptisque quae obuia fors fecerat prius recursum semper ad naues quam clamor agrestes
7 conciret fuerat. Eo maior tum fuga pauorque in urbe fuit.
Et hercule neque exercitus domi ualidus neque dux quem
opponerent erat. Hasdrubal Gisgonis filius genere, fama,
diuitiis, regia tum etiam adfinitate, longe primus ciuitatis erat;
8 sed eum ab ipso illo Scipione aliquot proeliis fusum pulsum-
que in Hispania meminerant nec magis ducem duci parem
quam tumultuarium exercitum suum Romano exercitui esse.
9 Itaque uelut si urbem extemplo adgressurus Scipio foret, ita
conclamatum ad arma est portaeque raptim clausae et
armati in muris uigiliaeque et stationes dispositae ac nocte
10 insequenti uigilatum est. Postero die quingenti equites,
speculatum ad mare turbandosque egredientes ex nauibus
11 missi, in stationes Romanorum inciderunt. Iam enim Scipio,
classe Vticam missa, ipse haud ita multum progressus a mari
tumulos proximos ceperat; equites et in stationibus locis
idoneis posuerat et per agros miserat praedatum.

29 Hi cum Carthaginiensi equitatu proelium cum commisis-
sent, paucos in ipso certamine, plerosque fugientes persecuti,
in quibus praefectum quoque Hannonem, nobilem iuuenem,

5 escensiones] escens- $\pi N^4 Sp$, cf. 27. 5. 8 adn.: excurs- $A^8\theta$:
descens- $AN.ald$. maritimos $N^4 H\theta ald.Frob.$1.2: om. ΠN
6 fors $\pi B^2 N$: sors BH: om. θ: cas' A^8 7 Et $\Pi N.ald.Frob.$
1.2: om. HJ: quod K filius ΠN: om. $H\theta$ 8 eum $\Pi N\theta$:
tum N^4 *rescriptus* H ipso illo N^4 *rescr.* $H\theta ald.Frob.$1.2: illo
ipso A^8: illo ΠN duci $A^8 N^4 H\theta$: om. ΠN: duci credebant
olim Madv. Em. p. 422 parem $C^2 A^8 N^4 H\theta$: pari ΠN
9 raptim $A^8 N^2 H\theta$: partim (-tem A) πN^1 (-ti N), cf. 27. 31. 2 adn.
10 quingenti] d $A^8 N^4 H\theta ald.Frob.$1.2: om. (sc. d *post* die
omisso) ΠN. *De numerorum siglis omissis cf. e.g. in ills.* 26 cc. 38. 11;
42 7; 45. 7; 51. 2; *in* 27 cc. 14. 14; 15. 4; *in* 28 cc. 13. 5; 46. 13;
in 29 cc. 7. 2; 32. 4; *in* 30 cc. 6. 7; 36. 8. (*Cf. etiam de numeris
corruptis* 26. 51. 2 adn.) 11 Iam enim $A^8 H\theta$ *Edd.*: tamenim P
(cf. 26. 6. 4): tamen $\Pi^2 N$ a mari $P^4 M^7 A^8 N^4 H\theta$ *Edd.*: ari π:
ac C: agri B^2: a ripa AN

29 1 Hi ΠNK: hii J: ii H ipso ΠN *Edd.*: om. $H\theta$
plerosque $PCM^7 A^8 N^4\theta$: plenosque RMD: penosque B(poen-)AN

AB VRBE CONDITA XXIX 29

occiderunt. Scipio non agros modo circa uastauit sed 2 urbem etiam proximam Afrorum satis opulentam cepit; ubi 3 praeter cetera, quae extemplo in naues onerarias imposita missaque in Siciliam erant, octo milia liberorum seruorumque capitum sunt capta.

Laetissimus tamen Romanis in principio rerum geren- 4 darum aduentus fuit Masinissae; quem quidam cum ducentis haud amplius equitibus, plerique cum duum milium equitatu tradunt uenisse. Ceterum cum longe maximus omnium 5 aetatis suae regum hic fuerit plurimumque rem Romanam iuuerit, operae pretium uidetur excedere paulum ad enarrandum quam uaria fortuna usus sit in amittendo reciperandoque paterno regno.—Militanti pro Carthaginiensibus 6 in Hispania pater ei moritur; Galae nomen erat. Regnum ad fratrem regis Oezalcem pergrandem natu—ita mos apud Numidas est—peruenit. Haud multo post Oezalce quoque 7 mortuo maior ex duobus filiis eius Capussa, puero admodum altero, paternum imperium accepit. Ceterum cum magis 8 iure gentis quam auctoritate inter suos aut uiribus obtineret regnum, exstitit quidam Mazaetullus nomine, non alienus

---

2 Afrorum $\Pi NH\theta$: afrorum Salaecam *Alan* (*num c.* 34. 6 *quid uelit intellexit?*) 3 Siciliam $N^2H\theta$: sicilia ΠN, *cf.* 26. 41. 12 *adn.* capitum ΠN *Edd.* (*sed ante* seruorumque *ald.Frob.*1.2): *om. Sp* $H\theta$ 4 tamen ΠNH *Edd.*: tum A^5 *uel* $A^v\theta$ Romanis A^5 *uel* $A^vN^4H\theta ald.Frob.$1.2: omnis (-nium C^4) $\Pi(C?)N$: omnibus *Gron.* (*qui et* laetissimus tamen ominis *dubitanter coniecit*) gerendarum B^2AN^1(rer- *N*)$H\theta$: gerendum π fuit] *hic* $\Pi N.ald.$: *post* Masinissae $H\theta Frob.$2 (*cf.* 27. 37. 5 *adn.*) 5 paulum ΠN: paululum $H\theta ald.Frob.$1.2, *cf. c.* 23. 7, *fort. recte* 6 Militanti $P^5C^4M^7A^8N^4\theta$: militandi (-iq. H)ΠNH^x, *cf.* 28. 39. 22 *adn.* Oezalcem (*sed* oes-) H: oesalcen π (*sed in* § 7 dezalce π (oez- *M*), *in* § 12 oezacri *uel* ez-, *in c.* 30. 11 oezacles, *in c.* 31. 2 oezaclem): dezalcem (*et sic* dezalc-*infra*) *AN.ald.*: desalcen P^4 (*hic tantum*): cesalcem $A^8\theta$ (*et sic sim. infra*) 7 Oezalce] *u. adn. praec.* 8 cum (magis) SpM^4 *ut uid. AN\thetaald.*: eum PCM^3: meum $RMBD$ quam auctoritate (-tis ΠN: -te N^4 *Edd.*) inter suos aut ΠN *et* $N^4 ald.$ *et sic* (*sine* aut) *Frob.*2: auctoritate inter suos quam (*sed et* auct- $A^8\theta$) $SpA^8H\theta$ (*om.* iure gentis *H*) Mazaetullus (*uel* -zet-) Π^1 *uel* Π^2(-ullius *P*)M^6 (-uleus M)N *et sic* ΠN (-ulus N: -ulis N^x) *in c.* 30. 8, *sed* -uli *in* § 10 *inf.* (-ulli D), -ullis *in c.* 30. 9 (-ullo A: -ulo N) *et c.* 30. 12 (-ulo N): mezetullius (*uel* -uli-) A^8N^4 *et* $N^2\theta$ *et sic* θ *in c.* 30. 8, *in* § 10 *inf.* -uli J, -ulli K, *in c.* 30. 9 *et* 12 -ulo J, -ullo K: me ietulius H *et in* § 10 me (*spat. relicto*) *sed infra praebet i. q.* θ

XXIX 29 8   TITI LIVI

sanguine regibus, familiae semper inimicae ac de imperio
9 uaria fortuna cum iis qui tum obtinebant certantis. Is concitatis popularibus, apud quos inuidia regum magnae auctoritatis erat, castris palam positis descendere regem in
10 aciem ac dimicare de regno coegit. In eo proelio Capussa cum multis principum cecidit. Gens Maesuliorum omnis
11 in dicionem imperiumque Mazaetulli concessit; regio tamen nomine abstinuit contentusque nomine modico tutoris puerum Lacumazen, qui stirpis regiae supererat, regem
12 appellat. Carthaginiensem nobilem feminam, sororis filiam Hannibalis, quae proxime Oezalci regi nupta fuerat,
13 matrimonio sibi iungit spe Carthaginiensium societatis, et cum Syphace hospitium uetustum legatis missis renouat, omnia ea auxilia praeparans aduersus Masinissam.

30 Et Masinissa audita morte patrui, dein nece fratris patruelis, ex Hispania in Mauretaniam—Baga ea tempestate rex
2 Maurorum erat—traiecit. Ab eo supplex infimis precibus auxilium itineri, quoniam bello non poterat, quattuor milia
3 Maurorum impetrauit. Cum iis praemisso nuntio ad paternos suosque amicos cum ad fines regni peruenisset, quin-

---

8 sanguine ΠN.ald.Frob.1.2: a sanguine N^4 uel $N^2Hθ$ ac (de) $πC^xN$ Edd.: ad- C: om. N^4 uel $N^2Hθ$ 9 coegit $A^8N^2Hθ$: cegit N: cepit Π, cf. 26. 6. 1 adn.   10 Capussa ΠNK (-usa H: -ulsa J), sed in c. 30. 8 -usam πNθ: -ussam D   Maesuliorum MA^8 (mes-) (et sic in c. 31. 1 et 4 et 6 et c. 32. 4 maesuli- ΠN sed in c. 31. 7 maessuli-): maesultorum πN: messuliorum (-llorum N^1)$N^1θ$ in dicionem $C^4M^7A^8$? Edd.: indicio π: in dicione AN: in dictionem (-diti- J) Hθ   Mazaetulli] u. § 8   11 abstinuit $CA^8N^4H^1$ (obt- H)θ: apsuntit (sic) P et (sed sine linea super -t-) RM: absumpto M^7(ass-)AN: ab sūptu D: apsunta B   Lacumazen A^8J et -zae, -zes, -zen in c. 30. 5 et 8 et c. 31. 1, et sic (sed -c- pro -z-) K: itadetm- (-dem- AN)azen (-zaen R: -zem D) ΠN sed in c. 30. 5 laucumaze (leuc- AN) ΠN, in c. 30. 8 leuchumazes ΠN, in c. 31. 1 tauchymazenan πN (lauchi- M: leuchy- M^5): lacumacen (cum K)ald.Frob. 1.2 (sed -ci in c. 30. 5)   12 Oezalci] u. § 6   regi nupta Π N Edd.: nupta regi Hθ (cf. 27. 37. 5 adn.)
30 1 fratris ΠNHθ Edd.: tris (ut uid.) P^4 Baga ΠN(cf. fort. Sil.2.111): bocar (uel bocc- uel bocch-) $A^8θ$ald.Frob.1.2: uaca H traiecit ΠN.ald.: traicit (-iic- K) HθFrob.2, pari iure (cf. § 6 et 27. 5. 9 adn.)   3 iis PRM.ald.Frob.1.2: his $CR^2BDANHK$: hiis J

AB VRBE CONDITA XXIX 30

genti ferme Numidae ad eum conuenerunt. Igitur Mauris 4 inde sicut conuenerat retro ad regem remissis, quamquam aliquanto minor spe multitudo †conueniret†, nec cum qua tantam rem adgredi satis auderet, ratus agendo ac moliendo 5 uires quoque ad agendum aliquid conlecturum, proficiscenti ad Syphacem Lacumazae regulo ad Thapsum occurrit. Trepidum agmen cum in urbem refugisset, urbem Masinissa 6 primo impetu capit et ex regiis alios tradentes se recipit, alios uim parantes occidit; pars maxima cum ipso puero inter tumultum ad Syphacem quo primum intenderant iter peruenerunt. Fama huius modicae rei in principio rerum 7 prospere actae conuertit ad Masinissam Numidas, adfluebantque undique ex agris uicisque ueteres milites Galae et incitabant iuuenem ad reciperandum paternum regnum.

Numero militum aliquantum Mazaetullus superabat; nam 8 et ipse eum exercitum quo Capussam uicerat et ex receptis post caedem regis aliquot habebat, et puer Lacumazes ab Syphace auxilia ingentia adduxerat. Quindecim milia 9 peditum Mazaetullo decem milia equitum erant, quibus cum

---

4 conueniret *A*⁸θ *et* (*sed post* auderet) *ald.Frob.*1.2 : conuenere (-era *P*) Π² (-nire *AN*) *sed post* auderet *omnes*: *del. N*⁴ *et om. H; uidetur supplementum ex marg. introductum esse quo uerbi* (*uelut* erat) *post* multitudo *omissio compensaretur. De uerbis* conuenerunt (§ 3) *et* conuenerat *alio sensu alio scripto cf. e.g. c.* 27. 14 exponit (*longius tamen distant* expositae, expositis) *et* 6. 3. 7; 30. 12. 3 *adnn.* 5 conl-(*uel* coll-)ecturum *A*⁸ *uel A*⁵*N*⁴*Hθald.Frob.*1.2 : coniecturum Π*N* proficiscenti] -ti Πθ: -di *N*: -do *H* Thapsum Π*N*: thasum *H*θ : Thalam *uel* Capsam *Drak.* 6 urbem (Mas.) Π*N.ald.*: et urbem *Sp?Frob.*2: e turba *H*: *om.* θ et ex *Sp?HθFrob.*2: ex Π*N.ald.* ; *ante* ad S. (*an post* ipso ?) *credit Johnson excidisse* elapsi recipit Π*N, cf.* § 1 *et* 27. 5. 9 *adn.*: recepit *Sp ut uid. Hθald.*(*malit* sese *Johnson*) intenderant *Sp?HθFrob.*2: intenderat Π*N.ald.* 7 prospere actae *A*⁸*Hθ et fort.* *P*⁴ (acmtae ?): prospere acmae (acmen *P*²?) *P*: prospere agmen *CB*²*AN*: prosper eae (prospere he *D*) acmen *RM*(*sed* prospera)*BD* et incitabant *Sp?N*⁴*HθFrob.*2: incitabantque *A*⁸*ald.*: et inuitabant π: inuitabantque *AN* reciperandum] -cip- *P* (*ut in* 30. 30. 13) : -cup- Π²*NHθ et in* § 10 Π (*et sic in* 26. 39. 10; 28. 31. 3) ; *cf.* 1. 12. 1 *adn.* 8 Numero *CM*⁷*ANHθ* : ero π Mazaetullus] *u. c.* 29. 8 Lacumazes] *u. c.* 29. 11

TITI LIVI

Masinissa nequaquam tantum peditum equitumue habente acie conflixit. Vicit tamen et ueterum militum uirtus et prudentia inter Romana et Punica arma exercitati ducis; 10 regulus cum tutore et exigua Masaesuliorum manu in Carthaginiensem agrum perfugit. Ita reciperato regno paterno Masinissa, quia sibi aduersus Syphacem haud paulo maiorem restare dimicationem cernebat, optimum ratus cum fratre 11 patruele gratiam reconciliare, missis qui et puero spem facerent si in fidem Masinissae sese permisisset futurum eum in eodem honore quo apud Galam Oezalces quondam fuisset, 12 et qui Mazaetullo praeter impunitatem sua omnia cum fide restitui sponderent, ambo praeoptantes exsilio modicam 13 domi fortunam, omnia ne id fieret Carthaginiensibus de industria agentibus, ad sese perduxit.

31 Hasdrubal tum forte cum haec gerebantur apud Syphacem erat; qui Numidae, haud sane multum ad se pertinere credenti utrum penes Lacumazen an Masinissam regnum 2 Maesuliorum esset, falli eum magno opere ait si Masinissam eisdem contentum fore quibus patrem Galam aut patruum eius Oezalcem credat: multo maiorem indolem in eo animi ingeniique esse quam in ullo gentis eius unquam fuisset;

9 equitumue ⋂N.*ald.* : equitumque *Sp?HθFrob.*2   habente ⋂ N : habens *Sp ut uid. N^2 uel $N^4Hθald.*   militum A^8N^2 *uel* N^4 *rescriptus Hθ Edd.* : *om.* ⋂N 10 et exigua ⋂N.*ald.Frob.*1.2 : assidua *Hθ*   Masaesuliorum] *sic P in c.* 32. 14 (*cf.* 28. 17. 5 *de gente*): mezaes- (*uel* -zes-) ⋂N: mazess- K: mzes- J (-lorum $θ$). *Masaesulos ab Maesulis non distinguunt ald.Frob.*1.2   perfugit ⋂ N.*ald.Frob.*1.2 : refugit *Hθ*   recip-] *u.* § 7   aduersus (aduersiaduersus P) Syphacem (simph- D) ⋂²N.*ald.* : cum Syphace *Sp? HθFrob.*2   patruele (-roel- *PRMD*) ⋂N, *cf. Neue-Wagener* II, *p.* 55 *sq. et* 35. 10. 8 (*Bamb.*): patroeli P^4? : patrueli *Hθ*   11 sese ⋂$NHθ$ *Edd.* : si M^1 (*qui ante* in fidem *scripserat se pro* si)   eum ⋂N.*ald.* : *om. Sp?HθFrob.*2, *non male, sed ne* se (*post* spem) *requiras, statuendum est uocibus* futurum eum *uerba Mas.* 'ille erit' *repraesentari*   Oezalces] *u. c.* 29. 6   12 qui ⋂$NHθ$: *del. Gron., fort. recte, sed cf. fort.* 21. 39. 8 (*cum adn.*)   sponderent A^8N *uel* $N^1Hθ Edd.* : sponderet ⋂N?

31 1 Lacumazen] *u. c.* 29. 11   Maesuliorum] *u. c.* 29. 10   magno opere C^4, *cf.* 9. 33. 8 *adn.*: magnopere πNH 2 eisdem ⋂N: isdem H : hisdem $θ$ unquam $N^4Hθ$ (umq- N^4J): usquam ⋂N

AB VRBE CONDITA XXIX 31

saepe eum in Hispania rarae inter homines uirtutis speci- 3
men dedisse sociis pariter hostibusque; et Syphacem et
Carthaginienses nisi orientem illum ignem oppressissent
ingenti mox incendio cum iam nullam opem ferre possent
arsuros; adhuc teneras et fragiles uires eius esse uixdum 4
coalescens fouentis regnum. Instando stimulandoque peruincit ut exercitum ad fines Maesuliorum admoueat atque 5
in agro de quo saepe cum Gala non uerbis modo disceptatum sed etiam armis certatum fuerat, tamquam haud dubie
iuris sui, castra locet. si quis arceat, id quod maxime opus
sit, acie dimicaturum: sin per metum agro cedatur, in 6
medium regni eundum. aut sine certamine concessuros
in dicionem eius Maesulios aut nequaquam pares futuros
armis.

His uocibus incitatus Syphax Masinissae bellum infert. 7
Et primo certamine Maesulios fundit fugatque; Masinissa
cum paucis equitibus ex acie in montem—Bellum incolae
uocant—perfugit. Familiae aliquot cum mapalibus pecori- 8
busque suis—ea pecunia illis est—persecuti sunt regem:
cetera Maesuliorum multitudo in dicionem Syphacis concessit. Quem ceperant exsules montem herbidus aquosus- 9

3 et (Syphacem) Π*N*θ*ald.Frob.*1 2: in *N*⁴: et in *H* incendio
*P*⁴*CM*ˣ*A*⁸*N*²*H*θ: ingenio (ince- *R*)*PRM*: in senio *BDAN*
nullam opem *PCA*⁸*N*⁴*H*θ: nulla morem *RD*: nullam obem (olem
*M*⁴) *M*: nullam moram (-em *B*) *B*²*AN*   4 teneras *CM*¹ *et M*⁴*A*
*NH*θ: generas (-ass *BD*) π   coalescens *PCA*⁸*N*²*H*θ: coalescent (-erent *M*⁷) *RMBDAN*   fouentis Π*N*: fouenti *N*²θ:
fouent *H*   peruincit Π*NH* (*cf.* 27. 5. 9 *adn.*): peruicit θ*ald.
Frob.*1.2   5 non *C*⁴*ANH*θ: num π   uerbis modo Π*N Edd.*:
modo uerbis *H*θ (*cf.* 27. 37. 5 *adn.*)   haud dubie *M*⁹*A*⁸*H*θ: hau
dubii (-bi *P*) *PRM*: haud ubi *CBDAN*   id quod *Haverkampianus*: ut quod Π*N*: quod *N*⁴ *uel N*²*H*θ*ald.Frob.*1.2, *fort. recte*
6 sin per *C*⁴*A*⁸*H*θ *Edd.*: sin par (parem *ut uid. M*) π: si impar *AN*
(*sed* metu *AN*)   regni eundum *SpN*⁴ *rescriptus* θ(*cf. e.g.* 1. 57.
9)*Frob.*2: regnum eundum Π*N.ald.*   sine Π*N*θ: in *HV at*
Maesulios] *u. c.* 29. 10   7 Bellum Π*N*: balbum *H*θ*ald.Frob.*1.2
      8 mapalibus *HJ, cf. Verg. G.* 3. 340: mappalibus (pam pa- *B*)
π*B*²*NK*   suis—ea *A*⁸*N*⁴θ: uisa π: uisarum *BDAN*: illa ?*M*⁹
persecuti (-te *K*) π*SpH*θ*Frob.*2, *cf.* 5. 40. 4: prosecuti *AN.ald.* (*non
male, sed cf. de errore* 27. 15. 1 *adn., ubi alius uerbi utriusque sensus*)

que est; et quia pecori bonus alendo erat, hominum quoque carne ac lacte uescentium abunde sufficiebat alimentis. 10 Inde nocturnis primo ac furtiuis incursionibus, deinde aperto latrocinio infesta omnia circa esse; maxime uri Carthaginiensis ager, quia et plus praedae quam inter Nu- 11 midas et latrocinium tutius erat. Iamque adeo licenter eludebant ut ad mare deuectam praedam uenderent mercatoribus adpellentibus naues ad id ipsum, pluresque quam iusto saepe in bello Carthaginienses caderent caperenturque.

12 Deplorabant ea apud Syphacem Carthaginienses infensumque et ipsum ad reliquias belli persequendas instigabant; sed uix regium uidebatur latronem uagum in montibus con- 32 sectari; Bucar ex praefectis regis, uir acer et impiger, ad id delectus. Ei data quattuor milia peditum duo equitum, praemiorumque ingentium spe oneratus si caput Masinissae rettulisset aut uiuum—id uero inaestimabile gaudium fore— 2 cepisset. Palatos incurioseque agentes improuiso adortus, pecorum hominumque ingenti multitudine a praesidio arma-

9 pecori (pecc- *C*) Π*N Edd.* : pecudi θ   quoque *CM²BDAN Hθ*: quoquo *PRM*   10 uri Π*Nθald.Frob.*1.2: ut *H*: uero *Aᵘ uel A⁵ ut s. l.*   praedae (*uel* prede) quam *A⁸θald.Frob.*1.2: de qua Π*N*: preda quam *N⁴H*: inde quam *A⁵?*   tutius *M¹BANH* θ: ti-(to- *C¹*)tius π   11 mare *P et Pˣ ANHθ*: male π² deuectam *A⁸N⁴Hθ*: delectam π*N*: delatam *C*   adpellentibus] -lent- *P⁴C⁴B²A⁸N⁴θ*: -lant- Π*N*   naues π*A⁸N⁴Hθ*: nauibus *A N*   in bello π.*Sp?N⁴Hθ Frob*.2: bello *AN* (*sed* inusto *supra N*: iusto *N⁴*): in proelio *ald.*   Carthaginienses] -ses Π*N.ald.*: -sium *Sp?A⁸Hθ Frob*.2, *pari iure*   caderent Π*N*: cederentur *A⁸ Hθ et* (*sed* caed-) *ald.Frob.*1.2 (*cf.* 28. 15. 9 *adn.*)   12 infensumque *P⁴N⁴Hθ*: int-(inc- *CA⁸?*)ensumque (-ent- *M¹ uel M⁴*) Π*N* uix *C²MANHθ*: uir π

32 1 Bucar (busar *P*) π¹*NH*: bocar *M⁹?B²K*: boccar *A⁸J* (*et sic in* § 6, *ubi* bucar π*N*: bocar *B²K*: bugar (*uel* bag-) *BD*)   regis Π*NH*: regiis *θald.Frob.*1.2, *sed cf. Sall. Iug.* 46. 5 *et Nep. Alc.* 5. 2 (*alius est color in* 36. 11. 3)   ad id Π*N*: om. *Hθ*   Ei *A⁸ uel A⁵Hθ*: et Π*N*   quattuor milia *PCA⁸Hθ*(*siglis usi*)*ald.Frob.*1.2: x̄l̄ (*uel* x̄x̄x̄x̄) *RMBA*: xlᵗᵃ mī *N*: xl *D*   ingentium *Sp?A⁸Hθ Frob*.2: ingenti' *PR² uel R¹* (-tisum *R*): ingenti *CMBDAN.ald.*   inaestimabile] -aest- *CB*: -est- *P⁴MANJ*: -st- *PRD*: -ext- *HK*

2 incurioseque] -seque *Sp ut uid. CˣHθald.*: -se si π: -se se *AN*: -seque se *CNˣ*   a (praesidio) *P⁴?A⁸N⁴ uel N¹Hθ*: ea Π*N*

AB VRBE CONDITA XXIX 32 2

torum exclusa Masinissam ipsum cum paucis in uerticem montis compellit. Inde prope iam ut debellato nec praeda 3 modo pecorum hominumque captorum missa ad regem sed copiis etiam, ut aliquanto maioribus quam pro reliquiis belli, remissis, cum quingentis haud amplius peditibus ducentis- 4 que equitibus degressum iugis Masinissam persecutus in ualle arta faucibus utrimque obsessis inclusit. Ibi ingens caedes Maesuliorum facta: Masinissa cum quinquaginta 5 haud amplius equitibus per anfractus montis ignotos sequentibus se eripuit. Tenuit tamen uestigia Bucar, adeptusque 6 eum patentibus prope Clupeam urbem campis ita circumuenit ut praeter quattuor equites omnes ad unum interfecerit. Cum iis ipsum quoque Masinissam saucium prope e manibus inter tumultum amisit. In conspectu erant fugientes; 7 ala equitum dispersa lato campo quibusdam ut occurrerent per obliqua tendentibus quinque hostes sequebatur. Amnis 8 ingens fugientes accepit—neque enim cunctanter, ut quos maior metus urgeret, immiserant equos—raptique gurgite in obliquum praelati. Duobus in conspectu hostium 9

3 iam ut ΠN: ut iam *HθaldFrob*.1.2, *fort. recte* etiam, ut *Sp? HθFrob*.2: ut π: etiam *ald.*: *om. AN* pro reliquiis $B^2A^8\theta ald.$ *Frob*.1.2: pro reliquis ΠN: prope liberis H 4 quingentis $A^8 N^4(\text{d.})H(\text{-tibus})\theta Edd.$: *om.* ΠN, *cf. c.* 28. 10 *adn.*: *add.* mille *post* peditibus *A, et .т. post* amplius M^9 degressum ΠNH.*ald.Frob.*1.2 (dig- M^1 *ut s. l.* $A^8\theta$) obsessis *Hθ Edd.*: oppositos (-tus *P*) πN: oppositis $P^4CM^xA^8$ inclusit Π^2 *uel* $\Pi^1 H\theta$: inlusi *P*
  Ibi $A^8H\theta ald.Frob.$1.2: ubi ΠN (*cf.* 27. 5. 2 *adn.*) 5 se *Sp?Hθ*: sese *AN.ald.* (abripuit *ald.*): *om.* π (*sed* sequentib. *mutauit in* se querentib. M^3) 6 Clupeam] -up- $\pi A^8\theta$: -yp- $P^2?BA$: -ipp- D: -ip- NH; *cf.* 27. 29. 7 *adn.* circumuenit ΠN.*ald.*: circumdedit (-sedit K) *Sp?$A^8H\theta Frob.$*2 interfecerit *Sp?Hθ Frob.*2: interficeret ΠN.*ald.* prope e manibus $C^4A^8N^4H\theta$: prope manibus π: *om. AN* amisit $C^4M^7ANH\theta$: isit *PRM*: misit *CBD* 7 fugientes ΠNθ*ald.*: fugientis N^4 *ut s. l.* H*Frob*. 1.2 ala $\pi B^2 N^1?$ *ut s. l.*: alae $CD(sed$ aḻequitum)$N.ald.Frob.$ 1.2: ale $A\theta$: *om. B* dispersa ΠNH: disperse $A^8\theta ald.Frob.$1.2 lato $A^8H\theta$: lata N^2: -to ΠN: toto M^7 quinque ΠNθ: *om.* A^8H: quacunque *ald.Frob.*1.2 hostes ΠNθ*ald.*: hostis $A^8 H Frob.$2 sequebatur Π: sequebantur C^2N *ipse* (*pace Luchsii*) θ *ald.*: flectebat *Frob.*2: frequentabatur A^8H 8 gurgite π: gurgite et *AN.ald.Frob.*1.2: gurgite atque (et atque *H*) $H^1\theta$ praelati ΠA^xN: relati $A^8HJ.ald.Frob.$1.2: delati *K*

in praerapidum gurgitem haustis, ipse perisse creditus ac duo reliqui equites cum eo inter uirgulta ulterioris ripae emerserunt. Is finis Bucari sequendi fuit, nec ingredi flumen auso nec habere credenti se iam quem sequeretur. 10 Inde uanus auctor absumpti Masinissae ad regem rediit, missique qui Carthaginem gaudium ingens nuntiarent; totaque Africa fama mortis Masinissae repleta uarie animos adfecit.

11 Masinissa in spelunca occulta cum herbis curaret uolnus 12 duorum equitum latrocinio per dies aliquot uixit. Vbi primum ducta cicatrix patique posse uisus iactationem, audacia ingenti pergit ire ad regnum repetendum; atque in ipso itinere haud plus quadraginta equitibus conlectis cum in 13 Maesulios palam iam quis esset ferens uenisset, tantum motum cum fauore pristino tum gaudio insperato quod quem perisse crediderant incolumem cernebant fecit ut intra paucos dies sex milia peditum armatorum quattuor equi- 14 tum ad eum confluerent, iamque non in possessione modo paterni regni esset sed etiam socios Carthaginiensium populos Masaesuliorumque fines—id Syphacis regnum erat—

---

9 praerapidum Π*NHθ* : praeruptum *ald.Frob.*1.2   creditus Π *Nθ Edd.* : creditur N^1H ac duo Π*NHθald.* : duo *Frob.*2   inter uirgulta ulterioris ripae emerserunt Π*N Aldus* : uirgulta interioris ripae tenuerunt *Sp?Hθ*(*sed* ulterioris *θ*)*Frob.*2 : silet A^8, *sed praebet* tenuerunt *pro* emerserunt N^4. *Ipse uereor ne* inter uirgulta ult. . . . tenuerunt *rectum sit* (*et sic Edd. ante Ald.*), *cf.* 1. 1. 4   Bucari *H* (*cf.* § 1) : bucaris π*N* : bacharis (boch- B^2) *B* : bocari (-cc- A^8J) $M^5A^8θ$ 10 rediit Π*N.ald.* : redit *Sp?HθFrob.*2, *fort. recte, cf.* 27. 5. 9 *adn.*   replete Π*NHθ* : perlata *Alan, optime, cf.* 30. 7. 6 *adn.* : uolgata *Luchs, audacter* : *del. Crevier, Madv.* : *post* uarie *add.* ea res *Shenkl* (*retento* replete), *uix bene* : *si ut credimus* perlata *legendum est, cum Ablatiuo* tota Africa *cf. e.g.* 30. 5. 7   12 patique posse uisus *Sp $A^8HθFrob.*2 : patique (-quo *RMBD*) posse uisa πM^3 et M^4N^4 et (sed est uisa) *ald.* : pati quo posset uisa AN quadraginta] xxxx (*uel* xl) Π*N.ald.Frob.*1.2 : xxx *SpHθ*   conlectis (*uel* coll-) Π*NSpθ ald.* : coniectis *H*   13 insperato $M^4A^8N^4Hθ$: imperato Π*N*   quattuor π*N* : ⅠⅠⅠⅠ *D* : quattuor milia *Hθ*   confluerent *H θ, cf. e.g.* 24. 24. 1 ; 28. 46. 11 (*et* adflu- *in c.* 30. 7 *sup.*) : conuenirent Π*N.ald.Frob.*1.2, *fort. recte*   14 iamque Π*N.ald.* : atque *SpHθ Frob.*2   Masaesuliorumque] *u. c.* 30. 10 *adn.*

AB VRBE CONDITA XXIX 32

uastaret. Inde inritato ad bellum Syphace, inter Cirtam Hipponemque in iugis opportunorum ad omnia montium consedit.

Maiorem igitur iam rem Syphax ratus quam ut per praefectos ageret, cum filio iuuene—nomen Vermina erat—parte exercitus missa imperat ut circumducto agmine in se intentum hostem ab tergo inuadat. Nocte profectus Vermina qui ex occulto adgressurus erat; Syphax autem interdiu aperto itinere ut qui signis conlatis acie dimicaturus esset mouit castra. Vbi tempus uisum est quo peruenisse iam circummissi uideri poterant, et ipse leni cliuo ferente ad hostem cum multitudine fretus tum praeparatis ab tergo insidiis per aduersum montem erectam aciem ducit. Masinissa fiducia maxime loci, quo multo aequiore pugnaturus erat, et ipse dirigit suos. Atrox proelium et diu anceps fuit, loco et uirtute militum Masinissam, multitudine quae nimio maior erat Syphacem iuuante. Ea multitudo diuisa cum pars a fronte urgeret pars ab tergo se circumfudisset, uictoriam haud dubiam Syphaci dedit, et ne effugium quidem patebat hinc a fronte hinc ab tergo inclusis. Itaque ceteri pedites equitesque caesi aut capti: ducentos ferme equites Masinissa circa se conglobatos diuisosque turmatim in tres

---

14 Inde ΠNθald.: om. Sp et (sed uasta peti pro uastaret) H
opportunorum (opor- BANJ) ΠNθald.Frob.1.2: opportuniorum Sp?H
33 1 iam rem Lov. 1. 2: iam rex ΠN: eam rem Sp?A⁸N² uel N⁴ rescriptus HθFrob.2: eam rem iam ald. (ubi rex post Syphax additur: om. rex Frob.2)   praefectos Sp?H(-fat-) θFrob.2: praefecto π (cf. 27. 17. 12 adn.): praefectum (uel pre-) M²B²AN.ald.   Vermina M² uel M⁷B²A⁸θ: uerminae (-ne AN) AN.ald.: uermin π: uermeona N⁴ (sed -eo- ut s. l. pro -i-)   imperat ut . . . inuadat (-dit M) ΠN ald.: illum . . . inuadere iubet Sp?HθFrob.2 (audacter, cf. c. 12. 5 adn.)
2 erat πSp?Hθ (sed eratis phax R: erat. is phax B: del. is B²)Frob.2: eum erat AN.ald.   autem ΠNHθald.Frob.1.2: tum Sp   3 uideri (-ēri P) ?Π¹Nθ   leni ΠNSp?HKFrob.2: leui J.ald.   4 fiducia A⁸N⁴Hθald.Frob.1.2: om. ΠN   dirigit C MBDAN, cf. c. 27. 12 et 27. 48. 4 adn.: derigit PR   5 et ne π A¹ uel A⁸θald.Frob.1.2: et nec AN: acre H   6 pedites equitesque ΠN.ald.: equites peditesque SpHθFrob.2, cf. 27. 13. 9 adn.
    aut capti ΠNθald.: om. SpHVatFrob.2   tres CMBDN² Hθ: tris PRAN

partes erumpere iubet, loco praedicto in quem ex dissipata
7 conuenirent fuga. Ipse qua intenderat inter media tela
hostium euasit: duae turmae haesere; altera metu dedita
hosti, pertinacior altera in repugnando telis obruta et con-
8 fixa est. Verminam prope uestigiis instantem in alia atque
alia flectendo itinera eludens, taedio et desperatione tandem
fessum absistere sequendo coegit; ipse cum sexaginta
9 equitibus ad minorem Syrtim peruenit. Ibi cum conscientia
egregia saepe repetiti regni paterni inter Punica Emporia
gentemque Garamantum omne tempus usque ad C. Laeli
classisque Romanae aduentum in Africam consumpsit.
10 Haec animum inclinant ut cum modico potius quam cum
magno praesidio equitum ad Scipionem quoque postea
uenisse Masinissam credam; quippe illa regnanti multitudo,
haec paucitas exsulis fortunae conueniens est.

34 Carthaginienses ala equitum cum praefecto amissa, alio
equitatu per nouum dilectum comparato Hannonem Hamil-
2 caris filium praeficiunt. Hasdrubalem subinde ac Syphacem
per litteras nuntiosque, postremo etiam per legatos arcessunt; Hasdrubalem opem ferre prope circumsessae patriae
iubent; Syphacem orant ut Carthagini, ut uniuersae Africae

7 pertinacior altera in *scripsimus, codicis K et editionum uet. uestigiis insistentes*: pertinacior in ΠNSp *ut uid.*: pertinacior θ (*sed add.* altera *post* repugnando *K*): altera pertinacior in *ald.Frob*.1.2, *sed et ordinem nostrum Luuianum esse credimus et uocem* altera *sic eundem locum in duobus lineis una alia linea archetypi separatis occupasse* telis ΠNHθald.Frob.1.2: ceteris *Sp*   8 in alia M^2 *uel* M^7N^4(*an* N^2?)*H*(-am)θ *Edd.*: in aliena ΠN   itinera eludens P^4M^2 *uel* M^7 *Sp?*A^8*H*θ*Frob*.2: itinere ludens ΠN: itinera ludens N^4 *uel* N^2*ald.* sexaginta ΠN: decem SpA^8 *ut s. l.* Hθ: LXX *ald.Frob*.1.2
9 egregia ΠNθald.: grecia *H*: egregie *Frob*.2   regni paterni (pater *R*) $πR^2N$ *Edd.*: paterni regni Hθ, *cf.* 27. 37. 5 *adn.* Emporia ΠN *Edd.*: imperia N^2Hθ   Garamantum (-ium *H*) omne tempus usque A^8N^4Hθ *Edd.*: *om.* ΠN, *haud minus xxiii litteris ob* -mq.|-sq. *deperditis, cf.* 26. 51. 8 *adn.*   10 regnanti πθ *ald. Frob*.1.2: regnantis *AN Gron.*: rĝnti *H*   conueniens est ΠN *ald.Frob*.1.2: cum uenisset *H*: conuenit θ
34 1 amissa ΠN *Edd.*: missa Hθ   alio ΠN: alioque Hθ*ald. Frob*.1.2   2 arcessunt πN, *cf.* 26. 22. 2 *adn.*: accersunt *CH*θ
patriae iubent ΠNθ: patrie ei iubent N^4: patria ei iuuent
H   ut (uniuersae) ΠN: et N^2Hθ*ald.Frob*.1.2

AB VRBE CONDITA XXIX 34

subueniat. Ad Vticam tum castra Scipio ferme mille passus 3
ab urbe habebat translata a mari, ubi paucos dies statiua
coniuncta classi fuerant. Hanno nequaquam satis ualido 4
non modo ad lacessendum hostem sed ne ad tuendos
quidem a populationibus agros equitatu accepto id omnium
primum egit ut per conquisitionem numerum equitum
augeret; nec aliarum gentium aspernatus, maxime tamen 5
Numidas—id longe primum equitum in Africa est genus
—conducit. Iam ad quattuor milia equitum habebat, cum 6
Salaecam nomine urbem occupauit quindecim ferme milia
ab Romanis castris. Quod ubi Scipioni relatum est, 'Aesti- 7
ua sub tectis equitatus!' inquit 'Sint uel plures, dum talem
ducem habeant.' Eo minus sibi cessandum ratus quo illi 8
segnius rem agerent, Masinissam cum equitatu praemissum
portis obequitare atque hostem ad pugnam elicere iubet:
ubi omnis multitudo se effudisset grauiorque iam in certamine esset quam ut facile sustineri posset, cederet paulatim; se in tempore pugnae obuenturum. Tantum 9
moratus quantum satis temporis praegresso uisum ad eliciendos hostes, cum Romano equitatu secutus tegentibus
tumulis, qui peropportune circa uiae flexus oppositi erant,
occultus processit.

3 ferme mille ΠN *Edd.*: mille ferme *HJ*   habebat] *hic* πB²
(abebat *ex* -rat *B*): *ante* ab *Hθ, cf.* 27. 37. 5 *adn.*   mari *CM²A⁸
N⁴ ut s. l. Hθ*: mare πN   4 egit ut per conquisitionem numerum *A⁸N⁴Hθ Edd.*: erum *P, xxvi litteris ob όμ. perditis, cf.* 26. 51.
8 *adn.*: numerum Π¹ *uel* Π²N   5 *post* aspernatus *add.* auxilia
V: ignorant ΠNHθ (*sc.* equites *subaudito*)   6 Salaecam *M Lov.*
1. 2 (-lec-): salaeca (-leca *C*) πM¹N: salegam (-laeg- *A⁸*)*A⁸θ*:
saleram *ald.Frob.*1.2 (*in c.* 35. 4 salac- ΠN, salaci- *A⁸θ*)   7 ubi
ΠN): *om. HV*   tectis ΠN (*sc.* agit *familiariter omisso*): tectis
agere *A⁸N⁴Hθald.Frob.*1.2, *sane melius si Nom.* equitatus *in Acc.
mutari potest, sed* agere *fort. ex* 27. 21. 3   8 quo πN: quod *M*
cederet ΠN.*ald.*: cedere *Sp?N¹HθFrob* 2   obuenturum
ΠN: uenturum *Hθald.Frob.*1.2: subuenturum *Boot*   9 satis
temporis] *hic* ΠN.*ald.Frob.*1.2: *post* praegresso *Hθ, cf.* 27. 37. 5 *adn.*
eliciendos *M²(M⁷?)ANHθ*: cliendos π: ciendos *PˣC*
peropportune(*uel* -opo-)Π(-optune*M*)*N.ald.*: opportune *Sp?HFrob.*2:
peroptime θ   flexus oppositi *Sp?HθFrob* 2: flexu (-ū *P⁴?CB²*)
suppositi (subp- *M*: supp- *M²*) π: flexus suppositi *AN.ald.*

24*

10 Masinissa ex composito nunc terrentis, nunc timentis modo aut ipsis obequitabat portis aut cedendo, cum timoris simulatio audaciam hosti faceret, ad insequendum temere 11 eliciebat. Nondum omnes egressi erant uarieque dux fatigabatur, alios uino et somno graues arma capere et frenare equos cogendo, aliis ne sparsi et inconditi sine ordine sine 12 signis omnibus portis excurrerent obsistendo. Primo incaute se inuehentes Masinissa excipiebat; mox plures simul conferti porta effusi aequauerant certamen; postremo iam omnis equitatus proelio cum adesset, sustineri ultra ne 13 quiere; non tamen effusa fuga Masinissa sed cedendo sensim impetus eorum accipiebat donec ad tumulos tegentes 14 Romanum equitatum pertraxit. Inde exorti equites et ipsi integris uiribus et recentibus equis Hannoni Afrisque pugnando ac sequendo fessis se circumfudere; et Masinissa 15 flexis subito equis in pugnam rediit. Mille fere qui primi agminis fuerant, quibus haud facilis receptus fuit, cum ipso 16 duce Hannone interclusi atque interfecti sunt: ceteros ducis praecipue territos caede effuse fugientes per triginta milia passuum uictores secuti ad duo praeterea milia 17 equitum aut ceperunt aut occiderunt. Inter eos satis con-

10 composito $P^4CM^2(M^7?)B^2AN\theta$: eum posito π simulatio $\Pi N\theta ald.Frob.$1.2: simulati (-tu H) SpH^2Vat insequendum M^2 ($M^7?)ANH\theta$: insequentem π 11 excurrerent $\Pi N\theta$: excurrere N^4V 12 primo $\Pi NH\theta$: primos $J.$ $Perizonius$ se (sine H) inuehentes (uel -tis) $A^5?H\theta ald.Frob.$1.2: se uehentis P (cf. 26. 13. 7 de in perdito): seuientis (-tes $CAN)\pi N$: seuentis $RMBD$: sequentis $M^2(M^7?)$ excipiebat ... Masinissa (§ 13) om. M (add. ' def-' M^9 in marg.) nequiere PRB: nequiuere $CDAH\theta$: ñ quere N 13 accipiebat ΠNHJ, cf. fort. ictum accip. 28.30.10: excipiebat $K.ald.Frob.$1.2, fort. recte 14 ipsi $\Pi N\theta$: ipse N^1H Hannoni $\pi B^2 N\theta ald.Frob.$1.2: hanno B: hannone $Sp?H^3?$: an ñ ea H rediit ΠN $Edd.$: redit $H\theta$, cf. 27. 5. 9 adn. 15 fere πB^2N: ferme BSp ut uid. $H\theta ald.$, certe apud Liuium usitatius primi $\Pi N\theta ald.Frob.$1.2: prius SpH: prioris $Rhen.$ quibus $\Pi N.ald.$: ut quibus $SpA^8H\theta Frob.$2, probante Drak. receptus $M^2(M^7?)$ $A^8N^4H\theta$: dereptus (di- D) ΠN: deceptus M^x 16 ducis $\theta ald.$ $Frob.$1.2: duces ΠNH triginta (uel xxx) $\Pi NH.ald.Frob.$1.2: x θ: tria A^v?

AB VRBE CONDITA   XXIX 34

stabat non minus ducentos Carthaginiensium equites fuisse, et diuitiis quosdam et genere inlustres.

Eodem forte quo haec gesta sunt die naues quae praedam 35 in Siciliam uexerant cum commeatu rediere, uelut ominatae ad praedam alteram repetendam sese uenisse. Duos eodem 2 nomine Carthaginiensium duces duobus equestribus proeliis interfectos non omnes auctores sunt, ueriti, credo, ne falleret bis relata eadem res: Coelius quidem et Valerius captum etiam Hannonem tradunt.

Scipio praefectos equitesque prout cuiusque opera fuerat 3 et ante omnes Masinissam insignibus donis donat; et firmo 4 praesidio Salaecae imposito ipse cum cetero exercitu profectus, non agris modo quacumque incedebat populatis sed urbibus etiam quibusdam uicisque expugnatis late fuso 5 terrore belli septimo die quam profectus erat magnam uim hominum et pecoris et omnis generis praedae trahens in castra redit, grauesque iterum hostilibus spoliis naues dimittit. Inde omissis expeditionibus paruis populationibusque 6 ad oppugnandam Vticam omnes belli uires conuertit, eam deinde si cepisset sedem ad cetera exsequenda habiturus. Simul et a classe nauales socii, qua ex parte urbs mari adluitur, simul et terrestris exercitus ab imminente prope ipsis 7

35 1 uexerant P^4(-e- *altera partim in* -a- *imposita*)CB^2ANH(uehex-)θ: uexarant (-rent B) π repetendam $\Pi N\theta ald.Frob.$1.2: *om. SpH* (*et om.* alterum H)   2 eodem $N^4H\theta$ $Edd.$: enim ΠN captum etiam $\pi N.ald.$: captum $\Pi 0 Frob.$2: etiam captum D 3 prout cuiusque $\Pi N\theta ald.Frob.$1.2: quorum SpH fuerat $\pi\theta$ $Edd.$: fuerant $CANSpH$: fusi erant (*cum* quorum) $Rhen.$ et ante N^4 $H\theta ald.Frob.$1.2: ante ΠN 4 Salaecae] *u. c.* 34. 6   quacumque $CM^2A^8N^1H^1$(quoc- H)θ: quaecumque πN populatis $C^4A^8N^4H\theta$: populat (-lati CN^1) ΠN (*sed* agros M^2)   5 uim A^8 $H\theta$ $Edd.$: ū P (*ad finem lineae*): *om.* Π^2(*om. et* magnam C)N et pecoris πNH $Edd.$: et pecorum θ: pecorisque C in castra redit grauesque $A^8N^4H\theta ald.Frob.$1.2: -que πN, *linea ut uid. xix litt. perdita, cf.* § 6 *et* 26. 51. 8 *et* (*de* -que) 26. 11. 12 *adn.* (*b*): *om.* -que C hostilibus $\pi R^2 N$: hostibus R: hostium $H\theta ald.Frob.$1.2
6 paruis populationibusque A^8N^4H: -que $\pi N, cf.$ § 5 *supra et* 26. 11. 12 *adn.* (*b*): q P^x: *om.* -que $C\theta$ *et del.* M^2A^x 7 simul (et terrestris) $\Pi NH\theta$: *del. Madv., fort. recte*   ab imminente (imi- $H\theta$) . . . tumulo Sp(*lectionem* '*huius modi*' *praebens*)$H\theta Frob.$2: ad im-(*uel* in-)minentem (-te D) . . . tumulum (-us C) $\Pi N.ald.$ (*cf.* 27. 26. 10 *adn.*)

XXIX 35 7   TITI LIVI

8 moenibus tumulo est admotus. Tormenta machinasque et aduexerat secum, et ex Sicilia missa cum commeatu erant; et noua in armamentario multis talium operum artificibus de industria inclusis fiebant.

9 Vticensibus tanta undique mole circumsessis in Carthaginiensi populo, Carthaginiensibus in Hasdrubale ita si is mouisset Syphacem, spes omnis erat; sed desiderio indi-
10 gentium auxilii tardius cuncta mouebantur. Hasdrubal intentissima conquisitione cum ad triginta milia peditum, tria equitum confecisset, non tamen ante aduentum Syphacis
11 castra propius hostem mouere est ausus. Syphax cum quinquaginta milibus peditum, decem equitum aduenit confestimque motis a Carthagine castris, haud procul Vtica
12 munitionibusque Romanis consedit. Quorum aduentus hoc tamen momenti fecit ut Scipio, cum quadraginta ferme dies nequiquam omnia experiens obsedisset Vticam, absce-
13 deret inde inrito incepto. Et—iam enim hiemps instabat—castra hiberna in promuntorio, quod tenui iugo continenti adhaerens in aliquantum maris spatium extenditur, com-
14 munit. Vno uallo et naualia et castra amplectitur; iugo medio legionum castris impositis, latus ad septentrionem

    8 missa] *hic* Π*N.ald.* : *ante* erant *SpHθFrob.*2 (*sed* missae *SpFrob.*2 *et* nouae *Frob.*2)   inclusis (clusis *C*) fiebant Π*Nθ* : inclusi erant *H*   9 auxilii *CDA*⁸*N*⁶*Hθ* : auxili *PRM* : auxilia *BA et A*ʳ*N* (-io *M*² *uel M*⁷)   10 tria (iria *C*) equitum Π*N* : tria milia equitum *H*ˣ*θ* (*om. post* peditum *omnia usque ad* § 11 peditum *H* : supplet *H*ˣ)   confecisset Π*N.ald.* (*cf. e.g.* 23. 40. 2) : effecisset *SpN*⁴*H*ˣ*θ Frob.*2, *paene pari iure* (*cf.* 22. 16. 8)   11 peditum, decem equitum *P*⁴*C*²*M*⁷(*sed* decum (*u. inf.*) *ret. ut uid. P*⁴*M*⁷)*B et sic C* (*sed post* equitum *add.* fecit unde cum equitum *C* : *del. C*²) *Edd.* : fecitum decum (decem *P* : demum *D*) equitum π² : fecit unde cum equitatu (equitu *N*²) multo *A N* (*del. A*⁸*N*⁴ *haec omnia*) : peditum decem milia (milibus *A*⁸*θ*) equitum *A*⁸*N*⁴*H et H*ˣ*θ*   motis a (ab *AN*) *P*⁵ *uel P*⁴*CM*ᴦ*BANHθ* : montis a π : motis *Hθ*   12 tamen Π*NHJ* : tantum *M*²(*M*⁷?)*A*⁵*K*   experiens Π*NK* : expediens *HJ*   inrito π : irrito *CDN Hθ* : rito *Sp*   13 Et iam (*uel* etiam) enim Π*NHSp?* : iam enim *θFrob.*2 : etenim *ald.*   hiemps π, *u.* 30. 39. 3 *adn.*   promunturio] *u. c.* 23. 1 *adn.*   communit π*Sp ut uid. A*⁸*θald.* : communiuit *N*⁴ : communi *AN* : commonuit *H*¹ (-mun- *H*)   14 et naualia et *Gron.* : et naualia *Sp?HθFrob.*2 : et naualium Π*N.ald.* latus (ad sept.) Π*NHθ* : litus *Sp?Frob.*2 : in litus *ald.*

AB VRBE CONDITA XXIX

uersum subductae naues naualesque socii tenebant, meridianam uallem ad alterum litus deuexam equitatus. Haec in Africa usque ad extremum autumni gesta.

Praeter conuectum undique ex populatis circa agris frumentum commeatusque ex Sicilia atque Italia aduectos, Cn. Octauius propraetor ex Sardinia ab Ti. Claudio praetore cuius ea prouincia erat ingentem uim frumenti aduexit; horreaque non solum ea quae iam facta erant repleta, sed noua aedificata. Vestimenta exercitui deerant; id mandatum Octauio ut cum praetore ageret si quid ex ea prouincia comparari ac mitti posset. Ea quoque haud segniter curata res; mille ducentae togae breui spatio, duodecim milia tunicarum missa.

Aestate ea qua haec in Africa gesta sunt P. Sempronius consul cui Bruttii prouincia erat in agro Crotoniensi cum Hannibale in ipso itinere tumultuario proelio conflixit. Agminibus magis quam acie pugnatum est. Romani pulsi, et tumultu uerius quam pugna ad mille et ducenti de exercitu consulis interfecti; in castra trepide reditum, neque oppugnare tamen ea hostes ausi. Ceterum silentio proximae noctis profectus inde consul praemisso nuntio ad P. Licinium proconsulem ut suas legiones admoueret copias coniunxit. Ita duo duces duo exercitus ad Hannibalem

14 meridianam $\Pi NH\theta ald.Frob.$1.2: meridialem Sp? deuexam equitatus Sp?$A^8 N^4 H\theta Frob.$2: om. ΠN, sc. lineam xvi litt., cf. 26. 51. 8 adn.: deuexam ald.

36 1 conuectum $\Pi NH\theta$: conuentum N^2? (non N^4) Ti. ΠN, cf. c. 11. 11: tito (uel t.) $H\theta ald.Frob.$1.2 aduexit $C^2 M^2 (M^7?) BH\theta$: auexit πN 2 ea (quae) $H\theta ald.Frob.$1.2: om. ΠN deerant P^4 ut uid. Edd.: deerat P ac (mitti) πSp?$H\theta Frob.$2: aut $AN.ald.$ 3 ante duodecim scribunt et $\pi R^2 N.ald.$: om. $RH\theta Frob.$2 4 Crotoniensi P^3 uel $P^4 C^2 M^2 (M^7?) ANSp?\theta$ (cort- K)$Frob.$2, cf. c. 18. 16 adn.: toniensi π: crotonensi $H.ald.$
5 ad $ANH\theta$ Edd.: a π (quod leuiter perstrinxit P^2): ac M^2: om. C ducenti ΠNH, cf. 28. 34. 2 adn.: ducentos θ: cc ald. $Frob.$1.2 interfecti ΠNH: interfectis $\theta ald.Frob.$1.2 6 in $\pi A^8 N^1 H\theta$ Edd.: om. AN trepide reditum ΠN: trepidi (-de N^4) rediere $N^4 H\theta ald.Frob.$1.2

redierunt; nec mora dimicandi facta, cum consuli duplica-
8 tae uires, Poeno recens uictoria animos faceret. In primam
aciem suas legiones Sempronius induxit; in subsidiis locatae
P. Licini legiones. Consul principio pugnae aedem Fortunae Primigeniae uouit si eo die hostes fudisset; composque
9 eius uoti fuit. Fusi ac fugati Poeni; supra quattuor milia
armatorum caesa, paulo minus trecenti uiui capti et equi
quadraginta et undecim militaria signa. Perculsus aduerso
proelio Hannibal Crotonem exercitum reduxit.
10 Eodem tempore M. Cornelius consul in altera parte
Italiae non tam armis quam iudiciorum terrore Etruriam
continuit, totam ferme ad Magonem ac per eum ad spem
11 nouandi res uersam. Eas quaestiones ex senatus consulto
minime ambitiose habuit; multique nobiles Etrusci qui aut
ipsi ierant aut miserant ad Magonem de populorum suorum
12 defectione, primo praesentes erant condemnati, postea
conscientia sibimet ipsi exsilium conscientes cum absentes
damnati essent, corporibus subtractis bona tantum quae
publicari poterant pigneranda poenae praebebant.

37 Dum haec consules diuersis regionibus agunt, censores
interim Romae M. Liuius et C. Claudius senatum recita-
uerunt. Princeps iterum lectus Q. Fabius Maximus; notati

7 *post* facta *add.* est $N^4H\theta ald.Frob.$1.2: *ignorant* ΠN (*melius*)
consuli $CH\theta$: consuli (*uel* cos) et πN, *cf.* 27. 4. 12 *adn.* animos
faceret A^5? *ut s. l.* N^4 *ut s. l.* $H\theta ald.Frob.$1.2: animo esset ΠN
8 si eo die hostes (*uel* -tis) fudisset ΠN *Edd.*: *om.* $HVat\theta$, *cf. c.* 37. 7
(*et fort.* 28. 2. 16 *adn.*) 9 quattuor milia P (∞ ∞ ∞ ∞) C^2A^8
HJ: xxxx R: quadraginta milia (*uel* $\overline{\text{xl}}$) $CMANK$: $\overline{\text{xxxx}}$ B: xl D
et (equi) $\Pi N.ald$: *om.SpH\theta Frob.$2 xl (*uel* xxxx) ΠN
Edd.: quinquaginta $SpA^8H\theta$ reduxit $\Pi N.ald$: abduxit $Sp?H\theta$
$Frob.$2 10 M. $A^8\theta$ *Edd.*: *om.* ΠN: miles H, *suo more* in
$\Pi N\theta ald.$: *om.* $HFrob.$2 continuit $A^8H\theta$ *Edd.*: continet ΠN
11 ex senatus consulto (*sed* s. c.) $\pi N\theta$: ex $\overline{\text{cos}}$ C: cōs C^x: ex socio
H (*cf. c.* 15. 11) ierant CM^1AN^2 *uel* $N^6\theta$: erant πHN miserant
$C^2H\theta Edd.$: miserunt ΠN (*om.* de populorum suorum M) erant]
hic $\Pi N.ald.$: *post* condemnati $H\theta$: *post* primo $Frob.$2: *fort.* delere malis
(*cf.* 27. 34. 3 *adn.*) 12 conscientes ANH *Edd.*: conscientes (conci- M^2)$\pi\theta$

37 1 lectus $Sp?H\theta Frob.$2: delectus $C^2AN.ald.$: dilectus π Q.
$P^5CAN\theta$ *Edd.*: q. m̄. π: quartus H

AB VRBE CONDITA   XXIX **37** 1

septem, nemo tamen qui sella curuli sedisset.   Sarta tecta 2
acriter et cum summa fide exegerunt.   Viam e foro bouario
[et] ad Veneris circa foros publicos et aedem Matris Magnae
in Palatio faciendam locauerunt.   Vectigal etiam nouum 3
ex salaria annona statuerunt.   Sextante sal et Romae et per
totam Italiam erat ; Romae pretio eodem, pluris in foris et
conciliabulis et alio alibi pretio praebendum locauerunt.
Id uectigal commentum alterum ex censoribus satis crede- 4
bant populo iratum quod iniquo iudicio quondam damnatus
esset, et in pretio salis maxime oneratas tribus quarum
opera damnatus erat [credebant]; inde Salinatori Liuio
inditum cognomen.

Lustrum conditum serius quia per prouincias dimiserunt 5
censores ut ciuium Romanorum in exercitibus quantus
ubique esset referretur numerus.   Censa cum iis ducenta 6
quattuordecim milia hominum.   Condidit lustrum C.
Claudius Nero.   Duodecim deinde coloniarum, quod nun- 7
quam antea factum erat, deferentibus ipsarum coloniarum
censoribus censum acceperunt ut quantum numero militum,
quantum pecunia ualerent in publicis tabulis monumenta
exstarent.   Equitum deinde census agi coeptus est ; et ambo 8

2 exegerunt A^8 *uel* $A^v?N^4H\theta$: exercerunt (-cuer- M^2B^2) ΠN
bouario $\Pi N\theta$, *cf.* 27. 37. 15 *adn.*   et *post* bouario *add.* $\Pi N\theta$
ald. (*post* Veneris *Frob.*2) : *del. Madv. Em. p.* 423, *recte, nam cum* et
nequit ad Veneris *finem uiae significare* (*de* et *addito cf.* 27. 4. 12 *adn.*)
    3 sal $\Pi N.ald.$: salis θ : salus H Romae (*post* sal et) C
A^8N^4 *ut s. l.* $H\theta$: roma πN 4 iratum ΠNH *Edd.* : iratumque
$A^8\theta$ iniquo $P^4CM^2(M^7?)A^8N^2$ *ut s. l.* $H\theta$: in quo πN
quondam (damnatus) $P^4CM^2(M^7?)A^vH\theta$: quon π : quo AN
et (in pretio) $H\theta$ *Edd.* : *om.* ΠN credebant $\Pi NH\theta$: *recte del.
Madv.* (*Em. p.* 423)   Salinatori N^2 *uel* N^4H^1(-oris $H)\theta$ *Edd.* :
salinator ΠN 6 quattuordecim, *cf.* 26. 49. 3 *adn.* : decem
quattuor ΠN : xv *ald.* : lxv $SpA^8N^4H\theta$, *sed cf. Periocham huius libri*
    C. θ *Edd.* : *om.* ΠN : consul H 7 antea $H\theta$ *Frob.*2 : ante
$\Pi N.ald.$ ipsarum coloniarum (-ncar- D) ΠN *Edd.* : *om. HVat*θ,
cf. c. 36. 8 *adn.*   censum $N^4H\theta$ *Edd.* : *om.* ΠN ut quantum numero militum quantum] *om. H*   quantum (pecunia) ΠN :
tantum θ 8 census agi coeptus (*uel* cep-) est $\Pi ald.Frob.$1.2 :
census acceptus est N : ceptus census est agi $H\theta$ (*cf.* 27. 37. 5 *adn.*)

forte censores equum publicum habebant. Cum ad tribum Polliam uentum esset in qua M. Liui nomen erat, et praeco cunctaretur citare ipsum censorem, 'Cita' inquit Nero 'M. Liuium'; et siue ex residua uetere simultate siue intempestiua iactatione seueritatis inflatus M. Liuium quia populi iudicio esset damnatus equum uendere iussit. Item M. Liuius cum ad tribum Arniensem et nomen collegae uentum est, uendere equum C. Claudium iussit duarum rerum causa, unius quod falsum aduersus se testimonium dixisset, alterius quod non sincera fide secum in gratiam redisset. Aeque foedum certamen inquinandi famam alterius cum suae famae damno factum est exitu censurae. Cum in leges iurasset C. Claudius et in aerarium escendisset, inter nomina eorum quos aerarios relinquebat dedit collegae nomen. Deinde M. Liuius in aerarium uenit; praeter Maeciam tribum, quae se neque condemnasset neque condemnatum aut consulem aut censorem fecisset, populum Romanum omnem, quattuor et triginta tribus, aerarios reliquit, quod et innocentem se condemnassent et condemnatum consulem et censorem fecissent neque infitiari possent

8 esset *Siesbye* (*Madv. Em. p.* 423): est ΠNθ (*om. H* Cum ... nomen erat)   9 intempestiua A^v? *ut s. l.* $N^4Hθ$: intemtiua (-tent- *CDN*) ΠN, *cf.* 27. 1. 11 *adn.*   esset damnatus ΠN: esset condemnatus *ald.Frob.*1.2 : damnatus esset θ : damnatus *H*
10 Arniensem *P* (*et sic Manutius*) : narniensem (narme- *BD*) $Π^2NHθ$ rerum ΠNHθ : *post* rerum *add. P* c. claudium est uendere equum c. claudium iussit duarum rerum (*cf. c.* 1. 23 *adn.*), *quod del.* P^2 falsum $C^xANHθ$: profalsum π (*num ex gloss.* p. Ro. *ortus est error?*)   11 Aeque *Gron. et sic uoluisse uidetur* N^x *per* ω (*forma Beneuentana quam ex exemplari aliquo repetit*) *in marg. codicis N cum nota ad* n- (*in uoce* neque) *referente* : neque ΠN : neque ibi *H et fort.* N^4 *qui tamen nota sua* ∕ *uidetur aeque accepisse* : itaque ibi $A^8θald.Frob.$1.2   12 escendisset CN^4J : escensisset *P* : es cecicisset *RM* : aes cecidisset *BD* : excecisset *AN* : es iecisset *K*; *cf.* 27. 5. 8 *adn.*   dedit ΠNHθ : edidit *olim Madv.* (*Em. p.* 423)
13 uenit ΠN : uenit et $N^4Hθald.Frob.$1.2, *fort. recte*   aut (consulem) ΠNθald. : *om.* HFrob.2   triginta P^4(xxx *ut uid.*) $A^8Hθ$: xxxx πN : XL *CD*   reliquit $M^2(M^7?)A^8H^2θ$ (-quid *J*) : deliquit π : dereliquit *AN et sic fort. uoluit* $M^2(M^7?)$: dimi reliquit *H*
14 fecissent $P^4CM^2(M^7?)BANθ$: fecissem π

AB VRBE CONDITA   XXIX 37

aut iudicio semel aut comitiis bis ab se peccatum esse : inter quattuor et triginta tribus et C. Claudium aerarium fore ; quod si exemplum haberet bis eundem aerarium relinquendi, C. Claudium nominatim se inter aerarios fuisse relicturum. Prauum certamen notarum inter censores ; castigatio inconstantiae populi censoria et grauitate temporum illorum digna.   In inuidia censores cum essent, crescendi ex iis ratus esse occasionem Cn. Baebius tribunus plebis diem ad populum utrique dixit.   Ea res consensu patrum discussa est ne postea obnoxia populari aurae censura esset.

Eadem aestate in Bruttiis Clampetia a consule ui capta, Consentia et Pandosia et ignobiles aliae ciuitates uoluntate in dicionem uenerunt.   Et cum comitiorum iam appeteret tempus, Cornelium potius ex Etruria ubi nihil belli erat Romam acciri placuit. Is consules Cn. Seruilium Caepionem et C. Seruilium Geminum creauit.   Inde praetoria comitia habita.   Creati P. Cornelius Lentulus P. Quinctilius Varus P. Aelius Paetus P. Villius Tappulus ; hi duo cum aediles

14 semel N^4(*punctis ab* N^6 *rescriptis*)$H\theta$ *Edd.* : simul ΠN ab (se) ΠNH: a θ 15 inter (quattuor) *ald.Frob.*1.2: in $H\theta$: *om.* ΠN nominatim] -im $PC^x RMN^1\theta$: -um $CBDANH$ (aerarium ... Claudium *om. H*)   16 et grauitate ΠN: grauitate et θ: grauitate *ed. Mog.* 1518 *Aldus Frob.*2, *quod ipse malim* (*cf. de ord. uariato uocis et* 27. 34. 3 *adn.*)   17 In $\pi N\theta$: *om. CH*   ex iis *PRH*: ex his $CR^2 MBDANK$: ex hiis J utrique $H\theta$(*sed ante ad hi*)*ald.Frob.*1.2: utrisque ΠN populari aurae $\pi A^5\theta$: popularia AN: popularia uestre H

38 1 Clampetia *a PR*: clam peti a *MBD* (*sed* petiachos, *u.sq.*) AN: clam (iam $A^8 H\theta$) petilia (-tel- N^4) a (*om.* a H) P^4 *ut uid.* $CA^8 N^4 H\theta$ consule ui capta $A^8 N^4 H\theta Frob.$2: cosdeuicasta P: cos (-chos D: cosa AN) deuicta $\Pi^2 N$: consule deuicta *ald.*: consule de poenis ui capta *Koch, sed* de- *in P fort. ex* -ule *per dittogr. scripto ortum est* dicionem] dici- *PB*: diti- *CRMD A⁸H*: dicti- θ: dediti- M^2($M^?$)B^2(-ici-) AN Caepionem et C. Seruilium $A^8 N^4 H$(consulem *pro* c. H)θ *Edd.*: *om.* ΠN, *sc. unam lineam ob* δμ., *cf.* 26. 51. 8 *adn.*   4 P. (Quinct-) $H\theta$ (*ut P in* 30. 18. 1) : l. ΠN (quinulius P: quintilius $\Pi^2 N\theta$)   Paetus (*uel* pet.) *Med.* 3 *ald., cf. e.g.* 30. 1. 9 : papius (papp- *A*) ΠN: petulu H: *om.* θ Tappulus *Frob.*2, *cf. C.I.L.* I^1, *p.* 142 : t. appilus π: t. apull-s (*sic*) C: t. appius AN: t. apuleius θ : appulus *ald.*   5 hi M^2($M^?$)$ANHK$: hii J: i π: ii B^2: *om. C*

plebis essent, praetores creati sunt. Consul comitiis perfectis ad exercitum in Etruriam redit.

6 Sacerdotes eo anno mortui atque in locum eorum suffecti: Ti. Veturius Philo flamen Martialis in locum M. Aemili Regilli, qui priore anno mortuus erat, creatus inauguratus-
7 que; in M. Pomponi Mathonis auguris et decemuiri locum creati decemuir M. Aurelius Cotta, augur Ti. Sempronius Gracchus admodum adulescens, quod tum perrarum in
8 mandandis sacerdotiis erat. Quadrigae aureae eo anno in Capitolio positae ab aedilibus curulibus C. Liuio et M. Seruilio Gemino, et ludi Romani biduum instaurati; item per biduum plebeii ab aedilibus P. Aelio P. Villio; et Iouis epulum fuit ludorum causa.

5 creati $CM^2H\theta$: praeti πB^2 (preti B^2D): spreti B: p̄lati AN: facti A^5? perfectis $CM^2(M^4?)A^8H\theta$: praefectus (-tis P) πN
6 Ti. (Veturius) ΠN: titus (uel t.) $H\theta$: om. C in (post Martialis) $C^xH\theta$: et in ΠN, cf. 27. 4. 12 adn. M. (Aemili) $RA^8H\theta$ (plene A^8), cf. 24. 8. 10: om. πR^1 uel R^2N 7 in M. πN, cf. 24. 44. 3: om. C: et in m. θ: titi H auguris $A^8H\theta$: om. ΠN augur ΠNK: om. HJ Ti. Frob.2 ut cod. in 41. 21. 8: t. (uel titus) $\Pi NH\theta ald.$ 8 item C^2: idem ΠN: iterum N^1 uel $N^2H\theta$ P. Villio $\pi N^2HFrob.2$ (cf. § 4): p. ullio D: p. uilio J ald.: om. K: p. uilli AN Adscribit recognobi P^2 (post causa)

Subscriptiones: titi liuii ab urbe condita liber xxviiii explic. incipit liber xxx π (sed ante xxx om. liber BD): *nihil nisi* Lib Decim' add. N

T. LIVI

AB VRBE CONDITA

LIBER XXX

Cn. Seruilius et C. Seruilius consules—sextus decimus is 1
annus belli Punici erat—cum de re publica belloque et
prouinciis ad senatum rettulissent, censuerunt patres ut 2
consules inter se compararent sortirenturue uter Bruttios
aduersus Hannibalem, uter Etruriam ac Ligures prouinciam
haberet: cui Bruttii euenissent exercitum a P. Sempronio 3
acciperet; P. Sempronius—ei quoque enim pro consule imperium in annum prorogabatur—P. Licinio succederet; is 4
Romam reuerteretur, bello quoque bonus habitus ad cetera,
quibus nemo ea tempestate instructior ciuis habebatur, congestis omnibus humanis ab natura fortunaque bonis. Nobilis 5
idem ac diues erat; forma uiribusque corporis excellebat;
facundissimus habebatur, seu causa oranda, seu in senatu
et apud populum suadendi ac dissuadendi locus esset; iuris 6
pontificii peritissimus; super haec bellicae quoque laudis

1 1 Cn. π, cf. 29. 38. 3: cornelius ANJ: aius K: consul H: gn. V
  Seruilius ΠN: seruilius cepio $A^8HV\theta ald.Frob.$1.2   et C.
Seruilius $N^4(sed$ cn.$)H$ $(sed$ cl.): et c. seruilius geminus $A^8\theta ald.$
$Frob.$1.2: $om.$ ΠN is $\pi N\theta$: his C: $om.$ $N^1(non$ $N^4)HV$
         2 sortirenturue ΠN: sortirenturque $HV\theta$ $(om.$ uter
$H)$ ac Ligures $\pi Sp?V\theta Frob.$2: ac liguriam $AN.ald.$: aligurei
H 3 $praenomen$ P. bis $recte$ $praebent$ ΠN: proconsule ...
proconsul $HV\theta$ enim $\pi NH\theta$: $om.$ BA^xV pro consule H, $cf.$
27. 21. 6 $adn.$: proconsuli $\Pi NV\theta$ prorogabatur $CM^2(M^7?)DA$
$NHV\theta$: progabatur π^2: rogabatur P 4 ab HVK: a M^2ANJ
$ald.Frob.$1.2: ad Π (naturam C)   5 ac diues $\Pi N\theta$: abdiles H:
adolescens V seu (causa) $CR^1MBDANV\theta$: se PR
et apud $SpHV\theta$: et ad $N^4ald.Frob.$1.2: ad ΠN: aut ad $Weissenb.$
         ac dissuadendi $\Pi N.ald.Frob.$1.2: aut dissuadendi θ: $om.$ SpH
V, $cf.$ 27. 39. 12 $adn.$ 6 laudis ΠN: laudes $HV\theta$

XXX 1 6 TITI LIVI

consulatus compotem fecerat. Quod in Bruttiis prouincia,
7 idem in Etruria ac Liguribus decretum: M. Cornelius nouo
consuli tradere exercitum iussus, ipse prorogato imperio
Galliam prouinciam obtinere cum legionibus iis quas ⟨L.⟩
8 Scribonius priore anno habuisset. Sortiti deinde prouincias:
9 Caepioni Bruttii, [Seruilio] Gemino Etruria euenit. Tum
praetorum prouinciae in sortem coniectae. Iurisdictionem
urbanam Paetus Aelius, Sardiniam P. Lentulus, Siciliam
P. Villius, Ariminum cum duabus legionibus—sub Sp.
10 Lucretio eae fuerant—Quinctilius Varus est sortitus. Et
Lucretio prorogatum imperium ut Genuam oppidum a Magone Poeno dirutum exaedificaret. P. Scipioni non temporis,
sed rei gerendae fine, donec debellatum in Africa foret,
11 prorogatum imperium est; decretumque ut supplicatio fieret,
quod is in Africam prouinciam traiecisset, ut ea res salutaris
populo Romano ipsique duci atque exercitui esset.

2 In Siciliam tria milia militum sunt scripta [et] quia quod
roboris ea prouincia habuerat in Africam transuectum

6 fecerat πM^2 *Edd.*: faceret M: fecerant NH(-runt)$V\theta$ Quod
$\Pi N.ald.Frob.$1.2: cui $SpA^8N^xHV\theta$: quae *Rhen.*   idem πN
Edd.: eidem $SpA^8N^xHV\theta$: eadem *Rhen.*   ac ΠN *Edd.*: et H
θ: et in V decretum ΠN *Edd.*: decreta $SpA^8N^3?(non\ N^4)HV\theta$
Rhen.   7 obtinere (*uel* opt-) $\Pi N.ald.$: obtineret $A^8N^4HV\theta Frob.$
2, *pari iure si post* iussus *interpungis*   ⟨L.⟩ *Alschefski, cf.* 29. 13.
2: p̄. ΠN: proconsul $HV\theta$: praetor l. *ed. Mog.* 1518 *Aldus*: proconsul q. *Edd. ante Mog.*   8 Seruilio $\Pi NH\theta$: *om. V et seclusit
Madv. recte*   9 P. Lentulus, Siciliam $A^8N^4HV\theta$ *Edd.*: *om.* ΠN,
linea xvii litt. ob ὁμ. *perdita, cf.* 26. 51. 8 *adn.*   P. Villius ΠN
*Frob.*2, *cf.* 29. 38. 4: p. iulius *K.ald.*: c. iulius J: c. liuius N^5: consul liuius H: caelius uillius A^8: c. uillius A^x: gn. liuius V
Sp. Lucretio *Frob.*2, *cf.* 29. 13. 4: lucretio spurio ΠN (*cf.* 28. 2. 15
adn.): lucretio sempronio $H\theta$: sempronio V: p. spurio *ald.*
Quinctilius *ut* ΠN: quintillius (-ili- $CNHV\theta$) $\Pi NHV\theta$
10 ut $\Pi N\theta Frob.$2: est ut *ald.*: *om. SpHV*   fine $HV\vartheta$ *Edd.*:
finem ΠN, *cf.* 26. 40. 11 *adn.*   debellatum ΠN *Edd.*: bellatum
$HV\theta$ 11 ipsique $A^8N^4HV\theta$: sique (-quę C) π: sicque AN

2 1 Siciliam ΠN: sicilia $A^8HV\theta ald.Frob.$1.2   et (*post* scripta)
ΠNSp *ut uid. HV ald.*: *recte del. Gron. Madv.* (*post* fuerat, *sicut nos,
non cum ald. et Crevierio post* oram *interpungentes*)   quod roboris]
haec et omnia usque ad et quia *om. SpHV*

AB VRBE CONDITA XXX 2

fuerat; et quia ne qua classis ex Africa traiceret quadraginta nauibus custodiri placuerat Siciliae maritimam oram, tredecim nouas naues Villius secum in Siciliam duxit, 2 ceterae in Sicilia ueteres refectae. Huic classi M. Pom- 3 ponius prioris anni praetor prorogato imperio praepositus nouos milites ex Italia aduectos in naues imposuit. Parem 4 nauium numerum Cn. Octauio praetori item prioris anni cum pari iure imperii ad tuendam Sardiniae oram patres decreuerunt; Lentulus praetor duo milia militum dare in naues iussus. Et Italiae ora, quia incertum erat quo 5 missuri classem Carthaginienses forent, uidebantur autem quicquid nudatum praesidiis esset petituri, M. Marcio praetori prioris anni cum totidem nauibus tuenda data est. Tria milia militum in eam classem ex decreto patrum con- 6 sules scripserunt et duas legiones urbanas ad incerta belli. Hispaniae cum exercitibus imperioque ueteribus impera- 7 toribus, L. Lentulo et L. Manlio Acidino, decretae. Viginti omnino legionibus et centum sexaginta nauibus longis res Romana eo anno gesta.

Praetores in prouincias ire iussi: consulibus imperatum 8 ut priusquam ab urbe proficiscerentur ludos magnos facerent quos T. Manlius Torquatus dictator in quintum annum uouisset si eodem statu res publica staret. Et nouas reli- 9 giones excitabant in animis hominum prodigia ex pluribus

1 et quia ne qua A^8 *Crevier*: etquiantequa P: et qui (quia C^2M^2A *et* A^xN) antequam Π^2N^2: ne qua *Sp ut uid.* $HV\theta ald.$ maritimam $CBDANHV\theta$: marutimam *PRM, fort. recte, sed cf. e.g.* 29. 4. 8 (finituimis P) 2 Villius $\Pi NFrob$.2, *u. c.* 1. 9 *adn.*: iulius $K.ald.$ 3 classi M. $M^2B^2A^8V\theta$ *Edd.*: classim (-ī *PM*) π: classi P^xC AN: classi miles H 4 Cn. $\Pi NV.ald$ *Frob.*1.2, *cf.* 29. 36. 1: c. (*uel* caio) θ: consuli H praetori $PCB^xANH\theta$: praetorii $RMBD$ 5 Marcio $DFrob$.2, *cf.* 29. 13. 2: martio $V.ald.$: mario $\pi NH\theta$ 6 eam πN *Edd.*: eam in D: eandem θ: eadem HV (classe V) 7 L. Manlio P^1CVK: l. mansilio (-nilio M^2) πN: lelio manlio $H\theta$ Viginti $\Pi N.ald.Frob$.1.2: decem $A^8HV\theta$ 8 iussi P^x *per ras.* C $A^xNV\theta$: iussu π ut $HV\theta ald.Frob$.1.2: *om.* ΠN (*cf.* 27. 17. 10 *adn.*) uouisset M^2ANHVJ^2K: uobisset P^4: uobis et $\pi(C?)$: uouerat C^x: nouisset (mo- $J)J^1$

XXX 2 9   TITI LIVI

locis nuntiata. Aurum in Capitolio corui non lacerasse tan-
10 tum rostris crediti sed etiam edisse; mures Antii coronam
auream adrosere; circa Capuam omnem agrum locustarum
uis ingens, ita ut unde aduenissent parum constaret, com-
11 pleuit; eculeus Reate cum quinque pedibus natus; Anagniae
12 sparsi primum ignes in caelo, dein fax ingens arsit; Frusinone arcus solem tenui linea amplexus est, circulum deinde
ipsum maior solis orbis extrinsecus inclusit; Arpini terra
13 campestri agro in ingentem sinum consedit; consulum alteri
primam hostiam immolanti caput iocineris defuit. Ea prodigia maioribus hostiis procurata; editi a collegio pontificum
dei quibus sacrificaretur.

3 His transactis consules praetoresque in prouincias profecti; omnibus tamen, uelut eam sortitis, Africae cura erat,
seu quia ibi summam rerum bellique uerti cernebant seu ut
Scipioni gratificarentur, in quem tum omnis uersa ciuitas
2 erat. Itaque non ex Sardinia tantum, sicut ante dictum
est, sed ex Sicilia quoque et Hispania uestimenta frumen-
tumque, et arma etiam ex Sicilia et omne genus commeatus
3 eo portabantur. Nec Scipio ullo tempore hiemis belli opera
remiserat, quae multa simul undique eum circumstabant.
Vticam obsidebat; castra in conspectu Hasdrubalis erant;
4 Carthaginienses deduxerant naues; classem paratam instructamque ad commeatus intercipiendos habebant. Inter haec

---

10 Antii Π$N\theta$ (anc- BK), cf. e.g. 3. 22. 2 (contra Canusi e.g. 22. 54.
1): autem HV adrosere Π$N.ald.$ (arr-): arroserunt (-rant K)
H(adr-)$V\theta Frob.2$ locustarum] loc- $CBDANHV\theta$: luc- PRM
    11 Reate πA^1 uel $A^5\theta$: reates AN: rome HV 12 Fru-
sinone (-nea M) πM^2NK: frisinone P^x uel P^2C: frusione VJ
est Π$N.ald.$: om. $Sp?HV\theta Frob.2$ agro $\pi Sp?HV\theta Frob.2$: in
agro $AN.ald.$ 13 caput iocineris PCM^2B^2AN: caputio cineris
$RMBDN^x$: caput iocineri (ioec- K)H(-tio cin-)$V\theta$ et (sed iec-) ald.
Frob.1.2
    3 2 dictum est Π$NVK.ald.$: dictum $Sp?HJFrob.2$ frumentum-
(-ta- C)que $PC^1A^8HV\theta$: que R(ubi qu- pleniore cal. scriptum est)MB
D: om. AN etiam ex Sicilia $\pi SpHVJFrob.2$: om. $ANK.ald.$,
recte ut suspicamur sed nihil mutamus   portabantur ΠNSp ut
uid. ald.: portabatur $HV\theta$ 3 ullo $N^1V\theta ald.Frob.1.2$: illo ΠN:
eo H obsidebat (opsi- P^2) Π$^2 NHV\theta$: optidebat P

AB VRBE CONDITA   XXX 3 4

ne Syphacis quidem reconciliandi curam ex animo miserat, si forte iam satias amoris in uxore ex multa copia eum cepisset. Ab Syphace magis pacis cum Carthaginiensibus 5 condiciones ut Romani Africa, Poeni Italia excederent quam, si bellaretur, spes ulla desciturum adferebatur.—Haec 6 per nuntios acta magis equidem crediderim—et ita pars maior auctores sunt—quam ipsum Syphacem, ut Antias Valerius prodit, in castra Romana ad conloquium uenisse. —Primo eas condiciones imperator Romanus uix auribus 7 admisit; postea, ut causa probabilis suis commeandi foret in castra hostium, mollius eadem illa abnuere ac spem facere saepius ultro citroque agitantibus rem conuenturam.

Hibernacula Carthaginiensium, congesta temere ex agris 8 materia exaedificata, lignea ferme tota erant. Numidae prae- 9 cipue harundine textis storeaque pars maxima tectis, passim nullo ordine, quidam ut sine imperio occupatis locis extra fossam etiam uallumque habitabant. Haec relata Scipioni 10 spem fecerant castra hostium per occasionem incendendi.

Cum legatis quos mitteret ad Syphacem calonum loco 4 primos ordines spectatae uirtutis atque prudentiae seruili habitu mittebat, qui dum in conloquio legati essent uagi per 2 castra alius alia aditus exitusque omnes, situm formamque

---

4 curam] *hic* ΠN.*ald.Frob.*1.2 : *post* quidem $HV\theta$, *cf.* § 8 *et* 27. 37. 5 *adn.*   miserat πA^x(-ant A)N.*ald.* : dimiserat $Sp?HV\theta Frob.$2
   satias *ed. Mog.* 1518 *Ald.*, *cf.* 25. 23. 16 : satis ΠNHVθ : saties $A^5?$ eum cepisset *H.ald.Frob.*1.2 : eum excepisset V : cepisset ΠNθ   7 eas ΠN *Edd.* : has $HV\theta$ postea ΠNθald.*Frob.*1.2 : *om.* SpN^4 *uel* N^3HV ut $CM^2SpA^8N^4$ *uel* $N^3HV\theta ald.$: aut π : haud AN probabilis ΠNSpHθ : approbabilis N^2V suis A^5 *uel* A^6 *Rhen. Frob.*2 : sui ΠN : uisa $SpN^3V\theta ald.$: uisu H : uisa suis A^8 conuenturam (-uect- $RMBD$) $PCM^3ANHV\theta$ *Edd.*, *cf. e.g.* 29. 12. 14 : conuenturum Sp 8 Carthaginiensium] -ium Π $NK.ald.Frob.$1.2 : -ibus $SpHVJ$, *non male, cf. c.* 8. 6 *adn.*   erant] *hic* ΠN.*ald.Frob.*1.2 : *ante* ferme $HV\theta$, *cf.* § 4   9 harundine (-nae B) ΠNθ : arundine B^x(-nae)HV storeaque ΠN *Edd.* : iusto terraque N^4 (*mire*) H : *om.* storeaque pars maxima tectis $V\theta$
   10 incendendi $HV\theta ald.Frob.$1.2 : incendi (-dii C) πN, *cf.* 27. 1. 11 *adn.*
   4 1 Cum $\pi NHV\theta$: Scipio cum D ordines ΠN$J.ald.Frob.$1.2 (-nis) : ordine HV : *om.* K 2 situm ΠN *Edd.* : situs $HV\theta$

XXX 4 2   TITI LIVI

et uniuersorum castrorum et partium, qua Poeni qua Numidae haberent, quantum interualli inter Hasdrubalis ac
3 regia castra esset, specularentur moremque simul noscerent stationum uigiliarumque, nocte an interdiu opportuniores insidianti essent; et inter crebra conloquia alii atque alii de
4 industria quo pluribus omnia nota essent mittebantur. Cum saepius agitata res certiorem spem pacis in dies et Syphaci et Carthaginiensibus per eum faceret, legati Romani uetitos se reuerti ad imperatorem aiunt nisi certum responsum
5 detur: proinde, seu ipsi staret iam sententia, ⟨promeret sententiam⟩, seu consulendus Hasdrubal et Carthaginienses essent, consuleret; tempus esse aut pacem componi aut
6 bellum nauiter geri. Dum consulitur Hasdrubal ab Syphace, ab Hasdrubale Carthaginienses, et speculatores omnia uisendi et Scipio ad comparanda ea quae in rem erant
7 tempus habuit; et ex mentione ac spe pacis neglegentia, ut fit, apud Poenos Numidamque orta cauendi ne quid hostile
8 interim paterentur. Tandem relatum responsum, quibusdam, quia nimis cupere Romanus pacem uidebatur, iniquis per

2 qua Poeni qua Π*NHV Edd.* : quas Poeni quas θ   haberent Π*NHVθ (sc.* ' castra ' ; *breuiloquentia sermoni uolgari castrorum apta, cf. e.g.* Plaut. *Trin.* 193 *et usum intransitiuum uerbi* defendere (*sc.* ' hostem')) : tenderent *Gron.*   3 insidianti (-ati *D*) Π*N* : insidiantibus *N⁵HVθald.Frob.*1.2   4 agitata res *P⁴CM²(M⁷?)ANV* θ : agitares π*H, cf.* 27. 1. 11 *adn.*   certiorem (arti- *AN*) spem π *N²ald.Frob.*1.2 : spem certiorem (-ris *V*) *A⁸HVθ*   ad imperatorem Π*N.ald.* : ab imperatore *SpHVθFrob.*2   5 ipsi π*Aldus* : ipsis *M²(M⁷?)* : ipsa *AN Edd. ante Ald.* : ipse *N¹ ut s, l. HVθ*   promeret sententiam *Johnson, Madvigii uestigiis insistens (cf.* 26. 6. 16 *adn.*): ignorant Π*NHVθ Edd. ante Madv.* : pronuntiaret *Stoecker* : eam promeret *Madv. Em. p.* 424, *Luchs* : promeret *Madv.* 1873 : expromeret *Riemann* : alia alii   nauiter Π*ˣ(Π²?)NHV (ut P in* 24. 23. 9) : inauiter *P* : gnauiter *N¹ ut s. l., fort. recte* : ngauiter *Nˣ per ras.* : nouiter θ   6 Hasdrubal ab (*uel* a) Syphace, ab *A⁸(A⁷?)HVθ Edd.* : om. Π*N, haud amplius xx litt. ob* δμ. *perditis, cf.* 26. 51. 8 *adn.*
           Hasdrubale π*A⁸?HVθ* : hasdrubal et *P⁴M²(M⁷?)AN* : hasdrubal *Cˣ*   ea Π*N.ald.* : om. *SpHVθFrob.*2, *fort. recte* erant Π*N*: opus erant *Sp ut uid. A⁸N⁴ rescriptus Hθald.Frob.*1.2 : erant opus *V (de uariatione ordinis glossema indicante cf.* 27. 34. 3 *adn.*)
       7 et ex *HVθ Edd.* : et Π*N (cf. c.* 6. 7)   Numidamque] -amque *PCM²* : -umquae *RMBD* : -asque *ANHVθald.Frob.*1.2
8 quia (quod *ald.*) nimis π*SpA⁸Vθ Edd* : qui (quia *AN*) animis *DANH*

AB VRBE CONDITA XXX 4 8

occasionem adiectis, quae peropportune cupienti tollere
indutias Scipioni causam praebuere; ac nuntio regis cum 9
relaturum se ad consilium dixisset, postero die respondit se
uno frustra tendente nulli alii pacem placuisse; renuntiaret
igitur nullam aliam spem pacis quam relictis Carthaginiensibus Syphaci cum Romanis esse. Ita tollit indutias ut 10
libera fide incepta exsequeretur; deductisque nauibus—et
iam ueris principium erat—machinas tormentaque, uelut a
mari adgressurus Vticam, imponit, et duo milia militum ad 11
capiendum quem antea tenuerat tumulum super Vticam
mittit, simul ut ab eo quod parabat in alterius rei curam
conuerteret hostium animos, simul ne qua, cum ipse ad 12
Syphacem Hasdrubalemque profectus esset, eruptio ex urbe
et impetus in castra sua relicta cum leui praesidio fieret.

His praeparatis aduocatoque consilio et dicere exploratori- 5
bus iussis quae comperta adferrent Masinissaque, cui omnia
hostium nota erant, postremo ipse quid pararet in proximam
noctem proponit; tribunis edicit ut ubi praetorio dimisso 2
signa concinuissent extemplo educerent castris legiones.
Ita ut imperauerat signa sub occasum solis efferri sunt 3
coepta; ad primam ferme uigiliam agmen explicauerunt;
media nocte—septem enim milia itineris erant—modico

---

8 peropportune (*uel* -opo-) ΠNH (*sed* -nae *PRMB*): oportune *V*:
per optime θ   9 nuntio $A^8HV\theta$: nunti π: nuntii B^2AN (-ios
N^6; *uel* -iis N^5, -io N^6): nuntiis C^4 relaturum $M^2(M^7?)A^v?N^5$
uel $N^3HV\theta$: relatum ΠN   se uno $A^8N^2HV\theta$: uno ΠN
alii $MB^2DA^8N^2$ *ut s. l. H*θ: ali π: aliam *AN*   pacis quam A^8
$N^4HV\theta$: *om.* ΠN: pacis nisi M^3 *in marg.*   esse $C^xA^8N^2(N^4?)$
$HV\theta$: essent ΠN   10 principium $P^2CM^2A^8N^1VK$: principum
PHJ: principibus *RMBDAN*   11 et duo milia] et ∞ ∞ *P*:
et ii *C*: et xx *RMBDAN*: et $\overline{xx}$ M^2: duo milia $HV\theta ald.Frob.1.2$
ut C^4N^3 *uel* N^4 *rescriptus* $HV\theta$: *om.* ΠN (*cf.* 27. 17. 10 *adn.*)
animos $P^4CM^2ANHV\theta$: animus π, *cf. c.* 36. 8 *adn.*   12 ipse
ΠN *Edd.*: *om.* $HV\theta$

5 1 et dicere ΠN.*ald.Frob.1.2*: edicere N^4 *rescriptus* $HV\theta$
ipse quid πN: quid ipse $HV\theta ald.Frob.1.2$ (*cf.* 27. 37. 5 *adn.*): die qd
C: qd C^x 2 concinuissent $C^2A^8N^3?$ *Edd.*: continuisset (-cin-
M^2 *uel* M^7) ΠNHV (-ent *HV*): occinuissent *J*: cecinissent *K*
3 efferri ΠN.*ald.Frob.1.2*: ferri $HV\theta$

4 gradu ad castra hostium peruentum est. Ibi Scipio partem copiarum Laelio Masinissamque ac Numidas attribuit et 5 castra Syphacis inuadere ignesque conicere iubet. Singulos deinde separatim Laelium ac Masinissam seductos obtestatur ut quantum nox prouidentiae adimat tantum diligentia 6 expleant curaque : se Hasdrubalem Punicaque castra adgressurum; ceterum non ante coepturum quam ignem in regiis 7 castris conspexisset. Neque ea res morata diu est; nam ut primis casis iniectus ignis haesit, extemplo proxima quaeque et deinceps continua amplexus totis se passim dissipauit 8 castris. Et trepidatio quidem quantam necesse erat in nocturno effuso tam late incendio orta est; ceterum fortuitum non hostilem ac bellicum ignem rati esse, sine armis ad restinguendum incendium effusi in armatos incidere hostes, 9 maxime Numidas ab Masinissa notitia regiorum castrorum 10 ad exitus itinerum idoneis locis dispositos. Multos in ipsis cubilibus semisomnos hausit flamma; multi [in] praecipiti fuga ruentes super alios alii in angustiis portarum obtriti sunt.

3–4 est. Ibi Π$N.ald.$: et ibi $HV\theta$: om. Frob.2, sed ibi *saltem retinendum* 4 et ΠN Edd. : om. $HV\theta$ conicere $A^8V\theta$ et (sed -iic-) ald.Frob.1.2 : coicere N^2(sed cohic-)H : collegere P (cf. 29. 22. 10 deiectum *Madv. pro* delegatum P) : colligere Π^2N : collidere C^2
5 seductos $HV\theta$ald.Frob.1.2 : deductos ΠN diligentia π$Sp?HVFrob.$2 : diligenti $AN\theta$ald. curaque π$Frob.$2 : unaque $SpHV$: cura et $AN\theta$ald. 6 se Π$NH\theta$ Edd. : om. V
conspexisset $HV\theta$ Edd. : conspexissent ΠN, cf. 27. 17. 4 adn.
7 ut π$N^1HV\theta$ald.Frob.1.2 : et $BDAN$ primis Gron., optime, cf. Polyb. 14. 4. 6 : proximis Π$NHV\theta$ Edd. ante Gron., sc. ex proxima sq. *praesumptum*, cf. 29. 5. 6 adn. casis ΠN : castris $HV\theta$ald.Frob. 1.2 haesit ΠN Edd. : hoste H : est V(est ignis)θ(om. et inf. $HV\theta$) continua amplexus] *post haec uerba desinit* R dissipauit] u. 27. 14. 7 adn. 8 quantam A^v Gron. : quanta π$NHV\theta$ rati $P^4CM^2(M^1?)A^v?N^3$(an N^4 rescriptus ?)$H\theta$: rari P : pari MBD : sati A : paci N incidere πN : inciderunt $HV\theta$ald.Frob.1.2
9 ab πN : a θ : om. HV 10 multos Sp ut uid. $A^8V\theta$ald. : multis H : om. πN hausit flamma πNSp ut uid. ald. : flamma (uel flama) hausit (adausit H : ausit H^1) $HV\theta$, cf. 27. 37. 5 adn. multi in π$A^8NHV\theta$: multi ex A : multis D : multi *Alschefski, recte* in *secludens*, cf. 27. 8. 7 adn. ruentes super πNHV : superruentes θ, cf. 27. 37. 5 adn. alios alii $C.ald.Frob.$1.2 : alii alios π$NHV\theta$, cf. 28. 2. 15 adn. angustiis $B^2AN V\theta$: angustis πH

AB VRBE CONDITA   XXX 6

Relucentem flammam primo uigiles Carthaginiensium, **6** deinde excitati alii nocturno tumultu cum conspexissent, ab eodem errore credere et ipsi sua sponte incendium ortum ; et clamor inter caedem et uolnera sublatus an ex trepida- 2 tione nocturna esset confusis sensum ueri adimebat. Igitur 3 pro se quisque inermes, ut quibus nihil hostile suspectum esset, omnibus portis, qua cuique proximum erat, ea modo quae restinguendo igni forent portantes in agmen Romanum ruebant. Quibus caesis omnibus praeterquam hostili odio 4 etiam ne quis nuntius refugeret, extemplo Scipio neglectas ut in tali tumultu portas inuadit ; ignibusque in proxima 5 tecta coniectis effusa flamma primo uelut sparsa pluribus locis reluxit, dein per continua serpens uno repente omnia incendio hausit. Ambusti homines iumentaque foeda 6 primum fuga, dein strage obruebant itinera portarum. Quos non oppresserat ignis ferro absumpti, binaque castra clade una deleta. Duces tamen ambo et ex tot milibus 7 armatorum duo milia peditum et quingenti equites semermes, magna pars saucii adflatique incendio, effugerunt.

6 1 cum] *hic* πN *Edd.* : *post* primo $A^8HV\theta$: *ante* Reluc. C^4 : *om. C*   errore $C^4.A^8N^3HV\theta$: terrore πN : erore C credere et $N^3HV\theta$: crederet π (-ent M^2 *uel* M^7) : credere AN 2 esset πN HV *Edd.* : *om.* θ : ortum esset *Luterbacher, male* (clamor ... sublatus *uelut* ἀπὸ κοινοῦ *stare docet Johnson* ; *de ordine* (sublatus ... esset) *cf. e.g.* 2. 41. 6 *adn.*)   2 confusis *Rhen.* : confusus πNV θ*ald.Frob.*1.2 (-sūs H)   sensum $PCMA^8N^4H^1$(isens- H)$V\theta$ *Edd.*: sensus m̄ BDA?N^x: sensus tn̄ N *uel* N^1 3 nihil $CM^2(M^7?)N^4$(nich-)$HV\theta$: nil A^v? : *om.* πN 4 refugeret $HV\theta$: effugeret (efu- PM) CM^7 $BDAN.ald.Frob.$1.2   neglectas A^8N^r(*non* N^4)θ : -ne electa πN: nec lectas (ele-H) H^1 : nec letas V portas $A^8N^rHV\theta$: postas P: potestas π^2N (*cf.* § 6 *adn.*)   5 sparsa $C^4N^rHV\theta$*ald.* : sparso πN: sparso semine *olim Madv. Em. p.* 425   per $\pi N\theta$*ald.Frob.*1.2 : *om.* $SpHV$ serpens uno repente omnia $\pi N\theta$ *Edd.* : *om.* $SpHV$, *cf.* 28. 2. 16 *adn.*   6 obruebant Π*N.ald.* : obruerant $SpH\theta Frob.$2 : obstruebant *Madv.* (*sed hoc de industria potius fieri solet*)   castra $\pi^2NHV\theta$: astra P (*cf.* § 8)   clade $SpA^8N^rHV\theta Frob.$2 : *de P*: die π^2 *et* $A^5N.ald.$ (*cf.* § 4 *et* 28. 8. 4 *adnn.*)   7 et ex A^8HV *Edd.*: ex $\pi N\theta$, *cf. c.* 4. 7   quingenti (*uel* ƌ) $PA^8N^rHV\theta$: *om. CMBDAN*, *cf.* 29. 28. 10 *adn.*   semermes PH, *cf.* 27. 1. 15 *adn.* : semiermes π^2NV : sed (se J) inermes θ

8 Caesa aut hausta flammis ad quadraginta milia hominum sunt, capta supra quinque milia, multi Carthaginiensium
9 nobiles, undecim senatores; signa militaria centum septuaginta quattuor, equi Numidici supra duo milia septingentos; elephanti sex capti, octo ferro flammaque absumpti. Magna uis armorum capta; ea omnia imperator Volcano sacrata incendit.

7 Hasdrubal ex fuga cum paucis Afrorum urbem proximam petierat, eoque omnes qui superarant uestigia ducis sequentes se contulerant; metu deinde ne dederetur Scipioni
2 urbe excessit. Mox eodem patentibus portis Romani accepti, nec quicquam hostile, quia uoluntate concesserant in dicionem, factum. Duae subinde urbes captae direptaeque. Ea praeda et quae castris incensis ex igne rapta
3 erat militi concessa est. Syphax octo milium ferme inde spatio loco munito consedit; Hasdrubal Carthaginem contendit ne quid per metum ex recenti clade mollius consu-
4 leretur. Quo tantus primo terror est allatus ut omissa Vtica Carthaginem crederent extemplo Scipionem obses-
5 surum. Senatum itaque sufetes, quod uelut consulare im-

---

8 hausta πNV *Edd.* : exausta H; usta θ ad $HV\theta$ *Edd.* : *om.* πN capta $\pi^2 NHV\theta$: apta P (*cf.* § 6) multi $\pi N\theta$ *Edd.* : capita HV 9 septingentos A^8J, *cf.* 27. 14. 14 *et* 27. 42. 7 *adnn.* : septingenti $A(\text{dcc}^{\text{ti}})HK$, *fort. recte* : dcc πN; vī̄i V armorum $\pi A^8HV\theta$: armatorum AN Volcano H, *cf. Praef.* § 30: uulcano $\pi N\theta$

7 1 Afrorum $\pi N\theta ald.Frob.$1.2 : equorum $SpHV$: suorum *Rhen.* *post* superarant *om. omnia ad* contulerant θ : *supplent* πNHV deinde ne $\pi^2 N\theta$ *Edd.* : dein P : ne HV 2 patentibus portis (portentis H) $\pi NH.ald.Frob.$1.2 : patenti porta θ *et* V (*sed eadem porta patenti* V) incensis $M^2A^8HV\theta$: excensis πN (expraesumpto, *cf.* 29. 5. 6 *adn.*) igne πNK : igni HVJ
3 munito $SpHV\theta Frob.$2 : communito $\sqcap N.ald.$ consedit πNSp ut uid. $\theta ald.$: *om.* HV 4 terror est allatus $P^2CA^8N^rHV$ *Edd.* : terror est attalus P : terrore status $MBDAN$: terror al-(il- K)latus θ ob-(op- PB)sessurum $\pi B^2A^8N^rHV\theta$: oppressurum $AN.ald.Frob.$1.2 5 sufetes, *cf. e.g.* 28. 37. 2 : usufetes $PA^8\theta$: ut suffectus (-tos C) $\pi^2(A?)N$: usipetes N^rV : usipatres (-patum H)H^2 : suffetes *ald.Frob.*1.2

AB VRBE CONDITA XXX

perium apud eos erat, uocauerunt. Ibi tribus ⟨sententiis 6 certatum⟩; una de pace legatos ad Scipionem decernebat, altera Hannibalem ad tuendam ab exitiabili bello patriam reuocabat, tertia Romanae in aduersis rebus constantiae erat; reparandum exercitum Syphacemque hortandum ne 7 bello absisteret censebat. Haec sententia quia Hasdrubal praesens Barcinaeque omnes factionis bellum malebant uicit. Inde dilectus in urbe agrisque haberi coeptus, et ad 8 Syphacem legati missi, summa ope et ipsum reparantem bellum cum uxor non iam ut ante blanditiis, satis potentibus ad animum amantis, sed precibus et misericordia 9 ualuisset, plena lacrimarum obtestans ne patrem suum patriamque proderet iisdemque flammis Carthaginem quibus castra conflagrassent absumi sineret. Spem quoque oppor- 10 tune oblatam adferebant legati: quattuor milia Celtiberorum circa urbem nomine Obbam ab conquisitoribus suis conducta in Hispania, egregiae iuuentutis, sibi occurrisse; et Hasdrubalem propediem adfore cum manu haudquaquam contemnenda. Igitur non benigne modo legatis respon- 11 dit, sed ostendit etiam multitudinem agrestium Numidarum quibus per eosdem dies arma equosque dedisset, et omnem iuuentutem adfirmat ex regno exciturum: scire incendio 12 non proelio cladem acceptam; eum bello inferiorem esse qui armis uincatur. Haec legatis responsa, et post dies 13

---

5 uocauerunt πN: uocarunt $HV\theta$ 6 sententiis certatum *Madv., lineam unam supplens* (*cf.* 26. 6. 16 *adn.*): *ignorant* $\pi NHV\theta$: dictis sententiis *ald.Frob.*1.2: *add.* e *ante* tribus *Gron.* (*cum parenthesi ex* una *ad* (§ 7) censebat)   exitiabili π^2 *ut uid.* NH^1(-le H)$V\theta$ *Edd.*: exitiali P^xA^x: exitiabilem | li P reuocabat $A^8N^4HV\theta$: per- (pro- A)uocabat πN (*cf. fort.* re- *pro* per- 29. 32. 10)   7 censebat $CMA^8HV\theta$: censebat haec sensebat P: censebant π^2N: *malimus deletum* malebant] mal- πNK: mall- J: man- C: mon- C^4: al- HV uicit $AN\theta ald.Frob.$1.2: uincit π: uicti HV 8 Inde πNH *Edd.*: deinde $V\theta$ et (ad Syph.) πNH *Edd.*: *om.* $V\theta$ 9 ne $P^4CM^1B^2ANHV\theta$: de PMB: *om.* D 10 nomine $\pi NHV\theta$: *secludebat Duker*   Obbam πNH, *cf. Polyb.* 14. 6. 12, Ἄββαν: olbam $A^8V\theta$ 11 etiam πNH: eam $V\theta$ eosdem Π*N.ald.Frob.*1.2: eos $HV\theta$ 12 scire $PCA^8N^4HV\theta$: exire MB DAN: *del.* M^7

TITI LIVI

XXX 7 13

paucos rursus Hasdrubal et Syphax copias iunxerunt. Is
omnis exercitus fuit triginta ferme milium armatorum.

8 Scipionem, uelut iam debellato quod ad Syphacem Carthaginiensesque attineret, Vticae oppugnandae intentum
iamque machinas admouentem muris auertit fama redinte-
2 grati belli; modicisque praesidiis ad speciem modo obsidionis terra marique relictis ipse cum robore exercitus ire
3 ad hostes pergit. Primo in tumulo quattuor milia ferme
distante ab castris regiis consedit; postero die cum equitatu
in Magnos—ita uocant—campos subiectos ei tumulo degressus, succedendo ad stationes hostium lacessendoque
4 leuibus proeliis diem absumpsit. Et per insequens biduum
tumultuosis hinc atque illinc excursionibus in uicem nihil
dictu satis dignum fecerunt: quarto die in aciem utrimque
5 descensum est. Romanus principes post hastatorum
prima signa, in subsidiis triarios constituit: equitatum
Italicum ab dextro cornu, ab laeuo Numidas Masinissamque
6 opposuit. Syphax Hasdrubalque Numidis aduersus Italicum
equitatum, Carthaginiensibus contra Masinissam locatis
Celtiberos in mediam aciem aduersus signa legionum
7 accepere. Ita instructi concurrunt. Primo impetu simul

13 rursus $A^x HV\theta$: usus P: reuersus $\pi^2 N$ milium (-ll- K)
$HV\theta Frob.2$: milia (-ll- P) $\pi N.ald.$

8 1 iam debellato $\pi N.ald.$: debellato iam $V\theta Frob.2$ (cf. 27. 37. 5
adn.) et (sed tamquam pro iam quod ad) H auertit $ANHV\theta$:
aduertit (ut adu. C^4) π 3 milia ferme $\pi HV\theta$: ferme milia AN
ald.Frob.1.2, cf. 29. 3. 10 adn.   ei tumulo $PCM^2(M^7?)A^8(A^1?)$
$N^1V\theta$: ei tumulos $MBDAN$: tumulo H degressus $P^4?NHK$
Edd.: degressu (dig- M^5) π: digressus $M^7(M^2?)$ leuibus P^4 uel
$P^5CM^2(M^7?)B^2A^8(A^v?)N^4HV\theta$: leuius π 4 utrimque] hic πN
ald.: ante in H(-umq.)$V\theta Frob.2$ 5 principes post Victorius, cf.
cum Sigonio Polyb. 14. 8. 5: post principes (princeps M) $\pi M^2(M^7?)$
$NHV\theta ald.Frob.1.2$ hastatorum $M^2(M^7?)A^8N^4HV\theta$ (Genetiuus
explicatiuus ut 37. 39. 8): hastarum (-torum P) π^2N 6 Numidis
$A^8N^2HV\theta$: numidicis πN Carthaginiensibus] -ibus $A^8N^4HV\theta$:
-ium πN (cf. fort. c. 3. 8)   in mediam $V\theta$ Edd.: mediam πN: in
italiam H aduersus (sig.) Ruperti: in aduersa $\pi NHV\theta ald.Frob.1.2$
(in huc perperam translato, u. adn. praec.)   accepere PCA^8 uel A^5N^2
$HV\theta$: accipere $BDAN$ (-ret M)   7 Primo $\pi NH.ald.Frob.1.2$:
igitur primo $A^8V\theta$

AB VRBE CONDITA

utraque cornua, et Numidae et Carthaginienses, pulsi; nam neque Numidae, maxima pars agrestes, Romanum equitatum neque Carthaginienses, et ipse nouus miles, Masinissam recenti super cetera uictoria terribilem sustinuere. Nudata utrimque cornibus Celtiberum acies stabat quod nec in fuga salus ulla ostendebatur locis ignotis neque spes ueniae ab Scipione erat, quem bene meritum de se et gente sua mercennariis armis in Africam oppugnatum uenissent. Igitur circumfusis undique hostibus alii super alios cadentes obstinate moriebantur; omnibusque in eos uersis aliquantum ad fugam temporis Syphax et Hasdrubal praeceperunt. Fatigatos caede diutius quam pugna uictores nox oppressit.

Postero die Scipio Laelium Masinissamque cum omni Romano et Numidico equitatu expeditisque militum ad persequendos Syphacem atque Hasdrubalem mittit; ipse cum robore exercitus urbes circa, quae omnes Carthaginiensium dicionis erant, partim spe, partim metu, partim ui subigit. Carthagini erat quidem ingens terror, et circumferentem arma Scipionem omnibus finitimis raptim perdomitis ipsam Carthaginem repente adgressurum credebant. Itaque et muri reficiebantur propugnaculisque armabantur,

---

7 utraque cornua $CSpA^8N^2HV\theta Frob.2$ (*cf. e.g.* 27. 22. 2): utraque cornu πN: utroque cornu $P^5?M^2(M^7?)ald.$ nam neque $A^8V\theta$ $Edd.$: namque πNH: nam M agrestes π: agrestis $ANHV\theta$ $ald.Frob.$1.2 Carthaginienses (*ante* et)] -es $C^4A^xN^4?HV$: -e π N: -ę D: -is M^2 8 Celtiberum (uelt- P) π^2H: celtiberorum $AN\theta ald.Frob.$1.2, *fort. recte* (*ut c.* 7. 10) ueniae $P^xM^2(M^7?)A^x$ $N^2DV\theta$: uenire πN: uentre C: neue H oppugnatum] *hic* π (obp- C)$N.ald.Frob.$1.2: *ante* in Afr. $HV\theta$, *cf.* 27. 37. 5 *adn.* 9 obstinate (*uel* ops-) π, *cf.* 37. 32. 5: obstinati $A^6?HFrob.$2: *om.* AN: obstricti $A^8V\theta ald.$ praeceperunt π$NH\theta$ (perc- C^4M^7V)

9 1 expeditisque π$N.ald.$: expeditissimisque $A^8HV\theta Frob.$2 2 spe, partim PC: speratim $MBDAN$: *om.* $N^4HV\theta ald.Frob.$1.2 (*sed partim ui partim metu Edd. hi*), *non male, sed quis glossemator uocem* spe *uerbo* subigere *additurus erat?* subigit AVJ: subicit πNH: subiit C: subegit $K.ald.Frob.$1.2 (*cf.* 27. 5. 9 *adn.*) 3 quidem π$NV\theta Edd.$ (quidem erat $A.ald.Frob.$1.2): quidam H circumferentem . . . Scipionem π$N.ald.Frob.$1.2 (-nte . . . -ne $HV\theta$) finitimis $P^1M^7(M^2?)A^xN^4H\theta$: finitionibus π$(C?)N$: finib' (*ut uid.*) C^2 raptim π$N Edd.$: partim $A^8V\theta$ (*cf.* 27. 31. 2): his partim H

et pro se quisque quae diutinae obsidionis tolerandae sunt ex agris conuehit. Rara mentio est pacis, frequentior legatorum ad Hannibalem arcessendum mittendorum; pars maxima classem, quae ad commeatus excipiendos parata erat, mittere iubent ad opprimendam stationem nauium ad Vticam incaute agentem; forsitan etiam naualia castra relicta cum leui praesidio oppressuros. In hoc consilium maxime inclinant; legatos tamen ad Hannibalem mittendos censent: quippe classi ut felicissime geratur res, parte aliqua leuari Vticae obsidionem: Carthaginem ipsam qui tueatur neque imperatorem alium quam Hannibalem neque exercitum alium quam Hannibalis superesse. Deductae ergo postero die naues, simul et legati in Italiam profecti; raptimque omnia stimulante fortuna agebantur, et in quo quisque cessasset prodi ab se salutem omnium rebatur.

Scipio grauem iam spoliis multarum urbium exercitum trahens, captiuis aliaque praeda in uetera castra ad Vticam missis iam in Carthaginem intentus occupat relictum fuga custodum Tyneta—abest ab Carthagine quindecim milia

4 quae C^4ANH(que)θ : *om.* πV obsidionis (*uel* ops-) πN. *cf. e.g.* 27. 9. 12 : obsidioni $SpA^8HV\theta ald$.   tolerandae SpM^7A^8 $HV\theta$ (-de HVJ) : toleranda (-ll- C) πN sunt ex agris πSp *Frob*.2 : *add.* necessaria *post* agris AN, *ante* sunt θ, *ante* ex *ald., cf.* 28. 12. 13 *adn. et de ordine* 27. 34. 3 *adn.*: sunt indignis H : sumptis ex agris V conuehit $\pi N.ald., cf.$ 27. 5. 9 *adn.* : conuehebat Sp *Frob*.2 (-bant θ : -bantur HV)   5 arcessendum πNH, *cf.* 26. 22. 2 *adn.*   6 ad Vticam ... agentem] *om.* H 7 classi πN : classe $A^8V\theta ald.Frob$.1.2 : classem H geratur $Sp?HV\theta Frob$.2 : gerantur $\pi N.ald$.   leuari $H\theta ald.Frob$.1.2 : leuare πN (*cf.* 27. 4. 13 *adn.*)   8 tueatur $\pi NK.ald.$: tueantur $SpA^xN^xVJFrob$.2   9 et legati $\pi NEdd.$: legatique H : legati $V\theta$ in (Italiam) $\pi NV Edd.$: *om.* $H\theta$ quisque $\pi NH Edd.$ (*cf. Thuc.* 2. 8. 4) : quis $V\theta$ 10 aliaque $P^4AN^4HV\theta$: alique (-quę C) π : aliiq. D : aliqua N : cum aliqua C^4M^7 Tyneta πN, *cf. c.* 16. 1 *adn.*: tuneta *ald.Frob*.1.2 : tynea D : fineta H : tunecta V : finec (-ech K) θ 11 ab (Cart.) $ANHV\theta$ (*et sic* π *in* § 12) : a π ; *saepius* ab *ante* c- *praebent codd., cf. e.g. cc*. 15. 3 ; 19. 12 ; 36. 9 *al.* ; *cf. contra cc*. 10. 1 *inf.* ; 19. 5 ; 25. 5 *et* 10 ; 27. 1. 11 ; 29. 35. 11   quindecim (*uel* xv) $\pi^2N\theta$: quindeum P : xii Sp *ut uid. ald., sed cf. Polyb.* 14. 10. 5 : *om.* V quindecim ... (§ 12) ab Carthagine

AB VRBE CONDITA XXX 9

ferme passuum—, locum cum operibus tum suapte natura tutum et qui et ab Carthagine conspici et praebere ipse prospectum cum ad urbem tum ad circumfusum mare urbi possit. Inde cum maxime uallum Romani iacerent, conspecta classis hostium est Vticam ab Carthagine petens. Igitur omisso opere pronuntiatum iter signaque raptim ferri sunt coepta ne naues in terram et ad obsidionem uersae ac minime nauali proelio aptae opprimerentur: qui enim restitissent agili et nautico instrumento aptae et armatae classi naues tormenta machinasque portantes et aut in onerariarum usum uersae aut ita adpulsae muris ut pro aggere ac pontibus praebere adscensum possent?

Itaque Scipio, postquam eo uentum est, contra quam in nauali certamine solet rostratis quae praesidio aliis esse poterant in postremam aciem receptis prope terram, onerariarum quadruplicem ordinem pro muro aduersus

11 locum ... tutum $Sp?A^8H\theta Frob.2$: locus ... tutus $\pi N.ald.$
suapte $PCMB^2Sp$ ut uid. $A^8\theta$: sua apte $BDAN$: sequente H
12 et qui et PV: et qui $C\theta ald.Frob.$1.2: et quia et $MBAN$: et quia D:
eo qui H prospectum A^v uel $A^6?HJ$ Edd.: conspectum πNVK
(sc. con- ex conspici sumpto)   cum (tum $V\theta$) ad urbem tum ad
circumfusum $A^8N^4V\theta$: cumfusum πN, linea xviii litt. perdita, cf. 26.
51. 8 adn.: confusum BD: circumfusum M^2 uel M^7 possit π
N: posset $A^8HV\theta ald.Frob.$1.2

10 1 ab H : a $\pi NV\theta ald.$, cf. c. 9. 11 adn.: om. Frob.2   2 pronuntiatum (-tur $A^8V\theta$, pari iure) iter $\pi V\theta ald.Frob.$1.2: pronuntiatum
ter $A?N$: pronuntiat iter (an pronuntiatur?) N^4 et ad A^8 : et
$\pi SpHV\theta Frob.2$: ad $AN.ald.$ post aptae om. H omnia usque ad
aptae (§ 3)   3 restitissent] -iti- $A^8N^1V\theta$: -itui- πN classi
$BDN^1V\theta$: classis πB^xN, cf. 26. 40. 14 adn.: classium H (inter pro
armatae H)   in onerariarum ... aut om. SpH(sed om. et aut ...
adpulsae H spat. xvi litt. relicto)V, cf. 28. 2. 16 adn.: supplent $\pi N\theta$
(om. aut θ) Edd.   adpulsae muris SpA^v uel $A^6\theta Frob.2$: pulsae
ad muris (-os CM^1AN) πN: apud se muris V: appulsae ad muros
ald.   ad-(sed a-)scensum $SpA^8V\theta Frob.2$: ascensum πNH (cf. 27.
17. 1 adn.): accessum ald.   4 post postquam om. eo ... quam
πN: supplent $Sp?A^8N^4HV\theta$, u. sq.   est contra quam $Sp?A^8H$
V: est ut N^4ald.: ut C^2AN: om. π poterant $\pi NHV\theta$ (sc.
'potestatem habebant adiuuandi et alibi adiuuissent'): non poterant
Weissenb. (sed sic etiam in hac pugna addendum erat): potuerant
Madv. Em. p. 427   in postremam $C^4ANHV\theta$: ipsostremam π
(C?)   5 quadruplicem] -upl- $HV\theta$: -ipl- πN

XXX 10 5 TITI LIVI

hostem opposuit, easque ipsas, ne in tumultu pugnae turbari ordines possent, malis antennisque de naue in nauem traiectis ac ualidis funibus uelut uno inter se uinculo inligatis 6 comprendit, tabulasque superinstrauit ut peruium in totum nauium ordinem esset, et sub ipsis pontibus interualla fecit qua procurrere speculatoriae naues in hostem ac tuto recipi 7 possent. His raptim pro tempore instructis, mille ferme delecti propugnatores onerariis imponuntur; telorum maxime missilium ut quamuis longo certamine sufficerent uis ingens 8 congeritur. Ita parati atque intenti hostium aduentum opperiebantur.

Carthaginienses, qui, si maturassent, omnia permixta 9 turba trepidantium primo impetu oppressissent, perculsi terrestribus cladibus atque inde ne mari quidem ubi ipsi plus poterant satis fidentes, die segni nauigatione absumpto sub occasum solis in portum—Rusucmona Afri uocant— 10 classem adpulere. Postero die sub ortum solis instruxere ab alto naues uelut ad iustum proelium nauale et tamquam 11 exituris contra Romanis. Cum diu stetissent postquam

5 naue in nauem πNVJ: naui in nauim HK comprendit *Med.* 2 (*cf. de forma* 26. 27. 7): comprehendit $Sp?A^6?$ *uel* $A^v\theta Frob.$2: compresit PC: compressit (*uel* conp-) $C^2MBDAN.ald.$: comprehendi H 6 superinstrauit $\pi N\theta ald.$: instrauit M: superstrauit $Sp?HVFrob.$2   in totum nauium $SpA^8N^4V\theta Frob.$2: nauium $ald.$: om. πN: in totum aut ultra H (prouium *pro* peru- H) esset $SpVFrob.$2: faceret $A^8\theta$(-ent K)$ald.$: fecisset πN: cepit H 7 maxime N^4 *uel* $N^2HV\theta$: om. πN certamine $\pi NHV\theta$: certamini K *et sic Madv. Em. p.* 427   8 atque intenti $\pi HVJFrob.$2 *et sic* (*uel* intentique) $Sp?$: instructique $AN.ald.$: atque instructi K opperiebantur M^7 (oper- $\pi NHV\theta$)   si maturassent C^5(-sint)A^8 $N^4HV\theta$: simitatura (-mut- C) essent πN: si matura cēnt M: simitatur aessent B^2: si maturata essent C^4 turba $C^xA^1?N^1HV\theta$: turbata πN (*cf.* 27. 20. 8 *adn.*)   oppressissent $\pi^2N.ald.$: pressissent P: deprehendissent (-prend- $Sp?VK$) $Sp?N^4$ *ut s. l.* $HV\theta$ *Frob.*2   9 inde ne $A^6?$, *Alschefskium anticipans*: inde ne in N^4 $\theta ald. Frob.$1.2: inde in πB^2NV (*sed pleniore cal. scripsit in* M, *cf.* 27. 2. 10 *adn.*): inde BH (*sed om.* ne mari H *spat. vi litt. relicto*) segni $PC?M^2(M^7?)A^8N^1$ *ut s. l.* $V\theta$: segna MB^2(-nna)DAN: se B signi H: sub C^4: senia ?C^5 Rusucmona πNJ (-suom- H: -ism- V: -suchum- K: -scin- $ald.$)   classem $CM^2(M^7?)B^2ANH$ $V\theta$: classe π (*cf.* 26. 41. 12)

AB VRBE CONDITA XXX 10

nihil moueri ab hostibus uiderunt, tum demum onerarias adgrediuntur. Erat res minime certamini nauali similis, proxime speciem muros oppugnantium nauium. Altitudine aliquantum onerariae superabant; ex rostratis Poeni uana pleraque, utpote supino iactu, tela in locum superiorem mittebant; grauior ac pondere ipso libratior superne ex onerariis ictus erat. Speculatoriae naues ac leuia alia nauigia, quae sub constratis pontium per interualla excurrebant, primo ipsae tantum impetu ac magnitudine rostratarum obruebantur; deinde propugnatoribus quoque incommodae erant quod permixtae cum hostium nauibus inhibere saepe tela cogebant metu ne ambiguo ictu suis inciderent. Postremo asseres ferreo unco praefixi—harpagones uocat miles —ex Punicis nauibus inici in Romanas coepti. Quos cum neque ipsos neque catenas quibus suspensi iniciebantur incidere possent, ut quaeque retro inhibita rostrata onerariam haerentem unco traheret, scindi uideres uincula quibus aliis innexa erat, seriem aliam simul plurium nauium trahi. Hoc

12 res $A^8N^4HV\theta$ *Edd.* : *om.* πN superabant $A^8N^4HV\theta ald.$ *Frob.*1.2: superant *PC* (*sed spat. v litt. post* superant *reliquit P ut nouam paragrapham incipiens*) : supererant P^x : *om. MBDAN*
13 utpote A^8N^4?(*sed* -nte *in* ponte *non expunxit*)$HV\theta$: sicut pote *P* : sicut ponte π^2N : sicut *C*   iactu $M^2(M^7?)A^8HV\theta$: actu π ex onerariis π$A^8N^4HV\theta$ *Edd.* : exoneratus A?N 14 Speculatoriae $A^8N^4HV\theta$: spectatoriae π (-ie *D*) : spectarie AN alia $N^4HV\theta$ (*cf.* § 6) : ipsa π$N.ald.Frob.$1.2 : *om.* θ : *uoces* ac leuia ipsa nauigia *aut spurias aut corruptas esse suspicatur Weissenb., probante olim Madv.*   ipsae tantum HV : ipso tantum $A^8\theta ald.Frob.$ 1.2: ipsae (-sa *C*) tanto π : ipsa et ante *D* : ipsa et alto AN : ipsa e tanto B^2 ac $HV\theta ald.Frob.$1.2 : et πN 15 *post* deinde *scribunt et* π$NHK.ald.Frob.$1.2, ex N^2VJ, etiam A^8 : *del.* A^x *Madv., recte* incommodae (-de *CDJ*) π$N\theta$ (-omo- *J*) : incommoda N^1 *ut s. l. HV*   16 harpagones πN (arp- *CHV*θ)   uocat miles *Med.* 3 *Gron.* : uocat mil *P* : uocant mil (mille *C*) *CMDA* : uocant miles (-lex *BN*) B^2NHV : uocant milites $M^7ald.Frob.$1.2 : uocant $A^8\theta$ inici M^x(?M^1)$ANV\theta$: inlici (ill- *C*) π : unci H 17 inhibita πN *Edd.* : inhibitam N^1 *ipse HV*θ (inhibitam onerariam haerentem N^4 *ut s. l.* (*cum* habente)) haerentem P^4?$CA^8HVFrob.$2 *et sic ut s. l. N^4* (*sed u. supra*) : habentem *PDAN* : haberentem *MB* : haerente $B^2ald.$: habente N^4 18 aliis $CHV\theta Frob.$2 : alia aliis π$N.ald.$: aliae aliis $Frob.$1 (*cum* innexae erant)   aliam π$N\theta ald.$ *Frob.*1.2, *cf. e.g.* 7. 8. 1 *et* 7. 19. 2 : etiam *Ussing, fort. recte* (*quod post* aliis *corrumpi poterat*) : alium H : aliarum V

TITI LIVI

maxime modo lacerati [quidem] omnes pontes et uix transiliendi in secundum ordinem nauium spatium propugnatori-
20 bus datum est. Sexaginta ferme onerariae puppibus abstractae Carthaginem sunt. Maior quam pro re laetitia, sed eo gratior quod inter adsiduas clades ac lacrimas unum
21 quantumcumque ex insperato gaudium adfulserat, cum eo ut appareret haud procul exitio fuisse Romanam classem ni cessatum a praefectis suarum nauium foret et Scipio in tempore subuenisset.

11 Per eosdem forte dies cum Laelius et Masinissa quinto decimo ferme die in Numidiam peruenissent, Maesulii, regnum paternum Masinissae, laeti ut ad regem diu desi-
2 deratum concessere. Syphax pulsis inde praefectis praesidiisque suis uetere se continebat regno, neutiquam quieturus.
3 Stimulabat aegrum amore uxor socerque, et ita uiris equisque abundabat ut subiectae oculis regni per multos florentis annos uires etiam minus barbaro atque impotenti animo
4 spiritus possent facere. Igitur omnibus qui bello apti erant in unum coactis equos arma tela diuidit; equites in turmas,

19 quidem $\pi NHV\theta$, *mire: seclusimus, quamquam causa additamenti non apparet*: tandem *Madv., bene*: ibi quidem *Zingerle: scripsit* (primi) quidem ordinis pontes *M. Mueller: alia alii* 20 Sexaginta *H et sic uoluit P* (ex *pro* lx *scripto*): sex $\pi^2 N.ald.Frob.1.2$, *unde* sedecim (*i.e.* se x) *coniecit Alschefski*: XL (*uel plene*) $A^8V\theta$ abstractae (-te *B*) $\pi N.ald.Frob.1.2$: tracte $HV\theta$: abstrate D pro re $\pi N\theta$: prope D: pro HV sed πNSp ut uid. $HV\theta ald.$: fuit et *Madv. Em. p.* 428, *non necess.* gratior $M^7SpA^8N^4$ uel $N^2H\theta$: grauior πN (*ubi* -u- *iam ab* N^1 *uel* N^2 *notata erat*): gratior uictoria V: maior *ald.* adsiduas $P^4?CM^7$ uel $M^2ANHV\theta$ (ass- *hi quinque*): assidua (ads- P) π (*cf.* 27. 17. 12 *adn.*) unum $PCA^8N^2H V\theta$: num MBD: non AN (*cf.* 28. 25. 13): nunc $M^2(M^7?)$ ad(*uel* af-)fulserat $M^x(?M^1)ANHV\theta$ et C^2 (afu-): adfulserant (adflux-B)π(afu- C)B^2 (*cf.* 27. 17. 4 *adn.*)

11 1 ferme $\pi^2 HV\theta$: perme P Maesulii *Weissenb., cf.* 29. 29. 10: massylii *Sigonius*: masaesuli (*uel* -ses-) πN(masaaes- DN)θ (*non ut in* §§ 8, 11) diu $\pi N\theta ald.Frob.1.2$: om. $SpHV$, *cf.* 27. 39. 12 *adn.*
  neutiquam $HJMed.$ 1 $ald.Frob.1.2$: neuticam πN: ne utique VK 3 Stimulabat (tim- B: stib- C) $\pi B^2 N.ald.$: stimulabant $Sp N^4 HV\theta Frob.2$ florentis $C^2M^3Sp?HVK$: florentes $A^8N^4J.ald.$: flores πN minus πNHK: unius V: nimis J spiritus πN (spc)HV: spem $A^x?\theta$ 4 coactis $C^4M^2(M^7?)ANHV\theta$: coacti π, *cf.* 27. 17. 12 *adn.* in turmas $M^2(M^7?)A^8N^2HV\theta$: interuias πN

AB VRBE CONDITA XXX 11 4

pedites in cohortes, sicut quondam ab Romanis centurionibus didicerat, distribuit. Exercitu haud minore quam quem prius habuerat, ceterum omni prope nouo atque incondito, ire ad hostes pergit. Et castris in propinquo positis primo pauci equites ex tuto speculantes ab stationibus progredi, dein iaculis summoti recurrere ad suos; inde excursiones in uicem fieri et cum pulsos indignatio accenderet plures subire, quod inritamentum certaminum equestrium est cum aut uincentibus spes aut pulsis ira adgregat suos.

Ita tum a paucis proelio accenso omnem utrimque postremo equitatum certaminis studium effudit. Ac dum sincerum equestre proelium erat, multitudo Masaesuliorum ingentia agmina Syphace emittente sustineri uix poterat; deinde ut pedes Romanus repentino per turmas suis uiam dantes intercursu stabilem aciem fecit absterruitque effuse inuehentem sese hostem, primo barbari segnius permittere equos, dein stare ac prope turbari nouo genere pugnae, postremo non pediti solum cedere sed ne equitem quidem sustinere, peditis praesidio audentem. Iam signa quoque legionum adpropinquabant. Tum uero Masaesulii non

---

4 in cohortes $M^7(sed$ -tis$)A^8N^2$ uel $N^4HV\theta$: cohortis (coor- C) πN
6 speculantes π^2(-te D)$NHV\theta$: spectaculantes P (cf. 27. 20. 8 adn.)   dein $M^2(M^7?)B^2HV$, cf. 29. 3. 9: deinde θ : de π (in om. cf. 26. 13. 7 adn.) : inde $AN.ald.Frob.$1.2   7 uincentibus π $N\theta ald.Frob.$1.2 : uigentibus Sp (urg- $Rhen.$) et sic N^x (uicentibus iam N^2) : ingentibus (ingeren- V)HV 8 omnem $\pi N\theta ald.$: omnes $Sp?HVFrob.$2   utrimque $\pi NV\theta$ $Edd.$: utrum(-un- Sp)que SpH equitatum $\pi N.ald.$: equitum $Sp?HV$: exercitum θ
effudit Sp ut $uid.HV\theta ald.Frob.$1.2: effundit πN, uix recte   sincerum (cinc- D) πN (-re AN) : om. $HV\theta ald.Frob.$1.2   Masaesuliorum πNHJ, hic et § 11 recte, cf. 29. 30. 10 adn. (-lorum VK)   9 suis uiam] uiam suis A^6: suas uiam $CHV\theta ald.Frob.$1.2, fort. recte: suam uiam PM: uiam suam $BDAN$ 10 prope turbari $K.ald.Frob.$1.2: propere turbari (-re J) A^8J: propere (prope V) turbati (-bat in H) πNHV: temptauerunt (cum prope uel sine prope) trepidare turbati Koch, pauere turbati Luchs 1879 (non male), retro ire turbati Madv. ⟨sed nondum retro ibant⟩: alia alii   11 Masaesulii] u. § 8 : -uli $\pi NHV\theta$

TITI LIVI

modo primum impetum sed ne conspectum quidem signorum atque armorum tulerunt; tantum seu memoria priorum cladium seu praesens terror ualuit.

12 Ibi Syphax dum obequitat hostium turmis si pudore, si
2 periculo suo fugam sistere posset, equo grauiter icto effusus opprimitur capiturque et uiuus, laetum ante omnes Masinis-
4 sae praebiturus spectaculum, ad Laelium pertrahitur. Caedes in eo proelio minor quam uictoria fuit quia equestri tantum-
5 modo proelio certatum fuerat: non plus quinque milia occisa, minus dimidium eius hominum captum est impetu in castra facto quo perculsa rege amisso multitudo se contulerat.

3 Cirta caput regni Syphacis erat; eoque ex fuga ingens
6 hominum se contulerat uis. Masinissa sibi quidem dicere nihil esse in praesentia pulchrius quam uictorem reciperatum

---

11 tulerunt $\pi N.ald.Frob.$1.2: tulere $HV\theta$ seu (memoria) A^6 (an A^v?)$HV\theta$: eu P: eum MB: tunc AN: om. CD terror P^4 $M^7A^8HV\theta$: error πN (cf. c. 6. 1)
12 2 et uiuus $C^4A^8N^1$ uel $N^2V\theta$: et uisus PC: ut uisus $MBDAN$: om. H spat. vi litt. relicto   pertrahitur $\pi N.ald.$: trahitur V: attrahitur (uel adt-) $H\theta Frob.$2   2-4 Hinc cum Madvigio transtulimus § 3 (Cirta ... contulerat uis) ut hae uoces ante § 6 stent (u. § 3 adn. infra); quippe huic loco (post § 2) illa aliena esse satis constat (cf. contra Luterbacher Phil. Rundschau 1883, 594)   5 est πN: est et $HV\theta$ 3 Cirta C^2(-tha)$M^7A^8N?\theta$: circa πN?   eoque P $M^2AN\theta$: eo quae MBD: eo C: eo quod H Cirta ... contulerat uis] Hae uoces in marginem olim uidentur cecidisse ob repetitum contulerat, postea perperam post pertrahitur (§ 2) ob mentionem Syphacis inculcatae esse: ibi in archetypo Puteani contulerat in contulit mutatum est et uoces ex fuga et se omissae. Ordinem uocum ut in tali re aliter in alio codice contortum nos pro uirili parte restituimus (u. infra). Si quis Liuium eodem uerbo contulerat bis in locis tam propinquis uti noluisse opinatur, consulat 6. 3. 7 adn. et e.g. cc. 25. 1 et 2; 33. 9 et 11; 33. 13 et 16 al. (cf. etiam 29. 30. 4 adn.)   ex fuga] hic scripsimus: ante contulerat $HV\theta ald.Frob.$1.2, post contulerat A^8 ut uid.: om. πN (add. ante contulit N^4)   hominum se contulerat uis scripsimus: hominum contulit uis (uis contulit AN) πN (om. se πN): uis hominum (hominum uis $A^8ald.$) ... contulerat $A^8HV\theta ald.$ $Frob.$1.2, qui omnes (cum N^2) praebent se ante ingens   6 dicere] hic $\pi NHV\theta$: ante sibi $ald.Frob.$1 2   reciperatum (sed -cup-) πN Edd. (cf. 29. 30. 7 adn.): om. $HV\theta$. Hinc usque ad honorem (c. 15. 12) folium (213) ab A scriptum periit: rescriptum est ab A^r

AB VRBE CONDITA XXX 12 6

tanto post interuallo patrium inuisere regnum, sed tam secundis quam aduersis rebus non dari spatium ad cessandum ; si se Laelius cum equitatu uinctoque Syphace Cirtam 7 praecedere sinat, trepida omnia metu se oppressurum ; Laelium cum peditibus subsequi modicis itineribus posse. Adsentiente Laelio praegressus Cirtam euocari ad conlo- 8 quium principes Cirtensium iubet. Sed apud ignaros regis casus nec quae acta essent promendo nec minis nec suadendo ante ualuit quam rex uinctus in conspectum datus est. Tum ad spectaculum tam foedum comploratio orta, et 9 partim pauore moenia sunt deserta, partim repentino consensu gratiam apud uictorem quaerentium patefactae portae. Et Masinissa praesidio circa portas opportunaque moenium 10 dimisso ne cui fugae pateret exitus, ad regiam occupandam citato uadit equo.

Intranti uestibulum in ipso limine Sophoniba, uxor Sy- 11 phacis, filia Hasdrubalis Poeni, occurrit ; et cum in medio agmine armatorum Masinissam insignem cum armis tum cetero habitu conspexisset, regem esse, id quod erat, rata genibus aduoluta eius 'Omnia quidem ut possis' inquit 12

6 patrium inuisere (inuenisere M) $\pi M^1 N.ald.$: inuisere receptum patrium $HV\theta Frob.2$ (*de deprauationibus Spirensianis cf.* 29. 12. 5 *adn.*) tam secundis π^1 *uel* $\pi^2 C^4$(*om.* tam C)$HV\theta$: tamen | cundis P dari spatium $A^8 N^4 HV\theta$: au (haut C : aut B^2 : *del.* M^2) spatium (spici- $A^r N$) πN 7 uinctoque A^x (*linea super* uic- *postea erasa*) *Gronouium anticipans* : uictoque $\pi N\theta$ *Edd. ante Gron.* : dictoque HV (duc-)   subsequi $PCA^8 N^4$ *uel* $N^2 HV\theta$: sub $MBDA^r N$
8 euocari $HV\theta ald.Frob.1.2$: eo uocari πN regis $C^4 A^r NHV\theta$: regi π (-ii M^2)   est $HV\theta Frob.2$: esset $\pi N.ald., fort. nimis rhetorice (u. sis Hale and Buck Lat. Gr.* 507. 4)   10 Et $\pi N.ald.Frob.1.2$: *om.* $HV\theta$ cui $\pi NHV\theta$: qui *Wesenberg*
11 Intranti πNSp *ut uid.* $\theta ald.$: intrantibus HV uestibulum $C^2? M^2 \pi Sp$ *ut uid.* $A^6? H$(estib-)$\theta ald.$: uestibulo πN, *sed add.* uestibuli *ante* limine $A^r N.ald.* (*om.* in ipso A^r : *add.* A^5) : *del.* N^4 (uestibuli *retento*)   Sophoniba $\pi^2 N$ *et sic* πN *in* § 22 *et c.* 15. 4 *et* 6 : sophonibusa *hic* P, *sed* -ibus- *ex* -ib- *perperam uelut* ib' *intellecto ortum est*: sophonia C (*sed recte infra*) : sophoni sua H : sophonisba $V\theta ald$ Frob. 1.2 *et sic* (*cum* H) *infra, sed cf. Appian. Pun.* 27 *sq. et Cass. Dio* 17 *frgm.* 57. 51 *et C.I.L.* XIV. 3948   12 possis $A^8 HV\theta$: posses $\pi N.ald.Frob.1.2, quorum testimonium sequi malit Johnson*   inquit] *hic* $C^4 A^8 N^4 HV\theta$: *post* quidem *ald.Frob.1.2* : *om.* πN

TITI LIVI

'in nobis di dederunt uirtusque et felicitas tua ; sed si captiuae apud dominum uitae necisque suae uocem supplicem
13 mittere licet, si genua, si uictricem attingere dextram, precor
quaesoque per maiestatem regiam, in qua paulo ante nos
quoque fuimus, per gentis Numidarum nomen, quod tibi cum
Syphace commune fuit, per huiusce regiae deos, qui te melio-
ribus ominibus accipiant quam Syphacem hinc miserunt,
14 hanc ueniam supplici des ut ipse quodcumque fert animus
de captiua tua statuas neque me in cuiusquam Romani
15 superbum et crudele arbitrium uenire sinas. Si nihil aliud
quam Syphacis uxor fuissem, tamen Numidae atque in
eadem mecum Africa geniti quam alienigenae et externi
16 fidem experiri mallem: quid Carthaginiensi ab Romano,
quid filiae Hasdrubalis timendum sit uides. Si nulla re alia
potes, morte me ut uindices ab Romanorum arbitrio oro
17 obtestorque.' Forma erat insignis et florentissima aetas.
Itaque cum modo ⟨genua modo⟩ dextram amplectens in id
ne cui Romano traderetur fidem exposceret propiusque
18 blanditias iam oratio esset quam preces, non in misericordiam modo prolapsus est animus uictoris, sed, ut est
genus Numidarum in uenerem praeceps, amore captiuae
uictor captus. Data dextra in id quod petebatur obligandae
19 fidei in regiam concedit. Institit deinde reputare secum

12 in nobis πN: in nos A^8N^4 *ut s. l.* $HV\theta ald.Frob.$1.2   di (dii $CM^5B^2A^rNV\theta$, *cf.* 28. 28. 11) dederunt $\pi^2NV\theta$: di|derunt P: dederunt D: diuiderunt H 13 per (gentis) πN: perque $HV\theta ald.Frob.$1.2   ominibus $\pi^2M^1A^{r1}?N\theta$ (hom- MH): omnibus PDA^rV
14 quodcumque πN *Edd.*: quicquid $HV\theta$ fert πB^2N: *om.* B: feret $H\theta ald.Frob.$1.2: ferret V tua $N^4(uel\ N^2)HV\theta$: *om.* $\pi N.ald.Frob.$1.2   neque me $\pi N.ald.$: neque $Sp?Frob.$2: nec θ: ne H: *om.* V 16 uides $\pi N\theta$ *Edd.*: uidebis HV (*post* Carthag. ab *om.* D romano ... uindices ab *omnia*)   ut $\pi N\theta ald.$ (*sed* me morte ut $A^rN.ald.$): *om.* $Sp?Frob.$2: -t HV (*sed* mortem et)
17 modo genua modo *Gron.*: modo A^8? *ut s. l.* $N^4H\theta ald.$ $Frob.$1.2: domo πN: demum C^4 iam $A^8HV\theta ald.Frob.$1.2 (*sed ante* bland. *Edd.*): *om.* π: et A^rN 18-19 concedit. Institit deinde reputare $A^8N^4HV\theta$ *Edd.*: concedit | re P, *linea xx litt. omissa, cf.* 26. 51. 8 *adn.*: con- (cum- M^2B^2D)cum- (com- MB: con- D)uere (-bere AN: -beret C) π^2N

AB VRBE CONDITA

ipse quemadmodum promissi fidem praestaret. Quod cum expedire non posset, ab amore temerarium atque impudens mutuatur consilium ; nuptias in eum ipsum diem parari repente iubet ne quid relinqueret integri aut Laelio aut ipsi Scipioni consulendi uelut in captiuam quae Masinissae iam nupta foret. Factis nuptiis superuenit Laelius et adeo non dissimulauit improbare se factum ut primo etiam cum Syphace et ceteris captiuis detractam eam ⟨lecto⟩ geniali mittere ad Scipionem conatus sit. Victus deinde precibus Masinissae orantis ut arbitrium utrius regum duorum fortunae accessio Sophoniba esset ad Scipionem reiceret, misso Syphace et captiuis ceteras urbes Numidiae quae praesidiis regiis tenebantur adiuuante Masinissa recipit.

Syphacem in castra adduci cum esset nuntiatum, omnis uelut ad spectaculum triumphi multitudo effusa est. Praecedebat ipse uinctus; sequebatur grex nobilium Numidarum. Tum quantum quisque plurimum poterat magnitudini Syphacis famaeque gentis uictoriam suam augendo addebat: illum esse regem cuius tantum maiestati duo potentissimi in terris tribuerint populi Romanus Carthaginiensisque ut Scipio imperator suus ad amicitiam eius petendam relicta prouincia Hispania exercituque duabus quinqueremibus in

19 expedire] -re $\pi M^1 N\theta$: -ret M : -ri HV mutuatur πN H(mult-)V *Edd.*: mutuaturum J: imitatur K 20 relinqueret integri $\pi N ald.Frob.$1.2: relinqueretur (-ret $HV\theta$) integrum $SpHV\theta$ ipsi πM^2 *Edd.*: ipse M: om. $NHV\theta$ 21 improbare se *Gron.*: improbare $A^8 N^2 HV\theta$ *Edd. ante Gron.*: improearese P: im-(in- D)probe (-proue P^2BD) a (-na D) rege $\pi^2 N$ lecto *add. hic Madv.* (*post* geniali *Otto*): *ignorant* $\pi NHV\theta$: thoro *ald.Frob.*1.2 22 ut $\pi NV\theta ald.Frob.$1.2: ad SpH, *et sic* N^x *qui ante ad add. siglum* ⟨ʃ (*i.e.* 'uel'?) *quo nunquam utitur* N^4 utrius πSp *ut uid.* $A^8 N^4 V\theta$: om. $A^r N$: utrumuis H Sophoniba] *u.* § 11   regiis $\pi^2 N\theta$ (*post* tenebantur K): regis $CA^r HV$ recipit $\pi B^2 NSpH\theta$ *Frob.*2 (*cf.* 27. 5. 9 *adn.*): recepit $B.ald.$

13 2 poterat $\pi N.ald.$: posset $SpV\theta Frob.$2: posse H magnitudini] -ni $AN\theta$ *Edd.*: -ne π: -nis HV famaeque $SpA^8 HV\theta$ *Frob.*2: famae πN, *fort. recte* (*sed cf.* 26. 11. 12 *adn.* (*c*))   3 Romanus (*sed* R.) $\pi A^8 N^2$ *uel* $N^r HV\theta$: om. $BA^r N$

XXX 13 4 TITI LIVI

5 Africam nauigauerit, Hasdrubal Poenorum imperator non ipse modo ad eum in regnum uenerit sed etiam filiam ei nuptum dederit. habuisse eum uno tempore in potestate 6 duos imperatores, Poenum Romanumque. sicut ab dis immortalibus pars utraque hostiis mactandis pacem petisset, 7 ita ab eo utrimque pariter amicitiam petitam. iam tantas habuisse opes ut Masinissam regno pulsum eo redegerit ut uita eius fama mortis et latebris ferarum modo in siluis rapto uiuentis tegeretur.

8 His sermonibus circumstantium celebratus rex in praetorium ad Scipionem est perductus. Mouit et Scipionem cum fortuna pristina uiri praesenti fortunae conlata, tum recordatio hospitii dextraeque datae et foederis publice ac 9 priuatim iuncti. Eadem haec et Syphaci animum dederunt in adloquendo uictore. Nam cum Scipio quid sibi uoluisset quaereret qui non societatem solum abnuisset Romanam 10 sed ultro bellum intulisset, tum ille peccasse quidem sese atque insanisse fatebatur, sed non tum demum cum arma aduersus populum Romanum cepisset; exitum sui furoris eum 11 fuisse, non principium; tum se insanisse, tum hospitia priuata et publica foedera omnia ex animo eiecisse cum Cartha- 12 giniensem matronam domum acceperit. illis nuptialibus facibus regiam conflagrasse suam; illam furiam pestemque

4 nauigauerit $PCV\theta$: nauigarit $MBDA^rN$ 5 habuisse eum $CM^2A^rNV\theta$: habuisse cum π uno tempore $\pi N.ald.$: tempore uno $HV\theta Frob.2$ (cf. 27. 37. 5 adn.)   6 dis P, cf. 28. 28. 11 adn.
7 eo redegerit $A^8N^4HV\theta$ Edd. : fere (-rre A^r) degerit (relegerit CM^2) πN 8 perductus $\pi B^2 NSp?HV\theta Frob.2$: productus ald. : om. B (qui et est om. : add. B^2)   cum $\pi NHJFrob.2$: tum $A^rNVK.ald.$ 9 haec $\pi N.ald.Frob.1.2$: om. $HV\theta$ et π^2 ut uid. (sed fort. est et P^2 : postea del. est P^5) $NV\theta$: est P : om. D : ex H uictore $SpHV\theta Frob.2$: uictorem πA^8N (uiat- A^r)
10 non tum $\pi^2 N$: nondum P : tum $N^r ald.Frob.1\,2$: tunc $A^8HV\theta$ cepisset $PCSpHV\theta Frob.2$: recepisset $MBDAN.ald.$
sui πNH Edd. : om. $A^rV\theta$ eum $A^8H\theta$: cum V : om. $\pi N.ald.$ Frob.1.2   11 tum (se) Med. 3, Crevier: tunc $\pi NHV\theta ald.Frob.1.2$
insanisse A^6(sic uoluit sed insanisisse dat)$N^2HV\theta$: inuasisse πN tum ... eiecisse πN (tum in cum mutauit N^2) : cum ... eiecisset $A^6?$ et $A^xHV\theta$ Edd. ante Gron.   12 conflagrasse (-sem P, cf. 26. 40. 11 adn.) π^3 uel $\pi^2 NHV\theta$

AB VRBE CONDITA XXX 13

omnibus delenimentis animum suum auertisse atque alienasse, nec conquiesse donec ipsa manibus suis nefaria sibi arma aduersus hospitem atque amicum induerit. perdito tamen atque adflicto sibi hoc in miseriis solatii esse quod in omnium hominum inimicissimi sibi domum ac penates eandem pestem ac furiam transisse uideat. neque prudentiorem neque constantiorem Masinissam quam Syphacem esse, etiam iuuenta incautiorem; certe stultius illum atque intemperantius eam quam se duxisse.

Haec non hostili modo odio sed amoris etiam stimulis amatam apud aemulum cernens cum dixisset, non mediocri cura Scipionis animum pepulit; et fidem criminibus raptae prope inter arma nuptiae neque consulto neque exspectato Laelio faciebant tamque praeceps festinatio ut quo die captam hostem uidisset eodem matrimonio iunctam acciperet et ad penates hostis sui nuptiale sacrum conficeret. Et eo foediora haec uidebantur Scipioni quod ipsum in Hispania iuuenem nullius forma pepulerat captiuae. Haec secum uolutanti Laelius ac Masinissa superuenerunt. Quos cum

12 alienasse $CMDA^rNHV$(al. atque au. V)θ : alinasse PB conquiesse $Med.$ 1 : conquiescere πN : conquieuisse θ : quieuisse $ald.$ $Frob.$1.2 : $om.$ (cum nec) HV induerit $V\theta$ $Edd.$: induceret π N : induxerit H 13 hoc $\pi NHV\theta ald.Frob.$1.2 : $om.$ Sp inimicissimi CA^8N^2 et $N^5HV\theta$: inimicissimis is ($om.$ is B) $\pi(A^r?)N$
14 neque prudentiorem $\pi N.ald.Frob.$1.2 : $om.$ $SpHV\theta$ ($cf.$ 28. 2. 16 $adn.$) etiam πN : iam ab $SpHV$: etiam ab $A^8\theta ald.Frob.$1. 2 (inuenta HJ^1 ut $s.$ $l.$) illum atque intemperantius (-atius A^r $ald.$) πA^xN $ald.Frob.$1.2 : $om.$ $SpHV\theta$ ($cf.$ $supra$ et 28. 2. 16 $adn.$)

14 1 Haec $\pi NSp\theta$: hanc $N^xHV.ald.$ modo odio $\pi N.ald.$ $Frob.$1.2 : odio modo $SpHV\theta$ amoris $\pi N\theta ald.$: a nouis $SpFrob.$ 2 : a nobis HV amatam $\pi A^{r1}NSp\theta$: armatam $A^rald.$: amarit H : amat amarit V ($om.$ apud HV) 2 raptae πN ($om.$ prope A^rN) : facte (uel -ae) $A^8V\theta ald.Frob.$1.2 : facere H inter arma $A^8N^4HV\theta$ $Edd.$: interamna P : integram nam π^2N captam hostem $Gron.$: captum (-um A^{r1}: -om A^r) hostem πN : captam (rapt- V) reginam A^8 ut $s.$ $l.$ N^4 ut $s.$ $l.$ $HV\theta$ $Edd.$ $ante$ $Gron.$ iunctam (-tum D) πN $Edd.$: coniunctam A^8N^2 uel N^4 ut $s.$ $l.$ $HV\theta$ (con- ex confic- $fort.$ $praesumpto$) 3 Et $SpHV\theta Frob.$2: $om.$ π N: etiam $ald.$ forma πN $Edd.$: $om.$ $HV\theta$ (sed amor $post$ captiuae $add.$ V) uolutanti $CB^2SpH\theta Frob.$2 : uolutati πV : uoluenti $M^2A^rN.ald.$: uoluntnti P^4 (qui uolutanti $fort.$ $uoluit$)

pariter ambo et benigno uoltu excepisset et egregiis laudi-
4 bus frequenti praetorio celebrasset, abductum in secretum
Masinissam sic adloquitur : 'Aliqua te existimo, Masinissa,
intuentem in me bona et principio in Hispania ad iungendam
mecum amicitiam uenisse et postea in Africa te ipsum spes-
5 que omnes tuas in fidem meam commisisse. Atqui nulla
earum uirtus est propter quas tibi adpetendus uisus sim qua
ego aeque ac temperantia et continentia libidinum gloriatus
6 fuerim. Hanc te quoque ad ceteras tuas eximias uirtutes,
Masinissa, adiecisse uelim. Non est, non—mihi crede—tantum ab hostibus armatis aetati nostrae periculi quantum ab
7 circumfusis undique uoluptatibus. Qui eas temperantia sua
frenauit ac domuit multo maius decus maioremque uictoriam
8 sibi peperit quam nos Syphace uicto habemus. Quae me
absente strenue ac fortiter fecisti libenter et commemoraui
et memini : cetera te ipsum reputare tecum quam me dicente
erubescere malo. Syphax populi Romani auspiciis uictus
9 captusque est. Itaque ipse coniunx regnum ager oppida
homines qui incolunt, quicquid denique Syphacis fuit, praeda
10 populi Romani est ; et regem coniugemque eius, etiamsi non
ciuis Carthaginiensis esset, etiamsi non patrem eius impera-

3 ambo et $\pi N^4 H$ (*cf.* 26. 13. 7 *adn.*) : ambos et $C^4 Sp$ *ut uid.* $V\theta$: ambos $A N.ald.$ 4 existimo] *hic* $\pi N.ald.Frob.$1.2 : *post* Masinissa $HV\theta$, *ordine fort. usitatiore* (*sed cf.* 27. 37. 5 *adn.*)   et (postea) πN $Edd.$: *om.* $HV\theta$ tuas CM^1 *uel* $M^2 HV\theta$ $Edd.$: tuas tu (te P^4 A^r) πN 5 tibi $HV\theta$ *et* (*sed post* adpetendus) Sp *ut uid. ald.* : sibi π : *om.* $CA^r N$ sim qua (quam V) $Sp?HV\theta Frob.$2 : in qua πN (*sed* sim *post* tibi $CA^r N$) : sim in qua *ald.*   ac $\pi C^x N$: atque *ald.Frob.*1.2 : *om.* $HV\theta$ 6 Non est, non—mihi π : non est mihi $HV\theta$: nam non est mihi *Med.* 3 *ald.Frob.*1.2 : nam mihi non est $A^r N$ (*cf.* 29. 3. 10 *adn.*)   aetati $P^2 C A^x H\theta$: aetatis πNV nostrae $P^4?CM^2(M^?)A^r NHV\theta$: nostra P : nostram MBD periculi $Sp?A^x HV\theta Frob.$2 : periculum $\pi N.ald.$ 7 eas $\pi NV\theta$ $Edd.$: e Sp : ea DH sua] *hic* $\pi NSpHV\theta$: *post* eas *ald.Frob.*1.2 multo $\pi N.ald.Frob.$1.2 : ut multo $SpHV\theta$ peperit $\pi N\theta$ $Edd.$: ceperit Sp(coep-)HV 8 tecum] *hic* $\pi N.ald.Frob.$1.2 : *ante* reputare $HV\theta$ (*cf.* § 4 *et* 27. 37. 5 *adn.*)   9 coniunx $\pi\theta Frob.$2 : coniux $BNHV.ald.$ ager $P^4?A^x N^1 Sp?H\theta Frob.$2 : agere PCB^1 : aggere $MBDA^r$(-ra\$N$: agri $C^x A^6 ald.$ 10 et (regem) πN $Edd.$: *om.* $HV\theta$

AB VRBE CONDITA

torem hostium uideremus, Romam oporteret mitti, ac senatus populique Romani de ea iudicium atque arbitrium esse quae regem socium nobis alienasse atque in arma egisse praecipitem dicatur. Vince animum; caue deformes multa bona uno uitio et tot meritorum gratiam maiore culpa quam causa culpae est corrumpas.'

Masinissae haec audienti non rubor solum suffusus sed lacrimae etiam obortae; et cum se quidem in potestate futurum imperatoris dixisset orassetque eum ut quantum res sineret fidei suae temere obstrictae consuleret—promisisse enim se in nullius potestatem eam traditurum—ex praetorio in tabernaculum suum confusus concessit. Ibi arbitris remotis cum crebro suspiritu et gemitu, quod facile ab circumstantibus tabernaculum exaudiri posset, aliquantum temporis consumpsisset, ingenti ad postremum edito gemitu fidum e seruis unum uocat, sub cuius custodia regio more ad incerta fortunae uenenum erat, et mixtum in poculo ferre ad Sophonibam iubet ac simul nuntiare Masinissam libenter primam ei fidem praestaturum fuisse quam uir uxori debuerit: quoniam eius arbitrium qui possint adimant, secundam fidem praestare ne uiua in potestatem Romanorum ueniat. memor

10 egisse (aeg- *MB*) π*HV*θ : coegisse *A*ʳ*N.ald.Frob*.1.2
11 caue π*NHVJFrob*.2 : caue ne *K.ald., et post* deformes *add.* ne *N*⁵ (*longe alia manus ac N*⁴) gratiam *M uel M*¹*A*ʳθ *Edd.* : gratia π *NH*¹(causa gratia *H*)*V* (*iterum* gratia *ante* causa *add. V* : *corr. V*¹) : gratia et *N*⁵ (*non N*⁴) culpae est π²*NH*θ *Edd.* : culpa est *PV*
15 2 enim se π*NK* : enim sese *V.ald.Frob*.1.2 : sese enim *H* : eum sese *J* 3 crebro (-ros *P*) suspiritu (subs- *D*) π¹*N et N*³ : crebroso spiritu *N*² : crebro spiritu (sinu *V*) *HV* : crebro suspirio *P*⁴*C M*⁷*A*⁶(crebo)θ*ald.Frob*.1.2 quod π*Sp?HV*θ*Frob*.2 : quo *A*ʳ*N Aldus* ab π (*cf. c.* 9. 11) : a *A*ʳ*NHV*θ*ald.Frob*.1.2 4 unum uocat *Johnson* : uocat *PCMHV* : uo *BD* : uno accito *A*ʳ*N*θ*ald.Frob*. 1.2 (*cum* fido *supra omnes*) : *coniecit* fidissimum *pro* fidum *Weissenb.* custodia regio more *N*⁴*HV*θ *Edd.* : regio more *PC* : regio fide more *MBDA*ʳ(fide reg. m.)*N* et π : ei *N*⁴ *uel N*ˣ(uix *N*²)*H* θ*ald.Frob*.1.2 : eum *V* : *om. M*²(*M*⁷?)*A*ʳ*N* Sophonibam] *u. c.* 12. 11 *adn.* 5 quam uir π*NK*¹ : quamuis (!) *HK* : quam uix *M VJ* : quam *M*² eius (ei *H*) arbitrium π*NHV*θ : arbitrium eius *A*ʳ*ald.Frob*.1.2 secundam *M*²*A*ʳ*NH*θ : secundum π*V*

patris imperatoris patriaeque et duorum regum quibus nupta fuisset, sibi ipsa consuleret.

Hunc nuntium ac simul uenenum ferens minister cum ad Sophonibam uenisset, 'Accipio' inquit 'nuptiale munus, neque ingratum, si nihil maius uir uxori praestare potuit. Hoc tamen nuntia, melius me morituram fuisse si non in funere meo nupsissem.' Non locuta est ferocius quam acceptum poculum nullo trepidationis signo dato impauide hausit. Quod ubi nuntiatum est Scipioni, ne quid aeger animi ferox iuuenis grauius consuleret accitum eum extemplo nunc solatur, nunc quod temeritatem temeritate alia luerit tristioremque rem quam necesse fuerit fecerit leniter castigat. Postero die ut a praesenti motu auerteret animum eius, in tribunal escendit et contionem aduocari iussit. Ibi Masinissam, primum regem appellatum eximiisque ornatum laudibus, aurea corona aurea patera sella curuli et scipione eburneo toga picta et palmata tunica donat. Addit uerbis honorem: neque magnificentius quicquam triumpho apud Romanos neque triumphantibus ampliorem eo ornatum esse quo unum omnium externorum dignum Masinissam populus Romanus ducat. Laelium deinde et ipsum conlaudatum aurea corona donat; et alii militares uiri, prout a quoque nauata opera erat, donati. His honoribus mollitus regis animus erectusque in spem propinquam sublato Syphace omnis Numidiae potiundae.

---

6 Sophonibam] *u. c.* 12. 11 *adn.* 7 neque $\pi N.ald.$ *(sc. usu Ciceroniano in oratione retento)*: nec $Sp?HV\theta Frob.2$ si $\pi A^6 N^1 HV\theta$: *om.* $A^r N$ 9 animi $\pi(A^r$ et $A^v)N$: animo $C^2 A^8 HV\theta ald. Frob.$1.2: animus *?C* 10 temeritate $\pi A^8 N\theta ald.Frob.$1.2: *om.* $A^r SpHV$ 11 escendit] esc- *PCB*: asc- $MB^2 DA^r N\theta$, *cf.* 27. 5. 8: exc- *H*: acc- *V* eburneo $P^4 A^r HV\theta$ *(et sic in* 27. 4. 8 π): eburno πN *(sed post* curuli *add.* eburnea *ald.*, alia eburnea $A^r N$, *ignorant* $\pi SpHV\theta Frob.$2) 12 triumphantibus] -tibus $\pi(A^r$ et $A^5)N.ald.Frob.$1.2: -tis $SpA^8 HV$ *(cf.* 27. 2. 8 *adn.)*: -ti θ ornatum M^1 *uel* $M^2 V\theta$: ornatu $\pi NH.ald.Frob.$1.2 unum $KFrob.$1.2: uno $\pi NVJ ald.$: *om. H* 14 mollitus $N^4?HV\theta$ *Edd.*: mollitur πN erectusque $C^2 M^1$ *ut s. l.* $A^v ?HK$: ereptusque πJ: erectus AN

AB VRBE CONDITA XXX 16 1

Scipio C. Laelio cum Syphace aliisque captiuis Romam 16 misso, cum quibus et Masinissae legati profecti sunt, ipse ad Tyneta rursus castra refert et quae munimenta incohauerat permunit. Carthaginienses non breui solum sed prope uano 2 gaudio ab satis prospera in praesens oppugnatione classis perfusi, post famam capti Syphacis in quo plus prope quam in Hasdrubale atque exercitu suo spei reposuerant perculsi, iam nullo auctore belli ultra audito oratores ad pacem 3 petendam mittunt triginta seniorum principes ; id erat sanctius apud illos consilium maximaque ad ipsum senatum regendum uis. Qui ubi in castra Romana et in praetorium 4 peruenerunt more adulantium—accepto, credo, ritu ex ea regione ex qua oriundi erant—procubuerunt. Conueniens 5 oratio tam humili adulationi fuit non culpam purgantium sed transferentium initium culpae in Hannibalem potentiaeque eius fautores. Veniam ciuitati petebant ciuium temeritate 6 bis iam euersae, incolumi futurae iterum hostium beneficio ; imperium ex uictis hostibus populum Romanum, 7 non perniciem petere ; paratis oboedienter seruire imperaret quae uellet.

Scipio et uenisse ea spe in Africam se ait, et spem suam 8

16 1 C. πN.ald.Frob.1.2 : om. SpA^vHVθ. *Hic desinunt Rhenani de Sp adnotationes* Masinissae] -ssae P⁴CM²A⁸N¹HVθ : -ssa πN Tyneta (tin- BDH) πNHV (tun-), *cf. c.* 9. 10 (*sed* -tem *in c.* 36. 6, 7 *et* 9) : finectem θ permunit πN: permuniit (-iuit J) Vθald.Frob.1.2 (-nire H) 2 oppugnatione C^xA (obp-)NHVθ : oppugnationes πM¹, *cf.* 26. 40. 14 *adn.* : oppugnation M (*et add.* -es *pleniore cal.* M¹, *cf.* 27. 2. 10 *adn.*) exercitu πN ald.Frob.1.2 : in exercitu Hθ reposuerant ANHVθ Edd. : reposuerunt π (*cf.* 27. 6. 2 *adn.*) 3 consilium] cons- πNH Edd. : conc- Vθ (*cf.* 27. 35. 4) uis PA⁸HVθ : missi π²N 4 praetorium P⁴C²M²ANHVθ : praetoriam π 5 adulationi] -ni P² *ut uid.* C²M²HVθald. : -nis P (*cf.* 26. 40. 14) : -nem MBD : -ne CAN (adorationi Frob.1.2) potentiaeque (pet- PM : pat- π²) C²M¹B² A⁸Hθ : inpatientiaeque AN : impotentiaeque ald.Frob.1.2
6 iam euersae C⁴HVθ : iamteuersae π : iam uersae C : iam ante euersae AN(sed uerse AN : eu- N⁴?)ald.Frob.1.2 iterum π²NHV θ : terum P 7 imperaret] *hic* πNHVJ¹(-atorumque J)K : *post* uellet AN.ald.Frob.1.2 (*cf.* 29. 3. 10 *adn.*)

XXX 16 8   TITI LIVI

prospero belli euentu auctam, uictoriam se non pacem
9 domum reportaturum esse; tamen cum uictoriam prope in
manibus habeat, pacem non abnuere, ut omnes gentes sciant
10 populum Romanum et suscipere iuste bella et finire. leges
pacis se has dicere: captiuos et perfugas et fugitiuos resti-
tuant; exercitus ex Italia et Gallia deducant; Hispania
abstineant; insulis omnibus quae inter Italiam atque Africam
11 sint decedant; naues longas praeter uiginti omnes tradant,
12 tritici quingenta, hordei trecenta milia modium. —Pecuniae
summam quantam imperauerit parum conuenit; alibi quinque milia talentum, alibi quinque milia pondo argenti, alibi
13 duplex stipendium militibus imperatum inuenio.—' His
condicionibus' inquit ' placeatne pax triduum ad consultandum dabitur. Si placuerit, mecum indutias facite, Romam
14 ad senatum mittite legatos.' Ita dimissi Carthaginienses
nullas recusandas condiciones pacis cum censuissent quippe
qui moram temporis quaererent dum Hannibal in Africam
15 traiceret, legatos alios ad Scipionem ut indutias facerent,
alios Romam ad pacem petendam mittunt ducentes paucos
in speciem captiuos perfugasque et fugitiuos quo impetra-
bilior pax esset.

17 Multis ante diebus Laelius cum Syphace primoribusque
Numidarum captiuis Romam uenit quaeque in Africa gesta
essent omnia ordine exposuit patribus ingenti hominum et

8 euentu π⁴M¹ uel MNHVθ: euentum PM?   10 fugitiuos P⁴
CM²(M⁷?)B²ANHVθFrob.2: fugitius P: fugitibus π²: om. (cum et)
ald.   atque (Afr.) πHVJ: et ANK.ald.Frob.1.2   sint πH
θ: sunt AN.ald.Frob.1.2: essent V   11 uiginti (sed xx) πNH
Vθ: xxx Sigonius ex Eutrop. 3. 21, fort. recte   12 post conuenit
om. alibi . . . talentum DHVθ: praebent πNJ¹   pondo πNVJ¹
K: primo HJ (D mil. pondo pro V mil. pondo coni. Weissenb. ex
Eutrop. 3. 21, fort. recte)   13 placeatne πHVθ Edd.: si placeat
(-eant AN) AˣN²   indutias (-tiis N: -tias N¹) facite ANHVθ
Edd.: indutis (-tiis C⁴B²) facile π (sed ind. Romam fac. D)
14 condiciones] -nes CANHVθ: -nis PMD: -n̄ B   15 ducentes]
-tes P⁴B²ANHθ: -tis π: -tos V   quo πN²HVθ: om. AN: ut
A⁶

17 1 omnia πN.ald.Frob.1.2: om. HVθ   ordine] hic πHVθ:
post exposuit AN.ald.Frob.1.2: ante omnia C

in praesens laetitia et in futurum spe. Consulti inde patres 2
regem in custodiam Albam mittendum censuerunt, Laelium
retinendum donec legati Carthaginienses uenirent. Suppli- 3
catio in quadriduum decreta est. P. Aelius praetor senatu
misso et contione inde aduocata cum C. Laelio in rostra
escendit. Ibi uero audientes fusos Carthaginiensium exer- 4
citus, deuictum et captum ingentis nominis regem, Numidiam
omnem egregia uictoria peragratam, tacitum continere gau- 5
dium non poterant quin clamoribus quibusque aliis multitudo solet laetitiam immodicam significarent. Itaque praetor 6
extemplo edixit uti aeditui aedes sacras omnes tota urbe
aperirent, circumeundi salutandique deos agendique grates
per totum diem populo potestas fieret.

Postero die legatos Masinissae in senatum introduxit. 7
Gratulati primum senatui sunt quod P. Scipio prospere res
in Africa gessisset ; deinde gratias egerunt quod Masinissam 8
non appellasset modo regem sed fecisset restituendo in
paternum regnum, in quo post Syphacem sublatum si ita
patribus uisum esset sine metu et certamine esset regnatu-
rus, dein conlaudatum pro contione amplissimis decorasset 9
donis, quibus ne indignus esset et dedisse operam Masinissam
et porro daturum esse. petere ut regium nomen ceteraque 10
Scipionis beneficia et munera senatus decreto confirmaret ;

3 C. Laelio (*uel* lel-) *HθaldFrob.*1.2 : l. caelio π : l. cecilio *AN* :
cn. lelio *V*   escendit π*NH* (asc- *A*⁶*N*⁷*K* : absc- *J* : consc- *V*),
cf. 27. 5. 8 *adn.*   6 uti π*N.ald.Frob.*1.2 : ut *A*ˣ*HVθ*   ae-(*uel*
e-)ditui π*Nθ* : editus *HV* (adi-)   omnes *HVθald.Frob.*1.2 : *om.*
π*N*   7 introduxit π*N.ald.Frob.*1.2 : perduxit *K* : produxit (in senatu p.) *HVJ*   res] *hic* π*N.ald.Frob.*1.2 : *ante* prospere *HVθ*,
cf. 27. 37. 5 *adn.*   9 dein π*N* : deinde *HVθ*(*cf.* 29. 3. 9 *adn.*)
*ald.Frob.*1.2   conlaudatum (*uel* coll-) π*H.ald.Frob.*1.2 : quod
(cum *AN*) laudatum *A*⁸*NHVθ*   *ab* donis *usque ad* dedisse
omnia om. π*N, ii lineis (xxxv litt.) omissis, cf.* 26. 51. 8 *adn.* : *supplent*
*A*⁸*N*⁴*HVθald.Frob.*1.2   operam π*A*⁸*N*⁴*HVθ* : operibus *AN*
porro daturum (duct- *M* : dut- *BD*) π*A*⁸*N*⁴*HVθ* : proredituro
AN   esse π*Nθald.Frob.*1.2 : esse et *N*⁴ : et *HV* : *malimus* esse
deletum, cf. 27. 38. 5 *adn.*   10 ceteraque π*N.ald.Frob.*1.2 : et
cetera *HVθ*

XXX 17 11 TITI LIVI

11 et, nisi molestum esset, illud quoque petere Masinissam, ut Numidas captiuos qui Romae in custodia essent remitterent;
12 id sibi amplum apud populares futurum esse. Ad ea responsum legatis rerum gestarum prospere in Africa communem sibi cum rege gratulationem esse; Scipionem recte atque ordine uideri fecisse quod eum regem appellauerit, et quicquid aliud fecerit quod cordi foret Masinissae id patres
13 comprobare ac laudare. Munera quoque quae legati ferrent regi decreuerunt, sagula purpurea duo cum fibulis aureis singulis et lato clauo tunicis, equos duo phaleratos, bina equestria arma cum loricis, et tabernacula militaremque
14 supellectilem qualem praeberi consuli mos esset. Haec regi praetor mittere iussus: legatis in singulos dona ne minus quinum milium, comitibus eorum ⟨singulorum⟩ milium aeris, et uestimenta bina legatis, singula comitibus Numidisque, qui ex custodia emissi redderentur regi; ad hoc aedes liberae loca lautia legatis decreta.

18 Eadem aestate qua haec decreta Romae et in Africa gesta sunt P. Quinctilius Varus praetor et M. Cornelius proconsul

---

11 et $BDANHV\theta$: et ad PCM (ad *ex* § 12 *init. fort. praesumpto*): et ad h' C^2 id (sibi) $PCA^vH\theta$ Edd.: his $MBDAN$ apud $\pi N.ald.Frob$.1.2: ad $HV\theta$ 12 Ad ea $\pi NHEdd$.: ad hec VK: ad hec legata J prospere] *hic* $\pi HV\theta$: *post* Africa $AN.ald.Frob$. 1.2 (*cf.* 29. 3. 10 *adn.*) appellauerit ... fecerit (feceri M: *add.* -t M^2 *uel* M^7) $\pi N.ald$.: appellauisset ... fecisset $HV\theta Frob$.2 cordi πN: honori $A^8HV\theta ald.Frob$.1.2 id C, *Alschefskium confirmans*: ea $C^2M^2ald.Frob$.1.2: eis PMB (*sc.* e- *ex uoce praec. et is pro* id): ei DAN: eaque H(ad res *pro* patres)θ: et V, *Crevier*: *del. Madv.* 13 quoque A^v?$HV\theta$: *om.* $\pi N.ald.Frob$.1.2 aureis A^8N^r(*uix* N^4)$HV\theta$ Edd.: *om.* πN tunicis $\pi NHV\theta$: tunicas *Weissenb. olim, probante Madv.* equos duo πN: equos duos C $AHV\theta$, *cf.* 26. 13. 7 *adn.* praeberi πN Edd.: praebere $HV\theta$ (*cf.* 27. 4. 13 *adn.*) esset $\pi\theta$: est $ANHV\theta ald.Frob$.1.2
14 regi praetor mittere πN Edd.: mittere praetor regi $HV\theta$ (*cf.* 27. 37. 5 *adn.*) ⟨singulorum⟩ milium aeris (*sc.* 'dona') *scripsi*: milium (*uel* -ll-) aeris π: milli eris AN: mille aeris (*uel* eris) A^v *uel* $A^6 ald$.: milibus (*uel* -ll-) aeris (*uel* eris) $N^4HV\theta Frob$.2, *mire* liberae A^6?$HV\theta$ (-re): liberas πN: libera *ald.Frob.*1.2 (*cum* loca *coniunctum*) loca lautia $\pi N.ald.Frob$.1.2, *cf.* 28. 39. 19 *et* 35. 23. 11: loca lautie (lauicitie *uel* -tic- θ) $H\theta$: localia uitia D: locata V

18 1 Quinctilius] quint- $\pi NHV\theta$ (*cf. c.* 1. 9) *et sic in* §§ 3 *et* 5 (*sed in* § 3 -illus P: -ilius MB^2DA(-ll-)N)

AB VRBE CONDITA XXX 18

in agro Insubrum Gallorum cum Magone Poeno signis conlatis pugnarunt. Praetoris legiones in prima acie fuerunt: 2 Cornelius suas in subsidiis tenuit, ipse ad prima signa equo aduectus; proque duobus cornibus praetor ac proconsul milites ad inferenda in hostes signa summa ui hortabantur. Postquam nihil commouebant, tum Quinctilius Cornelio: 3 'Lentior, ut uides, fit pugna, et induratur praeter spem resistendo hostium timor, ac ne uertat in audaciam periculum est. Equestrem procellam excitemus oportet si turbare ac statu 4 mouere uolumus. Itaque uel tu ad prima signa proelium sustine, ego inducam in pugnam equites; uel ego hic in prima acie rem geram, tu quattuor legionum equites in hostem emitte.' Vtram uellet praetor muneris partem pro- 5 consule accipiente, Quinctilius praetor cum filio, cui Marco praenomen erat, impigro iuuene, ad equites pergit iussosque escendere in equos repente in hostem emittit. Tumultum 6 equestrem auxit clamor ab legionibus additus, nec stetisset hostium acies ni Mago ad primum equitum motum paratos elephantos extemplo in proelium induxisset; ad quorum stri- 7 dorem odoremque et adspectum territi equi uanum equestre auxilium fecerunt. Et ut rem† permixtus, ubi cuspide uti et

1 conlatis] -is $\pi^2 NHV\theta$: -os P 2 equo $P^4 C^2 M^1 B^x A^8 HV\theta$: et quot (*uel* quod) πN 3 Quinctilius] *u.* § 1   induratur *Lov.* 2, *probante Madvigio*: induratus $\pi NHV\theta ald.Frob.$1.2 timor] *hic* πN *Edd.*: *ante* hostium $HV\theta$ (*cf.* 27. 37. 5 *adn.*)   ac $\pi NH\theta$: *at* V: *seclusit Gron.*, induratus *retinens* (*tali conloquio minus apte*)   uertat $\pi HV\theta Frob.$2: uertatur $AN.ald.$ 4 mouere $P^4 M^2 HV\theta ald.Frob.$1.2: moueri πN (*cf.* 27. 4. 13 *adn.*): mouere hostem A^6 uolumus] *hic* $\pi HV\theta$: *ante* turbare AN (*cf.* 29. 3. 10 *adn.*)   5 escendere PC (asc- *ceteri, cf. c.* 17. 3 *et* 27. 5. 8 *adn.*)   emittit πN *Edd.*: mittit H(-ct-)$V\theta$ 6 acies ni P^2(*sic uoluit, sed* acies i *praebet*)$CMB^2 ANHV\theta$: aciemeni P: acies in BD extemplo $P^4 CM^2 (M^1?)B^2 ANHV$(-imp-)θ: ex p̄r templo π (pr *ex* proelium *praesumpto*): templo B^1 7 rem† permixtus (-itus N) πN^x: e . . . mitus *stat ab* A *scriptum* (*ceteris erasis*): permixtus $A^8 H VJ$(-istus)$Frob.$2 (*sed datiuus desideratur*): in rem peritus J^1 *ut s. l. K*: in rem permistis *ald.*: intermixtus *Iac. Gron.*: inter permixtos *Madv. olim*: turmae (turbae *M. Mueller*) permixtus *Madv.* 1886, *quem sequi malit Johnson*: ipse uereor ne quid amplius exciderit uelut re(sistentium multitudini armatoru)m permixtus   ubi N^2 *uel* N^4 *rescriptus* HV *Edd.*: uti $\pi N\theta$ uti et $A^8 N^4 HV\theta$ *Edd.*: uti πN

comminus gladio posset, roboris maioris Romanus eques erat, ita in ablatum pauentibus procul equis melius ex inter-uallo Numidae iaculabantur. Simul et peditum legio duodecima magna ex parte caesa pudore magis quam uiribus tenebat locum; nec diutius tenuisset ni ex subsidiis tertia decima legio in primam aciem inducta proelium dubium excepisset. Mago quoque ex subsidiis Gallos integrae legioni opposuit. Quibus haud magno certamine fusis hastati legionis undecimae conglobant sese atque elephantos iam etiam peditum aciem turbantes inuadunt; in quos cum pila confertos coniecissent nullo ferme frustra emisso, omnes retro in aciem suorum auerterunt; quattuor grauati uolneribus corruerunt. Tum primum commota hostium acies, simul omnibus equitibus, ut auersos uidere elephantos, ad augendum pauorem ac tumultum effusis. Sed donec stetit ante signa Mago, gradum sensim referentes, ordines et tenorem pugnae seruabant: postquam femine transfixo cadentem auferrique ex proelio prope exsanguem uidere, extemplo in fugam omnes uersi. Ad quinque milia hostium eo die caesa et signa militaria duo et uiginti capta. Nec Romanis incruenta uictoria fuit; duo milia et trecenti de exercitu praetoris, pars multo maxima ex legione duodecima, amissi ; inde et tribuni militum duo, M. Cosconius et M. Maeuius ; tertiae decimae quoque legionis, quae postremo proelio adfuerat, C. Heluius tribunus militum in restituenda pugna cecidit ; et duo et uiginti ferme equites inlustres, obtriti ab elephantis, cum centurionibus aliquot perierunt. Et longius certamen fuisset ni uolnere ducis concessa uictoria esset.

Mago proximae silentio noctis profectus quantum pati uiae per uolnus poterat itineribus extentis ad mare in Ligures Ingaunos peruenit. Ibi eum legati ab Carthagine paucis ante diebus in sinum Gallicum adpulsis nauibus adierunt, iubentes primo quoque tempore in Africam traicere ; id et fratrem eius Hannibalem—nam ad eum quoque isse legatos eadem iubentes—facturum ; non in eo esse Carthaginiensium res ut Galliam atque Italiam armis obtineant. Mago non imperio modo senatus periculoque patriae motus sed metuens etiam ne uictor hostis moranti instaret Liguresque ipsi relinqui Italiam a Poenis cernentes ad eos quorum mox in potestate futuri essent deficerent, simul sperans leniorem in nauigatione quam in uia iactationem uolneris fore et curationi omnia commodiora, impositis copiis in naues profectus uixdum superata Sardinia ex uolnere moritur. Naues quoque aliquot Poenorum disiectae in alto ab classe Romana quae circa Sardiniam erat capiuntur. Haec terra marique in parte Italiae quae iacet ad Alpes gesta.

14 amissi $P^4?CM^2(M^7?)AN$: missi π : amissa (amm- J)$A^8HV\theta$
   inde et $ANHV\theta$ $Edd.$: indet π : inde P^xCB^2 15 equites inlustres (uel ill-) π^x(-rest P)N $Edd.$: illustres equites (milites K) H $V\theta$ ($cf.$ 27. 37. 5 $adn.$)   ducis $P^4CM^2(M^7?)B^2A^8N^1H\theta$: duces π : si ducibus AN
19 1 uiae (uel uie) πN $Edd.$: die $HV\theta$ 2 traicere $V\theta$ $Edd.$: traiecere A^8H : traiceret (-iec- $MBAN$) πM^1B^1N, $cf.$ 29. 2. 2 $adn.$
   3 atque Italiam $\pi N.ald.Frob.1.2$: $om.$ $HV\theta$ 4 instaret] hic $\pi N.ald.Frob.1.2$: $ante$ moranti $HV\theta$ 5 leniorem $\pi N.ald.$: leuiorem A^xH(-ore)$V\theta Frob.2$ profectus $P^4M^2(M^7?)ANHV\theta$: praefectus π, cf. 27. 13. 2 $adn.$ ab (classe) C^2HK : a $\pi C^1?$ NVJ ($cf.$ c. 9. 11 $adn.$) : ac C erat $CA^8H\theta$: erant πNV ($cf.$ 27. 17. 4 $adn.$)   6 quae $M^7B^2A^8HV\theta ald.Frob.1.2$: qua πN : quia M (sed pro quae iacet $praebent$ quiarect M, quae adheret M^7)

Consul C. Seruilius, nulla memorabili re in prouincia Etruria Galliaque—nam eo quoque processerat—gesta, 7 patre C. Seruilio et C. Lutatio ex seruitute post sextum decimum annum receptis qui ad uicum Tannetum a Boiis 8 capti fuerant, hinc patre hinc Catulo lateri circumdatis priuato magis quam publico decore insignis Romam rediit. 9 Latum ad populum est ne C. Seruilio fraudi esset quod patre qui sella curuli sedisset uiuo, cum id ignoraret, tribunus plebis atque aedilis plebis fuisset contra quam sanctum legibus erat. Hac rogatione perlata in prouinciam rediit.

10 Ad Cn. Seruilium consulem, qui in Bruttiis erat, Consentia Aufugum Bergae Baesidiae Ocriculum Lymphaeum Argentanum Clampetia multique alii ignobiles populi senes-11 cere Punicum bellum cernentes defecere. Idem consul cum Hannibale in agro Crotoniensi acie conflixit. Obscura eius pugnae fama est. Valerius Antias quinque milia hostium caesa ait, quae tanta res est ut aut impudenter ficta sit aut 12 neglegenter praetermissa. Nihil certe ultra rei in Italia

6 Galliaque—nam $HV\theta$: et gallia nam A^8ald.Frob.1.2 : et galliaque (-aquę C : -amque M) iam πN (om. que AN) : et G.—quoniam Gron. : et gallia quia $M^2(M^7?)$. De iam pro nam cf. 26. 7. 3 adn. et de et in P addito 27. 4. 12   7 post Lutatio add. patruo ald.Frob.1.2 (u. § 8 adn.): ignorant $\pi NHV\theta$ seruitute] -te $\pi^x NHV\theta$: -tem PMB (cf. 26. 40. 11 adn.)   Tannetum πNHV(tame-)$JFrob$.2 (tane-), cf. 21. 25. 13: canetum K.ald.   a Boiis (bolis π) $P^4A^8V\theta$ (bois K) Edd. : ab his C: ab etolis AN 8 Catulo πN: patruo $N^4HV\theta$ald.Frob.1.2 ; si Spirensi fides habebitur seu Catulo patruo (cf. 29. 7. 7 adn.) legimus, et Dukerius audiendus erit qui C. Lutatium Catulum fratrem uterinum Servilii senioris fuisse conicit et edd. ueteres sequendi qui patruo supra in § 7 addunt: sin uero Puteanum approbes, unde terrarum effodit patruum illum Spirensis?   9 sanctum $\pi A^8 N^4 H\theta$ (scm̄ BJ): siñ A: si non N: sancitum ald.Frob.1.2   10 Consentia $P^4C^x A^8 V\theta$ (cos- VK): conscientia (-am A) πN Aufugum πN (abf- A^8): ufugum $N^1 HV\theta$ et (sed uff-) ald.Frob.1 2   Baesidiae (bes- PC) πN, cf. It. Dial. p. 7   Lymphaeum (uel -phe-) πN (linph- C): lincrum VJ: lincum K: sypheum A^6ald.Frob.1.2   Clampetia (-ti C) π: impetia HVJ: mipecia K: dampetia N.ald.Frob.1.2 defecere $P^4CM^2ANHV\theta$: deficere π 11 Crotoniensi $\pi C^2 N$ (-nensi $HV\theta$), cf. 29. 18. 16 adn.   12 rei P^4 uel $P^3?M^2(M^7?)A^5 HV\theta$: re πN

AB VRBE CONDITA XXX 19

ab Hannibale gestum. Nam ad eum quoque legati ab Carthagine reuocantes in Africam, iis forte diebus quibus ad Magonem, uenerunt. Frendens gemensque ac uix lacrimis temperans dicitur legatorum uerba audisse. Postquam edita sunt mandata, 'Iam non perplexe' inquit 'sed palam reuocant qui uetando supplementum et pecuniam mitti iam pridem retrahebant. Vicit ergo Hannibalem non populus Romanus totiens caesus fugatusque sed senatus Carthaginiensis obtrectatione atque inuidia ; neque hac deformitate reditus mei tam P. Scipio exsultabit atque efferet sese quam Hanno qui domum nostram quando alia re non potuit ruina Carthaginis oppressit.'

Iam hoc ipsum praesagiens animo praeparauerat ante naues. Itaque inutili militum turba praesidii specie in oppida Bruttii agri quae pauca metu magis quam fide continebantur dimissa, quod roboris in exercitu erat in Africam transuexit, multis Italici generis, quia in Africam secuturos abnuentes concesserant in Iunonis Laciniae delubrum inuiolatum ad eam diem, in templo ipso foede interfectis. Raro quemquam alium patriam exsilii causa relinquentem tam maestum abisse ferunt quam Hannibalem hostium terra excedentem ; respexisse saepe Italiae litora, et deos hominesque accusantem in se quoque ac suum ipsius caput

12 ab Hannibale] *hic* π(*sed* ad hannibalem *MBD*)*Nald.Frob.*1.2 : *ante* in It. *HV*θ (*cf.* 27. 37. 5 *adn.*) ab (Carth.) π*N* (*cf. c.* 9. 11 *adn.*): a *HV*θ : ad *BD* reuocantes *A*⁶*HV*θ : uocantes π*N.ald. Frob.*1.2 (*cf. c.* 20. 2)
20 2 uetando π*N Edd.* : uetant *HV*θ mitti *CBDANH*θ : mittit *PM* retrahebant *H.ald.Frob.*1.2 : trahebant π*N, fort. recte* : retrahunt *V*θ 3 obtrectatione π*NHV*θ : obtrectatio *Madv. olim.* (*Em. p.* 431) 4 efferet *CBDA*⁸*NV*θ (efe- *J*) : efferret *PMAH* alia re *PCHV*θ *Edd.* : alienare π²*N*
5 metu magis quam *CHV*θ : magis metu quam *A*⁶*ald.Frob.*1.2 : magis quam metu π*N* (*cf.* 28. 2. 15 *adn.*) Italici *CM*²(*M*⁷?)*BDANHV*θ (-cis *PM*, *cf.* 26. 14 *adn.*) 6 quia π*NHV*θ : qui *Madv. Em. p.* 431, *sane melius, sed nihil mutamus* 7 alium *ANHV*θ *Edd.* : aliam π relinquentem π*N.ald.Frob.*1.2 : linquentem *HV*θ tam *A*⁸*HV*θ : *om.* π*N* : magis *ald.Frob.*1.2 abisse *C*⁵*M*⁷*ANH V*θ : abiis | *P* : ab his *CMBD* : ab is *M*³?

XXX 20 7   TITI LIVI

8 exsecratum quod non cruentum ab Cannensi uictoria militem Romam duxisset ; Scipionem ire ad Carthaginem ausum
9 qui consul hostem Poenum in Italia non uidisset: se, centum milibus armatorum ad Trasumennum ad Cannas caesis, circa Casilinum Cumasque et Nolam consenuisse. Haec accusans querensque ex diutina possessione Italiae est detractus.

21 Romam per eosdem dies et Magonem et Hannibalem profectos allatum est. Cuius duplicis gratulationis minuit laetitiam et quod parum duces in retinendis iis, cum id mandatum ab senatu esset, aut animi aut uirium habuisse
2 uidebantur et quod solliciti erant omni belli mole in unum
3 exercitum ducemque inclinata quo euasura esset res. Per eosdem dies legati Saguntini uenerunt comprensos cum pecunia adducentes Carthaginienses qui ad conducenda
4 auxilia in Hispaniam traiecissent. Ducenta et quinquaginta auri, octingenta pondo argenti in uestibulo curiae posuerunt.
5 Hominibus acceptis et in carcerem conditis auro argentoque reddito gratiae legatis actae, atque insuper munera data ac naues quibus in Hispaniam reuerterentur.
6 Mentio deinde ab senioribus facta est segnius homines bona quam mala sentire ; transitu in Italiam Hannibalis quantum terroris pauorisque esset meminisse ; quas deinde

8 ab πN (cf. c. 9. 11 adn.) : a $HV\theta$ 9 Trasumennum (-enum C) πN, cf. 22. 54. 9   ad Cannas $A^8 HV\theta$: aut cannas $\pi(A$ et $A^x)N$: et cannas $D.ald.Frob.1.2$ querensque $CBDANHV\theta$ (quaer-PM)
21 1 duces πNJ : ducem N^2H : ducum V id $PCA^v N^2 HV\theta$: ad id $MBDAN$ esset $CMA^v N^2$ uel $N^4 HV\theta$: esse πN
2 belli mole (moti C) $\pi C^2 N.ald.Frob.1.2$: mole belli $HV\theta$ (cf. 27. 37. 5 adn.)   3 comprensos (sed con-) P, cf. 26. 27. 7 adn. : comprehensos $CMBDANHV\theta$ 4 Ducenta M^2 uel M^1 ed. Mog. 1518 : ducentum πNHJ : cc VK octingenta A^θ ed. Mog. 1518 (-tos $BANH$): DCCC PCM : VIII V. Post octin- usque ad Trasumennum (c. 30. 12) periit D, ii foliis ui exsectis   5 et in AN $HV\theta$ Edd. : in π reuerterentur $CMBANHV\theta$: reuerentur P 6 senioribus $\pi N.ald.Frob.1.2$: senatoribus N^1 ut s. l. $HV\theta$ transitu π : transitum $NHV\theta$: transitus $ald.Frob.1.2$ esset $CM^2 A$ Madv. : esse $PMBA^x N$: sese HVJ Drak. : intulerit sese K : iniecisset se (sese $Frob.2$) $ald.Frob.1.2$: delebat sese meminisse Gron.

AB VRBE CONDITA XXX 21 6

clades, quos luctus incidisse ! uisa castra hostium e muris 7
urbis; quae uota singulorum uniuersorumque fuisse! quotiens in conciliis uoces manus ad caelum porrigentium auditas en unquam ille dies futurus esset quo uacuam hostibus 8
Italiam bona pace florentem uisuri essent ! dedisse id deos 9
tandem sexto decimo demum anno, nec esse qui dis grates agendas censeat ; adeo ne aduenientem quidem gratiam
homines benigne accipere, nedum ut praeteritae satis memores sint.   Conclamatum deinde ex omni parte curiae est 10
uti referret P. Aelius praetor ; decretumque ut quinque dies
circa omnia puluinaria supplicaretur uictimaeque maiores
immolarentur centum uiginti.

Iam dimisso Laelio legatisque Masinissae cum Cartha- 11
giniensium legatos de pace ad senatum uenientes Puteolis
uisos inde terra uenturos allatum esset, reuocari C. Laelium
placuit ut coram eo de pace ageretur.   Q. Fuluius Gillo 12
legatus Scipionis Carthaginienses Romam adduxit ; quibus
uetitis ingredi urbem hospitium in uilla publica, senatus ad
aedem Bellonae datus est.   Orationem eandem ferme quam 22
apud Scipionem habuerunt, culpam omnem belli a publico
consilio in Hannibalem uertentes : eum iniussu senatus non 2

---

7 porrigentium *CMBANHV*θ : porgentium *P, cf.* 29. 16. 6 *adn.*
  auditas π*N.ald.Frob.*1.2 : audite *N*⁴ *ut s. l. HV*θ   8 en
unquam (*sed* um-) *PA*ˢθ*ald.Frob.*1.2 : numquam *P*² *uel P*¹*CMBH* :
umquam *AN* : et nunquam *V* : ne numquam *N*⁴   esset *M*²(*M*⁷?)
*ANHV*θ : esse *PMB* : est *C*   9 id deos tandem π*N* : id deos
ald. : tandem id deos *HV*θ*Frob.*2 (*ordo certe usitatior sed lugubrem
senum recordationem minus apte depingit*)   anno π*N.ald.* : post
anno *H*θ*Frob.*2 : post annum *V* (*sed* vixᵐ deinde p. a.)   nec
esse *A*⁸*N*² *uel N*⁴ *rescriptus HV*θ : necesse fuit π*N* (*cf.* 27. 26. 10
adn.)   dis] *cf.* 28. 28. 11 *adn.* : deis π*N* : diis *A*⁸*HV*θ : dei *B*
grates *C* : acrates *P* : crates *P*⁴? : sacratas *MBAN* : gratias *A*ˣ*N*⁴*H
V*θ*ald.Frob.*1.2   censeat *N*⁴*HV*θ*ald.Frob.*1.2 : censeant π*N, cf.*
§ 10 *adn.*   satis π*N Edd.* : salutis *N*⁴ *uel N*ʳ*HV*θ   10 referret
*C*¹*A*⁸*N*⁴*HV*θ*ald.Frob.*1.2 : referrent π*N* (*cf.* 27. 17. 4 *adn.*)
supplicaretur] -retur *PC*¹*HV*θ : -rentur π²*N*   11 dimisso *M*⁷*AN
HV*θ : demisso π   Puteolis π*N*θ *Edd.* : puteolos *N*¹ *ut s. l. HV.
Haec fere ultima lectio est in H quae cum codd. Spirensianis consentiat*
(*u.* 29. 3. 15 *adn.*)   12 Gillo π*N*θ : gilo *H* : philo *V*

27*

XXX 22 2 TITI LIVI

Alpes modo sed Hiberum quoque transgressum, nec Romanis solum sed ante etiam Saguntinis priuato consilio bellum
3 intulisse; senatui ac populo Carthaginiensi, si quis uere aestimet, foedus ad eam diem inuiolatum esse cum Romanis;
4 itaque nihil aliud sibi mandatum esse uti peterent quam ut in ea pace quae postremo cum C. Lutatio facta esset manere
5 liceret. Cum more tradito [a] patribus potestatem interrogandi, si quis quid uellet, legatos praetor fecisset, senioresque qui foederibus interfuerant alia alii interrogarent, nec meminisse se per aetatem—etenim omnes ferme iuuenes erant—
6 dicerent legati, conclamatum ex omni parte curiae est Punica fraude electos qui ueterem pacem repeterent cuius ipsi non meminissent.

23 Emotis deinde curia legatis sententiae interrogari coeptae. M. Liuius C. Seruilium consulem qui propior esset arcessen-
2 dum ut coram eo de pace agereretur censebat; cum de re maiore quam quanta ea esset consultatio incidere non posset, non uideri sibi absente consulum altero ambobusue eam rem
3 agi satis ex dignitate populi Romani esse. Q. Metellus, qui triennio ante consul dictatorque fuerat: cum P. Scipio caedendo exercitus agros populando in eam necessitatem hostes
4 compulisset ut supplices pacem peterent, et nemo omnium uerius existimare posset qua mente ea pax peteretur quam

22 2 priuato consilio bellum intulisse $\pi N\theta$: bellum incidisse V
3 senatui πNK *Edd.*: senatu VJ uere aestimet (estiment AN) $\pi A^8 N^1$ (est-): uera aestimet N^4(est-) θ (ext- K: exst- J) *Frob.2*: uere (-ra V) existimet $V.ald.$ 4 uti πN *Edd.*: ut VJ: om. K C. PC: g. V: cōn. $MBAN$: consule $\theta ald.Frob.$1.2
5 a patribus $\pi NV\theta$: *recte a seclusit Freinsheim* quis quid $PCM^7 A^v? N^4 \theta Frob.$2: quis qui $MBAN$: quis *ald.* nec meminisse se $V\theta ald.Frob.$1.2: nec (neo B: nemo B^2: non AN) meminisse $\pi N, fort. recte, cf.$ 26. 48. 13 *adn.*

23 1 Emotis $\pi N.ald.Frob.$1.2: emissis $V\theta$ arcessendum] arcess- $\pi N, cf.$ 26. 22. 2 *adn.*: accers- $V\theta$ 2 ea πN: om. $V\theta ald.$ *Frob.*1.2 ambobusue $P(et\ P^4?)V\theta$ *Edd.*: ambobus $\pi^2 N$
3 consul] cos $\pi^4 NV\theta$: eos P (cf. 28. 40. 8) dictatorque (-qui C) $\pi NV\theta$: dictator P^2? hostes] *hic* $\pi V\theta$: *post* compulisset $AN.ald.$ *Frob.*1.2 (cf. 29. 3. 10 *adn.*) 4 uerius πN *Edd.*: rem ueram θ: rerum uerius $N^x(non\ N^4)V$ posset] πN *Edd.*: possit $V\theta$

AB VRBE CONDITA

qui ante portas Carthaginis bellum gereret, nullius alterius consilio quam Scipionis accipiendam abnuendamue pacem esse. M. Valerius Laeuinus, qui bis consul fuerat, speculatores non legatos uenisse arguebat, iubendosque Italia excedere et custodes cum iis usque ad naues mittendos, Scipionique scribendum ne bellum remitteret. Laelius Fuluiusque adiecerunt et Scipionem in eo positam habuisse spem pacis si Hannibal et Mago ex Italia non reuocarentur; ceterum omnia simulaturos Carthaginienses, duces eos exercitusque exspectantes; deinde quamuis recentium foederum et deorum omnium oblitos bellum gesturos. Eo magis in Laeuini sententiam discessum. Legati pace infecta ac prope sine responso dimissi.

Per eos dies Cn. Seruilius consul, haud dubius quin pacatae Italiae penes se gloria esset, uelut pulsum ab se Hannibalem persequens, in Siciliam, inde in Africam transiturus, traiecit. Quod ubi Romae uolgatum est, primo censuerant patres ut praetor scriberet consuli senatum aequum censere in Italiam reuerti eum; dein, cum praetor spreturum eum litteras suas diceret, dictator ad id ipsum creatus P. Sulpicius pro iure maioris imperii consulem in Italiam reuocauit. Reliquum anni cum M. Seruilio magistro equitum circumeundis in Italia urbibus quae

---

4 qui *Alschefski*: eum qui πNJ, *cf.* 4. 32. 7; 6. 17. 6, *ubi non minus praue insertur pronomen*: is qui *K.ald.Frob.*1.2   abnuendamue] -ue *PC*: -que *MBANVθald.Frob.*1.2   5 Italia *P⁴CM⁷BVθ*: in (ex *AN*) italia πN (*cf.* 27. 8. 7 *adn.*): eos italia *ald.Frob.*1.2
6 non *N²(uix N⁴)Vθald.Frob.*1.2: *om.* πN (*cf.* 27. 28. 6 *adn.*)
7 ceterum *N⁴Vθald.Frob.*1.2: *om.* πN   simulaturos πNJ: simulatores *CK*: simul laturos *N⁴*: simulantes *V*   exspectantes (*uel* exp-) *CMBANVθ*: spectantis *P*   gesturos (-ro *B*) *MB²ANVθ*: gesturus *PC*, *cf. c.* 36. 8 *adn.*   8 responso *P²?CB²ANVθ*: responsu *PMB*, *uix recte*

24 1 pacatae *A⁸N⁴Vθ*: pacealae *P*: pace π²N: pacis *P⁴A⁶? ut s. l.*   gloria esset *P⁴Aᵛ?N³?Vθ*: gloriasset πN   ab se πN *Edd.*: *om.* Vθ   inde in θ*ald.Frob.*1.2: inde et πN: etiam inde in *V*   3 dein πN: deinde *Vθald.Frob.*1.2, *cf.* 29. 3. 9 *adn.*   spreturum *A⁸N⁴VK*: spretum πNJ (eum *ante* spr. θ)
4 in Italia *Aˣ V*(-liam)θ*Frob.*2: italiae πN.*ald., fort. recte*

bello alienatae fuerant noscendisque singularum causis consumpsit.

5 Per indutiarum tempus ex Sardinia a P. Lentulo praetore centum onerariae naues cum commeatu uiginti rostratarum praesidio, et ab hoste et ab tempestatibus mari tuto, in Afri-
6 cam transmiserunt. Cn. Octauio ducentis onerariis triginta longis nauibus ex Sicilia traicienti non eadem fortuna fuit.
7 In conspectum ferme Africae prospero cursu uectum primo destituit uentus, deinde uersus in Africum turbauit ac passim
8 naues disiecit. Ipse cum rostratis per aduersos fluctus ingenti remigum labore enisus Apollinis promunturium
9 tenuit: onerariae pars maxima ad Aegimurum insulam—ea sinum ab alto claudit in quo sita Carthago est, triginta ferme milia ab urbe—, aliae aduersus urbem ipsam ad Calidas
10 Aquas delatae sunt. Omnia in conspectu Carthaginis erant. Itaque ex tota urbe in forum concursum est; magistratus senatum uocare: populus in curiae uestibulo fremere ne
11 tanta ex oculis manibusque amitteretur praeda. Cum quidam pacis petitae, alii indutiarum—necdum enim dies exierat—fidem opponerent, permixto paene senatus populique concilio consensum est ut classem quinquaginta

5 ex *Madv.*: et ex $\pi NV\theta$ *Edd. ante Madv.* (*cf. de* et *insiticio* 27. 4. 12 *adn.*) a P. $V\theta$: ab $\pi N.ald.Frob.$1.2 uiginti (*uel* xx) π *N.ald.*: et xx $V\theta Frob.$2 (*hic plene*) hoste et $A^8N^4V\theta$: hocte et P: hacte P^2?: actę C: hacte (actę M^7) et MB(-tae)AN 6 triginta] xxx $\pi N.ald.Frob.$1.2: xx $V\theta$ ex Sicilia $\pi NV\theta$: *suspicatur Duker, bene; cum enim ex c.* 2 §§ 2, 3, 4 *pateat Octauium non in Sic. sed in Sardinia imperium habuisse, aut in* ex Sic. *latet error aut credendum hanc classem in Sicilia paulisper tenuisse* 7 conspectum πN *Edd.*: conspectu $V\theta$ uectum $\pi N.ald.Frob.$1.2: euectum $A^vV\theta$ deinde CA^8K: die inde πN: dein N^xVJ (*cf.* § 3)
8 rostratis $PCM^7A^8N^1$ *uel* $N^4V\theta$: prostratis $MBAN$ promunturium] *u.* 29. 23. 1 *adn.* 9 insulam—ea (eam V) $A^8N^2?V$ *ald.Frob.*1.2: insula ea (-lę a C) πN? *et fort.* $N^4\theta$ 10 concursum $C^1M^7AN\theta$ *Edd.*: concursus PMB (*cf.* 27. 17. 1 *adn.*): conuersum C 11 pacis $\pi A^8N^4V\theta$: *om. AN* permixto (prom- B) πN θ: postremo permixto $V.ald.Frob.$1.2 consensum $M^1?ANV\partial$ *Edd.*: consensu π (M *et* M^x) classem πN: classe $V\theta ald.Frob.$ 1.2, *paene pari iure*

AB VRBE CONDITA XXX 24

nauium Hasdrubal Aegimurum traiceret, inde per litora portusque dispersas Romanas naues conligeret. Desertae 12 fuga nautaram primum ab Aegimuro, deinde ab Aquis onerariae Carthaginem puppibus tractae sunt.

Nondum ab Roma reuerterant legati neque sciebatur 25 quae senatus Romani de bello aut pace sententia esset, necdum indutiarum dies exierat; eo indigniorem iniuriam 2 ratus Scipio ab iis qui petissent pacem et indutias et spem pacis et fidem indutiarum uiolatam esse, legatos Carthaginem L. Baebium L. Sergium L. Fabium extemplo misit. Qui 3 cum multitudinis concursu prope uiolati essent nec reditum tutiorem futurum cernerent, petierunt a magistratibus quorum auxilio uis prohibita erat ut naues mitterent quae se prosequerentur. Datae triremes duae cum ad Bagradam 4 flumen peruenissent unde castra Romana conspiciebantur Carthaginem rediere. Classis Punica ad Vticam stationem 5 habebat. Ex ea tres quadriremes, seu clam misso a Carthagine nuntio ut id fieret, seu Hasdrubale qui classi praeerat sine publica fraude auso facinus, quinqueremem Romanam 6 superantem promunturium ex alto repente adgressae sunt. Sed neque rostro ferire celeritate subterlabentem poterant

12 *Voces* Desertae ... *usque ad* tractae sunt *om. AN*: *add. A^8N^4* (*hic* traiectae *pro* tractae *prius scribens*: *mox ipse corr.*) nautarum $CMA^8N^4V\theta$: nauiarum PB: nauiaum P^2 (nauium *uoluit*)

25 1 ab Roma (-mae *MB*) reuerterant legati PCM^7B^x: reuerterant ab roma legati $AN.ald.Frob.$1.2 (ab r. leg. reu. $V\theta$), *cf.* 27. 37. 5 *et* 29. 3. 10 *adnn.* sciebatur $\pi N\theta\ Frob.$2: sciebant $V.ald.$ necdum ... exierat] *has uoces ut ex c.* 24. 11 *ortas suspicatur Naber, sed cf. c.* 12. 3 *adn.* 2 spem pacis et fidem πA^8N^4 *rescriptus $V\theta$*: fides AN L. (Baebium) $\pi N.ald.Frob.$1.2: m. $V\theta$ L. Sergium $V\theta$: m. seruilium $\pi N.ald.Frob.$1.2. *Horum trium nominum Sergium et Fabium uidetur dare Polybius* 15. 1. 3; *de Baebio incertum est sed probat Buettner-Wobst* (*nomen* m. seruilium *fort. huc inrepsit ob nomen idem in c.* 24. 4 *scriptum*) 3 quae se $\pi N\ Edd.$: quae $N^2V\theta$

4 ad Bagradam $PMBA^1?N\theta\ Frob.$2: ad bragadam $AV.ald.$: abgradam C 5 ex ea $\pi N\ Edd.$: et ex ea $N^2V\theta$ a (Cart.) $\pi N\theta$: ab X, *cf. c.* 9. 11 *adn.*: *om. V* ut id A^6(uti id)$N^2\ uel\ N^3$ $V\theta$: uti $\pi N.ald.Frob.$1.2 6 subterlabentem $N^5\ uel\ N^4$ *rescriptus $V\theta ald.Frob.$1.2* (superl- πN: sua prael- *Weissenb.*: *alia alii, frustra omnes*): superiorem perlabentem *Thoresby Jones*

neque transilire armati ex humilioribus in altiorem nauem;
7 et defendebatur egregie quoad tela suppeditarunt. Quis deficientibus iam nulla alia res eam quam propinquitas terrae multitudoque a castris in litus effusa tueri potuisset.
8 Concitatam enim remis quanto maximo impetu poterant in terram cum immisissent, nauis tantum iactura facta in-
9 columes ipsi euaserunt. Ita alio super aliud scelere cum haud dubie indutiae ruptae essent, Laelius Fuluiusque ab
10 Roma cum legatis Carthaginiensibus superuenerunt. Quibus Scipio etsi non indutiarum fides modo a Carthaginiensibus sed ius etiam gentium in legatis uiolatum esset tamen se nihil nec institutis populi Romani nec suis moribus indignum in iis facturum esse cum dixisset, dimissis legatis bellum parabat.

11 Hannibali iam terrae adpropinquanti iussus e nauticis unus escendere in malum ut specularetur quam tenerent
12 regionem cum dixisset sepulcrum dirutum proram spectare, abominatus praeteruehi iusso gubernatore ad Leptim adpulit classem atque ibi copias exposuit.

26 Haec eo anno in Africa gesta; insequentia excedunt in eum annum quo M. Seruilius Geminus, qui tum magister

6 armati $\pi A^8 N^4 V\theta$: *om. AN*   7 Quis *PCM*: quid *BAN*: quibus $M^7 A^8 N^5$ *uel* $N^2 V\theta ald.Frob.1.2$ a (castris) $\pi N.ald.Frob.$ 1.2: *om. V*θ in (litus) $N^4 V\theta ald.Frob.1.2$: *om.* πN (*cf.* 26. 13. 7 *adn.*)   potuisset $\pi NV\theta ald.Frob.1.2$: potuit *Drak., optime sed non necess.*: poterat *Creuier, minus bene*   8 maximo impetu $PCA^8 N^2$ *et* $N^4?V\theta$ *Edd.* (*cf.* 9. 24. 9 *adn.*): maximo im *MB*: maxima ui $M^7 B^2$ (-ime uim *AN*)   10 etsi non $P^4 AN.ald.Frob.1.2$: ei si non π: etiam si ne $A^8 N^2 V\theta$ fides modo $\pi N.ald.$: modo fides $V\theta Frob.$ 2 (*cf.* 27. 37. 5 *adn.*)   a (Cart.) $\pi N\theta$: ab *V, cf.* § 5 *et c.* 9. 11 *adn.*
11 e nauticis unus $B^2 A^v$ *uel* A^6 (*Creuierium anticipantes*): e nauticis *Gron.*: enuticusunus *P*: euticus sinus *C*: enutico sinus $P^2 M$ *B* (-cos unus): enautico (in utico M^7) sinu $M^7 AN$: e nautis unus N^2 $V\theta ald.Frob.1.2$ escendere] esc- πV (*cf.* 27. 5. 8 *adn.*): asc- B^2 $A^8\theta$: desc- *N*   malum ut $M^7 N^2$ *uel* N^4 *rescriptus Vθ*: maluuis π: malum unus (m. isque in A^6) *B?AN*   12 adpulit (app- *AN*) πN *Edd.*: applicuit $V\theta$

26 1 Geminus $A^8 V\theta ald.Frob.1.2$: *om.* πN, *fort. recte ut in c.* 24. 4 *codd. omnes*

AB VRBE CONDITA XXX 26

equitum erat, et Ti. Claudius Nero consules facti sunt. Ceterum exitu superioris anni cum legati sociarum urbium ex Graecia questi essent uastatos agros ab regiis praesidiis profectosque in Macedoniam legatos ad res repetendas non admissos ad Philippum regem, simul nuntiassent quattuor milia militum cum Sopatro duce traiecta in Africam dici ut essent Carthaginiensibus praesidio et pecuniae aliquantum una missum, legatos ad regem qui haec aduersus foedus facta uideri patribus nuntiarent mittendos censuit senatus. Missi C. Terentius Varro C. Mamilius M. Aurelius; iis tres quinqueremes datae.

Annus insignis incendio ingenti, quo cliuus Publicius ad solum exustus est, et aquarum magnitudine, sed annonae uilitate fuit, praeterquam quod pace omnis Italia erat aperta, etiam quod magnam uim frumenti ex Hispania missam M. Valerius Falto et M. Fabius Buteo aediles curules quaternis aeris uicatim populo discripserunt.

Eodem anno Q. Fabius Maximus moritur, exactae aetatis si quidem uerum est augurem duos et sexaginta annos fuisse, quod quidam auctores sunt. Vir certe fuit dignus tanto cognomine uel si nouum ab eo inciperet. Superauit paternos honores, auitos aequauit. Pluribus uictoriis et

---

1 Ti. πN, cf. 29. 11. 11 : t. (uel titus) $V\theta ald.Frob.$1.2   2 exitu A^1N^1VK: exitus πNJ^1 (exc- J)   questi essent $CM^7A^8N^4V\theta$: quaeti (quieti B) essent PMB: quesissent AN profectosque $C M^7A^8?ald.$: profectoque πNJ^1 ut s. l. K (cum legato ANJ^1): missosque $VJFrob.$2   3 quattuor milia $P(\infty \infty \infty \infty)C(\overline{IIII})A^8$ in ras. $N^2\theta$ $Edd.$: xl M: xł M^7: cx . cx . cx . cx BN Sopatro $\pi M^7 N$ (cf. c. 42. 4 et 6) $Edd.$: sopatre $MA^8\theta$: soprato V duce $\pi A^8 N^4V\theta$: de A: cle N 4 iis $P.ald.Frob.$1.2: his $CMBANVK$: hiis J tres P et $P^4A^8V\theta$: tribus π^2N: om. C 5 est, et $V\theta ald. Frob.$1.2: et πN, minus bene   sed $Lov.$ 1. 5: sed et AN ald., fort. recte: et $A^8V\theta Frob.$2: si π: sine $M^x(M^7?)$ erat aperta $\pi N.ald.$ $Frob.$1.2: aperta erat $V\theta$ (cf. 27. 37. 5)   6 Falto A (Sigonium confirmans), cf. 29. 11. 3: falso πN (-lco $A^6?\theta$)   discripserunt PC(-rant)M, cf. e.g. 33. 42. 8: descripserunt $M^7BANV\theta ald.Frob.$1.2

7 sexaginta] lx πNJ^1, cf. Plin. 7. 156: xl $CVK.ald.Frob.$1.2: xx J 8 inciperet $M^x(?M^1)A^xV\theta$ (inrip- πN: inrep- C)
Pluribus $N^4V\theta ald.Frob.$1 2: om. πN

maioribus proeliis auus insignis Rullus; sed omnia aequare
unus hostis Hannibal potest. Cautior tamen quam promp-
tior hic habitus; et sicut dubites utrum ingenio cunctator
fuerit an quia ita bello proprie quod tum gerebatur aptum
erat, sic nihil certius est quam unum hominem nobis cunctando rem restituisse, sicut Ennius ait. Augur in locum eius
inauguratus Q. Fabius Maximus filius: in eiusdem locum
pontifex—nam duo sacerdotia habuit—Ser. Sulpicius Galba.
Ludi Romani diem unum, plebeii ter toti instaurati ab
aedilibus M. Sextio Sabino et Cn. Tremelio Flacco. Ii
ambo praetores facti et cum his C. Liuius Salinator et
C. Aurelius Cotta. Comitia eius anni utrum C. Seruilius
consul habuerit an, quia eum res in Etruria tenuerint quaestiones ex senatus consulto de coniurationibus principum
habentem, dictator ab eo dictus P. Sulpicius incertum ut sit
diuersi auctores faciunt.

27 Principio insequentis anni M. Seruilius et Ti. Claudius
senatu in Capitolium uocato de prouinciis rettulerunt.
Italiam atque Africam in sortem conici, Africam ambo
cupientes, uolebant; ceterum Q. Metello maxime adnitente
neque negata neque data est Africa. Consules iussi cum
tribunis plebis agere ut, si iis uideretur, populum rogarent

8 Rullus πNJ, cf. 8. 29. 9 et 24. 9. 8 adnn.: nullus J^1 ut s. l.: om.
K: tulit V 9 cunctator $PMB\theta Frob.2$: cunctatior $CAN.ald.$
sic $PCAN\ Edd.$: si MB: sed $V\theta$ 10 in locum eius
inau-] post has uoces desinit M 11 Tremelio, cf. 29. 11. 3 adn.
Flacco $A^6V\theta\ Edd.$: flacca $PCBAN^4$ Ii $X.ald.Frob.1.2$:
ti $PCBN$: hi VK: hii A^8N^4J: om. A his $CBANVK$: iis P
$ald.Frob.1.2$: hiis J C. Aurelius $A^8\theta ald.Frob.1.2$ (cf. c. 27. 9):
m. aurelius V: m. ualerius $PCBAN$ 12 res in $A^8N^4V\theta ald.$
$Frob.1.2$: sin PB: res si C: in B^2AN ex s. c. B^2A^v? ut s. l.,
Sigonius: ex se $PCBA$: ex sociis $A^8V\theta ald.Frob.1.2$, cf. 29. 15. 11
adn.: ex sede N: ex osocies N^4 ut s. l. (pro ex sede) dubitanter
coniurationibus $PCA^8N^4V\theta$: comparationibus BAN ut
sit PC: ut si BAN: sit A^8N^4VJ (sed sit incertum J): om. $K.ald.$
$Frob.1.2$

27 1 et Ti. $PBAN$: et t. C: t. (uel titus) $V\theta ald.Frob.1.2$ (cf. c. 26. 1)
2 conici $ANV\theta$: coici PCB negata neque data $PCBV$
θ: data neque negata $AN.ald.Frob.1.2$ (cf. 29. 3. 10 adn.)   3 iis
$ald.Frob.1.2$: is PC: his BA: eis $A^8V\vartheta$: hiis N

quem uellet in Africa bellum gerere. Omnes tribus P. 4
Scipionem iusserunt. Nihilo minus consules prouinciam
Africam—ita enim senatus decreuerat—in sortem coniecerunt. Ti. Claudio Africa euenit ut quinquaginta nauium 5
classem, omnes quinqueremes, in Africam traiceret parique
imperio cum P. Scipione imperator esset: M. Seruilius
Etruriam sortitus. In eadem prouincia et C. Seruilio pro- 6
rogatum imperium si consulem manere ad urbem senatui
placuisset. Praetores M. Sextius Galliam est sortitus ut 7
duas legiones prouinciamque traderet ei P. Quinctilius
Varus: C. Liuius Bruttios cum duabus legionibus quibus
P. Sempronius proconsul priore anno praefuerat: Cn. 8
Tremelius Siciliam ut a P. Villio Tappulo praetore prioris
anni prouinciam et duas legiones acciperet; Villius pro
praetore uiginti nauibus longis militibus mille oram Siciliae
tutaretur: M. Pomponius uiginti nauibus reliquis mille et 9
quingentos milites Romam deportaret. C. Aurelio Cottae
urbana euenit. Ceteris ita uti quisque obtinebant prouincias
exercitusque prorogata imperia. Sedecim non amplius eo 10
anno legionibus defensum imperium est. Et ut placatis dis 11
omnia inciperent agerentque, ludos quos M. Claudio Marcello T. Quinctio consulibus T. Manlius dictator quasque

3 uellet $V^x\theta Frob.2$: uellent $\pi NV.ald.$ 5 Ti. πN: t. (*uel* tito) $V\theta$, *cf.* § 1 P. $A^8\theta$: om. $\pi N.ald.Frob.1.2, fort. recte, sed cf.* § 4: proconsule V imperator $\pi N(sed$ -toz. N: *del. punctum* $N^4)\theta ald.$ *Frob.*1.2: *seclusit Crevier*: imperatore V, *quod cum Luchsio malit Johnson* 6 si consulem $A^8N^4V\theta Frob.2$: sicut πN: si consules *ald.* manere $\pi N.ald.$: remorari N^4 *ut s. l.* $V\theta Frob.2$ senatui $A^8N^4V ald.Frob.1.2$: senatum πN: senatu *Alschefski, fort. recte, cf.* 27. 43. 9 *adn.* 7 ut N^4V *Edd.*: ad PC: ac BAN: et θ ei $A^8N^4\theta$ *Edd.*: ci V: et PC: om. BAN priore anno $V\theta Frob.2$: prioris (-ri N^6) anni πN 8 Tremelius π, *cf.* 29. 11. 3 *adn.* P. Villio Tappulo N^4(uipio N^6)$Frob.2$ (*cf.* 29. 38. 4) *et sic* (*sed* t. appulo) πN: p. tappulo V: p. appulo A^8J (apu-): p. apuleio K: appio appulo *ald.* uiginti (*sed* xx) πNV: cum uiginti $\theta ald.Frob.1.2$ *post* longis *add.* et $A^8V\theta$: si P: *recte om.* $\pi N.ald.Frob.1.2$ 9 reliquis] *hic* $\pi N.ald.Frob.1.2$: *ante* nauibus θ (*cf.* 27. 37. 5 *adn.*): om. V C. $\pi N\theta$: cn. V (*cf. c.* 26. 11)
11 Quinctio] quint- $\pi NV\theta$ (*ut fere semper*) T. (Manlius) $A^8V\theta$ *ald.Frob.*1.2 (*cf.* 27. 33. 6): l. πN

TITI LIVI

hostias maiores uouerat si per quinquennium res publica eodem statu fuisset, ut eos ludos consules priusquam ad bellum proficiscerentur facerent. Ludi in circo per quadriduum facti hostiaeque quibus uotae erant dis caesae.

28 Inter haec simul spes simul cura in dies crescebat nec satis certum constare apud animos poterat utrum gaudio dignius esset Hannibalem post sextum decimum annum ex Italia decedentem uacuam possessionem eius reliquisse populo Romano, an magis metuendum quod incolumi exercitu in Africam transisset: locum nimirum non periculum mutatum; cuius tantae dimicationis uatem qui nuper decessisset Q. Fabium haud frustra canere solitum grauiorem in sua terra futurum hostem Hannibalem quam in aliena fuisset. nec Scipioni aut cum Syphace inconditae barbariae rege, cui Statorius semilixa ducere exercitus solitus sit, aut cum socero eius Hasdrubale fugacissimo duce rem futuram, aut ⟨cum⟩ tumultuariis exercitibus ex agrestium semermi turba subito conlectis, sed cum Hannibale, prope nato in praetorio patris fortissimi ducis, alito atque educato inter arma, puero quondam milite, uixdum iuuene imperatore, qui senex uincendo factus Hispanias Gallias Italiam ab Alpibus ad fretum monumentis ingentium rerum complesset.

11 quinquennium $PCBV\theta$: quinquennium illud $AN.ald.Frob.1.2$
12 Ludi $CA^8V\theta ald.Frob.1.2$: liui PB: qui AN: ludi ii N^4 (uel N^5) dis πN (cf. 28. 28. 11): diis $B^2A^xN^1V\theta$
28 1 animos $A^8V\theta Frob.2$: animum $\pi(A? et A^v)N.ald.$ dignius $VFrob.2$: dignum $\pi N\theta ald.$ transisset (-se P) $\pi^2 N$ (-iisset A^8): transmisisset θ: traiecisset $V.ald.Frob.1.2$ 3 aut cum (Syphace) $A^8N^4\theta ald.Frob.1.2$: aut πN: cum V Statorius πN: statarius $N^2V\theta$ (-ios $ald.Frob.1.2$) semilixa A^8(-lissa)$N^4V\theta$: ei milix (-ex C) a PC: ei milex BA(-lix)N(-les) ducere $PCV\theta$: adducere B(adu-)AN: docere $Putsche, fort. recte$ sit $N^4V\theta$ $Edd.$: ut PCB: om. AN rem futuram $A^8N^4V\theta$: -re (i.e. ducere) futura πN ⟨cum⟩ $Riemann$: ignorant $\pi NV\theta$ (sc. ante tum- omissum) semermi $N^4Frob.2$, cf. 27. 1. 15 adn.: semiermi $C^5V\theta ald.$: semeruit PCB: enerui $A?N$: inermi A^x conlectis (sed coll-) $A^8V\theta Edd.$: coniectis (-tus AN) $PCBN^4$: conflatis A^x 4 educato $\pi N\theta ald.$: educto $VFrob.2$ (cf. 27. 19. 9 adn.) 5 Hispanias Gallias] -as -as $\pi N.ald.Frob.1.2$ (cf. e.g. c. 30. 13): -am -am $V\theta$

ducere exercitum aequalem stipendiis suis, duratum omnium rerum patientia quas uix fides fiat homines passos, perfusum miliens cruore Romano, exuuias non militum tantum sed etiam imperatorum portantem. multos occursuros Scipioni 6 in acie qui praetores, qui imperatores, qui consules Romanos sua manu occidissent, muralibus uallaribusque insignes coronis, peruagatos capta castra captas urbes Romanas. non esse hodie tot fasces magistratibus populi Romani quot 7 captos ex caede imperatorum prae se ferre posset Hannibal.

Has formidines agitando animis ipsi curas et metus auge- 8 bant, etiam quod, cum adsuessent per aliquot annos bellum ante oculos aliis atque aliis in Italiae partibus lenta spe in nullum propinquum debellandi finem gerere, erexerant omnium animos Scipio et Hannibal uelut ad supremum certamen comparati duces. Iis quoque quibus erat ingens 9 in Scipione fiducia et uictoriae spes quo magis in propinquam eam imminebant animis eo curae intentiores erant. Haud dispar habitus animorum Carthaginiensibus erat quos 10 modo petisse pacem, intuentes Hannibalem ac rerum gestarum eius magnitudinem, paenitebat, modo cum respi- 11 cerent bis sese acie uictos, Syphacem captum, pulsos se Hispania, pulsos Italia, atque ea omnia unius uirtute et consilio Scipionis facta, uelut fatalem eum ducem in exitium suum natum horrebant.

5 ducere $\pi NV\theta$: duceret *Gron.* ; ducente *Alan*; *hi ambo post* complesset *non interpungunt, sed* H-em *subaudire orationi satis congruit*   quas uix A^v?*Edd.* : qua uix N^4V : quamuis (-ix *J*) $A^8\theta$: qua fix P : qua $\pi^2 N$ tantum $PCBV\theta$: modo AN *ald.Frob.* 1.2
6 qui imperatores πN, *ald.* : *om.* $V\theta Frob.$ 2   sua manu π $N.ald.Frob.$ 1.2 : manu sua $V\theta$ (*cf.* 27. 37. 5 *adn.*)   uallaribusque $A^8 N^4 V\theta$ *Edd.* : -que πN, *cf.* 26. 11. 12 *adn.* (*b*)   7 se $N^4 V\theta$ *Edd.* : *om.* πN 8 debellandi πN *Edd.* : bellandi $V\theta$ 9 Iis (*uel* eis) *Lov.* 5 : his V: ei πN : hii $N^4 J$: hi K: ii A^8 *et sic* (*cum* intentioris *inf.*) *ald.Frob.* 1.2   eo πN *Edd.* : et N^4 *ut s. l.* $V\theta$ curae intentiores erant $A^8 N^4 V\theta$ *et* (*sed* -ris) *ald.Frob.* 1.2 : curas intentioris πN : curas intentiores uoluebant *Weissenb.* (*cum* ei *sup.*)
11 pulsos se (se in *B*) Hispania $\pi^1 N$ *Edd.* : *bis a P scriptum* (*cf.* 29. 1. 23 *adn.*) : *om.* $V\theta$: *del.* se N^4

TITI LIVI

29 Iam Hadrumetum peruenerat Hannibal; unde, ad reficiendum ex iactatione maritima militem paucis diebus sumptis, excitus pauidis nuntiis omnia circa Carthaginem obtineri armis adferentium magnis itineribus Zamam contendit.—Zama quinque dierum iter ab Carthagine abest.— Inde praemissi speculatores cum excepti ab custodibus Romanis deducti ad Scipionem essent, traditos eos tribuno militum, iussosque omisso metu uisere omnia, per castra qua uellent circumduci iussit; percontatusque satin per commodum omnia explorassent, datis qui prosequerentur retro ad Hannibalem dimisit. Hannibal nihil quidem eorum quae nuntiabantur—nam et Masinissam cum sex milibus peditum quattuor equitum uenisse eo ipso forte die adferebant—laeto animo audiuit, maxime hostis fiducia, quae non de nihilo profecto concepta esset, perculsus. Itaque quamquam et ipse causa belli erat et aduentu suo turbauerat et pactas indutias et spem foederum, tamen si integer quam si uictus peteret pacem aequiora impetrari posse ratus,

29 1 Hadrumetum (adr- *K.ald.Frob*.1.2: hasdr- *AN*) π*NK*: adrumentum *A*⁸*VJ*. *Cf. Polyb. e.g.* 15. 5. 3   peruenerat *Vθald. Frob*.1.2: uenerat π*N*   militem *PCBA*⁸*N*⁴θ: *om. AN* (*qui om.* omnia *inf.*: *add. A*⁸*N*⁴)   2 ab (Cart.) *A*⁸*Vθ* (*cf. c.* 9. 11): a π*N* ab (cust.) *Vθ* (*u. praec.*): a π*N*   tribuno *A*⁸*Vθ* (*cf. Polyb.* 15. 5. 5): tribunis π*N.ald.Frob*.1.2   3 percontatusque] -tusque *Frob*.2: -tosque π*Nθald*. (*cf. de* -os *et* -us *c.* 36. 8 *adn.*), *sed* -cunct- π*N* θ, *cf.* 27. 43. 5 *adn*.   satin *A*⁸θ*ald.Frob*.1.2: satin si *V*: statim π*N*: statim si *N*⁴   per commodum π*NV* (como-): percom-(*uel* -comm-)ode *N*⁴θ*ald.Frob*.1.2   prosequerentur] pro- *CANVθFrob*. 1.2: prae- *P*: p- *B.ald*.   4 forte] *hic* π*N.ald.Frob*.1.2: *post* die θ (eo die f. ipso *V*)   audiuit *Vθald.Frob*.1.2: audit π*N*   maxime hostis fiducia quae (que *Vθ*) *Vθald.Frob*.1.2, *Gron.*: maxime si (sui *A*ˣ) hostis fiduciaque π*N*: sed maxime h. fiducia *Alschefski*, ceterum maxime h. fiducia audaciaque *Madv.* (audaciaque *prius Weissenb.*), maxime spiritu h. fiduciaque *Zingerle* (*alia alii*), omnes (*sine* esset *inf.*) perculsus (*uel* -cuss-) est *retinentes, sed Gronouii coniecturam* (*u. adn. inf.*) *paene confirmant codd. Vθ* (*et si illud Puteani uariis modis oriri potuit*)   de nihilo *A*⁸(nich-)*N*³ *uel N*⁴*Vθ*: de di | lo *P*: de nilo *P*²?: de illo (ilo *B*) *CB*²: dei (dī *A*). io *AN*: dum eo *A*²?   esset, perculsus *Gron.*: est perculsus *Vθald.Frob*.1.2: percussus (-culs- *C*⁵*A*⁸) est π*N*   5 ipse *PCA*⁸?*N*⁴θ *Edd.*: ipsa *BAN*   pactas π*NK Edd.*: pacatas *N*⁴*VJ* aequiora π*N.ald.*: aequiorem *A*⁸*VθFrob*.2

AB VRBE CONDITA XXX 29

nuntium ad Scipionem misit ut conloquendi secum potestatem faceret.—Id utrum sua sponte fecerit an publico consilio, 6 neutrum cur adfirmem habeo. Valerius Antias primo 7 proelio uictum eum ab Scipione, quo duodecim milia armatorum in acie sint caesa, mille et septingenti capti, legatum cum aliis decem legatis tradit in castra ad Scipionem uenisse.

Ceterum Scipio cum conloquium haud abnuisset, ambo 8 ex composito duces castra protulerunt ut coire ex propinquo possent. Scipio haud procul Naraggara urbe cum ad cetera 9 loco opportuno tum quod aquatio intra teli coniectum erat consedit. Hannibal tumulum a quattuor milibus inde, 10 tutum commodumque alioqui nisi quod longinquae aquationis erat, cepit. Ibi in medio locus conspectus undique ne quid insidiarum esset delectus.

Summotis pari spatio armatis, cum singulis interpretibus 30 congressi sunt, non suae modo aetatis maximi duces sed omnis ante se memoriae omnium gentium cuilibet regum imperatorumue pares. Paulisper alter alterius conspectu, 2 admiratione mutua prope attoniti, conticuere ; tum Hannibal prior: 'Si hoc ita fato datum erat ut qui primus bellum 3 intuli populo Romano, quique totiens prope in manibus uictoriam habui, is ultro ad pacem petendam uenirem, laetor te mihi sorte potissimum datum a quo peterem. Tibi 4 quoque inter multa egregia non in ultimis laudum hoc fuerit Hannibalem cui tot de Romanis ducibus uictoriam di

7 ab (Scipione) VK: a πNJ sint $V\theta$: sunt πN $Edd.$ $ante$ $Gron.$ 8 coire $N^4V\theta ald.Frob.$1.2 : coiri AN: eo ierunt PCB
9 Naraggara πN: naggara N^1: narcara $V\theta$: nadagara $ald.$ $Frob.$1.2   urbe $V\theta$ $Edd.$: urbem πN ($cf.$ 26. 40. 11 $adn.$)
cum πN: tum $Med.$ 3 $ald.Frob.$1.2: om. $V\theta$ aquatio $C^xA^8N^4V$ θ (-lio $PCBN$): $a\bar{g}$ lio (eo A^x) A 10 alioqui $P.ald.Frob.$1.2: alioquin $CBANV\theta$ erat πN $Edd.$: erant A^v uel $A^5V\theta$ delectus $CANV\theta$ (dil- PB)

30 1 pari $A^vV\theta ald.Frob.$1.2, $cf.$ $e.g.$ $Caes.$ $B.$ $G.$ 1. 43. 2 : par in πN (cum spatium BAN, $fort.$ $recte$)   3 prope $\pi N.ald.Frob.$1.2: om. $V\theta$ sorte $\pi N.ald.$: om. $V\theta Frob.$2   4 tot de $\pi N.ald.$: de tot $N^x(uix$ $N^4)V\theta Frob.$2   di PC (et dis P in § 6), $cf.$ 28. 28. 11 $adn.$: dii AN: om. B

XXX 30 4 TITI LIVI

dedissent tibi cessisse, teque huic bello uestris prius quam
nostris cladibus insigni finem imposuisse. Hoc quoque
ludibrium casus ediderit fortuna ut cum patre tuo consule
ceperim arma, cum eodem primum Romano imperatore
signa contulerim, ad filium eius inermis ad pacem petendam
ueniam. Optimum quidem fuerat eam patribus nostris
mentem datam ab dis esse ut et uos Italiae et nos Africae
imperio contenti essemus; neque enim ne uobis quidem
Sicilia ac Sardinia satis digna pretia sunt pro tot classibus,
tot exercitibus, tot tam egregiis amissis ducibus; sed praeterita magis reprehendi possunt quam corrigi. Ita aliena
appetiuimus ut de nostris dimicaremus nec in Italia solum
nobis bellum, uobis in Africa esset; sed et uos in portis
uestris prope ac moenibus signa armaque hostium uidistis
et nos ab Carthagine fremitum castrorum Romanorum
exaudimus. Quod igitur nos maxime abominaremur, uos
ante omnia optaretis, in meliore uestra fortuna de pace
agitur. Agimus ii quorum et maxime interest pacem esse,
et qui quodcumque egerimus ratum ciuitates nostrae habi-
turae sunt: animo tantum nobis opus est non abhorrente
a quietis consiliis.

---

4 prius $V\theta Frob.2$: plus $\pi N.ald.$: potius *H. J. Mueller, frustra*
5 casus ediderit (ederit B) fortuna PCB: fortunae casus ediderit $A^8N^4V\theta Frob.2$ (*cf.* 29. 12. 5 *adn.*): casus dederit an fortuna A
N: fortuna an casus ediderit *ald.*   consule $V\theta ald.Frob.1.2$: *om.*
πN 6 et uos πN *Edd.*: uos $V\theta$ Italiae $\pi^2 N\theta$ (*sed* -lia P^2
C): itahacetnos | itahac P et nos πN *Edd.*: nos $V\theta$
7 tam egregiis $CAN\theta$ (iam eg- J): tamē graegiis (egraegiis P^2B)
PB: tamque egregiis *ald.Frob.1.2, fort. recte*   praeterita (-tā P^2)
magis $\pi^2 N\theta$: praeteritā | aeris P 8 appetiuimus (*uel* adp-) $V\theta$
ald.Frob.1.2: adpetimus πN nec in Italia $PCBA^8N^4$ *ut s. l. V*
θ: nec (ne N) italie AN nobis bellum, uobis *Elsperger*: uobis
bellum nobis $A^8NV\theta$(*sed* u. fuit b. n. K)*ald.Frob.1.2*: uobis $PCAN$:
nobis B esset πN: est $N^4V\theta$ (*de* est *pro* esset *cf. fort. c.* 29. 4)
9 abominaremur A^8N^6 *in ras.* $V\theta$: ab-(au- P)ominamur PC
B: auob' minamur AN?   uos $PC\theta Frob.2$: uos autem BAN
optaretis πN: optare debetis *Madv. olim* (*Em. p.* 433)
quorum et $A^8V\theta$ *Edd.*: quorum πN esse et $A^8N^6V\theta$: esset P
CB^2: *om.* B

AB VRBE CONDITA XXX 30

'Quod ad me attinet, iam aetas senem in patriam reuertentem unde puer profectus sum, iam secundae, iam aduersae res ita erudierunt ut rationem sequi quam fortunam malim: tuam et adulescentiam et perpetuam felicitatem, ferociora utraque quam quietis opus est consiliis, metuo. Non temere incerta casuum reputat quem fortuna nunquam decepit. Quod ego fui ad Trasumennum, ad Cannas, id tu hodie es. Vixdum militari aetate imperio accepto omnia audacissime incipientem nusquam fefellit fortuna. Patris et patrui persecutus mortem ex calamitate uestrae domus decus insigne uirtutis pietatisque eximiae cepisti; amissas Hispanias reciperasti quattuor inde Punicis exercitibus pulsis; consul creatus, cum ceteris ad tutandam Italiam parum animi esset, transgressus in Africam duobus hic exercitibus caesis, binis eadem hora captis simul incensisque castris, Syphace potentissimo rege capto, tot urbibus regni eius, tot nostri imperii ereptis, me sextum decimum iam annum haerentem in possessione Italiae detraxisti. Potest uictoriam malle quam pacem animus. Noui spiritus magnos magis quam

---

11 tuam] *hic* $\pi N.ald.Frob.$1.2 : *post* adulescentiam $A^8V\theta$: *post* et (*ante* ad.) N^6 : *del.* A^xN^x Non πNJ *Edd.* : nam J^1 *ut s. l. K* : iam V reputat A^8N^6 *in ras.* (*ubi* N^4 *nescioquid scripserat*) $V\theta$: repugnat PC : repugnet BAN (*an* -gat?)   decepit $A^8N^6V\theta ald.Frob.$1.2 : decipit πN 12 ad (a P) Trasumennum πN (-enum), *cf. c.* 20. 9 : ad transimenum V(-nsm-) θ ad (Cannas) $\pi N.ald.Frob.$1.2 : et ad $V\theta$.   *Ab uocibus* ad Cannas *rursus nunc exstat* D (*u. c.* 21. 4)   es $A^8N^6V\theta ald.Frob.$1.2 : *om.* πN, *fort. recte*   nusquam πN *Edd.* : nunquam N^3 *uel* $N^4V\theta$ fortuna $P^4CDA^8N^6$(*fort. antea* N^4)$V\theta$: sua fortuna P (*mire, nisi ex insiticia uoce tua corruptum*) : sunt fortuna BAN 13 patrui $P^4CDA^8V\theta$: patribi P : patruibi P^2 *ut uid.* : patrui ibi BAN ex (calam.) $A^8N^4V\theta ald.Frob.$1.2 : ad πN (*unde ab Gron.*) : a D reciperasti P (-cup- $\pi^2NV\theta$), *cf.* 29. 30. 7   14 creatus cum] *post has uoces periit P usque ad* domitos (*c.* 37. 3)   hic $BDANV\theta$ *Edd.* : *om.* C simul incensisque CDA^4N^3 *uel* $N^4\theta$: simolim censisque (incensisque AN) B AN (incensis captisque V, simul *omisso*)   nostri $AN\theta$: nostrum CBD (imperium C : -riu B : -rii D)   ereptis B^1 *uel* $B^2A^8V\theta$ (-tus $CBAN$)   15 malle $CDVFrob.$2 : mallem B : inquam malle $AN\theta ald.$ magnos magis $CBFrob.$2 : magnus magis $DV\theta$: magis magnos $AN.ald.$ (*cf.* 29. 3. 10 *adn.*)

16 utiles; et mihi talis aliquando fortuna adfulsit. Quod si in secundis rebus bonam quoque mentem darent di, non ea solum quae euenissent sed etiam ea quae euenire possent reputaremus. Vt omnium obliuiscaris aliorum, satis ego
17 documenti in omnes casus sum quem modo castris inter Anienem atque urbem uestram positis signa inferentem ac iam prope scandentem moenia Romana uideris, hic cernas duobus fratribus, fortissimis uiris, clarissimis imperatoribus orbatum ante moenia prope obsessae patriae quibus terrui uestram urbem ea pro mea deprecantem.

18 'Maximae cuique fortunae minime credendum est. In bonis tuis rebus, nostris dubiis, tibi ampla ac speciosa danti est pax, nobis petentibus magis necessaria quam honesta.
19 Melior tutiorque est certa pax quam sperata uictoria; haec in tua, illa in deorum manu est. Ne tot annorum felicita-
20 tem in unius horae dederis discrimen. Cum tuas uires tum uim fortunae Martemque belli communem propone animo; utrimque ferrum, utrimque corpora humana erunt; nusquam
21 minus quam in bello euentus respondent. Non tantum ad

15 utiles (-lis $V\theta$); et $A^8N^4V\theta ald.Frob.$1.2 : utiles CAN (-lis D: -le B), *cf.* 28. 2. 7 *adn.* 16 di, *cf.* 28. 28. 11 : dei $CBDAN$: dii $A^vV\theta$ 17 quem $CDA^8N^4V\theta$: quae B: qui AN signa inferentem CBD: signa inferentem ad $AN.ald.$: *om.* $V\theta Frob.$2 (*cf.* 28. 2. 16 *adn.*), *u. adn. sq.* ac iam (acie $A^8\theta$) prope scandentem $A^8V\theta Frob.$2 : *om.* $CBDAN.ald.$ (*cf.* 26. 51. 8 *adn.*) ; *duarum linearum (quarum una fort. primo perdita mox in marg. archetypi addita erat) alteram Sp, alteram P omisit (de dittographiae falsa suspicione cf.* 29. 7. 7 *adn.*) uideris *scripsi*: uideras $A^8N^6\theta ald$ $Frob.$1.2 (*fort.* -as *antiquitus ex* cernas *praesumpto*) : *om. CBDANV, quos cum Madv.* 1886 *sequi malit Johnson, uoces* modo … hic … *pro* ut modo scandebam … ita hic … *interpunxit, et* uideras *additum esse ratus postquam post* casus sum *interpunxit aliquis* hic cernas (hi BDN) $CBDA^8NVJ$ *ald.*: hunc cernas K : hic cernis $Frob.$2 : *in A erasum* orbatum $A^8N^2V\theta$ (orn-$CBDAN$) ea (eam J) pro mea $BA^8N^2\theta$: ea (eam D) pro me (mei V) $DANV$: me C 18 In bonis $N^4V\theta ald.$ *Frob.*1.2 : omnibus $CBDAN$ tibi ampla A^8N^6 *in ras.* $V\theta$ *Edd.*: iam apta $CBDAN$? honesta $DA^8V\theta$: hosta C *ut uid.* : hosti C^x : hostia BA?N 19 certa pax A^8N^2 *uel* N^4 *rescriptis punctis* $V\theta$: certare $CBDA^1$(-res A)N, *mire* Ne $CBDAN.ald.Frob.$1.2 : nec A^8 *ut s. l.* $N^4V\theta$ 20 ferrum, utrimque CA^8 : ferrum N^4V $\theta ald.Frob.$1.2: *om. BDAN*

AB VRBE CONDITA XXX 30

id quod data pace iam habere potes, si proelio uinces, gloriae adieceris, quantum ⟨dempseris⟩, si quid aduersi eueniat. Simul parta ac sperata decora unius horae fortuna euertere potest. Omnia in pace iungenda tuae potestatis sunt, P. Corneli: tunc ea habenda fortuna erit quam di dederint. Inter pauca felicitatis uirtutisque exempla M. Atilius quondam in hac eadem terra fuisset, si uictor pacem petentibus dedisset patribus nostris ; sed non statuendo felicitati modum nec cohibendo efferentem se fortunam quanto altius elatus erat, eo foedius corruit.

'Est quidem eius qui dat, non qui petit, condiciones dicere pacis ; sed forsitan non indigni simus qui nobismet ipsi multam inrogemus. Non recusamus quin omnia propter quae ad bellum itum est uestra sint, Sicilia Sardinia Hispania quidquid insularum toto inter Africam Italiamque continetur mari ; Carthaginienses inclusi Africae litoribus uos, quando ita dis placuit, externa etiam terra marique uideamus regentes imperio. Haud negauerim propter non nimis sincere petitam aut exspectatam nuper pacem sus-

---

21 uinces D: uincens CBA : uincis $A^8N^4V\theta$: uincas *ald.Frob.*1.2 : uinceris N: uiceris *Lov.* 2, *fort. recte* dempseris *Madv.* : ademeris *ald.Frob.*1.2: demeris (!) *Woelfflin* : *nesciunt CBDANV*θ; *aut hic aut post* eueniat *patet aliquid ex codd. excidisse ; fort. ut linea expleatur (cf.* 26. 6. 16 *adn.) conicias* inde ipse ademeris 22 potestatis] -tis $DA^1NV\theta$: -tes BA: -ti C di B (*cf.* 28. 28. 11): dii $CAN V\theta$ (*sed in* § 26 dis *CBDN*)   23 Inter pauca A^8N^4VJ *Edd.* : inter K: in tanta C: intenta BAN: inter cetera DA^5 *ut s. l.* Atilius BK (*ut P in* 28. 42. 1): attilius CDA^8NVJ: amplius A fuisset, si $DV\theta Frob.$2: fuisse et si (si ui B) CB^1: fuisse fertur qui sic (si AN) $AN.ald.$ dedisset patribus nostris $CBDA^8N^4V\theta$ (p. n. dedisset K)$Frob.$2: abnuit AN: patribus nostris abnuit *ald.*   sed non statuendo $N^4V\theta$: non statuendo CBD : non statuendo tamen AN : sed non statuendo tandem *ald.Frob.*1.2   efferentem se fortunam $A^8V\theta$ *Edd.* : efferente se (-tes e C) fortuna $CBDAN$ 24 indigni simus (sumus VJ) CA^v *uel* $A^5N^4V\theta$: in-(in *DAN*)dignissimis $BDAN$ ipsi CBD : ipsis $ANV\theta ald.Frob.$1.2 multam N^2J : mulctam $A^{v?}V$: multa $CBDANK$ 25 Non $V\theta Frob.$2 : qui non $CBDAN.ald.$ ad bellum itum $N^4V\theta$: ea bellum itum CBD: bellum initum $AN.ald.Frob.$1.2   26 uos $DAN V\theta$: suos CB imperio *Madv., optime* : imperia $CBDANV\theta$

XXX 30 27   TITI LIVI

pectam esse uobis Punicam fidem : multum per quos
28 petita sit ad fidem tuendae pacis pertinet, Scipio—uestri
quoque, ut audio, patres nonnihil etiam ob hoc quia parum
29 dignitatis in legatione erat negauerunt pacem—; Hannibal
peto pacem qui neque peterem, nisi utilem crederem, et
propter eandem utilitatem tuebor eam propter quam petii ;
30 et quemadmodum quia a me bellum coeptum est ne quem
eius paeniteret quoad ipsi inuidere di praestiti, ita adnitar
ne quem pacis per me partae paeniteat.'

31   Aduersus haec imperator Romanus in hanc fere sententiam respondit: 'Non me fallebat, Hannibal, aduentus tui
spe Carthaginienses et praesentem indutiarum fidem et
2 spem pacis turbasse ; neque tu id sane dissimulas qui de
condicionibus superioribus pacis omnia subtrahas praeter
3 ea quae iam pridem in nostra potestate sunt. Ceterum ut
tibi curae est sentire ciues tuos quanto per te onere leuentur,
sic mihi laborandum est ne quae tum pepigerunt hodie
subtracta ex condicionibus pacis praemia perfidiae habeant.

27 fidem (*prius*) *CBDAN.ald.Frob.*1.2 : fidem tuende pacis $A^8N^4V\theta$
(*cf.* 29. 12. 5 *adn.*)   multum $A^8N^4V\theta$ *Edd.* : multos *CBDAN*
petita *CBDAN Edd.* (rep- $A^8N^4V\theta$)   29 petii DA^xN^3K: peti
CBANVJ   30 ne quem $BANV\theta$: neque me *C* : neque *D*
eius *CBDAN Edd.* : *om.* $V\theta$ quoad ipsi $DV\theta Frob.$2 : quoad
(quod ad *B*) id ipsi *CBAN* : quoad ipsi non *ald.*

31 1 aduentus tui spe $A^8N^5V\theta ald.Frob.$1.2 : ab aduentus tui spe
Alschefski. fort. ab N^4 *confirmatus, fort. recte* (*cf. e.g.* 27. 17. 5) : auere
(habere *CDAN*) aduentus tui spem *CBDAN*, *unde* aura aduentus tui
(*om.* spe) *coniecerat olim Madv. Em. p.* 756, *sed aut uox* habere *in
Puteani fontibus uidetur addita esse ubi* spe *in* spem *corruptum est, aut
(quod magis credibile est) postquam auere *ex* aduen- *bis scripto ortum
est,* spe *in* spem *mutatum*   2 superioribus *CBDAN.ald.Frob.*
1.2 : superioris $N^4V\theta$, *quod ipse fort. rectum esse suspicor, nam inf.*
§ 3 *Scipio uoce* pepigerunt *utitur de suarum condicionum a Carth.
acceptione ; et personae Scip. sane consentaneum est sic de se loqui* (*de*
-ib. *pro* -is *cf.* 27. 2. 8 *adn.*)   3 ut $CBDV\theta$: sicut *AN.ald.Frob.*
1.2   sentire $CBDN^4V\theta ald.Frob.$1.2 : *om. AN*   est (ne) *BDAN*
*V.ald.Frob.*1.2 : *om. C, non male*   ne *ald.Frob.*1.2 : ne si *CBD
ANVθ (si *ab* sic *orto, nisi fort. fuit dittogr. ex coniectura alicuius* si *uel*
si quae *pro* quae *substituere cupientis* (*nam prima specie* pepigerunt *cum
c.* 16. 13 *et* 14 *uix quadrat*))   tum *CBDAN, cf.* 24. 45. 9 *adn.*:
tunc N^2 *uel* $N^5V\theta ald.Frob.$1.2

AB VRBE CONDITA XXX 31 4

Indigni quibus eadem pateat condicio, etiam ut prosit uobis 4
fraus petitis. Neque patres nostri priores de Sicilia neque
nos de Hispania fecimus bellum ; et tunc Mamertinorum
sociorum periculum et nunc Sagunti excidium nobis pia ac
iusta induerunt arma. Vos lacessisse et tu ipse fateris et 5
di testes sunt qui et illius belli exitum secundum ius fasque
dederunt et huius dant et dabunt.

'Quod ad me attinet, et humanae infirmitatis memini et 6
uim fortunae reputo et omnia quaecumque agimus subiecta
esse mille casibus scio; ceterum quemadmodum superbe et 7
uiolenter me faterer facere si priusquam in Africam traiecissem te tua uoluntate cedentem Italia et imposito in naues
exercitu ipsum uenientem ad pacem petendam aspernarer,
sic nunc cum prope manu conserta restitantem ac tergiuer- 8
santem in Africam attraxerim nulla sum tibi uerecundia
obstrictus. Proinde si quid ad ea in quae tum pax conuen- 9
tura uidebatur, quasi multa nauium cum commeatu per

4 petitis *CBDAN.ald.Frob.*1.2 : petis *N*⁴ *ut s. l.* : petistis *Vθ* (*non N*⁴) priores *CBDAN*⁴*Vθ* : prius *Leo, infeliciter* fecimus *A*⁸*N*⁴*Vθald.Frob.*1.2 : facimus *CBDAN* et tunc *N*⁴*VθFrob.*2 : et tum *CBDAN.ald.* 5 lacessisse *Vθ*(-cesi- *J*)*ald.Frob.*1.2 : lacessere *CBDAN* (-ssixe *N*⁶) di] dei *BDAN*: de in *C*: dii *A*⁸ *Vθ* (*cf.* 28. 28. 11 *adn.*) sunt *A*⁸*N*⁵*Vθald.Frob.*1.2 : ut *CBAN* : sunt ut *D* ius fasque *CA*⁸*N*⁴*Vθald.Frob.*1.2 : iustasq: *BD* : ius meritum *AN* 6 quaecumque *CB*(quec-)*DAN.ald.Frob.*1.2 : que *Vθ* esse *CBDN*⁴*Vθald.Frob.*1.2 : *om. AN* 7 faterer facere *N*⁴*VθFrob.*2 : facere faterer *ald.* : fatere *C*(fate)*BN uel N*¹ : facere ?*A*⁷*N* te] *hic CBDAN.ald.Frob.*1.2 : *post* ipsum *Vθ* Italia *B*¹ *uel B*²*D*(yt-)*A*⁴?*VK.ald.Frob.*1.2 : italiae *CBA?N* : italiam *J*
8 nunc cum *BDANVθald.Frob.*1.2 : nunc eum *C* conserta *ed. Mog.* 1518 : consertum *CBDANVθ, quod ut supinum defendit Weissenb. citando Gell.* 20. 10. 1–9, *sed* manum (*non* manu) consertum uocare *formula antiqua iuris fuit* restitantem *CB*(-tum)*DA*⁸? *N*ˣ*V.θald.Frob.*1.2 : resistentem *N*⁴ : resitantem *A*?*N*¹ *ut s. l.* (-tent-*N*) attraxerim (*uel* adt-) *CBDAN.ald.Frob.*1 : traduxerim *N*⁴*V θFrob.*2 9 in quae *A*⁸*VJ.ald.Frob.*1.2 : quae *CBDANK* : quibus *A*⁴ quasi *A*⁵ *Gron.* (*adn.*) *Douiatius* : quae si *CBA?* : que si *A?N* (que simultas *N*: que simulta *N*² : que multa *N*⁴): si *D* : que sunt *A*⁸*Vθ* : quae sunt nosti (*in parenthesi*) *ald.Frob.*1.2 *et* (*sed* sint) *Gron. in contextu, qui omnes* mulctae *praebent* : quae sit *Alschefski, non male* cum commeatu *CDAN.ald.Frob.*1.2 : cummeatu *B* : commeatus (*uel* come-) *Vθ*

TITI LIVI

indutias expugnatarum legatorumque uiolatorum, adicitur, est quod referam ad consilium: sin illa quoque grauia uidentur, bellum parate quoniam pacem pati non potuistis.'
10 Ita infecta pace ex conloquio ad suos cum se recepissent, frustra uerba temptata renuntiant: armis decernendum esse
32 habendamque eam fortunam quam di dedissent. In castra ut est uentum, pronuntiant ambo arma expedirent milites animosque ad supremum certamen, non in unum diem sed
2 in perpetuum, si felicitas adesset, uictores. Roma an Carthago iura gentibus daret ante crastinam noctem scituros; neque enim Africam aut Italiam sed orbem terrarum uictoriae praemium fore; par periculum praemio quibus ad-
3 uersa pugnae fortuna fuisset. Nam neque Romanis effugium ullum patebat in aliena ignotaque terra, et Carthagini, supremo auxilio effuso, adesse uidebatur praesens excidium.
4 Ad hoc discrimen procedunt postero die duorum opulentissimorum populorum duo longe clarissimi duces, duo fortissimi exercitus, multa ante parta decora aut cumulaturi
5 eo die aut euersuri. Anceps igitur spes et metus miscebant animos; contemplantibusque modo suam, modo hostium aciem, cum oculis magis quam ratione pensarent uires,

9 expugnatarum *BDA et A^v?N.ald.Frob.*1.2: expugnarum *C*: op-(*uel* ob-)pugnatarum *A^{8}Vθ* sin *CBDAN*(*sed* si nulla *N*: si illa *N^1*)*ald.Frob.*1.2: si nihil *A^{8}V*: si *N^{4}θ* uidentur *DA^{8}N^{4}Vθald.Frob.*1.2: uiderunt *CBAN* 10 infecta pace *BDANVθ*: in (*del.* in *C^1*) pace infecta *C* temptata *Haverkampianus* (uerbis tentatam rem *Sigonius*): p̄cata *CN?*: praecata *BD* (prec-): pcata *A*: pacata *A^{8}N^{4}Vθald.Frob.*1.2: iactata *Gron.*, *optime*, *sed sic corruptela minus facile explicatur*: facta *Weissenb.*: *alia alii* *post* renuntiant *om.* armis . . . pronuntiant (*c.* 32. 1) *D* di] *u.* § 5: dei *CBN*: dii *AVθ*

32 1 uictores *CBDA et A^{x}NV.ald.Frob.*1.2: uicturos *A^{8}θ*
2 daret *A^{8}N^{6}θ Edd.*: darent *CBDANV* fore *CANVθ Edd.*: fere *BD* par *CA^{8}N^{4}Vθ Edd.*: per *BDAN* aduersa *K*, *J. Perizonium confirmans*: aduersae *CB*(-se)*DANVJ.ald.Frob.*1.2
3 ignotaque terra, et (*om. et K*) Carthagini (-gin̄ *N^4*: -ginensibus *V*), supremo (supp- *N^4*) *A^{8}N^{4}Vθ Edd.*: ignota *CBDAN*, *fort. ii lineis* (*xxviii litt.*, *si*, *ut saepe*, *quae pro* que *in exemplari stabat*) *in P omissis, cf.* 26. 51. 8 *adn.* 5 spes et *A^{8}N^{4}Vθald.Frob.*1.2: spes *BDAN* (metusque *D*): *om. C* cum *CDANVθald.Frob.*1.2: cui *B*: cum non *Weissenb.*, *Madv. Em. p.* 436, *frustra*

simul laeta, simul tristia obuersabantur: quae ipsis sua sponte non succurrebant, ea duces admonendo atque hortando subiciebant. Poenus sedecim annorum in terra Italia 6 res gestas, tot duces Romanos, tot exercitus occidione occisos et sua cuique decora ubi ad insignem alicuius pugnae memoria militem uenerat referebat: Scipio Hispanias et 7 recentia in Africa proelia et confessionem hostium quod neque non petere pacem propter metum neque manere in ea prae insita animis perfidia potuissent. Ad hoc conlo- 8 quium Hannibalis in secreto habitum ac liberum fingenti qua uolt flectit. Ominatur, quibus quondam auspiciis patres 9 eorum ad Aegates pugnauerint insulas, ea illis exeuntibus in aciem portendisse deos. adesse finem belli ac laboris; 10 in manibus esse praedam Carthaginis, reditum domum in patriam ad parentes liberos coniuges penatesque deos. Celsus haec corpore uoltuque ita laeto ut uicisse iam cre- 11 deres dicebat.

Instruit deinde primos hastatos, post eos principes; triariis postremam aciem clausit. Non confertas autem cohortes 33 ante sua quamque signa instruebat sed manipulos aliquantum

5 tristia obuersabantur $CDANV\theta$: tristitia (tristia B^1 uel B^2) obseruabantur B ipsis $BD(sed$ sub ipsis$)A^vN^4V\theta$ $Edd.$: ipsi CA N, $cf.$ 27. 3. 2 $adn.$ hortando CDA^8N^4V $Edd.$: horrendo B^1 ($om.$ atque ... do $B)A^5$: horrebant N (et $fort.$ A)   subiciebant $N^4V\theta$ (-iici- K): subiciunt $AN.ald.Frob.$1.2, non $male$: subicient B D: subitiant C 6 in terra Italia $CBDV\theta ald.Frob.$1.2, $cf.$ 25. 7. 4; 29. 10. 5 $al.$: intra italiam AN occidione $BDANVJ$ $Edd.$: $om.$ K: occisione C sua $BDANV\theta$ $Edd.$: sui C 7 Hispanias et CA^8N^6 uel $N^5(fort.$ $praeeunte$ $N^4)V\theta ald.Frob.$1.2: hispaniae sed (uel set) $BDA?N$ prae insita $A^8N^4V\theta ald.Frob.$1.2: insita N^5: prescita C: praesita $BD?A$ (-sci- B^1 uel B^2): p̄sit N 8 ac $BDANV\theta ald.Frob.$1.2: et C qua $A^8N^4V\theta ald.Frob.$1.2: quae C $BDAN$ flectit $C(sed$ $sq.$ minatur$)BDAN\theta$: flecti $V.ald.Frob.$1.2   9 portendisse deos $CA^8N^4V\theta ald.Frob.$1.2: portendisset eos $BDAN$ 10 finem B^1 uel $B^2DA^v?N^4\theta ald.Frob.$1.2: fidem CBA N parentes $CBDAN.ald.Frob.$1.2: patres ($non,$ ut ait $Luchs,$ penates) N^4 ($del.$ N^x): penates $V\theta$ coniuges penatesque deos $CBDAN$: coniuges penatesque deos; adeo $A^8(sed$ $om.$ deos$)N^4ald.$ $Frob.$1.2: coniugesque adeo VJ: et coniuges adeo K: coniuges penatesque A^x 11 ita laeto $BDAN($leto$)V\theta ald.Frob.$1.2: laeto ita C post eos $BDANV\theta ald.Frob.$1.2: postea C
33 1 aliquantum $CBDAN.ald.Frob.$1.2 (-to $V\theta$)

inter se distantes ut esset spatium qua elephanti hostium
2 acti nihil ordines turbarent. Laelium, cuius ante legati, eo
anno quaestoris extra sortem ex senatus consulto opera
utebatur, cum Italico equitatu ab sinistro cornu, Masinissam
3 Numidasque ab dextro opposuit. Vias patentes inter manipulos antesignanorum uelitibus—ea tunc leuis armatura
erat—compleuit, dato praecepto ut ad impetum elephantorum aut post directos refugerent ordines aut in dextram
laeuamque discursu applicantes se antesignanis uiam qua
inruerent in ancipitia tela beluis darent.

4 Hannibal ad terrorem primos elephantos—octoginta
autem erant, quot nulla unquam in acie ante habuerat—
5 instruxit, deinde auxilia Ligurum Gallorumque, Baliaribus
Maurisque admixtis: in secunda acie Carthaginienses Afros-
6 que et Macedonum legionem: modico deinde interuallo
relicto subsidiariam aciem Italicorum militum—Bruttii
plerique erant, ui ac necessitate plures quam sua uoluntate

1 ut] *hic* A^v *uel* $A^6N^4V\theta ald.Frob.$ 1.2: *ante* aliquantum AN (*del.* A^x
N^4): *om. CBD* acti *CBDAN* (*cf. e.g.* § 14): capti N^4 *ut s. l.*:
rapti V: accepti $\theta ald.Frob.$1.2 3 antesignanorum] -gnan- BA^v
uel A^6N^4 *Edd.*: -gnat- *CD*: -gn- AN: -gnari- $V\theta$ ea tunc A
N^5(*in ras. ubi nescioquid scripserat* N^4)θ *Edd.*: eat uno C (*sed siglo
ambiguo* (ɔ)*, utitur, cf.* 1. 7. 5; 10. 20. 5; 22. 39. 18 *adnn.*): ea tu no
BD (*sed* nolebis *pro* -nc leuis, *et mox* complebit *BD*) directos
Alschefski (*cf.* 2. 49. 11 *et* 27. 48. 4 *adnn.*): in rectos *CBDANV*θ:
rectos A^8 *ut uid. ald.Frob.*1.2: remos A^6 refugerent B^1 *uel* B^2
$ANV\theta$: refugerunt C(-$\overline{er}$)*BD*(eff-), *cf.* 27. 42. 10 *adn.* applicantes A^8N^r *et* $N^4V\theta$: applicante *CBDAN*. Applic- *praebet* P *in* 23.
27. 7 *al.*: adplic- *in* 27. 2. 5 se antesignanis uiam A^8(-siganis)
$N^4V\theta$ (-signariis K) *Edd.* (*sed* -signa nisu iam N^4: -signa nisu V):
signis uiam *CBDAN* qua $A^xV\theta ald.Frob.$1.2: quam *CBDAN*,
cf. 26. 40. 11 *adn.* in ancipitia A^8(-cia)$\theta ald.Frob.$1.2: in ancipia
CBD, *cf.* 27. 1. 11 *adn.*: mancipia AN: in atiem V 4 primos
CBD: primum $ANV\theta ald.Frob.$1.2, *fort. recte* (*cf.* 27. 30. 12 *adn.*)
quot nulla $A^8\theta ald.Frob.$1.2: quod nullam *CBDAN* (*sed* nulla
AN): quot nulla ul V in acie (at- C) ante CB(-iae)$DANV.ald.$
*Frob.*1.2: ante in acie θ, *cf.* 27. 37. 5 *adn.* 5 auxilia Ligurum
BD(legurium)$AN\theta$(auxilī J)*ald.Frob.*1.2: auxilii aligurum C
Baliaribus *BD*(ual- *hi*)AN (*cf.* 27. 18. 7 *adn*): ualearibus C: baleari-
bus $A^8V\theta ald.Frob.$1.2 Maurisque *BDAN*$\theta ald.Frob.$1.2: mauris C,
cf. § 10 *adn.* 6 subsidiariam *BDAN*θ, *quibuscum consentit* C *qui*
-r- '*longicaudatam*' *scripsit ubi Luchs perperam* -m- *pro* -ri- *citat*

AB VRBE CONDITA XXX 33

decedentem ex Italia secuti—instruxit. Equitatum et ipse 7 circumdedit cornibus; dextrum Carthaginienses, sinistrum Numidae tenuerunt. Varia adhortatio erat in exercitu inter 8 tot homines quibus non lingua, non mos, non lex, non arma, non uestitus habitusque, non causa militandi eadem esset. Auxiliaribus et praesens et multiplicata ex praeda 9 merces ostentatur: Galli proprio atque insito in Romanos odio accenduntur: Liguribus campi uberes Italiae deductis ex asperrimis montibus in spem uictoriae ostentantur: Mauros Numidasque Masinissae impotenti futuro dominatu 10 terret: aliis aliae spes ac metus iactantur. Carthaginiensi- 11 bus moenia patriae, di penates, sepulcra maiorum, liberi cum parentibus coniugesque pauidae, aut excidium seruiti-umque aut imperium orbis terrarum, nihil aut in metum aut in spem medium, ostentatur.

Cum maxime haec imperator apud Carthaginienses, duces 12 suarum gentium inter populares, pleraque per interpretes inter immixtos alienigenis agerent, tubae cornuaque ab Romanis cecinerunt, tantusque clamor ortus ut elephanti in 13 suos, sinistrum maxime cornu, uerterentur, Mauros ac

7 ipse $CBDA^8N$: ipsum $?N^4V\theta ald.Frob.$1.2: *quidquid uoluit* N^4 *del.* N^5 8 inter tot $BDAN.ald.Frob.$1.2: inter $V\theta$: *om.* C non lex $CBAN.ald.Frob.$1.2: nō|ollet D: *om.* $V\theta$ 9 et (multi-plicata) $CBDAN.ald.Frob.$1.2: *om.* $V\theta$ merces] *hic* $CBDV\theta$: *ante* ex praeda $AN.ald.Frob.$1.2, *cf.* 29. 3. 10 *adn.*   ostentatur (: Galli) $BDANV\theta$ *Edd.*: ostentabatur C. (*De uocibus* ostentatur, ostentantur, ostentatur (§ 11) *repetitis cf. c.* 12. 3 *adn.*)   asper-rimis $CAN\theta$ (*sed* -eri- CJ) *Edd.*: asperum his BD: appenini V 10 Numidasque (-daq. N^2) $BDAN\theta ald.Frob.$1.2: numidas C Masinissae] *hic* $CBDAN.ald.$: *post* impotenti $V\theta Frob.$2 (*cf.* 27. 37. 5 *adn.*)   futuro $NVFrob.$2: futuros $CBDAN^1\theta ald.$, *cf.* 26. 40. 14 *adn.*   terret $A^1?V\theta$ *Edd.* (-ent $CBDAN$, *cf.* 27. 17. 4 *adn.*) aliis (alii BD) aliae $BDANV\theta$: aliae alii C 12 suarum $CBDANV\theta$: *coniec.* uariarum *Freinsheim,* aliarum *Harant, ambo frustra*   pleraque $CBDANV\theta$: plerique *Freinsheim, locutionem Liuianam deprauans*   inter immixtos CB^1 *uel* B^2(-istos $B)DA NV$ (interim mixtos DAN): intermixtos $\theta ald.Frob.$1.2   alieni-genis $CBDANV.ald.Frob.$1.2: alienigeneris θ: alienigenas *Freinsheim, alii, sed et facilior et concinnior est Datiuus*   agerent K, *Freinsheimium confirmans*: ageret $CBDANVJald.Frob.$1.2   13 sinistrum *Luchs* (*cf.* § 16): sinistris CBD (*cf.* 27. 17. 1 *adn.*): sinistro $ANV\theta ald.Frob.$1.2 uerterentur $CBDAN$: conuerterentur V(cor-)$\theta ald.$: uerterent $Frob.$2

Numidas. Addidit facile Masinissa perculsis terrorem
14 nudauitque ab ea parte aciem equestri auxilio. Paucae
tamen bestiarum intrepidae in hostem actae inter uelitum
ordines cum multis suis uolneribus ingentem stragem ede-
15 bant. Resilientes enim ad manipulos uelites cum uiam
elephantis ne obtererentur fecissent, in ancipites ad ictum
utrimque coniciebant hastas, nec pila ab antesignanis cessa-
16 bant donec undique incidentibus telis exacti ex Romana
acie hi quoque in suo dextro cornu ipsos Carthaginiensium
equites in fugam uerterunt. Laelius, ut turbatos uidit
hostes, addidit perculsis terrorem.

34 Vtrimque nudata equite erat Punica acies cum pedes
concurrit, nec spe nec uiribus iam par. Ad hoc dictu
parua sed magna eadem in re gerenda momenta : congruens
clamor ab Romanis eoque maior et terribilior, dissonae illis,
2 ut gentium multarum discrepantibus linguis, uoces ; pugna
Romana stabilis et suo et armorum pondere incumbentium
in hostem, concursatio et uelocitas illinc maior quam uis.

13 facile *CBDAN Edd.* : facili N^2(*non* N^4)$V\theta$ nudauitque *C*
B^1 *uel* $B^2ANV\theta$ *Edd.* : nudauit *BD*   14 intrepidae *CBDAN*
*Frob.*2 : trepide $V\theta$: intrepide *ald.*   actae *CANθald.Frob.*1.2 :
hacte *B* : hastae *D* : uecte *V*   15 hastas, nec pila ab antesignanis $A^8N^4V\theta$ (-nariis *VK*) *Edd.* : tesignanis *CBD*(*sed om.* te *D,
scribit* antesignanis B^1)*AN*, *linea xvii litt. in P fort. ob* -bant : -b an(t)
perdita, cf. 26. 51. 8 *adn.*   16 quoque *BDANVθ Edd.* : *om. C*
        suo dextro (dextero *BDAN*) *CBDAN.ald.Frob.*1.2 : suos
dextrum *V*(*om.* cornu)θ Carthaginiensium *BDANVθ Edd.*
(-ses *C*)   in (fugam) *ANVθald.Frob.*1.2 : *om. CBD*

34 1 concurrit *BDANVθ Edd.* : cucurrit *C*   spe *AN*(ut spe
pro nec spe *N*)$V\theta$ *Edd.* : spem *CBD, cf.* 26. 40. 11 *adn.*   Ad hoc
(hec θ) dictu *CBDANθ Edd.* : ad (*i.e.* at *ut uid. uoluit*) occiditur N^4
(*et* parua *addens, quamquam* parua *insequens in init. lineae proximae
oblitus est delere*), quem sequuntur *V Med.* 3 (*sed at pro* ad)
magna . . . momenta *CBDANV, cf. e.g.* 27. 45. 5 : magni . . .
momenti res *K.ald.Frob.*1.2, *non male* : magna . . . momenta res A^8
J : magni . . . momenti *Madv.* 1872   in re gerenda A^v *et fort.*
A^8(re *ab* A^x *eraso*)*K Edd.* : in rege reddam *CBD* : in regenda *A?NV
J*   ab (Romanis) $V\theta, cf.$ 28. 36. 5 *adn.* : a *CBDAN.ald.Frob.*
1.2   eoque *ANVθald.Frob.*1.2 : eaque *CBD*   illis *CBD
ANθ Edd.* : illius N^4V 2 et (uelocitas) *BDANVθald.Frob.*
1.2 : ac *C*

AB VRBE CONDITA XXX 34

Igitur primo impetu extemplo mouere loco hostium aciem 3 Romani. Ala deinde et umbonibus pulsantes in summotos gradu inlato aliquantum spatii uelut nullo resistente incessere, urgentibus et nouissimis primos ut semel motam 4 aciem sensere, quod ipsum uim magnam ad pellendum hostem addebat. Apud hostes auxiliares cedentes secunda 5 acies, Afri et Carthaginienses, adeo non sustinebant ut contra etiam, ne resistentes pertinaciter primos caedendo ad se perueniret hostis, pedem referrent. Igitur auxiliares 6 terga dant repente et in suos uersi partim refugere in secundam aciem, partim non recipientes caedere, ut et paulo ante non adiuti et tunc exclusi; et prope duo iam permixta 7 proelia erant, cum Carthaginienses simul cum hostibus simul cum suis cogerentur manus conserere. Non tamen 8 ita perculsos iratosque in aciem accepere sed densatis ordinibus in cornua uacuumque circa campum extra proelium eiecere, ne pauido fuga uolneribusque milite sinceram et integram aciem miscerent.

Ceterum tanta strages hominum armorumque locum in 9 quo steterant paulo ante auxiliares compleuerat ut prope

---

3 mouere *BDANVθ* : *om. C*   umbonibus *A⁸Vθald.Frob.*1.2, *cf.* 9. 41. 19 : umboni *CBDA* (-ne *A⁶*)   inlato *BDAN* : illato *Vθ* : in loco *C*   4 ad pellendum *B¹ uel B²A*(ad imp- *A⁶*)*NVθ Edd.* : appellandum *CB*(ape-)*D*   5 auxiliares (-ris) *DA*(-ribus *A⁶*)*NVθ* : auxiliariis *CB*   acies *CBDAN* : acie *AˣVθ* primos *A⁸Vθald.Frob.*1.2 : primo *CBDAN*   6 uersi *CAVθald. Frob.*1.2 : reuersi *BDN* (re- *ex* refug- *praesumpto, cf.* 29. 5. 6 *adn.*) refugere *CBDAN.ald.Frob.*1.2 : refugerunt *Vθ*   ut et *CB* : uti *DAN.ald.Frob.*1.2 : uti et *θ* : et *V*   7 duo iam *BBANVθald. Frob.*1.2 : iam duo *C*   8 in aciem *A⁸N⁴Vθald.Frob.*1.2 : aciem *C BD, cf.* 26. 13. 7 *adn.* : *om. AN*   accepere *CANθald.Frob.*1.2 : accipere *BDV*   densatis *A⁵N⁴Vθald.Frob.*1.2 : datis *CBDAN, cf.* 27. 1. 11 *adn.*   eiecere *N⁴Vθald.Frob.*1.2 : eicere *CBDAN, uix recte*   ne *CBDAN Edd.* : *om. N²Vθ*   pauido *CBD* : pauidos *ANVθald.Frob.*1.2 (*cum* milites *infra*)   uolneribusque (*sed* uul-) *N.ald.Frob.*1.2 : uulneribus *CBDA, cf.* 26. 11. 12 *adn.* (*c*) (et uuln- *Vθ*)   milite sinceram (-tes in ce- *D*) et *CBD* : milites in ceteram *AN* (*add.* et *N⁴*) : milites in (milites ne *Vθ*) certam et *V θald.Frob.*1.2   9 strages *N²* uel *N⁴ ut s. l. VθFrob.*2 : strage *C BDAN.ald.*   compleuerat *BDVθFrob.*2 (-rant *CAN.ald., cf.* 27. 17. 4 *adn.*)

difficilior transitus esset quam per confertos hostes fuerat.
10 Itaque qui primi erant, hastati, per cumulos corporum armorumque et tabem sanguinis qua quisque poterat sequentes hostem et signa et ordines confuderunt. Principum quoque signa fluctuari coeperant uagam ante se cernendo aciem.
11 Quod Scipio ubi uidit receptui propere canere hastatis iussit et sauciis in postremam aciem subductis principes triariosque in cornua inducit quo tutior firmiorque media hasta-
12 torum acies esset. Ita nouum de integro proelium ortum est; quippe ad ueros hostes peruentum erat, et armorum genere et usu militiae et fama rerum gestarum et magnitu-
13 dine uel spei uel periculi pares; sed et numero superior Romanus erat et animo quod iam equites, iam elephantos
35 fuderat, iam prima acie pulsa in secundam pugnabat. In tempore Laelius ac Masinissa pulsos per aliquantum spatii secuti equites, reuertentes in auersam hostium aciem incur-
2 rere. Is demum equitum impetus perculit hostem. Multi circumuenti in acie caesi, ⟨multi⟩ per patentem circa campum fuga sparsi tenente omnia equitatu passim interierunt.
3 Carthaginiensium sociorumque caesa eo die supra uiginti milia: par ferme numerus captus cum signis militaribus

9 confertos CBD^1 in ras. $V\theta Frob.2$: confertissimos $AN.ald.$
10 tabem $ald.$: tabe C: tabes $BDAN$, cf. 27. 17. 1 $adn.$: labem $A^8\theta$ $Frob.2$: luem V 11 canere] hic $CBDAN$ $Edd.$: post hastatis V θ (cf. 27. 37. 5 $adn.$)   iussit et $ANV\theta$ $Edd.$: iussit C: iussisset BD aciem subductis $CBDAN$ $Edd.$: sub-(de- V)ductis aciem V θ, cf. supra (canere)   inducit $BDA^1NV\theta$ $Edd.$: ducit CA
12 de (integro) $BDANV\theta$: om. C pares $CBDA^xN^6ald.Frob.1.2$: dispares AN (add. non A^6)

35 1 pulsos $CBDAN.ald.Frob.1.2$: fusos $A^8N^4V\theta$, pari iure equites $CBDA^5N^4V\theta ald.Frob.1.2$: milites AN auersam BDA $N.ald.Frob.1.2$: aduersam $CV\theta$ 2 perculit $A^8N^4\theta Frob.2$: pertulit V: fudit $CBDAN.ald.$ post Multi om. circumuenti ... multi $V\theta$ in acie CB^1 uel $B^2Frob.2$: in a..ie B: -i naue D (sed circumuentu naue): unaue $AN.ald.$ multi (post caesi) $Frob.2$: om. $CBDAN.ald.$ (et $V\theta$, u. sup.)   interierunt $CBDAN$ $Edd.$ (-iere $V\theta$, cf. § 3)   3 xx milia VD ($\bar{x}\bar{x}$): milia xx (uel uiginti) $CBAN\theta ald.Frob.1.2$

AB VRBE CONDITA   XXX 35

centum triginta duobus, elephantis undecim : uictores ad mille et quingenti cecidere.

Hannibal cum paucis equitibus inter tumultum elapsus Hadrumetum perfugit, omnia et ante aciem et in proelio priusquam excederet pugna expertus, et confessione etiam Scipionis omniumque peritorum militiae illam laudem adeptus singulari arte aciem eo die instruxisse : elephantos in prima fronte quorum fortuitus impetus atque intolerabilis uis signa sequi et seruare ordines, in quo plurimum spei ponerent, Romanos prohiberent ; deinde auxiliares ante Carthaginiensium aciem ne homines mixti ex conluuione omnium gentium, quos non fides teneret sed merces, liberum receptum fugae haberent, simul primum ardorem atque impetum hostium excipientes fatigarent ac, si nihil aliud, uolneribus suis ferrum hostile hebetarent ; tum, ubi omnis spes esset, milites Carthaginienses Afrosque ut omnibus

---

3 cxxxii *CBDAN* : cxxxiii *ald.Frob.*1.2 : xxxii *Vθ* (duobus xxx *V* : *plene θ*)   elephantis (*uel* elef-) *VK Edd.* : elephanti (*uel* elef-) *CAN* (-tes *BJ* : -te *D*)   mille et quingenti *C* (∞ et d), *cf. Polyb.* 15. 14. 9 : x et *BD* : x *B*¹?*AN* : decem milia *θald.Frob.*1.2 : mille et c *V*   cecidere *CBDAN.ald.Frob.*1.2 (-runt *Vθ, cf.* § 2)
 4 Hadrumetum *BD*(hasdr-)*A?N* (*et sic cum C in* § 10), *cf. c.* 29. 1 : adrumetum (-ent- *A*⁸*VJ*) *CA*⁸*Vθ*   et ante aciem et in proelio *Dukero praeeunte Drak.* (*quamquam non ausus est in contextum recipere*), *optime* : et in proelio et (*om. hoc et BDAN* : *add. N*⁴) ante aciem *CBDANVθ*. *Scil. uoces* et ante aciem *in marginem antiquitus exciderunt et in locum non suum restitutae sunt* (*cf.* 27. 2. 6 *adn.*). *Seclusit* et ante aciem *Madv., sed neque glossema redolet uariatio illa accurata* acies, proelium, pugna (*immo Liuiana est ; cf. e.g.* 31. 43. 2) *et duo tempora* ('*ante proelium et in proelio*') *memorat Orosius* 4. 19. 3
 5 omniumque *CBDAN Edd.* : omnium *Vθ*   peritorum *CBD*(pret-)*A*⁶ *ut s. l. N*⁴ *ut uid. Vθ* : p̄teritorum *AN*² : pteritorum *N*   militiae *CBDA*⁶*N*⁴*Vθ Edd.* : militum et *AN*   *ante illam add. CBDAN* omnem (*sc.* omnium *iterum scribi a P coeptum*) : *del. A*⁸ *N*⁴ *et ignorant Vθald.Frob.*1.2 : hominum *Koch, frustra*   6 seruare *BDANVθ Edd.* : stare seruareq. *C, uix recte*   7 ex *A*ᵛ?*N*⁴ *Vθald.* : et *CBDAN* : *om. Frob.*2   8 atque impetum *CBDAN ald.* : *om. VθFrob.*2   ac si nihil aliud *CB*²*A*⁸?*N*⁴(nichil)*VθFrob.*2 : asinic . il (asinisis hil *D*) aliud *BD* : alii missilibus alii *AN* : ac si nihil aliud alii missilibus alii *ald.* (*sed cf. Polyb.* 15. 16. 3)   hostile *Vθ Frob.*2 (*cf. e.g.* 1. 29. 2 *ubi idem color*) : hostium *CBDAN.ald., fort. recte quamquam minus bene*   9 ubi *CDA*ˣ*N*⁴*θ* : ub *B* : *om. AN* : ibi *V*   esset *A*⁸*θald.Frob.*1.2 : essent *N*⁴ : *om. CBDAN, sed praue* : erat *V*

XXX 35 9 TITI LIVI

rebus aliis pares eo quod integri cum fessis ac sauciis pugnarent superiores essent; Italicos incertos socii an hostes essent in postremam aciem summotos, interuallo quoque di-
10 remptos. Hoc edito uelut ultimo uirtutis opere, Hannibal cum Hadrumetum refugisset accitusque inde Carthaginem sexto ac tricensimo post anno quam puer inde profectus
11 erat redisset, fassus in curia est non proelio modo se sed bello uictum, nec spem salutis alibi quam in pace impetranda esse.

36 Scipio confestim a proelio expugnatis hostium castris direptisque cum ingenti praeda ad mare ac naues rediit,
2 nuntio allato P. Lentulum cum quinquaginta rostratis centum onerariis cum omni genere commeatus ad Vticam
3 accessisse. Admouendum igitur undique terrorem perculsae Carthagini ratus, misso Laelio Romam cum uictoriae nuntio, Cn. Octauium terrestri itinere ducere legiones Carthaginem

9 rebus aliis *CBDAN Edd.*: aliis rebus $V\theta$, cf. 27. 37. 5 *adn.*
pugnarent] hic N^4(*siglis transmutandi ab N^6 deletis*)$V\theta$ *Edd.*:
post sup. essent *CBDAN et N^6 (cf.* 28. 2. 15 *adn.*) socii an *C*
$A^xN^2V\theta ald.Frob.$1.2: socii (-ios B^2) in B: socia in *DAN* interuallo quoque diremptos] *has uoces om. CBDAN (cf.* 26. 51. 8 *adn.*)
quos seq. Madv. 1872, *sed cf. Polyb.* 15. 11. 2 *et* 15. 16. 4 (ἐν ἀποστάσει):
praebent ante incertos A^8?$N^4V\theta ald.Frob.$1.2: huc (*post* summotos)
transposuimus, cf. § 4 *et* 27. 2. 6 *adnn.* (*post* hostes essent *ponebat
Harant*)   10 Hadrumetum] *u.* § 4   refugisset *CBDAN
Frob.*2: fugisset $V\theta$: perfugisset *ald.*   accitusque *CANVθ
Edd.*: accinctusque B^1(-int- B)D 11 modo se sed $V\theta$(si *pro* se
J)*Frob.*2: modo sese .d. *C*: modo ×se ×se *B* (modos esse *B, secundum Luchsium*): modos esse *D*: modo se esse sed (set *N*) *AN
ald.*   impetranda *CBA*$^8N^4V.ald.$: impetrande (*uel* -de) $B^2DA
N$: impetrata $\theta Frob.$2   esse (*post* imp.) *CVθald.Frob.*1.2: (*ante* imp.) *AN, cf.* 29. 3. 10 *adn.*: *om. BD*

36 1 expugnatis] *hic CBDVθFrob.*2: *ante* a pr. *AN.ald., cf.* 29. 3.
10 *adn.*   castris *ANVθ Edd.*: agris *C*: atris *BD*   ad mare
ac (hac *AN*: ad A^8: ac N^6) *BDANVθ Edd.*: ad *C*   2 onerariis
cum *CBDAN*: onerariis nauibus $A^8\theta ald.$ (*sed ret.* cum $A^8 ald.$): onerariis *VFrob.*2   ad (Vticam) *CBDAN Edd.*: *om. Vθ*
3 terrorem *BDAN^{n}Vθ*: terrore *N*: terroremque *C* (*sc.* -que *ex* undiq. *repetito*)   perculsae A^8(*uix* A^7)$N^4V\theta$: perculsus (-os *A?N*) *CB
D*(-uss-)   cum *CBDANVθald.Frob.*1.2: *secl. Iac. Gron., uix
recte, cf. e.g.* 34. 30. 4 *et (de uoce* nuntius) *e.g.* 4. 41. 12   Cn.
*V.ald.Frob.*1.2: C. $A^8\theta$: *om. CBDAN*: consulis N^r Carthaginem $A^8N^rV\theta Edd.$ (-ne *CBDAN, cf.* 26. 41. 12 *adn.*)

AB VRBE CONDITA XXX 36 3

iubet: ipse ad suam ueterem noua Lentuli classe adiuncta profectus ab Vtica portum Carthaginis petit. Haud procul 4 aberat cum uelata infulis ramisque oleae Carthaginiensium occurrit nauis. Decem legati erant principes ciuitatis auctore Hannibale missi ad petendam pacem. Qui cum ad 5 puppim praetoriae nauis accessissent uelamenta supplicum porrigentes, orantes implorantesque fidem ac misericordiam Scipionis, nullum iis aliud responsum datum quam ut 6 Tynetem uenirent: eo se moturum castra. Ipse ad contemplandum Carthaginis situm ⟨prouectus in portum⟩ non tam noscendi in praesentia quam deprimendi hostis causa, Vticam eodem et Octauio reuocato rediit.

Inde procedentibus ad Tynetem nuntius allatus Vermi- 7 nam Syphacis filium cum equitibus pluribus quam peditibus uenire Carthaginiensibus auxilio. Pars exercitus cum omni 8 equitatu missa, Saturnalibus primis agmen adgressa, Numidas leui certamine fudit. Exitu quoque fugae intercluso

3 petit $C\theta Frob.2$: petiit $BDAN.ald.$, cf. 27. 5. 9 adn. 6 iis aliud $CBDAN(sed$ his $omnes)ald.Frob.1.2$: aliud iis (hiis J: his V K) $V\theta$, cf. 27. 37. 5 adn. Tynetem C (et sic in §§ 7 et 9), cf. c. 16. 1 adn.: tinc tem (-ctm B^x) hic B ($u.$ etiam infra): tinetam D AN (tyn- hic N: tin- in §§ 7 et 9) et sic in § 7 AN (ubi attinentem D: attinetem B pro ad Tyn-) sed in § 9 tinetem (cum B) DAN: tunetem (hic et in §§ 7 et 9) $V.ald.Frob.1.2$: finectem (hic et inf.) A^8(-en ? hic)θ ⟨prouectus in portum⟩ Johnson (prouectus post causa add. Alschefski), lineam xvii litt. ob -tum | -tum omissam esse ratus (cf. 26. 6. 16 adn.): ignorant $CBDANV\theta ald.Frob.1.2$ sed sensum expedierant $Frob.1.2$ ab contemplato (-ando $Gron.$) situ scribendo deprimendi CB^1 uel B^2(-praem- B)D(-prem-)AN, scil. 'uilioris faciendi' ut in e.g. 3. 65 11; 37. 53. 6: terrendi A^8 ut s. l. $V\theta$(tere- J)$ald.Frob.1.2$ (per coniecturam ut uid.): deterrendi $Lov.$ 3. 4 7 Tynetem] u. § 6 allatus $ANV\theta$ $Edd.$: altus BD (cf. 27. 1. 11 adn.): alius C pluribus $BDANV\theta$ $Edd.$: plurimis C 8 missa A^8N^4V $\theta ald.Frob.1.2$: ignorant $CBDAN$, uix recte Saturnalibus CBD $ANV\theta$: turmalibus $ald.Frob.1.2$: lectionem codicum reprehendit Madv., maturantibus audacter scribens (cf. Em. p. 437): quod si cui mirum uidetur diei mentionem tantulae rei (cf. tamen c. 40. 3) a Liuio additam, conferat (cum Gron.) e.g. 44. 20. 1 et Auct. Bell. Hisp. 31. 8; de Saturnalibus illius temporis disserunt Symmachi amici ap. Macrob. Sat. 1. 10. 1 sq. agmen ... Numidas $A^8\theta$: in agmine ... numidas $VFrob.2$: agmen ... Numidarum $CBDAN.ald.$

XXX 36 8   TITI LIVI

a parte omni circumdatis equitibus quindecim milia hominum caesa, mille et ducenti uiui capti, et equi Numidici mille et quingenti, signa militaria duo et septuaginta ; regulus ipse
9 inter tumultum cum paucis effugit. Tum ad Tynetem eodem quo antea loco castra posita, legatique triginta ab Carthagine ad Scipionem uenerunt.

Et illi quidem multo miserabilius quam ante quo magis cogebat fortuna egerunt ; sed aliquanto minore cum miseri-
10 cordia ab recenti memoria perfidiae auditi sunt. In consilio quamquam iusta ira omnes ad delendam stimulabat Carthaginem, tamen cum et quanta res esset et quam longi temporis obsidio tam munitae et tam ualidae urbis reputarent,
11 et ipsum Scipionem exspectatio successoris uenturi ad paratum uictoriae fructum, alterius labore ac periculo finiti belli famam, sollicitaret, ad pacem omnium animi uersi sunt.

---

8 a parte omni $A^8N^4V\theta$(apte J)*Frob*.2 : parte omni *CBDAN.ald*. : ab omni parte *Luchs, ordine certe usitatiore*   mille et cc $CA^5?V\theta$ *Edd*. : x et cc BD : et cc AN : et m. cc *uoluit ut uid.* N^r
capti $CAV\theta ald.Frob$.1.2 : captis BD : capti sunt N (*sed ueri similis est* -s *in* P *additum* (*cf*. 26. 40. 14 *adn*.) *et a* C *expulsum esse*)
mille et quingenti $C(\infty$ et d$)A^8(om.$ et$)N^4V\theta$: x et $BDAN$ (*cf*. 29. 28. 10 *adn*.)   regulus $CA?$ *et* $A^8N\theta$: regulos $BDA?$. *De* -os *et* -us *in* P *confusis cf. e.g. cc.* 4. 11 ; 23. 7 ; 28. 2. 5 ; 28. 19. 10 ; 28. 27. 16 ; 28. 34. 9 ; 28. 36. 4 ; 29. 18. 6   9 Tynetem] *u*. § 6
antea (loco) $V\theta ald.Frob$.1.2 : ante $CBDAN, ut saepe$ ab (Carth.) V (*cf. c.* 9. 11 *adn*.) : a $N^4\theta$: *om*. $CBDAN.ald.Frob$.1.2   uenerunt $BDANV\theta$ (-rant C, *cf*. 27. 6. 2 *si errorem Puteano tribuas*)
ante $BDANV\theta ald.Frob$.1.2 : antea C quo $N^4V\theta Frob$.2 : quam $BDA^8?N$: *om*. C : qm A : quia *ald*.   cum (misericordia) $N^4V\theta$ *Edd*. : cum eum BDN : cum ei (eis A^x) A : cum C (*sed* cum mis. eum)
ab recenti $CBDANV\theta Frob$.2 : ob recentem *ald*. (*cum* memoriam)
10 consilio $CBDANFrob$.2 (conc- $V\theta$, *cf*. 27. 35. 4) : *om*. (*cum* in) *ald*.   et quanta $CBDAN\theta$: equata N^xV et (quam) $N^4V\theta ald.Frob$.1.2 : *om*. $CBDAN$ et tam $A.ald$. : et iam $CBDN$: et $V\theta Frob$.2   urbis $CV\theta$ *Edd*. : urbi $BDAN$ 11 ad paratum $N(et$ $N^4)V$ (app-) : ad paratam CBD(app-)$A\theta ald.Frob$.1.2
uictoriae fructum *scripsi* (*cf*. 27. 45. 5 *gloriae ex re bene gesta partae fructum*) *et sic primo credebam scripsisse* N^4 *ubi* mouē *pro* uictie *interpretabar ; loco tamen pluriens inspecto credo* N^4 *mouere fructum, quod dant* VF, *uoluisse* (*fort. infin. ex uoce* paratum *aliquo modo pendere ratus*) *; igitur coniectura niti coactus, phrasim, quantum iudicare possum, uere Liuianam xvi litterarum per hom. excidentium, Liuio restituere ausim. Certe iniuria omiserunt totum* $CBDAN\theta ald.Frob$.1.2   periculo $CA^8N^4V\theta$ (-li $BDAN$)

AB VRBE CONDITA XXX 37 1

Postero die reuocatis legatis et cum multa castigatione per- 37
fidiae monitis ut tot cladibus edocti tandem deos et ius
iurandum esse crederent, condiciones pacis dictae ut liberi
legibus suis uiuerent: quas urbes quosque agros quibusque 2
finibus ante bellum tenuissent tenerent, populandique finem
eo die Romanus faceret: perfugas fugitiuosque et captiuos 3
omnes redderent Romanis, et naues rostratas praeter decem
triremes traderent elephantosque quos haberent domitos,
neque domarent alios: bellum neue in Africa neue extra 4
Africam iniussu populi Romani gererent: Masinissae res
redderent foedusque cum eo facerent: frumentum stipen- 5
diumque auxiliis donec ab Roma legati redissent praestarent:
decem milia talentum argenti discripta pensionibus aequis
in annos quinquaginta soluerent: obsides centum arbitratu 6
Scipionis darent ne minores quattuordecim annis neu triginta maiores. indutias ita daturum, si per priores indutias
naues onerariae captae quaeque fuissent in nauibus restituerentur; aliter nec indutias nec spem pacis ullam esse.

Has condiciones legati cum domum referre iussi in con- 7
tione ederent et Gisgo ad dissuadendam pacem processisset

37 1 legatis $A^8N^4V\theta ald.Frob.$1.2: *om. CBDAN* monitis ut
BD(mun-)$ANV\theta$ *Edd.*: moniti sunt *C*   deos $BANV\theta$: *om. CD*
    crederent] *hic CBDAN.ald.Frob.*1.2: *post* tandem V(*sed* cre-
dentes)θ, *cf.* 27. 37. 5 *adn.*   uiuerent $ANV\theta$ *Edd.*: uenerunt *C*
BD 2 quas $A^8N^xV\theta ald.Frob.$1.2: qua $CBDAN$ (*cf.* 27. 17. 12
adn.)   quosque $A^8N^xV\theta ald.Frob.$1.2: quoque $CBDAN$ (*sed*
quoque parte AN: quoque A^x)   3 redderent Romanis $CBDA$
$N.ald.$: *om.* $V\theta Frob.$2 (*xvi litt. post* omnis *in Sp perdita, cf.* 28. 2. 16
adn.)   neque domarent $ANV\theta$ *Edd.*: neque domaret π (*cf.* § 6).
His uerbis rursus inc. P (*u. c.* 30. 14 *adn.*)   5 ab Roma A^xN^6
(*per ras. fort.* N^4 *secutus*)$V\theta$: ab (ac *D*) romanis πN discripta
Buecheler, recte, cf. c. 26. 6: descripta (-bta P) $\pi NV\theta$ (*cf. e.g.* 1. 19. 6)
    quinquaginta (*uel* l) PCD(*post* soluerent)$A^8N^1V\theta$ *Edd.*: *om. B*
AN 6 daturum] se daturum $PBDANV\theta ald.Frob.$1.2: daturum
se C: se *deleuimus* (*cf.* 27. 34. 3 *adn., et de infin. fut. sine* se *cf.* 27.
38. 5 *adn.*)   fuissent $ANV\theta$ *Edd.*: fuisset $PCBD$ (*cf.* § 3)
7 referre $\pi NFrob.$1 (-ri *Ald.* 1521 *errore typogr.*): ferre $V\theta Frob.$2
    iussi $P^1CANV\theta$: iussit PBD dissuadendam] -am
$PCN^2\theta Frob.$2: -um $BDANV.ald.$ processisset (-sseisset P) P^1
uel P^2CBDA^1(-cessit A)N^4 *et* N^6(-cessit N)V^x(-ent V)θ

8 audireturque a multitudine inquieta eadem et imbelli, indignatus Hannibal dici ea in tali tempore audirique arreptum Gisgonem manu sua ex superiore loco detraxit. Quae insueta liberae ciuitati species cum fremitu populi mouisset,
9 perturbatus militaris uir urbana libertate 'Nouem' inquit 'annorum a uobis profectus post sextum et tricesimum annum redii. Militares artes, quas me a puero fortuna nunc priuata nunc publica docuit, probe uideor scire : urbis ac
10 fori iura, leges, mores uos me oportet doceatis.' Excusata imprudentia de pace multis uerbis disseruit quam nec iniqua
11 et necessaria esset. Id omnium maxime difficile erat quod ex nauibus per indutias captis nihil praeter ipsas comparebat naues, nec inquisitio erat facilis aduersantibus paci qui
12 arguerentur. Placuit naues reddi et homines utique inquiri: cetera quae abessent aestimanda Scipioni permitti atque ita
13 pecunia luere Carthaginienses. — Sunt qui Hannibalem ex acie ad mare peruenisse, inde praeparata naue ad regem Antiochum extemplo profectum tradant, postulantique ante omnia Scipioni ut Hannibal sibi traderetur responsum esse Hannibalem in Africa non esse.

38 Postquam redierunt ad Scipionem legati, quae publica in nauibus fuerant ex publicis descripta rationibus quaestores,
2 quae priuata, profiteri domini iussi ; pro ea summa pecuniae uiginti quinque milia pondo argenti praesentia exacta;

7 eadem $PCBDA^8N^2$ (ab N^4 confirmatus) $V\theta Frob.2$: om. $AN.ald.$
8 tempore A^8N^6(praeeunte fort. N^4)$V\theta$ Edd. : temere πN
mouisset $A^xV\theta$ Edd. : mouisset -et πN (sc. -et duplicato)   10 de pace multis uerbis A^8N^6(in marg. in ras., praeeunte fori. N^4)$V\theta$ Edd. : om. πN, linea xviii litt. perdita, cf. 26. 51. 8 adn.   11 comparebat A^5?N^6 in ras. $V\theta$: comparabat PC: compara BD (inter hoc et naues spat. v litt. rel. D, inter hoc et -es spat. ix litt. B) : comparatas A et fort. N (ubi iv fere litt. post compara ab N^6 erasae sunt)   aduersantibus paci qui πN(sed om. qui DAN) : cum (del. cum A^x) aduersantes paci $A^8V\theta ald.Frob.1.2$: aduersantes paci qui N^4 ut s. l. (sed qui nunc in marg. detritum est)   arguerentur $A^8N^4V\theta$: argueretur PC: om. BD(spat. relicto hi)AN 12 pecunia $A^xV\theta$: pecuniam πN, cf. 26. 40. 11 adn.   Antiochum] ant- D Edd. : anth- $\pi NV\theta$
38 1 quaestores (uel quest-) $\pi NV\theta$: quaestor Forchhammer, fort. recte   xxv πN Edd. : xv $V\theta$

AB VRBE CONDITA XXX 38

indutiaeque Carthaginiensibus datae in tres menses. Addi- 3 tum ne per indutiarum tempus alio usquam quam Romam mitterent legatos et quicumque legati Carthaginem uenissent ne ante dimitterent eos quam Romanum imperatorem qui et quae petentes uenissent certiorem facerent. Cum legatis 4 Carthaginiensibus Romam missi L. Veturius Philo et M. Marcius Ralla et L. Scipio imperatoris frater. Per eos 5 dies commeatus ex Sicilia Sardiniaque tantam uilitatem annonae fecerunt ut pro uectura frumentum nautis mercator relinqueret.

Romae ad nuntium primum rebellionis Carthaginiensium 6 trepidatum fuerat iussusque erat Ti. Claudius mature classem in Siciliam ducere atque inde in Africam traicere, et alter consul M. Seruilius ad urbem morari donec quo statu res in Africa essent sciretur. Segniter omnia in comparanda de- 7 ducendaque classe ab Ti. Claudio consule facta erant quod patres de pace Scipionis potius arbitrium esse quibus legibus daretur quam consulis censuerant. Prodigia quoque nuntiata 8 sub ipsam famam rebellionis attulerant terrorem : Cumis

2 indutiaeque B^1 uel $B^2ANV\theta$ (-cieque K): indutiae quae $PCBD$ (-cieque) Carthaginiensibus] *post* Carthagi- *prorsus periit* P
3 alio $AV\theta$ *Edd.*: alios $CBDN$, *cf.* 26. 40. 14 *adn.*
dimitterent C^x(-ittent C)$BDANV\theta$ quam (Romanum) $CBDN^4$ $V\theta$ *Edd.*: quam ad AN qui et quae (*uel* que) $A^8N^4V\theta$ *Edd.*: qui ita $CBDAN$ 4 Ralla et L. CA^8N^4(*sed* rala A^8N^4)*ald.Frob.* 1.2 (*cf.* 29. 11. 11): rallaeti $BDAN$ (-ecti AN): raia et L. VK: rala et liuius J 5 fecerunt $CBDAN.ald.$: effecerunt $V\theta Frob.2$, *fort. recte* frumentum $CA^xN^4V\theta ald.Frob.1.2$: mentum B(*puncto ante posito*)AN (*hic* uetura: uectura N^4): uentium D, *unde* mercem *coniec. Iac. Gron.* nautis mercator $CDAN$: nautis B (*add. supra lineam* mercator B^1 *uel* B^2): mercator nautis $V\theta Frob.2$, *cf.* 27. 37. 5 *adn.*: nautis mercatores (*cum* relinquerent) *ald.* 6 fuerat iussusque $CBDAN.ald.Frob.1.2$: *om.* $V\theta$ (*sed add.* iussus *post* traicere θ) Ti. *Sigonius, cf. c.* 27. 1: t. $CBDANV\theta ald.Frob.1.2$
7 Ti. $CBDAN$: t. $V\theta ald.Frob.1.2, ut supra$ Scipionis $CBDAN$ *ald.Frob.1.2*: p. scipionis $A^8V\theta$, uix recte, nam senatus consultum commemoratur tantum, non repraesentatur quam $A^8N^2V\theta$ *Edd.*: *om.* $BDAN$ (*spat. a* BDN *relicto*) 8 ipsam famam $CN^2ald.Frob.$ 1.2, *cf.* 28. 10. 5 *et* 12 *adn.*: ipsa fama $A^6V\theta$: ipsam $BDAN$, *spatio xiv fere litt. a* B *relicto, vi ab* D, *xvii fere ab* N (rebellionem *pro* -nis *praebet* A) attulerant terrorem CB(adt-)θ: terrorem attulerant $DANV.ald.Frob.1.2$ Cumis C^7A^6N(cum is)$V.ald.Frob.$ 1.2: cum his $CBDAN^2$: currus θ

solis orbis minui uisus et pluit lapideo imbri, et in Veliterno
agro terra ingentibus cauernis consedit arboresque in pro-
9 fundum haustae; Ariciae forum et circa tabernae, Frusinone
murus aliquot locis et porta de caelo tacta; et in Palatio
lapidibus pluit. Id prodigium more patrio nouendiali sacro,
10 cetera hostiis maioribus expiata. Inter quae etiam aquarum
insolita magnitudo in religionem uersa; nam ita abundauit
Tiberis ut ludi Apollinares circo inundato extra portam
11 Collinam ad aedem Erycinae Veneris parati sint. Ceterum
ludorum ipso die subita serenitate orta pompa duci coepta
ad portam Collinam reuocata deductaque in circum est cum
12 decessisse inde aquam nuntiatum esset; laetitiamque populo
et ludis celebritatem addidit sedes sua sollemni spectaculo
reddita.

39 Claudium consulem profectum tandem ab urbe inter
portus Cosanum Loretanumque atrox uis tempestatis adorta

8 minui uisus $CA^8N^2V\theta$ Edd.: om. BDAN spatio xviii fere litt. a B
relicto, xi ab D, circa xxxv ab N   pluit CBDANVKFrob.2, cf. 7. 28.
7 adn. et e.g. 23. 31. 15 (P) (u. Neue-Wagener III pp. 407-8): pluuit
J.ald., cf. e.g. 25. 7. 7 (P): plutum V   haustae CB(-the)$DA^8V\theta$
ald.Frob.1.2: austre $A?N$ (sed -r- postea ab N^1 in spatio uacuo primum
relicto credo insertum esse): auste $N^4?$ puncto usus quod nunc paene
euanuit   9 tabernae BDNVθald.Frob.1.2: tebernae C: tauerne
AN (-ę)   de caelo CANVθ (celo) Edd.: deleto BD   pluit CB
DAV$\overline{K}$ (cf. § 8): pluuit NJ   nouendiali CBDANVFrob.1.2, cf. 23.
31. 15 adn.: nouēdiali θald.   10 ludi CB^1 uel $B^2A^8N^4V\theta$: lidi B
DAN   Erycinae] -ruc- CBDAN: -ric- A^8N^x per ras. Vθ (in B
supra -u- non -y- sed -v- scripta est, fort. ab B^1 ipso); cf. 22. 9. 10 (ubi
-ryc- P)   11 subita serenitate CBDAN: serenitate subita Vθ
ald.Frob.1.2, cf. 27. 37. 5 adn.   deductaque $A^8V\theta$ald.Frob.1.2:
ductaque (-quę D) CBDAN   decessisse A^8N^4(an $N^2?$)Vθald.
Frob.1.2: cessisse CDAN: cecississe B (sec- B^1 uel B^2): recessisse
Madv., non necess.   inde CBDAN.ald.Frob.1.2: om. Vθ (cf. 27.
39. 12 adn.)   12 populo CA^6 uel $A^8N^4V\theta$: populum BDAN
sua $A^xV\theta$ald.Frob.1.2: suas CBDAN   reddita BDANVθ
Edd.: om. C (cf. adn. sq.)

39 1 Claudium BDANVθald.Frob.1.2: om. C, sc. linea xv litt. (cf.
adn. praec.) Puteani deperdita, cf. in c. 42. 17 lacunam   consulem A^8
Vθald.Frob.1.2: procōs CBDAN, sc. pro- ex uoce sq. praesumpto, cf.
29. 5. 6 adn.   Cosanum $A^8\theta$, cf. 22. 11. 6: cusanum C(sed cas-)
BDAN: cossanum ald.Frob.1.2 (nomen Loretanus non alibi confir-
matur)

AB VRBE CONDITA XXX 39

in metum ingentem adduxit. Populonium inde cum peruenisset stetissetque ibi dum reliquum tempestatis exsaeuiret, Iluam insulam et ab Ilua Corsicam, a Corsica in Sardiniam traiecit. Ibi superantem Insanos montes multo et saeuior et infestioribus locis tempestas adorta disiecit classem. Multae quassatae armamentisque spoliatae naues, quaedam fractae; ita uexata ac lacerata classis Carales tenuit. Vbi dum subductae reficiuntur naues, hiemps oppressit circumactumque anni tempus, et nullo prorogante imperium priuatus Ti. Claudius classem Romam reduxit. M. Seruilius, ne comitiorum causa ad urbem reuocaretur dictatore dicto C. Seruilio Gemino, in prouinciam est profectus; dictator magistrum equitum P. Aelium Paetum dixit. Saepe comitia indicta perfici tempestates prohibuerunt; itaque cum pridie idus Martias ueteres magistratus abissent, noui suffecti non essent, res publica sine curulibus magistratibus erat.

T. Manlius Torquatus pontifex eo anno mortuus; in

---

1 in metum ingentem *CBDAN.ald.Frob*.1.2 : ingentem in metum V θ, *cf*. 27. 37. 5 *adn*.   2 Populonium A^5? *Alschefski, cf. It. D. p.* 390 *et e.g. Plin*. 3. 50 : populonios $A^8N^4V\theta ald.Frob$.1.2 : populonio C^5(-loni | nde C : -lonio | inde C^5)BDA(-pol-)N tempestatis C A^8 *in ras*. $N^4V\theta$: tis BDA?N exsae-(*uel* exe- *uel* exse-)uiret C^7?BDA^7 *et* A^8N^4 (ex se uir et DN) *Edd*. : eam saeuiret C: eseuire V: exemeret θ : *om*. A Iluam ... Ilua A^8N^1 *uel* $N^2V\theta$ (ylK) *Edd*. : siluam ... silua (*sed* ab ilua BD) $CBDAN$ et (saeuior) $CBDA^7$ *uel* $A^8V\theta Frob$.2 : *om*. $AN.ald$.   3 armamentisque] -que $CBDAN.ald.Frob$.1.2 : *om*. θ (*om*. arm. -que praebente V) hiemps BD(hy-)AN, *cf*. 10. 25. 10 ; 22. 22. 21 ; 28. 4. 3 ; 29. 35. 13 : hiems $C\theta$ Ti. C, *cf. c*. 38. 6 *et* 7 : t. $BDANV\theta ald.Frob$.1.2
4 dicto] *hic CBDAN.ald.Frob*.1.2 : *post* Gemino $V\theta$, *cf*. 27. 37. 5 *adn*.
4 magistrum equitum CA^8 *ab* A^x *confirmatus* $N^4V\theta ald.Frob$.1.2 (*sed* mag̅ (*sic*) C, mag A^8(*add. sup*. rm̅ A^x)N^4(-que *non deleto et puncto sub* -e- *in* magne *ab* N^x *maiore facto*) : magnae-(*uel* -gne-)que $BDAN$ P. Aelium (*sed* pael- *uel* pel-)BDA?$NK.ald.Frob$.1.2, *cf*. 29. 38. 4 : pactum C (*qui* peltum *pro* paetum *mox praebet*) : p. emilium A^8 *in ras*. VJ 5 indicta $N^4V\theta ald.Frob$.1.2 : intecta CB^1 (inct- B)D(intr-)AN : incepta A^7 *uel* A^x pridie A^v *in marg*., *Sigonius* : pr (*uel* p̄r) $CBDA$?N : preter (*uel* prae-) A^8 *ut s. l.* $\theta Frob$.1.2 : pretores V : prope (*uel* propere) A^x ueteres $BDAN\theta ald. Frob$.1.2 : *om*. CV abissent $CBDAN\theta.Frob$.1.2 : abessent N^2V 6 T. (Manlius) $CAV\theta$, *cf*. 27. 33. 6 *et* 25. 5. 3 : l. $BDN ald. Frob$.1.2   eo $BDANV\theta ald.Frob$.1.2 : et eo C

2)**

locum eius suffectus C. Sulpicius Galba. Ab L. Licinio
Lucullo et Q. Fuluio aedilibus curulibus ludi Romani ter
7 toti instaurati. Pecuniam ex aerario scribae uiatoresque
aedilicii clam egessisse per indicem damnati sunt, non sine
8 infamia Luculli aedilis. P. Aelius Tubero et L. Laetorius
aediles plebis uitio creati magistratu se abdicauerunt cum
ludos ludorumque causa epulum Ioui fecissent et signa tria
ex multaticio argento facta in Capitolio posuissent. Cerialia
ludos dictator et magister equitum ex senatus consulto
fecerunt.

40 Legati ex Africa Romani simul Carthaginiensesque cum
uenissent Romam, senatus ad aedem Bellonae habitus est.
2 Vbi cum L. Veturius Philo pugnatum cum Hannibale esse
suprema Carthaginiensibus pugna finemque tandem lugubri
3 bello impositum ingenti laetitia patrum exposuisset, adiecit
Verminam etiam Syphacis filium, quae parua bene gestae
rei accessio erat, deuictum. In contionem inde prodire

---

6 C. (Sulpicius) $CA^8\theta Frob.2$, cf. 32. 7. 15 *unde duos de eadem familia pontifices fuisse apparet* : Cn. N^4V: om. *BDAN.ald.* (spat. *a BDN relicto, cf. c.* 38. 8) ter toti *CBDAN.ald., cf. c.* 26. 11 : tertio A^8 $N^xV\theta Frob.2$ 7 aediliciam *CBAN et* N^6 *restituens* $\theta ald.Frob.$ 1.2 : ediliciam N^xV (-iti-) : edili. cur. clam D *post* indicem *add.* comperti *ed. Ascens.* 1513 (*ald.Frob.*1.2): *ignorant CBDANV*θ *rectissime, cf. Cic. Verr. Act. II.* 3. 10. 25 '*aut dabis aut contra edictum fecisse damnabere*' (*cf. etiam Sil. It.* 10. 655): *necnon structuram adiuuant uoces* per indicem *quasi* '*indicis testimonio egessisse conuicti et damnati*' Laetorius (*uel* let-) $CD\theta$ (lect- $BANV.ald.Frob.1.2$)
abdicauerunt $CBDAN.ald.$ (-carunt $V\theta Frob.2$) Ioui CB DA^8N^4 *Edd.* : -io ui $A(an$ -id ui ?)N: iouis $V\theta$ signa tria A^6 *ald.Frob.*1.2 : signaria $BDAN$: signa aerea C: signa militaria $A^8\theta$: signata N^4 *ut s. l.* (*fort. pro* nummos signatos *interpretatus*) : signataria V Cerialia $CBDN^4$ (cedril- N) : cerealia $AVFrob.2$ (-les $\theta ald.$). Cf. *Thes. Ling. Lat. ubi* -re- *saepius in libris*, -ri- *in titulis inueniri demonstratur*

40 1 Carthaginiensesque] -que $V\theta ald.Frob.1.2$: om. -que $CBDAN$, cf. 26. 11. 12 *adn.* (c) est] *hic* $CBDA^8N^4V\theta Frob.2$: *post* aedem *ald.*: om. AN (*ubi* habit N: habitus N^4) 2 Vbi $CBDAN.ald.$ $Frob.1.2$: ibi $V\theta$, cf. c. 35. 9 *et* 27. 5. 2 *adn.* esse $BDANV\theta$ *ald.Frob.*1.2 : om. C *post* suprema *add.* cum $AN.ald.$, *sed cf. Tac. Hist.* 1. 11 reip. (*Datiu.*) supremum : *nesciunt CBDV*θ *Frob.2.*
3 parua $CA^7?V\theta F.ald.Frob.1.2$: parue $BDA?N$ (bene om. AN: *add.* A^8N^4) inde $A^8N^4V\theta ald.Frob.1.2$: om. $CBDAN$

iussus gaudiumque id populo impertire. Tum patefacta gratulationi omnia in urbe templa supplicationesque in triduum decretae. Legatis Carthaginiensium et Philippi regis—nam hi quoque uenerant—petentibus ut senatus sibi daretur responsum iussu patrum ab dictatore est consules nouos iis senatum daturos esse.

Comitia inde habita. Creati consules Cn. Cornelius Lentulus P. Aelius Paetus, praetores M. Iunius Pennus, cui sors urbana euenit—M. Valerius Falto Bruttios, M. Fabius Buteo Sardiniam, P. Aelius Tubero Siciliam est sortitus. De prouinciis consulum nihil ante placebat agi quam legati Philippi regis et Carthaginiensium auditi essent; belli finem alterius, alterius principium prospiciebant animis.

Cn. Lentulus consul cupiditate flagrabat prouinciae Africae, seu bellum foret facilem uictoriam, seu iam finiretur finiti tanti belli se consule gloriam petens. Negare itaque prius quicquam agi passurum quam sibi prouincia Africa decreta esset, concedente collega, moderato uiro et

4 patefacta $C^7B^1A^8$ ut uid. $N^4V\theta Frob.2$: paterfacta CBD : patuere facta $AN.ald.$ $Drak.$: patuere faciendae $Gron.$, $u.$ $adn.$ $sq.$ gratulationi $Gron.$ $Alschefski$: gratulatione $CBDANV\theta$ (scil. -ni in -ne mutato ut cum facta congrueret)   hi $BANV$: hii CDA^7J: ii K $ald.Frob.1.2$ iis $ald.$: eis $V\theta Frob.2$: his $CBDAN$ 5 Cn.] $u.$ § 9   Paetus $V\theta$(pet- K)$ald.Frob.1.2$, cf. c. 39. 4 : om. CBD AN Pennus $CBDANVJ$, cf. 29. 11. 13 : poenus K(pen-)$ald.$ $Frob.1.2$, cf. 4. 20. 8 et 6. 42. 4 adn. (apud Quinctios)   Falto CB DAN (cf. 29. 11. 3 adn.) : falco $A^8V\theta$ Bruttios $CBAN$: brutios $DV\theta$ (-ci- K)   Buteo $BANV\theta$ ($u.$ $c.$ 26. 6) : buto CD Tubero $V\theta$ $Edd.$ (cf. c. 39. 8) : tuuero CBD (tu û) : om. AN, qui tum uero post sortitus addunt (et sic ald., sed non Frob.2)   6 alterius, alterius principium $Alschefski$ (a B confirmatus) : alterius principium (-cipum CB) alterius (-ris A) $CBDANV\theta ald.Frob.1.2$ (sed f. belli pro belli f. C : f. alterius alterius p. alterius B)   prospiciebant] sic $BDANV\theta$: -bat C 7 Cn.] $u.$ § 9   cupiditate $CBDA^8N^4$ $V\theta$: om. AN facilem $CBDN^4V\theta$ $Edd.$: facile AN uictoriam $N^4V\theta Frob.2$: uictoriam fore $CBDAN.ald.$, praue se $CBDANV\theta ald.Frob.1.2$: a se $J.$ $Perizonius$, perperam, cf. e.g. 8. 15. 2 adn.   8 itaque $A^8N^4V\theta$ $Edd.$: ita $CBDAN$ prouincia A^8 $N^4V\theta$: prouinciam C (cf. 26. 40. 11) : om. BD(spat. xv litt. relicto hi) $AN.ald.Frob.1.2$, uix recte   collega CB^1(conl-)$ANV\theta$: conlegam BD (coll-)

TITI LIVI

prudenti, qui gloriae eius certamen cum Scipione, praeterquam quod iniquum esset, etiam impar futurum cernebat.
9 Q. Minucius Thermus et M'. Acilius Glabrio tribuni plebis rem priore anno nequiquam temptatam ab Ti. Claudio con-
10 sule Cn. Cornelium temptare aiebant : ex auctoritate patrum latum ad populum esse cuius uellent imperium in Africa esse ; omnes quinque et triginta tribus P. Scipioni id im-
11 perium decreuisse. Multis contentionibus et in senatu et ad populum acta res postremo eo deducta est ut senatui per-
12 mitterent. Patres igitur iurati—ita enim conuenerat—censuerunt uti consules prouincias inter se compararent sortirenturue uter Italiam, uter classem nauium quinquaginta
13 haberet ; cui classis obuenisset in Siciliam nauigaret ; si pax cum Carthaginiensibus componi nequisset, in Africam traiceret ; consul mari, Scipio eodem quo adhuc iure imperii
14 terra rem gereret ; si condiciones conuenirent pacis, tribuni plebis populum rogarent utrum consulem an P. Scipionem iuberent pacem dare et quem, si deportandus exercitus

---

8 iniquum *B et B^xANVθ Edd.*: cum iniquum *C*: cum initium *D*
9 Thermus *F.ald.Frob.1.2, cf. 32. 27. 8*: termus *A⁸Vθ*: Hermus *C*: ermus *BDAN*: teritius *A^x*   M'. *Sigonius ex Fast. Cap. a. u. c. 563 (C.I.L. I². 1, p. 142)*: m (*uel* marcus) *CBDANVθ*
Acilius *CBD* (-io) *ANF* (at-) *Frob.2 (cf. adn. praec.)*: attilius *V.ald.*: agilius *θ*: agilius *A⁶?*   priore anno *A⁸N⁴Vθ F.ald.Frob.1.2*: anno *C: om. BDAN*   Ti. *AN (cf. c. 38. 6)*: t. (*uel* tito) *CB DVθald Frob.1.2*   Cn. (*hic et cum C in* §§ 5, 7) *BDANV, cf. C.I.L. I². 1, p. 142 (a. u. c. 553)*: cō *C*: consulem *θ (i.e. consule consulem) sed C. in* §§ 5, 7   10 in Africa esse *CBDAN.ald. Frob.1.2*: esse in Africa *Vθ (cf. 27. 37. 5 adn.)*   decreuisse *CB¹ uel B²DA^b Edd.*: decresse *BANθ*: decretum *N⁴*   11 ad *CBDAN Edd.*: apud *Vθ*   12 iurati—ita enim *A⁸θ*: iura uita enim *C*: iurauit enim *BD*: qui *N (silet N⁴) et sic fort. A (ubi nunc inter igitur et* conu. *una litt. erasa et spat. unius litt. relictum est*) : iurati—ita *ald.Frob.1.2*   conuenerat *A⁸θ Edd.*: conuenerant *CBDANV (cf. 27. 17. 4 adn.)*   sortirenturue uter *BDANVK Edd.*: sortirentur neuter *CJ*   13 imperii *A⁸θald Frob.1.2*: imperio *CBDANV*   terra rem *A⁸N⁴Vθ Edd.*: terram *CBDAN (ubi punctum sub* -m *ab N⁴ factum erasit N^x), cf. 27. 1. 11 adn.*   14 consulem an *Vθ Edd.*: consulem (*uel* cōns.) *CBDAN (ubi nescioquid ante* consulem *inserere uolebat N⁴ siglo suo ∕ usus*): consules an *N⁶ (longe alia manu) in ras.*
pacem dare *CBDAN.ald.Frob.1.2*: dare pacem *Vθ (cf. 27. 37. 5 adn.)*   de-(ad- *C*)portandus *CBDANVθ* (-um *J*)

AB VRBE CONDITA XXX 40 14

uictor ex Africa esset, deportare. si pacem per P. Scipio- 15
nem dari atque ab eodem exercitum deportari iussissent, ne
consul ex Sicilia in Africam traiceret. alter consul cui 16
Italia euenisset duas legiones a M. Sextio praetore acciperet.

P. Scipioni cum exercitibus quos haberet in prouincia 41
Africa prorogatum imperium. Praetoribus M. Valerio Faltoni duae legiones in Bruttiis quibus C. Liuius priore anno
praefuerat decretae—P. Aelius [praetor] duas legiones in 2
Sicilia ab Cn. Tremelio acciperet, legio una M. Fabio in
Sardiniam quam P. Lentulus pro praetore habuisset decerni-
tur. M. Seruilio prioris anni consuli cum suis duabus item 3
legionibus in Etruria prorogatum imperium est. Quod ad 4
Hispanias attineret, aliquot annos iam ibi L. Cornelium
Lentulum et L. Manlium Acidinum esse; uti consules cum
tribunis agerent ut si iis uideretur plebem rogarent cui iuberent in Hispania imperium esse; is ex duobus exercitibus 5

15 dari $\theta ald.Frob.$1.2: *om. CBDANV* (*mera Puteani neglegentia*)
16 a M. $A^8V\theta$ (*cf. c.* 26. 11): a $AN.ald.Frob.$1.2: *om. CB
D*   Sextio $CBDANK$ (*cf. ibid.*): sextilio A^8VJ

41 1 Praetoribus $BDANV$: praetori C: praetori $A^8\theta ald.Frob.$1.2,
*anacolouthon euitantes quod tamen in huiusmodi locis haud rarum est,
cf. e.g. c.* 40. 5   Faltoni C(phal-)$BDAN$(-nni N^x)V(-cioni)θ
(-coni), *cf. c.* 40. 5   2 *post* Aelius *add.* praetor (*uel* pr̄) $CBDAN$
$V\theta ald.Frob.$1.2 (petus V *male*); *aut gloss. antiquum aut a Liuio ideo
additum ut P. Aelius* (*Tubero*) *praetor ab P. Aelio* (*Paeto*) *consule
distingueretur; illud ueri similius, nam post* praetoribus (§ 1) *haud
ambiguum* Tremelio] *u.* 29. 11. 3 *adn.*   3 consuli] *inter*
cōs *et* cum *spatium xi fere litt. in med. linea reliquit B sed nihil omisit*
             Etruria $BDANV$ *et* (*sed* Hetr-) *ald.Frob.*1.2: etria C:
etruriam θ. *Post hanc uocem desinit D*   prorogatum imperium
CBA^8 *in ras.* N^6 *in ras.* $V\theta$ (*sed post* -gatum *rel. B spat. vii litt.*): pro
$A?N$ 4 annos iam ibi $CA^8V\theta$: iam annos ibi $F.ald.Frob.$1.2:
om. B(*spat. xvi litt. relicto*)AN: annos N^4 (aliquod N: aliquot N^4)
et L. $CANV\theta$ (lelium K): et l. et B Acidinum ...
consules *praebent* A^8N^6 (*u. inf.*), *sed prius quidquid scripserat A et N*
(*et fort.* N^4) *totum erasum erat*   Acidinum $CA^8N^6VFrob.2$ (*ut P
in c.* 2. 7): accidinum $\theta ald.$: acc B, *post quod spat. xix fere litt. ante*
consule (*sic*) *reliquit*   uti C: ut K: ut hii A^8N^6V(hi)J: ut ii Z
$ald.Frob.$1.2   agerent $A^8N^6VJ.ald.Frob.$1.2: essent K: *om. CB
AN*   ut] *post* agerent $CBAN$: *post* uideretur A^8 *in ras.* N^6 *in
ras.* $V\theta ald.Frob.$1.2 (*sed ut post* agerent *non delent* A^8N^6)   plebem
... iuberent *praebent* CA^8 *in ras.* N^6 *in ras.* $V\theta$: pleb. ... berent B
spat. sic xiii litt. relicto   5 ex duobus exercitibus CA^8N^6 *in ras.
$V\theta$ Edd.: om. BA, spat. xvi fere litt. ab utroque relicto; quod N
scripsit erasum est*

in unam legionem conscriberet Romanos milites et in quindecim cohortes socios Latini nominis, quibus prouinciam obtineret; ueteres milites L. Cornelius et L. Manlius in
6 Italiam deportarent. Consuli quinquaginta nauium classis ex duabus classibus, Cn. Octaui quae in Africa esset, et P. Villi quae Siciliae oram tuebatur, decreta, ut quas uellet
7 naues deligeret. P. Scipio quadraginta naues longas quas habuisset haberet; quibus si Cn. Octauium, sicut praefuisset, praeesse uellet, Octauio pro praetore in eum annum
8 imperium esset; si Laelium praeficeret, Octauius Romam decederet reduceretque naues quibus consuli usus non esset. Et M. Fabio in Sardiniam decem longae naues decretae.
9 Et consules duas urbanas legiones scribere iussi, ut quattuordecim legionibus eo anno centum nauibus longis res publica administraretur.

42 Tum de legatis Philippi et Carthaginiensium actum.
2 Priores Macedonas introduci placuit; quorum uaria oratio fuit, partim purgantium quae questi erant missi ad regem

5 et in $CBAN$ $Edd.$: et $V\theta$ socios CB^1 uel B^2AN: sotius B: et socios $V\theta$ 6 Consuli quinquaginta (uel l) $CAN\theta$ $Edd.$: consuli B: cn. lelio V classibus] $hinc$ $usque$ ad $finem$ $libri$ $deficiunt$ AN: $supplent$ A^zN^z Cn. $CBV.ald.Frob.$1.2, $cf.$ $c.$ 24. 6: c. θ: consuli A^zN^z: consulis A^8 Octaui BA^z: octauii $A^8\theta ald.$ $Frob.$1.2: octauio CN^{z1}(-uo N^z)V esset et C $Med.$ 2: esset B $A^zN^zV\theta ald.Frob.$1.2, $fort. recte$ Villi quae (que A^zN^z) CBA^z N^z: uillii quae $A^8JFrob.$2: iulii quae $K.ald.$: uillio qui V
7 quadraginta (uel xxxx uel xl) $BA^zN^zV\theta$: xxx C: l $ald.Frob.$1.2   haberet] hic CB: $ante$ quas habuisset $A^zN^zV\theta ald.Frob.$1.2   Cn. Octauium CB $Edd.$: cn. octauius V: c. octauius $A^x\theta$: consul octauius A^zN^z praefuisset $CB\theta$ $Edd.$: prae- (pre- A^z) defuisset A^zN^z (-de fu-)V praeesse $C\theta$ $Edd.$: praeesset B: prede esse A^zN^zV 8 Octauius $CA^zN^zV\theta$: $om.$ B ($spat.$ $viii$ $litt.$ $relicto$)   consuli $Edd.$ $ante$ $Ald.$: cons̄. C: cos B: consulibus A^z $N^zV\theta$: consul N^x: proconsuli $Aldus$ $Frob.$1.2   non $CA^zN^zV\theta$: $om.$ B, $spat.$ $viii$ $litt.$ $relicto$ 9 legiones] hic CB: $ante$ urbanas $A^zN^zV\theta ald.Frob.$1.2, $cf.$ 27. 37. 5 $adn.$ legionibus $BA^zN^zV\theta$ $Edd.$: legiones C res publica $CBA^8V\theta$: rei publice $A^z?N^z$ (pupl-)

42 2 quae questi erant $A^zN^zV\theta$ $Edd.$: quaequae (-que B) petierant CB, $sc.$ $errorem$ ab P^2 $ortum$, $cf.$ 28. 8. 4 $adn.$ ad regem ab (a A^zJ $Edd.$) Roma $A^zN^zV\theta$ $Edd.$: ab rege ad romam C: ab regem ab roma B ($cf.$ de ab et ad 27. 25. 12 $adn.$)

AB VRBE CONDITA XXX 42 2

ab Roma legati de populatione sociorum, partim ultro accusantium quidem et socios populi Romani sed multo infestius M. Aurelium, quem ex tribus ad se missis legatis dilectu 3 habito substitisse et se bello lacessisse contra foedus et saepe cum praefectis suis signis conlatis pugnasse, ⟨partim⟩ 4 postulantium ut Macedones duxque eorum Sopater, qui apud Hannibalem mercede militassent, tum capti in uinclis essent, sibi restituerentur.   Aduersus ea M. Furius, missus 5 ad id ipsum ab Aurelio ex Macedonia, disseruit Aurelium relictum ne socii populi Romani fessi populationibus ui atque iniuria ad regem deficerent; finibus sociorum non excessisse; dedisse operam ne impune in agros eorum 6 populatores transcenderent. Sopatrum ex purpuratis et propinquis regis esse; eum cum quattuor milibus Macedonum et pecunia missum nuper in Africam esse Hannibali et Carthaginiensibus auxilio.   De his rebus interrogati 7 Macedones cum perplexe responderent, neq⟨uaquam⟩ ipsi mite responsum tulerunt: bellum quaerere regem et si pergat propediem inuenturum; dupliciter ab eo foedus uiolatum 8

---

3 dilectu CBA^z: dilecto N^z (*fort. ex* de-): delectu $A^8V\theta ald.Frob.$
1.2 (*cf.* 29. 4. 2 *adn.*)   substitisse et $BA^zN^zV\theta$: substitisset C
(*om.* suis *infra*)   4 partim $Frob.$1.2: *ignorant* $CBA^zN^zV\theta ald.$,
sed lineam fort. uelut (partim denique id) *excidisse conicit Johnson*
(*cf.* 26. 6. 16 *adn.*)   tum capti CB: capti A^zN^zVJ: captique K
$ald.Frob.$1.2   uinclis B, *cf.* § 9 *et* 29. 9. 8 *adn.*: uinculis CA^zN^z
$V\theta$ sibi $BA^zN^zV\theta$: ibi C 5 ea M. A^zN^z(marcus)$V\theta$ *Edd.*:
eam CB populi Romani $CBA^8V\theta$ *Edd.*: publicae rei A^zN^z
(pup-)   ui CB: *om.* $A^zN^zV\theta ald.Frob.$1.2   6 ne impune in
$CA^zN^zV\theta$ *Edd.*: *om. B, spat. xviii fere litt. relicto*   populatores]
hic CB: *post* transcenderent $A^zN^zV\theta ald.Frob.$1.2, *cf.* 27. 37. 5 *adn.*
ex purpuratis $CA^zN^zV\theta$: *om. B, spat. relicto*   quattuor
milibus CA^zN^z1?(militibus N^z)$V\theta$ *Edd.*: XL B et pecunia (-am
C) missum $CA^zN^zV\theta$ (*om.* et K): *om. B, spat. relicto*   et (Carth.)
CB: *om.* $A^zN^zV\theta ald.Frob.$1.2, *sed* C-busque *dant* (-sibus ... rebus
§ 7 *om. B, spat. relicto*)   7 nequaquam ipsi mite *scripsimus* (*iam*
ipsi nequaquam m. *Zingerle*), *Puteanum* nequam *pro* nequaquam
posuisse rati (*et* -uam *fort. a* P^2 *deletam*): neq. ipsi mite C: *om.* (*cum*
-derent) B, *ante* responsum *spat.* xx *litt. relicto* (*quod coniecturam de
lectione Puteani confirmat*): ipsi ante $A^zN^zV\theta ald.Frob.$1.2 (*scil. postquam* mite *in* ante *corruptum est uocis* nequaquam *omissio sensum
expedierat*): ipsi anceps *Gron.*: ipsi haud anceps *Madv.*: *alia alii*
et si ... propediem *praebent* $CA^zN^zV\theta$: *om. B, spat. relicto*

XXX 42 8   TITI LIVI

et quod sociis populi Romani iniurias fecerit ac bello armisque lacessiuerit, et quod hostes auxiliis et pecunia iuuerit.
9 et P. Scipionem recte atque ordine fecisse uideri et facere quod eos qui arma contra populum Romanum ferentes
10 capti sint hostium numero in uinclis habeat, et M. Aurelium e re publica facere gratumque id senatui esse quod socios populi Romani, quando iure foederis non possit, armis tueatur.

11 Cum hoc tam tristi responso dimissis Macedonibus, legati Carthaginienses uocati. Quorum aetatibus dignitatibusque conspectis—nam longe primi ciuitatis erant—tum pro se
12 quisque dicere uere de pace agi. Insignis tamen inter ceteros Hasdrubal erat—Haedum populares cognomine appellabant—, pacis semper auctor aduersusque factioni Bar-
13 cinae. Eo tum plus illi auctoritatis fuit belli culpam in
14 paucorum cupiditatem ab re publica transferenti. Qui cum uaria oratione usus esset, nunc purgando crimina, nunc quaedam fatendo ne impudenter certa negantibus difficilior uenia esset, nunc monendo etiam patres conscriptos ut
15 rebus secundis modeste ac moderate uterentur—si se atque Hannonem audissent Carthaginienses et tempore uti uoluissent, daturos fuisse pacis condiciones quas tunc peterent; raro simul hominibus bonam fortunam bonamque mentem

8 quod sociis $A^zN^zV\theta$ *Edd.*: quo sociii *CB* (sot-)   ac (bello) *CB*: *om.* $A^zN^zV\theta ald.Frob.$1.2, *fort. recte*   9 fecisse uideri *CB*: uideri fecisse A^z(*sed* uidere)$N^zV\theta ald.Frob.$1.2 (*cf.* 27. 37. 5 *adn.*)
sint *B*: sunt $CA^zN^zV\theta ald.Frob.$1.2   uinclis *CB* (*u.* § 4): uinculis $A^zN^zV\theta$ 10 possit CB^1K, *cf.* 27. 17. 14 *adn.*: posset $A^zN^zVJ.ald.Frob.$1.2: posita *B*   12 Insignis $CA^zN^zV\theta$: signis *B* (*et* agi *praec. omisso et spat. relicto*)   Haedum (*uel* hed-) A^z N^z *Edd.*: haeduum *CB*: edum *V*   factioni $A^8\theta$ *Edd.*: factionib' A^zN^zV: *om. CB*   Barcinae, *cf.* 21. 2. 4 *adn.*: barchinae (brach- *BK*) CB^1A^8 (arch- A^zN^z): barchinis *V*   14 ne $A^zN^zV\theta$ *Edd.*: *om. CB*   difficilior C(-ill- C^2)$BFrob.$2: difficilis $A^zN^zV\theta ald.$

patres conscriptos $CB.ald.Frob.$1.2: patres A^6VK, *quod oratoris uoces minus repraesentat*: proconsules A^zN^z(-sule)J ut (rebus) $CBA^6N^z\theta ald.Frob.$1.2: in A^z, *cf.* 27. 8. 7 *adn.*   15 atque $CBA^8N^zV\theta$: atque atque A^z

AB VRBE CONDITA XXX 42

dari; populum Romanum eo inuictum esse quod in secundis rebus sapere et consulere meminerit; et hercule mirandum fuisse si aliter faceret ; ex insolentia quibus noua bona fortuna sit impotentes laetitiae insanire: populo Romano usitata ac prope iam obsoleta ex uictoria gaudia esse ac plus paene parcendo uictis quam uincendo imperium auxisse —ceterorum miserabilior oratio fuit, commemorantium ex quantis opibus quo reccidissent Carthaginiensium res: nihil iis qui modo orbem prope terrarum obtinuerint armis superesse praeter Carthaginis moenia; his inclusos, non terra non mari quicquam sui iuris cernere; urbem quoque ipsam ac penates ita habituros si non in ea quoque, quo nihil ulterius sit, saeuire populus Romanus uelit. Cum flecti misericordia patres appareret, senatorum unum infestum perfidiae Carthaginiensium succlamasse ferunt per quos deos foedus icturi essent cum eos per quos ante ictum esset fefellissent. 'Per eosdem', inquit Hasdrubal 'quoniam tam infesti sunt foedera uiolantibus.'

16 inuictum (-ctam B) esse CB^1 uel $B^2A^zN^z$ (sed inuinct-)V: inuictum K rebus $CA^zN^zV\theta$ Edd.: om. B sapere $CB.ald.$ $Frob.$1.2: facere sapere A^zN^x(-ceret sap- N^z)$V\theta$ mirandum fuisse A^z(sed -dus)$N^zV\theta$ Edd.: mirandus (cf. 27. 17. 1 adn.) fuisses C B faceret $CB.ald.$: facerent $A^zN^zV\theta Frob.$1.2 (sed clarior per singularem est antithesis inter hominibus (§ 15) et p. R.) 17 noua bona $CBA^6\theta$ Edd.: noua A^zN^z: om. V obsoleta A^8(ops- A^z)N^z(ops-)$V\theta$ (ads- K): ex ipsa (opso- B) laeta BC (ex in P praesumpto, cf. 29. 5. 6 adn.): exoleta C^x uictis quam uincendo $BA^zN^zV\theta$: om. C (ultro fort. Puteani lineam neglegens, cf. c. 39. 1 adn.) 18 commemorantium $A^zN^zV\theta$ Edd.: commemoratio CB reccidissent CBV (reci- codd.) Edd.: reccidissent A^zN^z (reci-): retro isset θ iis (sed eis) $A^zN^zV\theta$ Edd.: his CB obtinuerint C(opt-)B(sed -runt), cf. de temp. var. 27. 17. 14 adn.: obtinuissent A^zN^z(opt-)$V\theta ald.$ $Frob.$1.2 19 moenia: his CBA^6K (men-): menia iis N^zJ (hiis): moenia A^zV: meniis N^{z2} 19 sui iuris CB^1 uel $B^2A^zV\theta$ Edd.: scii N^z (pro sancti?): sui uiris B? habituros $CBK.ald.$ $Frob.$1.2: habitaturos A^zN^zVJ non CBA^7 uel $A^8J.ald.Frob.$1.2: modo K: om. A^zV (cf. 27. 28. 6 adn.) ea $BA^zN^zV\theta Frob.$2: ea moenia CA^6 uel A^5(men-)$ald.$ (sed ea quoque moenia ald.) quoque quo $BA^zN^zV.ald.$(sed u. adn. praec.)$Frob.$2: quoque $C\theta$: quoque quibus A^6 uel A^5: cum C^x ut s. l. sit $CBA^6ald.Frob.$1. 2: om. $A^zN^zV\theta$ uelit $A^zN^zV\theta ald.Frob.$1.2, cf. §§ 10 et 18 et 27. 17. 14 adn.: uellet CB 20 senatorum $CBA^6ald.Frob.$1.2: senatorem $A^zN^zV\theta$

43 Inclinatis omnium ad pacem animis Cn. Lentulus consul,
2 cui classis prouincia erat, senatus consulto intercessit. Tum M'. Acilius et Q. Minucius tribuni plebis ad populum tulerunt uellent iuberentne senatum decernere ut cum Carthaginiensibus pax fieret; et quem eam pacem dare quemque
3 ex Africa exercitum deportare iuberent. De pace 'Vti rogas' omnes tribus iusserunt; pacem dare P. Scipionem,
4 eundem exercitum deportare. Ex hac rogatione senatus decreuit ut P. Scipio ex decem legatorum sententia pacem cum populo Carthaginiensi quibus legibus ei uideretur face-
5 ret. Gratias deinde patribus egere Carthaginienses, et petierunt ut sibi in urbem introire et conloqui cum ciuibus
6 suis liceret qui capti in publica custodia essent: esse in iis partim propinquos amicosque suos, nobiles homines, partim
7 ad quos mandata a propinquis haberent. Quibus conuentis cum rursus peterent ut sibi quos uellent ex iis redimendi potestas fieret, iussi nomina edere; et cum ducenta
8 ferme ederent, senatus consultum factum est ut legati Romani ducentos ex captiuis quos Carthaginienses uellent ad P. Cornelium in Africam deportarent, nuntiarentque ei

43 1 Cn. *BV.ald.Frob.*1.2 (*u. c.* 40. 9 *adn.*): c. $CA^8\theta$: consul A^zN^z
senatus consulto A^8?: s. c. C: *del.* C^x: senatui consulto BA^z
$N^z\theta$ (-ltum V)   2 M'. Acilius *Sigonius, cf. c.* 40. 9 *adn.*: m. atilius (*uel* att-) $CBA^8V\theta ald.Frob.$1.2 (miles at- A^zN^z)   exercitum $CBA^{z1}(A^z?)N^x$ *per ras.* $VK.ald.$: exercitus $A^z?N^zJFrob.$2, *minus recte, cf.* § 3 *et c.* 40. 14, 15 (*et de -s pro* -m 27. 17. 1 *adn.*)   3 De pace ... deportare *praebent* CBA^5 *Edd.* (*u. adn. sq.*): *om.* $A^zN^zV\theta$
rogas C, *Sigonium confirmans* (*cf. e.g.* 6. 38. 5; 33. 25. 7): rogatae erant $BFrob.$2 (*sed* erant *post* tribus *Frob.*2): rogassent A^5(-set)*ald.*: rogant C^5?   exercitum $CA^5ald.$: exercitus $BFrob.$2 (*cf.* § 2)
4 Ex hac $BA^zN^zV\theta$ *Edd.*: in hac C 5 egere CBA^8N^z
$V\theta$ *Edd.* (*sed* ege *patr. eg.* C. *Frob.*2: C. eg. patr. *ald.*): esse egere A^z
et petierunt $BA^zN^zV\theta$: petierunt C: petieruntque *ald.Frob.*
1.2   6 esse $BA^zN^zV\theta$ *Edd.*: *om.* C in iis *B.ald.Frob.*1.2: in his (hiis A^zJ) $CA^zN^xV\theta$ *et* his *in* § 7 *iidem*   7 conuentis BA^z
$N^zV\theta$ *Edd.*: coniectis C^x (*an* C^1?): concessis A^5: *quid habuerit C incertum est*   ducenta *Hertz*: ·cc· CBA^zN^z(*spat. v litt. post* cc *rel. hic*)$VFrob.$2: ducentos $\theta ald.$ 8 *post* ducentos (cc) *et ante* ex *spat. iv litt. reliquit* N^z, *qui et post* P. (*sc. ut pro siglo nomen plene insereretur*) *spat. iv litt. reliquit, cf.* §§ 9 *et* 11   Cornelium CBA^zN^z
V: cornelium scipionem $A^8\theta ald.Frob.$1.2, *cf.* 28. 39. 9. *adn.*

AB VRBE CONDITA XXX 43 8

ut, si pax conuenisset, sine pretio eos Carthaginiensibus redderet. Fetiales cum in Africam ad foedus feriundum ire 9 iuberentur, ipsis postulantibus senatus consultum in haec uerba factum est ut priuos lapides silices priuasque uerbenas secum ferrent ut, ubi praetor Romanus imperaret ut foedus ferirent, illi praetorem sagmina poscerent.—Herbae id genus ex arce sumptum fetialibus dari solet.

Ita dimissi ab Roma Carthaginienses cum in Africam 10 uenissent ad Scipionem, quibus ante dictum est legibus pacem fecerunt. Naues longas elephantos perfugas fugitiuos 11 captiuorum quattuor milia tradiderunt, inter quos Q. Terentius Culleo senator fuit. Naues prouectas in altum incendi 12 iussit; quingentas fuisse omnis generis quae remis agerentur quidam tradunt; quarum conspectum repente incendium tam lugubre fuisse Poenis quam si ipsa Carthago arderet. De perfugis grauius †quam de fugitiuis† consultum: 13

9 feriundum A^xN^x: feriendum $CBA^8V\theta$(faciendum K)ald.Frob.1.2, sed aptior hic forma antiqua   post s. c. reliquit N^x spat. iv litt.
    priuos A^xJ Edd.: primos A^6N^xVK et ut s. l. J^1: prius C uel C^1(piis $C\,?$)B silices $BA^xV\theta$ Edd.: siliquos CN^x(-icos)A^x priuasque Med. 3 ald.Frob.1.2: primasque $CBA^xN^x\theta$, cf. supra: primas V ut ubi Madvig, optime: et uti C: uti A^xN^xB(sed inter -t- et -i lineam aliquam crassam praebet B)V.ald.Frob.1.2: ubi θ ut uid.
    praetor Romanus $BA^xN^xV\theta$: praetor (populus C) romanus his C.ald.Frob.1.2   sagmina $C\theta$ald.Frob.1.2: sagminam BA^xN^x (-gn- hic)V: sanguinia J^1 ut s. l.   dari] hic $BA^xN^xV\theta$: ante fetialibus C.ald.Frob.1.2   10 est $BA^xN^x\theta$ Edd.: et C
11 Q. $BA^xN^xV\theta$ Edd. (u. c. 45. 5 adn.): om. C: reliquit post q. spat. v litt. N^x 12 agerentur $CA^6\theta$ Edd.: regerentur BA^xN^xV si C^1 ut uid. et $C^5BA^xN^xV\theta Frob$.2: si tum C Lov. 1 ald.
13 †quam de fugitiuis† $CBA^xN^xV\theta ald.Frob$.1.2. Hunc locum corruptum esse primus admonuit U. Koehler citando Val. Max. 2. 7. 12 (ubi fertur Romanos 'tamquam patriae fugitiuos' crucibus adfixos et in eos grauius 'quam in Latinos transfugas' animaduersum esse) et coniciendo hic de perfugis (grauiter ac de Romanis quidem) grauius ⟨tam⟩quam de fugitiuis uel sim.: Kohlerii uestigiis insistens et lineam unam supplens (cf. 26. 6. 16 adn.) uolebat Walters de ⟨R.⟩ perfugis grauius quam de ⟨Latinis tamquam de⟩ fugitiuis (ubi et ante tamquam utique desideraturus erat Johnson); hoc cum clausula sq. nominis L. . . . sublati coniunctum Johnsonio displicet, qui malit nihil nisi tam-ante quam addere, grauius⟨tam⟩quam de fugitiuis scribendo, praecipue de Romanis perfugis Liuium hoc scripsisse ratus, tum addidisse in Latinos minus seruiliter animaduersum esse

nominis Latini qui erant securi percussi, Romani in crucem sublati.

44 Annis ante quadraginta pax cum Carthaginiensibus postremo facta erat, Q. Lutatio A. Manlio consulibus. Bellum initum annis post tribus et uiginti, P. Cornelio Ti. Sempronio consulibus, finitum est septimo decimo anno, Cn. Cornelio P. Aelio consulibus. Saepe postea ferunt Scipionem dixisse Ti. Claudi primum cupiditatem, deinde Cn. Corneli fuisse in mora quo minus id bellum exitio Carthaginis finiret.

Carthagini cum prima conlatio pecuniae diutino bello exhaustis difficilis uideretur, maestitiaque et fletus in curia esset, ridentem Hannibalem ferunt conspectum. Cuius cum Hasdrubal Haedus risum increparet in publico fletu cum ipse lacrimarum causa esset, ' Si, quemadmodum oris habitus cernitur oculis ', inquit ' sic et animus intus cerni posset, facile uobis appareret non laeti sed prope amentis malis cordis hunc quem increpatis risum esse; qui tamen nequaquam adeo est intempestiuus quam uestrae istae absurdae atque abhorrentes lacrimae sunt. Tunc flesse decuit cum

---

44 1 Lutatio $CBA^xN^z J$: luctatio $VK.ald.Frob.$ 1.2; *cf.* 21. 18. 8 *adn.*   A. Manlio $BA^xKFrob.$2, *cf. C.I.L.* I². 1. *p.* 138 (*a.u.c.* 513): cum alio C: cn̄ manlio C^5: a man-(*uel* mann-)ilio $N^z J$: a. posthumio *ald.*: m. manlio V 2 Ti. B (*cf. e.g.* 21. 6. 3): t. CA^xN^zVK *ald.Frob.*1.2: tito J Cn. Cornelio C?(*sed* cn. *nunc non potest legi*)$A^8V\theta$ (*cf. c.* 40. 9): consule cornelio A^xN^z: cn. B
Aelio CK(el-)*ald.*: Aelio Paeto *Frob.*2, *sed cum hic alia desunt cognomina tum ab praetore illo P. Aelio non erat cur hic consul distingueretur* (*cf. c.* 41. 2): clio peto V: emilio peto (paeto) BA^xN^zJ 3 Ti. C (*cf. c.* 38. 6): t. *ald.Frob.*1.2 *et* (*cum* claudium, *u. sq.*) $A^n\theta$: et $BA^xN^z V$ cupiditatem, deinde Cn. Corneli (*uel* -ii : -ium V) $CV.ald.Frob.$1.2: cupiditate dein (*sed* deinde N^zK) cn. (*sed* consul N^z: consul' A^x: c. A^x) cornelium (-lii BA^xN^z: -lium A^6N^{z2})$BA^xN^z\theta$ finiret $CA^xN^zVJFrob.$2: finiretur BN^{z2} $K.ald.$ 4 Carthagini] -ni BA^xN^z, *cf.* 28. 26. 1 *adn.*: -ne C: -niensibus $A^6V\theta$(-nens- K)*ald. Frob.*1.2   prima CBA^zV: primo $N^z\theta$ Haedus] *u. c.* 42. 12
6 posset $CBVFrob.$2: potuisset $A^xN^z\theta ald.$ amentis B $A^xN^zV\theta$: amantis C increpatis $C.ald.Frob.$1.2: increpitas $BA^xN^zV\theta$ intempestiuus] -uus $CBA^8\theta$ *Edd.*: -ue A^xV: -uis N^z quam $BA^8N^zV\theta ald.Frob.$1.2: inquam A^x: *om. C*

adempta sunt nobis arma, incensae naues, interdictum externis bellis; illo enim uolnere concidimus. Nec est cur uos otio uestro consultum ab Romanis credatis. Nulla 8 magna ciuitas diu quiescere potest; si foris hostem non habet, domi inuenit, ut praeualida corpora ab externis causis tuta uidentur, suis ipsa uiribus onerantur. Sed tan- 9 tum nimirum ex publicis malis sentimus quantum ad priuatas res pertinet, nec in iis quicquam acrius quam pecuniae damnum stimulat. Itaque cum spolia uictae Carthagini 10 detrahebantur, cum inermem iam ac nudam destitui inter tot armatas gentes Africae cerneretis, nemo ingemuit: nunc 11 quia tributum ex priuato conferendum est, tamquam in publico funere comploratis. Quam uereor ne propediem sentiatis leuissimo in malo uos hodie lacrimasse!' Haec Hannibal apud Carthaginienses.

Scipio contione aduocata Masinissam ad regnum pater- 12 num Cirta oppido et ceteris urbibus agrisque quae ex regno Syphacis in populi Romani potestatem uenissent adiectis donauit. Cn. Octauium classem in Siciliam ductam Cn. 13

---

7 Nec est cur *Madv. Em. p.* 440 (nec est causa cur *Weissenb.*): necesse est ne *CB*: necesse in B^1 *uel* $B^2A^zN^zV\theta$ *et* (*sed* nec esse in) *ald.Frob.*1.2; *scil. postquam uoces* nec est *per errorem* 'architectonicum' (*cf.* 27. 20. 8 *adn.*) *in* necesse est *corruptae sunt, cur in* ne *correctum est; alia alii*   otio *C*: odio $BA^zN^zV\theta ald.Frob.$1.2   8 diu *C Lov.* 1 *ald.Frob.*1.2 ('*abest ab Edd.*' *Drak. per errorem*): *om.* $BA^zN^z V\theta$ quiescere $CA^zV\theta$ *Edd.*: quae sciri *B*: sciri N^x *per ras.*: ēsciri N^z, *praecedente spat. ii litt. ubi aliquid erasum est*   si $CBA^z N^z V\theta$ *Edd.*: q́ (= quia?) si N^{z2} ab $BA^6?N^zV\theta$ *Edd.*: cum ab *C* suis ipsa uiribus onerantur (*praeposito* sed) $BA^zN^zV\theta$ (*sed om.* ipsa $V\theta$): *om. C* (sed *cum sqq. coniuncto*)   9 Sed] *huc reposui uestigiis Colbertini insistens* (*u. adn. praec.*): *praebent* sed *ante* suis (§ 8) $BA^zN^zV\theta$ *Edd., quo tamen in loco A syndeton Aduersatiuum uidetur paene necesse esse*: *malit* sed *delere Johnson*   quam $CA^8N^{z2}?\theta$ *Edd.*: *om.* BA^zN^zV 10 uictae *CFrob.*1.2: uictoriae $BA^zN^z(-ie)\theta ald.$: uirtute *V*   iam $BA^zN^zV\theta ald.Frob.$1.2: *om. C*   cerneretis $BA^8N^z V\theta$: cernetis A^z (*non* -entis): cernatis *C*: cernebatis *Schenkl, sed uoces* cum ... detrahebantur, cum ... iam ... cerneretis *optima rhetoris arte plenae sunt*   11 hodie $BA^zN^zV\theta$ *Edd.*: *om. C* (*cf.* § 10 iam)   Hannibal] *hic* $BA^zN^zV\theta$ *Edd.*: *post* Cart. *C*
12 Cirta $CBA^zV\theta$ (cyr- θ): circa N^z (*cf. c.* 12. 3)   13 Cn. (*bis*) *recte CB*: *uariant ceteri ut sup.* §§ 2, 3

XXX 44 13   TITI LIVI

Cornelio consuli tradere iussit, legatos Carthaginiensium Romam proficisci ut quae ab se ex decem legatorum sententia acta essent ea patrum auctoritate populique iussu
45 confirmarentur. Pace terra marique parta, exercitu in naues
2 imposito in Siciliam Lilybaeum traiecit. Inde magna parte militum nauibus missa ipse per laetam pace non minus quam uictoria Italiam effusis non urbibus modo ad habendos honores sed agrestium etiam turba obsidente uias Romam peruenit triumphoque omnium clarissimo urbem est in-
3 uectus. Argenti tulit in aerarium pondo centum uiginti tria milia. Militibus ex praeda quadringenos aeris diuisit. Morte
4 subtractus spectaculo magis hominum quam triumphantis gloriae Syphax est, Tiburi haud ita multo ante mortuus, quo ab Alba traductus fuerat. Conspecta tamen mors eius
5 fuit quia publico funere est elatus.—Hunc regem in triumpho ductum Polybius, haudquaquam spernendus auctor, tradit.—
Secutus Scipionem triumphantem est pilleo capiti imposito Q. Terentius Culleo, omnique deinde uita, ut dignum erat,
6 libertatis auctorem coluit. Africani cognomen militaris prius fauor an popularis aura celebrauerit an, sicuti Felicis Sullae Magnique Pompeii patrum memoria, coeptum ab

13 ab se *K.ald.Frob.*1.2 (*cf.* 27. 2. 9 *adn.*): ab *C*: a se *BA^{z}N^{z}J*: ad se *V*
45 1 parta *CBA^{z}Vθ*: pacta *N^z*   Lilybaeum *BA^{z}K.ald.Frob.*1.2, *cf.* 25. 31. 12 *et* 14 (*Put.*): lilibeum *CN^{z}J*   2 militum ... ipse per *praebent BA^{z}N^{z}Vθ* (*et u. sq.*): *om. C*   nauibus *B*: in nauibus *A^{z}N^{z}VJ.ald.Frob.*1.2: in naues *K*   pace *C^{x}BA^{z}N^{x}Vθ Edd.*: pacē *CN^z*, *cf.* 26. 40. 11 *adn.*   ad habendos *BA^{z}N^{z}Vθ* (adhib- *C*)   3 pondo *CA^{8}Vθ Edd.*: pondera *A^{z}N^z*: *om. B*
cxxiii *B*: cxxxiii milia *C*: c. milia xxiii (*uel plene uel siglis*) *A^{z}N^{z}Vθ ald.Frob.*1.2   quadringenos *CV* (*hic* -ige-): quadragenos *BA^{z}N^z θald.Frob.*1.2   4 Tiburi *C* (*cf. c.* 44. 4 *et* 28. 26. 1 *adn.*): tybure *A^8?Vθ*: tibur *B*(*membrana post* -r *detrita*)*N^z*: tybur *A^z*   haud ita *CA^{6}Vθ Edd.*: haud | dita *B*: audita *A^{z}N^z*   quo ab *CBA^6? Vθ*: quib *A^{z}N^z* (*sed* q balba *N^z*)   tamen mors *CN^z*: mors tamen *BA^{z}Vθald.Frob.*1.2   quia *CBA^{z}Vθ*: quā *N^z*
5 Polybius *B* (*ut Bamb. in* 33. 10. 10): polibius *CA^{z}N^{z}θ*   im-(*uel* in-)posito *BA^{z}N^{z}Vθ*: impositoq. *C*   6 aura *CZ.ald.Frob.*1.2: aurae (*uel* -re) *BA^{z}N^{z}θ*: ante *V*   Sullae (*sed* syll-) *CBV J*: sille *A^{z}K*: ille *N^z*

adsentatione familiari sit parum compertum habeo; primus 7
certe hic imperator nomine uictae ab se gentis est nobilitatus; exemplo deinde huius nequaquam uictoria pares
insignes imaginum titulos claraque cognomina familiarum
fecerunt.

6 adsentatione (*uel* as-) CB^1(-senati- BA^z)$A^6\theta$: se natione N^z:
assentatore V 7 ab se C (*cf. c.* 44. 13): a se $BA^zN^zV\theta$
uictoria $B^1A^zN^zV\theta$: uictoriae CB? pares $BA^zN^zV\theta$: patres C
familiarum CA^z?: familiae (*uel* -ie) $BA^{z1}?N^zV\theta ald.Frob.$
1.2 fecerunt C: fecere $A^{z1}\theta ald.Frob.$1.2: liquerunt B: *om.* A^z
N^z: sunt V: ceperunt *Madv. Em. p.* 441: *alia alii, non necess.*

Subscriptiones: titi liuii ab urbe condita liber xxx explicit feliciter
CB (*add.* amen C): *nullae ab A^zN^z scriptae*